壁式鉄筋コンクリート造
設計・計算規準・同解説

AIJ Standard for Design and Calculation of
Reinforced Concrete Box-shaped Wall Structures

2025

日本建築学会

本書のご利用にあたって
　本書は，作成時点での最新の学術的知見をもとに，技術者の判断に資する技術の考え方や可能性を示したものであり，法令等の補完や根拠を示すものではありません．また，本書の数値は推奨値であり，それを満足しないことが直ちに建築物の安全性を脅かすものでもありません．ご利用に際しては，本書が最新版であることをご確認ください．本会は，本書に起因する損害に対しては一切の責任を有しません．

ご案内
　本書の著作権・出版権は(一社)日本建築学会にあります．本書より著書・論文等への引用・転載にあたっては必ず本会の許諾を得てください．
Ⓡ〈学術著作権協会委託出版物〉
　本書の無断複写は，著作権法上での例外を除き禁じられています．本書を複写される場合は，学術著作権協会（03-3475-5618）の許諾を受けてください．

　　　　　　　　　　　　　　　　　　　　　　　　一般社団法人　日本建築学会

改定にあたって

「壁式鉄筋コンクリート造設計・計算規準・同解説」(以下,設計・計算規準という)は,「壁式鉄筋コンクリート造設計規準・同解説」および「壁式鉄筋コンクリート造計算規準・同解説」ならびに「壁式プレキャスト鉄筋コンクリート造設計規準・同解説」をまとめるとともに,新たに保有水平耐力計算を追加して活用しやすい設計・計算規準として2015年に刊行している.

刊行以降,壁式鉄筋コンクリート造設計・計算規準検討小委員会を設置し,設計・計算規準の改定作業を行ってきたところである.また,刊行の翌年の2016年4月には,震度7を2回経験する熊本地震が発生したが,調査した壁式鉄筋コンクリート造建物(現場打ち壁式鉄筋コンクリート造建物525棟,プレキャスト壁式鉄筋コンクリート造建物4棟)において,無被害463棟,軽微65棟,小破1棟,中破および大破0棟となっており,過去の被害地震の際と同様に耐震性能が高いことが実証されている.

今回の主な改定内容は,以下のとおりである.
(1) 水平荷重時応力解析を平均せん断応力度法による場合も,個々の耐力壁には短期荷重時においてせん断ひび割れ発生を防止するために,個々の耐力壁に生じるせん断力の算定式を記載した.
(2) 鉄筋の定着に関して,長期荷重時および短期荷重時における検討式を追加した.
(3) 極めて稀に発生する地震時においても,上部構造と同様に基礎(基礎スラブ,パイルキャップならびに杭)にも過大な損傷の発生を防止することが,地震後の建物の継続使用性を確保する上で重要と考え,10.5.6項に基礎の保証設計を追記した.なお,基礎の保証設計は,未だ一般的ではないことを考慮し,行うことが望ましいとの表現としている.
(4) 付録を充実し,計算ルート1の建物が長期優良住宅認定条件の内の耐震等級2を満たすに必要となる条件を検討した資料を,付8.および付11.に追加した.
　　また,付9.には,実大壁式架構試験体を対象としたモデル化に関する解析検討結果を,付10.に壁式RC造建物の応答値に及ぼす相互作用の影響の検討事例を追記した.
(5) 日本産業規格 JIS G3112 の改正に伴い,SD295A,SD295B を SD295 に修正した.

以上,今回改定は,次の基本事項に基づき構成されており,本設計・計算規準に従って設計,計算される壁式鉄筋コンクリート造(プレキャスト壁式鉄筋コンクリート造を含み,以下同様とする)は,告示の規定に基づいて設計された壁式鉄筋コンクリート造と同等以上の構造性能を有していると言える.
 1) コンクリートを積極的に拘束しない鉄筋コンクリート造部材から構成される壁式鉄筋コンクリート造を対象としている.
 2) その高い耐震性を,構造特性係数にして0.5以上(保有水平耐力計算を行う場合は0.45以上)

の高い水平耐力，標準せん断力係数 0.2 に対する層間変形角を 1/2 000 以下とする高い水平剛性により実現している．

3）さらに，両方向にバランス良く耐力壁が配置されることにより，たとえ 1 方向の耐力壁がせん断破壊に至り，鉛直支持能力が低下しても，他方向の健全な耐力壁がこの鉛直力の一部を負担できる構造としている．

4）基礎の保証設計をできる限り行うことにより，極めて稀に発生する大地震時においても，上部構造とともに基礎の損傷を低減することが可能であり，大規模な補修をせずに建物の継続使用が可能となる．

2025 年 2 月

日本建築学会

壁式鉄筋コンクリート造設計・計算規準作成にあたって

　本会では，1952（昭和 27）年に鉄筋コンクリート壁式構造の設計規準を刊行した．壁式鉄筋コンクリート造は，簡便な設計と高い耐震性・耐火性により，これまで我が国の集合住宅用の構造として広く用いられてきている．本構造は，平均せん断応力度法に基づく許容応力度計算などの簡便な計算方法と，壁量の規定をはじめとする様々な構造規定（構造仕様）により，使用性はもとより構造安全性を実現してきた．このような高い構造安全性は，これまでの多くの被害地震でもほとんど被害が無かったこと，特に 1995 年兵庫県南部地震において震度Ⅶを記録した激震地でも，その構造的被害は極めて小さかったことにより実証されている．一方，壁式プレキャスト鉄筋コンクリート造設計規準は，本会より 1965（昭和 40）年に初版が刊行され，新耐震設計法が導入された 1981（昭和 56）年の翌年の 1982（昭和 57）年に第一次改定版が刊行されている．壁式プレキャスト鉄筋コンクリート造は，工場にて製作されたプレキャスト鉄筋コンクリート造による耐力壁板とスラブを現場にてプレキャスト接合部を介して一体化した構造であり，先に刊行されている壁式鉄筋コンクリート造の設計規準により設計・建設された壁式鉄筋コンクリート造建物と同等の構造安全性を有することを実大 5 層立体耐震実験結果等を踏まえて開発された構造である．壁式プレキャスト鉄筋コンクリート造建物は，1995 年兵庫県南部地震においても地盤変状により被害が生じたものを除き，構造的被害は極めて小さかったことから，現場打ちの壁式鉄筋コンクリート造と同様に耐震性が優れていることが実証されている．

　上記のように，現場打ちの壁式鉄筋コンクリート造や壁式プレキャスト鉄筋コンクリート造建物は，耐震性は優れてはいるものの，簡便な設計手法の対価として本構造の設計自由度は大きく制限され，今日の多様な生活様式に対応することが困難となりつつある状況にあった．本構造のように非常に耐震的な建物をこれまで以上により使いやすいものとし，さらに普及させるために構造規定の緩和が望まれていた．このような要望を受けた形で，本会では壁式鉄筋コンクリート造計算規準（案）を 1989 年に，また同計算規準を 1997（平成 9）年に刊行し，階高制限の緩和，整形性制限の緩和，地震地域係数やコンクリートの設計基準強度の上昇による壁量の低減を平 13 年国土交通省告示第 1026 号に先立ち可能としてきた．

　2000（平成 12）年 6 月に構造規定の性能規定化を趣旨とする建築基準法および同施行令の大幅な改正がなされた．この改正に伴い，壁式鉄筋コンクリート造の技術基準（昭和 58 年建告第 1319 号）も 2001（平成 13）年 6 月に平 13 国交省告示第 1026 号として改正された．同告示の主な改正点は，以下のとおりである．

1) 階高が 3 m から 3.5 m に，軒高が 16 m から 20 m に緩和された．
2) 地震地域係数やコンクリートの設計基準強度の上昇による壁率，壁量の低減が図られた．
3) 構造規定を緩和する際の計算方法が明確にされた．
4) 単位系が国際単位系 SI に変換された．

2001年以降，現場打ちの壁式鉄筋コンクリート造に関しては，本会の壁式鉄筋コンクリート造設計規準，壁式鉄筋コンクリート造計算規準，平13国交省告示第1026号の3つの基・規準類が存在することになった．
　それぞれの規定の関係は，以下のように整理される．
1）階高の規定：本会設計規準が最も厳しく（原則3m以下），次いで本会計算規準（3m超で特別な計算が必要），告示（3.5m超で保有水平耐力計算等が必要）の順になっている．本会設計規準の階高を改定前と同じとしたのは，設計規準が構造規定と簡便な計算により構造安全性を確保できる規準であり，その利点を残すことを意図したものである．計算規準では，階高の上限を4.0mとしているが，これは通常の住宅を対象としている本構造の適用範囲を考慮したものである．その際，剛性の確保，総曲げ抵抗モーメントの確保を規定している．階高4.0mを超える場合は告示と同様に，保有水平耐力の検討を行うことになる．
2）壁率・壁量規定：本会設計規準のみがコンクリートの設計基準強度による壁量低減を認めていないが，これも，設計規準が構造規定と簡便な計算により構造安全性を確保できる規準であり，その利点を残すことを意図したものである．設計基準強度のより高いコンクリートの使用によりせん断強度の上昇は期待できるが，壁式鉄筋コンクリート造のもう一つの特徴である剛性の確保に疑問があるためである．本会計算規準は，告示の規定と同様にコンクリートの設計基準強度による壁量低減を認めているが，剛性の確保に対する配慮を必要としている．
3）耐力壁の規定：本会設計規準および計算規準の方が，より慎重を期した規定となっている．しかし，これは，通常の壁式鉄筋コンクリート造の範囲では実質上問題とならない規定である．
4）壁梁のせい：本会設計規準および計算規準では出入口などの上部の短スパン梁は，せいの緩和を許容しているが，大部分の壁梁せいを小さくすることは許容していない．これは，壁梁せいが小さくなると，剛性や強度の確保が通常の規定のままでは困難になるとの判断に基づいている．その他，主筋径やその配置に対する緩和規定が告示にはあるが，本会設計規準や計算規準では設けていない．これも，通常の壁式鉄筋コンクリート造の適用範囲では実質上問題とならないとの判断によるものである．
　一方，1982（昭和57）年に本会より刊行された壁式プレキャスト鉄筋コンクリート造設計規準は昭和58年建告第1319号の規定に適合するものであるが，同設計規準の改定は1982年以降行われてこなかった．今回刊行の壁式鉄筋コンクリート造設計・計算規準は，設計規準，計算規準ならびに壁式プレキャスト鉄筋コンクリート造設計規準をまとめるとともに，新たに保有水平耐力計算を追加して活用し易い設計・計算規準として新たに刊行することとしたものである．
　なお，本設計・計算規準作成に際して，上記3規準の構造規定の改定内容は，下記のとおりである．
（1）プレキャストRC造部分と現場打ちRC造部分が一体化したハーフプレキャスト造の壁梁およびスラブを適用範囲内とした．
（2）目標構造性能を追加した．
（3）保有水平耐力を原則確認することとし，一定の条件を満たす場合は保有水平耐力の確認は

不要とすることとした．
（4）　壁式プレキャスト鉄筋コンクリート造関連の規定およびプレキャスト接合部の設計を追加した．
（5）　計算規準に記載の［補足］は，本文または［解説］へ移動した．
（6）　保有水平耐力を確認する建物においては，壁量や壁率の規定値を下回り結果として長さの短い耐力壁・壁梁接合部が存在することから，耐力壁・壁梁接合部の長さ規定やせん断力に対する設計を追加した．これに伴い，耐力壁と壁梁の交差隅角部の斜め補強筋は不要とした．
（7）　応力・変形解析において，開口部を挟む2以上の耐力壁を一つの等価な耐力壁に置換する場合の開口による低減率や開口部周囲の補強設計等は，鉄筋コンクリート構造計算規準・同解説（2010年版）によることとした．
（8）　計算規準に規定していた標準せん断力係数 $C_0=0.2$ 以上の短期荷重時における耐力壁の平均せん断応力度の検討は，耐力壁の短期荷重時のせん断応力度がコンクリートの短期許容せん断応力度以下となることを確認することから，削除した．
（9）　付着・継手ならびに定着について，鉄筋コンクリート構造計算規準・同解説（2010年版）を参考に，所要の改定を行った．

以上，今回刊行の壁式鉄筋コンクリート造設計・計算規準は，次の基本事項に基づき構成されており，本設計・計算規準に従って設計，計算される壁式鉄筋コンクリート造（プレキャスト壁式鉄筋コンクリート造を含み，以下同様とする）は，告示の規定に基づいて設計された壁式鉄筋コンクリート造と同等以上の構造性能を有していると言える．

1）コンクリートを積極的に拘束しない鉄筋コンクリート造部材から構成される壁式鉄筋コンクリート造を対象としている．
2）その高い耐震性を，構造特性係数にして0.5以上（保有水平耐力計算を行う場合は0.45以上）の高い水平耐力，標準せん断力係数0.2に対する層間変形角を1/2 000以下とする高い水平剛性により実現している．
3）さらに，両方向にバランス良く耐力壁が配置されることにより，たとえ1方向の耐力壁がせん断破壊に至り，鉛直支持能力が低下しても，他方向の健全な耐力壁がこの鉛直力の一部を負担できる構造としている．

2015年12月

　　　　　　　　　　　　　　　　　　　　　　　　　　　　　　　　　　　　　日本建築学会

壁式構造関係設計規準集
序
(1997)

　本規準集は，日本建築学会が1952年（昭和27年）に当時急速に発達をみた各種コンクリートブロック造，組立式鉄筋コンクリート造，鉄筋コンクリート壁式構造（後に壁式鉄筋コンクリート造と改称），軽量コンクリートを用いた各構造，ならびに従来からあって規準化されていなかった石造・れんが造等の各種構造の設計法についてそれぞれ設計規準を制定し，それらを集成した「特殊コンクリート構造設計規準・組積造設計規準」に源を発するものである．その後同規準は幾多の内容，名称の変遷を経て，1989年制定の「壁構造関係設計規準」に至っている．

　制定当時の規準集の内容は，特殊コンクリート構造として，1. 補強コンクリートブロック造，2. 型枠コンクリートブロック造，3. コンクリートブロック帳壁構造，4. 組立鉄筋コンクリート造，5. 鉄筋コンクリート壁式構造，6. 鉄筋軽量コンクリート造，7. 鉄骨軽量コンクリート造，8. 鉄筋軽量コンクリート壁式構造，があり，その他に無筋の組積造設計規準があった．これらの構造法は通常の鉄筋コンクリート構造に比べて設計・施工は特に入念な注意を必要とするものであったことから，「特殊」なコンクリート構造として扱われた．以後，1955年，1964年，1979年，1983年，1989年の5次にわたり改定が行われて，逐次規準の整備がなされた．本来，この規準集は独立した各種構造の設計規準の集成であることから，1964年改定では組積造も含めて規準集の総称を「特殊コンクリート造関係設計規準・同解説」に改めている．1989年の改定では，包含する規準の見直しを行い，使用されなくなった旧規準を付録に回し，新たに壁式鉄筋コンクリート造計算規準（案）を追加するなどの改定を行った．また名称も「特殊」という呼び名が長年の実績により一般的構造として定着されており，構造の大半が耐力壁によって構成されるものであることから，書名を「壁構造関係設計規準・同解説」と変更した．

　近年本構造の調査，研究も急速に進み，また新材料，新工法の開発，特に1984年度から1988年度にわたり建設省建築研究所を中心として行われた組積造に関する日米共同大型耐震実験研究の成果などを反映して，長期にわたる施工経験とあいまって規準改定の必要が生じた．本会では数年来改定作業を進めていた．その間，1995年に阪神・淡路大震災が生じ，それにおける壁構造の被害調査などに時間を費やしたが，成案を見たので発表するに至った．改定にあたっては，各規準に掲載続行の可否も検討して規準の制定・廃止を行い，名称を「壁式構造関係設計規準集・同解説」として刊行することにした．改定の方針は以下のようである．

　a）前回の改定以降の最新の研究・開発等の諸成果を規準類に反映させるとともに，関連する日本工業規格，鉄筋コンクリート構造計算規準，JASS 5 などの改定に整合させること．

　b）壁式鉄筋コンクリート造については，1989年版で設計規準に自由度を持たせるため追加した計算規準（案）を整備し，計算規準とすること．

　c）コンクリートブロック造関係については，その後の研究の成果を取り入れて規準の見直しを行うこと．

主な改定要旨を次に示した．

（1） 建築用コンクリートブロックを使用する各種のコンクリートブロック造の規準全般について，関連の JIS A 5406（建築用コンクリートブロック）の規定が大幅改定されたことを反映させた．併せて全規準について鉄筋の記号を JIS G 3112，3117 に合わせて訂正した．

（2） 補強コンクリートブロック造，型枠コンクリートブロック造建築物については，阪神・淡路大震災における被害が僅少であったことから，壁量・配筋規定の見直しを行って，一部緩和など，より合理的な壁量，配筋規定とした．従来曖昧であった設計の原則を設けて設計方針を明確にした．また建築物の重量規定を設けて用途を限定しないこととした．

（3） 型枠コンクリートブロック造については，研究の進展に伴い，現行の3階建までの規準のほかに，5階建まで設計可能な「中層型枠コンクリートブロック造設計規準」を新たに追加した．現行規準については材料強度に組積体強度の概念を導入し，より合理的な設計を可能とした．配筋の一部を見直して合理化した．補強コンクリートブロック造と同様に建築物の重量制限を設けた．また従来，第1種，第2種の別があったものを，第1種を通常の型枠コンクリートブロック造とし，第2種は特殊型枠コンクリートブロック造として付録に回し別扱いとした．

（4） 壁式鉄筋コンクリート造については，前回の改定で構造規定が主となっている現行の設計規準を補完する計算規準（案）を追加し，他の壁式諸規準類のモデルコードとして社会的評価を確立してきた．阪神・淡路大震災における被害僅少の事実等を参照し，より耐震性能を確保しかつ設計の自由度を持ち得る合理的な計算法として整備した計算規準に改めた．

（5） コンクリートブロック帳壁構造については，多用される鉄筋コンクリート造建築物の地下階等における最大支点間距離の制限を現行の3.5mから4.2mまで可能な規定に変更した．

（6） コンクリートブロック塀については，阪神・淡路大震災でも倒壊が極めて多く，社会的に問題化している．倒壊に強い簡易杭工法などを基礎設計に取り入れられる規定を盛り込んだ．

（7） 従来掲載していたプレキャストコンクリート組立床構造については，現実にこの規準によって設計・施工されることが少ないことから本編より外し付録に回した．

　　また，規準集の刊行スタイルとして，従来全ての規準類を1冊にまとめていたが，使用者の便宜を考え，壁式鉄筋コンクリート造編とメーソンリー編の2分冊とした．

1997年11月

日本建築学会

壁式鉄筋コンクリート造編
序
(1997)

　本規準集は前版までは「壁構造関係設計規準・同解説」(1989 年版)として 8 規準を 1 冊に合本されていたものを，使用者の利便を考慮して，「壁式鉄筋コンクリート造編」および「メーソンリー編」の 2 分冊としたものである．「壁式鉄筋コンクリート造編」には構造規定を主とする「壁式鉄筋コンクリート造設計規準」と，計算を主とする「壁式鉄筋コンクリート造計算規準」の 2 規準を掲載している．それらの規準の成立と経緯の概略を述べる．

　本会は 1952 年 (昭和 27 年)に「鉄筋コンクリート壁式構造設計規準」を発表した．これは平面・立面とも比較的整形な中層共同住宅を対称として，設計は「平均せん断応力度法」を基本に，難しい構造計算によらず，主として「壁量」によって耐震性能を確保するものである．規模は当初 4 階建以下，軽量コンクリートによるものは 3 階建以下とされた．当時のコンクリート設計基準強度 F_c の下限値は，普通コンクリートで，$135\,\mathrm{kgf/cm^2}$，軽量コンクリートで $75\,\mathrm{kgf/cm^2}$ であった．地下階と基礎での天然軽量骨材コンクリートの使用は認められていない．同規準は 1955 年に「壁式鉄筋コンクリート造設計規準」と改称され改良が加えられた．1964 年改定において，軽量コンクリートの品質向上に伴い $F_c \geq 120\,\mathrm{kgf/cm^2}$ のものは普通コンクリートと同様の扱いとされた．天然軽量骨材コンクリートの使用箇所制限は従前と同様である．1979 年に規模を 5 階建までに改定し，5 階建の地下階，1，2 階で $F_c \geq 180\,\mathrm{kgf/cm^2}$ に引き上げられた．軽量 1 種および 2 種コンクリートについても同上の強度のものは同じ扱いとなった．1983 年改定にはすべて $F_c \geq 180\,\mathrm{kgf/cm^2}$ とされた．このように「設計規準」は多少の修正はあったが設計法の基本的な変化はなく，この規準によって建設された全国の多数の共同住宅建築物は一貫して過去の多くの地震においてほとんど被害がなかったことが報告されている．1995 年の阪神・淡路大震災においても壁式鉄筋コンクリート造の建築物の被害は極めて僅少にとどまり，本構造の耐震性の信頼度を高めた．

　以上，「設計規準」による建築物は公営・公団住宅のみならず民間を含む共同住宅建築物のモデルとなってきたが，社会の発展・多様化に伴う設計自由度の要求に対応するため，1989 年改定では設計規準とは別に「壁式鉄筋コンクリート造計算規準(案)」が制定された．これは構造規定を主とする従来の設計規準を補完し，設計の自由度を持つ標準的計算法の確立を目的としてものである．

　今次の改定においては，構造規定を主とする「設計規準」は若干の修正と解説の見直しを行ったうえで簡便な設計法として維持し，「計算規準(案)」は，より合理的な「計算規準」として体裁・内容を整備して充実を図ったものである．この両規準は，使用者の設計方針・意図によって自由に比較・選択され得る．このことが結果として壁式鉄筋コンクリート造の設計法の改良と発展に貢献されることを期待する．

1997 年 11 月

日 本 建 築 学 会

改定にあたって
(2003)

　本会では，昭和27年に鉄筋コンクリート壁式構造の設計規準を刊行した．壁式鉄筋コンクリート造は，簡便な設計と高い耐震性・耐火性によりこれまで我が国の集合住宅用の構造として広く用いられてきている．本構造は，平均せん断応力度法に基づく許容応力度計算などの簡便な計算方法と，壁量の規定をはじめとするさまざまな構造規定（構造仕様）により使用性はもとより構造安全性が実現されてきた．このような高い安全性は，これまで多くの被害地震でもほとんど被害がなかったこと，特に1995年兵庫県南部地震において震度Ⅶを記録した激震地でもその構造的被害は極めて小さかったことにより実証されている．しかしながら，簡便な設計手法の対価として本構造の設計自由度は大きく制限され，今日の多様な生活様式に対応することが困難となりつつある．本構造のように非常に耐震的な建物をより以上に使いやすいものとし，さらに普及させるために構造規定の緩和が望まれていた．このような要望を受けた形で，本会では壁式鉄筋コンクリート造計算規準を平成9年に刊行し，階高制限の緩和，整形性制限の緩和，壁量の地震地域係数やコンクリート強度の上昇による低減を平13年国土交通省告示第1026号に先立ち可能としてきた．

　平成12年6月に構造規定の性能規定化を趣旨とする建築基準法および同施行令の大幅な改正があった．この改正に伴い壁式鉄筋コンクリート造の技術基準（昭和58年建告第1319号）も平成13年6月に平13国交省告示第1026号として改正された．主な改正点は以下のとおりである．
 1) 階高が3mから3.5mに，軒高が16mから20mに緩和された．
 2) コンクリートの設計基準強度の上昇による壁率，壁量の低減が図られた．
 3) 構造規定を緩和する際の計算方法が明確にされた．
 4) 単位系が国際単位系SIに変換された．

　ここに，本会の壁式鉄筋コンクリート造設計規準，計算規準，平13国交省告示第1026号の3つの基規準類が存在することになる．それぞれの規定の関係は，以下のように整理される．
 1) 階高の規定：本会設計規準が最も厳しく（原則3m以下），次いで本会計算規準（3m超で特別な計算が必要），告示（3.5m超で保有水平耐力計算等が必要）の順になっている．本会設計規準の階高を改定前と同じとしたのは，設計規準が構造規定と簡単な計算により安全性を確保できる規準であり，その利点を残すことを意図したものである．計算規準では，階高の上限を4.0mとしているが，これは通常の住宅を対象としている本構造の適用範囲を考慮したものである．その際，剛性の確保，総曲げ抵抗モーメントの確保を規定している．階高4.0mを超える場合は告示と同様に保有水平耐力の検討を行うことになる．
 2) 壁率・壁量規定：本会設計規準のみがコンクリートの設計基準強度による壁量低減を認めていないが，これも，設計規準が構造規定と簡単な計算により安全性を確保できる規準であり，

その利点を残すことを意図したものである．高いコンクリート強度の使用によりせん断強度の上昇は期待できるが，壁式RC造のもう一つの特徴である剛性の確保に疑問があるためである．本会計算規準は告示の規定と同様にコンクリートの設計基準強度による壁量低減を認めているが，剛性の確保に対する配慮を必要としている．

3）耐力壁の規定：本会設計規準，計算規準のほうがより慎重を期した規定となっている．しかしこれは，通常の壁式RC造の範囲では実質上問題とならない規定である．

4）壁梁のせい：本会設計規準，計算規準では一部出入り口などの上部の短スパン梁は，せいの緩和を許容しているが，大部分の壁梁せいを小さくすることは許容していない．これは，壁梁せいが小さくなると，剛性や強度の確保が通常の規定のままでは困難になるとの判断に基づいている．その他の主筋径やその配置に対する緩和規定が告示にはあるが，本会設計規準，計算規準では設けていない．これも通常の壁式RC造の適用範囲では実質上問題とならないとの判断によるものである．

以上，本会の壁式鉄筋コンクリート造設計規準，計算規準は，次の基本事項に基づき構成されており，本会の規準に従って設計，計算される壁式RC構造は告示の規定により設計された壁式RC造と同等以上の構造性能を有しているといえる．

1）コンクリートを積極的に拘束しない鉄筋コンクリート部材から構成される壁式鉄筋コンクリート造を対象としている．

2）その高い耐震性を，構造特性係数0.5以上の高い耐力，標準せん断力係数0.2に対する層間変形角を$1/2\,000$以下とする高い剛性により実現しようとしている．

3）さらに，両方向にバランスよく耐力壁が配置されることにより，たとえ1方向の耐力壁がせん断破壊に至り，鉛直支持能力が低下しても，他方向の健全な耐力壁がこの鉛直力の一部を負担できるような構造としている．

2003年9月

日本建築学会

壁式プレキャスト鉄筋コンクリート造設計規準

序
(1965)

　コンクリート建築のプレハブ化の手法は，まず小型ブロック，小型部材の工場生産化から始まったが，これらはなにぶんにも手で積み上げたり，組み合わせたりする主旨のもとで作られたので，労務が多いこと，ジョイントの処理が難しいのが欠点であった．このため，第2次世界大戦後，荷揚機械，運搬機械の急速な発達とともにブロックの大型化が始まった．とくに，住宅は大型板の壁式構造として生産されるに至った．すなわち，板はすべてルームサイズの大きさで工場で作られ，4枚の壁と1～2枚の床板とで1部屋を構成するという手法にまで発展していった．板1枚の重量は2～4t，重いもので7tぐらいになっている．

　この手法は，現在多くの実験と体験を経てコンクリート建築，特に住宅建築の工場生産方式中でも最良の手法として諸外国に広く採用されているが，わが国でも長い間の研究と実験期間を経て近年ようやくこの手法が採り入れられるに至った．本書は，このような手法によって作られる，壁式プレキャスト構造の設計規準を取り扱ったものである．

1. 従来工法に比べての利点と欠点

　従来の現場工法と比べて，この手法がどのような利点をもっているかを知らなければこの手法の価値を判断することはできないし，またどうして工場生産が必要であるかの理由も判断できないと思われるので，まず初めにその利点特徴について，つぎに述べてみよう．

　この工法の最大の特徴は，もちろん大型板を用いた点にある．小型部材の集成によって，建築を作ろうとした従来のPC工法と比較すると，次のような利点をもっている．

（1）　あらかじめ窓，出入口サッシ，設備用パイプ，インサートなどをとりつけた大型ユニットを用いるので，プレハブの方法としてははるかにすぐれている．
（2）　構造および防水処理上欠陥となりやすいジョイント部がきわめて少ない．
（3）　部材の数・種類が少なくなるため，型わくの数・種類が少なくてすむ．
（4）　組立製作労務，組立後の作業が少ない．
（5）　部材の数・種類が少ないので，寸法の規格化，部材の互換性などにあまり煩わされないですむ．

　また，これを従来のコンクリート建築の現場施工法と比較してみると，次のような多くの利点を見出すことができる．

（1）　コンクリート作業の機械化

　この工法では，工場でのコンクリートの作業が行われるため，十分な機械的手法を用いることができる．このため労務の減少が得られるばかりでなく，精度が良く質のよいコンクリート製品がえられる．

（2）　生産が天候季節に支配されないですむ．

仕事にさしつかえる平均降雨日数（降雪日数も含み）は，大体年間50日と見積もられるが，50日という数は大変なもので約1年の14%，延全現場建設業者の14%が遊びになることを意味する．この14%を建築の工場生産化のために吸収しただけで，おそらく工場が成り立つことを考えれば，この理由によっただけでも労務を節約するために，今日工場生産化がいかに必要であるかがわかるであろう．

　（3）　型わく量の節約

　量産化の場合には，現場打工法に対して80〜90%の節約となる．鉄筋コンクリート工事中躯体工事費の3割程度が型わく費であるから，この節約は大きい．

　（4）　労務の節約

　工場生産から組立・仕上・完成までの労務は，大体50%節約される．これとともに，熟練工もまた50%節約される．フランス，ソ連などの経験的公式報告によると，この線は確保されている．わが国で行なわれた住宅公団のテラスハウス2階建の算定によると，生産から組立てに至るまでの労務の節約は大体50〜55%となっていて，熟練工は50%以上の節約となっている．これは建築の工業化に対して，非常に重要な問題を提起している．つまり，熟練工の不足は工業化によっておそらく克服できることを示唆している．

　（5）　建築速度の増加

　前もって計画発注ができること，現場は組立てが主であるため建設速度は当然従来よりはるかに早くなる．住宅公団の2階建テラスハウス4戸建は，平均すると約1日で組み立てられている．

　（6）　このほか，現場施工では到底技術的にも経済的にも不可能視されていたもの，たとえばコンクリートの蒸気養生とか，インシュレーションのためのサンドウィッチ工法，新しい機械的仕上げ工法などができる．

　以上のような数々の利点があげられるが，これが従来工法からこの手法の切り替えの理由を与えるわけである．

　なお，この際一言しておきたいことは，コンクリートのような重い材料をどうしてプレハブの材料としてとり上げるのであろうか，もっと軽いプレハブ向きの良い材料があるではないかという質問を往々いただく．これは一応ごもっともないい分であるが，実際には重いことを除くと建築材料として，コンクリートほど工場生産化に適した材料はないのである．第1に，コンクリートは型わくに鋳込んでどんな大きさの形にも成型できる．窓や出入口をあけたければそのように成型できる．このような材料は他にない．第2にこうしてできた建物は，どの材料を用いたものより安く，しかも耐火性・耐久性にすぐれている．重い材料にもかかわらず，工場生産化のためのもっともすぐれた材料として，現在，多く用いられつつあるのはこのような理由によるものである．一方，重いということは，クレーンの発達によっていまは全く解消された．コンクリート建築の工場生産化が今日世界的に隆盛になったのは，コンクリートが材料としてもともとこのような立派な素地があったからにほかならないのである．このことは，案外認識にかけている人が多いので，コンクリート建築の工業生産化の理由の1つとしてあえてあげておく．

　一方，この工法の欠点としてあげられるものは，

（1）　板を接合する場合，一体性を十分に満足しうることが難しい．
　（2）　大型ユニットであるので，工場からの輸送が困難の場合がある．
　（3）　現場に仮設工場を作るときには，それだけスペースを要する．
などである．（2）および（3）項はこの工法では避け難い結果で，これによって若干の規制をうけようが，この工法の発展を限定するものではない．しかしながら，（1）項はわが国のような地震国では，きわめて重要な問題として取り上げなければならない．これによって，わが国の工法は大きく左右されることになるからである．

　ジョイント工法としては，2つの板をモルタルまたはコンクリートでジョイントするウェット工法（ユニットにあらかじめアンカーされた鉄筋がこのウェットジョイント部に定着される）と，ユニットとユニットとを溶接あるいはハイテンションボルトなどで接合するドライジョイント工法（溶接鉄板をあらかじめユニットにアンカーしておき両者を溶接する）とがあるが，多くの場合前者が用いられ，あるいは両者組み合わせて用いられる．諸外国では，地震がないため，ジョイントが一体性をどの程度保持しうるかの実験例はほとんど見当たらない．きわめて簡単に取り扱っているようであるが，わが国ではこれらのジョイント部が最も重要であるので，この工法の出発に際しては十分慎重に検討された．これらの結果は本文の解説に書かれているが，結論的には実験結果から推定して，組立プレキャストコンクリートの打継ぎ部の耐力と剛性は一体のものに対して，技術的に80％以上，接着材などの応用によっては99％まで確保できるという見とおしがつき，私達は欠点（1）はわが国でのこの工法を阻害するほどのものではなく，逆に技術的に十分解決しえられるという考えに達したのである．

　なお，ここでいう一体性のコンクリートとは，現場打ちコンクリートのことではない．全く打継ぎのないコンクリートのことである．現場打ちコンクリートは，ご承知のように縦および水平の打継ぎ部をもっている．実験によると，この打継ぎ部特に水平打継ぎ部のせん断耐力の低下は大きい．打継ぎ部になんらかの凹凸その他の処理がほどこされていない場合は，打継ぎ部に沿ってせん断力が働く場合，その終局強度は一体のものに対して約20％程度までおちる．

　一般には，この打継ぎ部には圧縮による摩擦抵抗が働いているので，圧縮が働いている限りは，かなり強くせん断力に抵抗することができるので，普通問題とされていないが，もし引張りとせん断力をうける場合はきわめて弱いものになろう．現場打ちコンクリートを一般に一体であると考えることは，危険である．この意味では，現場打ちコンクリートも一種のジョイント部をもった建築とみるほうが正しいといえよう．この批判はこんごおそらくは，この構法を従来の現場打ちと比較して発展させる場合のよい忠告となるであろう．

2．わが国のこの工法の歩みと本書ができるまでの歩み

　わが国のこの工法を用いた建築の工業生産化は，漸く始まったとはいえ，残念ながらまだ非常に幼稚な状態に止まっている．しかし，それにはそれ相当の理由があったのである．

　その理由は，社会的には労務の低賃金，豊富な労力ならびに戦後の経済的事情にあったが，技術的には，耐震性の問題と重量物の荷揚機械の技術の低さに原因があったといってよい．とくに，耐

震性の問題については，このような積木細工式建築は，とうていわが国で用いられないという先入観が大方の技術者の頭を支配していて，これが実は工場生産化に人目に見えない大きな障害になっていたことは，争われない事実である．したがって，わが国の工場生産化への前進は，こういう考え方を理論と実験とから打破しようとすることから始められたといってよい．これらの研究は，建設省建築研究所で1952年から行われていた．これらの歩みを述べると，55年にジョイントの基礎研究を完了するとともに，これを利用した実大建築を試作し，大型起振器によって，その工法を検討し，この工法を進めて十分成功する確信をえた．56年には，この結果を応用して東京鷺の宮に，2とう（棟）の試作2階建テラスハウスが住宅公団の協力をえて作られた．

　これは主として，この工法の技術的効果の検討に主目的がおかれたが，この結果の成果は十分であったので翌57年には，公団では多摩平団地に130戸の2階建テラスハウスを作り，その技術的経済的成果の検討にまで進んだ．

　なお，これと併行して住宅公団ならびに大成建設の協力をえて，東京弦巻町に4とうの2階建テラスハウス（2戸建）を作り，実大耐震実験を行ったのであった．この結果によると，この建物には設計荷重の3倍以上の耐震性をもっていることがわかったのである．

　実験はいままでにない大掛りなものであったので，この種の構造についての疑問は十分解消し，この工法の進展に大いに寄与した．

　住宅公団では，これによって2階建テラスハウスの建設に邁進するに至った．一方，建築研究所においては58年から4階建の実験に備えて実大水平耐力実験施設（通称ストロング・ルーム），59年にはこれを用いてこの工法による実大の2/3模型3階建アパートの水平耐力実験を行った．

　この試験は，実際には壁厚およびジョイント部を実大とし，荷重は実大4階建と同じ水平荷重が加えられたから，実大の4階建アパートの実大打継ぎ部の耐力実験にちょうど相当した．これは建物が実際に破壊するまで行なわれたが，耐力は接合部ではなく，壁版のせん断で定まり〔解説参照〕，この種の構造は4階建アパートにも十分応用できることがわかったのである．

　一方，大成建設の研究部は60年東京豊洲において実際の4階建建築について，この工法の耐震実験を行った．このときは水平設計荷重の約2.5倍までの加力実験を行なったが，使用上のため加力実験はこれで止めたが，若干のクラックを生じた程度で建物の耐力を左右するまでには至らなかった．そして，61年建築研究所と住宅公団および大成建設の協力で初めて本邦最初の4階建アパートが豊洲の石川島分譲住宅として建設されたのであった．その後，大成建設，清水建設，竹中工務店がともに4階建アパートを建設し現在に至っている．竹中工務店の研究所はこれに対して，詳細な実大実験を行って，十分の成果を収めた〔解説参照〕．これらはこの工法の現在までの歩みであるが，一方本会はこの工法に対して冒頭にあるように，52年構造標準委員会の中にプレキャスト鉄筋コンクリート構造小委員会，材料施工委員会の中に第15分科会を作り，各委員によって多方面からの研究と実験を行った．この設計規準は，これらの積み重ねによって，でき上がったものである．なお，住宅公団はこの工法によって，いままでに2000戸以上の2戸建テラスハウスを作っている．

3. 設計規準の運用について

　以上のような経過をたどって，本書はでき上がったものであるが，なにぶんにも従来工法に比べて経験が浅いので，この取扱いは慎重にも慎重を重ねて取り扱っていただくことが望まれる．特に，この構法は多くの建築物を量産する場合に取り扱われるので，1つの設計のミスは全部のミスとなるので，十分注意する必要がある．要は設計においては，ジョイント部が要めであるから，この部を決しておろそかにしないこと，施工においてもこの部を設計どおりに実現することである．ややもすれば，慣れるに従って，ジョイント部を粗末にする傾向は確かにあらわれてきている．少ないジョイント部であるので，十分慎重にしていただくことが何より肝要である．

　本書解説においては，いままでに行われた設計例をできるだけとり入れたが，これらは必ずしも万全なものではない．というのは，これらは主として最もプリミティブな生産方式としての積層方式にあるように作られているから，パネル面に，はり型あるいは柱型あるいはリブを作ったりすることは許されないので，いろいろな方面で設計上の制約をうけているのでなかなか思いきった設計ができない．

　今後，この構法が進むにつれて，海外でみるような十分な機械施設ができた場合は，また別のいろいろの設計が現れるべきであると思われる．本書は，このようなことを見越して，規準本文には十分広範な範囲で設計ができるように，将来の発展に備えたつもりである．この規準を活用するに当って，これらのことを念頭に入れ，新技術を十分駆使していただきたい．

4. 海外の状況（写真略）

　この工法は，欧州の大部分の国とソ連を初めとする共産圏国家に広くとり入れられて，各国の建築の工業生産化のさきがけとなっている．

　たとえば，フランスでは施設住宅の約20％（約20 000戸）を，ソ連では約30％（約1 000 000戸）が，この工法の工業化によってまかなわれていると報告されている．

　この工法を工業化するための手段として，当然必要なのはこれを生産するための工場と工場施設である．工場としては，普通つぎのような3つの種類がある．1つは最も簡単なもので，現場に臨時的に簡単なコンクリートプラント，荷揚運搬設備を備え，積層式に板を作ってゆく方法，あるいは蒸気の設備以外に蒸気養生施設工場をもち，仮設工場を備えたもの，第2はかなり十分な機械設備をもった移動工場式のもの，第3は十分な機械設備施設をもった固定工場式のものである．一般に，付近に固定工場がなく，一団地で150戸程度建てる場合は普通第1の方法がとられ，一団地で500戸程度建てるときは，移動工場式がよく使われる．固定工場を使う場合の経済的距離は，平均50 km以内といわれる．わが国では，まだこの工法が開発されたばかりであるので，第1の方法が主として使われている状態である．なお，移動工場，固定工場を作り，経済的にあるためには，5ヵ年でそれぞれ3 000戸および5 000戸以上の需要の確保がなければならないといわれている．

　この工法が発展するにつれて，各国のコンクリートインダストリーは急速の進歩をし，手工業から機械工業とそしてオートメ化まで進歩していった．わが国のこの種の工法の工業化の参考として，その中の二，三紹介してみよう．

フランスの Mantesson にある S.E.R.P.E.C 社の工場は，1954 年 9 月から 36 か月を要して建設されたものである．敷地は，5 000 m^2 セイヌ河沿いにあるため，材料およびパネルは舟で運搬できる．建坪は約 6 300 m^2，中 2 階付きで工場設立の投資額が現在で約 8 億フラン，生産量は 1 時間当り 1 戸である．この特徴は型わくにある．型わくは，平打ちと縦打ちの 2 種類を採用している．平打ちのほうは，もっぱら窓，出入口をもった壁に用いられるが，その特徴はコンクリートパネルをその場で養生できる点にある．このために，水平型わくの底板には温水パイプの回路がとりつけられている．これにやはり温水回路をもつ養生覆いをする．140℃ の圧縮温水で覆いと底板が加熱されると，水蒸気が飽和された覆いの中は最後に 90℃ の温度まで高められ，加熱平均 3 時間で養生が終る．このときには，パネルは貯蔵所に移動してもよいだけの強度がでている．縦型パネルには，8～12 枚を 1 組とした連続型わくとなっている．型わくには，バイブレータがとりつけてあって，型わくごと振動しながらコンプレッサで送られたコンクリートが打たれるように仕組まれている．これには養生パイプは装備されていない．12 時間後ストックヤードに運搬する．なお，ここでは工程管理に機械を用いて合理的な管理をして（パンチ機毎分 120 工程）パネル運搬車としては 9 台のトラクター 22 台のトレーラ（最低地上高さ 0.35 m），大型トラック 7 台，小型トラック 2 台，サービス車 20 台をもっている．

　モスクワのロストランス住宅コンビナートでは，主として間仕切壁を作っているが，これは 1 日に 5 階建 60 戸用アパート 1 とう分に換算相当する生産能力をもっている．工場の大きさ 27 000 m^2，敷地は 10 ヘクタール，労務者 700 人，建築技術者 35 人であって 3 交代勤務である．1 日のパネル生産量 572 パネル（仕上げずみ）というから，1 日 1 人あたり 0.8 枚の大型パネルを生産していることになる．この工場のパネル製作は，縦打型わく式によっているが，前記のカミュ式よりオートマチックになっている．この機械は，同時に 7 枚の井げたリブ板を作ることができ，そして型わくが同時に蒸気養生層となる．型わくの開閉コンクリートポンプによる充てんと振動打ち直後の養生は，ボタン 1 つでオートマチックに処理できるようになっている．養生は 7 時間続けられるが，ちょうどこのときのコンクリートの強さは 175 kg/cm^2 程度となる．できあがった板はただちにクレーンで仕上室に運ばれる仕組みになっている．

　ソ連では，井げたリブを 2 枚組み合わせて，その間にインシュレーション材をはさんでサンドウィッチパネルとして用いている例が非常に多い．この井げたリブ板を作る方法としては，上にあげた例のほかに有名なコズロフ方式がある．これはコンベア自身が型わくになっている 30 cm 角の井げた鉄板がたがいにピンで結合され，テェーンのような操作をするので全体の型わく自身がちょうどテェーンコンベアのような役をして走ることになる．機種の型はいろいろあるが，大体下部にみるような機構をもっている．

　一例をあげると，型わくの全幅は 3 m，全長 65 m である．上記型わくにあらかじめ組み立てた鉄筋をまず井げた部に合わせて配筋する．動いている型わくは，これからミキサーの下を通り，ここでコンクリートが供給され，自動式に振動がかけられる．これを通るとスムーザーが表面をならしてくれ，サイジングロールが表面を圧延すると同時に表面仕上げされる．寸法は図にみるようなセパレーティングブロックで調整される．これらはいずれも自動式である．ここで動いている型わく

は，フェルトカバーのしてある養生プロセスに入る．養生は，カバーの内部に吹きこまれた蒸気によって行なわれる．養生温度95℃2時間半である（コンベアの速度は20 m/h）．養生が終わると，パネルはコンベアの端部に位置するバイパスローラコンベアに移るが，これは回転できるようになっている．

この回転を利用してパネルは，垂直につり上げられて貯蔵所に運ばれる仕組みになっている．これは現在では，最もオートメ化されたパネル製造機で，従業員5～6人で1日に60枚の大型板を作る能率をもっている．でき上った板は，リブ間隔30 cm，幅2.8 cm，リブ高さ6.5～7.5 cmの井げた板で，剛性が高く軽量であることが特徴とされている．

上記は，コンクリートインダストリーのほんの数例の内容にすぎないが，各国のこの工法による工業化はこのようにかなりすすんでいるのである．

1965年7月

日本建築学会

第1次改定の序
(1982)

「壁式プレキャスト鉄筋コンクリート造設計規準・同解説」は，昭和40年に制定されてから，すでに10年余を経過しており，その間にこの種の新しい構造法は日進月歩を続けるとともに，わが国独自の開発研究などに目覚しいものがあった．したがって，本工法が改良されながら集合住宅が多数建設されまた新技術の開発が行われるなど，社会情勢の変化に応じて本規準の改定が数年前から求められていた．

一方，日本建築学会構造標準委員会鉄筋コンクリート構造分科会では，かねてから鉄筋コンクリート構造の終局設計への移行のため各小委員会が設置され，特にその中で第4小委員会では，プレキャスト部材の接合あるいは，プレキャスト鉄筋コンクリート構造について，広く設計または施工上の経験に基づく意見や，本構造に関連する理論的または実験的な研究の結果などについて種々調査研究が進められていた．

さらに，昭和55年5月第4小委員会は，壁式プレキャスト鉄筋コンクリート造設計規準改定のためのワーキンググループを設け，そのグループにおいて規準改定のためにたゆまざる努力を続けてきたが，今日一応の改定案を決定するに至った．ここに改定規準として，これを公にする次第である．

「壁式プレキャスト鉄筋コンクリート造設計規準改定案」の検討にあたっては，本会刊行の「壁式鉄筋コンクリート造設計規準・同解説」（昭和54年），「壁式プレキャスト鉄筋コンクリート造設計規準」（昭和40年）はもちろんのこと，日本建築センター発行の「5階建壁式プレキャスト鉄筋コンクリート造設計指針」（昭和46年）などをもとに，現状での壁式プレキャスト鉄筋コンクリート造

の設計・施工上の問題点の検討や，プレハブ工法の耐震性などについて種々多くの意見が出され繰り返し議論された．これらの問題点については，今後もさらに検討していかなければならない数多くの未確定要素がある．しかし時間制約もあって今回の改定作業にあたっては基本的には従来の考え方にならい，さらに近年までの研究調査によって解明された不都合な部分の修正などを行いながら，規準全般について見直しを行った．特に構造制限の整備に努め，1～2階建の低層を含む5階建までの設計規準とした．

　なお，本構造の耐震設計にあたっては，法的には昭和55年建設省告示第1790号4に該当し，本構造の計算は許容応力度設計のみを行えばよく，構造物の保有水平耐力を確認することが免除されることになる．

　本構造についての保有水平耐力の確認の計算免除の裏付けは，許容応力度設計を行うということが中小の地震動に対しての安全性を確認するだけでなく，表面に現れていないが大地震動に対しても安全であるような耐力を保有し，かつじん性を確保することを期待するものと理解すべきであろう．しかし，この種の構造は，今日までほとんど強い地震動を受けた経験がない．また，本構造の特性ともいわれるプレキャスト板相互の接合法には多様性があって，その耐力を個々に定量化することにも種々問題があり，したがって，架構体の力学モデルへの置換表現の確立や，応力の伝達機構などに未解決の点が多い．

　以上の観点から，耐震設計は許容応力度設計を原則としているが，本規準では種々の構造制限規定を設け，地震時における建築物の挙動を総合的に把握評価することにより，終局時の耐力とじん性の確保を考慮した規定が考えられている．今後さらに，この種の構造の実験的・理論的調査研究に期待するとともに，これらの研究成果の蓄積をまって，将来それらが整備されしだい逐次改定されるべきものと考えている．

　終わりに，本規準および解説の改定に多大の努力を払われた鉄筋コンクリート構造分科会第4小委員会の委員諸君に感謝の意を表す．

昭和57年6月

日本建築学会

壁式鉄筋コンクリート造設計・計算規準関係委員
―― (五十音順・敬称略) ――

構造委員会 (2025)
- 委員長　五十嵐　博
- 幹　事　楠　浩一　　長野　正行　　山田　哲
- 委　員　(略)

壁式構造運営委員会 (2025)
- 主　査　西田　哲也
- 幹　事　楠　浩一　　黒木　正幸　　田沼　毅彦
- 委　員　稲井　栄一　　井上　斉　　今川　憲英　　岡部　喜裕
　　　　　川村　敏規　　小室　達也　　真田　靖士　　髙木　次郎
　　　　　髙橋　和雄　　勅使川原　正臣　　時田　伸二　　中島　崇裕
　　　　　中村　夕紀子　　花里　利一　　松井　智哉　　松浦　正一
　　　　　向井　智久　　山口　謙太郎

壁式構造運営委員会 (2015)
- 主　査　勅使川原　正臣
- 幹　事　稲井　栄一　　黒木　正幸　　時田　伸二
- 委　員　(略)

壁式構造運営委員会 (2013)
- 主　査　稲井　栄一
- 幹　事　楠　浩一　　黒木　正幸　　時田　伸二
- 委　員　(略)

壁式構造運営委員会 (2009)
- 主　査　勅使川原　正臣
- 幹　事　五十嵐　泉　　稲井　栄一　　楠　浩一
- 委　員　(略)

壁式構造運営委員会 (2003)
- 主　査　平石　久廣
- 幹　事　井上　芳生　　菊池　健児　　清水　泰
- 委　員　(略)

壁式構造運営委員会（1997）

主　査　松　村　　　晃

幹　事　菊　池　健　児　　清　水　　　泰　　平　石　久　廣

委　員　（略）

壁構造運営委員会（1996）

主　査　吉　村　浩　二

幹　事　菊　池　健　児　　清　水　　　泰　　平　石　久　廣

委　員　（略）

壁式鉄筋コンクリート造設計・計算規準検討小委員会（2025）

主　査　稲　井　栄　一

幹　事　井　上　芳　生　　楠　　　浩　一

委　員　秋　田　知　芳　　秋　山　裕　紀　　飯　塚　正　義　　飯　場　正　紀

　　　　岡　野　　　創　　岡　部　喜　裕　　尾　崎　純　二　　高　木　次　郎

　　　　田　中　材　幸　　勅使川原　正　臣　　向　井　智　久

壁式RC造構造解析モデルWG（2025）

主　査　稲　井　栄　一

幹　事　井　上　芳　生　　秋　山　裕　紀

委　員　飯　塚　正　義　　岡　部　喜　裕　　尾　崎　純　二　　楠　　　浩　一

　　　　田　中　材　幸　　勅使川原　正　臣　　中　島　幹　雄　　宮　崎　一　嘉

　　　　向　井　智　久　　横　山　　　優

壁式RC動的相互作用検討WG（2025）

主　査　稲　井　栄　一

幹　事　秋　田　知　芳

委　員　秋　山　裕　紀　　飯　場　正　紀　　井　上　芳　生　　大　塚　悠　里

　　　　岡　野　　　創　　川　島　　　学　　楠　　　浩　一　　高　木　次　郎

　　　　勅使川原　正　臣　　花　里　利　一　　向　井　智　久　　横　山　　　優

壁式鉄筋コンクリート造設計・計算規準検討小委員会（2015）

主　査　勅使川原　正　臣

幹　事　井　上　芳　生　　楠　　　浩　一

委　員　秋　山　裕　紀　　飯　塚　正　義　　稲　井　栄　一　　岡　部　喜　裕

田中 材幸	中野 克彦	平石 久廣	福山 洋
向井 智久	横山 優		

壁式 RC 構造解析モデル WG（2015）

主　査　井上 芳生
幹　事　秋山 裕紀
委　員　飯塚 正義　　稲井 栄一　　岡部 喜裕　　金本 清臣
　　　　楠 浩一　　　田中 材幸　　勅使川原 正臣　中島 幹雄
　　　　宮﨑 一嘉　　向井 智久　　横山 優

壁式鉄筋コンクリート造設計・計算規準検討小委員会（2013）

主　査　勅使川原 正臣
幹　事　井上 芳生　　楠 浩一
委　員　秋山 裕紀　　飯塚 正義　　稲井 栄一　　大井 裕
　　　　岡部 喜裕　　田中 材幸　　中野 克彦　　平石 久廣
　　　　福山 洋　　　向井 智久

壁式鉄筋コンクリート造設計・計算規準設計例作成 WG（2013）

主　査　井上 芳生
幹　事　秋山 裕紀
委　員　飯塚 正義　　稲井 栄一　　大井 裕　　　岡部 喜裕
　　　　楠 浩一　　　田中 材幸　　勅使川原 正臣　中島 幹雄
　　　　宮﨑 一嘉　　向井 智久

壁式鉄筋コンクリート造設計・計算規準作成小委員会（2009）

主　査　勅使川原 正臣
幹　事　井上 芳生　　楠 浩一
委　員　秋山 裕紀　　飯塚 正義　　稲井 栄一　　岡部 喜裕
　　　　田中 材幸　　中田 捷夫　　中野 克彦　　根本 望夫
　　　　平石 久廣　　福山 洋　　　増田 正樹　　向井 智久

壁式プレキャスト鉄筋コンクリート造設計規準関係委員
―― (五十音順・敬称略) ――

構造標準委員会 (1982)

　　委員長　　大崎　順彦
　　幹　事　　加藤　　勉　　吉見　吉昭
　　委　員　　(略)

鉄筋コンクリート構造分科会 (1982)

　　主　査　　谷　　資信
　　幹　事　　青山　博之
　　委　員　　(略)

鉄筋コンクリート構造分科会第4小委員会 (1982)

　　主　査　　末永　保美
　　幹　事　　園部　泰寿
　　委　員　　荒川　総一郎　　和泉　正哲　　石丸　麟太郎　　小倉　弘一郎
　　　　　　　岡田　恒男　　　岡本　　伸　　狩野　芳一　　　黒正　清治
　　　　　　　後藤　哲郎　　　佐々木　哲也　新藤　忠徳　　　鈴木　計夫
　　　　　　　杉田　　稔　　　菅野　俊介　　武田　寿一　　　高坂　清一
　　　　　　　富井　政英　　　野村　設郎　　廣澤　雅也　　　村田　義男
　　　　　　　森田　司郎　　　望月　　重　　吉田　　宏

構造標準委員会 (1965)

　　委員長　　仲　　威雄
　　幹　事　　久田　俊彦　　松下　清夫
　　委　員　　(略)

鉄筋コンクリート構造分科会 (1965)

　　主　査　　加藤　六美
　　幹　事　　末永　保美　　本岡　順二郎
　　委　員　　(略)

プレキャストコンクリート構造小委員会 (1965)

　　主　査　　加藤　六美
　　幹　事　　品川　多美二　矢代　秀雄
　　委　員　　(略)

壁式鉄筋コンクリート造設計・計算規準
解説・設計例原案担当者
（2025 年版）

1条　総　　則
　1.1　適用の範囲　　　　　　　　　　　勅使川原　正臣
　1.2　目標構造性能　　　　　　　　　　勅使川原　正臣
2条　用語および記号
　2.1　用　　語　　　　　　　　　　　　秋山　裕紀　　井上　芳生
　2.2　記　　号　　　　　　　　　　　　秋山　裕紀　　井上　芳生
3条　使用材料
　3.1　コンクリートおよびモルタルの種類
　　　　　　　　・設計基準強度・品質　　秋山　裕紀
　3.2　鉄筋の種別および品質　　　　　　秋山　裕紀
　3.3　鋼材の種別および品質　　　　　　秋山　裕紀
4条　材料の定数　　　　　　　　　　　　秋山　裕紀
5条　許容応力度・材料強度　　　　　　　秋山　裕紀
6条　構造計画
　6.1　規　　模　　　　　　　　　　　　井上　芳生
　6.2　耐力壁および壁梁の配置　　　　　井上　芳生
　6.3　耐力壁の構造
　　6.3.1　耐力壁の長さ　　　　　　　　井上　芳生
　　6.3.2　耐力壁の厚さ　　　　　　　　井上　芳生
　6.4　壁梁の構造　　　　　　　　　　　井上　芳生
　6.5　屋根板および床板の構造　　　　　井上　芳生
　6.6　基礎の構造　　　　　　　　　　　井上　芳生
　6.7　耐力壁・壁梁接合部および耐力壁
　　　　　　　・基礎梁接合部の構造　　　井上　芳生
　6.8　プレキャストRC造部材接合部の構造　井上　芳生
7条　荷重および外力とその組合せ　　　　井上　芳生
8条　構造解析の基本事項
　8.1　応力・変形解析　　　　　　　　　楠　浩一　　向井　智久
　8.2　部材のモデル化　　　　　　　　　楠　浩一　　向井　智久
　8.3　骨組のモデル化　　　　　　　　　楠　浩一　　向井　智久
9条　許容応力度設計

- 9.1 耐力壁の軸方向力と曲げモーメントに対する断面算定
  - 岡　部　喜　裕
- 9.2 耐力壁のせん断力に対する断面算定　　岡　部　喜　裕
- 9.3 耐力壁の小開口および開口部周囲の補強　井　上　芳　生
- 9.4 耐力壁の配筋規定　　　　　　　　　　岡　部　喜　裕
- 9.5 壁梁の曲げモーメントに対する断面算定　岡　部　喜　裕
- 9.6 壁梁のせん断力に対する断面算定　　　　岡　部　喜　裕
- 9.7 壁梁の配筋規定　　　　　　　　　　　岡　部　喜　裕
- 9.8 耐力壁・壁梁接合部および耐力壁・基礎梁接合部の設計
  - 井　上　芳　生
- 9.9 スラブの断面算定　　　　　　　　　　岡　部　喜　裕
- 9.10 基礎の設計　　　　　　　　　　　　　岡　部　喜　裕
- 9.11 その他の部材の断面算定　　　　　　　岡　部　喜　裕
- 9.12 プレキャストRC造部材接合部の設計　　田　中　材　幸
- 9.13 付着・継手　　　　　　　　　　　　　向　井　智　久
- 9.14 定　　着　　　　　　　　　　　　　　向　井　智　久
- 10条　保有水平耐力計算
  - 10.1 基本方針　　　　　　　　稲　井　栄　一　田　中　材　幸
    - 10.1.1 保有水平耐力の確認　　稲　井　栄　一　田　中　材　幸
    - 10.1.2 層間変形角の確認　　　稲　井　栄　一　田　中　材　幸
    - 10.1.3 総曲げ抵抗モーメントの確認　稲　井　栄　一　田　中　材　幸
  - 10.2 構造特性係数の設定　　　　稲　井　栄　一　田　中　材　幸
  - 10.3 保有水平耐力の計算法　　　稲　井　栄　一　田　中　材　幸
  - 10.4 部材・接合部の終局強度算定式
    - 10.4.1 耐力壁の終局強度算定式　　　　　田　中　材　幸
    - 10.4.2 壁梁・基礎梁の終局強度算定式　　田　中　材　幸
    - 10.4.3 耐力壁・壁梁接合部および耐力壁
      - ・基礎梁接合部のせん断強度算定式　　井　上　芳　生
    - 10.4.4 プレキャストRC造部材接合部のせん断
      - 強度算定式　　飯　塚　正　義　井　上　芳　生
  - 10.5 部材・接合部等の保証設計
    - 10.5.1 耐力壁の保証設計　　　　　　　　井　上　芳　生
    - 10.5.2 壁梁・基礎梁の保証設計　　　　　井　上　芳　生
    - 10.5.3 耐力壁・壁梁接合部および耐力壁
      - ・基礎梁接合部の保証設計　　井　上　芳　生
    - 10.5.4 プレキャストRC造部材接合部の保証設計　飯　塚　正　義　井　上　芳　生

10.5.5 付着・継手・定着の保証設計	向 井 智 久		
10.5.6 基礎の保証設計	井 上 芳 生		
11 条　施　工	秋 山 裕 紀		

付1　構造計算のフロー	楠　　浩 一	
付2　設　計　例		
付2.1　設計例1（4階建現場打ち壁式RC造）	岡 部 喜 裕　　中 島 幹 雄	
	井 上 芳 生	
付2.2　設計例2（3階建プレキャスト壁式RC造）	横 山　　優　　井 上 芳 生	
付3　過去の震害		
付3.1　壁式鉄筋コンクリート造建物と過去の震害	楠　　浩 一　　尾 崎 純 二	
付3.2　プレキャスト壁式鉄筋コンクリート造建物		
と過去の震害	飯 塚 正 義　　尾 崎 純 二	
付4　現場打ち壁式鉄筋コンクリート造建物の地震応答	勅使川原　正臣	
付5　プレキャスト壁式鉄筋コンクリート造建物の耐震性	飯 塚 正 義	
付6　壁梁の配筋推奨値	田 中 材 幸	
付7　プレキャスト壁式RC造建物の鉛直接合部等に		
用いる鉄筋フレア溶接の性能	飯 塚 正 義	
付8　現場打ち壁式RC造建物の長期優良住宅の認定要		
件を検討することを目的とした立体架構実験	勅使川原　正臣	
付9　実大壁式架構試験体を対象としたモデル化に		
関する解析検討	向 井 智 久	
付10　壁式RC造建物の応答値に及ぼす相互作用の影響		
の検討事例	秋 田 知 芳	
付11　現場打ち壁式RC造建物を長期優良住宅認定条件		
における耐震等級2とするために必要な条件	井 上 芳 生	

壁式鉄筋コンクリート造設計・計算規準
解説・設計例原案担当者
（2015年版）

1条　総　　　則		
1.1　適用の範囲	勅使川原　正臣	
1.2　目標構造性能	勅使川原　正臣	
2条　用語および記号		
2.1　用　　　語	秋 山 裕 紀　　井 上 芳 生	

```
  2.2 記　　号                         秋 山 裕 紀    井 上 芳 生
3条　使用材料
  3.1 コンクリートおよびモルタルの種類
                　　・設計基準強度・品質      秋 山 裕 紀
  3.2 鉄筋の種別および品質                秋 山 裕 紀
  3.3 鋼材の種別および品質                秋 山 裕 紀
4条　材料の定数                          秋 山 裕 紀
5条　許容応力度・材料強度                   秋 山 裕 紀
6条　構造計画
  6.1 規　　模                         井 上 芳 生
  6.2 耐力壁および壁梁の配置              井 上 芳 生
  6.3 耐力壁の構造
    6.3.1 耐力壁の実長                  井 上 芳 生
    6.3.2 耐力壁の厚さ                  井 上 芳 生
  6.4 壁梁の構造                        井 上 芳 生
  6.5 屋根板および床板の構造              井 上 芳 生
  6.6 基礎の構造                        井 上 芳 生
  6.7 耐力壁・壁梁接合部の構造            井 上 芳 生
  6.8 プレキャスト部材接合部の構造         井 上 芳 生
7条　荷重および外力とその組合せ              井 上 芳 生
8条　構造解析の基本事項
  8.1 応力・変形解析                    楠　浩 一    向 井 智 久
  8.2 部材のモデル化                    楠　浩 一    向 井 智 久
  8.3 骨組のモデル化                    楠　浩 一    向 井 智 久
9条　許容応力度設計
  9.1 耐力壁の軸方向力と曲げモーメントに対する断面算定
                                     岡 部 喜 裕
  9.2 耐力壁のせん断力に対する断面算定      岡 部 喜 裕
  9.3 耐力壁の小開口および開口部周囲の補強   井 上 芳 生
  9.4 耐力壁の配筋規定                   岡 部 喜 裕
  9.5 壁梁の曲げモーメントに対する断面算定   岡 部 喜 裕
  9.6 壁梁のせん断力に対する断面算定        岡 部 喜 裕
  9.7 壁梁の配筋規定                    岡 部 喜 裕
  9.8 耐力壁・壁梁接合部の設計            井 上 芳 生
  9.9 スラブの断面算定                   岡 部 喜 裕
  9.10 基礎の設計                      岡 部 喜 裕
```

9.11　その他の部材の断面算定	岡　部　喜　裕
9.12　プレキャスト接合部の設計	田　中　材　幸
9.13　付着・継手	向　井　智　久
9.14　定　　着	向　井　智　久

10条　保有水平耐力計算

10.1　基本方針	稲　井　栄　一	田　中　材　幸
10.1.1　保有水平耐力の確認	稲　井　栄　一	田　中　材　幸
10.1.2　層間変形角の検討	稲　井　栄　一	田　中　材　幸
10.1.3　総曲げ抵抗モーメントの確認	稲　井　栄　一	田　中　材　幸
10.2　構造特性係数の設定	稲　井　栄　一	田　中　材　幸
10.3　保有水平耐力の計算法	稲　井　栄　一	田　中　材　幸
10.4　部材・接合部の終局強度算定式		
10.4.1　耐力壁の終局強度算定式	田　中　材　幸	
10.4.2　壁梁・基礎梁の終局強度算定式	田　中　材　幸	
10.4.3　耐力壁・壁梁接合部のせん断強度算定式	井　上　芳　生	
10.4.4　プレキャスト接合部のせん断強度算定式	飯　塚　正　義	井　上　芳　生
10.5　部材・接合部の保証設計		
10.5.1　耐力壁の保証設計	井　上　芳　生	
10.5.2　壁梁・基礎梁の保証設計	井　上　芳　生	
10.5.3　耐力壁・壁梁接合部の保証設計	井　上　芳　生	
10.5.4　プレキャスト接合部の保証設計	飯　塚　正　義	井　上　芳　生
10.5.5　付着・継手・定着の保証設計	向　井　智　久	

11条　施　　工　　　　　　　　　　　　　　　秋　山　裕　紀

付1　構造計算のフロー	楠　　浩　一	
付2　設　計　例		
付2.1　設計例1（4階建現場打ち壁式RC造）	岡　部　喜　裕	中　島　幹　雄
	井　上　芳　生	
付2.2　設計例2（3階建プレキャスト壁式RC造）	横　山　　　優	大　井　　　裕
	根　本　望　夫	井　上　芳　生
付3　過去の震害		
付3.1　壁式RC造建物と過去の震害	楠　　浩　一	
付3.2　プレキャスト壁式RC造建物と過去の震害	飯　塚　正　義	
付4　現場打ち壁式鉄筋コンクリート造建物の地震応答	勅使川原　正　臣	
付5　プレキャスト壁式鉄筋コンクリート造建物の耐震性	飯　塚　正　義	
付6　壁梁の配筋推奨値	田　中　材　幸	

付7　プレキャスト壁式鉄筋コンクリート造の鉛直接合部
　　　　等に用いる鉄筋フレア溶接の性能　飯　塚　正　義

壁式構造関係設計規準集
解説・設計例原案担当者
(1997年版)

(＊印は1989年版執筆者，1997年版も重複執筆した場合は特に印を付していない)

壁式鉄筋コンクリート造設計規準解説	井　上　芳　生	松　村　　　晃	富　井　政　英＊
同　　　　　設計例	井　上　芳　生	松　村　　　晃	今　井　　　弘＊
	佐　藤　輝　行＊	角　谷　真　弘＊	

壁式鉄筋コンクリート造計算規準解説

主　　　旨	平　石　久　廣	西　川　孝　夫＊	
1条　適用の範囲	平　石　久　廣	西　川　孝　夫＊	
2条　用語および記号	勅使川原　正臣	井　上　芳　生＊	後　藤　哲　郎＊
3条　使用材料	澤　井　布　兆	田　中　礼　治	
4条　基本計画	勅使川原　正臣	井　上　芳　生＊	西　川　孝　夫＊
	中　田　捷　夫＊		
5条　荷重および外力とその組合せ	田　中　礼　治	中　田　捷　夫＊	
6条　構造解析の基本事項	久　保　哲　夫	勅使川原　正臣＊	中　田　捷　夫＊
7条　耐　力　壁	井　上　芳　生	清　水　　　泰	平　石　久　廣
8条　壁　　　梁	井　上　芳　生	清　水　　　泰	壁谷澤　寿　海
9条　特別な配慮を要する設計における曲げ・せん断設計			
	井　上　芳　生	平　石　久　廣＊	壁谷澤　寿　海
10条　床および屋根の構造	澤　井　布　兆	田　中　礼　治＊	
11条　基　　　礎	澤　井　布　兆	田　中　礼　治	
12条　付着・定着・継手	澤　井　布　兆	松　村　　　晃＊	
付1　構造設計のフロー	井　上　芳　生	西　川　孝　夫	
付2　設計例1（5階建）	井　上　芳　生	白　石　理恵子＊	中　田　捷　夫＊
	西　川　孝　夫＊		
付3　設計例2（3階建）	井　上　芳　生	中　野　稔　久＊	中　田　捷　夫＊
	西　川　孝　夫＊		
付4　過去の震害	平　石　久　廣		
付5　壁式鉄筋コンクリート造建築物の地震応答			
	勅使川原　正臣		

（2003年版）

壁式鉄筋コンクリート造設計規準・同解説

- 1条　適用の範囲　　　　　　　　　　　　　　勅使川原　正臣
- 2条　材料の品質　　　　　　　　　　　　　　井　上　芳　生
- 3条　規　　模　　　　　　　　　　　　　　　井　上　芳　生
- 4条　耐力壁の配置および壁率ならびに壁量　　　井　上　芳　生
- 5条　耐力壁の構造　　　　　　　　　　　　　井　上　芳　生
- 6条　壁梁の構造　　　　　　　　　　　　　　楠　　　浩　一
- 7条　床および屋根の構造　　　　　　　　　　井　上　芳　生
- 8条　基　　礎　　　　　　　　　　　　　　　井　上　芳　生
- 9条　施　　工　　　　　　　　　　　　　　　井　上　芳　生
- 壁式鉄筋コンクリート造設計例　　　　　　　　中　野　稔　久　　井　上　芳　生

壁式鉄筋コンクリート造計算規準・同解説

- 1条　適用の範囲　　　　　　　　　　　　　　勅使川原　正臣
- 2条　用語および記号　　　　　　　　　　　　勅使川原　正臣
- 3条　使用材料　　　　　　　　　　　　　　　井　上　芳　生
- 4条　基本計画　　　　　　　　　　　　　　　井　上　芳　生
- 5条　荷重および外力とその組合せ　　　　　　楠　　　浩　一
- 6条　構造解析の基本事項　　　　　　　　　　楠　　　浩　一
- 7条　耐　力　壁　　　　　　　　　　　　　　平　石　久　廣
- 8条　壁　　梁　　　　　　　　　　　　　　　平　石　久　廣
- 9条　特別な配慮を要する設計における曲げ・せん断設計
  　　　　　　　　　　　　　　　　　　　　　楠　　　浩　一
- 10条　床および屋根の構造　　　　　　　　　　井　上　芳　生
- 11条　基　　礎　　　　　　　　　　　　　　　井　上　芳　生
- 12条　付着・定着・継手　　　　　　　　　　　井　上　芳　生
- 付1　構造設計のフロー　　　　　　　　　　　楠　　　浩　一
- 付2　設計例1（5階建）　　　　　　　　　　岡　部　喜　裕　　井　上　芳　生
- 付3　設計例2（3階建）　　　　　　　　　　岡　部　喜　裕　　井　上　芳　生
- 付4　過去の震害　　　　　　　　　　　　　　平　石　久　廣　　澤　井　布　兆
- 付5　壁式鉄筋コンクリート造建築物の地震応答　勅使川原　正臣

壁式プレキャスト鉄筋コンクリート造設計規準
解説・設計例原案担当者

（1965年版）

1条	適用範囲	加藤 六美
2条	構造の規模	加藤 六美
3条	構造部材の品質など	中川 中夫
4条	耐力壁の配置	富井 政英
5条	耐力壁の構造	富井 政英
6条	屋根板および床板の構造	木村 蔵司
7条	部材の接合	有安 久　黒正 清治　品川 多美二
		矢代 秀雄
8条	基礎およびつなぎばりの構造	後藤 一雄

付録
付1	4点支持の長方形スラブの応力	坪井 善勝
付2	周辺支持の長方形スラブの応力図	
		品川 多美二
設計例		井上 隆章　沢田 光英　中川 友夫

（1982年版）

1条	適用範囲	末永 保美
2条	構造の規模	廣澤 雅也　後藤 哲郎
3条	構造部材の品質など	荒川 総一郎　吉田 宏
4条	材料の許容応力度	村田 義男
5条	耐力壁の配置	石丸 麟太郎　高坂 清一
6条	耐力壁の構造	廣澤 雅也　後藤 哲郎
7条	壁ばりの構造	野村 設郎
8条	床板の構造	野村 設郎
9条	接合部	望月 重　後藤 哲郎　石丸 麟太郎
		佐々木 哲也　高坂 清一
10条	基礎構造	園部 泰寿
11条	施工	荒川 総一郎　吉田 宏
設計例		高坂 清一　佐々木 哲也　石丸 麟太郎
		荒川 総一郎　吉田 宏

付1　水平接合部の終局せん断強度の実験結果と算定値の比較
　　　　　　　　　　　　　　　　　望　月　　　重
付2　日本建築学会論文報告集および大会学術講演梗概集にみる過去20年間の鉛直ならびに
　　　水平接合部の既往の実験に関する文献リスト
　　　　　　　　　　　　　　　　　望　月　　　重
付3　5階建壁式プレキャスト鉄筋コンクリート造集合住宅の構造特性調査資料
　　　　　　　　　　　　　　　　　吉　田　　　宏　　野　村　設　郎
付4　境界ばり付独立耐震壁の略算法　石　丸　麟太郎
付5　鉄筋の断面積・周長および定尺表
付6　SI単位の換算率表

壁式鉄筋コンクリート造設計・計算規準・同解説

目　　次

	本文ページ	解説ページ

1条　総　　則……………………………………………………………………… 1…… 99
　1.1　適　用　範　囲…………………………………………………………… 1…… 99
　1.2　目標構造性能……………………………………………………………… 1……105
2条　用語および記号……………………………………………………………… 2……106
　2.1　用　　　語………………………………………………………………… 2……106
　2.2　記　　　号………………………………………………………………… 8……111
3条　使用材料……………………………………………………………………… 24……122
　3.1　コンクリートおよびモルタルの種類・設計基準強度・品質………… 24……122
　3.2　鉄筋の種別および品質…………………………………………………… 25……125
　3.3　鋼材の種別および品質…………………………………………………… 25……126
4条　材料の定数…………………………………………………………………… 25……127
5条　許容応力度・材料強度……………………………………………………… 26……128
6条　構　造　計　画……………………………………………………………… 27……130
　6.1　規　　　模………………………………………………………………… 27……130
　6.2　耐力壁および壁梁の配置………………………………………………… 27……132
　6.3　耐力壁の構造……………………………………………………………… 27……139
　　6.3.1　耐力壁の実長………………………………………………………… 27……139
　　6.3.2　耐力壁の厚さ………………………………………………………… 28……143
　6.4　壁梁の構造………………………………………………………………… 30……146
　6.5　屋根板および床板の構造………………………………………………… 31……148
　6.6　基礎の構造………………………………………………………………… 31……151
　6.7　耐力壁・壁梁接合部および耐力壁・基礎梁接合部の構造…………… 31……153
　6.8　プレキャストRC造部材接合部の構造………………………………… 35……157
7条　荷重および外力とその組合せ……………………………………………… 35……168
8条　構造解析の基本事項………………………………………………………… 35……169
　8.1　応力・変形解析…………………………………………………………… 35……169
　8.2　部材のモデル化…………………………………………………………… 37……174
　8.3　骨組のモデル化…………………………………………………………… 38……192
9条　許容応力度設計……………………………………………………………… 39……198
　9.1　耐力壁の軸方向力と曲げモーメントに対する断面算定……………… 39……198
　9.2　耐力壁のせん断力に対する断面算定…………………………………… 39……204

9.3 耐力壁の小開口および開口部周囲の補強	41	212
9.4 耐力壁の配筋規定	44	223
9.5 壁梁の曲げモーメントに対する断面算定	48	232
9.6 壁梁のせん断力に対する断面算定	49	234
9.7 壁梁の配筋規定	50	237
9.8 耐力壁・壁梁接合部および耐力壁・基礎梁接合部の設計	52	240
9.9 スラブの断面算定	53	250
9.10 基礎の設計	54	252
9.11 その他の部材の断面算定	55	261
9.12 プレキャストRC造部材接合部の設計	56	262
9.13 付着・継手	69	277
9.14 定　　着	72	288
10条　保有水平耐力計算	74	299
10.1　基　本　方　針	74	299
10.1.1 保有水平耐力の確認	74	299
10.1.2 層間変形角の確認	76	309
10.1.3 総曲げ抵抗モーメントの確認	77	315
10.2 構造特性係数の設定	78	317
10.3 保有水平耐力の計算法	79	321
10.4 部材・接合部の終局強度算定式	79	322
10.4.1 耐力壁の終局強度算定式	79	322
10.4.2 壁梁・基礎梁の終局強度算定式	82	327
10.4.3 耐力壁・壁梁接合部および耐力壁・基礎梁接合部のせん断強度算定式	83	329
10.4.4 プレキャストRC造部材接合部のせん断強度算定式	83	333
10.5 部材・接合部等の保証設計	84	337
10.5.1 耐力壁の保証設計	84	337
10.5.2 壁梁・基礎梁の保証設計	87	345
10.5.3 耐力壁・壁梁接合部および耐力壁・基礎梁接合部の保証設計	90	349
10.5.4 プレキャストRC造部材接合部の保証設計	91	354
10.5.5 付着・継手・定着の保証設計	94	360
10.5.6 基礎の保証設計	98	370
11条　施　　　工	98	375
付1　構造計算のフロー		377
付2　設　計　例		379
付2.1　設計例1（4階建現場打ち壁式RC造）		379

付2.2　設計例2（3階建プレキャスト壁式RC造） ……………………………………… 456
付3　過去の震害 ……………………………………………………………………………… 535
　付3.1　壁式鉄筋コンクリート造建物と過去の震害 ……………………………………… 535
　付3.2　プレキャスト壁式鉄筋コンクリート造建物と過去の震害 ……………………… 544
付4　現場打ち壁式鉄筋コンクリート造建物の地震応答 …………………………………… 566
付5　プレキャスト壁式鉄筋コンクリート造建物の耐震性 ………………………………… 572
付6　壁梁の配筋推奨値 ……………………………………………………………………… 582
付7　プレキャスト壁式RC造建物の鉛直接合部等に用いる鉄筋フレア溶接の性能 …… 585
付8　現場打ち壁式RC造建物の長期優良住宅の認定要件を検討することを目的とした
　　　立体架構実験 …………………………………………………………………………… 594
付9　実大壁式架構試験体を対象としたモデル化に関する解析検討 ……………………… 609
付10　壁式RC造建物の応答値に及ぼす相互作用の影響の検討事例 ……………………… 620
付11　現場打ち壁式RC造建物を長期優良住宅認定条件における耐震等級2とするために
　　　必要な条件 …………………………………………………………………………… 630

壁式鉄筋コンクリート造設計・計算規準

壁式鉄筋コンクリート造設計・計算規準

1条 総 則

1.1 適用範囲

1．本「壁式鉄筋コンクリート造設計・計算規準・同解説」（以下，本規準という）は，地上階数5以下，かつ軒の高さが20m以下の下記の建物（以下，壁式RC造建物という），またはその部分の構造設計に適用する．

（1）現場打ちの鉄筋コンクリート造（以下，RC造という）の耐力壁（鉛直荷重および水平荷重を負担する壁をいい，以下同様とする），壁梁，屋根板および床板（以下，スラブという）によって構成され，これらの構造部材が一体化された壁式鉄筋コンクリート造（以下，現場打ち壁式RC造という）の建物，または本構造とその他の構造とを併用する建物の現場打ち壁式RC造の部分．

なお，原則として基礎梁は現場打ちのRC造とし，壁梁およびスラブをプレキャスト鉄筋コンクリート造（以下，PCaRC造という）としたものを含む．

（2）PCaRC造の耐力壁板や耐力壁ならびにスラブより構成され，これらの構造部材が有効に接合され一体化されたプレキャスト壁式鉄筋コンクリート造（以下，PCa壁式RC造という）の建物または本構造とその他の構造とを併用する建物のPCa壁式RC造の部分．

なお，原則として基礎梁は現場打ちのRC造とし，スラブを合成床板（スラブの一部をPCaRC造部材とし現場にて上端筋を配した後にコンクリートを打ち込み両者が一体化したスラブをいい，以下同様とする）としたものを含む．

2．基礎スラブ（杭基礎にあっては，パイルキャップ）および杭の設計は，本規準によるほか関連規準・指針類による．

3．本規準に規定する構造部分以外のRC造部分については，本会編「鉄筋コンクリート構造計算規準・同解説（2024）」（以下，RC規準という）の規定による．

4．特別な調査研究に基づいて設計された壁式RC造建物で，本規準によるものと同等以上の構造性能を有すると認められるものについては，本規準の一部を適用しないことができる．

1.2 目標構造性能

1．常時における建物の使用性を確保する．すなわち，建物および構造部材の使用性や機能性ならびに耐久性に支障を及ぼすひび割れ，沈下，傾斜が生じないようにする．

2．稀に生じる荷重・外力とその組合せ時において建物の損傷制御性を確保する．すなわち，建物および構造部材に生じる損傷等が補修せずに継続使用可能な範囲内に納まるようにする．

3．極めて稀に生じる荷重・外力とその組合せ時において建物の安全性を確保する．すなわち，

建物が崩壊・転倒しないようにする．

2条　用語および記号
2.1　用　　　語
　本規準本文で用いている用語を，以下のように定義する．

安　全　性：建物内外の人命に及ぼす危険を回避する性能．

ウェットジョイント：後打ちコンクリートまたはモルタルそのものの応力伝達によって部材を接合する方法．

鉛直接合部：同一階におけるプレキャスト鉄筋コンクリート造耐力壁板どうしの鉛直方向の接合部．

鉛直接合部内の縦補強筋：プレキャスト鉄筋コンクリート造耐力壁の鉛直接合部内に配筋される縦方向の鉄筋．

折曲げ定着：標準フックを用いて鉄筋を定着すること．

開口部の鉛直縁：有開口耐力壁の開口部の鉛直方向のへり部分．

開口部の水平断面への投影長さ：有開口耐力壁における各開口部の内法長さを水平面へ映し出したときの長さ．

開口周囲の付加縁張力：耐力壁の小開口や耐力壁に挟まれた開口部の隅角部に水平荷重時に生じる鉛直方向および水平方向の引張力．

開口周囲の付加斜張力：耐力壁の小開口や耐力壁に挟まれた開口部の隅角部に水平荷重時に生じる斜め方向の引張力．

開口部の鉛直断面への投影高さ：有開口耐力壁における各開口部の内法高さを鉛直面へ映し出した時の高さ．

階　　　高：床板の上面からその直上階の床板の上面（最上階または階数が1の建物にあっては，耐力壁と屋根板が接着する部分のうち最も低い部分における屋根板の上面）までの高さ．

回 転 変 形：建物が平面的に，もしくは立面的に時計回りもしくは反時計回りに移動する変形．

重 ね 継 手：鉄筋端部をある長さにわたり平行に添わせ，コンクリートの付着力を介して継ぐ方法．

片持形式部材：片持部材と同意義．

壁　　　脚：耐力壁の脚部．

壁　　　頭：耐力壁の頭部．

壁　　　梁：壁式鉄筋コンクリート造における鉛直荷重および水平荷重に抵抗する梁．

壁梁の主筋：壁梁の端部曲げ補強筋．

壁梁の縦補強筋：壁梁内の縦方向の鉄筋で，梁のあばら筋に相当する補強筋．

壁梁の縦補強筋比：壁梁内の縦方向の鉄筋比で，梁のあばら筋比に相当する補強筋比．

壁梁の端部曲げ補強筋：壁梁の端部近傍に横方向に配置される曲げモーメントに抵抗する軸方向

鉄筋．

壁梁の端部曲げ補強筋以外の中間部横補強筋：壁梁の横補強筋のうち，端部曲げ補強筋以外の横補強筋で，中間部横筋と同意義．

壁梁の中間部横補強筋：壁梁内に配置された横方向の鉄筋のうち，端部曲げ補強筋以外の横筋．

壁梁の等価幅：面外方向の断面二次モーメントが等しい長方形断面の壁梁の幅．

壁梁の引張鉄筋：壁梁の引張側にある軸方向鉄筋．

壁梁の横補強筋比：壁梁内に配置された横補強筋の断面積の和を壁梁の鉛直断面積で除した数値．

壁　　率：検討する方向の耐力壁の断面積の合計を当該階の壁率算定用床面積で除した数値壁率算定用床面積：各階の外周の耐力壁の中心線で囲まれる面積．上階に　片持形式のバルコニーや連続するひさし等がある場合や屋外階段が設けられる場合は，それらの1/2以上の面積を加算する．

壁　　量：検討する方向の耐力壁の実長の合計を当該階の壁量算定用床面積で除した数値．

壁量算定用床面積：壁率算定用床面積に同じ．

機械式継手：機械的に鉄筋どうしを繋ぎ合わせる方法．

機械式定着具：鉄筋の端部に取り付けた定着板等の定着体．

基　　礎：基礎スラブ（杭基礎の場合はパイルキャップ），基礎梁ならびに杭をいう．

基礎スラブ：上部構造からの荷重を地盤に伝えるために設けられたスラブ．フーチング基礎ではフーチング部分，べた基礎ではスラブ部分を指す．

基礎の浮上り：直接基礎において接地圧が計算上負となること．杭基礎にあっては杭に生じる上向きの軸方向力が杭の引抜き抵抗力を上回ること．

基　礎　梁：建物最下階の耐力壁下および開口部下に連続して設ける梁

基礎梁等：基礎梁および基礎小梁の総称．

機　能　性：建物に備わっている性能．

軽量コンクリート1種：粗骨材に人工軽量骨材を用いたコンクリート．

現 場 打 ち：建設現場にて鉄筋を組み立て，型枠を配した後コンクリートを打ち込むこと

現場打ち壁式鉄筋コンクリート造：現場施工の鉄筋コンクリート造の耐力壁と壁梁，屋根および床スラブならびに基礎梁によって構成される構造．

交差部縦補強筋：耐力壁と耐力壁が交差する部分に配置する縦補強筋．

剛 床 仮 定：建物における床のうち，風荷重や地震荷重等の水平荷重に対して，無限の剛性と耐力を有し，各層ごとの水平変位が同一であるとすること．スラブの面内変形が生じないとする仮定．

構造上有効な壁：剛性および強度上有効な耐力壁以外の構造壁．

構造耐力上主要な鉛直支点間距離：耐力壁が剛な屋根スラブまたは床スラブで支えられている場合，それらの相互の中心間距離（耐力壁の面外座屈等を検討する場合の長さ）．

構造耐力上主要な水平支点間距離：壁梁の面外方向の変形を拘束する部材の中心線間の距離．

構造耐力上有効な幅：剛性および強度に考慮できる幅．

構 造 部 材：建物の構造耐力上必要な部材．

鋼板形式の接合筋：鋼板にフレアー溶接にて接合された接合用の鉄筋．

降伏曲げモーメント：部材に配置された最外縁の引張鉄筋の応力度が規格降伏点に達するときの曲げモーメント．

コッター筋：プレキャスト鉄筋コンクリート造部材の鉛直接合部の凹部に配置されたせん断力伝達用の補強筋．

コッター筋比：プレキャスト鉄筋コンクリート造部材の鉛直接合部の横補強筋比．

最 小 壁 厚：壁式鉄筋コンクリート造建物の地上階数および階に応じて定める耐力壁の最小厚さ．

最 小 壁 量：最上階から数えた階に応じて定められる壁量の最小値で，標準壁量より $50\,mm/m^2$ を減じた数値．

敷きモルタル：プレキャスト鉄筋コンクリート造耐力壁を設置する際に基礎梁の天端または床スラブの天端に敷くモルタル．

シヤーコッター：せん断力伝達のために設ける凹凸部分．

シヤーコッターの局部圧縮強度：シヤーコッターの凸部前面の圧縮強度．

シヤーコッターの局部許容圧縮力：シヤーコッターの凸部前面の圧縮力の許容値．

シヤーコッターの直接せん断：シヤーコッターの凸部のコンクリート表面を鉛直方向に直線的に切断する現象．

終 局 時：建物中の全ての耐震部材が終局強度を発揮する時．最大耐力時と同意義．

充填コンクリート：プレキャスト鉄筋コンクリート造耐力壁の鉛直接合部や鋼板型式による水平接合部ならびにプレキャスト鉄筋コンクリート造壁梁の鉛直接合部等に充填するコンクリート．

充填モルタル：プレキャスト鉄筋コンクリート造耐力壁の鉛直接合部や鋼板型式による水平接合部ならびにプレキャスト鉄筋コンクリート造梁の鉛直接合部等に充填するモルタル．

小開口横の横補強筋比：耐力壁に設けられた小開口横の横方向の補強筋の断面積の和を小開口横の鉛直断面積で除した数値．

小開口隅角部の付加斜張力：耐力壁の小開口隅角部に水平荷重時に生じる斜め方向の引張力．

小開口隅角部の鉛直縁張力：耐力壁の小開口隅角部に水平荷重時に生じる鉛直方向の引張力．

小開口隅角部の水平縁張力：耐力壁の小開口隅角部に水平荷重時に生じる水平方向の引張力．

使 用 性：建物の居住性に係わる性能．

水平接合部：プレキャスト鉄筋コンクリート造部材の水平面における接合部．

水平接合部の接合金物：プレキャスト鉄筋コンクリート造部材の水平面における接合部に用いる金物．

水平接合部に用いる鉛直接合筋：プレキャスト鉄筋コンクリート造耐力壁の水平接合部に配筋される鉛直方向の鉄筋．

スラブの面内振動：地震力によって生じる鉄筋コンクリート造の屋根板および床板の面内方向のゆれ．

接合金物等：プレキャスト鉄筋コンクリート造部材の接合部に用いる鋼材等．
接　合　筋：プレキャスト鉄筋コンクリート造部材と後打ちコンクリート部分とを一体化するために配する鉄筋．
接 合 部 材：接合部分の部材．
接　合　面：部材どうしが接合される面．
セットバック：建物が下の階から上の階へいくにしたがって順次後退し，その外観が階段状になっていること．
せん断強度上の余力：メカニズム時における部材のせん断力に対する当該部材のせん断強度の比率．
層 間 変 位：地震力が作用する場合における各階の上下の床版と耐力壁とが接する部分の水平方向の変位の差を計算しようとする方向の成分として計算した数値．
層間変形角：地震力によって各階に生じる水平方向の層間変位を上下階の床板上面間の距離で除した数値．
総曲げ抵抗モーメント：2階以上の壁梁の各節点位置における曲げ強度の和と，1階耐力壁脚部の曲げ強度の和の総和．
側面かぶり厚さ：鉄筋表面から部材側面までの最短距離．
損傷制御性：地震や風，雪などによる建物の部材の損なわれ難さに係わる性能．
耐 震 部 材：建物の耐震設計に用いる部材である耐力壁，壁梁，基礎梁を指す．
耐　力　壁：鉛直荷重および水平荷重に抵抗する壁で，所要の厚さと実長を有するもの．
耐力壁・壁梁接合部：耐力壁と壁梁が接合する部分で，ラーメン構造の柱梁接合部に相当する部分．耐力壁・壁梁接合部の有効な幅：耐力壁・壁梁接合部のせん断強度に有効な幅．
耐力壁・基礎梁接合部：耐力壁と基礎梁との接合部分．
耐力壁・基礎梁等接合部：耐力壁と壁梁または基礎梁との接合部．
耐力壁端から開口縁の縁間距離：耐力壁の端部より小開口縁までの最短距離．
耐力壁の実長：耐力壁の長さのうち，検討方向の壁率および壁量算定上算入できる長さ．
耐力壁の小開口：耐力壁に設けることのできる小さな開口で，壁率・壁量の算定上無視できるもの．
耐力壁のせん断補強筋：耐力壁の縦補強筋と横補強筋の総称．
耐力壁の縦（補強）筋：耐力壁に配置する縦補強気補強筋．端部曲げ補強筋，交差部縦補強筋ならびに中間部縦補強筋の総称．
耐力壁の標準せん断補強筋比：耐力壁のせん断補強筋比の標準値．
耐力壁の横（補強）筋：耐力壁に配置する横方向の補強筋．
耐力壁の横補強筋比：耐力壁の横補強筋の断面積の和を当該耐力壁の鉛直断面積で除した数値．
耐 力 壁 板：プレキャスト鉄筋コンクリート造の耐力壁と壁梁が一体となった部材．
ダウエル筋：プレキャスト鉄筋コンクリート造部材接合部においてせん断力伝達用に配置された補強筋．

縦　縁　筋：プレキャスト鉄筋コンクリート造耐力壁の両端部および開口部際に縦方向に配した鉄筋．

縦 補 助 筋：プレキャスト鉄筋コンクリート造耐力壁の縦方向に配置される補助筋．

建物の長さ：構造上１棟とみなされる建物の平面において，相対する最外縁の耐力壁間の距離．

単　配　筋：部材両端部および中間部に鉄筋を各１本ずつ配筋し，せん断補強筋により拘束した配筋．

端部曲げ補強筋：曲げ材の中に配置される鉄筋のうち，部材に生じる曲げモーメントに対して有効に働くように，耐力壁では端部および隅角部，有開口耐力壁では開口部の鉛直縁等に縦方向に，壁梁や基礎梁，小梁ならびに片持梁では端部近傍に横方向に配置される軸方向鉄筋．

多 段 配 筋：端部曲げ補強筋が１段目以外にも配筋されたもの．

中間部縦補強筋：耐力壁の縦補強筋のうち，端部曲げ補強筋と交差部縦補強筋以外の縦筋．

中間部横補強筋：壁梁および基礎梁の横補強筋のうち，端部曲げ補強筋以外の横筋．

直　交　壁：地震力等を検討する方向の耐力壁に直交して接続する耐力壁．

直交壁の協力幅：耐力壁の剛性や強度に考慮できる直交壁の幅．

直ジョイント方式：プレキャスト鉄筋コンクリート造耐力壁の水平接合部の鉛直接合筋どうしを直接接合する方式．

土への根入れ深さ：建物や構造物等における基礎の土への埋込み深さをいい，地盤面から基礎下端までの距離．

鉄筋配置と当該鉄筋を拘束する補強筋（以下，横拘束筋という）による補正係数：付着割裂の基準となる強度の補正係数．

同一の実長を有する部分の高さ：両側に開口部を有する耐力壁の高さのうち，両開口部の重なる部分の高さ．

投影定着長さ：折曲げ筋の定着部の仕口面から折曲げ終端までを水平面に投影した長さ．

等価開口周比：開口部を挟む２以上の耐力壁において，開口部の面積を開口部を挟む２以上の耐力壁の長さに耐力壁の構造耐力上主要な鉛直支点間距離を乗じた数値で除した数値の平方根．

等価縦補強筋比：壁梁の縦補強筋の断面積を壁梁の等価幅に縦補強筋の間隔を乗じた数値で除した数値．

等価引張鉄筋比：引張鉄筋の断面積に100を乗じた数値を耐力壁の長さに等価厚さ（壁梁にあっては，壁梁の有効せいに等価幅）を乗じた数値で除した数値．

等価横補強筋比：耐力壁の横補強筋の断面積を等価厚さに横補強筋の間隔を乗じた数値で除した数値．

棟 の 高 さ：地盤面から屋根面の最も高い部分までの高さ．

特殊な定着箇所：一般的な定着方法によらない定着方法を用いている箇所．

ドライジョイント：プレキャスト鉄筋コンクリート造部材どうしの接合において，鋼材どうしを

溶接することにより一体化しコンクリートの強度を期待しない接合.

軟 弱 地 盤：平成19年国土交通省告示第597号に規定される第三種地盤.

軒 の 高 さ：地盤面から耐力壁と屋根板が接する部分の耐力壁上端までの距離のうち最大の数値.

のみ込み長さ：プレキャスト鉄筋コンクリート造の屋根板および床板を壁梁，耐力壁ならびに基礎梁等の支持部材に載せる場合の支持部材との重なり部分の長さ.

パイルキャップ：上部構造からの荷重を，杭を介して地盤に伝えるために設けられた杭基礎の構造部分.

ハーフプレキャスト鉄筋コンクリート造部材：現場打ちコンクリートと一体化した壁梁やスラブとするため，壁梁やスラブの一部をプレキャスト鉄筋コンクリート造部材としたもの.

パンチング：押し抜くこと.

非耐震部材：耐震部材以外の部材.

標 準 壁 量：最小壁厚を有する壁式鉄筋コンクリート造建物の最上階から数えた階に応じて定められる壁量の基準値.

複 配 筋：部材両端部および中間部で部材幅方向に鉄筋を各2本以上配し，耐力壁にあっては閉鎖形の横補強筋により，壁梁，基礎梁にあっては閉鎖形の縦補強筋により拘束した配筋.

複 筋 梁：引張鉄筋と圧縮鉄筋を上下に各1本以上配置した梁. 付着割裂の基準となる強度：定着長さや大地震時における付着長さならびに重ね継手長さの検討に用いる付着強度の基準値.

付着割裂面：付着割裂破壊が生じる断面.

付着割裂面を横切る横補強筋の効果を表す換算長さ：付着割裂が生じる断面に対して直交する方向に配筋された補強筋の効果を長さで表す係数.

普通コンクリート：粗骨材および細骨材に普通骨材を用いたコンクリート.

プレキャスト壁式鉄筋コンクリート造：プレキャスト鉄筋コンクリート造で作られた耐力壁板およびスラブと，現場打ちの鉄筋コンクリート造の基礎梁より構成され，これらの構造部材が有効に接合され一体化された構造.

プレキャスト部材：工場にてあらかじめ製造された部材.

ブ レ ー ス：斜め方向に配置した構造部材.

並 進 変 形：建物の加力方向に平行移動する変形.

平均せん断応力度：耐力壁に生じるせん断力を当該耐力壁の水平断面積で除した数値.

平均せん断応力度法：標準せん断力係数 $C_0 \geq 0.2$ 時における各階の耐力壁に生じる平均せん断応力度を基に各耐力壁のせん断力を求め，耐力壁の反曲点高さ比を適宜設定して耐力壁に生じる曲げモーメントを算定するとともに，節点位置における耐力壁の曲げモーメントより壁梁の曲げモーメントおよびせん断力を算定する方法.

平 面 架 構：同一の鉛直面における耐力壁と壁梁や基礎梁より構成される骨組.

保有水平耐力：地震力等の水平力に対して建物が耐えることができる抵抗力．

曲げ材：主として曲げモーメントによる変形が卓越する部材．

曲げ強度上の余力：崩壊メカニズム時における，部材の曲げモーメントに対する当該部材の曲げ強度の比率．

見付け面積：耐力壁の立面の投影面積．

モルタル：セメントと細骨材と水を練り混ぜたもので，セメントモルタルともいう．

有開口耐力壁：開口部を挟む2以上の耐力壁を一つの耐力壁としてモデル化する場合の当該耐力壁をいう．

有開口耐力壁の中間部縦補強筋比：有開口耐力壁の中間部縦補強筋の断面積の和を有開口耐力壁の水平断面積で除した数値．

有効スパン長さ：内法長さに剛域端までの長さを加算した数値．

溶接継手：溶接により鉄筋どうしを継ぐ方法．

横縁筋：プレキャスト壁式鉄筋コンクリート造耐力壁の上端および下端に水平方向に配した鉄筋．

横補助筋：出入り口開口を有するプレキャスト鉄筋コンクリート造耐力壁板の出入り口開口部下のコンクリート部分に配置する補助筋．

立体架構モデル：スラブの変形や直交方向の架構の影響を応力や変形解析に考慮できるモデル．

PCa造スラブ：プレキャスト壁式鉄筋コンクリート造建物を構成する1枚ごとのプレキャスト鉄筋コンクリート造の屋根板および床板．

PCaRC造壁梁：プレキャスト鉄筋コンクリート造の壁梁．

PCaRC造耐力壁：プレキャスト鉄筋コンクリート造の耐力壁．

PCaRC造耐力壁の中心線により囲まれた部分の水平投影面積：プレキャスト鉄筋コンクリート造耐力壁で囲まれたスラブの水平面へ投影した時の面積．

PCaRC造部材接合部：プレキャスト鉄筋コンクリート造部材どうしを接合する部分．

2.2 記号

本規準本文で用いている記号を，以下に定義する．

A：シヤーコッター1個の水平断面積（9.12），水平断面積（9.12），PCa造スラブとPCa造スラブの水平接合部のシヤーコッターの水平断面積（9.12），PCa造スラブののみ込み部の局部圧縮応力度を検討するPCa造スラブの面積（9.12），PCaRC造壁梁の鉛直接合部のシヤーコッター1個の水平断面積（9.12）

A_d：開口部周囲の斜め補強筋の断面積（9.3）（10.5.1）

$\sum A_G$：壁梁等のせん断強度に有効な範囲内のスラブのコンクリート断面積を加算した壁梁等の全断面積（10.4.2）

A_h：開口部周囲の横補強筋の断面積（9.3）（10.5.1）

A_i：地震層せん断力の高さ方向の分布を表す係数（8.1）（9.12）（10.5.2），建物の

振動特性に応じて地震層せん断力の高さ方向の分布を表す係数（10.1.1）（10.1.3）

A_s：せん断力を伝達させる PCa 造スラブの全断面積のうち，水平接合部が存在する部分の断面積（9.12）（10.5.4）

$\sum A_s$：せん断力を伝達させる PCa 造スラブの全断面積（9.12）（10.5.4）

A_v：開口部周囲の縦補強筋の断面積（9.3）（10.5.1）

$\sum A_w$：当該階の地震力検討方向の耐力壁の水平断面積の和（9.12），耐力壁のせん断強度に有効な範囲内の直交壁の断面積を加算した全断面積（10.4.1）

A_{sc}：シヤーコッターの鉛直断面積の和（9.12），PCaRC 造壁梁の鉛直接合部のシヤーコッターの鉛直断面積の和（9.12）

A_{st}：当該鉄筋列の想定される付着割裂面を横切る一組の横拘束筋の全断面積（10.5.5）

A_{v0}：開口部周囲の補強の目的に限定して配筋される縦補強筋の断面積（9.3）（10.5.1）

A_{cut}：カットオフされる引張鉄筋の断面積（10.5.5）

A_{total}：引張鉄筋の総断面積（10.5.5）

a：開口中心と壁梁天端までの距離（6.7），開口縁間距離（6.7），PCa 造スラブと PCa 造スラブの水平接合部のシヤーコッターの充填コンクリートまたは充填モルタルのせん断力に対する有効な幅（9.12），有効な幅（9.12），PCa 造スラブののみ込み長さ（9.12），有開口耐力壁の開口部周囲の補強筋の有効範囲（10.5.1）

a_1, a_2：シヤーコッターの幅（9.12）

a_h：水平接合部の有効な接合筋の断面積（9.12）

$\sum(a_h \cdot \sigma_y)$：a_h に σ_y を乗じた数値の和（9.12）

a_s：ダウエル筋の断面積（9.12），PCaRC 造壁梁の鉛直接合部面を横切る圧縮側主筋と接合筋の全断面積（9.12），圧縮側主筋と接合筋の全断面積（9.12），円形孔片側 c の範囲内にある一組の補強筋の断面積（10.5.2）

a_t：壁梁の引張鉄筋の断面積（9.6），引張鉄筋の断面積（10.4.1）（10.4.2），壁梁等の引張鉄筋の断面積（10.4.2），円形孔位置における引張鉄筋断面積で，上端端部曲げ補強筋と下端端部曲げ補強筋の小さい方の数値（10.5.2），PCaRC 造壁梁の上端端部曲げ補強筋の断面積（10.5.4）

$\sum a_t$：PCaRC 造壁梁の上端端部曲げ補強筋の断面積の和（9.12）

$\sum(a_t \cdot \sigma_y)$：a_t に σ_y を乗じた数値の和（10.4.1）（10.5.4）

$\sum(a_t \cdot \sigma_y \cdot d)$：$a_t$ に σ_y ならびに d を乗じた数値の和（10.4.1）

a_v：シヤーコッターのコッター筋断面積（9.12），PCaRC 造壁梁の端部曲げ補強筋および鉛直接合部のコッター筋の断面積（9.12）

$\sum(a_v \cdot \sigma_y)$：a_v に σ_y を乗じた数値の和（9.12）

a_w：耐力壁の中間部縦筋の断面積（10.4.1），一組の横補強筋の断面積（10.4.1）

$\sum(a_w \cdot \sigma_y)$：a_w に σ_y を乗じた数値の和（10.4.1）

a_{d0}：小開口周囲の斜め補強筋（9.3）

a_{h0}：小開口周囲の横補強筋（9.3）

a_{v0}：小開口周囲の縦補強筋（9.3）

a_{t1}：接合部に接続する右（または左）側の壁梁または基礎梁上端端部曲げ補強筋の断面積（10.5.3）

$\sum(a_{t1} \cdot \sigma_y)$：$a_{t1}$ に σ_y を乗じた数値の和（10.5.3）

a_{t2}：接合部に接続する左（または右）側の壁梁または基礎梁上端端部曲げ補強筋の断面積（10.5.3）

$\sum(a_{t2} \cdot \sigma_y)$：$a_{t2}$ に σ_y を乗じた数値の和（10.5.3）

a_{wh}：有開口耐力壁の一組の横補強筋の断面積（9.3）（10.5.1）

a_{wv}：有開口耐力壁の一組の縦補強筋の断面積（9.3）（10.5.1）

$_ia_w$：i 階における各計算方向ごとの壁率（8.1）（10.1.1），各階各方向の壁率（9.4）

B：シヤーコッター1個の鉛直断面積（9.12），投影断面積（9.12），PCa造スラブとPCa造スラブの水平接合部のシヤーコッター1個の鉛直断面のPCa造スラブ面内方向への投影面積（9.12），PCaRC造壁梁の鉛直接合部のシヤーコッター1個の鉛直断面積の計算する方向と直交する方向への投影面積（9.12）

b：耐力壁・壁梁接合部の開口部間の内法長さ（6.7），壁梁の幅（9.6）（9.7），基礎梁の幅（9.10），小梁の幅（9.11），片持梁の幅（9.11），PCa造スラブとPCa造スラブの水平接合部のシヤーコッターの充填コンクリートまたは充填モルタルのせん断力に対する有効な高さ（9.12），PCaRC造壁梁の幅（9.12）（10.5.4），部材の幅（10.5.5）

b_1：充填コンクリートまたは充填モルタルのせん断力に対する有効な幅（9.12）

b_e：壁梁等のせん断強度に有効な範囲内のスラブのコンクリート断面積を加算した壁梁等の全断面積 $\sum A_G$ を，せいを D とした等価な長方形断面に置き換えたときの等価幅（10.4.2）

b_G：耐力壁・基礎梁接合部の開口間に接続する直交基礎梁の幅（6.7）

b_j：耐力壁・壁梁接合部の有効幅（10.4.3）

C：PCaRC造壁梁の鉛直接合部に作用する短期荷重時における曲げ圧縮合力（9.12）PCaRC造壁梁の鉛直接合部に作用する終局時曲げ圧縮合力（9.12），付着検定断面における鉄筋間のあき，または最小かぶり厚さの3倍のうちの小さい方の数値で，5 d_b 以下とする（10.5.5）

C_0：標準せん断力係数（9.12）（10.1.2）

C_i：標準せん断力係数 $C_0 \geq 0.5$ とした時の当該階の地震層せん断力係数（9.12）

C_{b2}：耐力壁・壁梁接合部に接続する右（または左）側の壁梁上端に生じる短期荷重時圧縮力（9.8）

C_{bu2}：接合部に接続する左（または右）側の壁梁または基礎梁端部上端に生じる圧縮力（10.5.3）

C_{min}：最小かぶり厚さ（10.5.5）

c：有開口耐力壁の開口部周囲の補強筋の有効範囲（10.5.1），円形孔周囲の補強筋の有効な範囲（10.5.2）

c_1：シヤーコッターの深さ（9.12），円形孔周囲の補強筋の有効範囲（10.5.2）

c_2：円形孔周囲の補強筋の有効範囲（10.5.2）

D：通し配筋された部材の全せい（9.14），壁梁等のせい（10.4.2），壁梁または基礎梁のせい（10.5.2）

D_b：壁梁のせい（6.7）

D_j：耐力壁・壁梁接合部の長さ，または壁梁端部曲げ補強筋の 90°折曲げ水平投影長さ（10.4.3）

D_s：構造特性係数（10.1.1）（10.2）

d：壁梁の有効せい（9.6）（9.7），基礎梁の有効せい（9.10），小梁の有効せい（9.11），片持梁の有効せい（9.11），PCaRC 造壁梁の有効せい（9.12），曲げ材の有効せい（9.13），部材有効せい（9.13），壁梁等の有効せい（10.4.2），有開口耐力壁の開口部周囲の補強筋の有効範囲（10.5.1），壁梁または基礎梁の有効せい（10.5.2），有効せい（10.5.2），付着検定対象部材の有効せい（10.5.5）

d_0：円形の小開口の直径（6.3.1）

d_b：引張鉄筋径で，異形鉄筋では呼び名に用いた数値（9.13）（9.14）（10.5.5），異形鉄筋の呼び名に用いた数値（9.14）

$\sum d_b$：当該鉄筋列の想定される付着割裂面における鉄筋径の和（10.5.5）

e：耐力壁中心と直交壁心との距離（10.4.1）

F_c：コンクリートの設計基準強度（4条）（9.14）（10.1.1）（10.2）（10.4.1）（10.4.2）（10.5.5），コンクリート，充填コンクリートおよび充填モルタルの設計基準強度（5条），普通コンクリート，充填コンクリート，充填モルタルならびに軽量コンクリート1種の設計基準強度（5条），充填コンクリートまたは充填モルタルの設計基準強度（9.12），PCaRC 造耐力壁板のコンクリートの設計基準強度（9.12），PCaRC 造壁梁の鉛直接部の充填コンクリートまたは充填モルタルの設計基準強度（9.12），PCa 造スラブののみ込み部を支持するコンクリートの設計基準強度（9.12），PCaRC 造壁梁の現場打ち RC 造部分のコンクリートの設計基準強度と PCaRC 造壁梁のコンクリートの設計基準強度のうちの小さい方の数値（9.12），PCaRC 造壁梁の鉛直接合部の充填コンクリートまたは充填モルタルと PCaRC 造壁梁のコンクリートの設計基準強度の内の最小の数値

(9.12)

F_{es}：各階の形状特性を表す係数（10.1.1）

F_{es0}：剛性率および偏心率を考慮した壁梁のせん断力の割増し係数（10.5.2）（10.5.4）

$\overline{F_{es0,i}}$：i 階の剛性率 $R_{s,i}$ および偏心率 $R_{e,i}$ によって定まる i 階の割増し係数（10.1.3），剛性率および偏心率による形状係数（10.5.1），剛性率 R_s および偏心率 R_e によって定まる割増し係数（10.5.2）（10.5.4）

F_j：耐力壁・壁梁接合部のせん断強度の基準値（10.4.3）

F_s：剛性率によって定まる数値（10.5.2）

f_a：許容付着応力度（9.13）

f_b：付着割裂の基準となる強度（10.5.5）

f_{CS}：シヤーコッターの許容局部圧縮応力度（5条）

f_{LS}：シヤーコッターの長期許容せん断応力度で，充填コンクリートまたは充填モルタルの長期許容せん断応力度とする（9.12），PCaRC 造壁梁の鉛直接合部のシヤーコッター部の充填コンクリートまたは充填モルタルの長期許容せん断応力度（9.12）

f_{SS}：シヤーコッターの許容直接せん断応力度（5条）

f_{SW}：充填コンクリート，充填モルタルの許容せん断応力度（5条）

$_Lf_a$：長期許容付着応力度（9.13）（9.14）

$_Lf_s$：コンクリートの長期許容せん断応力度（9.2）（9.6），PCaRC 造壁梁の現場打ち RC 造部分のコンクリートの長期許容せん断応力度と PCaRC 造壁梁のコンクリートの長期許容せん断応力度のうちの小さい方の数値（9.12）

$_sf_a$：短期許容付着応力度（9.13）（9.14）

$_sf_s$：コンクリートの短期許容せん断応力度（9.2）（9.6），PCaRC 造壁梁の現場打ち RC 造部分のコンクリートの短期許容せん断応力度と PCaRC 造壁梁のコンクリートの短期許容せん断応力度のうちの小さい方の数値（9.12）

$_sf_t$：小開口周囲の補強筋の短期許容引張応力度（9.3），開口部周囲の斜め補強筋の短期許容引張応力度（9.3），鉄筋の短期許容引張応力度（9.14）

$_wf_t$：耐力壁の横補強筋のせん断補強用短期許容引張応力度（9.2），壁梁の縦補強筋のせん断補強用短期許容引張応力度（9.6），PCaRC 造壁梁の鉛直接合面を横切る圧縮側主筋と接合筋のせん断補強用短期許容引張応力度（9.12），ダウエル筋のせん断補強用短期許容引張応力度（9.12）

$_Lf_{CS}$：シヤーコッターの長期許容圧縮応力度で，充填コンクリート，充填モルタルまたは耐力壁のコンクリートの長期許容圧縮応力度のうちの最小値とする（9.12），PCaRC 造壁梁の鉛直接合部のシヤーコッターの長期許容圧縮応力度（9.12），シヤーコッターの短期許容圧縮応力度で，充填コンクリート，充填モルタルまたは耐力壁のコンクリートの短期許容圧縮応力度のうちの最小値とする（9.12）

$_Lf_{ss}$：シヤーコッターの長期許容せん断応力度で，充填コンクリートまたは充填モルタルの長期許容せん断応力度とする（9.12），PCaRC 造壁梁の鉛直接合部のシヤーコッター部の充填コンクリートまたは充填モルタルの長期許容せん断応力度（9.12）

$_Lf_{cw}$：充填コンクリートまたは充填モルタルの長期許容せん断応力度（9.12）

$_sf_{cs}$：シヤーコッターの短期許容圧縮応力度で，充填コンクリート，充填モルタルまたは耐力壁のコンクリートの短期許容圧縮応力度のうちの最小値とする（9.12），PCa 造スラブと PCa 造スラブの水平接合部のシヤーコッターの短期許容圧縮応力度（9.12），PCa 造スラブと PCa 造スラブの水平接合部のシヤーコッターの短期許容圧縮応力度（9.12），PCaRC 造壁梁の鉛直接合部のシヤーコッターの短期許容圧縮応力度で，シヤーコッターの充填コンクリートまたは充填モルタルと PCaRC 造壁梁のコンクリートの短期許容圧縮応力度のうちの最小値とする（9.12）

$_sf_{ss}$：シヤーコッターの短期許容せん断応力度で，充填コンクリートまたは充填モルタルの長期短期せん断応力度とする（9.12），PCa 造スラブと PCa 造スラブの水平接合部のシヤーコッターの短期許容せん断応力度（9.12），PCaRC 造壁梁の鉛直接合部のシヤーコッターの充填コンクリートまたは充填モルタルの短期許容せん断応力度（9.12）

$_sf_{sw}$：充填コンクリートまたは充填モルタルの短期許容せん断応力度（9.12），PCa 造スラブと PCa 造スラブの水平接合部のシヤーコッターの充填コンクリートまたは充填モルタルの短期許容せん断応力度（9.12）

H：当該階の階高（9.12）（10.5.4），円形孔の直径（10.5.2）

h：耐力壁の構造耐力上主要な鉛直支点間距離（8.2），耐力壁の高さ（9.2）（9.3），当該階の有開口耐力壁の高さ（9.3）（10.4.1）（10.5.1），有開口耐力壁の高さ（10.5.1）

$\sum h$：当該階床上面から当該耐力壁架構の最上層耐力壁天端までの距離（10.4.1）

h'：耐力壁の内法高さ（9.2）（10.5.1）（10.5.4）

h_0：耐力壁に設ける小開口で壁率・壁量算定上無視してよい長方形口の内法高さ（6.3.1），開口部の内法高さ（8.2）（9.3）（9.4），小開口の内法高さ（9.2），耐力壁の小開口の内法高さ（9.3），開口部の高さ（10.5.1）

h_1：シヤーコッターの高さ（9.12），上階の壁梁天端より開口部天端までの距離（10.5.1）

h_2：下階壁梁天端より開口部下端までの距離（10.5.2）

h_a：スラブ中心間距離が異なる耐力壁の構造耐力上主要な鉛直支点間距離のうちの最小値（6.3.2）

h_b：スラブ中心間距離が異なる耐力壁の構造耐力上主要な鉛直支点間距離のうちの

h_e：同一の実長を有する部分の高さ（6.3.1）

h_i：i 階の階高（10.1.3）（10.5.2）

h_{op}：開口部の鉛直断面の投影高さの和（9.3）（10.4.1）（10.5.1）

j：耐力壁の応力中心距離（9.2），曲げ材の応力中心距離（9.13），壁梁の応力中心距離（9.6），PCaRC 造壁梁の応力中心距離（9.12），応力中心距離（10.4.1）（10.4.2），壁梁または基礎梁の応力中心距離（10.5.2），PCaRC 造壁梁の端部における応力中心距離（10.5.4）

j_{b1}：耐力壁・壁梁接合部に接続する右（または左）側の壁梁の応力中心距離（9.8）

j_{b2}：耐力壁・壁梁接合部に接続する左（または右）側の壁梁の応力中心距離（9.8）

K：鉄筋配置と当該鉄筋を拘束する補強筋による修正係数（10.5.5），重ね継手する鉄筋配置と横拘束筋による修正係数（10.5.5）

k：局部水平震度（$\leqq 1.0$）で，標準せん断力係数 $C_0 \geqq 0.5$ とした時の当該階の地震層せん断力係数 C_i が 1.0 を上回る場合は，k は C_i と読み替える（9.12）（10.5.4）

k_p：引張鉄筋比による係数（10.5.2）

k_u：有効せいによる係数（10.5.2）

k_v：PCa 造スラブののみ込み部に生じる設計用鉛直震度（9.12）

L：曲げ材の内法長さ（9.13）（10.5.5）

L_1：重ね継手長さ（9.4）

L_w：各階における各計算方向ごとの壁量（8.1）（10.1.1）

L'：通し筋の付着長さ（10.5.5）

L_{w0}：標準壁量（8.1）（9.4）（10.1.1）

L_{wm}：最小壁量（8.1）（10.1.1）

l：同一の実長（6.3.1），耐力壁・壁梁接合部の長さ（6.7），耐力壁・基礎梁接合部の長さ（6.7），耐力壁の実長（8.1），耐力壁の長さ（8.2）（9.2）（9.3）（10.2），重ね継手長さ（9.13）壁梁両端の耐力壁の心々間距離（10.1.3），開口部を含む2以上の耐力壁の全長さ（10.4.1），耐力壁の長さ，または開口部を含む2以上の耐力壁の全長さ（10.4.1），有開口耐力壁の全長さ（10.5.1），重ね継手長さ（9.13）（10.5.5）

l'：壁梁の内法長さ（9.6）（10.1.3），両端に直交壁が接続する場合は，その中心間距離，その他は耐力壁の長さ（有開口耐力壁にあっては解雇奥部を含む2以上の耐力壁の全長さ）の 0.9 倍の数値（10.4.1），壁梁または基礎梁の内法スパン長さ（10.5.2）（10.5.4），付着検定断面からカットオフ筋がメカニズム時曲げモーメントに対して計算上不要となる断面までの距離（10.5.5）

l_0：耐力壁に設ける小開口で壁率・壁量算定上無視してよい長方形口の内法長さ

(6.3.1)，開口部の内法長さ (8.2) (9.3)，小開口の内法長さ (9.2)，耐力壁の小開口の内法長さ (9.3)，壁梁の内法長さ (9.7)，開口部の高さによる低減率 r_3 の算出で該当する開口部の長さ (10.4.1)，開口部の長さ (10.4.1)

l_1, l_2：小開口縁と耐力壁端部までの寸法 (6.3.1)，耐力壁端から開口部縁までの距離 (6.7)

$\sum l$：耐力壁の実長の和 (8.1) (10.1.1) (10.5.1)

$\sum l_1$：長期荷重時において上端端部曲げ補強筋に引張応力度が生じている区間長さ (9.12)

$\sum l_2$：短期荷重時において上端端部曲げ補強筋に引張応力度が生じている区間長さ (9.12)

Δl_2：メカニズム時において，PCaRC造壁梁の上端端部曲げ補強筋に引張応力度が生じている区間長さ (10.5.4)

$\sum l_3$：終局時において上端端部曲げ補強筋に引張応力度が生じている区間長さ (9.12)

l_a：定着長さ (9.14)

l_b：PCa造スラブののみ込み部の局部圧縮応力度を検討するPCa造スラブののみ込み部の全長さ (9.12)

l_d：曲げ材の引張鉄筋の付着長さ (9.13)，引張鉄筋の付着長さ (9.13)，カットオフ筋の付着長さ (9.13) (10.5.5)

l_w：各階各方向の耐力壁の長さ (9.2)，耐力壁・壁梁接合部の長さ，または壁梁端部曲げ補強筋を90°折曲げ定着する場合の折曲げ筋の水平投影長さ (9.8)，耐力壁の長さ (9.12)，PCaRC造耐力壁の長さ (10.5.4)

$\overline{l_w}$：各階各方向の耐力壁の平均長さ (9.2)

l_{op}：開口部の水平断面への投影長さ (9.3)，開口部の水平断面への投影長さの和 (10.4.1) (10.5.1)

l_{ab}：必要定着長さ (9.14)，曲げ材の引張鉄筋の長期荷重時における必要定着長さ (9.14)，曲げ材の引張鉄筋の短期荷重時における必要定着長さ (9.14)，曲げ材の引張鉄筋の安全性確保のための必要定着長さ (10.5.5)

M：長期荷重時の最大曲げモーメント (9.6)，短期荷重時の最大曲げモーメント (9.6)，計算断面位置におけるメカニズム時曲げモーメント (10.4.1) (10.4.2)，壁梁または基礎梁の最大曲げモーメント (10.5.2)

M_e：直交壁の軸方向力のうち，耐力壁の曲げ強度に関係する軸方向力による偏心モーメント (10.4.2)

M_S：PCaRC造壁梁の鉛直接合部における短期荷重時曲げモーメント (9.12)

M_U：終局時のPCaRC造壁梁の鉛直接合部での曲げモーメント (9.12)

M_{b1}：耐力壁・壁梁接合部に接続する右（または左）側の壁梁端部上端に生じる短期荷重時曲げモーメント (9.8)

M_{b2}：耐力壁・壁梁接合部に接続する左（または右）側の壁梁端部上端に生じる短期荷重時曲げモーメント（9.8）

$\sum M_y$：壁頭および壁脚の降伏曲げモーメントの絶対値の和（9.2），せん断力が最大となるような壁梁両端の降伏曲げモーメントの絶対値の和（9.6）

$_bM_L$：壁梁および基礎梁の長期荷重時曲げモーメント（10.5.2）

$_bM_M$：メカニズム時におけるPCaRC造壁梁の端部上端に生じる曲げモーメント（10.5.4）

$_bM_m$：メカニズム時に壁梁および基礎梁に生じる曲げモーメントで，長期荷重時曲げモーメントを除いた数値（10.5.2）

$_bM_u$：壁梁両端の曲げ強度（10.1.3），壁梁等の曲げ強度（10.4.2），壁梁および基礎梁の曲げ強度（10.5.2）

$\sum _bM_u$：せん断力が最大となるような壁梁または基礎梁両端の曲げ強度の接待地の和（10.5.2）（10.5.4）

$_bM_u'$：壁梁の各節点における曲げ強度（10.4.3）

$\sum _bM_u'$：2階以上の壁梁の各節点における曲げ強度の和（10.1.3）

$_RM_u$：地震力検討方向における総曲げ抵抗モーメント（10.1.3）

$_wM_L$：耐力壁の長期荷重時曲げモーメント（10.5.1）

$_wM_m$：メカニズム時に耐力壁に生じる曲げモーメントで，長期荷重時曲げモーメントを除いた数値（10.5.1）

$_wM_u$：1階耐力壁脚部の曲げ強度（10.1.3），耐力壁の曲げ強度（10.4.1）（10.5.1）

$\sum _wM_u$：1階耐力壁脚部の曲げ強度の和（10.1.3），壁頭・壁脚の曲げ強度の絶対値の和（10.5.1）（10.5.4）

$M/(Q \cdot d)$：壁梁等のせん断スパン比（10.4.2），壁梁または基礎梁のせん断スパン比（10.5.2）

$M/(Q \cdot l)$：せん断スパン比（10.4.1）

$_{oT}M_u$：各階の構造特性係数を0.5としたときの必要保有水平耐力に相当する水平外力による1階耐力壁脚部回りの転倒モーメント（10.1.3）

N：耐力壁に作用する軸方向力（10.4.1），当該鉄筋列の想定される付着割裂面における鉄筋本数（10.5.5），想定される付着割裂面における全鉄筋本数から継手組数を減じた数値（10.5.5）

N_L：耐力壁の長期軸方向力（10.4.1）

N_h：耐力壁の軸方向力で，圧縮を正とし引張を0とする（9.12）

N_m：耐力壁のメカニズム時付加軸方向力（10.4.1）

N_u：終局時設計用軸方向力（10.4.1）

N_{WT}：直交壁の軸方向力のうち，耐力壁の曲げ強度に関係する軸方向力（10.4.1）

$_uN_{CS}$：PCaRC造壁梁の鉛直接合部のシヤーコッターの局部圧縮強度（9.12）

$_{AL}N_{CS}$：PCaRC造壁梁の鉛直接合部のシヤーコッターの長期局部許容圧縮力（9.12）

$_{AS}N_{CS}$：PCaRC造壁梁の鉛直接合部のシヤーコッターの短期局部許容圧縮力（9.12）

$_{AS}N_{SC,s}$：PCa造スラブとPCa造スラブの水平接合部のシヤーコッターの短期局部許容圧縮力（9.12）

n：せん断力の割増し係数（9.2）（9.6）（9.12），当該鉛直接合部のシヤーコッターの個数（9.12），A_s部分に存在する水平接合部の個数（9.12）（10.5.4），PCa造スラブとPCa造スラブの水平接合部のシヤーコッターの個数（9.12），当該PCaRC造壁梁の鉛直接合部のシヤーコッターの個数（9.12），建物の地上階数（10.1.3）

n_h：有開口耐力壁の水平方向に並ぶ開口部の数（9.3）（10.5.1）

n_v：有開口耐力壁の鉛直方向に並ぶ開口部の数（9.3）（10.5.1）

p_s：耐力壁のせん断補強筋比（9.4），円形孔周囲の補強筋比（10.5.2）

p_t：引張鉄筋比（10.5.2）

p_w：耐力壁の横補強筋比（9.2），壁梁の縦補強筋比（9.6），PCaRC造壁梁の縦補強筋比（9.12）

p_{s0}：耐力壁の標準せん断補強筋比（9.4）

p_{sh}：有開口耐力壁の横補強筋比（9.3）（10.5.1）

p_{sv}：有開口耐力壁の縦補強筋比（9.3）（10.5.1）

p_{te}：等価引張鉄筋比（10.4.1）（10.4.2）

p_{we}：等価横補強筋比（10.4.1），等価縦補強筋比（10.4.2）

Q：長期荷重時の最大せん断力（9.6），短期荷重時の最大せん断力（9.6），計算断面位置におけるメカニズム時せん断力（10.4.1）（10.4.2），壁梁または基礎梁の最大せん断力（10.5.2）

Q_E：標準せん断力係数$C_0 \geq 0.2$時における耐力壁のせん断力（9.2），8条により求められる耐力壁の水平荷重時せん断力（9.6），標準せん断力係数$C_0 \geq 0.2$の地震力による耐力壁に生じる水平方向のせん断力（9.12），標準せん断力係数$C_0 \geq 0.2$の地震力によりPCaRC造壁梁の鉛直接合部に生じるせん断力（9.12），水平荷重時せん断力（9.13），耐力壁の標準せん断力係数$C_0 \geq 0.2$に対する水平荷重時せん断力（10.5.1）（10.5.4），標準せん断力係数$C_0 \geq 0.2$時における壁梁および基礎梁のせん断力（10.5.2）（10.5.4）

Q_L：耐力壁の長期荷重時せん断力（9.2），長期荷重時せん断力（9.13），長期荷重時における耐力壁のせん断力（10.2）

Q_M：メカニズム時における耐力壁のせん断力（10.2）

Q_m：メカニズム時における耐力壁のせん断力で，長期荷重時せん断力を除く数値（10.2）

Q_S：標準せん断力係数$C_0 \geq 0.2$の短期荷重時の耐力壁のせん断力（9.2）

Q_w：標準せん断力係数 $C_0 \geq 0.2$ の水平荷重時に接合面に接続する耐力壁のせん断力（10.5.3）

Q_{AL}：耐力壁の長期許容せん断力（9.2），壁梁の長期許容せん断力（9.6）

Q_{AS}：耐力壁の短期許容せん断力（9.2），壁梁の短期許容せん断力（9.6）

Q_{EH}：標準せん断力係数 $C_0 \geq 0.2$ の地震力により耐力壁に生じるせん断力（9.12）

Q_{EV}：標準せん断力係数 $C_0 \geq 0.2$ の地震力により耐力壁の鉛直接合部に生じるせん断力（9.12），標準せん断力係数 $C_0 \geq 0.2$ の地震力により PCaRC 壁梁の鉛直接合部に生じるせん断力（9.12）

Q_{M1}：メカニズム時に有開口耐力壁に生じるせん断力（10.5.1）

Q_{mH}：PCaRC 造耐力壁の水平接合部のメカニズム時せん断力（10.5.4）

Q_{mV}：メカニズム時における PCaRC 造耐力壁の鉛直接合部に生じるせん断力（10.5.4）

Q_{SV}：PCaRC 造耐力壁の鉛直接合部のせん断強度（10.5.4），PCaRC 造壁梁の鉛直接合部のせん断強度（10.5.4）

Q_{ud}：標準せん断力係数 $C_0 \geq 1.0$ の地震力によって各階に生じる水平力（10.1.1）

Q_{un}：各階各方向の必要保有水平耐力（10.1.1）

Q_{wm}：接合部に接続する上階耐力壁のメカニズム時せん断力（10.5.3）

$Q_{p,su}$：耐力壁・壁梁接合部のせん断強度（10.4.3）（10.5.3）

$Q_{w,0.55}$：標準せん断力係数 $C_0 \geq 0.55$ の水平荷重時における PCaRC 造耐力壁のせん断力（10.5.4）

$_AQ_L$：耐力壁の長期許容せん断力（9.2），壁梁の長期許容せん断力（9.6）

$_AQ_S$：耐力壁の短期許容せん断力（9.2），壁梁の短期許容せん断力（9.6）

$_bQ_L$：壁梁および基礎梁の長期荷重時せん断力（10.5.2）

$_bQ_m$：メカニズム時に壁梁および基礎梁に生じるせん断力で，長期荷重時せん断力を除いた数値（10.5.2）

$_DQ_L$：耐力壁の長期せん断力（9.2），壁梁の長期設計用せん断力（9.6），壁梁および基礎梁（10.5.2）

$_DQ_S$：耐力壁の短期設計用せん断力（9.2）（9.3），有開口耐力壁の短期荷重時設計用せん断力（9.3），壁梁の短期設計用せん断力（9.6）

$_LQ_V$：長期荷重時に耐力壁に生じる水平方向のせん断力（9.12）

$_mQ_H$：PCaRC 造耐力壁の水平接合部に生じるメカニズム時せん断力（10.5.4）

$_mQ_V$：メカニズム時における PCaRC 造耐力壁の鉛直接合部に生じるせん断力（10.5.4），PCaRC 造壁梁の鉛直接合部のメカニズム時のせん断力（10.5.4）

$_UQ_V$：鉛直接合部のせん断強度（9.12），PCaRC 造壁梁の鉛直接合部のせん断強度（9.12）（10.5.4），PCaRC 造耐力壁の鉛直接合部のせん断強度（10.5.4）

$_wQ_L$：耐力壁の長期荷重時せん断力（10.5.1），PCaRC 造耐力壁の長期荷重時せん断

力（10.5.4）

$_wQ_m$：PCaRC 造耐力壁のメカニズム時せん断力（10.5.4）

$_AQ_{pS}$：耐力壁・壁梁接合部の短期許容せん断力（9.8）

$_bQ_{su}$：壁梁等のせん断強度（10.4.2），壁梁および基礎梁のせん断強度（10.5.2）

$_bQ_{uD}$：単独の円形孔を有する壁梁または基礎梁のメカニズム時設計用せん断力（10.5.2）

$_DQ_{p,S}$：短期荷重時における耐力壁・壁梁接合部の設計用せん断力（9.8）

$_DQ_{up}$：メカニズム時における接合部に生じるせん断力（10.5.3）

$_mQ_{SH}$：PCa 造スラブ等の水平接合部のメカニズム時せん断力（10.5.4）

$_sQ_{sn}$：セットバック等がある場合で，PCa 造スラブを介して伝達すべき地震力がある場合に，PCa 造スラブの水平接合部 1 個あたりに生じるせん断力（9.12）（10.5.4）

$_sQ_{ss}$：PCa 造スラブを介して伝達すべきせん断力（9.12）

$_UQ_{hj}$：PCa 造スラブ等の水平接合部のせん断強度（9.12）（10.5.4）

$_UQ_{SH}$：水平接合部のせん断強度（9.12），PCaRC 造耐力壁の水平接合部のせん断強度（10.5.4）

$_UQ_{SS}$：シヤーコッターのせん断強度（9.12）

$_UQ_{SW}$：シヤーコッター部の充填コンクリートまたは充填モルタルのせん断強度（9.12）

$_UQ_{sn}$：セットバック等がある場合で，PCa 造スラブを介して伝達すべき地震力がある場合に，PCa 造スラブの水平接合部 1 個あたりに生じるせん断力（9.12）

$_wQ_{su}$：耐力壁のせん断強度（10.4.1）（10.5.1）

$_bQ_{su0}$：単独の円形孔を有する壁梁または基礎梁の孔周囲のせん断強度（10.5.2）

$_{AL}Q_V$：鉛直接合部の長期許容せん断力（9.12），PCaRC 造壁梁の鉛直接合部の長期許容せん断力（9.12）

$_{AS}Q_V$：鉛直接合部の短期許容せん断力（9.12），PCaRC 造壁梁の鉛直接合部の短期許容せん断力（9.12）

$_{DL}Q_V$：耐力壁の鉛直接合部に生じる長期荷重時の設計用せん断力（9.12），PCaRC 造壁梁の鉛直接合部に生じる長期荷重時の設計用せん断力（9.12）（10.5.4）

$_{DS}Q_V$：耐力壁の鉛直接合部の短期荷重時設計用せん断力（9.12），PCaRC 造壁梁の鉛直接合部に生じる短期荷重時の設計用せん断力（9.12）

$_{DU}Q_H$：水平接合部の終局時設計用せん断力（9.12）

$_{DU}Q_V$：鉛直接合部の終局時設計用せん断力（9.12），PCaRC 造壁梁の鉛直接合部の終局時設計用せん断力（9.12）

$_{AL}Q_{SS}$：シヤーコッターの長期許容せん断力（9.12），PCaRC 造壁梁の鉛直接合部のシヤーコッターの長期許容せん断力（9.12）

$_{AL}Q_{SW}$：充填コンクリートまたは充填モルタルの長期許容せん断力（9.12）

$_{AS}Q_{hj}$：水平接合部の短期許容せん断力（9.12）

$_{AS}Q_{SS}$：シヤーコッターの短期許容せん断力（9.12），PCaRC 造壁梁の鉛直接合部のシヤーコッターの短期許容せん断力（9.12）

$_{AS}Q_{SW}$：充填コンクリートまたは充填モルタルの短期許容せん断力（9.12）

$_{AS}Q_{V1}$：PCaRC 造壁梁の鉛直接合部に作用する短期荷重時における曲げ圧縮応力に基づく短期許容せん断力（9.12）

$_{AS}Q_{V2}$：PCaRC 造壁梁の鉛直接合面を横切る鉄筋とコンクリートの支圧強度による短期許容せん断伝達力（9.12）

$_{DS}Q_{hj}$：標準せん断力係数 $C_0 \geqq 0.2$ の短期荷重時における PCa 造スラブ等の水平接合部 1 個あたりの設計用せん断力（9.12）

$_{DU}Q_{hj}$：PCa 造スラブ等の水平接合部 1 個あたりの終局設計用せん断力（9.12）

$_{AS}Q_{SS,s}$：PCa 造スラブと PCa 造スラブの水平接合部のシヤーコッターの短期許容せん断力（9.12）

$_{AS}Q_{SW,s}$：PCa 造スラブと PCa 造スラブの水平接合部のシヤーコッターの充填コンクリートまたは充填モルタルの短期許容せん断力（9.12）

R：耐力壁・壁梁接合部に設ける開口の内法長さ（6.7），開口の最大内法長さ（6.7），耐力壁・基礎梁接合部に設ける開口の最大内法長さ（6.7）

$\sum R_0$：耐力壁・壁梁接合部に設けられた小開口の直径の和（9.8），耐力壁・壁梁接合部に設ける小開口の内法長さの和（10.4.3）

R_1, R_2：耐力壁・壁梁接合部に設ける開口の最大内法長さ（6.7），開口の最大内法長さ（6.7），耐力壁・基礎梁接合部に設ける開口の最大内法長さ（6.7）

R_e：偏心率（10.5.2）

R_s：剛性率（10.5.2）

R_t：建物と地盤の固有周期に応じて地震層せん断力係数を低減する係数（10.1.3）

$R_{e,i}$：i 層の偏心率（10.1.3）

r：8 条に規定する小開口に対する低減率（9.2），耐力壁の小開口による低減率（9.2）（10.2），小開口による低減率（9.3）（10.4.1）

r_1：開口によるせん断剛性の低減率（8.2），開口部の幅による低減率（10.4.1）

r_2：開口部の見付面積による低減率（10.4.1）

r_3：開口部の高さによる低減率（10.4.1）

S：必要定着長さの修正係数（10.5.5）

S_i：i 階の壁率算定用床面積（8.1）（10.1.1）

S_n：PCa 造スラブどうしの接合部の設計においては，PCa 造スラブどうしが接する部分の設計用せん断力計算方向の水平接合部の個数で，PCa 造スラブと耐力壁，壁梁および基礎梁等の接合部の設計においては，当該接合部の設計用せん断力計算方向の水平接合部の個数（9.12）（10.5.4）

s：有開口耐力壁の縦補強筋の間隔（9.3）（10.5.1），有開口耐力壁の横補強筋の間隔（9.3）（10.5.1），一組の横補強筋の間隔（10.4.1），有開口耐力壁の一組の縦補強筋の間隔（10.5.1），一組の横拘束筋（断面積 A_{st}）の間隔（10.5.1）

T_d：耐力壁の小開口隅角部の付加斜張力（9.3）

T_h：耐力壁の小開口隅角部の水平縁張力（9.3）

T_v：耐力壁の小開口隅角部の鉛直縁張力（9.3）

T_{b1}：耐力壁・壁梁接合部に接続する右（または左）側の壁梁上端端部曲げ補強筋に生じる短期荷重時引張力（9.8）

T_{bu1}：接合部に接続する右（または左）側の壁梁または基礎梁上端端部曲げ補強筋に生じるメカニズム時引張力（10.5.3）

t：耐力壁・壁梁接合部の開口間に接続する直交壁の厚さ（6.7），直交壁の厚さ（6.7），耐力壁の厚さ（8.1）（9.2）（9.12）（10.1.1）（10.2），耐力壁・壁梁接合部の厚さ（9.8）

t_0：耐力壁の最小壁厚（8.1）（10.1.1），最小壁厚（9.4）

t_e：耐力壁のせん断強度に有効な範囲内の直交壁の断面積を加算した全断面積 ΣA_w を，耐力壁の長さ（有開口耐力壁の場合は開口部を含む2以上の耐力壁の全長さ）を l としたときの等価厚さ（10.4.1）

$\Sigma(t \cdot l)$：耐力壁の厚さに耐力壁の実長を乗じた数値の和（8.1）（10.1.1）

W：地震力を計算する場合における当該階が支える部分の固定荷重と積載荷重の和（特定行政庁が指定する多雪区域においては，さらに積雪荷重を加えるものとする）（8.1）（9.12），PCa造スラブどうしの接合部の設計においては，PCa造スラブが支える部分の固定荷重と積載荷重との和（特定行政庁が指定する多雪区域においては，さらに積雪荷重を加えるものとする）で，PCa造スラブと耐力壁，壁梁および基礎梁等との接合部においては，PCa造スラブが支える部分の固定荷重と積載荷重との和（特定行政庁が指定する多雪区域においては，さらに積雪荷重を加えるものとする）（9.12）（10.5.4）

w_L：PCa造スラブの長期荷重時単位面積あたりの鉛直荷重（9.12）

w_S：PCa造スラブののみ込み部に生じる設計用鉛直震度 $k_v \geq 1.0$ 時の単位面積あたりの鉛直荷重（9.12）

Z：地震地域係数（8.1）（9.12）（10.1.1）（10.1.3）

α：耐力壁の厚さが最小壁厚より大きい場合の壁量の低減率（8.1）（10.1.1），壁梁のせん断スパン比による割増し係数（9.6），係数で，横補強筋で拘束されたコア内に定着する場合は1.0，それ以外の場合は1.25とする（10.5.5）

α_1：シヤーコッターの直接せん断を考慮した割増し係数（9.12），PCa造スラブとPCa造スラブの水平接合部のシヤーコッターの直接せん断を考慮した割増し係数（9.12），PCaRC造壁梁の鉛直接合部のシヤーコッターの直接せん断を考

慮した割増し係数（9.12）

α_2：充填コンクリートまたは充填モルタルの局部圧縮を考慮した割増し係数（9.12），PCa造スラブとPCa造スラブの水平接合部のシヤーコッターの局部圧縮を考慮した割増し係数（9.12），PCaRC造壁梁の鉛直接合部の充填コンクリートまたは充填モルタルの局部圧縮を考慮した割増し係数（9.12）

α_b：壁梁および基礎梁の曲げ強度上の余力（10.5.2）

α_J：ねじれによる負担せん断力の修正係数（9.12）

α_w：耐力壁の曲げ強度上の余力（10.5.1）

β：使用するコンクリートの設計基準強度による係数（8.1），使用するコンクリートの設計基準強度F_cによる壁率の低減係数（10.1.1）

β_1：耐力壁の長さが地震力検討方向の耐力壁の平均長さの1.5倍以上の耐力壁のメカニズム時せん断力の割増し係数（10.5.1）

β_p：接合部のせん断強度上の余力（10.5.3）

β_w：耐力壁のせん断強度上の余力（10.5.1）

β_{J1}：PCaRC造耐力壁の鉛直接合部のせん断強度上の余力（10.5.4）

β_{J2}：PCaRC造耐力壁の水平接合部のせん断強度上の余力（10.5.4）

β_{J3}：PCa造スラブ等の水平接合部のせん断強度上の余力（10.5.4）

β_{J4}：PCaRC造壁梁の鉛直接合部のせん断強度上の余力（10.5.4）

β_{J5}：現場打ちRC造部分とPCaRC造壁梁の水平接合部のせん断強度上の余力（10.5.4）

γ：コンクリートの単位体積重量（4条）

γ_A：種別WAである耐力壁の水平耐力の和を種別WDである耐力壁を除くすべての耐力壁の水平耐力の和で除した数値（10.2）

γ_C：種別WCである耐力壁の水平耐力の和を種別WDである耐力壁を除くすべての耐力壁の水平耐力の和で除した数値（10.2）

$\varPhi$：集中係数で，1.2とする．ただし，建物隅角部等の耐力壁端部の鉛直接合部では1.0としてよい（9.12），終局時における集中係数で，1.0とする（9.12）

$\Sigma\phi$：引張鉄筋の周長の和（9.13）

κ：耐力壁・壁梁接合部の形状による係数（10.4.3）

λ：当該階から下階の耐力壁または基礎梁が変形しないと仮定することに伴う係数（10.4.1）

μ：接触面圧縮応力伝達の摩擦係数で，実験にて確認する場合を除き，0.6とする（9.12）

μ_s：現場打ちRC造部分とPCaRC造壁梁との水平接合部の摩擦係数で，現場打ちコンクリートを打設するPCaRC造壁梁との水平接合面のレイタンスを除去する場合0.6，水平接合面のレイタンスを除去し，かつ5mm程度の凹凸を設け

た場合1.0とする（9.12）

σ_0：短期荷重時における耐力壁・壁梁接合部の圧縮応力度（9.8）

σ_B：コンクリートの圧縮強度（9.8）（10.4.3）

σ_c：圧縮鉄筋の継手部分の最大存在応力度（9.13）

σ_D：付着検定断面位置における保証設計用の鉄筋の引張応力度（10.5.5）

σ_t：耐力壁・壁梁接合部のコンクリートの引張強度（9.8），PCa造スラブののみこみ部を支持するコンクリートの引張強度（9.12），引張力が生じる鉄筋の継手部分の最大存在応力度（9.13），接合面における鉄筋の引張応力度（10.5.5）

σ_u：重ね継手部分の引張鉄筋の材料強度（10.5.5），カットオフ筋のメカニズム時における引張応力度（10.5.5）

σ_y：壁梁の端部曲げ補強筋の規格降伏点（9.6），コッター筋の規格降伏点（9.12），水平接合部の接合筋および鉛直接合部内の縦筋の規格降伏点（9.12），PCaRC造壁梁の端部曲げ補強筋および鉛直接合部のコッター筋の規格降伏点（9.12），PCaRC造壁梁の上端端部曲げ補強筋の材料強度（9.12），圧縮側主筋と接合筋の規格降伏点（9.12），引張鉄筋の材料強度（10.4.1），壁梁等の引張鉄筋の材料強度（10.4.2），接合部に接続する右（または左）側の壁梁または基礎梁の上端端部曲げ補強筋の材料強度（10.5.3），接合部に接続する左（または右）側の壁梁または基礎梁の上端端部曲げ補強筋の材料強度（10.5.3），PCaRC造壁梁の上端端部曲げ補強筋の材料強度（10.5.4），付着検定断面における鉄筋の降伏強度（10.5.5）

σ_{tj}：耐力壁・壁梁接合部のコンクリートの引張強度（9.8）

σ_{wy}：PCaRC造壁梁の縦補強筋の規格降伏点（9.12），耐力壁の中間部縦筋の材料強度（10.4.1），壁梁等の縦補強筋の規格降伏点（10.4.2）

σ_{yd}：開口部周囲の斜め補強筋の規格降伏点（10.5.1）

σ_{wh}：開口部周囲の横補強筋の規格降伏点（10.5.1）

σ_{yv}：開口部周囲の縦補強筋の規格降伏点（10.5.1）

$_L\sigma_t$：長期荷重時にPCaRC造壁梁の上端端部曲げ補強筋に生じる引張力（9.12），付着検定断面iにおける長期荷重時の鉄筋存在応力度（9.13），曲げ材の引張鉄筋の長期荷重時引張応力度（9.14）

$_S\sigma_t$：短期荷重時にPCaRC造壁梁の上端端部曲げ補強筋に生じる引張力（9.12），付着検定断面iにおける短期荷重時の鉄筋存在応力度（9.13），曲げ材の引張鉄筋の短期荷重時引張応力度（9.14）

$_S\sigma_y$：円形孔周囲の補強筋の規格降伏点（10.5.2）

$_L\sigma_{pc}$：PCa造スラブののみ込み部に生じる長期荷重時局部圧縮応力度（9.12）

$_U\sigma_{pc}$：PCa造スラブののみ込み部に生じる設計用鉛直震度$k_v \geq 1.0$時の局部圧縮応力度（9.12）

$_s\sigma_{wy}$：横補強筋の規格降伏点（10.4.1），壁梁等の横補強筋の規格降伏点（10.4.2）

τ：耐力壁の短期荷重時せん断応力度（9.2）

$\tau_{0.2}$：標準せん断力係数 $C_0 \geqq 0.2$ の時の耐力壁の平均せん断応力度（9.2），建物の当該階における標準せん断力係数 $C_0 \geqq 0.2$ 時における耐力壁の平均せん断応力度（9.12）

τ_D：メカニズム時に曲げ降伏する部材の引張鉄筋の設計用平均付着応力度（10.5.5）

τ_L：長期荷重時に現場打ち RC 造部分と PCaRC 造壁梁との水平接合部に生じるせん断応力度（9.12）

τ_S：短期荷重時に現場打ち RC 造部分と PCaRC 造壁梁との水平接合部に生じるせん断応力度（9.12）

τ_U：終局時に現場打ち RC 造部分と PCaRC 造壁梁との水平接合部に生じるせん断応力度（9.12）

τ_u：PCa 造スラブののみ込み部を支持するコンクリートの直接せん断強度（9.12），メカニズム時に耐力壁の断面に生じる平均せん断応力度（10.2）

τ_{SU}：現場打ち RC 造部分と PCaRC 造壁梁との水平接合部のせん断強度（9.12）（10.5.4）

$\tau_{p,scr}$：耐力壁・壁梁接合部のせん断ひび割れ強度（9.8）

$_m\tau_U$：メカニズム時に現場打ち RC 造部分と PCaRC 造壁梁の水平接合部に生じるせん断応力度（10.5.4）

θ：円形孔周囲の補強筋が壁梁または基礎梁の材軸となす角度（10.5.2）

3条　使用材料

3.1　コンクリートおよびモルタルの種類・設計基準強度・品質

1．コンクリートおよび充填コンクリートの使用骨材による種類は，普通コンクリートまたは軽量コンクリート1種とする．

2．モルタル（充填モルタルおよび敷きモルタルをいい，以下同様とする）に使用する細骨材は，普通骨材とする．

3．コンクリートの設計基準強度は，$18\,\text{N/mm}^2$ 以上とする．

4．充填コンクリートおよびモルタルの設計基準強度は，$21\,\text{N/mm}^2$ 以上，かつ隣接する PCaRC 造部材のコンクリートの設計基準強度以上とする．

5．現場打ちのコンクリートに使用する材料およびコンクリートの調合・製造・運搬・打込み・養生ならびに品質管理・検査は，本会編「建築工事標準仕様書・同解説 JASS 5 鉄筋コンクリート工事」（以下，JASS 5 という）による．

6．PCaRC 造部材のコンクリートに使用するコンクリートの調合・製造・打設・養生は，本会編「建築工事標準仕様書・同解説 JASS 10 プレキャスト鉄筋コンクリート工事」（以下，JASS 10 という）による．また，充填モルタルおよび敷きモルタルに使用する材料・調合・ワーカビリ

3.2 鉄筋の種別および品質

1. 鉄筋の品質は，JIS G 3112（鉄筋コンクリート用棒鋼）の規格に定めたものによる．なお，溶接個所以外に用いることを許容する鉄筋コンクリート用再生棒鋼は，JIS G 3117 の規格を満たすものとする．
2. 鉄筋の種別は，異形棒鋼の SD295，SD345，SD390 とし，鉄筋の径は原則として D25 以下とする．ただし，基礎梁の曲げ補強筋等で，重ね継手以外のガス圧接や機械式継手，溶接継手を用いる場合，もしくは場所打ちコンクリート杭の主筋で重ね継手を用いる場合は，D29 以上を用いてもよい．なお，PCaRC 造部材接合部の接合筋には，丸鋼の SR235 の径 13 mm 以下を用いることができる．
3. 溶接金網は，JIS G 3551（溶接金網及び鉄筋格子）の規格に定めたもののうち，素線の径が 6 mm 以上のものとする．

3.3 鋼材の種別および品質

PCaRC 造部材接合部に使用する鋼材は，JIS G 3101（一般構造用圧延鋼材）または JIS G 3106（溶接構造用圧延鋼材）の規格品とする．

4条　材料の定数

1. 鉄筋およびコンクリートの材料の定数は，表 4.1 による．

表 4.1　鉄筋およびコンクリートの材料の定数

	ヤング係数（N/mm^2）	ポアソン比	線膨張係数（1/℃）
鉄　　筋	2.05×10^5	—	1×10^{-5}
コンクリート	$3.35 \times 10^4 \times (\gamma/24)^2 \times (F_c/60)^{1/3}$	0.2	1×10^{-5}

〔記号〕　γ：コンクリートの単位体積重量（kN/m^3）で，特に調査しない場合は，表 4.2 の数値から 1.0 を減じた数値とすることができる．
　　　　　F_c：コンクリートの設計基準強度（N/mm^2）

2. 鉄筋コンクリートの単位体積重量は，実状による．特に調査しない場合は，表 4.2 によってよい．

表 4.2　鉄筋コンクリートの単位体積重量

コンクリートの種類	設計基準強度の範囲（N/mm^2）	鉄筋コンクリートの単位体積重量（kN/m^3）
普通コンクリート	$18 \leq F_c \leq 36$	24
軽量コンクリート 1 種	$18 \leq F_c < 27$	20
	$20 \leq F_c \leq 36$	22

〔記号〕　F_c：コンクリートの設計基準強度（N/mm^2）

3. モルタルの単位体積重量は，実状による．特に調査しない場合は，22 kN/m³ としてよい．

5条　許容応力度・材料強度

1. コンクリートおよび充填コンクリートならびにモルタルの許容応力度および材料強度は，表5.1による．PCaRC造部材接合部の許容せん断力算定用の許容応力度は，表5.2による．

表5.1　コンクリート・充填コンクリート・モルタルの許容応力度・材料強度（N/mm²）

	長期			短期			材料強度
	圧縮	引張	せん断	圧縮	引張	せん断	圧縮
普通コンクリート 充填コンクリート 普通モルタル	$F_c/3$	—	$F_c/30$ かつ $(0.49+F_c/100)$ 以下	長期に対する数値の2倍の数値	—	長期に対する数値の1.5倍の数値	F_c
軽量コンクリート種			普通コンクリートに対する数値の0.9倍の数値				

〔記号〕　F_c：普通コンクリート，充填コンクリート，充填モルタルならびに軽量コンクリート1種の設計基準強度（N/mm²）

表5.2　PCaRC造部材接合部の許容せん断力算定用の許容応力度（N/mm²）

	長期許容応力度	短期許容応力度
シヤーコッターの直接せん断 f_{ss}	$0.49+F_c/100$	長期に対する数値の1.5倍の数値
充填コンクリート，充填モルタルのせん断　f_{sw}		
シヤーコッターの局部圧縮　f_{cs}	$F_c/3$	長期に対する数値の2倍の数値

〔記号〕　F_c：コンクリート，充填コンクリートおよび充填モルタルの設計基準強度（N/mm²）

2. 鉄筋の許容応力度および材料強度は，表5.3による．

表5.3　鉄筋の許容応力度・材料強度（N/mm²）

	長期			短期			材料強度
	圧縮	引張	せん断補強	圧縮	引張	せん断補強	圧縮・引張
SR235	155	155		235	235		258.5
SD295	295/1.5		195	295		295	324.5
SD345	215(195)		195	345		345	379.5
SD390	215(195)		195	390		390	429.0
溶接金網	—	195	195	—	295	295	—

［注］　（ ）：D29以上の場合の数値

3. 鋼材および溶接部の許容応力度および材料強度は，関連法令および告示による．
4. 鉄筋のコンクリートに対する許容付着応力度は，表5.4による．

表5.4 鉄筋のコンクリートに対する許容付着応力度（N/mm²）

	長　期		短　期
	上端筋	その他の鉄筋	
異形鉄筋	$(1/15)\,F_c$ かつ $(0.9+2F_c/75)$ 以下	$(1/10)\,F_c$ かつ $(1.35+F_c/25)$ 以下	長期に対する数値の1.5倍の数値
丸　鋼	$(4/100)\,F_c$ かつ 0.9 以下	$(6/100)\,F_c$ かつ 1.35 以下	長期に対する数値の1.5倍の数値

〔注〕（1）上端筋とは，曲げ材にあって，その鉄筋の下に300 mm以上のコンクリートが打ち込まれている場合の水平鉄筋をいう．
（2）異形鉄筋で，その鉄筋までのコンクリートのかぶり厚さが鉄筋の径の1.5倍未満の場合には，その鉄筋の許容付着応力度は，この表の値に「かぶり厚さ/鉄筋径の1.5倍」を乗じた値とする．

〔記号〕　F_c：コンクリートの設計基準強度（N/mm²）

6条　構造計画

6.1　規　　模

1．各階の階高は，4 m以下とする．
2．屋根勾配を設ける場合，軒より棟までの高さは，原則として2 m以下とする．ただし，高さ方向2 m以内にスラブ等剛強な横架材を設ける場合は，この限りでない．
3．建物の長さは，原則として80 m以下とする．ただし，地震時におけるスラブの面内振動や地震入力の位相ずれ等に対する検討を行い，耐震安全性を確認した場合は，この限りでない．

6.2　耐力壁および壁梁の配置

1．耐力壁は，平面および立面上釣合いよく配置する．
2．上階の耐力壁は，原則として下階の耐力壁の上に配置する．ただし，曲げモーメント，せん断力ならびに軸方向力を有効に下階の耐力壁に伝達できる場合は，この限りでない．
3．各階の耐力壁の頂部には，原則として壁梁を有効に連続して設けるものとする．ただし，建物としての一体性が確保でき，かつ耐力壁の負担せん断力が適切に評価できる場合は，この限りでない．
4．PCa壁式RC造建物または建物の構造部分のPCaRC造耐力壁の中心線より囲まれた部分の水平投影面積は，原則として60 m²以下とする．ただし，スラブの面内および面外方向の所要剛性と強度が確保できる場合は，この限りでない．

6.3　耐力壁の構造

6.3.1　耐力壁の実長

1．耐力壁の実長（耐力壁の長さのうち，検討方向の壁率および壁量算定上算入できる長さをいい，以下同様とする）は，450 mm以上とするとともに，原則として同一の実長を有する部分の高さ（図6.3.1）の30％以上とする．なお，8.1節本文1.(4)によらない場合は，この限りでない．

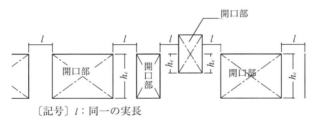

〔記号〕 l：同一の実長
　　　　h_e：同一の実長を有する部分の高さ

図 6.3.1 同一の実長を有する部分の高さ h_e のとり方

2．耐力壁の小開口が次の条件を満たし，かつ 9.3 節に規定する補強を行った場合は，実長の算定において当該小開口を無視することができる（図 6.3.2）．

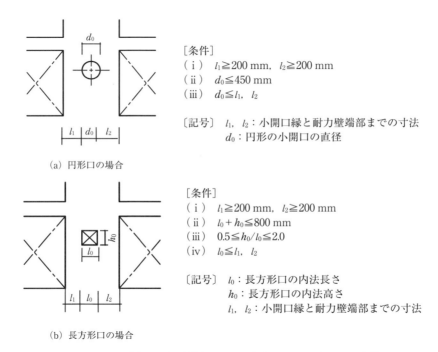

〔条件〕
（ⅰ）　$l_1 \geq 200$ mm, $l_2 \geq 200$ mm
（ⅱ）　$d_0 \leq 450$ mm
（ⅲ）　$d_0 \leq l_1, l_2$

〔記号〕　l_1, l_2：小開口縁と耐力壁端部までの寸法
　　　　d_0：円形の小開口の直径

(a) 円形口の場合

〔条件〕
（ⅰ）　$l_1 \geq 200$ mm, $l_2 \geq 200$ mm
（ⅱ）　$l_0 + h_0 \leq 800$ mm
（ⅲ）　$0.5 \leq h_0/l_0 \leq 2.0$
（ⅳ）　$l_0 \leq l_1, l_2$

〔記号〕　l_0：長方形口の内法長さ
　　　　h_0：長方形口の内法高さ
　　　　l_1, l_2：小開口縁と耐力壁端部までの寸法

(b) 長方形口の場合

図 6.3.2 耐力壁の実長算定において無視してよい小開口の条件

6.3.2　耐力壁の厚さ

1．壁式 RC 造耐力壁の厚さは，現場打ち壁式 RC 造にあっては表 6.3.1，PCa 壁式 RC 造耐力壁にあっては表 6.3.2 に示す数値以上とする．

表6.3.1 現場打ち壁式RC造耐力壁の最小厚さ

階		最小壁厚 t_0 (mm)	備考
地上階	地階を除く階数が1の建築物	120, かつ $h_s/25$*	h_s：構造耐力上主要な鉛直支点間距離 (mm)
地上階	地階を除く階数が2の建築物の各階	150, かつ $h_s/22$*	
地上階	地下を除く階数が3～5の建築物　最上階	150, かつ $h_s/22$*	
地上階	地下を除く階数が3～5の建築物　その他の階	180, かつ $h_s/22$*	
地階		180, かつ $h_s/18$*	

[注]＊：面内応力のほか面外座屈に対する安全性の検討および配筋納まり，設計かぶり厚さの確認ならびにコンクリートの充填性等を確認した場合は，その数値によってよいが，最小壁厚の数値以上とする．

表6.3.2 PCa壁式RC造耐力壁の最小厚さ

階		最小壁厚 t_0 (mm)	備考
地上階	最上階および最上階から数えた階数が2の階	120, かつ $h_s/25$*	h_s：構造耐力上主要な鉛直支点間距離 (mm)
地上階	その他の階	150, かつ $h_s/22$*	
地階		180, かつ $h_s/18$*	

[注]＊：面内応力のほか面外座屈に対する安全性の検討および配筋納まり，設計かぶり厚さの確認ならびにコンクリートの充填性等を確認した場合は，その数値によってよいが，最小壁厚の数値以上とする．

2．表6.3.1および表6.3.2における構造耐力上主要な鉛直支点間距離 h_s は，下記による．
  （1） 耐力壁に剛なスラブが接続する場合は，それらの相互の中心間距離（図6.3.3 (a)）とする．
  （2） 1階の床板を剛なRC造以外の構造とする場合で，当該耐力壁下の基礎梁と直交する方向に当該耐力壁の面外方向の変形を拘束できる基礎梁を有する場合（図6.3.3 (b)），もしくは，当該耐力壁の厚さに比して幅が十分大きく，かつ面外剛性が大きな基礎梁が取り付く場合（図6.3.3 (c)）は，基礎梁上面と2階スラブ中心間距離とする．
  （3） 上記（1），（2）以外の場合は，基礎梁下面より2階スラブ中心間距離とする（図6.3.3 (d)）．
  （4） 傾斜屋根を支持する耐力壁等で，スラブ中心間距離が変化する場合，当該耐力壁の構造耐力上主要な鉛直支点間距離 h_s は，その平均値としてよい（図6.3.3 (e)）．

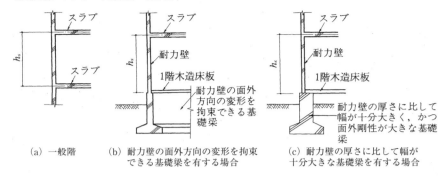

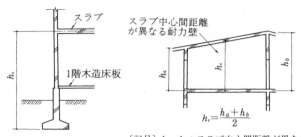

〔記号〕h_a, h_b：スラブ中心間距離が異なる耐力壁の高さのうちの最小値，最大値

(d) (b) および (c) 以外の場合　　(e) スラブ中心間距離が変化する場合

図 6.3.3 構造耐力上主要な鉛直支点間距離 h_s

6.4 壁梁の構造

1. 壁梁のせいは，原則として 450 mm 以上とする．なお，一部の壁梁のせいは 450 mm 未満としてよいが，下限値は 350 mm とする．
2. 壁梁の幅は，これに接続する耐力壁の厚さ以上とする．壁梁の幅が接続する耐力壁の厚さより大きい場合，耐力壁・壁梁接合部も壁梁の幅以上とする．
3. 剛なスラブと一体となっていない壁梁の等価幅は，構造耐力上主要な水平支点間距離（壁梁に連続する耐力壁が平面上で直交する耐力壁，壁梁または小梁の中心間距離をいい，以下同様とする）の 1/20 以上とし，かつ壁梁は，面外方向の荷重に対しても所要の構造性能を有することを確認する．
4. 壁梁に設けることのできる開口は，次の（1）から（4）を満たすものとする．
   （1） 円形孔の直径および矩形開口の壁梁のせい方向の辺長は，壁梁せいの 1/3 以下とする．
   （2） 円形孔および矩形開口の上縁，下縁と壁梁の上端，下端までの距離は，補強筋の配筋納まりと設計かぶり厚さならびにコンクリートの充填性を確保できる数値以上とする．
   （3） 耐力壁縁と円形孔または矩形開口の縁までの距離は，原則として壁梁のせい以上とする．なお，所要の強度と変形性能が確保できる場合は，この限りでない．
   （4） 同一の壁梁に 2 個以上の円形孔を設ける場合，円形孔の中心間距離は，隣り合う円形孔の直径の和の 1.5 倍以上とする．

6.5 屋根板および床板の構造

1. 構造耐力上主要な部分である屋根板および床板は，原則として RC 造とし，鉛直荷重を支持するとともに水平力によって生じる応力を耐力壁および壁梁（最下階の床板にあっては基礎梁）に伝えることができる十分な強度および剛性を有する構造とする．なお，次の（1）から（3）に該当する場合は，RC 造以外の構造としてもよい．
   （1） 軟弱地盤以外に建つ地下階のない現場打ち壁式 RC 造建物の 1 階の床板
   （2） 軟弱地盤以外に建つ地上階数 2 以下の現場打ち壁式 RC 造建物の最上階の屋根板
   （3） 軟弱地盤以外に建つ地下階のない地上階数 2 または平家建の PCa 壁式 RC 造建物の 1 階の床板
2. PCa 造スラブを壁梁や耐力壁ならびに基礎梁等の支持部材に載せる場合は，PCa 造スラブの端部ののみ込み長さを 40 mm 以上とし，PCa 造スラブと支持部材とは，鉄筋または接合金物等により有効に緊結する．ただし，耐力壁の厚さや壁梁等の幅が 120 mm 以上 150 mm 以下の場合には，上記のみ込み長さを 30 mm 以上とすることができる．
3. 屋根板および床板は，使用上有害となる著しい大きなたわみ，振動障害ならびにひび割れの発生を防止する．
4. 開口部を有するスラブは，開口により生じる応力の集中に対して安全であるようにするほか，著しい大きなたわみ，振動障害ならびにひび割れの発生を防止する．

6.6 基礎の構造

1. 建物の最下階の耐力壁下および開口部下には，基礎梁を有効に連続して設ける．
2. 基礎（基礎梁および基礎スラブ（杭基礎の場合はパイルキャップ）ならびに杭をいい，以下同様とする）は，鉛直荷重および水平荷重に対して，十分安全な耐力を有するよう設計するほか，次の（1）から（3）に適合する構造とする．
   （1） 基礎スラブ（杭基礎の場合はパイルキャップ）および基礎梁は，一体の RC 造とする．
   （2） 基礎梁の幅は，これに接続する耐力壁の厚さ以上とする．
   （3） 基礎スラブ（杭基礎の場合はパイルキャップ）および基礎梁は，十分な土への根入れ深さを確保する．
3. 基礎梁に設ける開口は，6.4 節 4. に準じる．

6.7 耐力壁・壁梁接合部および耐力壁・基礎梁接合部の構造

1. 耐力壁・壁梁接合部の厚さは，接続する耐力壁の厚さ以上，かつ壁梁の幅以上とする．
2. 耐力壁・壁梁接合部には，原則として開口を設けないものとする．やむを得ず開口を設ける場合は，次の（1）および（2）による．
   （1） T 形または十字形耐力壁・壁梁接合部に開口を設ける場合は，2 個以下とするとともに次の（i）から（iv）の全てを満たすものとする（図 6.7.1）．
      （i） 開口の最大内法長さ（円形の場合は直径，矩形の場合は長辺の長さをいい，以下同様

とする）は，200 mm 以下である．
(ⅱ) 耐力壁端部から開口縁までの縁間距離が 200 mm 以上である．
(ⅲ) 耐力壁・壁梁接合部の長さが，(6.7.1) 式を満たす．なお，開口間に直交壁が接続する場合は，(6.7.2) 式を満たす．

$$l \geq 400 + 2(R_1 + R_2) \tag{6.7.1}$$

$$l \geq 400 + (R_1 + R_2) + t \tag{6.7.2}$$

記号　l：耐力壁・壁梁接合部の長さ（mm）

R_1, R_2：耐力壁・壁梁接合部に設ける開口の最大内法長さ（mm）

t：耐力壁・壁梁接合部の開口間に接続する直交壁の厚さ（mm）

(ⅳ) 開口の中心は，壁梁せいの 1/2 の線上より上方である．

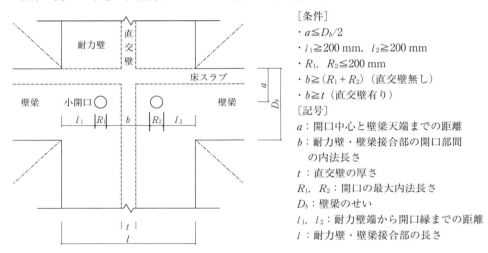

［条件］
・$a \leq D_b/2$
・$l_1 \geq 200$ mm, $l_2 \geq 200$ mm
・R_1, $R_2 \leq 200$ mm
・$b \geq (R_1 + R_2)$（直交壁無し）
・$b \geq t$（直交壁有り）

［記号］
a：開口中心と壁梁天端までの距離
b：耐力壁・壁梁接合部の開口部間の内法長さ
t：直交壁の厚さ
R_1, R_2：開口の最大内法長さ
D_b：壁梁のせい
l_1, l_2：耐力壁端から開口縁までの距離
l：耐力壁・壁梁接合部の長さ

図 6.7.1　T 形または十字形耐力壁・壁梁接合部に設けることのできる開口の条件

(2) ト形および L 形耐力壁・壁梁接合部に開口を設ける場合は，次の（ⅰ）から（ⅳ）の全てを満たすものとする．
(ⅰ) 開口の数は 1 個とするとともに，開口の最大内法長さは，200 mm 以下である．
(ⅱ) 耐力壁端部から開口縁までの縁間距離が 200 mm 以上である．
(ⅲ) 耐力壁・壁梁接合部の長さが，次式を満たす．

$$l \geq 400 + R \tag{6.7.3}$$

記号　l：耐力壁・壁梁接合部の長さ（mm）

R：耐力壁・壁梁接合部に設ける開口の最大内法長さ（mm）

(ⅳ) 開口の中心は，壁梁せいの 1/2 の線上より上方である．

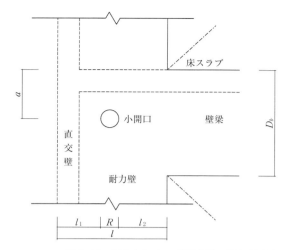

［条件］
・$a \leq D_b/2$
・$l_1 \geq 200$ mm, $l_2 \geq 200$ mm
・$R \leq 200$ mm

［記号］
a：開口中心と壁梁天端までの距離
R：開口の最大内法長さ
D_b：壁梁のせい
l_1, l_2：耐力壁端から開口縁までの距離
l：耐力壁・壁梁接合部の長さ

図 6.7.2 ト形またはL形耐力壁・壁梁接合部に設けることのできる開口の条件

3．耐力壁・基礎梁接合部の厚さは，接続する耐力壁の厚さ以上，かつ基礎梁の幅以上とする．

4．耐力壁・基礎梁接合部には，原則として開口を設けないものとする．やむを得ず開口を設ける場合は，次の（1）および（2）による．

（1） 逆T形耐力壁・基礎梁接合部に開口を設ける場合は，次の（ⅰ）から（ⅳ）の全てを満たすものとする（図 6.7.3）．

（ⅰ） 開口の最大内法長さは，基礎梁せいの1/3以下かつ600 mm以下である．

（ⅱ） 耐力壁端部から開口縁までの縁間距離が200 mm以上である．

（ⅲ） 耐力壁・基礎梁接合部の長さが，(6.7.4)式を満たす．なお，開口間に直交基礎梁を有する場合は，(6.7.5)式を満たす．

$$l \geq 400 + 2(R_1 + R_2) \tag{6.7.4}$$

$$l \geq 400 + (R_1 + R_2) + b_G \tag{6.7.5}$$

記号　l：耐力壁・壁梁接合部の長さ（mm）
　　　R_1, R_2：耐力壁・基礎梁接合部に設ける開口の最大内法長さ（mm）
　　　b_G：耐力壁・基礎梁接合部の開口間に接続する直交基礎梁の幅（mm）

（ⅳ） 開口下縁と基礎端下縁との距離が400 mm以上である．

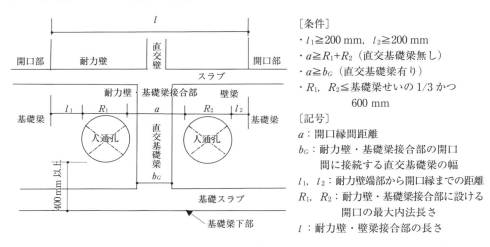

図 6.7.3 逆 T 形耐力壁・基礎梁接合部に設けることのできる開口の条件

(2) L 形耐力壁・基礎梁接合部に開口を設ける場合は，次の(ⅰ)から(ⅳ)の全てを満たすものとする（図 6.7.4）．

(ⅰ) 開口の数は 1 個とするとともに，開口の最大内法長さは，基礎梁せいの 1/3 以下かつ 600 mm 以下である．

(ⅱ) 耐力壁端部から開口縁までの縁間距離が 200 mm 以上である．

(ⅲ) 耐力壁・基礎梁接合部の長さが，次式を満たす．

$$l \geq 400 + R \tag{6.7.6}$$

記号　l：耐力壁・基礎梁接合部の長さ（mm）

　　　R：耐力壁・基礎梁接合部に設ける開口の最大内法長さ（mm）

(ⅳ) 開口下縁と基礎端下縁との距離が 400 mm 以上である．

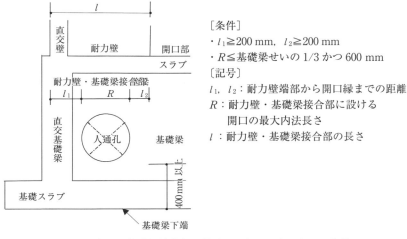

図 6.7.4 L 形耐力壁・基礎梁接合部に設けることのできる開口の条件

6.8 プレキャストRC造部材接合部の構造

1. プレキャストRC造部材接合部（以下，PCaRC造部材接合部という）は，その剛性および強度等について実験結果を十分考慮し，想定される応力に対して所要の構造性能を有するようにする．
2. PCaRC造耐力壁の鉛直接合部は，次の（1）および（2）による．
   （1） 鉛直接合部はウェットジョイントとし，1-D10または1-9φ以上のコッター筋により有効に接合する．
   （2） 鉛直接合部内の縦補強筋は，1-D13または1-13φ以上とする．
3. PCaRC造部材の水平接合部は，次の（1）から（3）による．
   （1） PCaRC造耐力壁の水平接合部に接合金物を用いる場合，接合金物の鋼板の厚さは，原則として9mm以上とする．ただし，SM490を使用しかつ溶接熱の影響等を検討し問題ないことを確かめた場合は，6mm以上とすることができる．
   （2） 水平接合部に用いる鉛直接合筋は，1-D13または1-13φ以上，かつ，その径は部材厚さの0.15倍以下とする．
   （3） 保有水平耐力を確認する計算ルートの場合，水平接合部は直ジョイント方式とする．
4. PCaRC造壁梁の鉛直接合部は，上記2.による．また，水平接合部は，現場打ちRC造部分との一体性を確保するため所要の接合筋を配筋するとともに，接合面を面粗し処理する．
5. PCaRC造部材接合部に用いる鉄筋および接合金物等は，防錆および耐火上安全であるように被覆する．

7条　荷重および外力とその組合せ

1. 構造計算に採用する荷重および外力とその組合せは，建築基準法および同施行令（以下，法および令という）ならびに関連告示（以下，告示という）に定めるところによる．
2. 土圧力や水圧力など，告示に数値の規定のないものについては，本会編「建築基礎構造設計指針」等による．

8条　構造解析の基本事項

8.1 応力・変形解析

1. 壁式RC造建物の許容応力度計算において必要な応力・変形解析は，原則として部材の弾性剛性に立脚した計算によるほか，次の（1）から（4）による．
   （1） 応力および変形の算定は，原則として，曲げモーメントおよびせん断力により生じる変形ならびに剛域を考慮した等価な骨組に置換する解析法によるものとし，必要に応じて軸方向変形も考慮する．
   （2） 部材に局部的なひび割れが生じ，剛性低下の影響が無視できない場合は，適切な復元力特性を設定して非線形解析を行い，各部の応力，変形を算定する．また，PCa壁式RC造の場合は，上記に加え，PCaRC造部材接合部の剛性を適切に考慮できる解析法による．

（3） 面外変形の影響が無視できない部材に対しては，面外変形を考慮する．
（4） 下記のi）からv）の全てを満たす場合は，水平荷重時応力算定を平均せん断応力度法によることができる．

　i） 軒の高さが16 m 以下である．
　ii） 各階の階高が3.5 m 以下である．
　iii） 各階各方向の壁率が，次式を満たす．

$$_i a_w \geq \frac{Z \cdot W \cdot A_i \cdot \beta}{2.5 S_i} \tag{8.1.1}$$

　　記号　$_i a_w$：i 階における各計算方向ごとの壁率（mm²／m²）で，計算方向の耐力壁の水平断面積［（耐力壁の実長）×（耐力壁の厚さ）］の合計を当該階の壁率算定用床面積で除した数値
　　　　　Z：地震地域係数
　　　　　W：地震力を計算する場合における当該階が支える部分の固定荷重と積載荷重との和（特定行政庁が指定する多雪区域においては，さらに積雪荷重を加えるものとする）（N）
　　　　　A_i：地震層せん断力の高さ方向の分布を表す係数
　　　　　β：使用するコンクリートの設計基準強度による係数で，1.0 とする．
　　　　　2.5：耐力壁のせん断強度の基準値（N/mm²）
　　　　　S_i：i 階の壁率算定用床面積（m²）．上階にバルコニーや外廊下などがある場合は，その面積の1/2以上を加算する．

　iv） 各階各方向の壁量が次式を満たす．

$$L_w \geq \alpha \cdot Z \cdot L_{w0}, \quad \text{かつ}, \quad L_w \geq L_{wm} \tag{8.1.2}$$

　　記号　L_w：各階における各計算方向の壁量（mm/m²）で，耐力壁の実長を当該階の壁量算定用床面積で除した数値
　　　　　α：耐力壁の厚さ t が表 10.1.3（PCa 壁式 RC 造にあっては表 10.1.4）に示す最小壁厚 t_0 より大きい場合の低減係数で，次式による．

$$\alpha = \frac{t_0 \cdot \Sigma l}{\Sigma(t \cdot l)}, \quad \text{ただし}, \quad \alpha \geq 1 - \frac{30}{L_{w0}} \tag{8.1.3}$$

　　　　　t_0：耐力壁の最小壁厚（mm）
　　　　　Σl：耐力壁の実長の和（mm）
　　　　　$\Sigma(t \cdot l)$：耐力壁の厚さ t に耐力壁の実長 l を乗じた数値の和（mm²）
　　　　　L_{w0}：標準壁量（mm/m²）で，表 10.1.1，PCa 壁式 RC 造にあっては表 10.1.2 による．
　　　　　L_{wm}：最小壁量（mm/m²）で，表 10.1.1，PCa 壁式 RC 造にあっては表 10.1.2 による．

　v） 耐力壁の実長が 450 mm 以上，かつ同一の実長を有する部分の高さの30％以上である．

2．壁式 RC 造建物の保有水平耐力は，原則として架構を構成する耐力壁，壁梁，基礎梁などの構造要素の弾塑性挙動を適切に再現できるモデルを用いた架構の増分解析によって求めることとし，各部材の非線形領域を含めた復元力特性を適切に考慮する．ただし，増分解析以外の方法を用いる場合は，各算定法の特長を十分に理解して用いることとする．

8.2 部材のモデル化

1．弾塑性状態における耐力壁のモデル化

耐力壁のモデルは，原則として面内方向に生じる曲げモーメント・軸方向力・せん断力の組合せおよび直交部材とその配筋が弾塑性の復元力特性に及ぼす影響を適切に評価するとともに，次の（1）から（3）による．

（1）耐力壁は，以下のモデルを用いることができる．ただし，モデルの特性と適用範囲に十分に留意して適用する．

（a）耐力壁を 1 本の鉛直方向の線材としたモデル

（b）耐力壁を 3 本の鉛直方向の線材としたモデル

（c）耐力壁を 2 本の鉛直方向の線材とブレースに置換したモデル

（d）材料の応力度－ひずみ関係に立脚したモデル

（2）耐力壁間に開口がある場合，もしくは，一様な配筋や断面形状でない部分がある場合には，それぞれの断面の特性を考慮できる剛性および強度を有する復元力特性を設定する．ただし，左右の耐力壁に囲まれる開口部の等価開口周比が 0.4 以下の場合には，開口部を含む 2 以上の耐力壁を一つの等価な耐力壁モデルを表す復元力特性を設定してよい．この場合，開口部によるせん断剛性の低減率は，(8.2.1)式による．なお，6.3 節に定める小開口にあっては，せん断剛性の低下を無視するものとする．

$$r_1 = 1 - 1.25\sqrt{(h_0 \cdot l_0)/(h \cdot l)}, \quad \text{ただし，} \quad r_0 = \sqrt{(h_0 \cdot l_0)/(h \cdot l)} \leq 0.4 \qquad (8.2.1)$$

記号　　r_1：開口によるせん断剛性低減率

　　　　h_0：開口部の内法高さ（mm）

　　　　l_0：開口部の内法長さ（mm）

　　　　h：耐力壁の構造耐力上主要な鉛直支点間距離（mm）

　　　　l：耐力壁の長さ（mm）

　　　　r_0：等価開口周比

また，開口部によるせん断終局強度の低減率は，10.4.1 項による．

（3）直交壁が取り付く耐力壁の曲げ剛性の算定では，直交壁の協力幅を適切に考慮した復元力特性を設定する．

2．弾塑性状態における壁梁および基礎梁（以下，壁梁等という）のモデル化

壁梁等のモデルは，原則として断面の重心を通る線材としてモデル化し，曲げ変形，せん断変形，および必要に応じて軸方向変形を考慮するほか，次の（1）から（3）による．

（1）壁梁等のモデル化においては，端部曲げ補強筋の定着性能を勘案して適切に復元力特性

を設定する．
（2） 壁梁等のせいに比して内法長さが短い壁梁等の曲げ剛性にあっては，それを適切に低減してもよい．
（3） 耐力壁の剛性が壁梁等の合成に比して十分大きい場合は，鉛直荷重に対する壁梁等の応力は，有効スパン（内法長さに剛域端までの距離を加えた数値）に対する両端固定梁として求めてもよい．

3．耐力壁・壁梁接合部および耐力壁・基礎梁接合部ならびにPaRC造部材接合部のモデル化

耐力壁と壁梁または基礎梁との接合部（以下，耐力壁・壁梁等接合部という）ならびにPCaRC造部材接合部のモデル化は，次の（1）から（3）による．

（1） 耐力壁・壁梁等接合部のひび割れ後の耐力壁と壁梁や基礎梁の接合部に作用する部材端の力と変位の関係は，当該接合部の変形と強度を考慮する．
（2） 耐力壁と壁梁や基礎梁の材軸がこれらの当該接合部において一点に交わらず偏心している場合には，偏心の影響による剛性および強度の低下を適切に考慮する．ただし，耐力壁・壁梁等接合部に構造上有効な耐力壁等の面材が連続する場合，もしくは一方の部材の曲げ強度が他方の部材の曲げ強度に対して十分な余裕がある場合には，当該接合部は十分な強度を有する部分であるものと仮定することができる．
（3） 適切に打ち継がれた現場打ちコンクリートの境界面は一体と考えてよいが，PCaRC造部材，ハーフPCaRC造部材においては，PCaRC造部材接合部の剛性および強度を十分大きくし，PCaRC造部材接合部を一体としてモデル化することを原則とする．

8.3 骨組のモデル化

骨組解析では，鉛直荷重および水平荷重に対する挙動を再現できる適切な骨組モデルを設定するとともに，次の（1）から（5）による．なお，8.1節本文．1．（4）を満たす場合は，この限りでない．

（1） 原則として，壁梁，基礎梁，耐力壁ならびにスラブ等の部材から構成され，直交部材の効果を適切に考慮した平面架構を連成したモデルによる．ただし，直交方向の架構の影響を適切に考慮した部材モデルを用いる場合には，立体架構モデルによってもよい．
（2） 骨組に作用する水平力は，スラブの重心位置または節点の位置に集中して作用するものとしてよい．
（3） ねじれ挙動の影響が大きい建物に対して平面架構モデルを用いて評価する場合，ねじれの影響を適切に評価する．
（4） 立体架構モデルによる解析の場合は，次の（ⅰ）および（ⅱ）による．
　（ⅰ） 解析モデルの支点は，解析方向の耐力壁材軸中心と基礎梁材軸中心の交点に設ける．なお，杭基礎の場合は，杭配置を考慮する．
　（ⅱ） 各階のスラブは，一般には面内に並進変形および回転変形が可能な剛床と仮定してよい．ただし，吹抜けなどにより剛床仮定が成立しない場合は，その影響を適切に考慮す

る．
(5) 基礎構造や地盤の鉛直変位の影響が大きく耐力壁の剛性に与える影響が大きい場合は，それらの変位を適切に考慮する．

9条　許容応力度設計
9.1　耐力壁の軸方向力と曲げモーメントに対する断面算定
1．耐力壁の設計用曲げモーメントが，許容曲げモーメント以下となることを確認する．
2．耐力壁の設計用曲げモーメントは，7条および8条に基づき以下の方法で算定する．
　(1) 長期設計用曲げモーメントは，4．に記載する長期荷重時の断面算定位置の曲げモーメントとする．
　(2) 短期設計用曲げモーメントは，4．に記載する短期荷重時の断面算定位置の曲げモーメントとする．
3．耐力壁の許容曲げモーメントは，以下の方法で算定する．
　(1) 軸方向力と曲げモーメントを同時に受ける耐力壁においては，軸方向力を受ける状態で断面内の応力度を算定し，圧縮縁がコンクリートの許容圧縮応力度に達した時，および引張鉄筋が許容引張応力度に達した時に対して算出される曲げモーメントのうち，小さい方の数値とする．
　(2) PCaRC造耐力壁にあっては，水平接合部の鉛直接合筋と鉛直接合部内の接合筋ならびに軸方向力を考慮して許容曲げモーメントを算定する．
　(3) 曲げ剛性に有効な直交壁内の縦補強筋は，許容曲げモーメントの算定において考慮してもよい．
　(4) 面外曲げモーメントが作用する耐力壁の面外許容曲げモーメントは，スラブに準じて算定してよい．
　　　この時，耐力壁の軸方向力を適切に考慮する．
4．耐力壁の断面算定位置は，通常，上下開口端（フェイス位置）としてよい．

9.2　耐力壁のせん断力に対する断面算定
1．耐力壁の長期設計用せん断力が，(9.2.1) 式を満たすことを確認する．

$$_DQ_L \leqq Q_{AL} \qquad (9.2.1)$$

　　記号　$_DQ_L$：耐力壁の長期設計用せん断力（N）で，8条で計算される応力を用いる．
　　　　　Q_{AL}：耐力壁の長期許容せん断力（N）で，(9.2.2) 式による．

$$Q_{AL} = r \cdot t \cdot j \cdot _Lf_s \qquad (9.2.2)$$

　　　　　r：8条に規定する小開口に対する低減率で，(9.2.3) 式の r_1 と r_2 のうち，小さい方の数値とする．

$$r_1 = 1 - \frac{l_0}{l}$$
$$r_2 = 1 - \sqrt{\frac{h_0 \cdot l_0}{h \cdot l}}$$
(9.2.3)

l_0：小開口の内法長さ（mm）

l：耐力壁の長さ（mm）

h_0：小開口の内法高さ（mm）

h：耐力壁の高さ（mm）

t：耐力壁の厚さ（mm）

j：耐力壁の応力中心距離（mm）

$_Lf_s$：コンクリートの長期許容せん断応力度（N/mm^2）

2．耐力壁の短期荷重時せん断応力度が，(9.2.4) 式を満たすことを確認する．

$$\tau \leqq {}_sf_s \tag{9.2.4}$$

記号　τ：耐力壁の短期荷重時せん断応力度（N/mm^2）で，(9.2.5) 式による．

$$\tau = \frac{Q_S}{r \cdot t \cdot j} \tag{9.2.5}$$

Q_S：標準せん断力係数 $C_0 \geqq 0.2$ の時の短期荷重時の耐力壁のせん断力（N）なお，水平荷重時応力算定を平均せん断応力度法による場合は，(9.2.6) 式による．また，平面骨組解析による場合等においては，ねじれによる負担せん断力の補正後の数値とする．なお，補正係数が1未満の場合は，1とする．

$$Q_S = Q_L + \overline{\tau_{0.2}} \cdot \alpha_s \cdot \alpha_j \cdot t \cdot l_w \tag{9.2.6}$$

Q_L：耐力壁の長期荷重時せん断力（N）

$\overline{\tau_{0.2}}$：標準せん断力係数 $C_0 \geqq 0.2$ の時の耐力壁の平均せん断応力度（N/mm^2）

α_s：せん断力の集中係数で，次式による．なお，$l_w / \overline{l_w} \leqq 1.0$ の場合は $\alpha_s = 1.0$ とし，$l_w / \overline{l_w} > 1.5$ の場合は $\alpha_s = 1.5$ とする．

$$\alpha_s = l_w / \overline{l_w} \tag{9.2.7}$$

l_w：各階各方向の耐力壁の長さ（mm）

$\overline{l_w}$：各階各方向の耐力壁の平均長さ（mm）

α_j：ねじれによる負担せん断力の補正係数で，$\alpha_j < 1.0$ の場合は $\alpha_j = 1.0$ とする．

t：耐力壁の厚さ（mm）

r：耐力壁の小開口による低減率で，(9.2.3) 式による．

j：耐力壁の応力中心距離（mm）

$_sf_s$：コンクリートの短期許容せん断応力度（N/mm^2）

3．耐力壁の短期設計用せん断力が，(9.2.8) 式を満たすことを確認する．ただし，10条の保有耐力の検討を行う場合は (9.2.8) 式の検討は省略してよい．

$$_DQ_S \leqq Q_{AS} \tag{9.2.8}$$

記号　$_DQ_S$：耐力壁の短期設計用せん断力（N）で，(9.2.9) 式または (9.2.10) 式による．

$$_DQ_S = \frac{\sum M_y}{h'} \qquad (9.2.9)$$

$$_DQ_S = Q_L + n \cdot Q_E \qquad (9.2.10)$$

$\sum M_y$：壁頭および壁脚の降伏曲げモーメントの絶対値の和（N・mm）．この場合，壁頭の降伏曲げモーメントの絶対値よりも壁頭に連なる壁梁の降伏曲げモーメントの絶対値の和の 1/2 が小さい場合には，小さい方の数値を壁頭の降伏曲げモーメントとしてよい．ただし，最上層の耐力壁では上記 1/2 を 1 とする．

h'：耐力壁の内法高さ（mm）

Q_L：耐力壁の長期荷重時せん断力（N）

n：せん断力の割増し係数で，2.0 以上とする．

Q_E：標準せん断力係数 $C_0 \geqq 0.2$ 時における耐力壁のせん断力（N）．なお，水平荷重時応力算定を平面骨組解析等による場合は，ねじれによる負担せん断力の割増し係数を考慮した数値（せん断力の補正係数が 1 未満の場合は 1 とする）とし，平均せん断応力度法による場合は（9.2.6）式の右辺第 2 項による

Q_{AS}：耐力壁の短期許容せん断力（N）で，（9.2.11）式による．

$$Q_{AS} = r \cdot t \cdot j \{_sf_s + 0.5\,_wf_t(p_w - 0.002)\} \qquad (9.2.11)$$

r：耐力壁の小開口による低減率で，（9.2.3）式による．

t：耐力壁の厚さ（mm）

j：耐力壁の応力中心距離（mm）

$_sf_s$：コンクリートの短期許容せん断応力度（N/mm²）

$_wf_t$：耐力壁の横補強筋のせん断補強用短期許容引張応力度（N/mm²）

p_w：耐力壁の横補強筋比で，p_w の数値が 0.002 を下回る場合は 0.002 とし，0.012 を上回る場合は 0.012 とする．

9.3 耐力壁の小開口および開口部周囲の補強

1．6.3.1 項本文 2．に規定する耐力壁の小開口周囲の補強は，次の（1）から（3）による．

（1） 耐力壁の小開口周囲における付加斜張力および縁張力は，短期荷重時設計用せん断力に基づいて算定し，小開口周囲はこれらの力に対して安全なように補強する．

（2） 小開口周囲には（9.3.1）式から（9.3.3）式を満たす補強筋を配置する．補強筋を配置する範囲は，小開口縁より耐力壁の厚さまたは耐力壁の長さに 0.1 を乗じた数値のいずれか大きい方の数値とする．なお，斜め補強筋量を $1/\sqrt{2}$ 倍した補強筋量を縦補強筋および横補強筋に加算して配筋してもよい．

（3） 小開口横の横補強筋比は，小開口上下の無開口部分の $1/r$（r：小開口に対する低減率で，（9.2.3）式による）倍以上または 0.012 以上とする．

$$a_{d0} = T_d / _sf_t \qquad (9.3.1)$$

$$a_{v0} = T_v / {_sf_t} \tag{9.3.2}$$

$$a_{h0} = T_h / {_sf_t} \tag{9.3.3}$$

記号　　a_{d0}：小開口周囲の斜め補強筋量（mm²）

T_d：小開口隅角部の付加斜張力（N）で，次式による．

$$T_d = \frac{h_0 + l_0}{2\sqrt{2} \cdot l} \cdot {_DQ_S} \tag{9.3.4}$$

h_0：耐力壁の小開口の内法高さ（mm）で，円形孔の場合は直径とする（図9.3.1）．

l_0：耐力壁の小開口の内法長さ（mm）で，円形孔の場合は直径とする（図9.3.1）．

l：耐力壁の長さ（mm）（図9.3.1）

$_DQ_S$：9.2により求まる耐力壁の短期設計用せん断力（N）

$_sf_t$：小開口周囲の補強筋の短期許容引張応力度（N/mm²）

a_{v0}：小開口周囲の縦補強筋量（mm²）

T_v：小開口隅角部の鉛直縁張力（N）で，次式による．

$$T_v = \frac{h_0}{2(l - l_0)} \cdot {_DQ_S} \tag{9.3.5}$$

a_{h0}：小開口周囲の横補強筋量（mm²）

T_h：小開口隅角部の水平縁張力（N）で，次式による．

$$T_h = \frac{l_0}{2(h - h_0)} \cdot \frac{h}{l} \cdot {_DQ_S} \tag{9.3.6}$$

h：耐力壁の高さ（mm）（図9.3.1）

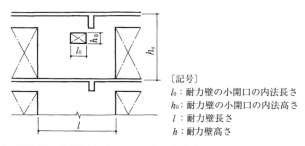

図 9.3.1　耐力壁の小開口と h_0, l_0, l, h のとり方

2．応力・変形解析において，開口部を挟む二つの耐力壁を一つの等価な耐力壁としてモデル化（以下，有開口耐力壁という）した場合，開口部周囲の補強は，次の（1）および（2）による．

（1）　開口部周囲には，(9.3.7)式から(9.3.9)式を満たす補強筋量を配置する．斜め補強筋量を $1/\sqrt{2}$ 倍した補強筋量を縦補強筋および横補強筋に加算して配筋してもよい．

（2）　有開口耐力壁の曲げ強度およびせん断強度の算定に際しては，開口部周囲の補強筋は考慮しないものとする．

$$A_d \cdot {}_sf_t + \frac{A_v \cdot {}_sf_t + A_h \cdot {}_sf_t}{\sqrt{2}} \geqq \frac{h_0 + l_0}{2\sqrt{2}\,l} \cdot {}_DQ_S \tag{9.3.7}$$

$$(l - l_{0p}) \cdot \left(\frac{A_d \cdot {}_sf_t}{\sqrt{2}} + A_{v0} \cdot {}_sf_t \right) + \frac{t \cdot (l - l_{0p})^2}{4(n_h + 1)} \cdot p_{sv} \cdot {}_sf_t \geqq \frac{h_0}{2} \cdot {}_DQ_S \tag{9.3.8}$$

$$(h - h_{0p}) \cdot \left(\frac{A_d \cdot {}_sf_t}{\sqrt{2}} + A_{h0} \cdot {}_sf_t \right) + \frac{t \cdot (h - h_{0p})^2}{4 n_v} \cdot p_{sh} \cdot {}_sf_t \geqq \frac{l_0}{2} \cdot \frac{h}{l} \cdot {}_DQ_S \tag{9.3.9}$$

記号　A_d：開口部周囲の斜め補強筋の断面積（mm^2）

　　　${}_sf_t$：開口部周囲の補強筋の短期許容引張応力度（N/mm^2）

　　　A_v：開口部周囲の縦補強筋の断面積（mm^2）で，開口部周囲補強の目的に限定して配筋される縦補強筋 A_{v0} や開口部端より 500 mm 以内かつ，開口部端と耐力壁端との中間線を超えない範囲内の縦補強筋を含む．

　　　A_h：開口部周囲の横補強筋の断面積（mm^2）で，開口部周囲の補強の目的に限定して配筋される横補強筋 A_{h0} や開口部端より 500 mm 以内かつ，開口部端と上階スラブ上面位置までの高さの 1/2 を超えない範囲内の横補強筋を含む．

　　　h_0：開口部の内法高さ（mm）（図 9.3.2）

　　　l_0：開口部の内法長さ（mm）（図 9.3.2）

　　　l：耐力壁の長さ（mm）（図 9.3.2）

　　　${}_DQ_S$：有開口耐力壁の短期荷重時設計用せん断力（N）で，標準せん断力係数 $C_0 \geqq 0.2$ の水平荷重時せん断力に 2.0 以上を乗じた数値．

　　　l_{0p}：開口部の水平断面への投影長さの和（mm）

　　　A_{v0}：開口部周囲の補強の目的に限定して配筋される縦補強筋筋の断面積（mm）

　　　t：有開口耐力壁の厚さ（mm）

　　　p_{sv}：有開口耐力壁の縦補強筋比で，次式による．

$$p_{sv} = a_{wv}/(t \cdot s) \tag{9.3.10}$$

　　　a_{wv}：有開口耐力壁の 1 組の縦補強筋の断面積（mm^2）

　　　s：有開口耐力壁の縦補強筋の間隔（mm）

　　　n_h：有開口耐力壁の水平方向に並ぶ開口部の数

　　　h：当該階の有開口耐力壁の高さ（上階の水平力作用位置から下階の水平反力位置までの距離）（mm）．原則として下階床から上階床までの距離とする（図 9.3.2）．

　　　h_{0p}：開口部の鉛直断面への投影高さの和（mm）

　　　A_{h0}：開口部周囲の補強の目的に限定して配筋される横補強筋の断面積（mm^2）

　　　p_{sh}：有開口耐力壁の横補強筋比で，次式による．

$$p_{sh} = a_{wh}/(t \cdot s) \tag{9.3.11}$$

　　　a_{wh}：有開口耐力壁の 1 組の横補強筋の断面積（mm^2）

　　　s：有開口耐力壁の横補強筋の間隔（mm）

n_v：有開口耐力壁の鉛直方向に並ぶ開口部の数

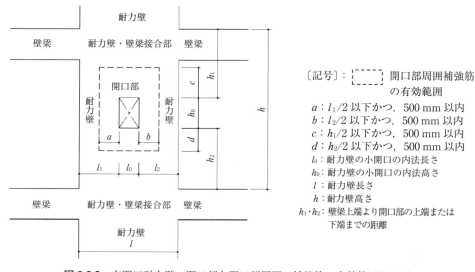

〔記号〕： ┌‑‑‑┐ 開口部周囲補強筋
　　　　　└‑‑‑┘ の有効範囲

a：$l_1/2$ 以下かつ，500 mm 以内
b：$l_2/2$ 以下かつ，500 mm 以内
c：$h_1/2$ 以下かつ，500 mm 以内
d：$h_2/2$ 以下かつ，500 mm 以内
l_0：耐力壁の小開口の内法長さ
h_0：耐力壁の小開口の内法高さ
l：耐力壁長さ
h：耐力壁高さ
$h_1 \cdot h_2$：壁梁上端より開口部の上端または下端までの距離

図 9.3.2　有開口耐力壁の開口部と開口部周囲の補強筋の有効範囲および h_0, l_0, l, h のとり方

9.4　耐力壁の配筋規定

1．耐力壁の端部曲げ補強筋の配筋は，次の（1）および（2）による．

（1）耐力壁の端部，隅角部，開口部の鉛直縁などには，端部曲げ補強筋として 1-D13（複配筋にあっては 2-D13）以上，かつ 9.1 節の断面算定により求まる数値以上ならびに表 9.4.1（PCa 壁式 RC 造にあっては表 9.4.2）に示す配筋，または，これらと同等以上の鉄筋量を配する．なお，10.1.1 項に規定する保有水平耐力の確認を行う場合は，表 9.4.1（PCa 壁式 RC 造にあっては表 9.4.2）によらなくてもよい．

（2）厚さが 200 mm を超える耐力壁および PCaRC 造耐力壁の端部曲げ補強筋は，複配筋とする．

表 9.4.1　耐力壁の最小端部曲げ補強筋量（現場打ち壁式 RC 造）

建物の階数および階	耐力壁の最小端部曲げ補強筋量	
	$h_0 \leq 1$ m	$h_0 > 1$ m
平家の 1 階	1-D13	1-D13
2 階建の各階，3 階建，4 階建ならびに 5 階建の最上階	1-D13	2-D13
3 階建，4 階建ならびに 5 階建の最上階から数えて 2 つめの階	2-D13	2-D13
平家および 2 階建の地下階，3 階建の 1 階および地下階，4 階建の 2 階，1 階および地下階，5 階建の 3 階および 2 階	2-D13	2-D16
5 階建の 1 階および地下階	2-D16	2-D19

〔記号〕　h_0：開口部の内法高さ

表9.4.2 耐力壁の最少端部曲げ補強筋量（PCa壁式RC造）

階	鉛直接合部に接続する端部の補強筋量	耐力壁の最小端部曲げ補強筋量	
		$h_0 \leq 1\,\mathrm{m}$	$h_0 > 1\,\mathrm{m}$
最上階から数えて1～2つめの階	1-D13	1-D13	1-D13
最上階から数えて3つめの階		1-D13	1-D16
最上階から数えて4つめの階		1-D16	1-D19
最上階から数えて5つめの階		1-D19	1-D22
地下階		1-D19	1-D22

〔記号〕 h_0：開口部の内法高さ（開口部の上部または下部が有効な壁梁とみなせない場合は，その部分の高さを加算した高さとする）

2．耐力壁のせん断補強筋の配筋は，次の（1）から（4）による．
（1） 耐力壁には，横方向に横補強筋および縦方向に縦補強筋（以下，総称してせん断補強筋という）を配置するとともに，せん断補強筋比はコンクリートの単位鉛直断面積または単位水平断面積に対して，それぞれ（9.4.1）式で与えられる数値以上かつ0.15％以上（PCa壁式RC造にあっては0.2％以上）とする．なお，横補強筋比は9.2節により求まる数値と（9.4.1）式により求まる数値のうち，大きい方の数値以上とする．

$$p_s = \frac{p_{s0} \cdot L_{w0} \cdot t_0}{{}_i a_w} \tag{9.4.1}$$

記号　p_s：耐力壁のせん断補強筋比（％）
　　　p_{s0}：表9.4.3（PCa壁式RC造にあっては表9.4.4）に示す耐力壁の標準せん断補強筋比（％）
　　　L_{w0}：表10.1.1および表10.1.2に示す標準壁量（mm/m²）
　　　t_0：表10.1.3および表10.1.4に示す最小壁厚（mm）
　　　${}_i a_w$：各階各方向の壁率（mm²/m²）

表9.4.3 耐力壁の標準せん断補強筋比 p_{s0}（％）（現場打ち壁式RC造）

建物の階数および階		標準せん断補強筋比
地上階	平家の1階，2階建の最上階	0.15
	2階建の1階，3階建，4階建ならびに5階建の最上階および最上階から数えて2つめの階	0.20
	その他の階	0.25
地下階		0.25

表9.4.4 耐力壁の標準せん断補強筋比 p_{s0}（%）（PCa壁式RC造）

建物の階数および階		標準せん断補強筋比
地上階	2階建以下の各階および3階建以上の最上階	0.20
	3階建の1階および2階，4階建の2階および3階，5階建の3階および4階	0.25
	4階建の1階，5階建の1階および2階	0.30

［注］ 地下階は現場打ち壁式RC造とし，表9.4.3を適用する．

（2） PCaRC造耐力壁の鉛直接合部の横補強筋比（コッター筋比）は，PCaRC造耐力壁の横補強筋比の1/2以上を横補強筋（コッター筋）として配筋し，水平接合部における縦補強筋比は，0.2%以上とする．

（3） 横補強筋および中間部縦補強筋（縦補強筋のうち端部曲げ補強筋および交差部縦補強筋以外の縦補強筋をいい，以下同様とする）はD10以上とし，耐力壁の見付け面に対するせん断補強筋の間隔は，それぞれ300 mm以下とする．ただし，複配筋とする場合は，片側のせん断補強筋の間隔は，それぞれ450 mm以下とする．

（4） 厚さが200 mmを超える現場打ちRC造耐力壁およびPCaRC造耐力壁のせん断補強筋は，複配筋とする．

3．耐力壁と他の部材との接合部の配筋，および耐力壁交差部の配筋は，次の（1）から（6）による．

（1） 現場打ちRC造耐力壁とスラブとの交差部には，D13以上の補強筋を配筋する．

（2） 現場打ちRC造耐力壁の交差部の縦補強筋の最少配筋は，表9.4.5による．

表9.4.5 現場打ちRC造耐力壁の交差部の最小縦補強筋量

	単配筋耐力壁どうし	複配筋耐力壁どうし	単配筋と複配筋耐力壁	
L形交差部	1-D13	4-D13	2-D13	
T形交差部	1-D13	4-D13	複配筋通し配筋	1-D13
			単配筋通し配筋	2-D13
十字形交差部	1-D13	4-D13	2-D13	

（3） PCaRC造耐力壁の鉛直接合部のコッター筋は，1-D10または1-9φ以上，鉛直接合部内縦補強筋は，1-D13または1-13φ以上とする．また，PCaRC造耐力壁の水平接合部の鉛直接合筋は，1-D13または1-13φ以上とする．

（4） 現場打ちRC造耐力壁とこれに直交する壁梁または小梁との接合部において，壁梁の横補強筋または小梁の端部曲げ補強筋の投影定着長さが必要投影定着長さ未満となる場合，壁梁の横補強筋または小梁の端部曲げ補強筋の折曲げ部内側に定着性確保のため1-D13以上の補強筋を配置する．

（5） 現場打ちRC造耐力壁の横補強筋の定着は，耐力壁が単配筋の場合，横補強筋の末端に

は180°フックを設け，端部曲げ補強筋にかぎ掛けするか，直交壁内に定着する．複配筋の場合は，末端に135°フックを設けて端部曲げ補強筋にかぎ掛けし帯筋形式とする（図9.4.1（a））か，135°以上のフック付き横補強筋とU字筋とを併用する配筋形式とする（図9.4.1（b））．なお，端部に直交壁が取り付く場合は，直交壁内に折り曲げて定着してもよい．

（6） PCaRC造耐力壁には，その周辺部に縦縁筋および横縁筋を配し，内部に縦補強筋および横補強筋ならびに縦補助筋を配する（図9.4.2）．

縦縁筋および横縁筋はD13以上の異形鉄筋を用いることとする．横縁筋は，PCaRC造耐力壁の最外端では折り曲げて縦縁筋と重ねることとし，その重ね継手長さは，縦縁筋と横縁筋の呼び名の数値のうちの小さい方の数値の30倍以上とする．

PCaRC造耐力壁が単配筋の場合，縦補助筋および横補強筋の末端には180°フックを設け，それぞれ横縁筋および縦縁筋にかぎ掛けする．複配筋の場合は，縦補助筋および横補強筋の末端には135°以上のフックを設けて，それぞれ横縁筋および縦縁筋にかぎ掛けし帯筋形式（図9.4.1（a））とするか，U字筋と135°以上のフック付きの横補強筋を併用する配筋形式（図9.4.1（b））を用いる．

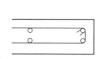
(a) 135°フック付き帯筋形式

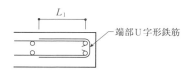
〔記号〕L_1：重ね継手長さ

(b) 135°以上フックとU字形鉄筋併用形式

図9.4.1 現場打ち壁式RC造耐力壁およびPCaRC造耐力壁が複配筋の場合の横補強筋端部の配筋要領

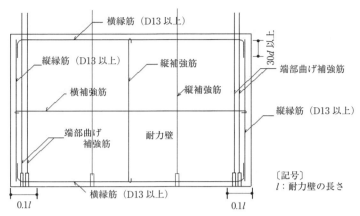

(a) 無開口 PCaRC 造耐力壁の配筋要領

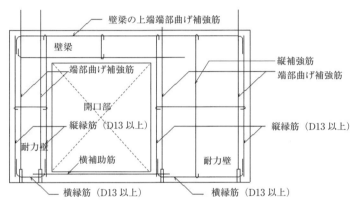

(b) 開口付き PCaRC 造耐力壁板の配筋要領

図 9.4.2　PCaRC 造耐力壁および耐力壁板の縦補強筋，横補強筋，端部曲げ補強筋，縦縁筋，横縁筋ならびに横補助筋の配筋要領

9.5　壁梁の曲げモーメントに対する断面算定

1．壁梁の設計用曲げモーメントが，許容曲げモーメント以下となることを確認する．
2．壁梁の設計用曲げモーメントは，7条および8条に基づき以下の方法で算定する．
　（1）　長期荷重時の長期設計用曲げモーメントは，4．に記載する長期荷重時の断面算定位置の曲げモーメントとする．
　（2）　短期荷重時の短期設計用曲げモーメントは，4．に記載する短期荷重時の断面算定位置の曲げモーメントとする．
3．壁梁の許容曲げモーメントは，有効な範囲内のスラブ内の鉄筋や端部曲げ補強筋以外の中間部横補強筋を考慮することができる．
4．壁梁の断面算定位置は，通常，端部は開口部左右端（フェイス），中央部は中央部近辺の最大曲げモーメント発生位置としてよい．

9.6 壁梁のせん断力に対する断面算定

1. 壁梁の長期設計用せん断力が，(9.6.1) 式を満たすことを確認する．

$$_DQ_L \leqq {_AQ_L} \tag{9.6.1}$$

記号　$_DQ_L$：壁梁の長期設計用せん断力（N）

$_AQ_L$：壁梁の長期許容せん断力（N）で，(9.6.2) 式による．

$$Q_{AL} = b \cdot j \cdot \alpha \cdot {_Lf_s} \tag{9.6.2}$$

b：壁梁の幅（mm）

j：壁梁の応力中心距離（mm）

α：壁梁のせん断スパン比による割増し係数で，次式による．

$$\alpha = \frac{4}{\dfrac{M}{Q \cdot d}+1}, \quad かつ，1 \leqq \alpha \leqq 2$$

M：長期荷重時の壁梁の最大曲げモーメント（N・mm）

Q：長期荷重時の壁梁の最大せん断力（N）

d：壁梁の有効せい（mm）

$_Lf_s$：コンクリートの長期許容せん断応力度（N/mm^2）

2. 壁梁の短期設計用せん断力が，(9.6.3) 式を満たすことを確認する．

$$_DQ_S \leqq {_AQ_S} \tag{9.6.3}$$

記号　$_DQ_S$：壁梁の短期計用せん断力（N）で，(9.6.4) 式による．

$$_DQ_S = \min\left(_DQ_L + n \cdot Q_E,\ _DQ_L + \frac{\sum M_y}{l'}\right) \tag{9.6.4}$$

$_DQ_L$：壁梁の長期設計用せん断力（N）

n：せん断力の割増し係数で，$n \geqq 1.5$ とする．ただし，保有水平耐力の確認または総曲げ抵抗モーメントの確認を行わない場合は，$n \geqq 2.0$ とする．

Q_E：8条により求められる壁梁の水平荷重時せん断力（N）なお，水平荷重時応力算定を平均せん断応力度法による場合は，(9.2.6) 式右辺第2項に規定する耐力壁の水平荷重時せん断力より耐力壁の曲げモーメントを算定し，節点位置における曲げモーメントを壁梁に配分して求まる壁梁の曲げモーメントより算定されるせん断力（N）とする．

$\sum M_y$：せん断力が最大となるような壁梁両端の降伏曲げモーメントの絶対値の和（N・mm）で，次式によることができる．

$$\sum M_y = 0.9 \sum (a_t \cdot \sigma_y \cdot d) \tag{9.6.5}$$

$\sum(a_t \cdot \sigma_y \cdot d)$：$a_t$ に a_y および d を乗じた数値の和（N・mm）

a_t：壁梁の引張鉄筋の断面積（mm^2）で，降伏曲げモーメントに有効な範囲内（壁梁端より壁梁せいの 0.1 倍または 200 mm の範囲）の横補強筋や曲げ剛性に有効な範囲内のスラブ筋を含む．

σ_y：同上鉄筋の規格降伏点（N/mm²）

d：壁梁の有効せい（mm）

l'：壁梁の内法長さ（mm）

$_AQ_S$：壁梁の短期許容せん断力（N）で，（9.6.6）式による．

$$_AQ_S = b \cdot j \cdot \{a \cdot {_sf_s} + 0.5 {_wf_t} \cdot (p_w - 0.002)\} \tag{9.6.6}$$

b：壁梁の幅（mm）

j：壁梁の応力中心距離（mm）

a：壁梁のせん断スパン比による割増し係数で，次式による．

$$a = \frac{4}{\frac{M}{Q \cdot d} + 1}, \quad \text{かつ，} \quad 1 \leq a \leq 2$$

M：短期荷重時の壁梁の最大曲げモーメント（N・mm）

Q：短期荷重時の壁梁の最大せん断力（N）

$_sf_s$：コンクリートの短期許容せん断応力度（N/mm²）

$_wf_t$：壁梁の縦補強筋のせん断補強用短期許容引張応力度（N/mm²）

p_w：壁梁の縦補強筋比（p_w の値は，0.002 を下回る場合は 0.002 とし，0.012 を超える場合は 0.012 とする）

3．壁梁の小開口周囲の補強

　壁梁にやむを得ず小開口を設ける場合には，小開口周囲における補強後の許容せん断力が，当該小開口を有する壁梁の設計用せん断力を上回ることを確認する．

9.7　壁梁の配筋規定

1．壁梁の端部曲げ補強筋は 1-D13（幅が 200 mm を超える場合は 2-D13 の鉄筋を複配筋）以上とし，補強筋量は 9.5 節によるほか，表 9.7.1（PCa 壁式 RC 造の壁梁にあっては表 9.7.2）以上とする．なお，10 条に規定する保有水平耐力の確認または総曲げ抵抗モーメントの確認を行う場合は，表 9.7.1（PCa 壁式 RC 造の壁梁にあっては表 9.7.2）を満たさなくてもよい．また，長期荷重時に正負最大曲げモーメントを受ける部分の引張鉄筋断面積は，$0.004b \cdot d$（b：壁梁の幅，d：壁梁の有効せい）または存在応力によって必要とされる引張鉄筋量の 4/3 倍のうち，小さい方の数値以上とする．

表 9.7.1　壁梁の最小端部曲げ補強筋量（現場打ち壁式 RC 造）

建物の階数および位置	$l_0 \leqq 1$ m	$l_0 > 1$ m
平家の R 階の壁梁	1-D13	1-D13
2 階建の R 階および 2 階の壁梁，3 階建，4 階建ならびに 5 階建の R 階の壁梁	1-D13	2-D13
3 階建，4 階建ならびに 5 階建の最上階の壁梁	2-D13	2-D13
3 階建の 2 階の壁梁，4 階建の 3 階および 2 階の壁梁，5 階建の 4 階および 3 階の壁梁	2-D13	2-D16
5 階建の 2 階壁梁	2-D16	2-D19

〔記号〕　l_0：壁梁の内法長さ
［注］　地下階を有する場合の 1 階の壁梁および地下階の壁梁の最小端部曲げ補強筋量は，2 階の最小端部曲げ補強筋量以上とする．

表 9.7.2　壁梁の最小端部曲げ補強筋量（PCa 壁式 RC 造）

建物の階数および位置	最小端部曲げ補強筋
全　階	1-D13

［注］　地下階（現場打ち壁式 RC 造）を有する場合の 1 階壁梁および地下階の壁梁の最小端部曲げ補強筋量は，表 9.7.1 の 2 階壁梁の最小端部曲げ補強筋以上とする．

2．壁梁の中間部横補強筋は D10 以上とするほか，横補強筋比および縦補強筋比は表 9.7.3（PCa 壁式 RC 造の壁梁にあっては表 9.7.4）以上とする．

表 9.7.3　壁梁の横補強筋比および縦補強筋比（現場打ち壁式 RC 造）

	建物の階数および位置	横補強筋比および縦補強筋比（％）
地上階	平家の R 階壁梁，2 階建の R 階壁梁	0.15
	2 階建の 2 階壁梁，3 階建，4 階建ならびに 5 階建の R 階および最上階の壁梁	0.20
	その他の階の壁梁	0.25
地下階を有する建物の 1 階および地下階の壁梁		0.25

［注］　壁梁の横補強筋比　＝100×（壁梁の横補強筋の断面積の和）/（壁梁の鉛直断面積）
　　　　壁梁の縦補強筋比　＝100×（壁梁の縦補強筋の断面積の和）/（壁梁の水平断面積）

表 9.7.4　壁梁の横補強筋比および縦補強筋比（PCa 壁式 RC 造）

	建物の階数および位置	横補強筋比および縦補強筋比（％）
地上階	平家の R 階壁梁，2 階建の R 階および 2 階壁梁，3 階建，4 階建ならびに 5 階建の R 階壁梁	0.20
	3 階建の 3 階および 2 階壁梁，4 階建の 4 階および 3 階壁梁，5 階建の 5 階および 4 階壁梁	0.25
	4 階建の 2 階壁梁，5 階建の 3 階および 2 階壁梁	0.30

［注］　横補強筋比および縦補強筋比の算定式は，表 9.7.3 脚注による．
　　　　地下階は現場打ち壁式 RC 造とし，1 階壁梁および地下階の壁梁の横補強筋比および縦補強筋比は，表 9.7.3 による．

3. 壁梁の縦補強筋は D10（PCa 壁式 RC 造の壁梁にあっては D6）以上とし，補強筋量は 9.6 節によるほか表 9.7.3（PCa 壁式 RC 造の壁梁にあっては表 9.7.4）の数値以上とする．

4. 壁梁の縦補強筋は端部曲げ補強筋を包含し，端部曲げ補強筋内部のコンクリートを十分に拘束するように配置する．その末端は，135°以上に曲げて定着するか，または相互に溶接する．ただし，単配筋の場合には，鉄筋端部に 180°フックを付けて定着する．標準フックの折曲げ内法直径は，本会編「壁式構造配筋指針・同解説」による．

5. 縦補強筋の間隔は，壁梁せいの 1/2 以下とする．

6. 壁梁の見付け面に対する縦補強筋および横補強筋の間隔は，それぞれ 300 mm 以下とする．ただし，複配筋とする場合は，片側の縦補強筋および横補強筋の間隔は，それぞれ 450 mm 以下とする．

9.8　耐力壁・壁梁接合部および耐力壁・基礎梁接合部の設計

1. 耐力壁・壁梁接合部の短期設計用せん断力が，原則として (9.8.1) 式を満たすことを確認する．ただし，保有水平耐力の確認を必要としない場合は，この限りでない．

$$_DQ_{p,S} \leqq {_AQ_{p,S}} \tag{9.8.1}$$

記号　$_DQ_{p,S}$：短期荷重時における耐力壁・壁梁接合部の設計用せん断力 (N) で，次式による．

$$_DQ_{p,S} = T_{b1} + C_{b2} - Q_w \tag{9.8.2}$$

T_{b1}：耐力壁・壁梁接合部に接続する右（または左）側の壁梁上端曲げ補強筋に生じる短期荷重時引張力 (N) で，次式より算定してよい〔図 9.8.1 参照〕．

$$T_{b1} = M_{b1}/j_{b1} \tag{9.8.3}$$

M_{b1}：耐力壁・壁梁接合部に接続する右（または左）側の壁梁端部上端に生じる短期荷重時曲げモーメント (N・mm)

j_{b1}：耐力壁・壁梁接合部に接続する右（または左）側の壁梁の応力中心距離 (mm)

C_{b2}：耐力壁・壁梁接合部に接続する左（または右）側の壁梁端部上端に生じる短期荷重時圧縮力 (N) で，次式より算定してよい〔図 9.8.1 参照〕．

$$C_{b2} = M_{b2}/j_{b2} \tag{9.8.4}$$

M_{b2}：耐力壁・壁梁接合部に接続する左（または右）側の壁梁端部下端に生じる短期荷重時曲げモーメント (N・mm)

j_{b2}：耐力壁・壁梁接合部に接続する左（または右）側の壁梁の応力中心距離 (mm)

Q_w：耐力壁・壁梁接合部に接続する上階の耐力壁に生じる短期荷重時せん断力 (N)〔図 9.8.1 参照〕で，上階に耐力壁が接続しない場合は 0 とする．

$_AQ_{p,S}$：耐力壁・壁梁接合部の短期許容せん断力 (N) で，次式による．

$$_AQ_{p,S} = \tau_{p,scr} \cdot t \cdot (l_w - \Sigma R_0) \tag{9.8.5}$$

$\tau_{p,scr}$：耐力壁・壁梁接合部のせん断ひび割れ強度 (N/mm^2) で，次式による．

$$\tau_{p,scr} = \sqrt{\sigma_{tj}^2 + \sigma_{tj} \cdot \sigma_0} \tag{9.8.6}$$

σ_{tj}：耐力壁・壁梁接合部のコンクリートの引張強度（N/mm²）で，次式より算定してよい．

$$\sigma_{tj}=0.47\sqrt{\sigma_B} \qquad (9.8.7)$$

σ_B：コンクリートの圧縮強度（N/mm²）で，設計基準強度とする．

σ_0：短期荷重時における耐力壁・壁梁接合部の圧縮応力度（N/mm²）

t：耐力壁・壁梁接合部の厚さ（mm）

l_w：耐力壁・壁梁接合部の長さ（mm），または壁梁端部曲げ補強筋を 90°折曲げ定着する場合の折曲げ筋の水平投影長さ．

ΣR_0：耐力壁・壁梁接合部に設けられた小開口の直径の和（mm）で，矩形の場合は外接円の直径の和とする．

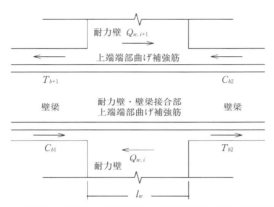

〔記号〕$Q_{w.\,i+1}$：耐力壁・壁梁接合部に接続する上階の耐力壁に生じる短期荷重時せん断力
　　　　$Q_{w.\,i}$　：耐力壁・壁梁接合部に接続する当該の耐力壁に生じる短期荷重時せん断力
　　　　T_{b1}　：十字形耐力壁・壁梁接合部に接続する左側の壁梁上端端部曲げ補強筋に生じる短期荷重時引張力
　　　　T_{b2}　：十字形耐力壁・壁梁接合部に接続する右側の壁梁下端端部曲げ補強筋に生じる短期荷重時引張力
　　　　C_{b1}　：十字形耐力壁・壁梁接合部に接続する右側の壁梁下端に生じる短期荷重時圧縮力
　　　　C_{b2}　：十字形耐力壁・壁梁接合部に接続する右側の壁梁上端に生じる短期荷重時圧縮力
　　　　l_w　　：十字形耐力壁・壁梁接合部の長さ

図 9.8.1　十字形耐力壁・壁梁接合部の短期荷重時応力

2．耐力壁・基礎梁接合部の短期荷重時におけるせん断設計は，本節 1．に準じる．

3．耐力壁・壁梁接合部および耐力壁・基礎梁接合部に設けた小開口周囲には，縦方向および横方向に複配筋にあっては 2-D13 以上，単配筋にあっては 1-D13 以上の補強筋を配する．なお，横方向の補強筋は，壁梁や基礎梁の横補強筋と兼用することができる．

9.9　スラブの断面算定

1．面外曲げモーメントおよび面外せん断力に対するスラブの断面算定は，9.5 節および 9.6 節に準じて算定してよい．

2．面内方向に対するスラブの曲げモーメントおよびせん断力に対する断面算定は，9.1 節から 9.3 節に準じて算定してよい．

3．付着および継手ならびに定着に対する算定は，9.13節および9.14節による．
4．スラブの配筋は上記によるほか，次の（1）から（3）による．
　（1）　スラブの引張鉄筋は，D10以上の異形鉄筋または鉄線の径が6mm以上の溶接金網を用い，正負最大曲げモーメントを受ける部分にあっては，その間隔を表9.9.1に示す数値とする．

表9.9.1　スラブの配筋

	普通コンクリート	軽量コンクリート1種
短辺方向	200 mm 以下 径6mm の溶接金網では150 mm 以下	200 mm 以下 径6mm の溶接金網では150 mm 以下
長辺方向	300 mm 以下かつ，スラブ厚さの3倍以下 径6mm の溶接金網では200 mm 以下	250 mm 以下 径6mm の溶接金網では200 mm 以下

　（2）　スラブ各方向の全幅について，鉄筋全断面積のコンクリート全断面積に対する割合は0.2%以上とする．
　（3）　PCa壁式RC造に使用するPCa造スラブ内の配筋は，地震時に生じる面内せん断力の周辺部材への伝達に対しても十分考慮する．施工時の荷重についても，のみ込み部分の破損の防止のために鉄筋を配置する．
5．たわみおよび振動に対する検討は，RC規準等による．

9.10　基礎の設計

1．基礎梁の曲げモーメントおよびせん断力に対する断面算定は，9.5節および9.6節に準じる．なお，ねじりに対する断面算定は，RC規準による．また，基礎梁の配筋は，次の（1）から（4）による．
　（1）　構造耐力上有効な幅が200 mm を超える基礎梁は，複配筋とする．
　（2）　基礎梁の端部曲げ補強筋は計算によって求まる鉄筋量以上かつD13以上とする．また，基礎梁の中間部横補強筋はD10以上とする．なお，長期荷重時に正負最大曲げモーメントを受ける部分の端部曲げ補強筋断面積は，$0.004b \cdot d$（b：基礎梁の幅，d：基礎梁の有効せい）または存在応力によって必要とされる端部曲げ補強筋筋量の4/3倍のうち，小さい方の数値以上とする．
　（3）　基礎梁の縦補強筋はD10以上とする．
　（4）　基礎梁のせん断補強筋比は計算によって求まる鉄筋量以上かつ0.2%以上とするとともに，せん断補強筋の間隔は，横方向および縦方向それぞれ300 mm 以下かつ基礎梁せいの1/2以下とする．
2．基礎梁にやむを得ず小開口を設ける場合には，小開口周囲における補強後の許容せん断力が当該小開口を有する基礎梁の設計用せん断力を上回ることを確認する．
3．基礎スラブの曲げモーメントおよびせん断力に対する断面算定は，次の（1）から（3）による．
　（1）　基礎スラブの設計用曲げモーメントが，許容曲げモーメント以下となることを確認する．

（2） 基礎スラブの設計用せん断力が，許容せん断力以下となることを確認する．

（3） 長期荷重時に基礎スラブに曲げひび割れやせん断ひび割れが生じないこと，および短期荷重時に基礎スラブにせん断ひび割れが生じないことを確認する．

4．パイルキャップの曲げモーメントおよびせん断力ならびにパンチングに対する断面算定は，次の（1）から（3）による．

（1） パイルキャップの設計用曲げモーメントが，許容曲げモーメント以下となることを確認する．

（2） パイルキャップの設計用せん断力が，許容せん断力以下となることを確認する．

（3） 長期荷重時にパイルキャップに曲げひび割れやせん断ひび割れが生じないこと，および短期荷重時にパイルキャップにせん断ひび割れが生じないことを確認する．

5．杭の軸方向力および曲げモーメントならびにせん断力に対する断面算定は，次の（1）から（4）による．

（1） 杭に作用する設計用軸方向力が，杭体の許容軸方向力ならびに地盤から定まる許容鉛直支持力および許容引抜き抵抗力以下となることを確認する．

（2） 杭の設計用曲げモーメントが，許容曲げモーメント以下となることを確認する．なお，杭頭条件は，原則として固定とする．

（3） 杭の設計用せん断力が，許容せん断力以下となることを確認する．

（4） 長期荷重時に杭に曲げひび割れやせん断ひび割れが生じないこと，および短期荷重時に杭にせん断ひび割れが生じないことを確認する．

6．長期および短期荷重時において，基礎に浮上りが生じないことを確認する

9.11　その他の部材の断面算定

1．小梁の曲げモーメントおよびせん断力に対する断面算定は壁梁に準じるとともに，小梁の断面および配筋は，下記（1）から（4）によるほか，RC規準による．なお，長期荷重時に正負最大曲げモーメントを受ける部分の引張鉄筋断面積は，$0.004b \cdot d$（b：小梁の幅，d：小梁の有効せい）または存在応力によって必要とされる引張鉄筋量の4/3倍のうち，小さい方の数値以上とする．

（1） 長期荷重時において，耐久上および使用上支障となる曲げひび割れやせん断ひび割れが生じない断面とする．

（2） 小梁の幅は単配筋にあっては150 mm以上，複配筋にあっては200 mm以上とする．

（3） 小梁の端部曲げ補強筋は単配筋にあっては1-D13以上，複配筋にあっては2-D13以上とする．

（4） あばら筋はD10以上の異形鉄筋とするとともに，あばら筋比は計算によって求まる数値以上，かつ0.2％以上とする．

2．片持梁および片持スラブ等の片持部材の断面算定は，9.5節から9.7節および9.9節によるほか，下記による．なお，長期荷重時に正負最大曲げモーメントを受ける部分の引張鉄筋断面

積は，$0.004b \cdot d$（b：片持梁の幅，d：片持梁の有効せい）または存在応力によって必要とされる引張鉄筋量の 4/3 倍のうち，小さい方の数値以上とする．

(1) 長期荷重時において，耐久上および使用上支障となる曲げひび割れやせん断ひび割れが生じない断面とする．

(2) 地震時における鉛直震度を考慮した設計用曲げモーメントおよび設計用せん断力に対して，短期許容曲げモーメントおよび短期許容せん断力が上回ることを確認する．

9.12 プレキャスト RC 造部材接合部の設計

1．PCaRC 造耐力壁（以下，本節においては単に耐力壁という）の鉛直接合部の設計は，次の(1)から(3)による

(1) 長期設計用せん断力が，(9.12.1)式を満たすことを確認する．

$$_{DL}Q_V \leqq {}_{AL}Q_V \qquad (9.12.1)$$

記号　$_{DL}Q_V$：耐力壁の鉛直接合部に生じる長期荷重時の設計用せん断力（N）で，(9.12.2)式による．なお，鉛直接合部を介して軸方向力を伝達させる場合は，その軸方向力を加えるものとする．

$$_{DL}Q_V = {}_LQ_V \cdot (H/l_w) \qquad (9.12.2)$$

$_LQ_V$：長期荷重時に耐力壁に生じる水平方向のせん断力（N）

H：当該階の階高（mm）

l_w：耐力壁の長さ（mm）

$_{AL}Q_V$：鉛直接合部の長期許容せん断力（N）で，(9.12.3)式による．

$$_{AL}Q_V = \min({}_{AL}Q_{SS},\ {}_{AL}N_{CS},\ {}_{AL}Q_{SW}) \qquad (9.12.3)$$

$_{AL}Q_{SS}$：シヤーコッターの長期許容せん断力（N）で，(9.12.4)式による．

$$_{AL}Q_{SS} = B \cdot \alpha_1 \cdot {}_Lf_{SS} \cdot n \qquad (9.12.4)$$

B：シヤーコッター 1 個の鉛直断面積（mm^2）で，シヤーコッターが取り付く耐力壁の表面が傾斜している場合は，計算する方向と直交する方向へ投影した面積とする（図 9.12.1）．

α_1：シヤーコッターの直接せん断を考慮した割増し係数で，2.0 とする．

$_Lf_{SS}$：シヤーコッターの長期許容せん断応力度（N/mm^2）で，充填コンクリートまたは充填モルタルの長期許容せん断応力度とする（表 5.2）．

n：当該鉛直接合部のシヤーコッターの個数

$_{AL}N_{CS}$：シヤーコッターの長期局部許容圧縮力（N）で，(9.12.5)式による．

$$_{AL}N_{CS} = A \cdot \alpha_2 \cdot {}_Lf_{CS} \cdot n \qquad (9.12.5)$$

A：シヤーコッター 1 個の水平断面積（mm^2）（図 9.12.1）

α_2：充填コンクリートまたは充填モルタルの局部圧縮を考慮した割増し係数で，1.2 とする．

$_Lf_{CS}$：シヤーコッターの長期許容圧縮応力度（N/mm^2）で，充填コンクリート，充

填モルタルまたは耐力壁のコンクリートの長期許容圧縮応力度のうちの最小値とする．

$_{AL}Q_{SW}$：充填コンクリートまたは充填モルタルの長期許容せん断力（N）で，(9.12.6)式による．

$$_{AL}Q_{SW} = b_1 \cdot {_L}f_{SW} \cdot H \qquad (9.12.6)$$

b_1：充填コンクリートまたは充填モルタルのせん断力に対する有効な幅（mm）（図 9.12.1）

$_Lf_{SW}$：充填コンクリートまたは充填モルタルの長期許容せん断応力度（N/mm²）で，表 5.2 による．

（2） 短期設計用せん断力が，(9.12.7) 式を満たすことを確認する．

$$_{DS}Q_V \leqq {_{AS}}Q_V \qquad (9.12.7)$$

記号 $_{DS}Q_V$：耐力壁の鉛直接合部の短期荷重時設計用せん断力（N）で，(9.12.8) 式による．

$$_{DS}Q_V = {_{DL}}Q_V + Q_{EV} \qquad (9.12.8)$$

$_{DL}Q_V$：(9.12.1) 式の記号の説明による．

Q_{EV}：標準せん断力係数 $C_0 \geqq 0.2$ の地震力により耐力壁の鉛直接合部に生じるせん断力（N）で，(9.12.9)式による．なお，水平荷重時応力解析を平均せん断応力度法による場合は，(9.12.10) 式による．

$$Q_{EV} = Q_E \cdot (H/l_w) \cdot \varPhi \qquad (9.12.9)$$

$$Q_{EV} = \overline{\tau_{0.2}} \cdot \alpha_s \cdot \alpha_j \cdot t \cdot l_w \cdot (H/l_w) \cdot \varPhi \qquad (9.12.10)$$

Q_E：標準せん断力係数 $C_0 \geqq 0.2$ の地震力により耐力壁に生じる水平方向のせん断力（N）．応力変形解析を平面骨組解析による場合は，ねじれによる負担せん断力補正後の数値とする．なお，せん断力の補正係数が 1 未満の場合は，1 とする．

H, l_w：(9.12.2) 式の記号の説明による．

$\varPhi$：耐力壁のせん断応力度分布における集中係数で，1.2 とする．ただし，建物隅角部等の耐力壁端部の鉛直接合部では1.0 としてよい．

$\overline{\tau_{0.2}}$：建物の当該階における標準せん断力係数 $C_0 \geqq 0.2$ 時における耐力壁の平均せん断応力度（N/mm²）で，(9.12.11) 式による．

$$\overline{\tau_{0.2}} = Z \cdot A_i \cdot W \cdot C_0 / \sum A_w \qquad (9.12.11)$$

Z：地震地域係数

A_i：地震層せん断力の高さ方向の分布を表す係数

W：地震力を算定する場合における当該階が支える部分の固定荷重と積載荷重との和（特定行政庁が指定する多雪区域においては，さらに積雪荷重を加えるものとする）（N）

C_0：標準せん断力係数（$\geqq 0.2$）

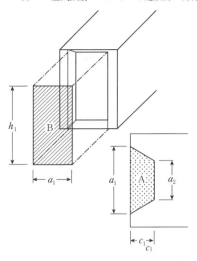
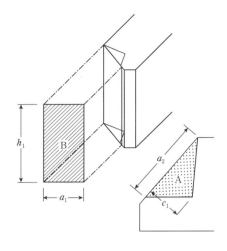

〔記号〕A：水平断面積（$=(a_1+a_2)\cdot c_1/2$）
　　　　B：投影鉛直断面積（$=a_1\cdot h_1$）
　　　　a_1, a_2：シヤーコッターの幅
　　　　h_1：シヤーコッターの高さ
　　　　c_1：シヤーコッターの深さ

（a）二本目地タイプ

〔記号〕A：水平断面積（$=a_2\cdot c_1/2$）
　　　　B：投影鉛直断面積（$=a_1\cdot h_1$）
　　　　a_1, a_2：シヤーコッターの幅
　　　　h_1：シヤーコッターの高さ
　　　　c_1：シヤーコッターの深さ

（b）一本目地タイプ

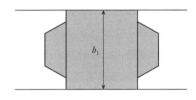
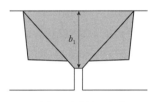

（c）二本目地タイプ　　　　　　　　　　（d）一本目地タイプ

〔記号〕b_1：充填コンクリートまたは充填モルタルの有効な幅

図 9.12.1　シヤーコッターの鉛直断面積と水平面積，および充填コンクリート
　　　　　　または充填モルタルの有効な幅

$\sum A_w$：当該階の地震力検討方向の耐力壁の水平断面積の和（mm²）

α_s, α_j：（9.2.6）式の記号の説明による．

t：耐力壁の厚さ（mm）

${}_{AS}Q_V$：鉛直接合部の短期許容せん断力（N）で，（9.12.12）式による．

$${}_{AS}Q_V=\min({}_{AS}Q_{SS},\ {}_{AS}N_{CS},\ {}_{AS}Q_{SW}) \qquad (9.12.12)$$

${}_{AS}Q_{SS}$：シヤーコッターの短期許容せん断力（N）で，（9.12.13）式による．

$${}_{AS}Q_{SS}=B\cdot\alpha_1\cdot {}_sf_{ss}\cdot n \qquad (9.12.13)$$

B, α_1, n：（9.12.4）式の記号の説明による．

${}_sf_{ss}$：シヤーコッターの短期許容せん断応力度（N/mm²）で，充填コンクリートま
　　　　たは充填モルタルの短期許容せん断応力度とする（表5.2）．

${}_{AS}N_{CS}$：シヤーコッターの短期局部許容圧縮力（N）で，（9.12.14）式による．

$$_{AS}N_{CS} = A \cdot \alpha_2 \cdot {}_sf_{CS} \cdot n \tag{9.12.14}$$

A, α_2, n：(9.12.5) 式の記号の説明による.

$_sf_{CS}$：シヤーコッターの短期許容圧縮応力度 (N/mm^2) で，充填コンクリート，充填モルタルまたは耐力壁のコンクリートの短期許容圧縮応力度のうちの最小値とする.

$_{AS}Q_{SW}$：充填コンクリートまたは充填モルタルの短期許容せん断力 (N) で，(9.12.15) 式による.

$$_{AS}Q_{SW} = b_1 \cdot {}_sf_{SW} \cdot H \tag{9.12.15}$$

b_1：(9.12.6) 式の記号の説明による.

$_sf_{SW}$：充填コンクリートまたは充填モルタルの短期許容せん断応力度 (N/mm^2) で，表 5.2 による.

H：(9.12.2) 式の記号の説明による.

（3） 保有水平耐力の確認が必要とされない建物においては，標準せん断力係数 $C_0=0.5$ 以上の地震力に対して鉛直接合部に所要の強度を確保するため，(9.12.16) 式を満たすことを確認する.

$$_{DU}Q_V \leqq {}_UQ_V \tag{9.12.16}$$

記号 $_{DU}Q_V$：鉛直接合部の終局時設計用せん断力 (N) で，(9.12.17) 式による.

$$_{DU}Q_V = {}_{DL}Q_V + 2.5Q_{EV}/\Phi \tag{9.12.17}$$

$_{DL}Q_V$：(9.12.1) 式の記号の説明による.

Q_{EV}：(9.12.9) 式または (9.12.10) 式の記号の説明による.

Φ：終局時における集中係数で，1.0 とする.

$_UQ_V$：鉛直接合部のせん断強度 (N) で，(9.12.18) 式による.

$$_UQ_V = \min({}_UQ_{SS}, {}_UN_{CS}, {}_UQ_{SW}) \tag{9.12.18}$$

$_UQ_{SS}$：シヤーコッターのせん断強度 (N) で，(9.12.19) 式による.

$$_UQ_{SS} = 0.10F_c \cdot A_{sc} + \sum(a_v \cdot \sigma_y) \tag{9.12.19}$$

F_c：充填コンクリートまたは充填モルタルの設計基準強度 (N/mm^2)

A_{sc}：シヤーコッターの鉛直断面積の和 (mm^2)

$\sum(a_v \cdot \sigma_y)$：a_v に σ_y を乗じた数値の和 (N)

a_v：シヤーコッターのコッター筋断面積 (mm^2)

σ_y：コッター筋の規格降伏点 (N/mm^2)

$_UN_{CS}$：シヤーコッターの局部圧縮強度 (N) で，(9.12.20) 式による.

$$_UN_{CS} = A \cdot \alpha_2 \cdot F_c \cdot n \tag{9.12.20}$$

A, α_2, n：(9.12.5) 式の記号の説明による.

F_c：充填コンクリートまたは充填モルタルの設計基準強度 (N/mm^2)

$_UQ_{SW}$：シヤーコッター部の充填コンクリートまたは充填モルタルのせん断強度 (N) で，(9.12.21) 式による.

$$_UQ_{SW} = b_1 \cdot {_sf_{SW}} \cdot H + 1.4\sum(a_v \cdot \sigma_y) \tag{9.12.21}$$

b_1, ${_sf_{SW}}$, H：(9.12.15) 式の記号の説明による．

2．耐力壁の水平接合部の設計は，次の(1)から(3)による．

（1） 長期荷重時に水平接合部に生じる応力が，長期許容耐力以下となることを確認する．なお，長期荷重時における耐力壁の曲げモーメントが短期荷重時曲げモーメントに比して 1/1.5 未満の場合は，長期荷重時に対する水平接合部の設計を省略することができる．

（2） 短期荷重時に水平接合部生じる応力が，短期許容耐力以下となることを確認する．なお，標準せん断力係数 $C_0=0.5$ 以上の地震時における水平接合部に生じるせん断力が，当該水平接合部のせん断強度以下となることを確認する場合は，短期に対する水平接合部のせん断力に対する設計を省略することができる．

（3） 保有水平耐力の確認が必要とされない建物においては，標準せん断力係数 $C_0=0.5$ 以上の地震力に対して水平接合部に所要の強度を確保するため，次式を満たすことを確認する．

$$_{DU}Q_H \leq {_UQ_{SH}} \tag{9.12.22}$$

記号 $_{DU}Q_H$：水平接合部の終局時設計用せん断力 (N) で，次式による．

$$_{DU}Q_H = 2.5\, Q_{EH} \tag{9.12.23}$$

Q_{EH}：標準せん断力係数 $C_0 \geq 0.2$ の地震力により耐力壁に生じるせん断力 (N) で，水平荷重時応力解析を平均せん断応力度法による場合は，(9.2.6) 式右辺第2項による．

$_UQ_{SH}$：水平接合部のせん断強度 (N) で，次式による．

$$_UQ_{SH} = 0.7\{\sum(a_h \cdot \sigma_y) + N_h\} \tag{9.12.24}$$

$\sum(a_h \cdot \sigma_y)$：a_h に σ_y を乗じた数値の和 (N)

a_h：水平接合部の有効な接合筋の断面積 (mm^2) で，鉛直接合部内の縦筋を含む．ただし，鋼板形式の接合筋のように鉛直方向に対して角度 θ 傾いている時は，$a_h \cdot \cos\theta$ とする．

σ_y：水平接合部の接合筋および鉛直接合部内の縦筋の規格降伏点 (N/mm^2)

N_h：耐力壁の軸方向力 (N) で，圧縮を正とし引張を 0 とする．

3．PCa 造スラブ（PCa 造スラブを構成する 1 枚ごとの PCaRC 造の床板および屋根板をいい，以下同様とする）と PCa 造スラブおよび PCa 造スラブと耐力壁との水平接合部（以下，PCa 造スラブ等の水平接合部という）の設計は，次の(1)から(3)による．

（1） 標準せん断力係数 $C_0 \geq 0.2$ の短期荷重時における水平接合部に生じるせん断力が，当該水平接合部の短期許容せん断力以下となるように，次式を満たすことを確認する．

$$_{DS}Q_{hj} \leq {_{AS}Q_{hj}} \tag{9.12.25}$$

記号 $_{DS}Q_{hj}$：標準せん断力係数 $C_0 \geq 0.2$ の短期荷重時における PCa 造スラブ等の水平接合部 1 個あたりの設計用せん断力 (N) で，(9.12.26) 式による．

$$_{DS}Q_{hj} = C_i \cdot W/S_n + {_sQ_{sn}} \tag{9.12.26}$$

C_i：標準せん断力係数 $C_0 \geq 0.2$ とした時の当該階の地震層せん断力係数

W：PCa造スラブどうしの接合部の設計においては，PCa造スラブが支える部分の固定荷重と積載荷重との和（特定行政庁が指定する多雪区域においては，さらに積雪荷重を加えるものとする）で，PCa造スラブと耐力壁，壁梁および基礎梁等の接合部の設計においては，PCa造スラブが支える固定荷重と積載荷重との和（特定行政庁が指定する多雪区域においては，さらに積雪荷重を加えるものとする）（N）

S_n：PCa造スラブどうしの接合部の設計においては，PCa造スラブどうしが接する部分の設計用せん断力計算方向の水平接合部の個数で，PCa造スラブと耐力壁，壁梁および基礎梁等との接合部の設計においては，当該接合部の設計用せん断力計算方向の水平接合部の個数

${}_sQ_{sn}$：セットバック等がある場合で，PCa造スラブを介して伝達すべき地震力がある場合に，PCa造スラブの水平接合部1個あたりに生じるせん断力（N）で，(9.12.27)式による．

$${}_sQ_{sn} = {}_sQ_{ss} \cdot (A_s / \Sigma A_s) \cdot (1/n) \qquad (9.12.27)$$

${}_sQ_{ss}$：PCa造スラブを介して伝達すべきせん断力（N）

A_s：せん断力を伝達させるPCa造スラブの全有効断面の内，水平接合部が存在する部分の断面積（mm^2）

ΣA_s：せん断力を伝達させるPCa造スラブの全有効断面積（mm^2）

n：A_s部分に存在する水平接合部の個数

${}_{AS}Q_{hj}$：水平接合部の短期許容せん断力（N）で，PCa造床板とPCa造床板の水平接合部は (9.12.28) 式，PCa造スラブと耐力壁，壁梁および基礎梁等との水平接合部は (9.12.29) 式による．

$${}_{AS}Q_{hj} = \min({}_{AS}Q_{ss,s},\ {}_{AS}N_{cs,s},\ {}_{AS}Q_{SW,s}) \qquad (9.12.28)$$

$${}_AQ_{Shj} = 1.17 a_s \sqrt{F_c \cdot {}_wf_t} \qquad (9.12.29)$$

${}_{AS}Q_{ss,s}$：PCa造スラブとPCa造スラブの水平接合部のシヤーコッターの短期許容せん断力（N）で，次式による．

$${}_{AS}Q_{ss,s} = B \cdot \alpha_1 \cdot {}_sf_{ss} \cdot n \qquad (9.12.30)$$

B：PCa造スラブとPCa造スラブの水平接合部のシヤーコッター1個の鉛直断面のスラブ面内方向への投影面積（mm^2）（図9.12.2）

α_1：PCa造スラブとPCa造スラブの水平接合部のシヤーコッターの直接せん断を考慮した割増し係数で，2.0とする．

${}_sf_{ss}$：PCa造スラブとPCa造スラブの水平接合部のシヤーコッターの短期許容せん断応力度（N/mm^2）で，表5.2による．

n：PCa造スラブとPCa造スラブの水平接合部のシヤーコッターの個数

${}_{AS}N_{cs,s}$：PCa造スラブとPCa造スラブの水平接合部のシヤーコッターの短期局部許容圧縮力（N）で，(9.12.31) 式による．

$$_{AS}N_{CS,s} = A \cdot \alpha_2 \cdot {_sf_{CS}} \cdot n \tag{9.12.31}$$

A：PCa 造スラブと PCa 造スラブの水平接合部のシヤーコッターの水平断面積（mm²）（図 9.12.2）

α_2：PCa 造スラブと PCa 造スラブの水平接合部のシヤーコッターの局部圧縮力を考慮した割増し係数で，1.2 としてよい．

$_sf_{CS}$：PCa 造スラブと PCa 造スラブの水平接合部のシヤーコッターの短期許容圧縮応力度（N/mm²）で，表 5.2 による．

$_{AS}Q_{SW,s}$：PCa 造スラブと PCa 造スラブの水平接合部のシヤーコッターの充填コンクリートまたは充填モルタル部分の短期許容せん断力（N）で，(9.12.32) 式による．

$$_{AS}Q_{SW,s} = {_sf_{SW}} \cdot a \cdot b \tag{9.12.32}$$

$_sf_{SW}$：PCa 造スラブと PCa 造スラブの水平接合部のシヤーコッター部の充填コンクリートまたは充填モルタルの短期許容せん断応力度（N/mm²）で，表 5.2 による．

a：PCa 造スラブと PCa 造スラブの水平接合部のシヤーコッターの充填コンクリートまたは充填モルタルのせん断力に対する有効な幅（mm）（図 9.12.2）

b：PCa 造スラブと PCa 造スラブの水平接合部のシヤーコッターの充填コンクリートまたは充填モルタルのせん断力に対する有効な高さ（mm）（図 9.12.2）

a_s：ダウエル筋の断面積（mm²）

F_c：充填コンクリートまたは充填モルタルの設計基準強度（N/mm²）

$_wf_t$：ダウエル筋のせん断補強用短期許容引張応力度（N/mm²）で，390 N/mm² 以下とする．

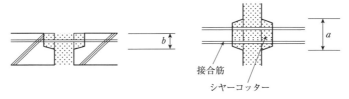

[注] a：有効な幅　b：有効な高さ

図 9.12.2　PCa 造スラブ—PCa 造スラブ接合部の形状と寸法例

(2)　保有水平耐力の確認が必要とされない建物においては，標準せん断力係数 $C_0 = 0.5$ 以上の地震力に対して接合部に所要の強度を確保するため，PCa 造スラブ等の水平接合部は，次式を満たすことを確認する．

$$_{DU}Q_{hi} \leqq {_UQ_{hi}} \tag{9.12.33}$$

記号　$_{DU}Q_{hi}$：PCa 造スラブ等の水平接合部 1 個あたりの終局設計用せん断力（N）で，(9.12.34) 式による．

$$_{DU}Q_{hi} = k \cdot W/S_n + {}_UQ_{sn} \tag{9.12.34}$$

k：局部水平震度（$\geqq 1.0$）で，標準せん断力係数 $C_0 \geqq 0.5$ とした時の当該階の地震層せん断力係数 C_i が 1.0 を上回る場合は，k は C_i と読み替える．

W, S_n：（9.12.26）式の記号の説明による．

${}_UQ_{sn}$：セットバック等がある場合で，PCa 造スラブを介して伝達すべき地震力がある時に，PCa 造スラブの水平接合部 1 個あたりに生じるせん断力（N）で，（9.12.27）式の ${}_sQ_{ss}$ に 2.5 以上の数値を乗じた数値とする．

${}_UQ_{hi}$：PCa 造スラブ等の水平接合部のせん断強度（N）で，（9.12.35）式による．

$$_UQ_{hi} = 1.65 a_s \cdot \sqrt{F_c \cdot \sigma_y} \tag{9.12.35}$$

a_s, F_c：（9.12.29）式の記号の説明による．

σ_y：ダウエル筋の規格降伏点（N/mm²）で，390 N/mm² 以下とする．

(3) のみ込み部の設計

PCa 造スラブののみ込み部に生じる局部圧縮応力度が，次式を満たすことを確認する．

$$_L\sigma_{pc} \leqq \sigma_t/\sqrt{2} \tag{9.12.36}$$

$$_U\sigma_{pc} \leqq \tau_u/\sqrt{2} \tag{9.12.37}$$

記号　${}_L\sigma_{pc}$：PCa 造スラブののみ込み部に生じる長期荷重時局部圧縮応力度（N/mm²）で，次式による．

$$_L\sigma_{pc} = w_L \cdot A/(a \cdot l_b) \tag{9.12.38}$$

w_L：PCa 造スラブの長期荷重時単位面積あたりの鉛直荷重（N/mm²）

A：PCa 造スラブののみ込み部の局部圧縮応力度を検討する PCa 造スラブの面積（mm²）

a：PCa 造スラブののみ込み長さ（mm）

l_b：PCa 造スラブののみ込み部の局部圧縮応力度を検討する PCa 造スラブののみ込み部の全長さ（mm）

σ_t：PCa 造スラブののみ込み部を支持するコンクリートの引張強度（N/mm²）で，次式による．

$$\sigma_t = 0.313\sqrt{F_c} \tag{9.12.39}$$

F_c：PCa 造スラブののみ込み部を支持するコンクリートの設計基準強度（N/mm²）

${}_U\sigma_{pc}$：PCa 造スラブののみ込み部に生じる設計用鉛直震度 $k_v \geqq 1.0$ 時の局部圧縮応力度（N/mm²）で，次式による．

$$_U\sigma_{pc} = (1.0 + k_v) \cdot w_s \cdot A/(a \cdot l_b) \tag{9.12.40}$$

w_s：PCa 造スラブの設計用鉛直震度 $k_v \geqq 1.0$ 時の単位面積あたりの鉛直荷重（N/mm²）

τ_u：PCa 造スラブののみ込み部を支持するコンクリートの直接せん断強度（N/mm²）で，次式による．

$$\tau_u = 1.06\sigma_t \tag{9.12.41}$$

4． PCa造壁梁の鉛直接合部の設計は，次の(1)から(3)による．

(1) PCaRC造壁梁の鉛直接合部の長期設計用せん断力が，次式を満たすことを確認する．

$$_{DL}Q_V \leqq {_{AL}Q_V} \tag{9.12.42}$$

記号 $_{DL}Q_V$：PCaRC造壁梁の鉛直接合部に生じる長期荷重時の設計用せん断力（N）で，鉛直接合部に生じる長期荷重時のせん断力とする．

$_{AL}Q_V$：PCaRC造壁梁の鉛直接合部の長期許容せん断力（N）で，(9.12.43)式による．

$$_{AL}Q_V = \min({_{AL}Q_{SS}}, {_{AL}N_{CS}}) \tag{9.12.43}$$

$_{AL}Q_{SS}$：PCaRC造壁梁の鉛直接合部のシヤーコッターの長期許容せん断力（N）で，(9.12.44)式による．

$$_{AL}Q_{SS} = B \cdot \alpha_1 \cdot {_L f_{SS}} \cdot n \tag{9.12.44}$$

B：PCaRC造壁梁の鉛直接合部のシヤーコッター1個の鉛直断面積の計算する方向と直交する方向への投影面積（mm^2）

α_1：PCaRC造壁梁の鉛直接合部のシヤーコッターの直接せん断を考慮した割増し係数で，2.0とする．

$_L f_{SS}$：PCaRC造壁梁の鉛直接合部のシヤーコッター部の充填コンクリートまたは充填モルタルの長期許容せん断応力度（N/mm^2）で，表5.2による．

n：当該PCaRC造壁梁の鉛直接合部のシヤーコッターの個数

$_{AL}N_{CS}$：PCaRC造壁梁の鉛直接合部のシヤーコッターの長期局部許容圧縮力（N）で，(9.12.45)式による．

$$_{AL}N_{CS} = A \cdot \alpha_2 \cdot {_L f_{CS}} \cdot n \tag{9.12.45}$$

A：PCaRC造壁梁の鉛直接合部のシヤーコッター1個の水平断面積（mm^2）

α_2：PCaRC造壁梁の鉛直接合部の充填コンクリートまたは充填モルタルの局部圧縮を考慮した割増し係数で，1.2とする．

$_L f_{CS}$：PCa造RC壁梁の鉛直接合部のシヤーコッターの長期許容圧縮応力度（N/mm^2）で，表5.2による．

(2) PCaRC造壁梁の鉛直接合部の短期設計用せん断力が，次式を満たすことを確認する．

$$_{DS}Q_V \leqq {_{AS}Q_V} \tag{9.12.46}$$

記号 $_{DS}Q_V$：PCaRC造壁梁の鉛直接合部に生じる短期荷重時の設計用せん断力（N）で，(9.12.47)式による．

$$_{DS}Q_V = {_{DL}Q_V} + n \cdot Q_{EV} \tag{9.12.47}$$

$_{DL}Q_V$：PCaRC造壁梁の鉛直接合部に生じる長期荷重時の設計用せん断力（N）で，鉛直接合部に生じる長期荷重時のせん断力とする．

n：せん断力の割増し係数で，2.0以上とする．

Q_{EV}：標準せん断力係数 $C_0 \geqq 0.2$ の地震力によりPCaRC造壁梁の鉛直接合部に生

じるせん断力（N）で，鉛直接合部の位置，形状に基づき適切に算定する．

$_{AS}Q_V$：PCaRC 造壁梁の鉛直接合部の短期許容せん断力（N）で，（9.12.48）式または（9.12.49）式のいずれかによる．

$$_{AS}Q_V = \min (_{AS}Q_{SS}, \ _{AS}N_{CS}) \tag{9.12.48}$$

$$_{AS}Q_V = \min (_{AS}Q_{V1}, \ _{AS}N_{V2}) \tag{9.12.49}$$

$_{AS}Q_{SS}$：PCaRC 造壁梁の鉛直接合部のシヤーコッターの短期許容せん断力（N）で，（9.12.50）式による．

$$_{AS}Q_{SS} = B \cdot \alpha_1 \cdot {}_sf_{SS} \cdot n \tag{9.12.50}$$

B, α_1, n：（9.12.42）式の記号の説明による．

$_sf_{SS}$：PCaRC 造壁梁の鉛直接合部のシヤーコッター部の充填コンクリートまたは充填モルタルの短期許容せん断応力度（N/mm²）で，表 5.2 による．

$_{AS}N_{CS}$：PCaRC 造壁梁の鉛直接合部のシヤーコッターの短期局部許容圧縮力（N）で，（9.12.51）式による．

$$_{AS}N_{CS} = A \cdot \alpha_2 \cdot {}_sf_{CS} \cdot n \tag{9.12.51}$$

A, α_2, n：（9.12.45）式の記号の説明による．

$_sf_{CS}$：PCaRC 造壁梁の鉛直接合部のシヤーコッターの短期許容圧縮応力度（N/mm²）で，シヤーコッター部の充填コンクリートまたは充填モルタルと壁梁等のコンクリートの短期許容圧縮応力度のうちの最小値とする．

$_{AS}Q_{SV1}$：PCaRC 造壁梁の鉛直接合部に作用する短期荷重時における曲げ圧縮応力に基づく短期許容せん断力（N）で，（9.12.52）式による．

$$_{AS}Q_{V1} = \mu \cdot C \tag{9.12.52}$$

μ：接触面圧縮応力伝達の摩擦係数で，実験にて確認する場合を除き，0.6 とする．

C：PCaRC 造壁梁の鉛直接合部に作用する短期荷重時における曲げ圧縮合力（N）で，（9.12.53）式により算定する．

$$C = M_s / j \tag{9.12.53}$$

M_s：PCaRC 造壁梁の鉛直接合部における短期荷重時曲げモーメント（N・mm）

j：PCaRC 造壁梁の応力中心距離（mm）で，$(7/8)d$ としてよい．

d：PCaRC 造壁梁の有効せい（mm）

$_{AS}Q_{V2}$：PCaRC 造壁梁の鉛直接合面を横切る鉄筋とコンクリートの支圧強度による短期許容せん断伝達力（N）で，（9.12.54）式による

$$_{AS}Q_{V2} = 1.17 a_s \cdot \sqrt{F_c \cdot {}_wf_t} \tag{9.12.54}$$

a_s：PCaRC 造壁梁の鉛直接合面を横切る圧縮側主筋と接合筋の全断面積（mm²）

F_c：PCaRC 造壁梁の鉛直接合部の充填コンクリートまたは充填モルタルの設計基準強度（N/mm²）

$_wf_t$：PCaRC 造壁梁の鉛直接合面を横切る圧縮側主筋と接合筋のせん断補強用短

期許容引張応力度（N/mm²）

（3）保有水平耐力の確認が必要とされない建物においては，標準せん断力係数 $C_0=0.5$ 以上の地震力に対して鉛直接合部に所要の強度を確保するため，PCaRC 造壁梁の鉛直接合部は，次式を満たすことを確認する．

$$_{DU}Q_V \leq {_U}Q_V \tag{9.12.55}$$

記号 $_{DU}Q_V$：PCa 造壁梁の鉛直接合部の終局設計用せん断力（N）で，次式による．

$$_{DU}Q_V = {_{DL}}Q_V + 2.5\, Q_{EV} \tag{9.12.56}$$

$_{LV}Q_V$：(9.12.47) 式の記号の説明による．

Q_{EV}：標準せん断力係数 $C_0=0.2$ 以上の地震力により PCaRC 造壁梁の鉛直接合部に生じるせん断力（N）で，鉛直接合部の位置，形状に基づき算定する．

$_{U}Q_V$：PCaRC 造壁梁の鉛直接合部のせん断強度（N）で，(9.12.57) 式から (9.12.59) 式のいずれかの式により算定する．

$$_{U}Q_V = \min({_U}Q_{SS},\ {_U}N_{CS}) \tag{9.12.57}$$

$$_{U}Q_V = \mu \cdot C \tag{9.12.58}$$

$$_{U}Q_V = 1.65\, a_s \cdot \sqrt{F_c \cdot \sigma_y} \tag{9.12.59}$$

$_{U}Q_{SS}$：PCaRC 造壁梁の鉛直接合部のシヤーコッターのせん断強度（N）で，(9.12.60) 式による．

$$_{U}Q_{SS} = 0.10 F_c \cdot A_{sc} + \sum(a_v \cdot \sigma_y) \tag{9.12.60}$$

F_c：PCaRC 造壁梁の鉛直接合部の充填コンクリートまたは充填モルタルの設計基準強度（N/mm²）

A_{sc}：PCaRC 造壁梁の鉛直接合部のシヤーコッターの鉛直断面積の和（mm²）

$\sum(a_v \cdot \sigma_y)$：a_v に σ_y を乗じた数値の和（N）

a_v：PCaRC 造壁梁の端部曲げ補強筋および鉛直接合部のコッター筋の断面積（mm²）

σ_y：同上鉄筋の規格降伏点（N/mm²）

$_{U}N_{CS}$：PCaRC 造壁梁の鉛直接合部のシヤーコッターの局部圧縮強度（N）で，次式による．

$$_{U}N_{CS} = A \cdot \alpha_2 \cdot F_c \cdot n \tag{9.12.61}$$

A, α_2, n：(9.12.45) 式の記号の説明による．

F_c：PCaRC 造壁梁の鉛直接合部のシヤーコッター部の充填コンクリートまたは充填モルタルと PCaRC 造壁梁のコンクリートの設計基準強度（N/mm²）のうちの最小値とする．

μ：(9.12.52) 式の記号の説明による．

C：PCaRC 造壁梁の鉛直接合部に作用する終局時曲げ圧縮合力（N）で，(9.12.62) 式により算定する．

$$C = M_U / (0.9d) \tag{9.12.62}$$

M_U：終局時の PCaRC 造壁梁の鉛直接合部位置での曲げモーメント（N・mm）

d：PCaRC 造壁梁の有効せい（mm）

a_s：圧縮側主筋と接合筋の全断面積（mm²）

a_y：同上鉄筋の規格降伏点（N/mm²）

5．PCaRC 造壁梁の天端を現場打ちコンクリートとする場合の水平接合部の設計は，次の（1）から（3）による．

（1） 長期荷重時に現場打ち RC 造部分と PCaRC 造壁梁との水平接合部に生じるせん断応力度が，コンクリートの長期許容せん断応力度以下となるよう次式を満たすことを確認する．

$$\tau_L = \sum a_t \cdot {}_L\sigma_t / (b \cdot \sum l_1) \leq {}_L f_s \qquad (9.12.63)$$

記号　τ_L：長期荷重時に現場打ち RC 造部分と PCaRC 造壁梁との水平接合部に生じるせん断応力度（N/mm²）

$\sum a_t$：PCaRC 造壁梁の上端端部曲げ補強筋の断面積の和（mm²）

${}_L\sigma_t$：長期荷重時に PCaRC 造壁梁の上端端部曲げ補強筋に生じる引張応力度（N/mm²）

b：PCaRC 造壁梁の幅（mm）

$\sum l_1$：長期荷重時において上端端部曲げ補強筋に引張応力度が生じている区間長さ（mm）

${}_L f_s$：PCaRC 造壁梁の現場打ち RC 造部分のコンクリートの長期許容せん断応力度（N/mm²）と PCaRC 造壁梁のコンクリートの長期許容せん断応力度のうちの小さい方の数値．

（2） 短期荷重時に現場打ち RC 造部分と PCaRC 造壁梁との水平接合部に生じるせん断応力度が，コンクリートの短期許容せん断応力度以下となるよう次式を満たすことを確認する．

$$\tau_S = \sum a_t \cdot {}_S\sigma_t / (b \cdot \sum l_2) \leq {}_S f_s \qquad (9.12.64)$$

記号　τ_S：短期荷重時に現場打ち RC 造部分と PCaRC 造壁梁との水平接合部に生じるせん断応力度（N/mm²）

${}_S\sigma_t$：短期荷重時に PCaRC 造壁梁の上端端部曲げ補強筋に生じる引張応力度（N/mm²）

$\sum l_2$：短期荷重時において上端端部曲げ補強筋に引張応力度が生じている区間長さ（mm）

$\sum a_t,\ b$：（9.12.63）式の記号の説明による．

${}_S f_s$：PCaRC 造壁梁の現場打ち RC 造部分のコンクリートの短期許容せん断応力（N/mm²）と PCaRC 造壁梁のコンクリートの短期許容せん断応力度のうちの小さい方の数値．

（3） 保有水平耐力の確認が必要とされない建物においては，次式を満たすことを確認する．

$$\tau_U = \sum a_t \cdot \sigma_y / (b \cdot \sum l_3) \leq \tau_{SU} \qquad (9.12.65)$$

記号　τ_U：終局時に現場打ち RC 造部分と PCaRC 造壁梁との水平接合部に生じるせん

断応力度（N/mm²）

$\sum a_t$, b：（9.12.63）式の記号の説明による．

σ_y：PCaRC 造壁梁の上端端部曲げ補強筋の材料強度（N/mm²）

$\sum l_3$：終局時において上端端部曲げ補強筋に引張応力度が生じている区間長さ（mm）

τ_{SU}：現場打ち RC 造部分と PCaRC 造壁梁との水平接合部のせん断強度（N/mm²）で，次式による．

$$\tau_{SU} = \mu_s \cdot p_w \cdot \sigma_{wy}, \quad \text{かつ}, \quad \tau_{SU} \leq 0.7 \times (0.7 - F_c/200) \cdot (F_c/2) \quad (9.12.66)$$

μ_s：現場打ち RC 造部分と PCaRC 造壁梁との水平接合部の摩擦係数で，現場打ちコンクリートを打設する PCaRC 造壁梁との水平接合部の摩擦係数で，現場打ちコンクリートを打設する PCaRC 造壁梁との水平接合面のレイタンスを除去する場合 0.6，水平接合面のレイタンスを除去し，かつ 5 mm 程度の凹凸を設けた場合 1.0 とする．

p_w：PCaRC 造壁梁の縦補強筋比で，0.012 以上は 0.012 とする．

σ_{wy}：PCaRC 造壁梁の縦補強筋の規格降伏点（N/mm²）で，345 N/mm² 以下とする．

F_c：CaRC 造壁梁の現場打ち RC 造部分のコンクリートの設計基準強度（N/mm²）と PCaRC 造壁梁のコンクリートの設計基準強度のうちの小さい方の数値とする．

6．土圧，水圧により面外方向の応力を受ける PCaRC 造部材接合部および耐力壁が上下に連続していない場合で PCaRC 造部材接合部を介して軸方向力を伝達する耐力壁の鉛直接合部は，当該 PCaRC 造部材接合部に生じる長期の応力が，当該 PCaRC 造部材接合部の長期許容耐力以下となることを確認する．なお，短期荷重時応力および終局時応力に対する設計も行うものとする．

7．PCaRC 造部材接合部は前記 1. から 6. によるほか，次の（1）から（6）の構造規定を満たすものとする．

（1）耐力壁の鉛直接合部は，下記の（ⅰ）および（ⅱ）による．

　（ⅰ）鉛直接合部内には，1-D13 以上の縦筋を連続して配置する．

　（ⅱ）鉛直接合部内の横方向には 1-10 以上の接合筋を配置するとともに，接合筋相互を溶接により有効に接合させるか，またはループ状に出したコッター筋をラップさせ，縦筋を通す方法のいずれかとする．

（2）PCaRC 造壁梁の鉛直接合部は，次の（ⅰ）および（ⅱ）による．

　（ⅰ）鉛直接合部内には，1-D10 以上の縦補強筋を配置する．

　（ⅱ）鉛直接合部の横方向には，PCaRC 造壁梁の端部曲げ補強筋および D10 以上の接合筋（端部曲げ補強筋以外の中間部横補強筋と兼用してよい）を使用し，端部曲げ補強筋相互および接合筋相互を溶接もしくは機械式継手により有効に接合する．

（3） 耐力壁およびPCaRC造壁梁の鉛直接合部には，せん断力を有効に伝達させるためのシヤーコッターを均等な間隔に設けるとともに，充填コンクリートまたは充填モルタルを密実に充填する．

（4） 水平接合部に用いる鋼板の厚さは6mm以上とし，接合筋はD13以上かつ耐力壁および壁梁等の部材厚さの0.15倍以下の径とする．

（5） PCaRC造壁梁の鉛直接合部に鋼板を用いて溶接接合する場合で，当該接合部を構造設計上ピンとする場合，当該接合部は軸方向力およびせん断力の伝達が可能な構造詳細とする．

（6） PCa造スラブ等の水平接合部は，次の（ⅰ）から（ⅴ）による．

（ⅰ） PCa造スラブどうしを接合する位置は，スラブ筋の壁梁および基礎梁の曲げ強度に対する協力効果を高めるために，接合部に直交する壁梁および基礎梁の近くに設ける．

（ⅱ） PCa造スラブどうしの水平接合部にはシヤーコッターを設け，十分な定着長さを有する接合筋（2-D10以上）または鋼板を用い溶接する．

（ⅲ） PCa造スラブと耐力壁，壁梁ならびに基礎梁との接合部には，耐力壁，壁梁ならびに基礎梁から十分な定着長さを有する接合筋または縦補強筋を突出させて充填コンクリートまたは充填モルタルにより一体化させるか，鋼板を用いて溶接接合する．

（ⅳ） PCa造スラブどうしの水平接合部の個数は2以上とし，PCa造スラブと耐力壁，壁梁ならびに基礎梁との接合部の個数は2以上とし，各PCa造スラブごとに2個以上設けるものとする．

（ⅴ） 水平接合部の充填コンクリートまたは充填モルタルは，密実に充填する．

9.13 付着・継手

1. 曲げ材の引張鉄筋の付着に対する検討は，次の（1）から（4）による．

（1） 曲げ材の引張鉄筋では，スパン内において付着応力度の算定を行い，本節1.（3）によって長期荷重時および短期荷重時に対する設計を行う．なお，束ね鉄筋は，断面積の等価な1本の鉄筋として取り扱う．

（2） 本節1.（3）の平均付着応力度の算定において，曲げ材の引張鉄筋の付着検定断面と付着長さ l_d は，以下による．

1） 付着検定断面は，スパン内で最大曲げモーメントとなる断面とする．

2） スパン途中でカットオフされる鉄筋（以下，カットオフ鉄筋という）の付着長さ l_d は，付着検定断面から鉄筋端までの長さとし，鉄筋端部に標準フック〔9.14節参照〕を設ける場合は，付着検定断面から折曲げ開始点までの長さとする．

3） 長期荷重時および短期荷重時に対する検討おいて，スパン内を通し配筋される鉄筋（以下，通し筋という）の付着長さ l_d は，曲げ材の内法長さ L とする．

（3） 曲げ材の引張鉄筋の付着応力度の検討は，以下による．

1） 長期荷重時に対する検討は，（9.13.1）式または（9.13.2）式による．

$$\tau_{a1} = \frac{Q_L}{\sum \phi \cdot j} \leq {}_L f_a \qquad (9.13.1)$$

$$\tau_{a2} = \frac{{}_L \sigma_t \cdot d_b}{4(l_d - d)} \leq 0.8 {}_L f_a \qquad (9.13.2)$$

2）短期荷重時に対する検討は，(9.13.3) 式または (9.13.4) 式による．

$$\tau_{a1} = \frac{Q_L + Q_E}{\sum \phi \cdot j} \leq {}_S f_a \qquad (9.13.3)$$

$$\tau_{a2} = \frac{{}_S \sigma_t \cdot d_b}{4(l_d - d)} \leq 0.8 {}_S f_a \qquad (9.13.4)$$

記号　τ_{a1}：引張鉄筋の曲げ付着応力度（N/mm^2）

　　　Q_L：長期荷重時せん断力（N）

　　　$\sum \phi$：引張鉄筋の周長の和（mm）

　　　j：曲げ材の応力中心距離（mm）で，$j = (7/8)d$ とすることができる．

　　　${}_L f_a$：長期許容付着応力度（N/mm^2）

　　　τ_{a2}：引張鉄筋の平均付着応力度（N/mm^2）

　　　${}_L \sigma_t$：付着検定断面位置における長期荷重時の鉄筋存在応力度（N/mm^2）で，鉄筋端に標準フックを設ける場合には，その数値の 2/3 倍とすることができる．

　　　d_b：引張鉄筋径（mm）で，異形鉄筋では呼び名に用いた数値とする．

　　　l_d：引張鉄筋の付着長さ（mm）で，(9.13.2) 式，(9.13.4) 式においては，対象とする荷重の作用により曲げ材にせん断ひび割れが生じないことが確かめられた場合には，式中の $(l_d - d)$ を l_d としてよい．

　　　d：曲げ材の有効せい（mm）

　　　Q_E：水平荷重時せん断力（N）で，水平荷重時応力算定を平均せん断応力度法による場合は，(9.2.6) 式右辺第 2 項による．また，平面骨組解析による場合においては，ねじれによる負担せん断力の補正後の数値とする．なお，せん断力の補正係数が 1 未満の場合は，1 とする．

　　　${}_S f_a$：短期許容付着応力度（N/mm^2）

　　　${}_S \sigma_t$：付着検定断面位置における短期荷重時の鉄筋存在応力度（N/mm^2）で，鉄筋端に標準フックを設ける場合には，その数値の 2/3 倍とすることができる．

(4) 付着に関する構造規定

1）カットオフ鉄筋は，計算上不要となる断面を越えて部材有効せい d 以上延長する．

2）引張を受ける上端筋および下端筋の 1/3 以上は，部材全長に連続して，あるいは継手を設けて配置する．

3）引張鉄筋の付着長さは，原則として 300 mm を下回らないものとする．ただし，直接基

礎における基礎スラブの引張鉄筋で，末端に標準フックを設ける場合は，この限りでない．

4）壁梁の出隅部分においては，鉄筋の末端に標準フックを設ける．

2．鉄筋の継手には，重ね継手，ガス圧接継手，溶接継手，または機械式継手を用いる．ガス圧接継手，機械式継手ならびに溶接継手は，原則として部材応力および鉄筋存在応力度の小さい箇所に設ける．重ね継手は，次の（1）から（6）によるものとする．

（1） D25 以上の鉄筋には，原則として重ね継手を設けない．ただし，曲げ降伏を計画しない部材にあってはこの限りでない．

（2） 鉄筋の重ね継手は，部材応力および鉄筋存在応力度の小さい箇所に設けることを原則とする．なお，耐力壁脚部に限り重ね継手を設けてもよい．

（3） 曲げ補強鉄筋の重ね継手長さは，次の 1）および 2）を満足するように設定する．ただし，200 mm および鉄筋径の 25 倍以上とする．

1）重ね継手の長期荷重時および短期荷重時に対する検討は，引張力が生じる鉄筋に対しては (9.13.5) 式または (9.13.7) 式により，圧縮鉄筋に対しては (9.13.6) 式または (9.13.8) 式により行う．

（a） コンクリートの割裂を防止する有効な拘束がない場合：

$$\frac{\sigma_t \cdot d_b}{4l} \leq 0.8 f_a \tag{9.13.5}$$

$$\frac{\sigma_c \cdot d_b}{4l} \leq 1.5 \times 0.8 f_a \tag{9.13.6}$$

（b） コンクリートの割裂を防止する有効な拘束がある場合：

$$\frac{\sigma_t \cdot d_p}{4l} \leq f_a \tag{9.13.7}$$

$$\frac{\sigma_c \cdot d_p}{4l} \leq 1.5 f_a \tag{9.13.8}$$

記号　σ_t：引張力が生じる鉄筋の継手部分の最大存在応力度（N/mm²）で，鉄筋端に標準フックを設ける場合には，その数値の 2/3 倍とすることができる．

d_b：鉄筋径（mm）で，異形鉄筋では呼び名に用いた数値とする．

l：重ね継手長さ（mm）．鉄筋端に標準フックを設ける場合にはフックを除いた長さとする．

f_a：許容付着応力度（N/mm²）で，鉄筋の位置にかかわらず上端筋に対する数値を用いる．

σ_c：圧縮鉄筋の継手部分の最大存在応力度（N/mm²）

2）鉄筋の重ね継手長さは，重ね継手をこれらの部材における引張力の最も小さい部分に設ける場合にあっては，鉄筋の径（径の異なる鉄筋にあっては細い鉄筋の径）の 25 倍以上かつ上記 1）により求まる長さ以上とし，重ね継手を引張力の最も小さい部分以外の部分に設ける場合にあっては，鉄筋の径（径の異なる鉄筋にあっては細い鉄筋の径）の 40 倍以上

かつ上記1）により求まる長さ以上とする．

なお，本節によるほか10.5.5項の継手の保証設計を行い，いずれか大きい方の数値以上とする場合は，この限りでない．

（4）重ね継手は，曲げひび割れが継手部分に沿って生じるような部位には設けない．

（5）溶接金網の重ね継手は，重ね継手長さを最外端の横筋間で測った距離とし，横筋間隔に50 mmを加えた長さ以上かつ150 mm以上とする．

（6）壁梁の出隅部分の鉄筋を部材内で重ね継手する場合，鉄筋の末端には標準フックを設ける．

3．引張鉄筋の部材内への定着は，曲げ材の引張鉄筋については本節1．に従い，その他の引張鉄筋については（9.13.5）式または（9.13.7）式により検討を行う．ただし，式中の記号 l を定着長さと置き換える．

9.14 定　　着

1．異形鉄筋の接合部への定着は，必要定着長さ l_{ab} 以上の定着長さ l_a を確保する．

2．直線定着する場合の定着長さ l_a は，定着起点から当該鉄筋端までの長さとする．本節6．に規定する標準フックを鉄筋端に設ける場合は，定着起点からフックまでの投影定着長さを l_a とする．また，また，信頼できる機械式定着具を壁梁の出隅部分の鉄筋端に設ける場合は，本節によるほか10.5.5項による．

3．曲げ材の引張鉄筋の定着検討は，以下による．

（1）長期荷重時に対する検討は，（9.14.1）式または（9.14.2）式による．

（a）コンクリートを拘束する有効な拘束がない場合：

$$l_{ab} = \frac{{}_L\sigma_t \cdot d_b}{4 \times 0.8\,{}_L f_a} \tag{9.14.1}$$

（b）コンクリートを拘束する有効な拘束がある場合：

$$l_{ab} = \frac{{}_L\sigma_t \cdot d_b}{4\,{}_L f_a} \tag{9.14.2}$$

記号　l_{ab}：曲げ材の引張鉄筋の長期荷重時における必要定着長さ（mm）

　　　${}_L\sigma_t$：曲げ材の引張鉄筋の長期荷重時引張応力度（N/mm^2）で，長期許容引張応力度としてよい．鉄筋端に鉄筋端に標準フックを設ける場合は，その数値の2/3倍とすることができる．

　　　d_b：鉄筋径（mm）で，異形鉄筋では呼び名に用いた数値．

　　　${}_L f_a$：長期許容付着応力度（N/mm^2）で，表5.4による．

（2）短期荷重時に対する検討は，（9.14.3）式または（9.14.4）式による．

（a）コンクリートを拘束する有効な拘束がない場合：

$$l_{ab} = \frac{{}_s\sigma_t \cdot d_b}{4 \times 0.8\,{}_s f_a} \tag{9.14.3}$$

（b） コンクリートを拘束する有効な拘束がある場合：

$$l_{ab} = \frac{{}_s\sigma_t \cdot d_b}{4\,{}_sf_a} \tag{9.14.4}$$

記号　l_{ab}：曲げ材の引張鉄筋の短期荷重時における必要定着長さ（mm）

　　　${}_s\sigma_t$：曲げ材の引張鉄筋の短期荷重時引張応力度（N/mm²）で，短期許容引張応力度としてよい．鉄筋端に鉄筋端に標準フックを設ける場合は，その数値の2/3倍とすることができる．

　　　d_b：鉄筋径（mm）で，異形鉄筋では呼び名に用いた数値．

　　　${}_sf_a$：短期許容付着応力度（N/mm²）で，表5.4による．

4．耐力壁・壁梁接合部（以下，接合部という）内を通して配筋される壁梁および耐力壁・基礎梁接合部（以下，接合部という）内を通して配筋される基礎梁の主筋径は（9.14.5）式を，接合部内を通して配筋される耐力壁の縦補強筋の主筋径は（9.14.6）式を満たすことを原則とする．ただし，極めて稀に発生する荷重および外力の組合せ時に接合部に接続する部材の主筋の降伏が生じない場合は，これを緩和してよい．なお，（9.14.5）式および（9.14.6）式の代わりに本会編「鉄筋コンクリート造建物の靱性保証型耐震設計指針・同解説」の8.4節によって検討してもよい．

$$d_b \leqq 3.6(1.5+0.1F_c) \cdot \frac{D}{{}_sf_t} \tag{9.14.5}$$

$$d_b \leqq 3.0(1.5+0.1F_c) \cdot \frac{D}{{}_sf_t} \tag{9.14.6}$$

記号　d_b：鉄筋径（mm）で，異形鉄筋では呼び名に用いた数値．

　　　F_c：コンクリートの設計基準強度（N/mm²）

　　　D：通し配筋される部材の全せい（mm）

　　　${}_sf_t$：鉄筋の短期許容引張応力度（N/mm²）

5．定着に関する構造規定は，次の（1）から（7）による．

（1）　壁梁の出隅部分の鉄筋の末端は，かぎ状に折り曲げて定着する．なお，本節によるほか10.5.5項による場合は，かぎ状に折り曲げて定着しなくてもよい．ただし，最上層外端耐力壁・壁梁接合部への壁梁の上端端部曲げ補強筋の定着は，定着起点から $0.75\,l_w$（l_w：耐力壁・壁梁接合部の全せい）以上確保した上で90°に折り曲げ，折曲げ後の直線部分で所要の定着長さ以上を確保する．なお，直交壁内へ定着してもよい．

（2）　引張応力を受ける鉄筋の直線定着長さは，原則として300 mm以上とする．ただし，非耐震部材で特別な配慮をした場合は，この限りでない．

（3）　折曲げ定着の場合は，原則として投影定着長さ（定着起点から折曲げ終点までの長さをいい，以下同様とする）を $8\,d_b$（d_b：異形鉄筋の呼び名に用いた数値）かつ150 mm以上とする．ただし，設計で長期応力のみ負担すると考えた部材で特別な配慮をした場合は，この限りでない．

（4） 折曲げによる壁梁の主筋の接合部および直交壁への定着，および耐力等の縦補強筋の接合部への定着における投影定着長さは，上記接合部全せいの0.75倍以上を基本とし，接合部側へ折り曲げることを原則とする．ただし，接合部全せいが十分に大きい場合，あるいは特別な配慮をした場合は，この限りでない．

（5） 特殊な定着箇所においては，応力が無理なく伝達されるような断面および配筋とする．

（6） 圧縮応力のみを受ける鉄筋の接合部への定着は，投影定着長さを $8d_b$ 以上とする．

（7） 部材固定端における溶接金網の定着では，接合面から最外端の横筋までの長さを横筋間隔に50 mmを加えた長さ以上かつ150 mm以上とする．

6．標準フックの余長，鉄筋の折曲げ内法直径は，次の（1）および（2）による．

（1） 本節によって定着の検定を行う折曲げ定着筋の標準フックの余長は，90°折曲げの場合は鉄筋径の8倍以上，135°折曲げの場合は鉄筋径の6倍以上，もしくは180°折曲げの場合は鉄筋径の4倍以上のいずれかとする．

（2） 折曲げ部の折曲げ内法直径の最小値は，表9.14.1による．

表9.14.1　標準フックの折曲げ内法直径の最小値

折曲げ角度	鉄筋種別	鉄筋径による区分	鉄筋の折曲げ内法直径の最小値
180°	SD 295	D16以下	$3d_b$ [*1]
135°	SD 345	D19〜D41	$4d_b$
90°	SD 390	D41以下	$5d_b$

〔記号〕 d_b：異形鉄筋の呼び名に用いた数値（mm）
〔注〕＊1：折曲げに際して割れ，ひび割れ等が生じないことが確かめられた場合で，かつ折曲げ部内側に直交方向にD13以上の補強筋を配する場合は，折曲げ内法直径の最小値をD10，D13に限り $2d_b$ としてもよい．

10条　保有水平耐力計算

10.1　基本方針

10.1.1　保有水平耐力の確認

各階各方向の保有水平耐力が（10.1.1）式に定める必要保有水平耐力以上であることを確認する．ただし，次の（1）から（6）の全てを満たす場合においては，この限りでない．なお，次の（2）から（6）の全てを満たす場合においては，10.1.3項に記載の総曲げ抵抗モーメントの確認によってもよい．

$$Q_{un} = D_s \cdot F_{es} \cdot Q_{ud} \tag{10.1.1}$$

記号　Q_{un}：各階各方向の必要保有水平耐力（N）
　　　D_s：構造特性係数で，10.2節による．
　　　F_{es}：各階の形状特性を表す係数
　　　Q_{ud}：標準せん断力係数 $C_0 \geq 1.0$ の地震力によって各階に生じる水平力（N）で，令第88条第1項および第3項による．

（1） 各階の階高が 3.5 m 以下である．
（2） 各階各方向の壁率が（10.1.2）式を満たす．
$$_i a_w \geq Z \cdot W_i \cdot A_i \cdot \beta / (2.5 S_i) \tag{10.1.2}$$

記号　$_i a_w$：i 階における計算方向ごとの壁率（mm^2/m^2）で，計算方向の耐力壁の壁率算定用水平断面積の和を当該階の壁率算定用床面積で除した数値

　　　Z：地震地域係数

　　　W_i：地震力を計算する場合における i 階が支える部分の固定荷重と積載荷重との和（特定行政庁が指定する多雪区域においては，さらに積雪荷重を加えるものとする）（N）

　　　A_i：建物の振動特性に応じて地震層せん断力の高さ方向の分布を表す係数

　　　β：使用するコンクリートの設計基準強度 F_c（N/mm^2）による壁率の低減係数で，次式による．
$$= \sqrt{18/F_c}, \quad ただし \beta \geq 1/\sqrt{2} \tag{10.1.3}$$

　　　2.5：耐力壁のせん断強度の基準値（N/mm^2）

　　　S_i：i 階の壁率算定用床面積（m^2）

（3） 各階各方向の壁量が（10.1.4）式を満たす．
$$L_w \geq \alpha \cdot \beta \cdot Z \cdot L_{w0} \quad かつ, \quad L_w \geq L_{wm} \tag{10.1.4}$$

記号　L_w：各階における各計算方向ごとの壁量（mm/m^2）で，計算方向の耐力壁の実長の和を当該階の壁量算定用床面積（壁率算定用床面積に同じ）で除した数値

　　　α：耐力壁の厚さが最小壁厚より大きい場合の壁量の低減係数で，（10.1.5）式による．
$$\alpha = t_0 \cdot \sum l / \sum (t \cdot l) \tag{10.1.5}$$

　　　t_0：耐力壁の最小壁厚（mm）で，現場打ち壁式 RC 造にあっては表 10.1.3，PCa 壁式 RC 造にあっては表 10.1.4 による．

　　　$\sum l$：耐力壁の実長の和（mm）

　　$\sum (t \cdot l)$：耐力壁の厚さに実長を乗じた数値の和（mm^2）

　　　t：耐力壁の厚さ（mm）

　　　l：耐力壁の実長（mm）

　　　β, Z：（10.1.2）式の記号の説明による．

　　　L_{w0}：標準壁量（mm/m^2）で，現場打ち壁式 RC 造にあっては表 10.1.1，PCa 壁式 RC 造にあっては表 10.1.2 による．

　　　L_{wm}：最小壁量（mm/m^2）で，現場打ち壁式 RC 造にあっては表 10.1.1，PCa 壁式 RC 造にあっては表 10.1.2 による．

表 10.1.1 標準壁量および最小壁量（現場打ち壁式 RC 造）（mm/m²）

階		標準壁量 L_{w0}	最小壁量 L_{wm}
地上階	最上階から数えて 1 から 3 の階	120	70
	最上階から数えて 4 および 5 の階	150	100
地下階		200	150

表 10.1.2 標準壁量および最小壁量（PCa 壁式 RC 造）（mm/m²）

建物および階		標準壁量 L_{w0}	最小壁量 L_{wm}
地上階	地階を除く階数が 1 から 3 の建物の各階	120	70
	地階を除く階数が 4 および 5 の建物の各階	150	100
地下階		200	150

表 10.1.3 耐力壁の最小壁厚 t_0（現場打ち壁式 RC 造）（mm）

建物および階			最小壁厚 t_0
地上階	地階を除く階数が 1 の建物		120
	地階を除く階数が 2 の建物の各階		150
	地階を除く階数が 3 以上の建物	最上階	150
		その他の階	180
地下階			180

表 10.1.4 耐力壁の最小壁厚 t_0（PCa 壁式 RC 造）（mm）

階		最小壁厚 t_0
地上階	最上階および最上階から数えて 2 の階	120
	その他の階	150
地下階		180

（4） 床板および屋根板が RC 造である．なお，次の（a）から（c）に該当する場合は，この限りでない．
 （a） 軟弱地盤以外に建つ地下階のない現場打ち壁式 RC 造建物の 1 階の床板
 （b） 軟弱地盤以外に建つ地上階数 2 以下の現場打ち壁式 RC 造建物の最上階の屋根板
 （c） 軟弱地盤以外に建つ地下階のない地上階数 2 または平家建の PCa 壁式 RC 造建物の 1 階の床板
（5） 複筋梁である．
（6） 壁梁の主筋が D13 以上である．

10.1.2 層間変形角の確認

標準せん断力係数 $C_0 \geq 0.2$ の地震力によって生じる各階各方向の層間変形角が 1/2 000 以下で

あることを確認する．ただし，次の（1）から（3）の全てを満たす場合においては，この限りでない．

(1) 階高が 3.5 m 以下である．
(2) 各階各方向の壁率が，(10.1.2) 式を満たす．
(3) 各階各方向の壁量が，(10.1.4) 式を満たす．

10.1.3 総曲げ抵抗モーメントの確認

総曲げ抵抗モーメントの確認は，(10.1.6) 式を満たすことにより行う．

$$_RM_u \geqq {}_{OT}M_u \tag{10.1.6}$$

記号 $_RM_u$：検討方向における総曲げ抵抗モーメント（N・mm）で，次式による．

$$_RM_u = \sum{}_wM_u + \sum{}_bM_u' \tag{10.1.7}$$

$\sum{}_wM_u$：1階耐力壁脚部の曲げ強度の和（N・mm）

$_wM_u$：1階耐力壁の曲げ強度（N・mm）で，10.4.1 項による．

$\sum{}_bM_u'$：2階以上の壁梁の各節点における曲げ強度の和（N・mm）

$_bM_u'$：壁梁の各節点における曲げ強度（N・mm）で，次式による．

$$_bM_u' = {}_bM_u \cdot l/l' \tag{10.1.8}$$

$_bM_u$：壁梁端部の曲げ強度（N・mm）で，10.4.2 項による．

l：壁梁両端の耐力壁の心々間距離（mm）

l'：壁梁の内法スパン長さ（mm）

$_{OT}M_u$：各階の構造特性係数を 0.5 としたときの必要保有水平耐力に相当する水平外力による1階耐力壁脚部まわりの転倒モーメント（N・mm）で，次式による．

$$_{OT}M_u = 0.5 \sum_{i=1}^{n} F_{es0\,i} \cdot Z \cdot R_t \cdot A_i \cdot W_i \cdot h_i \tag{10.1.9}$$

n：建物の地上階数

$F_{es0\,i}$：i 階の剛性率 $R_{s,i}$ および偏心率 $R_{e,i}$ によって定まる i 階の割増し係数で，次による．

$$\begin{array}{ll} F_{es0,i} = (10/3 \times R_{e,i} + 0.5) \cdot F_{s,i} & (R_{e,i} \geqq 0.15) \\ F_{es0,i} = F_{s,i} & (R_{e,i} < 0.15) \\ F_{s,i} = 2.0 - R_{s,i}/0.6 & (R_{s,i} < 0.6) \\ F_{s,i} = 1.0 & (R_{e,i} \geqq 0.6) \end{array} \tag{10.1.10}$$

Z：地震地域係数

R_t：建物と地盤の固有周期に応じて地震層せん断力係数を低減する係数

A_i：建物の振動特性に応じて地震層せん断力の高さ方向の分布を表す i 階の係数

W_i：地震力を計算する場合における i 階が支える固定荷重と積載荷重の和（特定行政庁が指定する多雪区域においては，さらに積雪荷重を考慮する）（N）

h_i：i 階の階高（m）

10.2 構造特性係数の設定

構造特性係数 D_s は，平成 19 年国土交通省告示第 596 号に規定されている算出方法に基づき，次の（1）から（3）による．

（1） 耐力壁の種別を，次の表 10.2.1 に従い，耐力壁の区分に応じて定める．

表 10.2.1 耐力壁の種別

耐力壁の区分			耐力壁の種別
	破壊の形式	$\overline{\tau_u}/F_c$ の数値	
条件	せん断破壊その他の構造耐力上支障のある急激な耐力の低下のおそれのある破壊を生じないこと．	0.1 以下	WA
		0.125 以下	WB
		0.15 以下	WC
	WA，WB，または WC のいずれにも該当しない場合		WD

〔記号〕
$\overline{\tau_u}$：メカニズム時に耐力壁の断面に生じる平均せん断応力度（N/mm²）で，次式による．
$\overline{\tau_u} = Q_M / (r \cdot t \cdot l)$
$Q_M = Q_m + Q_L$
Q_M：メカニズム時における耐力壁のせん断力（N）
r：耐力壁の小開口による低減率で，(9.2.3)式による．
t：耐力壁の厚さ（mm）
l：耐力壁の長さ（mm）
Q_m：メカニズム時における耐力壁のせん断力（N）で，長期荷重時せん断力を除く数値．
Q_L：長期荷重時における耐力壁のせん断力（N）
F_c：コンクリートの設計基準強度（N/mm²）

（2） 耐力壁の部材群としての種別を，表 10.2.2 に従い，当該階の耐力壁の水平耐力の割合の数値に応じて定める．ただし，部材の種別が WD である耐力壁について当該部材を取り除いた建物の架構に局部崩壊が生じる場合にあっては，部材群としての種別は D とする．

表 10.2.2 耐力壁の部材群としての種別

耐力壁の水平耐力の割合	部材群としての種別
$\gamma_A \geq 0.5$ かつ $\gamma_C \leq 0.2$	A
$\gamma_C < 0.5$（部材群としての種別が A の場合を除く．）	B
$\gamma_C \geq 0.5$	C

〔記号〕
γ_A：種別 WA である耐力壁の水平耐力の和を種別 WD である耐力壁を除く全ての耐力壁の水平耐力の和で除した数値
γ_C：種別 WC である耐力壁の水平耐力の和を種別 WD である耐力壁を除く全ての耐力壁の水平耐力の和で除した数値

（3） 各階の構造特性係数 D_s は，当該階の耐力壁の部材群としての種別に応じ，表 10.2.3 に掲げる数値以上の数値とする．

表 10.2.3　各階の構造特性係数 D_s の数値

耐力壁の部材群としての種別	D_s の数値
A	0.45
B	0.50
C	0.55
D	0.55

10.3　保有水平耐力の計算法

　保有水平耐力の計算は，原則として非線形荷重増分解析法とし，部材モデル，架構モデル等は 8 条によるとともに，耐力低下を伴う部材の存在を考慮する．ただし，1 階耐力壁脚部と各階壁梁が曲げ降伏となる全体曲げ降伏形が形成される場合や，全体曲げ降伏形ではないがメカニズムが正しく算出できる場合等は，仮想仕事法等の略算によってもよい．なお，仮想仕事法等の略算による場合の各階の保有水平耐力分布は，一次設計時の層せん断力の分布に概ね等しくなることを確認する．

10.4　部材・接合部の終局強度算定式
10.4.1　耐力壁の終局強度算定式

1．耐力壁の曲げ強度 $_wM_u$ は，（10.4.1）式を用いてよい．

$$_wM_u = \sum(a_t \cdot \sigma_y) \cdot l' + 0.5\sum(a_w \cdot \sigma_{wy}) \cdot l' + 0.5N \cdot l' + M_e \quad (10.4.1)$$

　　記号　$_wM_u$：耐力壁の曲げ強度（N・mm）

　　　$\sum(a_t \cdot \sigma_y)$：a_t に σ_y を乗じた数値の和（N）

　　　　a_t：引張鉄筋の断面積（mm^2）で，曲げ強度に有効な範囲内の直交壁内の縦補強筋を含む．ここで，曲げ強度に有効な直交壁の範囲は，片側につき直交壁厚さの 6 倍または隣り合う耐力壁までの内法スパン長さの 1/4 および開口部端部までの長さのうち最小の数値とする．

　　　　σ_y：同上鉄筋の材料強度（N/mm^2）で，規格降伏点の 1.1 倍とする．

　　　　l'：両端に直交壁が接続する場合は，その中心間距離，その他は耐力壁の長さ l（有開口耐力壁にあっては開口部を含む 2 以上の耐力壁の全長さ）の 0.9 倍の数値（mm）

　　　$\sum(a_w \cdot \sigma_{wy})$：$a_w$ に σ_{wy} を乗じた数値の和（N）

　　　　a_w：耐力壁の中間部縦補強筋の断面積の和（mm^2）で，中間部に直交壁が取り付く場合は，曲げ強度に有効な範囲内の直交壁内の縦補強筋を含む．

　　　　σ_{wy}：同上鉄筋の材料強度（N/mm^2）で，規格降伏点の 1.1 倍とする．

　　　　N：耐力壁に作用する軸方向力（引張の時は負とする．ただし，軸方向引張強度を超えない）（N）で，次式による．

$$N = N_L + N_m + N_{WT} \quad (10.4.2)$$

N_L：耐力壁の長期荷重時軸方向力（N）

N_m：耐力壁のメカニズム時付加軸方向力（N）．なお，総曲げ抵抗モーメントの算定に用いる1階耐力壁の曲げ強度算定に際しては，N_m を N_E（耐力壁の標準せん断力係数 $C_0 \geqq 0.2$ に対する水平荷重時軸方向力）に置き替える．

N_{WT}：直交壁の軸方向力のうち，耐力壁の曲げ強度に関係する軸方向力（N）で，図10.4.1のような場合には次のように算定する．ただし，N_1 および N_2 は，直交壁の長期荷重時軸方向力である．

・耐力壁 W_1 に対して，$N_{WT}=0.25N_1$
・耐力壁 W_2 に対して，$N_{WT}=0.25(N_1+N_2)$ （10.4.3）
・耐力壁 W_3 に対して，$N_{WT}=0.25N_2$

M_e：N_{WT} による偏心モーメント（N・mm）で，次式で与えられる．

$$M_e = N_{WT} \cdot e \qquad (10.4.4)$$

e：耐力壁中心と直交壁心との距離（mm）で，直交壁が耐力壁の引張側に取り付く場合には正，圧縮側に取り付く場合には負の値とし，直交壁が耐力壁の中央に取り付く場合には零とする（図10.4.1）．

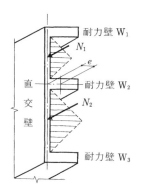

図10.4.1　耐力壁の軸方向力

2．耐力壁のせん断強度 $_wQ_{su}$ は，（10.4.5）式による．なお，軽量コンクリート1種を使用する場合は，（10.4.5）式に0.9を乗じる．

$$_wQ_{su} = r \cdot \left\{ \frac{0.053\, p_{te}^{0.23}(F_c+18)}{M/(Q \cdot 1)+0.12} + 0.85\sqrt{p_{we} \cdot {_s\sigma_{wy}}} + 0.1\overline{\sigma_{0e}} \right\} \cdot t_e \cdot j \qquad (10.4.5)$$

記号　$_wQ_{su}$：耐力壁のせん断強度（N）

r：小開口による低減率で，（9.2.3）式による．なお，有開口耐力壁としてモデル化する場合は，次式による．

$$r = \min\,(r_1,\ r_2,\ r_3)$$

r_1：開口部の幅による低減率で，次式による．

$$r_1 = 1 - 1.1 \times l_{0p}/l$$

l_{0p}：開口部の水平断面への投影長さの和（mm）

l：開口部を含む2以上の耐力壁の全長さ（mm）

r_2：開口部の見付面積による低減率で，次式による．

$$r_2 = 1 - 1.1 \times \sqrt{h_{0p} \cdot l_{0p}/(h \cdot l)}, \quad かつ \ r_2 \geq 0.6$$

h_{0p}：開口部の鉛直断面への投影高さの和（mm）

h：当該階の有開口耐力壁の高さ（mm）で，階高とする．

r_3：開口部の高さによる低減率で，次式による．

$$r_3 = 1 - \lambda \cdot \sum h_0 / \sum h$$

λ：当該階から下階の耐力壁または基礎梁が変形しないと仮定することに伴う係数で，開口部がほぼ縦1列で特に検討しない場合は，次式による．

$$\lambda = \frac{1}{2}(1 + l_0/l)$$

l_0：開口部高さによる低減率 r_3 の算出で該当する開口部の長さ（mm）

$\sum h_0$：開口部上下の破壊の原因となり得る開口部高さの和（mm）で，$\sum$ は当該階から最上階までとする．開口部が上下階に連続して配置されている場合は下記①，不規則な配置の場合は下記②を下限として想定される破壊モードに応じて低減してよい．

　① 開口部の鉛直断面への投影高さの和（mm）

　② 水平断面に投影したとき当該階の開口部と重なる開口部の高さの和（mm）

$\sum h$：当該階床上面から当該耐力壁架構の最上層耐力壁天端までの距離（mm）

p_{te}：等価引張鉄筋比（％）で，次式による．

$$p_{te} = 100 \, a_t / (t_e \cdot l)$$

a_t：（10.4.1）式の記号の説明による．

t_e：耐力壁のせん断強度に有効な範囲内の直交壁の断面積を加算した全断面積 $\sum A_w$ を，耐力壁の長さ（有開口耐力壁の場合は，開口部を含む2以上の耐力壁の全長さ）を l とした長方形断面に置き換えたときの等価厚さ（mm）．ただし，耐力壁の厚さの1.5倍以下とする．なお，直交壁の有効な範囲は，耐力壁の側面から片側につき直交壁厚さの6倍，または隣り合う耐力間壁までの内法スパン長さの1/4 ならびに直交壁の長さのうちの最小の数値とする．

l：耐力壁の長さ（mm），または開口部を含む2以上の耐力壁の全長さ（mm）

F_c：コンクリートの設計基準強度（N/mm^2）

$M/(Q \cdot l)$：せん断スパン比で，1以下のときは1，3以上のときは3とする．

M：計算断面位置におけるメカニズム時の曲げモーメント（N・mm）

Q：計算断面位置におけるメカニズム時のせん断力（N）

p_{we}：等価横補強筋比で，次式による．

$$p_{we} = a_w / (t_e \cdot s), \quad かつ \ p_{we} \leq 0.012 \ (t/t_e)$$

a_w：一組の横補強筋の断面積（mm^2）

s：一組の横補強筋の間隔 (mm)

$_s\sigma_{wy}$：横補強筋の規格降伏点 (N/mm^2)

$\overline{\sigma_{0e}}$：耐力壁のメカニズム時の平均軸方向応力度 (N/mm^2) で，次式による．

$$\overline{\sigma_{0e}} = (N_L + N_{WT} + N_m)/\sum A_w$$

N_L, N_{WT}：(10.4.1) 式の記号の説明による．

N_m：耐力壁のメカニズム時付加軸方向力 (N)

$\sum A_w$：耐力壁のせん断強度に有効な範囲内の直交壁の断面積を加算した全断面積 (mm^2)

j：応力中心距離 (mm) で，$0.8\,l'$ とする．

l'：(10.4.1) 式の記号の説明による．

10.4.2 壁梁・基礎梁の終局強度算定式

1. 壁梁および基礎梁（以下，壁梁等という）の曲げ強度 $_bM_u$ は，(10.4.6) 式を用いてよい．

$$_bM_u = 0.9 \sum (a_t \cdot \sigma_y \cdot d) \tag{10.4.6}$$

記号　$_bM_u$：壁梁等の曲げ強度 (N・mm)

$\sum (a_t \cdot \sigma_y \cdot d)$：$a_t$ に σ_y ならびに d を乗じた数値の和 (N・mm)

a_t：壁梁等の引張鉄筋の断面積 (mm^2) で，引張側にスラブが接続する場合，有効な範囲内（片側につき1m）のスラブ筋の断面積を考慮する．

σ_y：同上鉄筋の材料強度 (N/mm^2) で，規格降伏点の1.1倍とする．

d：壁梁等の有効せい (mm)

2. 壁梁等のせん断強度 $_bQ_{su}$ は，(10.4.7) 式による．なお，軽量コンクリート1種を使用する場合は，(10.4.7) 式に0.9を乗じる．

$$_bQ_{su} = \left\{ \frac{0.053\, p_{te}^{0.23}(F_c+18)}{M/(Q \cdot d)+0.12} + 0.85\sqrt{p_{we} \cdot {}_s\sigma_{wy}} \right\} \cdot b_e \cdot j \tag{10.4.7}$$

記号　$_bQ_{su}$：壁梁等のせん断強度 (N)

p_{te}：等価引張鉄筋比 (%) で，次式による．

$$p_{te} = 100\, a_t/(b_e \cdot d)$$

a_t, d：(10.4.6) 式の記号の説明による．

b_e：壁梁等のせん断強度に有効な範囲内のスラブのコンクリート断面積を加算した壁梁等の全断面積 $\sum A_G$ を，せいを D とした等価な長方形断面に置き換えたときの等価幅 (mm) で，$b_e = \sum A_G/D$ かつ $1.5\,b$（b：壁梁等の幅）以下とする．ここで，有効な範囲内とは，壁梁等の側面より1m かつ $6\,t$（t：スラブ厚さ）以内とする．

F_c：コンクリートの設計基準強度 (N/mm^2)

$M/(Q \cdot d)$：壁梁等のせん断スパン比で，1以下のときは1，3以上のときは3とする．

M：計算断面位置におけるメカニズム時の曲げモーメント (N・mm)

Q：計算断面位置におけるメカニズム時のせん断力（N）

p_{we}：等価縦補強筋比（$=a_w/(b_e\cdot s)$）．ここで，a_w は一組の縦補強筋の断面積（mm^2）で，s はその間隔（mm）．ただし，p_{we} は $0.012\,(b/b_e)$ 以下とする．

σ_{wy}：壁梁等の縦補強筋の規格降伏点（N/mm^2）

j：応力中心距離（mm）で，$(7/8)d$ とすることができる．

10.4.3 耐力壁・壁梁接合部および耐力壁・基礎梁接合部のせん断強度算定式

1．耐力壁・壁梁接合部のせん断強度は，(10.4.8) 式による．

$$Q_{p,su}=\kappa\cdot\varPhi\cdot F_j\cdot b_j\cdot(D_j-\sum R_0) \tag{10.4.8}$$

記号　$Q_{p,su}$：耐力壁・壁梁接合部のせん断強度（N）

κ：耐力壁・壁梁接合部の形状による係数で，下記による．
- $\kappa=1.0$：十字形耐力壁・壁梁接合部
- $\kappa=0.7$：ト形および T 形耐力壁・壁梁接合部
- $\kappa=0.4$：L 形耐力壁・壁梁接合部

$\varPhi$：直交壁または直交梁による補正係数で，直交壁または直交梁の有無にかかわらず 0.85 とする．

F_j：耐力壁・壁梁接合部のせん断強度の基準値（N/mm^2）で，次式による．

$$F_j=0.8\times\sigma_B^{0.7} \tag{10.4.9}$$

σ_B：コンクリートの圧縮強度（N/mm^2）で，設計基準強度とする．

b_j：耐力壁・壁梁接合部の有効幅（mm）で，耐力壁・壁梁接合部の厚さとしてよい．

D_j：耐力壁・壁梁接合部の長さまたは，90°折曲げ水平投影長さ（mm）

$\sum R_0$：耐力壁・壁梁接合部に設ける小開口の内法長さの和（mm）で，長方形開口の場合は外接円の直径の和とする．

2．耐力壁・基礎梁接合部のせん断強度は，1．に準じる．

10.4.4　プレキャスト RC 造部材接合部のせん断強度算定式

1．PCaRC 造耐力壁の鉛直接合部のせん断強度は，(9.12.18) 式によってよい．

2．PCaRC 造耐力壁の水平接合部のせん断強度は，(9.12.24) 式によってよい．なお，同式中の N_h は，N_u（N_u：メカニズム時設計用軸方向力（N）で，軸方向力が負となるときは0としてよい）と読み替えるものとする．

3．PCa 造スラブ等の水平接合部のせん断強度は，(9.12.35) 式によってよい．

4．PCaRC 造壁梁等の鉛直接合部のせん断強度は，(9.12.57) 式，(9.12.58) 式または (9.12.59) 式による．なお，鉛直接合部を鋼板形式（ドライジョイント）とする場合のせん断強度は，鋼板，溶接部ならびにアンカー筋の実況に応じて適切に算定する．

5．現場打ちスラブと一体の PCaRC 造壁梁とする場合の水平接合部のせん断強度は，(9.12.66) 式による．

10.5 部材・接合部等の保証設計

10.5.1 耐力壁の保証設計

1. 耐力壁の保証設計は,次の(1)および(2)による.
   (1) メカニズム時に曲げ降伏を計画しない耐力壁には,所要の曲げ強度とせん断強度を確保する.
   (2) メカニズム時に曲げ降伏を計画する耐力壁には,所要の靱性を確保する.

2. メカニズム時に曲げ降伏を計画しない耐力壁の曲げ強度が,次式を満たすことを確認する.

$$_wM_u \geq {_wM_L} + {_wM_m} \cdot \alpha_w \tag{10.5.1}$$

記号 $_wM_u$:耐力壁の曲げ強度(N・mm)で,10.4.1項による.
$_wM_L$:耐力壁の長期荷重時曲げモーメント(N・mm)
$_wM_m$:メカニズム時に耐力壁に生じる曲げモーメント(N・mm)で,長期荷重時曲げモーメントを除いた数値.
α_w:耐力壁の曲げ強度上の余力で,表10.5.1による.

3. メカニズム時にせん断破壊を計画しない耐力壁のせん断強度が,次式を満たすことを確認する.

$$_wQ_{su} \geq {_wQ_L} + {_wQ_m} \cdot \beta_w \cdot \beta_l \tag{10.5.2}$$

記号 $_wQ_{su}$:耐力壁のせん断強度(N)で,10.4.1項による.
$_wQ_L$:耐力壁の長期荷重時せん断力(N)
$_wQ_m$:メカニズム時に耐力壁に生じるせん断力(N)で,長期荷重時せん断力を除いた数値
β_w:耐力壁のせん断強度上の余力で,表10.5.1による.
β_l:耐力壁の長さが地震力検討方向の耐力壁の平均長さの1.5倍以上の耐力壁のメカニズム時せん断力の割増し係数で,1.15以上とする.

表10.5.1 耐力壁の曲げ強度上の余力 α_w およびせん断強度上の余力 β_w

	耐力壁の部材群の種別	α_w	β_w
当該階にせん断破壊する耐力壁が存在しない場合	A	1.1 以上	1.1 以上
	B		1.05 以上
	C		1.0 以上
当該階にせん断破壊する耐力壁が存在し,かつ耐力壁のせん断破壊により局部崩壊が生じる場合	D	規定せず	規定せず
当該階にせん断破壊する耐力壁が存在するが,耐力壁のせん断破壊により局部崩壊が生じない場合	A	1.1 以上	1.1 以上
	B		1.05 以上
	C		1.0 以上
	D	規定せず	規定せず

4．保有水平耐力計算を 10.1.3 に規定する総曲げ抵抗モーメントによる場合，(10.5.3) 式または (10.5.4) 式を満たすことを確認する．

$$_wQ_{su} \geq \sum {_wM_u}/h' \tag{10.5.3}$$

$$_wQ_{su} \geq {_wQ_L} + 2.5\,F_{es0,\,i} \cdot Q_E \tag{10.5.4}$$

記号　$_wQ_{su}$：耐力壁のせん断強度（N）で，10.4.1 項による．

　　　$\sum {_wM_u}$：壁頭・壁脚の曲げ強度の絶対値の和（N・mm）．この場合，壁頭の曲げ強度の絶対値よりも，壁頭に接続する壁梁の曲げ強度の絶対値の和の 1/2 の数値の方が小さい場合には，小さい方の数値を壁頭の曲げ強度としてよい．ただし，最上層では上記数値を 1 とする．

　　　h'：耐力壁の内法高さ（mm）

　　　$_wQ_L$：耐力壁の長期荷重時せん断力（N）

　　　$F_{es0,\,i}$：剛性率および偏心率による形状係数で，10.1.3 項による．

　　　Q_E：耐力壁の標準せん断力係数 $C_0 \geq 0.2$ に対する水平荷重時せん断力（N）．なお，水平荷重時応力算定を平面骨組解析等による場合はねじれによる負担せん断力の割増し係数を考慮した数値（せん断力の補正係数が 1 未満の場合は 1 とする）とし，平均せん断応力度法による場合は (9.2.6) 式右辺第 2 項による．

5．耐力壁に挟まれた開口部を含む架構を一つの有開口耐力壁としてモデル化した場合の当該開口部周囲には (10.5.5) 式から (10.5.7) 式を満たす補強筋を配置する．なお，斜め補強筋量を $1/\sqrt{2}$ 倍した補強筋量を縦補強筋および横補強筋に加算して配筋してもよい．

$$A_d \cdot \sigma_{yd} + \frac{A_v \cdot \sigma_{wv} + A_h \cdot \sigma_{wh}}{2} \geq \frac{h_0 + l_0}{2\sqrt{2}\,l} \cdot Q_{M1} \tag{10.5.5}$$

$$(l - l_{0p}) \cdot \left(\frac{A_d \cdot \sigma_{yd}}{\sqrt{2}} + A_{v0} \cdot \sigma_{yv}\right) + \frac{t \cdot (l - l_{0p})^2}{4(n_h + 1)} \cdot p_{sv} \cdot \sigma_{ysv} \geq \frac{h_0}{2} \cdot Q_{M1} \tag{10.5.6}$$

$$(h - h_{0p}) \cdot \left(\frac{A_d \cdot \sigma_{yd}}{\sqrt{2}} + A_{h0} \cdot \sigma_{yh}\right) + \frac{t \cdot (h - h_{0p})^2}{4(n_h + 1)} \cdot p_{sh} \cdot \sigma_{ysh} \geq \frac{l_0}{2} \cdot \frac{h}{l} \cdot Q_{M1} \tag{10.5.7}$$

記号　A_d：開口部周囲の斜め補強筋の断面積（mm²）

　　　σ_{yd}：開口部周囲の斜め補強筋の規格降伏点（N/mm²）

　　　A_v：開口部周囲の縦補強筋の断面積（mm²）で，開口部周囲の補強の目的に限定して配筋される縦補強筋 A_{v0} や開口部端より 500 mm 以内かつ，開口部端と耐力壁端との中間線を超えない範囲内の縦補強筋を含む．

　　　σ_{yv}：同上縦補強筋の規格降伏点（N/mm²）

　　　A_h：開口部周囲の横補強筋の断面積（mm²）で，開口部周囲の補強の目的に限定して配筋される横補強筋 A_{h0} や開口部端より 500 mm 以内かつ，開口部端と上階スラブ上面位置まで高さの 1/2 を超えない範囲内の横補強筋を含む．

　　　σ_{yh}：同上横補強筋の規格降伏点（N/mm²）

　　　h_0：開口部の高さ（mm）（図 10.5.1）

l_0：開口部の長さ（mm）（図 10.5.1）

l：有開口耐力壁の全長さ（mm）（図 10.5.1）

Q_{M1}：メカニズム時に有開口耐力壁に生じるせん断力（N）で，長期荷重時のせん断力を含む．なお，保有水平耐力計算を 10.1.3 項に規定する総曲げ抵抗モーメントによる場合は，(10.5.3)式または(10.5.3)式の右辺の数値以上とする．

l_{0p}：開口部の水平断面への投影長さの和（mm）

A_{v0}：開口部周囲の補強の目的に限定して配筋される縦補強筋の断面積（mm²）

t：有開口耐力壁の厚さ（mm）

p_{sv}：有開口耐力壁の縦補強筋比で，次式による．

$$p_{sv} = a_{wv}/(t \cdot s) \tag{10.5.8}$$

a_{wv}：有開口耐力壁の一組の縦補強筋の断面積（mm²）

s：有開口耐力壁の一組の縦補強筋の間隔（mm）

σ_{ysv}：開口部周囲の縦補強筋の規格降伏点（N/mm²）

n_h：有開口耐力壁の水平方向に並ぶ開口部の数

h：当該階の有開口耐力壁の高さ（上階の水平力作用位置から下階の水平反力位置までの距離）（mm）．原則として下階床から上階床までの距離とする（図 10.5.1）．

h_{0p}：開口部の鉛直断面への投影高さの和（mm）

A_{h0}：開口部周囲の補強の目的に限定して配筋される横補強筋の断面積（mm²）

p_{sh}：有開口耐力壁の横補強筋比で，次式による．

$$p_{sh} = a_{wh}/(t \cdot s) \tag{10.5.9}$$

a_{wh}：有開口耐力壁の一組の横補強筋の断面積（mm²）

s：有開口耐力壁の横補強筋の間隔（mm）

σ_{ysh}：有開口耐力壁の一組の横補強筋の断面積（mm²）

n_v：有開口耐力壁の鉛直方向に並ぶ開口部の数

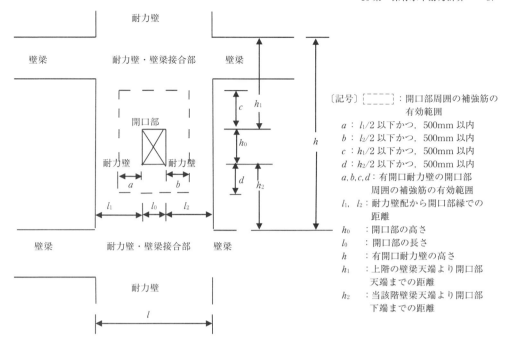

図 10.5.1 有開口耐力壁の開口部と開口部周囲の補強筋の有効範囲

10.5.2 壁梁・基礎梁の保証設計

1. 壁梁および基礎梁の保証設計は，次の（1）および（2）による．
   （1） メカニズム時に曲げ降伏を許容しない壁梁や基礎梁には，所要の曲げ強度およびせん断強度を確保する．
   （2） メカニズム時に曲げ降伏を計画する壁梁や基礎梁には，所要の靱性を確保する．
2. メカニズム時に曲げ降伏を計画する壁梁や基礎梁は，次式を満たすことを確認する．
   $$_bQ_{su} \geq {_bQ_L} + {_bQ_m} \cdot \beta_b \tag{10.5.10}$$
   記号　$_bQ_{su}$：壁梁および基礎梁のせん断強度（N）で，10.4.2 項による．
   　　　$_bQ_L$：壁梁および基礎梁の長期荷重時せん断力（N）で，単純梁として算定した数値とする．
   　　　$_bQ_m$：メカニズム時に壁梁および基礎梁に生じるせん断力（N）で，長期荷重時せん断力を除いた数値．なお，メカニズム時に基礎スラブや杭頭に生じる応力による基礎梁の付加せん断力も考慮するものとする．
   　　　β_b：壁梁および基礎梁のせん断強度上の余力で，1.1 以上とする．
3. メカニズム時に曲げ降伏を計画しない壁梁および基礎梁は，(10.5.10)式を満たすとともに次式を満たすことを確認する．
   $$_bM_u \geq {_bM_L} + {_bM_m} \cdot \alpha_b \tag{10.5.11}$$

記号 $_bM_u$：壁梁および基礎梁の曲げ強度（N・mm）で，10.4.2項による．
$_bM_L$：壁梁および基礎梁の長期荷重時曲げモーメント（N・mm）
$_bM_m$：メカニズム時に壁梁および基礎梁に生じる曲げモーメント（N・mm）で，長期荷重時曲げモーメントを除いた数値．なお，メカニズム時に基礎スラブや杭頭に生じる応力による基礎梁の付加曲げモーメントも考慮するものとする．
$α_b$：壁梁および基礎梁の曲げ強度上の余力で，1.1以上とする．

4．保有水平耐力計算を10.1.3項に規定する総曲げ抵抗モーメントによる場合，(10.5.12)式または(10.5.13)式を満たすことを確認する．

$$_bQ_{su} \geq {_bQ_L} + \sum {_bM_u}/l' \tag{10.5.12}$$

$$_bQ_{su} \geq {_bQ_L} + 2.5\overline{F_{es0}} \cdot Q_E \tag{10.5.13}$$

記号 $_bQ_{su}$：壁梁および基礎梁のせん断強度（N）で，10.4.2による．
$_bQ_L$：壁梁および基礎梁の長期荷重時せん断力（N）で，単純梁として算定した数値とする．
$\sum {_bM_u}$：せん断力が最大となるような壁梁または基礎梁両端の曲げ強度の絶対値の和（N・mm）
l'：壁梁または基礎梁の内法スパン長さ（mm）
$\overline{F_{es0}}$：剛性率および偏心率を考慮した壁梁の割増し係数で，次式による．なお，基礎梁の場合は，1.0としてよい．

$$\overline{F_{es0}} = \frac{\sum_{i=1}^{n}(F_{es0,i} \cdot W_i \cdot A_i \cdot h_i)}{\sum_{i=1}^{n}(W_i \cdot A_i \cdot h_i)} \tag{10.5.14}$$

$F_{es0,i}$：剛性率 R_s および偏心率 R_e によって定まる割増し係数で，次式による．

$$\left. \begin{array}{ll} F_{es0,i} = \left(\dfrac{10}{3}R_e + 0.5\right) \cdot F_s & (R_e > 0.15) \\ F_{es0,i} = F_s & (R_e \leq 0.15) \end{array} \right\} \tag{10.5.15}$$

F_s：剛性率によって定まる数値で，次式による．

$$\left. \begin{array}{ll} F_s = 2.0 - R_s/0.6 & (R_s < 0.6) \\ F_s = 1.0 & (R_s \geq 0.6) \end{array} \right\} \tag{10.5.16}$$

W_i：地震力を計算する場合におけるi階が支える部分の固定荷重と積載荷重の和（特定行政庁が指定する多雪区域においては，さらに積雪荷重を考慮する）（N）
A_i：地震層せん断力の高さ方向の分布を表わす係数
h_i：i階の階高（mm）
Q_E：標準せん断力係数 $C_0 \geq 0.2$ 時における壁梁のせん断力（N）で，(9.6.4)式による．基礎梁にあっては，標準せん断力係数 $C_0 \geq 0.2$ 時のせん断力（N）で，接地圧や杭頭応力により生じるせん断力を考慮した数値とする．

5．壁梁および基礎梁の小開口周囲には，次式を満たす補強筋を配置する．

$$_bQ_{su0} \geqq {}_bQ_{uD} \tag{10.5.17}$$

記号　$_bQ_{su0}$：単独の円形孔を有する壁梁または基礎梁の孔周囲のせん断強度で，次式による．なお，円形孔の直径は壁梁または基礎梁せいの1/3以下とする．

$$Q_{su0} = \left\{ \frac{0.092 \cdot k_u \cdot k_p \cdot (F_c + 18) \cdot \left(1.61 - \dfrac{H}{D}\right)}{\dfrac{M}{Q \cdot d} + 0.12} + 0.85\sqrt{p_s \cdot {}_s\sigma_y} \right\} \cdot b \cdot j \tag{10.5.18}$$

k_u：有効せい d による係数で，$d \geqq 400$ mm のときは 0.72 とする．

k_p：引張鉄筋比による係数で，次式による．
　　$k_p = 0.82 p_t^{0.23}$

p_t：引張鉄筋比（％）で，次式による．
　　$p_t = 100 a_t / (b \cdot d)$

a_t：円形孔位置における引張鉄筋断面積（mm^2）で，上端端部曲げ補強筋断面積と下端端部曲げ補強筋断面積の小さい方の数値とする．

b：壁梁または基礎梁の幅（mm）

d：壁梁または基礎梁の有効せい（mm）

F_c：コンクリートの設計基準強度（N/mm^2）

H：円形孔の直径（mm）

D：壁梁または基礎梁のせい（m）

$M/(Q \cdot d)$：壁梁または基礎梁のせん断スパン比で，1以下の場合は1，3以上の場合は3とする．

M：壁梁または基礎梁の最大曲げモーメント（N・mm）

Q：壁梁または基礎梁の最大せん断力（N）

p_s：円形孔周囲の補強筋比で，次式による．

$$\left. \begin{array}{l} p_s = \min(p_{s1} \cdot p_{s2}) \\ p_{s1} = \sum \{a_{s1}(\sin\theta + \cos\theta)/(b \cdot c_1)\} \\ p_{s2} = \sum \{a_{s2}(\sin\theta + \cos\theta)/(b \cdot c_2)\} \end{array} \right\} \tag{10.5.19}$$

p_{s1}：円形孔中心より片側の有効な範囲 c_1（図10.5.2）内の縦補強筋比

p_{s2}：円形孔中心より片側の有効な範囲 c_2（図10.5.2）内の縦補強筋比

$\sum a_{s1}$：円形孔中心より片側の有効な範囲 c_1（図10.5.2）内の縦補強筋の断面積の和（mm^2）

$\sum a_{s2}$：円形孔中心より片側の有効な範囲 c_2（図10.5.2）内の縦補強筋の断面積の和（mm^2）

c_1, c_2：円形孔周囲の補強筋の有効な範囲（mm）で，円形孔中心と円形孔中心より45°方向に引いた直線が端部曲げ補強筋重心と交わる位置との距離（図10.5.2）

θ：円形孔周囲の補強筋が壁梁または基礎梁の材軸となす角度

$_s\sigma_y$：円形孔周囲の補強筋の規格降伏点（N/mm^2）

j：壁梁または基礎梁の応力中心距離（mm）で，$(7/8)d$としてよい．

$_bQ_{uD}$：単独の円形孔を有する壁梁または基礎梁のメカニズム時設計用せん断力（N）で，保有水平耐力計算を10.1.1項による場合は（10.5.10）式の右辺，保有水平耐力計算を10.1.3による場合は（10.5.12）式の右辺または（10.5.13）式の右辺による．

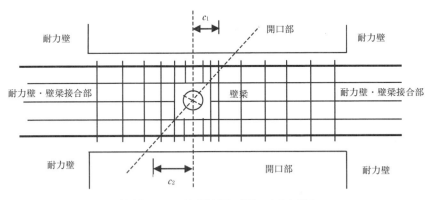

〔記号〕c_1, c_2：円形孔周囲の補強の有効な範囲

図 10.5.2　壁梁内の円形孔および円形孔周囲の補強筋

10.5.3　耐力壁・壁梁接合部および耐力壁・基礎梁接合部の保証設計

1．耐力壁・壁梁および耐力壁・基礎梁接合部（以下，接合部という）は，（10.5.20）式を満たすことを確認する．なお，（10.5.20）式を満たさない場合，当該耐力壁・壁梁接合部に接続する下階の耐力壁，および耐力壁・基礎梁接合部に接続する1階の耐力壁の部材種別をWDとする．

$$Q_{p,su} \geq \beta_p \cdot {_DQ_{up}} \tag{10.5.20}$$

記号　$Q_{p,su}$：接合部のせん断強度（N）で，10.4.3項による．

　　　β_p：接合部のせん断強度上の余力で，1.1以上とする．

　　　$_DQ_{up}$：メカニズム時における接合部に生じるせん断力（N）で，（10.5.21）式による．なお，保有水平耐力計算を10.1.3項に規定する総曲げ抵抗モーメントによる場合は，（10.5.22）式による．

$$_DQ_{up} = T_{bu1} + C_{bu2} - Q_{wm} \tag{10.5.21}$$

$$_DQ_{up} = T_{bu1} + C_{bu2} - 2.5\,Q_w \tag{10.5.22}$$

T_{bu1}：接合部に接続する右（または左）側の壁梁または基礎梁上端端部曲げ補強筋に生じるメカニズム時引張力（N）で，次式より算定してよい．なお，メカニズム時に壁梁または基礎梁に曲げ降伏を計画しない場合は，設計用曲げモー

メントにより生じる引張力としてもよい.

$$T_{bu1} = \sum (a_{t1} \cdot \sigma_y) \tag{10.5.23}$$

$\sum(a_{t1} \cdot \sigma_y)$：$a_{t1}$ に σ_y を乗じた数値の和（N）

a_{t1}：接合部に接続する右（または左）側の壁梁または基礎梁上端端部曲げ補強筋の断面積（mm²）で，引張側にスラブが接続する場合は，壁梁または基礎梁の曲げ強度に有効な範囲内のスラブ筋の断面積を含む.

σ_y：同上鉄筋の材料強度（N/mm²）

C_{bu2}：接合部に接続する左（または右）側の壁梁または基礎梁端部上端に生じる圧縮力（N）で，次式より算定してよい．なお，メカニズム時に壁梁または基礎梁に曲げ降伏を計画しない場合は，設計用曲げモーメントにより生じる引張力としてもよい.

$$C_{bu2} = \sum (a_{t2} \cdot \sigma_y) \tag{10.5.24}$$

$\sum(a_{t2} \cdot \sigma_y)$：$a_{t2}$ に σ_y を乗じた数値の和（N）

a_{t2}：接合部に接続する左（または右）側の壁梁または基礎梁下端端部曲げ補強筋の断面積（mm²）で，引張側にスラブが接続する場合は，壁梁または基礎梁の曲げ強度に有効な範囲内のスラブ筋の断面積を含む.

σ_y：同上鉄筋の材料強度（N/mm²）

Q_{wm}：接合部に接続する上階耐力壁のメカニズム時せん断力（N）

Q_w：標準せん断力係数 $C_0 \geq 0.2$ の水平荷重時に接合部に接続する耐力壁のせん断力（N）

2．接合部に設けた小開口周囲には，縦方向および横方向に複配筋にあっては2-D13以上，単配筋にあっては1-D13以上の補強筋を配置する．なお，横補強筋は，壁梁または基礎梁の端部曲げ補強筋と兼用することができる．

10.5.4 プレキャストRC造部材接合部の保証設計

1．PCaRC造耐力壁の鉛直接合部の保証設計は，原則として（10.5.25）式による．なお，（10.5.25）式を満たさない場合は，PCaRC造耐力壁の種別は WD とするとともに，（10.5.26）式を満たすことを確認する．

$$_UQ_V \geq \beta_{J1} \cdot {}_mQ_V \tag{10.5.25}$$

$$_UQ_V \geq ({}_wQ_L + F_{es0,i} \cdot Q_{w,0.55}) \cdot H/l_w \tag{10.5.26}$$

記号　$_UQ_V$：PCaRC造耐力壁の鉛直接合部のせん断強度（N）で，（9.12.18）式による．

　　　β_{J1}：PCaRC造耐力壁の鉛直接合部のせん断強度上の余力で，表10.5.2による．

表 10.5.2 PCaRC 造耐力壁の鉛直接合部のせん断強度上の余力 β_{J1} および水平接合部のせん断強度上の余力 β_{J2}

	PCaRC 造耐力壁の部材群の種別	β_{J1}, β_{J2}
当該階にせん断破壊する PCaRC 造耐力壁が存在しない場合	A	1.1 以上
	B	1.05 以上
	C	1.0 以上
当該階にせん断破壊する PCaRC 造耐力壁が存在し,かつ PCaRC 造耐力壁による局部破壊が生じる場合	D	規定せず
当該階にせん断破壊する PCaRC 造耐力壁が存在するが,PCaRC 造耐力壁による局部破壊が生じない場合	A	1.1 以上
	B	1.05 以上
	C	1.0 以上
	D	規定せず

$_mQ_V$：メカニズム時における PCaRC 造耐力壁の鉛直接合部に生じるせん断力（N）で，次式による．

$$_mQ_V = (_wQ_L + _wQ_m) \cdot H/l_w \tag{10.5.27}$$

$_wQ_L$：PCaRC 造耐力壁の長期荷重時せん断力（N）

$_wQ_m$：PCaRC 造耐力壁のメカニズム時せん断力（N）で，長期荷重時せん断力を除く数値．なお，保有水平耐力計算を 10.1.3 項に規定する総曲げ抵抗モーメントによる場合は，(10.5.28) 式または (10.5.29) 式による．

$$_wQ_m = \frac{\sum _wM_u}{h'} - _wQ_L \tag{10.5.28}$$

$$_wQ_m = 2.5 F_{es0,i} \cdot Q_E \tag{10.5.29}$$

$\sum _wM_u$, h'：(10.5.3) 式の記号の説明による．

$F_{es0,i}$, Q_E：(10.5.4) 式の記号の説明による．

　　H：当該階の階高（mm）

　　l_w：PCaRC 造耐力壁の長さ（mm）

　　$Q_{w,0.55}$：標準せん断力係数 $C_0 \geqq 0.55$ の水平荷重時における PCaRC 造耐力壁のせん断力（N）

2. PCaRC 造耐力壁の水平接合部の保証設計は，原則として (10.5.30) 式による．なお，(10.5.30) 式を満たさない場合は，(10.5.31) 式を満たすことを確認する．

$$_UQ_{SH} \geqq \beta_{J2} \cdot _mQ_H \tag{10.5.30}$$

$$_UQ_{SH} \geqq _wQ_L + F_{es0,i} \cdot Q_{w,0.55} \tag{10.5.31}$$

記号　$_UQ_{SH}$：PCaRC 造耐力壁の水平接合部のせん断強度（N）で，(9.12.24) 式による．

　　β_{J2}：PCaRC 造耐力壁の水平接合部のせん断強度上の余力で，表 10.5.2 による．

　　$_mQ_H$：PCaRC 造耐力壁の水平接合部のメカニズム時せん断力（N）で，次式による．

$$_mQ_H = _wQ_L + _wQ_m \tag{10.5.32}$$

$_wQ_L$, $_wQ_m$：(10.5.27) 式の記号の説明による．

$F_{es0.i}$, $Q_{w,0.55}$：(10.5.26) 式の記号の説明による．

3． PCa 造スラブ等の水平接合部の保証設計は，(10.5.33) 式による．

$$_UQ_{hi} \geqq \beta_{J3} \cdot _mQ_{SH} \tag{10.5.33}$$

記号　$_UQ_{hi}$：PCa 造スラブ等の水平接合部のせん断強度（N）で，(9.12.35) 式による．

　　　β_{J3}：PCa 造スラブ等の水平接合部のせん断強度上の余力で，1.1 以上とする．

　　　$_mQ_{SH}$：PCa 造スラブ等の水平接合部のメカニズム時設計用せん断力（N）で，次式による．

$$_mQ_{SH} = k \cdot W/S_n + _mQ_{sn} \tag{10.5.34}$$

k, W, S_n：(9.12.34) 式の記号の説明による．

　　　$_mQ_{sn}$：セットバック等がある場合で，メカニズム時にスラブを介して伝達すべき地震力がある場合に，PCa 造スラブ等の水平接合部 1 か所あたりに生じるせん断力（N）．なお，保有水平耐力計算を 10.1.3 項に規定する総曲げ抵抗モーメントによる場合は，(10.5.35) 式による．

$$_mQ_{sn} = 2.5 F_{es0.i} \cdot _sQ_{sn} \cdot (A_s/\Sigma A_s) \cdot (1/n) \tag{10.5.35}$$

　　　$F_{es0.i}$：剛性率および偏心率による形状係数で，10.1.3 項による．

$_mQ_{sn}$, A_s, ΣA_s, n：(9.12.27) 式の記号の説明による．

4． PCaRC 造壁梁の鉛直接合部の保証設計は，(10.5.36) 式による．

$$_UQ_V \geqq _{DL}Q_V + \beta_{J4} \cdot _mQ_V \tag{10.5.36}$$

記号　$_UQ_V$：PCaRC 造壁梁の鉛直接合部のせん断強度（N）で，(9.12.57) 式による．

　　　$_{DL}Q_V$：PCaRC 造壁梁の鉛直接合部に生じる長期荷重時せん断力（N）

　　　β_{J4}：PCaRC 造壁梁の鉛直接合部のせん断強度上の余力で，1.1 以上とする．

　　　$_mQ_V$：PCaRC 造壁梁の鉛直接合部のメカニズム時せん断力（N）で，長期荷重時せん断力を除く数値．なお，保有水平耐力計算を 10.1.3 項に規定する総曲げ抵抗モーメントによる場合は，(10.5.37) 式または (10.5.38) 式による．

$$_mQ_V = \Sigma_b M_U / l' - _{DL}Q_V \tag{10.5.37}$$

$$_mQ_V = 2.5 \overline{F_{es0}} \cdot Q_E \tag{10.5.38}$$

$\Sigma_b M_U$, l'：(10.5.12) 式の記号の説明による．

$\overline{F_{es0}}$, Q_E：(10.5.13) 式の記号の説明による．

5． PCaRC 造壁梁の現場打ち RC 造部分との水平接合部の保証設計は，(10.5.39) 式による．

$$\tau_{SU} \geqq \beta_{J5} \cdot _m\tau_U \tag{10.5.39}$$

記号　τ_{SU}：現場打ち RC 造部分と PCaRC 造壁梁の水平接合部のせん断強度（N/mm²）で，(9.12.66) 式による．

　　　β_{J5}：現場打ち RC 造部分と PCaRC 造壁梁の水平接合部のせん断強度上の余力で，1.1 以上とする．

　　　$_m\tau_U$：メカニズム時に現場打ち RC 造部分と PCaRC 造壁梁の水平接合部に生じる

せん断応力度（N/mm^2）で，(10.5.40) 式または (10.5.41) 式による．なお，保有水平耐力計算を 10.1.3 項に規定する総曲げ抵抗モーメントによる場合は，(10.5.40) 式による．

$$_m\tau_U = \sum(a_t \cdot \sigma_y)/(b \cdot \Delta l_2) \tag{10.5.40}$$

$$_m\tau_U = (_bM_M/j)/(b \cdot \Delta l_2) \tag{10.5.41}$$

$\sum(a_t \cdot \sigma_y)$：a_t に σ_y を乗じた数値の和（N）

a_t：PCaRC 造壁梁の上端端部曲げ補強筋の断面積（mm^2）

σ_y：同上鉄筋の材料強度（N/mm^2）

b：PCaRC 造壁梁の幅（mm）

Δl_2：メカニズム時において，PCaRC 造壁梁の上端端部曲げ補強筋に引張応力度が生じている区間長さ（mm）

$_bM_M$：メカニズム時における PCaRC 造壁梁の端部上端に生じる曲げモーメント（N・mm）で，長期荷重時曲げモーメントを加算した数値．

j：PCaRC 造壁梁の端部における応力中心距離（mm）

10.5.5 付着・継手・定着の保証設計

1. メカニズム時に曲げ降伏する部材の引張鉄筋の付着に対する保証設計は，設計用付着応力度が，原則として通し筋に対しては (10.5.42) 式，カットオフ筋に対しては (10.5.43) 式を満たすことにより行なう．なお，付着割裂強度に基づく計算等によって，曲げ降伏時に付着割裂破壊が生じないことが確かめられた場合には，下記の検討を省略することができる．

$$\tau_D = \alpha_1 \cdot \frac{\sigma_D \cdot d_b}{4(L'-d)} \leq K \cdot f_b \tag{10.5.42}$$

$$\tau_D = \alpha_2 \cdot \frac{\sigma_D \cdot d_b}{4(l_d-d)} \leq K \cdot f_b, \quad \text{ただし } l_d \geq l'+d \tag{10.5.43}$$

記号　τ_D：メカニズム時に曲げ降伏する部材の引張鉄筋の設計用平均付着応力度（N/mm^2）

α_1：通し筋の応力状態を表す係数で，表 10.5.3 による．

表 10.5.3　通し筋の応力状態を表す係数 α_1

両端が曲げ降伏する部材の通し筋	1 段目の鉄筋	2
	多段配筋の 2 段目以降の鉄筋	1.5
一端曲げ降伏で他端弾性の部材の通し筋		1

σ_D：付着検定断面位置における保証設計用の鉄筋引張応力度（N/mm^2）で，1.1 σ_y（σ_y：鉄筋の規格降伏点）とする．

d_b：鉄筋径（mm）で，異形鉄筋では呼び名に用いた数値．

L'：通し筋の付着長さ（mm）で，付着検定断面においてカットオフ筋がなく通し筋のみの場合は $L'=L$，通し筋とカットオフ筋の両方がある場合は $L'=L-l'$ とする．なお，メカニズム時に曲げ材にせん断ひび割れが生じないことが確かめられた場合には，（10.5.42）式中の $(L'-d)$ を L' としてよい．

L：曲げ材の内法長さ（mm）

d：付着検定対象部材の有効せい（mm）

K：鉄筋配置と当該鉄筋を拘束する補強筋（以下，横拘束筋という）による修正係数で，次式による．

$$K=0.3\frac{C+W}{d_b}+0.4 \leq 2.5 \tag{10.5.44}$$

C：付着検定断面における鉄筋間のあき，付着検定断面における鉄筋間のあきの平均値，または最小かぶり厚さ C_{min} の3倍のうちの小さい方の数値（mm）で，$5d_b$ 以下とする．なお，次式より算定してもよい．

$$C=\min\left(\text{鉄筋間のあき}, \frac{b-N \cdot d_b}{N}, 3C_{min}, 5d_b\right) \tag{10.5.45}$$

b：部材の幅（mm）

N：当該鉄筋列の想定される付着割裂面における鉄筋本数．

W：付着割裂面を横切る横拘束筋の効果を表す換算長さ（mm）で，次式による．

$$W=80\frac{A_{st}}{s \cdot N} \leq 2.5 d_b \tag{10.5.46}$$

A_{st}：当該鉄筋列の想定される付着割裂面を横切る一組の横拘束筋全断面積（mm^2）

s：一組の横拘束筋（断面積 A_{st}）の間隔（mm）

l'：付着検定断面からカットオフ筋がメカニズム時曲げモーメントに対して計算上不要となる断面までの距離（mm）で，両端が曲げ降伏する部材では（10.5.47）式，一端が曲げ降伏で他端が弾性の部材では（10.5.48）式によってよい．

$$\cdot \text{両端曲げ降伏部材} \quad : l'=\frac{A_{cut}}{A_{total}} \cdot \frac{L}{2} \tag{10.5.47}$$

$$\cdot \text{一端曲げ降伏，他端弾性部材}: l'=\frac{A_{cut}}{A_{total}} \cdot L \tag{10.5.48}$$

A_{cut}：カットオフされる引張鉄筋の断面積（mm^2）

A_{total}：引張鉄筋の総断面積（mm^2）

f_b：付着割裂の基準となる強度（N/mm^2）で，表10.5.4による．

表 10.5.4 付着割裂の基準となる強度 f_b (N/mm^2)

	上 端 筋[*1]	その他の鉄筋
普通コンクリート	$0.8\left(\dfrac{F_c}{40}+0.9\right)$	$\left(\dfrac{F_c}{40}+0.9\right)$[*2]
軽量コンクリート	普通コンクリートに対する数値の 0.8 倍の数値	

〔記号〕F_c：コンクリートの設計基準強度 (N/mm^2)
〔注〕　*1：上端筋とは，曲げ材にあって，その鉄筋の下に 300 mm 以上のコンクリートが打ち込まれる場合の水平鉄筋をいう．
　　　　*2：多段配筋の 1 段目（断面外側）以外の鉄筋に対しては，上記の数値に 0.6 を乗じる．

α_2：カットオフ筋の応力状態を表す係数で，表 10.5.5 による．

表 10.5.5 カットオフ筋の応力状態を表す係数 α_2

付着長さが $L/2$ 以下のカットオフ筋	1 段目の鉄筋	1
	多段配筋の 2 段目以降の鉄筋	0.75
付着長さが $L/2$ を超えるカットオフ筋		1

〔記号〕　L：曲げ材の内法長さ (mm)

　　　　　l_d：カットオフ筋の付着長さ (mm) で，メカニズム時にせん断ひび割れが生じないことが確かめられた場合には（10.5.43）式中の（l_d-d）を l_d としてよい．

2．重ね継手の保証設計は，原則として（10.5.49）式による．ただし，付着割裂強度に基づく計算によって重ね継手長さを定める場合，およびメカニズム時に曲げ降伏を生じるおそれのない端部曲げ補強筋（D25 以下に限る）の重ね継手を存在応力度の小さい箇所に設ける場合は，下式によらなくてもよい．

$$\frac{\sigma_u \cdot d_b}{4\,l} \leqq K \cdot f_b \tag{10.5.49}$$

記号　　　σ_u：引張鉄筋の重ね継手部分の材料強度 (N/mm^2) で，$1.1\sigma_y$（σ_y：鉄筋の規格降伏点）とする．なお，鉄筋端に標準フックを設ける場合は，その数値を 2/3 倍してよい．

　　　　　d_b：鉄筋径 (mm) で，異形鉄筋では呼び名に用いた数値．

　　　　　l：重ね継手長さ (mm) で，鉄筋端に 9.14 節 6．(1) に規定する標準フックを設ける場合には，フックを除いた長さとする．なお，200 mm および鉄筋径の 25 倍以上とする．

　　　　　K：重ね継手する鉄筋配置と横拘束筋による修正係数で，（10.5.44）式による．なお，（10.5.44）式における係数 C は，（10.5.50）式によって算出してよい．ただし，係数 K, C ならびに W の計算において，鉄筋が密着しない場合であっても鉄筋が密着した継手として扱い，鉄筋本数 N は想定される付着割裂面における全鉄筋本数から継手組数を減じた数値とする．

$$C = \frac{b - \sum d_b}{N} \leq \min(3C_{\min},\ 5d_b) \tag{10.5.50}$$

b：部材の幅（mm）

$\sum d_b$：当該鉄筋列の想定される付着割裂面における鉄筋径の総和（mm）で，継手の鉄筋も含める．

N：想定される付着割裂面における全鉄筋本数から継手組数を減じた数値．

$C_{\min}$：最小かぶり厚さ（mm）

f_b：付着割裂の基準となる強度（N/mm²）で，表 10.5.4 による．

3．異形鉄筋の定着に対する保証設計は，定着長さ l_a が次式による必要定着長さ l_{ba} 以上であることを確認することにより行う．直線定着する場合の定着長さ l_a は，定着起点から当該鉄筋端までの長さとする．鉄筋端に標準フックを設ける場合は，定着起点からフックまでの投影定着長さを l_a とする．

$$l_{ab} = \frac{\alpha \cdot S \cdot \sigma_t \cdot d_b}{10 f_b} \tag{10.5.51}$$

記号　l_{ab}：曲げ材の引張鉄筋の安全性確保のための必要定着長さ（mm）

α：係数で，横補強筋で拘束されたコア内に定着する場合は 1.0，それ以外の場合は 1.25 とする．

S：必要定着長さの修正係数で，表 10.5.6 による．

σ_t：接合面のおける鉄筋の引張応力度（N/mm²）で，短期許容引張応力度とする．

d_b：異形鉄筋の呼び名に用いた数値（mm）

f_b：付着割裂の基準となる強度（N/mm²）で，表 10.5.4 の「その他の鉄筋」の数値による．

表 10.5.6　必要定着長さの修正係数 S

定着方法	種　類		S
直線定着	耐震部材		1.25
	非耐震部材	片持形式部材	1.25
		上記以外の部材	1.0
標準フック併用定着	耐震部材		0.7
	非耐震部材	片持形式部材	0.7
		上記以外の部材	0.5

4．定着に関する構造規定は，9.14 節 5．および 6．によるほか，標準フックの鉄筋側面からコンクリート表面までの側面かぶり厚さの最小値は，表 10.5.7 による．

表10.5.7　標準フックの側面かぶり厚さ

$S=0.5$ とする場合	$2d_b$ 以上かつ 65 mm 以上
$S=0.7$ とする場合	$1.5d_b$ 以上かつ 50 mm 以上

〔記号〕S：必要定着長さの修正係数で，表10.5.6による．
　　　　d_b：異形鉄筋の呼び名に用いた数値（mm）

10.5.6　基礎の保証設計

基礎の保証設計は，原則として次の（1）から（3）による．
(1) 基礎スラブの保証設計は，次の（ⅰ）から（ⅲ）による．
　（ⅰ）メカニズム時の接地圧が，支持地盤の終局鉛直支持力度以下となることを確認する．
　（ⅱ）メカニズム時において，基礎スラブに曲げ降伏が生じないことを確認する．
　（ⅲ）メカニズム時において，基礎スラブにせん断破壊が生じないことを確認する．
(2) パイルキャップの保証設計は，次の（ⅰ）および（ⅱ）による．
　（ⅰ）メカニズム時において，パイルキャップに曲げ降伏が生じないことを確認する．
　（ⅱ）メカニズム時において，パイルキャップにせん断破壊およびパンチングシヤー破壊が生じないことを確認する．
(3) 杭の保証設計は，次の（ⅰ）から（ⅲ）による．
　（ⅰ）保証設計用軸方向力が，杭の軸方向圧縮力以下となること，および保証設計用引張力が杭の軸方向引張力以下となることを確認する．
　（ⅱ）メカニズム時において，引張力が生じる杭を除き曲げ降伏が生じないことを確認する．
　（ⅲ）メカニズム時において，杭にせん断破壊が生じないことを確認する．

11条　施　工

1．本規準による現場打ち壁式RC造建物の施工は，JASS 5および本会編「壁式構造配筋指針・同解説」による．なお，コンクリートに使用する粗骨材の最大寸法は，20 mmとする．
2．本規準によるPCa壁式RC造建物に使用するPCaRC造部材または合成床板に使用するハーフPCaRC造部材の製造および施工は，JASS 10による．なお，PCa壁式RC造建物の現場打ちRC造部分の施工は，上記1．による．

壁式鉄筋コンクリート造設計・計算規準

解　　　説

壁式鉄筋コンクリート造設計・計算規準・解説

1条　総　則
1.1　適用範囲

1．本「壁式鉄筋コンクリート造設計・計算規準・同解説」（以下，本規準という）は，地上階数5以下，かつ軒の高さが20m以下の下記の建物（以下，壁式RC造建物という），またはその部分の構造設計に適用する．
　（1）現場打ちの鉄筋コンクリート造（以下，RC造という）の耐力壁（鉛直荷重および水平荷重を負担する壁をいい，以下同様とする），壁梁，屋根板および床板（以下，スラブという）によって構成され，これらの構造部材が一体化された壁式鉄筋コンクリート造（以下，現場打ち壁式RC造という）の建物，または本構造とその他の構造とを併用する建物の現場打ち壁式RC造の部分．
　　　なお，原則として基礎梁は現場打ちのRC造とし，壁梁およびスラブをプレキャスト鉄筋コンクリート造（以下，PCaRC造という）としたものを含む．
　（2）PCaRC造の耐力壁板や耐力壁ならびにスラブより構成され，これらの構造部材が有効に接合され一体化されたプレキャスト壁式鉄筋コンクリート造（以下，PCa壁式RC造という）の建物または本構造とその他の構造とを併用する建物のPCa壁式RC造の部分．
　　　なお，原則として基礎梁は現場打ちのRC造とし，スラブを合成床板（スラブの一部をPCaRC造部材とし現場にて上端筋を配した後にコンクリートを打ち込み両者が一体化したスラブをいい，以下同様とする）としたものを含む．
2．基礎スラブ（杭基礎にあっては，パイルキャップ）および杭の設計は，本規準によるほか関連規準・指針類による．
3．本規準に規定する構造部分以外のRC造部分については，本会編「鉄筋コンクリート構造計算規準・同解説（2024）」（以下，RC規準という）の規定による．
4．特別な調査研究に基づいて設計された壁式RC造建物で，本規準によるものと同等以上の構造性能を有すると認められるものについては，本規準の一部を適用しないことができる．

1．本規準の適用範囲および本規準による現場打ち壁式RC造とPCa壁式RC造建物の耐震性能
　（1）本規準の適用範囲

　本規準を適用できる建物は，現場打ち壁式鉄筋コンクリート造（以下，鉄筋コンクリート造をRC造という）およびPCa壁式RC造による壁式構造建物である．両建物を総称して壁式RC造建物と呼称する．

　現場打ち壁式RC造建物は，本文に記載のように現場打ちのRC造の耐力壁（鉛直荷重および水平荷重を負担する壁をいい，以下同様とする）と壁梁，屋根板および床板（以下，スラブという）ならびに基礎梁および基礎スラブ（杭基礎にあっては，パイルキャップ）によって一体的に構成される（基礎形式が杭基礎の場合は，さらに杭を含む）壁式RC造建物である．なお，一定の条件を満たせば，基礎梁や壁梁ならびにスラブの一部をプレキャスト鉄筋コンクリート造（以下，PCaRC造という）としたいわゆるハーフPCaRC造の部材を用いてよい．

一方，PCa 壁式 RC 造建物は，PCaRC 造で作られた耐力壁板（耐力壁と壁梁が一体化されたもの）や耐力壁ならびにスラブと，原則として現場打ちの鉄筋コンクリート造の基礎梁および基礎スラブ（杭基礎にあっては，パイルキャップ）より構成され（基礎形式が杭基礎の場合は，さらに杭を含む），かつこれらの構造部材が有効に接合され一体化された壁式 RC 造建物である．なお，一定の条件を満たせば，基礎梁を PCaRC 造やハーフ PCaRC 造としてよい．

現場打ち壁式 RC 造と PCa 壁式 RC 造の本質的な違いは，耐力壁が現場打ちか，プレキャストかによる．

本規準で対象とする建物の地上階数は，本会編「壁式鉄筋コンクリート造設計規準・同解説」[1.1]（以下，設計規準という）および「壁式鉄筋コンクリート造計算規準・同解説」[1.1]（以下，計算規準という）ならびに平成 13 年国土交通省告示第 1026 号（改正 平 19 国交告第 603 号）と同じ 5 以下である．

（2） 現場打ち壁式 RC 造建物の耐震性能

本規準は，本会より刊行された設計規準，計算規準ならびに「壁式プレキャスト鉄筋コンクリート造設計規準・同解説」[1.2]（以下，PCa 壁式 RC 規準という）を設計・計算規準としてまとめ，かつ新たに保有水平耐力計算や付着・継手・定着の計算方法を規定したものである．壁式 RC 造建物の耐震性能を記載する前に，設計規準や計算規準より引用して規準作成の趣旨を記載しておく．

1）設計規準立案趣旨[1.3]

住宅の平面設計では，一般にある程度の壁を設けることは支障がない．ラーメン構造とした場合には，柱および梁に取り付く RC 造の袖壁，垂れ壁，腰壁は，以前はほとんど計算外の余力として扱われることが多かった．低層の建物において，これらの壁を耐力に加算して柱形や梁形を壁厚まで減じ，壁面の凹凸がなく空間を有効に利用するようにしたのが壁式 RC 造の特徴である．現場打ち壁式 RC 造建物の耐震性は，1968 年十勝沖地震[1.4]，1978 年宮城県沖地震[1.5]など地表の最大加速度が 200 gal 以上に達したと考えられる場合でも，現場打ち壁式 RC 造共同住宅の耐力壁に顕著なひび割れが発生したという被害報告が見当たらないこと，また気象庁震度階Ⅶに達する激震が発生した 1995 年兵庫県南部地震[1.6]や 2011 年東北地方太平洋沖地震[1.7]，ならびに震度 7 を 2 回記録した 2016 年熊本地震[1.8]においても設計規準による現場打ち壁式 RC 造建物の被害が極めて僅少であったことなどによって実証されている．設計規準によって設計された現場打ち壁式 RC 造建物の保有水平耐力と変形性能は，下記に記載の，

　ⅰ）整形な 5 階建現場打ち壁式 RC 造共同住宅の実大立体試験体におけるけた行方向の水平加力実験結果[1.9]

　ⅱ）整形な 5 階建現場打ち壁式 RC 造共同住宅の縮尺 2/3 の準実大構面試験体におけるけた行方向 1～2 階部分の水平加力実験結果[1.10]

に基づいて検討を加えた結果，次のような推論がされている．すなわち，建物が耐用年限中に起こり得る最大級の地震動として，本会の地震荷重案（1976）[1.11]および建築基準法施行令（1980 年改正，1981 年施行）において想定されている，地動の最大加速度 300～400 gal に対する各階の応答層せん断力に対して，各階の保有水平耐力はかなりの余力を残している[1.12]．

なお，建築基準法および同施行令は 2000 年に改正，2001 年に施行されたが，その改正の主な目的は法令の性能規定化にあり，一部の構造を除き要求水準（耐震性）の強化はなされなかった．したがって，前述の地震被害による検証と，実験的および解析的検証により，設計規準に従って設計された現場打ち壁式 RC 造建物は建築基準法施行令に規定された極めて稀に発生する地震動により生じる力に対して十分な安全性を有していると考えられる．

このような構造は，第二次世界大戦後，国庫補助住宅として各地に建設されている公営住宅や，1955（昭和 30）年に設立された日本住宅公団（現，都市再生機構）の共同住宅に広く採用され，一時は"鉄筋コンクリート造アパート"と言えば，ほとんど現場打ち壁式 RC 造の共同住宅を意味するまでに経済的で簡便な RC 造建物として普及した．本来，壁式構造の構造解析は，複雑な軸線と，材端の剛域を考慮したラーメン解法または平面応力に関する複雑な解法を必要とする．しかしながら，健全な不燃住宅の建設促進を図るために，平面および立面形状が長方形その他これに類する整形な共同住宅を念頭において立案した実用的な設計規格が設計規準である．

2）計算規準作成の趣旨[1.13]

設計規準により設計された現場打ち壁式 RC 造の建物は，過去の地震に対してほとんど被害が無かったことが報告されている．しかしながら，設計規準が整形な形状を有することを前提とし，さらに多くの仕様書的な構造規定から成り立っているため，平面・立面的に高い自由度を有する建物の設計に対応するには困難である．

このような背景から，壁構造運営委員会は 1989 年に，達成すべき耐震性能を明確にし，構造計算によってその性能を確保することにより自由度の高い設計を可能とする「壁式鉄筋コンクリート造計算規準（案）」（以下，計算規準（案）という）を発表した．計算規準（案）は，主として設計規準を補完するものとして多用されてきたほか，補強組積造など，その他の壁式構造の構造設計規準類のモデルコードとなるなど社会的な評価も確立してきた．

計算規準はその案を取ったものであり，これらの評価を踏まえ，計算規準（案）に若干の追加・修正を行うとともに，より合理的とすべき事項についても修正を行っている．また，計算規準としての体裁も整え，さらに解説の内容を充実させている．

計算規準は設計規準と比較すると，以下の点に特色がある．

ⅰ）平面および立面形状が，ある程度不整形な建物も適用範囲内とする．

ⅱ）コンクリートの設計基準強度，壁厚，地震地域係数により，壁量を減じることができる．
また，建物の用途も住宅に限定しない．さらに，各階の階高に関する規定値を緩和した．

ⅲ）整形でない建物も対象とすることから，部材の剛性に立脚した解析により応力の精算を行う．
また，偏心率 R_e や剛性率 R_s の影響を考慮する．

ⅳ）十分な剛性を確保するため，一般の建物に比較して，より小さい層間変形角の規定を設ける．

ⅴ）設計規準と異なる規定に関しては上記ⅲ），ⅳ）のほか種々の規定を設け，計算規準で設計された建物についても，大地震動に対して十分な耐震性能を有すると考えてよい．

3）計算規準における耐震設計の考え方[1.13]

　耐震性能上における現場打ち壁式RC造の最大の特徴は，過去の被害地震において上部構造にほとんど損傷が無いことである．部材実験においては，部材角1/800～1/400程度の変形が強制されると顕著なせん断ひび割れが発生することを考えれば，過去の地震において，上部構造はこの程度以下の変形に留まったと想定される．この主要な要因としては，以下の2点が考えられよう．

　　ⅰ）現場打ち壁式RC造はラーメン構造に比べ著しく剛性が高く，また耐力も高いため応答変位が小さい（基礎固定とした現場打ち壁式RC造の応答の計算値は，最大加速度400 gal程度の極めて強い地震動（以下，大地震動という）に対しても，その応答変位は層間変形角にして1/200程度以下に留まる．

　　ⅱ）建物の剛性・耐力が高いことから，地盤が比較的硬くない場合には地盤が建物に先立って塑性化することも予想される．したがって，上部構造だけでなく，建物・基礎・地盤連成系としてのエネルギー吸収によって建物の耐震性能が確保されるものと考えられる．一方，地盤が硬い場合は，このような剛な建物は弾性理論的には大きな応答加速度を生じることにはなるが，岩盤上では，地震波そのものの加速度は大きいものの，構造物が少しでも塑性化すると地震の入力エネルギーはさほど大きくはなり得ず，構造物の耐震性は確保され得るものと考えられる．

　一方，耐震設計で考える大地震動時における上部構造の最大層間変形角（ロッキングによる応答を除く）を，安全率を考えて上記応答解析の結果の数値より1/300～1/200程度と設定すると，このような大地震動時における上部構造の一般的な耐震性能として，以下の点を挙げることができよう．

　　ⅰ）1/300～1/200程度の変形角では，ⅱ）項で述べる部材を除けば，一般の耐力壁や壁梁に顕著な被害が生じるおそれは無い．

　　ⅱ）開口部の存在のためクリアスパン長さが短い部材では，層間変形角より大きな変形が部材に強制され，上部構造の変形角1/400～1/300程度の時にせん断破壊が生じる可能性があるが，たとえせん断破壊が生じても最大応答変形角が小さいため，これ等の部材においても適度のせん断補強筋が施されていれば，せん断破壊以後の耐力低下もそれほど顕著ではないと考えられる．

　また，構造形式により不静定次数は高くかつ箱型の構造であるため，例え一部の部材がせん断破壊し，建物の崩壊メカニズムに変化が生じても，建物全体の耐震性能が大きく損なわれることは無いと考えられる．以上の事項を考慮し，計算規準では以下に示す事項を現場打ち壁式RC造の耐震設計の基本方針とした．

　　ⅰ）建物の使用年限中，数回生じるような地震動に対しては，構造体にせん断ひび割れを生じさせないようにし，部材に生じる応力度を使用する各材料の短期許容応力度以下に留める．

　　ⅱ）部材に生じる地震時の応力の実状と応力解析による応力の差や材料強度のばらつきを考慮し，余裕を持ったせん断設計を行う．前述のクリアスパン長さの短い部材においては，せん断破壊の防止および遅延について特に配慮する．

　　ⅲ）大地震動に対して，建物の層間変形角が1/300～1/200以下に留まるようにするため，標準せん断力係数$C_0=0.2$時の最大層間変形角を1/2000以下となるような剛性を確保し，またベースシヤー係数にして0.5以上の水平耐力を確保する．

4）現場打ち壁式 RC 造建物の耐震性能

　設計規準や計算規準によって設計され建設された現場打ち壁式 RC 造建物は耐震性に優れており，木造建物や RC 造建物がかなりの被害を受けた 1978 年宮城県沖地震においても，仙台市内の本構造の建物の被害が皆無に近かったことはよく知られている〔付 3. 参照〕．また，1995 年兵庫県南部地震においては 1 000 棟を超える現場打ち壁式 RC 造建物が震度Ⅶ地域に存在したが，地盤の変状により被害を受けたほかは顕著な被害が見られていない〔付 3. 参照〕．

　さらに，我が国観測史上初めてのマグニチュード 9.0 の超巨大地震である 2011 年東北地方太平洋沖地震においても，震度 7 や震度 6 強が記録された仙台市内の公共賃貸住棟のうちの RC 系壁式構造建物が存在する全 64 団地，638 棟のうち 63 団地 634 棟の調査が実施されている[1.14]．このうち，現場打ち壁式 RC 造建物は 490 棟となっており，被災度区分判定調査結果によれば，大破 0，中破 0，小破 10，軽微 111，無被害 369 棟となっている〔付表 3.1.8 参照〕．

　このように，現場打ち壁式 RC 造は，現在では我が国の耐震構造を代表する構造と言える．この優れた耐震性の主要な要因は，「水平剛性が大きい」こと，および「水平耐力が大きい」ことによっている．

（3） PCa 壁式 RC 造建物の耐震性能[1.15]

　PCa 壁式 RC 造による建物の構造安全性に関しては，原則として構造計算によって確認することになる．この内，特に耐震安全性については 1981 年の建築基準法施行令の改正により，従来とは異なり，いわゆる大地震動時の安全性についての検討が必要となったが，本構造による建物については，他種構造と異なる接合部の複雑な力学的挙動などから，その検討が難しくなることが少なくない．そこで，本規準では大地震動時の安全性については建物全体として特に検討せず，従来どおりの許容応力度設計による中地震動に対する検討に留める代わりに，適度な保有水平耐力や靱性の確保のために必要と思われるいくつかの構造規定を設けたり，推奨値を示すことにした．以下に，許容応力度設計で良いとした主な理由，既往の実験資料から推定されるこの種の構造による建物の地震動時の挙動，および特に問題になると思われる長辺方向の耐震安全性に対する基本的な考え方などについて述べる．

　　ⅰ）PCa 壁式 RC 造建物の歴史は比較的浅く，強い地震動を経験したことが少ない．しかしながら，類似の構造による現場打ち壁式 RC 造建物や壁量の多い RC 造建物ではいくつかの強い地震動を経験しており，ほとんど軽微な被害に留まっている．これに加え，既往の実験資料から判断すれば，本構造による建物も各条項の構造規定・構造制限を守れば十分な耐力と適度な粘りを有し，耐震性の高い建物であると判断される．

　　ⅱ）PCa 壁式 RC 造による建物の設計は，剛性率や偏心率の良いものを対象としているので，そのように設計されたものについては，構造規定や適用範囲の条項のみで耐震性が確保し得ると考えられる．

　　ⅲ）PCaRC 造接合部の設計に対する規定は，終局時の耐力の確保を考慮した規定にしている．

　　ⅳ）低層の PCa 壁式 RC 造建物については，部材の配置が 3〜5 階建に比較して不整形になりやすいことや，接合方法が多少異なったものになると考えられる．しかしながら，PCa 壁式 RC

規準では耐力上の基本的な要因である壁量規定の面から3～5階建のものに比べて耐力が大きく得られること，また，地震力算定用単位重量も小さいことから十分な耐震性があると考えられる．

v) 本構造と類似の現場打ち壁式RC造が，許容応力度設計となっている．

vi) 十分な耐力と適度な粘りを有するように曲げ補強筋およびせん断補強筋についていくつかの標準配筋を規定または推奨してあり，さらに，それらの考え方や計算式を示してある．

（4） 3規準による壁式RC造の構造性能

上述のように3規準による壁式RC造建物の構造性能は，基本的に同じである．設計規準の適用外となる壁式RC造建物の設計は，所要の剛性と保有水平耐力を確保するとする計算規準で補完している．

PCa壁式RC造設計規準では，設計規準に順じる規定の他にPCaRC造部材どうしの接合部の所要耐力を確保している．ただし，PCaRC造部材どうしの接合部耐力が相対的に弱く，終局時の構造一体性は現場打ち壁式RC造に劣る場合がある．

（5） 基礎梁のプレキャスト化

基礎梁のプレキャスト化は，設置時の不陸調整，接合部の耐久性，壁筋の定着法など課題が多い．用いる際には，これらの課題に対して慎重に検討を行い対応する必要がある．

（6） 他構造との併用禁止

本規準における壁式RC造は，両方向に必要な耐力壁が配置されていることを前提としている．したがって，一方向壁式RC造，他方向ラーメン架構の構造形式は，原則対象外である．他方向ラーメン架構の場合には，耐力壁の面外変形を考慮した面内強度や変形能力の検討が必要となる．これらの知見は，いまだ十分でないと判断し，両方向に必要な耐力壁が配置され面外の変形が小さく抑えられるようにする必要がある．

2．基礎の設計

壁式RC造は，上部構造の水平耐力が大きいため基礎の設計には十分な配慮が必要である．基礎スラブ，パイルキャップならびに杭の設計は，本規準9.10節によるほか本会「建築基礎構造設計指針」（2019年）[1.16]や「鉄筋コンクリート基礎構造部材の耐震設計指針・同解説」[1.17]等による．

3．準用する規準

本規準が適用される構造は，許容応力度のほか，梁部材の設計法，スラブや基礎の設計等多くの点でRC規準（2024）[1.18]によっている．

4．規準適用の例外

壁式RC造に関しては，今後の研究課題がまだ多く残されている．そのため，本規準の立案に際して安全側に仮定した事項も少なくない．今後の調査研究成果に基づいて，本規準がより合理的なものに改善されていくことが期待される．したがって，特別な調査研究成果に基づいて設計された建物で，本規準によるものと同等以上の構造耐力を有すると認められるものについては，本規準の一部の適用除外を認めている．

[参考文献]

1.1) 日本建築学会:壁式構造関係設計規準集・同解説(壁式鉄筋コンクリート造編),2006.10
1.2) 日本建築学会:壁式プレキャスト鉄筋コンクリート造設計規準・同解説,1984.3
1.3) 日本建築学会:壁式構造関係設計規準集・同解説(壁式鉄筋コンクリート造編),pp.25〜26,2006.10
1.4) 日本建築学会:1968年十勝沖地震災害調査報告,1968.12
1.5) 日本建築学会:1978年宮城県沖地震災害調査報告,1980.2
1.6) 日本建築学会ほか:阪神・淡路大震災調査報告,建築編-2,1998.8
1.7) 日本建築学会:東日本大震災合同調査報告 建築編,2015.1
1.8) 日本建築学会 災害委員会:2016年熊本地震 災害調査報告会,2016.8
1.9) 松島 豊:実大階建壁式RC造アパートの実験的研究(水平加力実験の概要について),実大5階建壁式鉄筋コンクリート造アパートの耐震実験,昭和43年度・昭和44年度(建設省)建築研究所年報,1969,1970,実大5階建鉄筋コンクリート造アパートの破壊実験報告,コンクリートジャーナル,Vol.8,No.1,1970.1
1.10) 坪井善勝・富井政英・徳広育夫:壁式RC構造の再検討(その7),準実大構面の水平加力実験概要,(その8)準実大構面の水平加力実験解析,日本建築学会論文報告集号外,1965.9
1.11) 日本建築学会:地震荷重と建築構造の耐震性(1976),1編1章 地震荷重について,1977.1
1.12) 日本建築学会:建築耐震設計における保有水平耐力と変形性能(1990),壁構造,4.壁式鉄筋コンクリート造,1990.10
1.13) 日本建築学会:壁式構造関係設計規準集・同解説(壁式鉄筋コンクリート造編),pp.117〜118,2006.10
1.14) 時田伸二・井上芳生・稲井栄一・飯塚正義・佐々木隆浩・勅使川原正臣:2011年東北地方太平洋沖地震におけるRC系壁式構造建物の被害報告(その1〜その5),日本建築学会大会学術講演梗概集,C-2,構造Ⅳ,pp.1011〜1020,2012.9
1.15) 日本建築学会:壁式プレキャスト鉄筋コンクリート造設計規準・同解説,pp.7〜19,1984.3
1.16) 日本建築学会:建築基礎構造設計指針,2019.11
1.17) 日本建築学会:鉄筋コンクリート基礎構造部材の耐震設計指針(案)・同解説:2017.3
1.18) 日本建築学会:鉄筋コンクリート構造計算規準・同解説,2024.12

1.2 目標構造性能

1. 常時における建物の使用性を確保する.すなわち,建物および構造部材の使用性や機能性ならびに耐久性に支障を及ぼすひび割れ,沈下,傾斜が生じないようにする.
2. 稀に生じる荷重・外力とその組合せ時において建物の損傷制御性を確保する.すなわち,建物および構造部材に生じる損傷等が補修せずに継続使用可能な範囲内に納まるようにする.
3. 極めて稀に生じる荷重・外力とその組合せ時において建物の安全性を確保する.すなわち,建物が崩壊・転倒しないようにする.

1．常時の使用性確保のための確認項目と確認方法

使用性(serviceability)は,継続使用に支障をきたさないための性能評価項目である.これを確保するために建物に設定される限界状態が使用限界状態(serviceability limit state)である.使用性を検討する荷重に対して,建物が使用限界状態に至らなければ,ほぼ無条件に継続使用可能な程度の損傷,すなわち,無被害あるいは軽微といわれる損傷の程度の限界,あるいは居住者の感覚障害などを適切に排除できる限界である.一般の構造では,応答を概ね弾性限度内にすることが考え

られるが，鉄筋コンクリート構造ではひび割れに関する検討も不可欠になる．建築基準法では長期許容応力度設計の目標がこれに対応すると説明されている．壁式RC造ではほとんど問題とならないが，スパンが10mを超えるような梁では変形の検討が必要となる．

使用性の確認は，構造部材，建築部材（非構造部材），地盤，基礎，更に必要に応じて設備機器や什器について実施する．

2．稀に生じる荷重・外力とその組合せ時における建物および部材の過大な損傷防止のための確認項目と確認方法

修復性（復旧可能性，補修可能性）（restorability, reparability）は，地震時の損傷レベルを制御するための性能評価項目である．これに対応する限界状態を修復限界状態（repair limit state），または損傷制御限界状態（damage control limit state）と呼ぶ．理想的には，必要となる補修費用を考慮して，経済的に許容しうる修復が可能になるように，構造材および非構造材の損傷レベルを定量化して設定する．このように修復限界状態は，供用期間内に生じる作用により低下した性能の基本項目（安全性，使用性）の回復のしやすさを示す評価項目であり，いわゆる基本性能の評価項目とはされない場合が多い．しかし，地震が頻発するわが国においては，地震時の損傷を制御することは重要と考え修復性を要求性能の一つとした．

修復性の確認は，構造部材，建築部材（非構造部材），地盤，基礎，更に必要に応じて設備機器や什器について実施する．

3．極めて稀に生じる荷重・外力とその組合せ時における安全性確保のための確認項目と確認方法

安全性（safety）は，建物内外の人命に及ぼす危険を回避すること，つまり人命保護のための性能評価項目で，終局限界状態（ultimate limit state）あるいは安全限界状態（safety limit state）に対応する．したがって，倒壊しないこと，鉛直荷重が保持されることが設計目標となる．建物の被災度でいえば，大破，$P \sim \delta$変形限界による倒壊寸前であり，部材では，ヒンジ部材の変形限界，柱の脆性破壊等が生じる限界の状態である．

安全性の確認は，構造部材，建築部材（非構造部材），地盤，基礎，更に必要に応じて設備機器や什器について実施する．また，特に地震荷重では，荷重に余震を含めてもよい．

2条　用語および記号

2.1　用　　語

本規準本文で用いている用語を，以下のように定義する．

安　全　性：建物内外の人命に及ぼす危険を回避する性能．
ウェットジョイント：後打ちコンクリートまたはモルタルそのものの応力伝達によって部材を接合する方法．
鉛直接合部：同一階におけるプレキャスト鉄筋コンクリート造耐力壁板どうしの鉛直方向の接合部．
鉛直接合部内の縦補強筋：プレキャスト鉄筋コンクリート造耐力壁の鉛直接合部内に配筋される縦方向の鉄筋．
折曲げ定着：標準フックを用いて鉄筋を定着すること．
開口部の鉛直縁：有開口耐力壁の開口部の鉛直方向のへり部分．
開口部の水平断面への投影長さ：有開口耐力壁における各開口部の内法長さを水平面へ映し出したときの長

開口周囲の付加縁張力：耐力壁の小開口や耐力壁に挟まれた開口部の隅角部に水平荷重時に生じる鉛直方向および水平方向の引張力．

開口周囲の付加斜張力：耐力壁の小開口や耐力壁に挟まれた開口部の隅角部に水平荷重時に生じる斜め方向の引張力．

開口部の鉛直断面への投影高さ：有開口耐力壁における各開口部の内法高さを鉛直面へ映し出した時の高さ．

階　　　高：床板の上面からその直上階の床板の上面（最上階または階数が1の建物にあっては，耐力壁と屋根板が接着する部分のうち最も低い部分における屋根板の上面）までの高さ．

回 転 変 形：建物が平面的に，もしくは立面的に時計回りもしくは反時計回りに移動する変形．

重 ね 継 手：鉄筋端部をある長さにわたり平行に添わせ，コンクリートの付着力を介して継ぐ方法．

片持形式部材：片持部材と同意義．

壁　　　脚：耐力壁の脚部．

壁　　　頭：耐力壁の頭部．

壁　　　梁：壁式鉄筋コンクリート造における鉛直荷重および水平荷重に抵抗する梁．

壁梁の主筋：壁梁の端部曲げ補強筋．

壁梁の縦補強筋：壁梁内の縦方向の鉄筋で，梁のあばら筋に相当する補強筋．

壁梁の縦補強筋比：壁梁内の縦方向の鉄筋比で，梁のあばら筋比に相当する補強筋比．

壁梁の端部曲げ補強筋：壁梁の端部近傍に横方向に配置される曲げモーメントに抵抗する軸方向鉄筋．

壁梁の端部曲げ補強筋以外の中間部横補強筋：壁梁の横補強筋のうち，端部曲げ補強筋以外の横補強筋で，中間部横筋と同意義．

壁梁の中間部横補強筋：壁梁内に配置された横方向の鉄筋のうち，端部曲げ補強筋以外の横筋．

壁梁の等価幅：面外方向の断面二次モーメントが等しい長方形断面の壁梁の幅．

壁梁の引張鉄筋：壁梁の引張側にある軸方向鉄筋．

壁梁の横補強筋比：壁梁内に配置された横補強筋の断面積の和を壁梁の鉛直断面積で除した数値．

壁　　　率：検討する方向の耐力壁の断面積の合計を当該階の壁率算定用床面積で除した数値壁率算定用床面積：各階の外周の耐力壁の中心線で囲まれる面積．上階に片持形式のバルコニーや連続するひさし等がある場合や屋外階段が設けられる場合は，それらの1/2以上の面積を加算する．

壁　　　量：検討する方向の耐力壁の実長の合計を当該階の壁量算定用床面積で除した数値．

壁量算定用床面積：壁率算定用床面積に同じ．

機械式継手：機械的に鉄筋どうしを繋ぎ合わせる方法．

機械式定着具：鉄筋の端部に取り付けた定着板等の定着体．

基　　　礎：基礎スラブ（杭基礎の場合はパイルキャップ），基礎梁ならびに杭をいう．

基礎スラブ：上部構造からの荷重を地盤に伝えるために設けられたスラブ．フーチング基礎ではフーチング部分，べた基礎ではスラブ部分を指す．

基礎の浮上り：直接基礎において接地圧が計算上負となること．杭基礎にあっては杭に生じる上向きの軸方向力が杭の引抜き抵抗力を上回ること．

基　礎　梁：建物最下階の耐力壁下および開口部下に連続して設ける梁

基 礎 梁 等：基礎梁および基礎小梁の総称．

機 能 性：建物に備わっている性能．

軽量コンクリート1種：粗骨材に人工軽量骨材を用いたコンクリート．

現 場 打 ち：建設現場にて鉄筋を組立て，型枠を配した後コンクリートを打ち込むこと

現場打ち壁式鉄筋コンクリート造：現場施工の鉄筋コンクリート造の耐力壁と壁梁，屋根および床スラブならびに基礎梁によって構成される構造．

交差部縦補強筋：耐力壁と耐力壁が交差する部分に配置する縦補強筋．

剛 床 仮 定：建物における床のうち，風荷重や地震荷重等の水平荷重に対して，無限の剛性と耐力を有し，各層ごとの水平変位が同一であるとすること．スラブの面内変形が生じないとする仮定．

構造上有効な壁：剛性および強度上有効な耐力壁以外の構造壁.
構造耐力上主要な鉛直支点間距離：耐力壁が剛な屋根スラブまたは床スラブで支えられている場合，それらの相互の中心間距離（耐力壁の面外座屈等を検討する場合の長さ）．
構造耐力上主要な水平支点間距離：壁梁の面外方向の変形を拘束する部材の中心線間の距離.
構造耐力上有効な幅：剛性および強度に考慮できる幅.
構 造 部 材：建物の構造耐力上必要な部材.
鋼板形式の接合筋：鋼板にフレアー溶接にて接合された接合用の鉄筋.
降伏曲げモーメント：部材に配置された最外縁の引張鉄筋の応力度が規格降伏点に達するときの曲げモーメント.
コッター筋：プレキャスト鉄筋コンクリート造部材の鉛直接合部の凹部に配置されたせん断力伝達用の補強筋.
コッター筋比：プレキャスト鉄筋コンクリート造部材の鉛直接合部の横補強筋比.
最 小 壁 厚：壁式鉄筋コンクリート造建物の地上階数および階に応じて定める耐力壁の最小厚さ.
最 小 壁 量：最上階から数えた階に応じて定められる壁量の最小値で，標準壁量より 50 mm/m^2 を減じた数値.
敷きモルタル：プレキャスト鉄筋コンクリート造耐力壁を設置する際に基礎梁の天端または床スラブの天端に敷くモルタル.
シヤーコッター：せん断力伝達のために設ける凹凸部分.
シヤーコッターの局部圧縮強度：シヤーコッターの凸部前面の圧縮強度.
シヤーコッターの局部許容圧縮力：シヤーコッターの凸部前面の圧縮力の許容値.
シヤーコッターの直接せん断：シヤーコッターの凸部のコンクリート表面を鉛直方向に直線的に切断する現象.
終 局 時：建物中の全ての耐震部材が終局強度を発揮する時. 最大耐力時と同意義.
充填コンクリート：プレキャスト鉄筋コンクリート造耐力壁の鉛直接合部や鋼板型式による水平接合部ならびにプレキャスト鉄筋コンクリート造壁梁の鉛直接合部等に充填するコンクリート.
充填モルタル：プレキャスト鉄筋コンクリート造耐力壁の鉛直接合部や鋼板型式による水平接合部ならびにプレキャスト鉄筋コンクリート造梁の鉛直接合部等に充填するモルタル.
小開口横の横補強筋比：耐力壁に設けられた小開口横の横方向の補強筋の断面積の和を小開口横の鉛直断面積で除した数値.
小開口隅角部の付加斜張力：耐力壁の小開口隅角部に水平荷重時に生じる斜め方向の引張力.
小開口隅角部の鉛直縁張力：耐力壁の小開口隅角部に水平荷重時に生じる鉛直方向の引張力.
小開口隅角部の水平縁張力：耐力壁の小開口隅角部に水平荷重時に生じる水平方向の引張力.
使 用 性：建物の居住性に係わる性能.
水平接合部：プレキャスト鉄筋コンクリート造部材の水平面における接合部.
水平接合部の接合金物：プレキャスト鉄筋コンクリート造部材の水平面における接合部に用いる金物.
水平接合部に用いる鉛直接合筋：プレキャスト鉄筋コンクリート造耐力壁の水平接合部に配筋される鉛直方向の鉄筋.
スラブの面内振動：地震力によって生じる鉄筋コンクリート造の屋根板および床板の面内方向のゆれ.
接合金物等：プレキャスト鉄筋コンクリート造部材の接合部に用いる鋼材等.
接 合 筋：プレキャスト鉄筋コンクリート造部材と後打ちコンクリート部分とを一体化するために配する鉄筋.
接 合 部 材：接合部分の部材.
接 合 面：部材どうしが接合される面.
セットバック：建物が下の階から上の階へいくにしたがって順次後退し，その外観が階段状になっていること.
せん断強度上の余力：メカニズム時における部材のせん断力に対する当該部材のせん断強度の比率.
層 間 変 位：地震力が作用する場合における各階の上下の床版と耐力壁とが接する部分の水平方向の変位の

差を計算しようとする方向の成分として計算した数値.

層間変形角：地震力によって各階に生じる水平方向の層間変位を上下階の床板上面間の距離で除した数値.

総曲げ抵抗モーメント：2階以上の壁梁の各節点位置における曲げ強度の和と，1階耐力壁脚部の曲げ強度の和の総和.

側面かぶり厚さ：鉄筋表面から部材側面までの最短距離.

損傷制御性：地震や風，雪などによる建物の部材の損なわれ難さに係わる性能.

耐　震　部　材：建物の耐震設計に用いる部材である耐力壁，壁梁，基礎梁を指す.

耐　　力　　壁：鉛直荷重および水平荷重に抵抗する壁で，所要の厚さと実長を有するもの.

耐力壁・壁梁接合部：耐力壁と壁梁が接合する部分で，ラーメン構造の柱梁接合部に相当する部分．耐力壁・壁梁接合部の有効な幅：耐力壁・壁梁接合部のせん断強度に有効な幅.

耐力壁・基礎梁接合部：耐力壁と基礎梁との接合部分.

耐力壁・基礎梁等接合部：耐力壁と壁梁または基礎梁との接合部.

耐力壁端から開口縁の縁間距離：耐力壁の端部より小開口縁までの最短距離.

耐力壁の実長：耐力壁の長さのうち，検討方向の壁率および壁量算定上算入できる長さ.

耐力壁の小開口：耐力壁に設けることのできる小さな開口で，壁率・壁量の算定上無視できるもの.

耐力壁のせん断補強筋：耐力壁の縦補強筋と横補強筋の総称.

耐力壁の縦（補強）筋：耐力壁に配置する縦補強気補強筋．端部曲げ補強筋，交差部縦補強筋ならびに中間部縦補強筋の総称.

耐力壁の標準せん断補強筋比：耐力壁のせん断補強筋比の標準値.

耐力壁の横（補強）筋：耐力壁に配置する横方向の補強筋.

耐力壁の横補強筋比：耐力壁の横補強筋の断面積の和を当該耐力壁の鉛直断面積で除した数値.

耐　力　壁　板：プレキャスト鉄筋コンクリート造の耐力壁と壁梁が一体となった部材.

ダウエル筋：プレキャスト鉄筋コンクリート造部材接合部においてせん断力伝達用に配置された補強筋.

縦　　縁　　筋：プレキャスト鉄筋コンクリート造耐力壁の両端部および開口部際に縦方向に配した鉄筋.

縦　補　助　筋：プレキャスト鉄筋コンクリート造耐力壁の縦方向に配置される補助筋.

建物の長さ：構造上1棟とみなされる建物の平面において，相対する最外縁の耐力壁間の距離.

単　　配　　筋：部材両端部および中間部に鉄筋を各1本ずつ配筋し，せん断補強筋により拘束した配筋.

端部曲げ補強筋：曲げ材の中に配置される鉄筋のうち，部材に生じる曲げモーメントに対して有効に働くように，耐力壁では端部および隅角部，有開口耐力壁では開口部の鉛直縁等に縦方向に，壁梁や基礎梁，小梁ならびに片持梁では端部近傍に横方向に配置される軸方向鉄筋.

多　段　配　筋：端部曲げ補強筋が1段目以外にも配筋されたもの.

中間部縦補強筋：耐力壁の縦補強筋のうち，端部曲げ補強筋と交差部縦補強筋以外の縦筋.

中間部横補強筋：壁梁および基礎梁の横補強筋のうち，端部曲げ補強筋以外の横筋.

直　　交　　壁：地震力等を検討する方向の耐力壁に直交して接続する耐力壁.

直交壁の協力幅：耐力壁の剛性や強度に考慮できる直交壁の幅.

直ジョイント方式：プレキャスト鉄筋コンクリート造耐力壁の水平接合部の鉛直接合筋どうしを直接接合する方式.

土への根入れ深さ：建物や構造物等における基礎の土への埋込み深さをいい，地盤面から基礎下端までの距離.

鉄筋配置と当該鉄筋を拘束する補強筋（以下，横拘束筋という）による補正係数：付着割裂の基準となる強度の補正係数.

同一の実長を有する部分の高さ：両側に開口部を有する耐力壁の高さのうち，両開口部の重なる部分の高さ.

投影定着長さ：折曲げ筋の定着部の仕口面から折曲げ終端までを水平面に投影した長さ.

等価開口周比：開口部を挟む2以上の耐力壁において，開口部の面積を開口部を挟む2以上の耐力壁の長さに耐力壁の構造耐力上主要な鉛直支点間距離を乗じた数値で除した数値の平方根.

等価縦補強筋比：壁梁の縦補強筋の断面積を壁梁の等価幅に縦補強筋の間隔を乗じた数値で除した数値.

等価引張鉄筋比：引張鉄筋の断面積に100を乗じた数値を耐力壁の長さに等価厚さ（壁梁にあっては，壁梁

の有効せいに等価幅）を乗じた数値で除した数値．

等価横補強筋比：耐力壁の横補強筋の断面積を等価厚さに横補強筋の間隔を乗じた数値で除した数値．

棟の高さ：地盤面から屋根面の最も高い部分までの高さ．

特殊な定着箇所：一般的な定着方法によらない定着方法を用いている箇所．

ドライジョイント：プレキャスト鉄筋コンクリート造部材どうしの接合において，鋼材どうしを溶接することにより一体化しコンクリートの強度を期待しない接合．

軟弱地盤：平成19年国土交通省告示第597号に規定される第三種地盤．

軒の高さ：地盤面から耐力壁と屋根板が接する部分の耐力壁上端までの距離のうち最大の数値．

のみ込み長さ：プレキャスト鉄筋コンクリート造の屋根板および床板を壁梁，耐力壁ならびに基礎梁等の支持部材に載せる場合の支持部材との重なり部分の長さ．

パイルキャップ：上部構造からの荷重を，杭を介して地盤に伝えるために設けられた杭基礎の構造部分．

ハーフプレキャスト鉄筋コンクリート造部材：現場打ちコンクリートと一体化した壁梁やスラブとするため，壁梁やスラブの一部をプレキャスト鉄筋コンクリート造部材としたもの．

パンチング：押し抜くこと．

非耐震部材：耐震部材以外の部材．

標準壁量：最小壁厚を有する壁式鉄筋コンクリート造建物の最上階から数えた階に応じて定められる壁量の基準値．

複配筋：部材両端部および中間部で部材幅方向に鉄筋を各2本以上配し，耐力壁にあっては閉鎖形の横補強筋により，壁梁，基礎梁にあっては閉鎖形の縦補強筋により拘束した配筋．

複筋梁：引張鉄筋と圧縮鉄筋を上下に各1本以上配置した梁．付着割裂の基準となる強度：定着長さや大地震時における付着長さならびに重ね継手長さの検討に用いる付着強度の基準値．

付着割裂面：付着割裂破壊が生じる断面．

付着割裂面を横切る横補強筋の効果を表す換算長さ：付着割裂が生じる断面に対して直交する方向に配筋された補強筋の効果を長さで表す係数．

普通コンクリート：粗骨材および細骨材に普通骨材を用いたコンクリート．

プレキャスト壁式鉄筋コンクリート造：プレキャスト鉄筋コンクリート造で作られた耐力壁板およびスラブと，現場打ちの鉄筋コンクリート造の基礎梁より構成され，これらの構造部材が有効に接合され一体化された構造．

プレキャスト部材：工場にてあらかじめ製造された部材．

ブレース：斜め方向に配置した構造部材．

並進変形：建物の加力方向に平行移動する変形．

平均せん断応力度：耐力壁に生じるせん断力を当該耐力壁の水平断面積で除した数値．

平均せん断応力度法：標準せん断力係数 $C_0 \geqq 0.2$ 時における各階の耐力壁に生じる平均せん断応力度を基に各耐力壁のせん断力を求め，耐力壁の反曲点高さ比を適宜設定して耐力壁に生じる曲げモーメントを算定するとともに，節点位置における耐力壁の曲げモーメントより壁梁の曲げモーメントおよびせん断力を算定する方法．

平面架構：同一の鉛直面における耐力壁と壁梁や基礎梁より構成される骨組．

保有水平耐力：地震力等の水平力に対して建物が耐えることができる抵抗力．

曲げ材：主として曲げモーメントによる変形が卓越する部材．

曲げ強度上の余力：崩壊メカニズム時における，部材の曲げモーメントに対する当該部材の曲げ強度の比率．

見付け面積：耐力壁の立面の投影面積．

モルタル：セメントと細骨材と水を練り混ぜたもので，セメントモルタルともいう．

有開口耐力壁：開口部を挟む2以上の耐力壁を一つの耐力壁としてモデル化する場合の当該耐力壁をいう．

有開口耐力壁の中間部縦補強筋比：有開口耐力壁の中間部縦補強筋の断面積の和を有開口耐力壁の水平断面積で除した数値．

有効スパン長さ：内法長さに剛域端までの長さを加算した数値．

溶接継手：溶接により鉄筋どうしを継ぐ方法．

横　縁　筋：プレキャスト壁式鉄筋コンクリート造耐力壁の上端および下端に水平方向に配した鉄筋．
横　補　助　筋：出入り口開口を有するプレキャスト鉄筋コンクリート造耐力壁板の出入り口開口部下のコンクリート部分に配置する補助筋．
立体架構モデル：スラブの変形や直交方向の架構の影響を応力や変形解析に考慮できるモデル．
PCa造スラブ：プレキャスト壁式鉄筋コンクリート造建物を構成する1枚ごとのプレキャスト鉄筋コンクリート造の屋根板および床板．
PCaRC造壁梁：プレキャスト鉄筋コンクリート造の壁梁．
PCaRC造耐力壁：プレキャスト鉄筋コンクリート造の耐力壁．
PCaRC造耐力壁の中心線により囲まれた部分の水平投影面積：プレキャスト鉄筋コンクリート造耐力壁で囲まれたスラブの水平面へ投影した時の面積．
PCaRC造部材接合部：プレキャスト鉄筋コンクリート造部材どうしを接合する部分．

・用語の定義

　本規準の本文にて使用している用語を定義している．解説にて使用している用語は，解説にて定義している．

2.2　記　　　号

本規準本文で用いている記号を，以下に定義する．

A：シヤーコッター1個の水平断面積（9.12），水平断面積（9.12），PCa造スラブとPCa造スラブの水平接合部のシヤーコッターの水平断面積（9.12），PCa造スラブののみ込み部の局部圧縮応力度を検討するPCa造スラブの面積（9.12），PCaRC造壁梁の鉛直接合部のシヤーコッター1個の水平断面積（9.12）

A_d：開口部周囲の斜め補強筋の断面積（9.3）（10.5.1）

$\sum A_G$：壁梁等のせん断強度に有効な範囲内のスラブのコンクリート断面積を加算した壁梁等の全断面積（10.4.2）

A_h：開口部周囲の横補強筋の断面積（9.3）（10.5.1）

A_i：地震層せん断力の高さ方向の分布を表す係数（8.1）（9.12）（10.5.2），建物の振動特性に応じて地震層せん断力の高さ方向の分布を表す係数（10.1.1）（10.1.3）

A_s：せん断力を伝達させるPCa造スラブの全断面積のうち，水平接合部が存在する部分の断面積（9.12）（10.5.4）

$\sum A_s$：せん断力を伝達させるPCa造スラブの全断面積（9.12）（10.5.4）

A_v：開口部周囲の縦補強筋の断面積（9.3）（10.5.1）

$\sum A_w$：当該階の地震力検討方向の耐力壁の水平断面積の和（9.12），耐力壁のせん断強度に有効な範囲内の直交壁の断面積を加算した全断面積（10.4.1）

A_{sc}：シヤーコッターの鉛直断面積の和（9.12），PCaRC造壁梁の鉛直接合部のシヤーコッターの鉛直断面積の和（9.12）

A_{st}：当該鉄筋列の想定される付着割裂面を横切る一組の横拘束筋の全断面積）10.5.5）

A_{v0}：開口部周囲の補強の目的に限定して配筋される縦補強筋の断面積（9.3）（10.5.1）

A_{cut}：カットオフされる引張鉄筋の断面積（10.5.5）

A_{total}：引張鉄筋の総断面積（10.5.5）

a：開口中心と壁梁天端までの距離（6.7），開口縁間距離（6.7），PCa造スラブとPCa造スラブの水平接合部のシヤーコッターの充填コンクリートまたは充填モルタルのせん断力に対する有効な幅（9.12），有効な幅（9.12），PCa造スラブののみ込み長さ（9.12），有開口耐力壁の開口部周囲の補強筋の有効範囲（10.5.1）

a_1, a_2：シヤーコッターの幅（9.12）

a_h：水平接合部の有効な接合筋の断面積（9.12）

$\sum(a_h \cdot \sigma_y)$：a_h に σ_y を乗じた数値の和（9.12）

a_s：ダウエル筋の断面積（9.12），PCaRC 造壁梁の鉛直接合断面を横切る圧縮側主筋と接合筋の全断面積（9.12），圧縮側主筋と接合筋の全断面積（9.12），円形孔片側 c の範囲内にある一組の補強筋の断面積（10.5.2）

a_t：壁梁の引張鉄筋の断面積（9.6），引張鉄筋の断面積（10.4.1）（10.4.2），壁梁等の引張鉄筋の断面積（10.4.2），円形孔位置における引張鉄筋断面積で，上端端部曲げ補強筋と下端端部曲げ補強筋の小さい方の数値（10.5.2），PCaRC 造壁梁の上端端部曲げ補強筋の断面積（10.5.4）

$\sum a_t$：PCaRC 造壁梁の上端端部曲げ補強筋の断面積の和（9.12）

$\sum(a_t \cdot \sigma_y)$：a_t に σ_y を乗じた数値の和（10.4.1）（10.5.4）

$\sum(a_t \cdot \sigma_y \cdot d)$：$a_t$ に σ_y ならびに d を乗じた数値の和（10.4.1）

a_v：シヤーコッターのコッター筋断面積（9.12），PCaRC 造壁梁の端部曲げ補強筋および鉛直接合部のコッター筋の断面積（9.12）

$\sum(a_v \cdot \sigma_y)$：a_v に σ_y を乗じた数値の和（9.12）

a_w：耐力壁の中間部縦筋の断面積（10.4.1），一組の横補強筋の断面積（10.4.1）

$\sum(a_w \cdot \sigma_y)$：a_w に σ_y を乗じた数値の和（10.4.1）

a_{d0}：小開口周囲の斜め補強筋（9.3）

a_{h0}：小開口周囲の横補強筋（9.3）

a_{v0}：小開口周囲の縦補強筋（9.3）

a_{t1}：接合部に接続する右（または左）側の壁梁または基礎梁上端端部曲げ補強筋の断面積（10.5.3）

$\sum(a_{t1} \cdot \sigma_y)$：$a_{t1}$ に σ_y を乗じた数値の和（10.5.3）

a_{t2}：接合部に接続する左（または右）側の壁梁または基礎梁上端端部曲げ補強筋の断面積（10.5.3）

$\sum(a_{t2} \cdot \sigma_y)$：$a_{t2}$ に σ_y を乗じた数値の和（10.5.3）

a_{wh}：有開口耐力壁の一組の横補強筋の断面積（9.3）（10.5.1）

a_{wv}：有開口耐力壁の一組の縦補強筋の断面積（9.3）（10.5.1）

$_i a_w$：i 階における各計算方向ごとの壁率（8.1）（10.1.1），各階各方向の壁率（9.4）

B：シヤーコッター 1 個の鉛直断面積（9.12），投影断面積（9.12），PCa 造スラブと PCa 造スラブの水平接合部のシヤーコッター 1 個の鉛直断面の PCa 造スラブ面内方向への投影面積（9.12），PCaRC 造壁梁の鉛直接合部のシヤーコッター 1 個の鉛直断面積の計算する方向と直交する方向への投影面積（9.12）

b：耐力壁・壁梁接合部の開口部間の内法長さ（6.7），壁梁の幅（9.6）（9.7），基礎梁の幅（9.10），小梁の幅（9.11），片持梁の幅（9.11），PCa 造スラブと PCa 造スラブの水平接合部のシヤーコッターの充填コンクリートまたは充填モルタルのせん断力に対する有効な高さ（9.12），PCaRC 造壁梁の幅（9.12）（10.5.4），部材の幅（10.5.5）

b_1：充填コンクリートまたは充填モルタルのせん断力に対する有効な幅（9.12）

b_e：壁梁等のせん断強度に有効な範囲内のスラブのコンクリート断面積を加算した壁梁等の全断面積 $\sum A_G$ を，せいを D とした等価な長方形断面に置き換えたときの等価幅（10.4.2）

b_G：耐力壁・基礎梁接合部の開口間に接続する直交基礎梁の幅（6.7）

b_j：耐力壁・壁梁接合部の有効幅（10.4.3）

C：PCaRC 造壁梁の鉛直接合部に作用する短期荷重時における曲げ圧縮合力（9.12）PCaRC 造壁梁の鉛直接合部に作用する終局時曲げ圧縮合力（9.12），付着検定断面における鉄筋間のあき，または最小かぶり厚さの 3 倍のうちの小さい方の数値で，5 d_b 以下とする（10.5.5）

C_0：標準せん断力係数（9.12）（10.1.2）

C_i：標準せん断力係数 $C_0 \geqq 0.5$ とした時の当該階の地震層せん断力係数（9.12）

C_{b2}：耐力壁・壁梁接合部に接続する右（または左）側の壁梁上端に生じる短期荷重時圧縮力（9.8）

C_{bu2}：接合部に接続する左（または右）側の壁梁または基礎梁端部上端に生じる圧縮力（10.5.3）

C_{min}：最小かぶり厚さ（10.5.5）

c：有開口耐力壁の開口部周囲の補強筋の有効範囲（10.5.1），円形孔周囲の補強筋の有効な範囲（10.5.2）

c_1：シヤーコッターの深さ（9.12），円形孔周囲の補強筋の有効範囲（10.5.2）

c_2：円形孔周囲の補強筋の有効範囲（10.5.2）

D：通し配筋された部材の全せい（9.14），壁梁等のせい（10.4.2），壁梁または基礎梁のせい（10.5.2）

D_b：壁梁のせい（6.7）

D_j：耐力壁・壁梁接合部の長さ，または壁梁端部曲げ補強筋の90°折曲げ水平投影長さ（10.4.3）

D_s：構造特性係数（10.1.1）（10.2）

d：壁梁の有効せい（9.6）（9.7），基礎梁の有効せい（9.10），小梁の有効せい（9.11），片持梁の有効せい（9.11），PCaRC造壁梁の有効せい（9.12），曲げ材の有効せい（9.13），部材有効せい（9.13），壁梁等の有効せい（10.4.2），有開口耐力壁の開口部周囲の補強筋の有効範囲（10.5.1），壁梁または基礎梁の有効せい（10.5.2），有効せい（10.5.2），付着検定対象部材の有効せい（10.5.5）

d_0：円形の小開口の直径（6.3.1）

d_b：引張鉄筋径で，異形鉄筋では呼び名に用いた数値（9.13）（9.14）（10.5.5），異形鉄筋の呼び名に用いた数値（9.14）

$\sum d_b$：当該鉄筋列の想定される付着割裂面における鉄筋径の和（10.5.5）

e：耐力壁中心と直交壁心との距離（10.4.1）

F_c：コンクリートの設計基準強度（4条）（9.14）（10.1.1）（10.2）（10.4.1）（10.4.2）（10.5.5），コンクリート，充填コンクリートおよび充填モルタルの設計基準強度（5条），普通コンクリート，充填コンクリート，充填モルタルならびに軽量コンクリート1種の設計基準強度（5条），充填コンクリートまたは充填モルタルの設計基準強度（9.12），PCaRC造耐力壁板のコンクリートの設計基準強度（9.12），PCaRC造壁梁の鉛直接部の充填コンクリートまたは充填モルタルの設計基準強度（9.12），PCa造スラブののみ込み部を支持するコンクリートの設計基準強度（9.12），PCaRC造壁梁の現場打ちRC造部分のコンクリートの設計基準強度とPCaRC造壁梁のコンクリートの設計基準強度のうちの小さい方の数値（9.12），PCaRC造壁梁の鉛直接合部の充填コンクリートまたは充填モルタルとPCaRC造壁梁のコンクリートの設計基準強度の内の最小の数値（9.12）

F_{es}：各階の形状特性を表す係数（10.1.1）

F_{es0}：剛性率および偏心率を考慮した壁梁のせん断力の割増し係数（10.5.2）（10.5.4）

$\overline{F_{es0,\,i}}$：i階の剛性率 $R_{s,i}$ および偏心率 $R_{e,i}$ によって定まるi階の割増し係数（10.1.3），剛性率および偏心率による形状係数（10.5.1），剛性率 R_s および偏心率 R_e によって定まる割増し係数（10.5.2）（10.5.4）

F_j：耐力壁・壁梁接合部のせん断強度の基準値（10.4.3）

F_s：剛性率によって定まる数値（10.5.2）

f_a：許容付着応力度（9.13）

f_b：付着割裂の基準となる強度（10.5.5）

f_{cs}：シヤーコッターの許容局部圧縮応力度（5条）

f_{LS}：シヤーコッターの長期許容せん断応力度で，充填コンクリートまたは充填モルタルの長期許容せん断応力度とする（9.12），PCaRC造壁梁の鉛直接合部のシヤーコッター部の充填コンクリートまたは充填モルタルの長期許容せん断応力度（9.12）

f_{ss}：シヤーコッターの許容直接せん断応力度（5条）
f_{sw}：充填コンクリート，充填モルタルの許容せん断応力度（5条）
$_Lf_a$：長期許容付着応力度（9.13）（9.14）
$_Lf_s$：コンクリートの長期許容せん断応力度（9.2）（9.6），PCaRC造壁梁の現場打ちRC造部分のコンクリートの長期許容せん断応力度とPCaRC造壁梁のコンクリートの長期許容せん断応力度のうちの小さい方の数値（9.12）
$_sf_a$：短期許容付着応力度（9.13）（9.14）
$_sf_s$：コンクリートの短期許容せん断応力度（9.2）（9.6），PCaRC造壁梁の現場打ちRC造部分のコンクリートの短期許容せん断応力度とPCaRC造壁梁のコンクリートの短期許容せん断応力度のうちの小さい方の数値（9.12）
$_sf_t$：小開口周囲の補強筋の短期許容引張応力度（9.3），開口部周囲の斜め補強筋の短期許容引張応力度（9.3），鉄筋の短期許容引張応力度（9.14）
$_wf_t$：耐力壁の横補強筋のせん断補強用短期許容引張応力度（9.2），壁梁の縦補強筋のせん断補強用短期許容引張応力度（9.6），PCaRC造壁梁の鉛直接合面を横切る圧縮側主筋と接合筋のせん断補強用短期許容引張応力度（9.12），ダウエル筋のせん断補強用短期許容引張応力度（9.12）
$_Lf_{cs}$：シヤーコッターの長期許容圧縮応力度で，充填コンクリート，充填モルタルまたは耐力壁のコンクリートの長期許容圧縮応力度のうちの最小値とする（9.12），PCaRC造壁梁の鉛直接合部のシヤーコッターの長期許容圧縮応力度（9.12），シヤーコッターの短期許容圧縮応力度で，充填コンクリート，充填モルタルまたは耐力壁のコンクリートの短期許容圧縮応力度のうちの最小値とする（9.12）
$_Lf_{ss}$：シヤーコッターの長期許容せん断応力度で，充填コンクリートまたは充填モルタルの長期許容せん断応力度とする（9.12），PCaRC造壁梁の鉛直接合部のシヤーコッター部の充填コンクリートまたは充填モルタルの長期許容せん断応力度（9.12）
$_Lf_{cw}$：充填コンクリートまたは充填モルタルの長期許容せん断応力度（9.12）
$_sf_{cs}$：シヤーコッターの短期許容圧縮応力度で，充填コンクリート，充填モルタルまたは耐力壁のコンクリートの短期許容圧縮応力度農地の最小値とする（9.12），PCa造スラブとPCa造スラブの水平接合部のシヤーコッターの短期許容圧縮応力度（9.12），PCa造スラブとPCa造スラブの水平接合部のシヤーコッターの短期許容圧縮応力度（9.12），，PCaRC造壁梁の鉛直接合部のシヤーコッターの短期許容圧縮応力度で，シヤーコッターの充填コンクリートまたは充填モルタルとPCaRC造壁梁のコンクリートの短期許容圧縮応力度のうちの最小値とする（9.12）
$_sf_{ss}$：シヤーコッターの短期許容せん断応力度で，充填コンクリートまたは充填モルタルの長期短期せん断応力度とする（9.12），PCa造スラブとPCa造スラブの水平接合部のシヤーコッターの短期許容せん断応力度（9.12），PCaRC造壁梁の鉛直接合部のシヤーコッターの充填コンクリートまたは充填モルタルの短期許容せん断応力度（9.12）
$_sf_{sw}$：充填コンクリートまたは充填モルタルの短期許容せん断応力度（9.12），PCa造スラブとPCa造スラブの水平接合部のシヤーコッターの充填コンクリートまたは充填モルタルの短期許容せん断応力度（9.12）
H：当該階の階高（9.12）（10.5.4），円形孔の直径（10.5.2）
h：耐力壁の構造耐力上主要な鉛直支点間距離（8.2），耐力壁の高さ（9.2）（9.3），当該階の有開口耐力壁の高さ（9.3）（10.4.1）（10.5.1），有開口耐力壁の高さ（10.5.1）
$\sum h$：当該階床上面から当該耐力壁架構の最上層耐力壁天端までの距離（10.4.1）
h'：耐力壁の内法高さ（9.2）（10.5.1）（10.5.4）
h_0：耐力壁に設ける小開口で壁率・壁量算定上無視してよい長方形口の内法高さ（6.3.1），開口部の内法高さ（8.2）（9.3）（9.4），小開口の内法高さ（9.2），耐力壁の小開口の内法高さ（9.3），開口部の高さ（10.5.1）

h_1：シヤーコッターの高さ（9.12），上階の壁梁天端より開口部天端までの距離（10.5.1）
h_2：下階壁梁天端より開口部下端までの距離（10.5.2）
h_a：スラブ中心間距離が異なる耐力壁の構造耐力上主要な鉛直支点間距離のうちの最小値（6.3.2）
h_b：スラブ中心間距離が異なる耐力壁の構造耐力上主要な鉛直支点間距離のうちの最大値（6.3.2）
h_e：同一の実長を有する部分の高さ（6.3.1）
h_i：i 階の階高（10.1.3）（10.5.2）
h_{0p}：開口部の鉛直断面の投影高さの和（9.3）（10.4.1）（10.5.1）
j：耐力壁の応力中心距離（9.2），曲げ材の応力中心距離（9.13），壁梁の応力中心距離（9.6），PCaRC 造壁梁の応力中心距離（9.12），応力中心距離（10.4.1）（10.4.2），壁梁または基礎梁の応力中心距離（10.5.2），PCaRC 造壁梁の端部における応力中心距離（10.5.4）
j_{b1}：耐力壁・壁梁接合部に接続する右（または左）側の壁梁の応力中心距離（9.8）
j_{b2}：耐力壁・壁梁接合部に接続する左（または右）側の壁梁の応力中心距離（9.8）
K：鉄筋配置と当該鉄筋を拘束する補強筋による修正係数（10.5.5），重ね継手する鉄筋配置と横拘束筋による修正係数（10.5.5）
k：局部水平震度（≧1.0）で，標準せん断力係数 $C_0 \geq 0.5$ とした時の当該階の地震層せん断力係数 C_i が 1.0 を上回る場合は，k は C_i と読み替える（9.12）（10.5.4）
k_p：引張鉄筋比による係数（10.5.2）
k_u：有効せいによる係数（10.5.2）
k_v：PCa 造スラブののみ込み部に生じる設計用鉛直震度（9.12）
L：曲げ材の内法長さ（9.13）（10.5.5）
L_1：重ね継手長さ（9.4）
L_w：各階における各計算方向ごとの壁量（8.1）（10.1.1）
L'：通し筋の付着長さ（10.5.5）
L_{w0}：標準壁量（8.1）（9.4）（10.1.1）
L_{wm}：最小壁量（8.1）（10.1.1）
l：同一の実長（6.3.1），耐力壁・壁梁接合部の長さ（6.7），耐力壁・基礎梁接合部の長さ（6.7），耐力壁の実長（8.1），耐力壁の長さ（8.2）（9.2）（9.3），（10.2），重ね継手長さ（9.13）壁梁両端の耐力壁の心々間距離（10.1.3），開口部を含む 2 以上の耐力壁の全長さ（10.4.1），耐力壁の長さ，または開口部を含む 2 以上の耐力壁の全長さ（10.4.1），有開口耐力壁の全長さ（10.5.1），重ね継手長さ（9.13）（10.5.5）
l'：壁梁の内法長さ（9.6）（10.1.3），両端に直交壁が接続する場合は，その中心間距離，その他は耐力壁の長さ（有開口耐力壁にあっては解雇奥部を含む 2 以上の耐力壁の全長さ）の 0.9 倍の数値（10.4.1），壁梁または基礎梁の内法スパン長さ（10.5.2）（10.5.4），付着検定断面からカットオフ筋がメカニズム時曲げモーメントに対して計算上不要となる断面までの距離（10.5.5）
l_0：耐力壁に設ける小開口で壁率・壁量算定上無視してよい長方形口の内法長さ（6.3.1），開口部の内法長さ（8.2）（9.3），小開口の内法長さ（9.2），耐力壁の小開口の内法長さ（9.3），壁梁の内法長さ（9.7），開口部の高さによる低減率 r_3 の算出で該当する開口部の長さ（10.4.1），開口部の長さ（10.4.1）
l_1, l_2：小開口縁と耐力壁端部までの寸法（6.3.1），耐力壁端から開口部縁までの距離（6.7）
Σl：耐力壁の実長の和（8.1）（10.1.1）（10.5.1）
Σl_1：長期荷重時において上端端部曲げ補強筋に引張応力度が生じている区間長さ（9.12）
Σl_2：短期荷重時において上端端部曲げ補強筋に引張応力度が生じている区間長さ（9.12）
Δl_2：メカニズム時において，PCaRC 造壁梁の上端端部曲げ補強筋に引張応力度が生じている区間長さ（10.5.4）

$\sum l_3$：終局時において上端端部曲げ補強筋に引張応力度が生じている区間長さ（9.12）
l_a：定着長さ（9.14）
l_b：PCa造スラブののみ込み部の局部圧縮応力度を検討するPCa造スラブののみ込み部の全長さ（9.12）
l_d：曲げ材の引張鉄筋の付着長さ（9.13），引張鉄筋の付着長さ（9.13），カットオフ筋の付着長さ（9.13）（10.5.5）
l_w：各階各方向の耐力壁の長さ（9.2），耐力壁・壁梁接合部の長さ，または壁梁端部曲げ補強筋を90°折曲げ定着する場合の折曲げ筋の水平投影長さ（9.8），耐力壁の長さ（9.12），PCaRC造耐力壁の長さ（10.5.4）
$\overline{l_w}$：各階各方向の耐力壁の平均長さ（9.2）
l_{0p}：開口部の水平断面への投影長さ（9.3），開口部の水平断面への投影長さの和（10.4.1）（10.5.1）
l_{ab}：必要定着長さ（9.14），曲げ材の引張鉄筋の長期荷重時における必要定着長さ（9.14），曲げ材の引張鉄筋の短期荷重時における必要定着長さ（9.14），曲げ材の引張鉄筋の安全性確保のための必要定着長さ（10.5.5）
M：長期荷重時の最大曲げモーメント（9.6），短期荷重時の最大曲げモーメント（9.6），計算断面位置におけるメカニズム時曲げモーメント（10.4.1）（10.4.2），壁梁または基礎梁の最大曲げモーメント（10.5.2）
M_e：直交壁の軸方向力のうち，耐力壁の曲げ強度に関係する軸方向力による偏心モーメント（10.4.2）
M_S：PCaRC造壁梁の鉛直接合部における短期荷重時曲げモーメント（9.12）
M_U：終局時のPCaRC造壁梁の鉛直接合部での曲げモーメント（9.12）
M_{b1}：耐力壁・壁梁接合部に接続する右（または左）側の壁梁端部上端に生じる短期荷重時曲げモーメント（9.8）
M_{b2}：耐力壁・壁梁接合部に接続する左（または右）側の壁梁端部上端に生じる短期荷重時曲げモーメント（9.8）
$\sum M_y$：壁頭および壁脚の降伏曲げモーメントの絶対値の和（9.2），せん断力が最大となるような壁梁両端の降伏曲げモーメントの絶対値の和（9.6）
$_bM_L$：壁梁および基礎梁の長期荷重時曲げモーメント（10.5.2）
$_bM_M$：メカニズム時におけるPCaRC造壁梁の端部上端に生じる曲げモーメント（10.5.4）
$_bM_m$：メカニズム時に壁梁および基礎梁に生じる曲げモーメントで，長期荷重時曲げモーメントを除いた数値（10.5.2）
$_bM_u$：壁梁両端の曲げ強度（10.1.3），壁梁等の曲げ強度（10.4.2），壁梁および基礎梁の曲げ強度（10.5.2）
$\sum _bM_u$：せん断力が最大となるような壁梁または基礎梁両端の曲げ強度の接待地の和（10.5.2）（10.5.4）
$_bM_u'$：壁梁の各節点における曲げ強度（10.4.3）
$\sum _bM_u'$：2階以上の壁梁の各節点における曲げ強度の和（10.1.3）
$_RM_u$：地震力検討方向における総曲げ抵抗モーメント（10.1.3）
$_wM_L$：耐力壁の長期荷重時曲げモーメント（10.5.1）
$_wM_m$：メカニズム時に耐力壁に生じる曲げモーメントで，長期荷重時曲げモーメントを除いた数値（10.5.1）
$_wM_u$：1階耐力壁脚部の曲げ強度（10.1.3），耐力壁の曲げ強度（10.4.1）（10.5.1）
$\sum _wM_u$：1階耐力壁脚部の曲げ強度の和（10.1.3），壁頭・壁脚の曲げ強度の絶対値の和（10.5.1）（10.5.4）
$M/(Q \cdot d)$：壁梁等のせん断スパン比（10.4.2），壁梁または基礎梁のせん断スパン比（10.5.2）
$M/(Q \cdot l)$：せん断スパン比（10.4.1）

$_{oT}M_u$：各階の構造特性係数を 0.5 としたときの必要保有水平耐力に相当する水平外力による 1 階耐力壁脚部回りの転倒モーメント（10.1.3）

N：耐力壁に作用する軸方向力（10.4.1），当該鉄筋列の想定される付着割裂面における鉄筋本数（10.5.5），想定される付着割裂面における全鉄筋本数から継手組数を減じた数値（10.5.5）

N_L：耐力壁の長期軸方向力（10.4.1）

N_h：耐力壁の軸方向力で，圧縮を正とし引張を 0 とする（9.12）

N_m：耐力壁のメカニズム時付加軸方向力（10.4.1）

N_u：終局時設計用軸方向力（10.4.1）

N_{WT}：直交壁の軸方向力のうち，耐力壁の曲げ強度に関係する軸方向力（10.4.1）

$_uN_{CS}$：PCaRC 造壁梁の鉛直接合部のシヤーコッターの局部圧縮強度（9.12）

$_{AL}N_{CS}$：PCaRC 造壁梁の鉛直接合部のシヤーコッターの長期局部許容圧縮力（9.12）

$_{AS}N_{CS}$：PCaRC 造壁梁の鉛直接合部のシヤーコッターの短期局部許容圧縮力（9.12）

$_{AS}N_{SC,s}$：PCa 造スラブと PCa 造スラブの水平接合部のシヤーコッターの短期局部許容圧縮力（9.12）

n：せん断力の割増し係数（9.2）（9.6）（9.12），当該鉛直接合部のシヤーコッターの個数（9.12），A_s 部分に存在する水平接合部の個数（9.12）（10.5.4），PCa 造スラブと PCa 造スラブの水平接合部のシヤーコッターの個数（9.12），当該 PCaRC 造壁梁の鉛直接合部のシヤーコッターの個数（9.12），建物の地上階数（10.1.3）

n_h：有開口耐力壁の水平方向に並ぶ開口部の数（9.3）（10.5.1）

n_v：有開口耐力壁の鉛直方向に並ぶ開口部の数（9.3）（10.5.1）

p_s：耐力壁のせん断補強筋比（9.4），円形孔周囲の補強筋比（10.5.2）

p_t：引張鉄筋比（10.5.2）

p_w：耐力壁の横補強筋比（9.2），壁梁の縦補強筋比（9.6），PCaRC 造壁梁の縦補強筋比（9.12）

p_{s0}：耐力壁の標準せん断補強筋比（9.4）

p_{sh}：有開口耐力壁の横補強筋比（9.3）（10.5.1）

p_{sv}：有開口耐力壁の縦補強筋比（9.3）（10.5.1）

p_{te}：等価引張鉄筋比（10.4.1）（10.4.2）

p_{we}：等価横補強筋比（10.4.1），等価縦補強筋比（10.4.2）

Q：長期荷重時の最大せん断力（9.6），短期荷重時の最大せん断力（9.6），計算断面位置におけるメカニズム時せん断力（10.4.1）（10.4.2），壁梁または基礎梁の最大せん断力（10.5.2）

Q_E：標準せん断力係数 $C_0 \geq 0.2$ 時における耐力壁のせん断力（9.2），8 条により求められる耐力壁の水平荷重時せん断力（9.6），標準せん断力係数 $C_0 \geq 0.2$ の地震力による耐力壁に生じる水平方向のせん断力（9.12），標準せん断力係数 $C_0 \geq 0.2$ の地震力により PCaRC 造壁梁の鉛直接合部に生じるせん断力（9.12），水平荷重時せん断力（9.13），耐力壁の標準せん断力係数 $C_0 \geq 0.2$ に対する水平荷重時せん断力（10.5.1）（10.5.4），標準せん断力係数 $C_0 \geq 0.2$ 時における壁梁および基礎梁のせん断力（10.5.2）（10.5.4）

Q_L：耐力壁の長期荷重時せん断力（9.2），長期荷重時せん断力（9.13），長期荷重時における耐力壁のせん断力（10.2）

Q_M：メカニズム時における耐力壁のせん断力（10.2）

Q_m：メカニズム時における耐力壁のせん断力で，長期荷重時せん断力を除く数値（10.2）

Q_S：標準せん断力係数 $C_0 \geq 0.2$ の短期荷重時の耐力壁のせん断力（9.2）

Q_W：標準せん断力係数 $C_0 \geq 0.2$ の水平荷重時に接合面に接続する耐力壁のせん断力（10.5.3）

Q_{AL}：耐力壁の長期許容せん断力（9.2），壁梁の長期許容せん断力（9.6）

Q_{AS}：耐力壁の短期許容せん断力（9.2），壁梁の短期許容せん断力（9.6）

Q_{EH}：標準せん断力係数 $C_0 \geq 0.2$ の地震力により耐力壁に生じるせん断力（9.12）

Q_{EV}：標準せん断力係数 $C_0≧0.2$ の地震力により耐力壁の鉛直接合部に生じるせん断力（9.12），標準せん断力係数 $C_0≧0.2$ の地震力により PCaRC 壁梁の鉛直接合部に生じるせん断力（9.12）

Q_{M1}：メカニズム時に有開口耐力壁に生じるせん断力（10.5.1）

Q_{mH}：PCaRC 造耐力壁の水平接合部のメカニズム時せん断力（10.5.4）

Q_{mV}：メカニズム時における PCaRC 造耐力壁の鉛直接合部に生じるせん断力（10.5.4）

Q_{SV}：PCaRC 造耐力壁の鉛直接合部のせん断強度（10.5.4），PCaRC 造壁梁の鉛直接合部のせん断強度（10.5.4）

Q_{ud}：標準せん断力係数 $C_0≧1.0$ の地震力によって各階に生じる水平力（10.1.1）

Q_{un}：各階各方向の必要保有水平耐力（10.1.1）

Q_{wm}：接合部に接続する上階耐力壁のメカニズム時せん断力（10.5.3）

$Q_{p,su}$：耐力壁・壁梁接合部のせん断強度（10.4.3）（10.5.3）

$Q_{w,0.55}$：標準せん断力係数 $C_0≧0.55$ の水平荷重時における PCaRC 造耐力壁のせん断力（10.5.4）

$_AQ_L$：耐力壁の長期許容せん断力（9.2），壁梁の長期許容せん断力（9.6）

$_AQ_S$：耐力壁の短期許容せん断力（9.2），壁梁の短期許容せん断力（9.6）

$_bQ_L$：壁梁および基礎梁の長期荷重時せん断力（10.5.2）

$_bQ_m$：メカニズム時に壁梁および基礎梁に生じるせん断力で，長期荷重時せん断力を除いた数値（10.5.2）

$_DQ_L$：耐力壁の長期せん断力（9.2），壁梁の長期設計用せん断力（9.6），壁梁および基礎梁（10.5.2）

$_DQ_S$：耐力壁の短期設計用せん断力（9.2）（9.3），有開口耐力壁の短期荷重時設計用せん断力（9.3），壁梁の短期設計用せん断力（9.6）

$_LQ_V$：長期荷重時に耐力壁に生じる水平方向のせん断力（9.12）

$_mQ_H$：PCaRC 造耐力壁の水平接合部に生じるメカニズム時せん断力（10.5.4）

$_mQ_V$：メカニズム時における PCaRC 造耐力壁の鉛直接合部に生じるせん断力（10.5.4），PCaRC 造壁梁の鉛直接合部のメカニズム時のせん断力（10.5.4）

$_UQ_V$：鉛直接合部のせん断強度（9.12），PCaRC 造壁梁の鉛直接合部のせん断強度（9.12）（10.5.4），PCaRC 造耐力壁の鉛直接合部のせん断強度（10.5.4）

$_wQ_L$：耐力壁の長期荷重時せん断力（10.5.1），PCaRC 造耐力壁の長期荷重時せん断力（10.5.4）

$_wQ_m$：PCaRC 造耐力壁のメカニズム時せん断力（10.5.4）

$_AQ_{pS}$：耐力壁・壁梁接合部の短期許容せん断力（9.8）

$_bQ_{su}$：壁梁等のせん断強度（10.4.2），壁梁および基礎梁のせん断強度（10.5.2）

$_bQ_{uD}$：単独の円形孔を有する壁梁または基礎梁のメカニズム時設計用せん断力（10.5.2）

$_DQ_{p,S}$：短期荷重時における耐力壁・壁梁接合部の設計用せん断力（9.8）

$_DQ_{up}$：メカニズム時における接合部に生じるせん断力（10.5.3）

$_mQ_{SH}$：PCa 造スラブ等の水平接合部のメカニズム時せん断力（10.5.4）

$_sQ_{sn}$：セットバック等がある場合で，PCa 造スラブを介して伝達すべき地震力がある場合に，PCa 造スラブの水平接合部1個あたりに生じるせん断力（9.12）（10.5.4）

$_sQ_{ss}$：PCa 造スラブを介して伝達すべきせん断力（9.12）

$_UQ_{hj}$：PCa 造スラブ等の水平接合部のせん断強度（9.12）（10.5.4）

$_UQ_{SH}$：水平接合部のせん断強度（9.12），PCaRC 造耐力壁の水平接合部のせん断強度（10.5.4）

$_UQ_{SS}$：シヤーコッターのせん断強度（9.12）

$_UQ_{SW}$：シヤーコッター部の充填コンクリートまたは充填モルタルのせん断強度（9.12）

$_UQ_{sn}$：セットバック等がある場合で，PCa 造スラブを介して伝達すべき地震力がある場合に，PCa 造スラブの水平接合部1個あたりに生じるせん断力（9.12）

$_wQ_{su}$：耐力壁のせん断強度（10.4.1）（10.5.1）

$_bQ_{su0}$：単独の円形孔を有する壁梁または基礎梁の孔周囲のせん断強度（10.5.2）

$_{AL}Q_V$：鉛直接合部の長期許容せん断力（9.12），PCaRC 造壁梁の鉛直接合部の長期許容せん断力

(9.12)
$_{AS}Q_V$：鉛直接合部の短期許容せん断力（9.12），PCaRC 造壁梁の鉛直接合部の短期許容せん断力（9.12）
$_{DL}Q_V$：耐力壁の鉛直接合部に生じる長期荷重時の設計用せん断力（9.12），PCaRC 造壁梁の鉛直接合部に生じる長期荷重時の設計用せん断力（9.12）（10.5.4）
$_{DS}Q_V$：耐力壁の鉛直接合部の短期荷重時設計用せん断力（9.12），PCaRC 造壁梁の鉛直接合部に生じる短期荷重時の設計用せん断力（9.12）
$_{DU}Q_H$：水平接合部の終局時設計用せん断力（9.12）
$_{DU}Q_V$：鉛直接合部の終局時設計用せん断力（9.12），PCaRC 造壁梁の鉛直接合部の終局時設計用せん断力（9.12）
$_{AL}Q_{SS}$：シヤーコッターの長期許容せん断力（9.12），PCaRC 造壁梁の鉛直接合部のシヤーコッターの長期許容せん断力（9.12）
$_{AL}Q_{SW}$：充填コンクリートまたは充填モルタルの長期許容せん断力（9.12）
$_{AS}Q_{hj}$：水平接合部の短期許容せん断力（9.12）
$_{AS}Q_{SS}$：シヤーコッターの短期許容せん断力（9.12），PCaRC 造壁梁の鉛直接合部のシヤーコッターの短期許容せん断力（9.12）
$_{AS}Q_{SW}$：充填コンクリートまたは充填モルタルの短期許容せん断力（9.12）
$_{AS}Q_{V1}$：PCaRC 造壁梁の鉛直接合部に作用する短期荷重時における曲げ圧縮応力に基づく短期許容せん断力（9.12）
$_{AS}Q_{V2}$：PCaRC 造壁梁の鉛直接合面を横切る鉄筋とコンクリートの支圧強度による短期許容せん断伝達力（9.12）
$_{DS}Q_{hj}$：標準せん断力係数 $C_0 \geqq 0.2$ の短期荷重時における PCa 造スラブ等の水平接合部 1 個あたりの設計用せん断力（9.12）
$_{DU}Q_{hj}$：PCa 造スラブ等の水平接合部 1 個あたりの終局設計用せん断力（9.12）
$_{AS}Q_{SS,s}$：PCa 造スラブと PCa 造スラブの水平接合部のシヤーコッターの短期許容せん断力（9.12）
$_{AS}Q_{SW,s}$：PCa 造スラブと PCa 造スラブの水平接合部のシヤーコッターの充填コンクリートまたは充填モルタルの短期許容せん断力（9.12）
R：耐力壁・壁梁接合部に設ける開口の内法長さ（6.7），開口の最大内法長さ（6.7），耐力壁・基礎梁接合部に設ける開口の最大内法長さ（6.7）
$\sum R_0$：耐力壁・壁梁接合部に設けられた小開口の直径の和（9.8），耐力壁・壁梁接合部に設ける小開口の内法長さの和（10.4.3）
R_1, R_2：耐力壁・壁梁接合部に設ける開口の最大内法長さ（6.7），開口の最大内法長さ（6.7），耐力壁・基礎梁接合部に設ける開口の最大内法長さ（6.7）
R_e：偏心率（10.5.2）
R_s：剛性率（10.5.2）
R_t：建物と地盤の固有周期に応じて地震層せん断力係数を低減する係数（10.1.3）
$R_{e,i}$：i 層の偏心率（10.1.3）
r：8 条に規定する小開口に対する低減率（9.2），耐力壁の小開口による低減率（9.2）（10.2），小開口による低減率（9.3）（10.4.1）
r_1：開口によるせん断剛性の低減率（8.2），開口部の幅による低減率（10.4.1）
r_2：開口部の見付面積による低減率（10.4.1）
r_3：開口部の高さによる低減率（10.4.1）
S：必要定着長さの修正係数（10.5.5）
S_i：i 階の壁率算定用床面積（8.1）（10.1.1）
S_n：PCa 造スラブどうしの接合部の設計においては，PCa 造スラブどうしが接する部分の設計用せん断力計算方向の水平接合部の個数で，PCa 造スラブと耐力壁，壁梁および基礎梁等の接合部の設計においては，当該接合部の設計用せん断力計算方向の水平接合部の個数

s：有開口耐力壁の縦補強筋の間隔（9.3）（10.5.1），有開口耐力壁の横補強筋の間隔（9.3）（10.5.1），一組の横補強筋の間隔（10.4.1），有開口耐力壁の一組の縦補強筋の間隔（10.5.1），一組の横拘束筋（断面積 A_{st}）の間隔（10.5.1）

T_d：耐力壁の小開口隅角部の付加斜張力（9.3）

T_h：耐力壁の小開口隅角部の水平縁張力（9.3）

T_v：耐力壁の小開口隅角部の鉛直縁張力（9.3）

T_{b1}：耐力壁・壁梁接合部に接続する右（または左）側の壁梁上端端部曲げ補強筋に生じる短期荷重時引張力（9.8）

T_{bu1}：接合部に接続する右（または左）側の壁梁または基礎梁上端端部曲げ補強筋に生じるメカニズム時引張力（10.5.3）

t：耐力壁・壁梁接合部の開口間に接続する直交壁の厚さ（6.7），直交壁の厚さ（6.7），耐力壁の厚さ（8.1）（9.2）（9.12）（10.1.1）（10.2），耐力壁・壁梁接合部の厚さ（9.8）

t_0：耐力壁の最小壁厚（8.1）（10.1.1），最小壁厚（9.4）

t_e：耐力壁のせん断強度に有効な範囲内の直交壁の断面積を加算した全断面積 ΣA_w を，耐力壁の長さ（有開口耐力壁の場合は開口部を含む2以上の耐力壁の全長さ）を l としたときの等価厚さ（10.4.1）

$\Sigma(t \cdot l)$：耐力壁の厚さに耐力壁の実長を乗じた数値の和（8.1）（10.1.1）

W：地震力を計算する場合における当該階が支える部分の固定荷重と積載荷重の和（特定行政庁が指定する多雪区域においては，さらに積雪荷重を加えるものとする）（8.1）（9.12），PCa造スラブどうしの接合部の設計においては，PCa造スラブが支える部分の固定荷重と積載荷重との和（特定行政庁が指定する多雪区域においては，さらに積雪荷重を加えるものとする）で，PCa造スラブと耐力壁，壁梁および基礎梁等との接合部においては，PCa造スラブが支える部分の固定荷重と積載荷重との和（特定行政庁が指定する多雪区域においては，さらに積雪荷重を加えるものとする）（9.12）（10.5.4）

w_L：PCa造スラブの長期荷重時単位面積あたりの鉛直荷重（9.12）

w_S：PCa造スラブののみ込み部に生じる設計用鉛直震度 $k_v \geq 1.0$ 時の単位面積あたりの鉛直荷重（9.12）

Z：地震地域係数（8.1）（9.12）（10.1.1）（10.1.3）

α：耐力壁の厚さが最小壁厚より大きい場合の壁量の低減率（8.1）（10.1.1），壁梁のせん断スパン比による割増し係数（9.6），係数で，横補強筋で拘束されたコア内に定着する場合は1.0，それ以外の場合は1.25とする（10.5.5）

α_1：シヤーコッターの直接せん断を考慮した割増し係数（9.12），PCa造スラブとPCa造スラブの水平接合部のシヤーコッターの直接せん断を考慮した割増し係数（9.12），PCaRC造壁梁の鉛直接合部のシヤーコッターの直接せん断を考慮した割増し係数（9.12）

α_2：充填コンクリートまたは充填モルタルの局部圧縮を考慮した割増し係数（9.12），PCa造スラブとPCa造スラブの水平接合部のシヤーコッターの局部圧縮を考慮した割増し係数（9.12），PCaRC造壁梁の鉛直接合部の充填コンクリートまたは充填モルタルの局部圧縮を考慮した割増し係数（9.12）

α_b：壁梁および基礎梁の曲げ強度上の余力（10.5.2）

α_j：ねじれによる負担せん断力の修正係数（9.12）

α_w：耐力壁の曲げ強度上の余力（10.5.1）

β：使用するコンクリートの設計基準強度による係数（8.1），使用するコンクリートの設計基準強度 F_c による壁率の低減係数（10.1.1）

β_1：耐力壁の長さが地震力検討方向の耐力壁の平均長さの1.5倍以上の耐力壁のメカニズム時せん断力の割増し係数（10.5.1）

β_p：接合部のせん断強度上の余力（10.5.3）

β_w：耐力壁のせん断強度上の余力（10.5.1）
β_{J1}：PCaRC 造耐力壁の鉛直接合部のせん断強度上の余力（10.5.4）
β_{J2}：PCaRC 造耐力壁の水平接合部のせん断強度上の余力（10.5.4）
β_{J3}：PCa 造スラブ等の水平接合部のせん断強度上の余力（10.5.4）
β_{J4}：PCaRC 造壁梁の鉛直接合部のせん断強度上の余力（10.5.4）
β_{J5}：現場打ち RC 造部分と PCaRC 造壁梁の水平接合部のせん断強度上の余力（10.5.4）
γ：コンクリートの単位体積重量（4 条）
γ_A：種別 WA である耐力壁の水平耐力の和を種別 WD である耐力壁を除くすべての耐力壁の水平耐力の和で除した数値（10.2）
γ_C：種別 WC である耐力壁の水平耐力の和を種別 WD である耐力壁を除くすべての耐力壁の水平耐力の和で除した数値（10.2）
$\varPhi$：集中係数で，1.2 とする．ただし，建物隅角部等の耐力壁端部の鉛直接合部では 1.0 としてよい（9.12），終局時における集中係数で，1.0 とする（9.12）
$\Sigma\varPhi$：引張鉄筋の周長の和（9.13）
κ：耐力壁・壁梁接合部の形状による係数（10.4.3）
λ：当該階から下階の耐力壁または基礎梁が変形しないと仮定することに伴う係数（10.4.1）
μ：接触面圧縮応力伝達の摩擦係数で，実験にて確認する場合を除き，0.6 とする（9.12）
μ_s：現場打ち RC 造部分と PCaRC 造壁梁との水平接合部の摩擦係数で，現場打ちコンクリートを打設する PCaRC 造壁梁との水平接合面のレイタンスを除去する場合 0.6，水平接合面のレイタンスを除去し，かつ 5 mm 程度の凹凸を設けた場合 1.0 とする（9.12）
σ_0：短期荷重時における耐力壁・壁梁接合部の圧縮応力度（9.8）
σ_B：コンクリートの圧縮強度（9.8）（10.4.3）
σ_c：圧縮鉄筋の継手部分の最大存在応力度（9.13）
σ_D：付着検定断面位置における保証設計用の鉄筋の引張応力度（10.5.5）
σ_t：耐力壁・壁梁接合部のコンクリートの引張強度（9.8），PCa 造スラブののみこみ部を支持するコンクリートの引張強度（9.12），引張力が生じる鉄筋の継手部分の最大存在応力度（9.13），接合面における鉄筋の引張応力度（10.5.5）
σ_u：重ね継手部分の引張鉄筋の材料強度（10.5.5），カットオフ筋のメカニズム時における引張応力度（10.5.5）
σ_y：壁梁の端部曲げ補強筋の規格降伏点（9.6），コッター筋の規格降伏点（9.12），水平接合部の接合筋および鉛直接合部内の縦筋の規格降伏点（9.12），PCaRC 造壁梁の端部曲げ補強筋および鉛直接合部のコッター筋の規格降伏点（9.12），PCaRC 造壁梁の上端端部曲げ補強筋の材料強度（9.12），圧縮側主筋と接合筋の規格降伏点（9.12），引張鉄筋の材料強度（10.4.1），壁梁等の引張鉄筋の材料強度（10.4.2），接合部に接続する右（または左）側の壁梁または基礎梁の上端端部曲げ補強筋の材料強度（10.5.3），接合部に接続する左（または右）側の壁梁または基礎梁の上端端部曲げ補強筋の材料強度（10.5.3），PCaRC 造壁梁の上端端部曲げ補強筋の材料強度（10.5.4），付着検定断面における鉄筋の降伏強度（10.5.5）
σ_{tj}：耐力壁・壁梁接合部のコンクリートの引張強度（9.8）
σ_{wy}：PCaRC 造壁梁の縦補強筋の規格降伏点（9.12），耐力壁の中間部縦筋の材料強度（10.4.1），壁梁等の縦補強筋の規格降伏点（10.4.2）
σ_{yd}：開口部周囲の斜め補強筋の規格降伏点（10.5.1）
σ_{wh}：開口部周囲の横補強筋の規格降伏点（10.5.1）
σ_{yv}：開口部周囲の縦補強筋の規格降伏点（10.5.1）
$_L\sigma_t$：長期荷重時に PCaRC 造壁梁の上端端部曲げ補強筋に生じる引張力（9.12），付着検定断面 i における長期荷重時の鉄筋存在応力度（9.13），曲げ材の引張鉄筋の長期荷重時引張応力度（9.14）

$_s\sigma_t$：短期荷重時に PCaRC 造壁梁の上端端部曲げ補強筋に生じる引張力（9.12），付着検定断面 i における短期荷重時の鉄筋存在応力度（9.13），曲げ材の引張鉄筋の短期荷重時引張応力度（9.14）

$_s\sigma_y$：円形孔周囲の補強筋の規格降伏点（10.5.2）

$_L\sigma_{pc}$：PCa 造スラブののみ込み部に生じる長期荷重時局部圧縮応力度（9.12）

$_U\sigma_{pc}$：PCa 造スラブののみ込み部に生じる設計用鉛直震度 $k_v \geq 1.0$ 時の局部圧縮応力度（9.12）

$_s\sigma_{wy}$：横補強筋の規格降伏点（10.4.1），壁梁等の横補強筋の規格降伏点（10.4.2）

τ：耐力壁の短期荷重時せん断応力度（9.2）

$\tau_{0.2}$：標準せん断力係数 $C_0 \geq 0.2$ の時の耐力壁の平均せん断応力度（9.2），建物の当該階における標準せん断力係数 $C_0 \geq 0.2$ 時における耐力壁の平均せん断応力度（9.12）

τ_D：メカニズム時に曲げ降伏する部材の引張鉄筋の設計用平均付着応力度（10.5.5）

τ_L：長期荷重時に現場打ち RC 造部分と PCaRC 造壁梁との水平接合部に生じるせん断応力度（9.12）

τ_S：短期荷重時に現場打ち RC 造部分と PCaRC 造壁梁との水平接合部に生じるせん断応力度（9.12）

τ_U：終局時に現場打ち RC 造部分と PCaRC 造壁梁との水平接合部に生じるせん断応力度（9.12）

τ_u：PCa 造スラブののみ込み部を支持するコンクリートの直接せん断強度（9.12），メカニズム時に耐力壁の断面に生じる平均せん断応力度（10.2）

τ_{SU}：現場打ち RC 造部分と PCaRC 造壁梁との水平接合部のせん断強度（9.12）（10.5.4）

$\tau_{p,scr}$：耐力壁・壁梁接合部のせん断ひび割れ強度（9.8）

$_m\tau_U$：メカニズム時に現場打ち RC 造部分と PCaRC 造壁梁の水平接合部に生じるせん断応力度（10.5.4）

θ：円形孔周囲の補強筋が壁梁または基礎梁の材軸となす角度（10.5.2）

・記号の定義

本規準の本文にて使用している記号を定義している．解説中で使用している記号は，各条・節・項の解説にて定義している．

3条 使用材料

3.1 コンクリートおよびモルタルの種類・設計基準強度・品質

1. コンクリートおよび充填コンクリートの使用骨材による種類は，普通コンクリートまたは軽量コンクリート 1 種とする．
2. モルタル（充填モルタルおよび敷きモルタルをいい，以下同様とする）に使用する細骨材は，普通骨材とする．
3. コンクリートの設計基準強度は，18 N/mm^2 以上とする．
4. 充填コンクリートおよびモルタルの設計基準強度は，21 N/mm^2 以上，かつ隣接する PCaRC 造部材のコンクリートの設計基準強度以上とする．
5. 現場打ちのコンクリートに使用する材料およびコンクリートの調合・製造・運搬・打込み・養生ならびに品質管理・検査は，本会編「建築工事標準仕様書・同解説 JASS 5 鉄筋コンクリート工事」（以下，JASS 5 という）による．
6. PCaRC 造部材のコンクリートに使用するコンクリートの調合・製造・打設・養生は，本会編「建築工事標準仕様書・同解説 JASS 10 プレキャスト鉄筋コンクリート工事」（以下，JASS 10 という）による．また，充填モルタルおよび敷きモルタルに使用する材料・調合・ワーカビリティー・品質管理は，JASS 10 に

よる.

1. コンクリートの種類

壁式RC造に使用するコンクリートは，普通コンクリートまたは軽量コンクリート1種とする．軽量コンクリートは，建物重量の軽量化などの長所を有するが，許容せん断応力度が普通コンクリートの0.9倍となること，ヤング係数が普通コンクリートに比べ小さいこと，ならびに戸境スラブの重量衝撃音に対する遮音性能が普通コンクリートに比べ劣るなどの性質を有するので，軽量コンクリートを使用する場合は，その特性を十分考慮する必要がある．

また，軽量コンクリートの分類については，本会編「建築工事標準仕様書・同解説 JASS 5 鉄筋コンクリート工事」（以下，JASS 5 という）[3.1.1]では，1種および2種が規定されているが，壁式RC造に軽量コンクリートが使用されることは少なく，軽量コンクリート2種についてはほとんど使用されていない現状を踏まえ，軽量コンクリート1種に限定している．

壁式RC造に使用するコンクリートに用いる骨材を，解説表3.1.1に示す．

2. モルタルの使用材料

ここでいうモルタルとは，PCaRC造部材の接合部や部材相互の間隙を充填，または鉛直部材の水平接合部にあらかじめ敷き均すモルタルのことであり，軽量の人工材料を使用することはほとんどないことから，モルタルに使用する細骨材は普通骨材とした．

解説表 3.1.1 壁式RC造に使用するコンクリートに用いる骨材

コンクリートの種類	使用する骨材	
	粗骨材	細骨材
普通コンクリート	砂利・砕石・各種スラグ粗骨材・再生骨材H[*1]	砂・砕砂・各種スラグ細骨材[*2),3)]
軽量コンクリート1種	人工軽量粗骨材	

[注] *1：砂利・砕石・各種スラグ粗骨材は，これらを混合して用いる場合を含む．
　　 *2：砂・砕砂・各種スラグ細骨材は，これらを混合して用いる場合を含む．
　　 *3：各種スラグ細骨材の中には比重の大きいものがあるので，使用にあたっては必要な気乾単位体積重量が得られることを必ず確認することが必要である．

3. コンクリートの設計基準強度

RC造建物の高層化および大型化に伴い，使用されるコンクリートと鉄筋の高強度化や施工技術の開発ならびに普及が進められており，これにともない日本産業規格（以下，JISという）やJASS 5などの改定および整備も行われているところである．

JASS 5（2022）では，コンクリートの設計基準強度の適用範囲として，普通コンクリートにあっては設計基準強度を $18\,\text{N/mm}^2$ 以上 $48\,\text{N/mm}^2$ 以下，高強度コンクリートにあっては $48\,\text{N/mm}^2$ を超え $80\,\text{N/mm}^2$ 以下としている．また，軽量コンクリート1種の設計基準強度は，$18\,\text{N/mm}^2$ 以上 $36\,\text{N/mm}^2$ 以下としている．なお，本会編「鉄筋コンクリート構造計算規準・同解説」（以下，RC規準という）2024年版[3.1.2]では，コンクリートの設計基準強度を普通コンクリートは $18\,\text{N/mm}^2$

以上 60 N/mm² 以下，軽量コンクリート 1 種は 18 N/mm² 以上 36 N/mm² 以下となっている．

本規準では，5 階建までの中低層の壁式 RC 造建物の設計および計算を対象としており，建物の使用期間中に数度は生じるであろう中地震動に対しては建物に生じる応力を弾性範囲内に留めることとし，耐力壁にはせん断ひび割れを発生させない設計方針としている．また，耐久性や遮音性といった建物に必要な性能を確保するには，コンクリートの設計基準強度にある程度の下限値を設ける必要がある．以上のことから，使用するコンクリートの設計基準強度の下限値については，RC 規準と同様に普通コンクリート，軽量コンクリート 1 種とも 18 N/mm² とした．これは，JASS 5 における計画供用期間の短期（一般的な劣化作用を受ける構造体の計画供用期間として 30 年）の耐久設計基準強度（解説表 3.1.2）に相当するが，設計基準強度は建物に要求される計画供用期間も考慮して決定することが望ましい．

解説表 3.1.2 コンクリートの耐久設計基準強度（JASS 5）

計画供用期間の級	耐久設計基準強度（N/mm²）	
	普通コンクリート	軽量コンクリート 1 種
短　期　（ 30 年）	18	18
標　準　（ 60 年）	24	24
長　期　（100 年）	30	30
超長期　（200 年）	36	—

一方，コンクリートの設計規準強度の上限は，36 N/mm² とするのがよい．これは，本規準においては壁量や壁長さを一定以上確保することにより，耐力壁に生じるせん断応力度を制御していること，および過去の地震被害の状況ならびに JASS 5 (2022) では設計基準強度が 48 N/mm² を超えるコンクリートは高強度コンクリートとして扱い，製造・調合面でその扱いに注意を要すること等を踏まえ，設計基準強度が 36 N/mm² を超えるコンクリートを壁式 RC 造に使用する必要性が低いとの考えによるものである．

また，軽量コンクリート 1 種の設計基準強度の上限は，JASS 5 や RC 規準において 36 N/mm² としているが，設計基準強度が 27 N/mm² を超える軽量コンクリート 1 種を用いた壁式 RC 造に関する既往の研究および施工実績が十分な状況ではないことから，設計基準強度の上限は 27 N/mm² とするのがよいと考える．

4．充填コンクリートおよびモルタルの設計基準強度

充填コンクリートおよびモルタル（充填モルタルおよび敷きモルタルを総称していい，以下同様とする）の設計基準強度は，構造性能や耐久性能から PCaRC 造部材に用いるコンクリートと同等以上の圧縮強度が必要と考えられること，およびハーフ PCaRC 造部材などは充填したコンクリートと一体化させ構造部材とする工法も使用されることから，設計基準強度は PCa 壁式 RC 規準[3.1.3]と同様に 21 N/mm² 以上とするとともに，隣接する PCaRC 造部材のコンクリートの設計基準強度以上とした．

充填コンクリートおよびモルタルの設計基準強度の上限値は特に規定しないが，壁式 RC 造においては 36 N/mm² 以下の普通コンクリートとするのが一般的である．

5. 現場打ちのコンクリートに使用する材料・調合等

現場打ちのコンクリートに使用する材料およびコンクリートの調合・製造・運搬・打込み・養生ならびに品質管理・検査は，JASS 5 によることとした．

6. PCaRC 造部材に使用する材料・調合等

PCaRC 造部材のコンクリートに使用する材料およびコンクリートの調合，製造，打設，養生ならびに品質管理や検査は，本会編「建築工事標準仕様書・同解説 JASS 10 プレキャスト鉄筋コンクリート工事」[3.1.4]（以下，JASS 10 という）によることとした．また，充填モルタルおよび敷きモルタルに使用する材料およびコンクリートの調合・製造・打設・養生ならびに品質管理や検査は，同様に JASS 10 によることとした．

[参 考 文 献]

3.1.1) 日本建築学会：建築工事標準仕様書・同解説 JASS 5 鉄筋コンクリート工事，pp.503〜519，2022.11
3.1.2) 日本建築学会：鉄筋コンクリート構造計算規準・同解説，p.53，2024.12
3.1.3) 日本建築学会：壁式プレキャスト鉄筋コンクリート造設計規準・同解説，p.1，1984.3
3.1.4) 日本建築学会：建築工事標準仕様書・同解説 JASS 10 プレキャスト鉄筋コンクリート工事，2013.10

3.2 鉄筋の種別および品質

> 1．鉄筋の品質は，JIS G 3112（鉄筋コンクリート用棒鋼）の規格に定めたものによる．なお，溶接個所以外に用いることを許容する鉄筋コンクリート用再生棒鋼は，JIS G 3117 の規格を満たすものとする．
> 2．鉄筋の種別は，異形棒鋼の SD295，SD345，SD390 とし，鉄筋の径は原則として D25 以下とする．ただし，基礎梁の曲げ補強筋等で，重ね継手以外のガス圧接や機械式継手，溶接継手を用いる場合，もしくは場所打ちコンクリート杭の主筋で重ね継手を用いる場合は，D29 以上を用いてもよい．なお，PCaRC 造部材接合部の接合筋には，丸鋼の SR235 の径 13 mm 以下を用いることができる．
> 3．溶接金網は，JIS G 3551（溶接金網及び鉄筋格子）の規格に定めたもののうち，素線の径が 6 mm 以上のものとする．

1. 使用する鉄筋の品質

鉄筋コンクリート用棒鋼の日本産業規格には，JIS G 3112（鉄筋コンクリート用棒鋼）と JIS G 3117（鉄筋コンクリート用再生棒鋼）の規格が定められている．前者は，純酸素転炉または電気炉による溶鋼から熱間圧延によって製造される棒鋼で，それぞれ高炉鉄筋，電炉鉄筋と一般に呼ばれているものである．後者は，いわゆる伸鉄の規格であり，鋼材製造途上や市中で発生する鋼材などを材料として加熱・再圧延して製造される棒鋼であり，その径は，再生丸鋼で 13 mm 以下，再生異形棒鋼で D13 以下に限定されている．

現状では，RC 造建物に使用される鉄筋中に占める再生棒鋼の割合が少ないことや，壁式 RC 造での利用が少ないこと，ならびに一般に再生棒鋼は原料が一定しないので，降伏点や引張強さにばらつきが大きいことなどの理由から，本規準においては，使用する鉄筋は JIS G 3112 の鉄筋コンクリート用棒鋼とした．ただし，溶接箇所に使用しないことを条件に JIS G 3117 の鉄筋コンクリート用再生棒鋼を使用してもよいとした．JIS G 3112 の鉄筋の区分および種類を，解説表 3.2.1 に示す．

解説表 3.2.1　鉄筋の種別（日本工業規格の一部抜粋）

規格番号	名　　称	区分，種類の記号	
JIS G 3112	鉄筋コンクリート用棒鋼	異形棒鋼	SD295 SD345 SD390

2. 鉄筋の種類および径

（1）鉄筋の種類

JIS G 3112（鉄筋コンクリート用棒鋼）では，丸鋼と異形棒鋼が規定されているが，現在では，丸鋼の製造は少なく，その利用も少ないこと，丸鋼は異形棒鋼に比べ付着性能が劣ることなどから，本規準で使用する鉄筋は PCaRC 造部材接合部に使用する接合筋を除き異形棒鋼とした．また，SD490 は，JIS G 3112 にその品質が規定されているが，本規準は 5 階建以下の壁式 RC 造を対象としており，これほどの高強度を用いることを必要としないこと，ならびに耐力壁に SD490 を用いた既往の実験的研究データが不足していることなどの理由から，適用範囲外としている．

（2）鉄筋の径

鉄筋の径については，本構造の場合，比較的厚さや幅の小さい耐力壁や壁梁内の配筋および耐力壁と壁梁との接合部における鉄筋の納まり，ならびに壁式 RC 造の鉄筋継手として通常重ね継手が用いられていることから，鉄筋の径の最大を原則として D25 としている．ただし，基礎梁の曲げ補強筋などで重ね継手以外のガス圧接や特殊な鉄筋継手を用いる場合や場所打ちコンクリート杭の主筋で重ね継手を用いる場合には，D29 以上の異形鉄筋を使用してもよいこととしている．なお，鉄筋のコンクリートに対するかぶり厚さや付着強度ならびに鉄筋の納まり等を十分検討する必要がある．

3. 溶接金網

溶接金網を壁式 RC 造の耐力壁に用いた場合は，定着端の納まりが難しいと報告されている．しかし，スラブなどに溶接金網を用いることは，一般の RC ラーメン構造と同様に有効である．このことから，本規準では溶接金網を，主にスラブに用いる目的で本規定を設けた．溶接金網は，JIS G 3551（溶接金網及び鉄筋格子）に適合し，かつ，素線の径が 6 mm 以上のものとする．なお，ひび割れ防止を目的として溶接金網を用いる場合には，素線の径は 4 mm 以上としてよい．

3.3　鋼材の種別および品質

> PCaRC 造部材接合部に使用する鋼材は，JIS G 3101（一般構造用圧延鋼材）または JIS G 3106（溶接構造用圧延鋼材）の規格品とする．

・鋼材の種別および品質

PCaRC 造部材接合部に鋼材を用いる工法においては溶接接合が使用されることから，溶接性に適した材料を使用する必要がある．本項においては，溶接性を考慮し本文に記載の鋼材を使用することとしている．

4条　材料の定数

1. 鉄筋およびコンクリートの材料の定数は，表4.1による．

表4.1　鉄筋およびコンクリートの材料の定数

	ヤング係数（N/mm²）	ポアソン比	線膨張係数（1/℃）
鉄筋	2.05×10^5	—	1×10^{-5}
コンクリート	$3.35 \times 10^4 \times (\gamma/24)^2 \times (F_c/60)^{1/3}$	0.2	1×10^{-5}

〔記号〕　γ：コンクリートの単位体積重量（kN/m³）で，特に調査しない場合は，表4.2の数値から1.0を減じた数値とすることができる．
　　　　　F_c：コンクリートの設計基準強度（N/mm²）

2. 鉄筋コンクリートの単位体積重量は，実状による．特に調査しない場合は，表4.2によってよい．

表4.2　鉄筋コンクリートの単位体積重量

コンクリートの種類	設計基準強度の範囲（N/mm²）	鉄筋コンクリートの単位体積重量（kN/m³）
普通コンクリート	$18 \leq F_c \leq 36$	24
軽量コンクリート1種	$18 \leq F_c < 27$	20
	$20 \leq F_c \leq 36$	22

〔記号〕　F_c：コンクリートの設計基準強度（N/mm²）

3. モルタルの単位体積重量は，実状による．特に調査しない場合は，22 kN/m³としてよい．

1．鉄筋およびコンクリートの材料定数

　本規準で用いるコンクリートと鉄筋の材料の定数は，RC規準に記載の数値と同様である．鉄筋のヤング係数は，JIS G 3112（鉄筋コンクリート用棒鋼）のような材質であれば，ほぼ一定の値であり，一般的な数値としている．

2．鉄筋コンクリートの重量

　鉄筋コンクリートの単位体積重量は，設計する壁式RC造建物の実状により設定することが望ましいが，一般的な壁式RC造建物であれば，RC規準の数値を踏襲して問題ない．鉄筋コンクリートの単位体積重量は，解説表4.1に示す無筋コンクリートの気乾状態の単位体積重量に基づいて無筋コンクリートの単位体積重量をそれぞれの設計基準強度の範囲内でほぼ上限になる値として設定

解説表4.1　鉄筋コンクリートの単位体積重量[4.1)]

コンクリートの種類	気乾状態のコンクリートの単位体積重量（kN/m³）	設計基準強度の範囲（N/mm²）	採用した無筋コンクリートの単位体積重量（kN/m³）	鉄筋コンクリートの単位体積重量（kN/m³）
普通コンクリート	21～25	$F_c \leq 36$ $36 < F_c \leq 48$ $48 < F_c \leq 60$	23 23.5 24	24 24.5 25
軽量コンクリート1種	18～21	$F_c \leq 27$ $27 < F_c \leq 36$	19 21	20 22

し，これに鉄筋による重量増分値として1 kN/m³を加算した数値であり，設計基準強度36 N/mm²以下の普通コンクリートは24 kN/m³，軽量コンクリート1種は20 kN/m³（$27 < F_c \leq 36 \text{N/mm}^2$に対しては22 kN/m³）とした．

3．モルタルの単位体積重量

充塡モルタルおよび敷きモルタルの単位体積重量は，実状による．特に調査しない場合，単位体積重量は下記によってよい[4.2]．

- $F_g \leq 50 \text{ N/mm}^2$の場合：$\gamma = 22 \text{ kN/m}^3$
- $F_g > 50 \text{ N/mm}^2$の場合：$\gamma = 22 + 0.0238(F_g - 50)$

〔記号〕 F_g：充塡モルタルおよび敷きモルタルの設計基準強度（N/mm²）
　　　　 γ：充塡モルタルおよび敷きモルタルの単位体積重量（kN/m³）

[参考文献]

4.1） 日本建築学会：鉄筋コンクリート構造計算規準・同解説，p.68，2024.12
4.2） 日本建築学会：鉄筋コンクリート組積造（RM造）建物の構造設計・計算規準（案）・同解説，p.148，2021.3

5条　許容応力度・材料強度

1．コンクリートおよび充塡コンクリートならびにモルタルの許容応力度および材料強度は，表5.1による．PCaRC造部材接合部の許容せん断力算定用の許容応力度は，表5.2による．

表5.1　コンクリート・充塡コンクリート・モルタルの許容応力度・材料強度（N/mm²）

	長期			短期			材料強度
	圧縮	引張	せん断	圧縮	引張	せん断	圧縮
普通コンクリート 充塡コンクリート 普通モルタル	$F_c/3$	—	$F_c/30$ かつ $(0.49+F_c/100)$ 以下	長期に対する数値の2倍の数値	—	長期に対する数値の1.5倍の数値	F_c
軽量コンクリート種			普通コンクリートに対する数値の0.9倍の数値				

〔記号〕 F_c：普通コンクリート，充塡コンクリート，充塡モルタルならびに軽量コンクリート1種の設計基準強度（N/mm²）

表5.2　PCaRC造部材接合部の許容せん断力算定用の許容応力度（N/mm²）

	長期許容応力度	短期許容応力度
シヤーコッターの直接せん断 f_{ss}	$0.49+F_c/100$	長期に対する数値の1.5倍の数値
充塡コンクリート，充塡モルタルのせん断 f_{sw}		
シヤーコッターの局部圧縮 f_{cs}	$F_c/3$	長期に対する数値の2倍の数値

〔記号〕 F_c：コンクリート，充塡コンクリートおよび充塡モルタルの設計基準強度（N/mm²）

2．鉄筋の許容応力度および材料強度は，表 5.3 による．

表 5.3 鉄筋の許容応力度・材料強度（N/mm²）

	長　　期			短　　期			材料強度
	圧縮	引張	せん断補強	圧縮	引張	せん断補強	圧縮・引張
SR235	155		155	235		235	258.5
SD295	295/1.5		195	295		295	324.5
SD345	215(195)		195	345		345	379.5
SD390	215(195)		195	390		390	429.0
溶接金網	—	195	195	—	295	295	—

［注］（　）：D29 以上の場合の数値

3．鋼材および溶接部の許容応力度および材料強度は，関連法令および告示による．
4．鉄筋のコンクリートに対する許容付着応力度は，表 5.4 による．

表 5.4 鉄筋のコンクリートに対する許容付着応力度（N/mm²）

	長　　期		短　　期
	上端筋	その他の鉄筋	
異形鉄筋	$(1/15)F_c$ かつ $(0.9+2F_c/75)$ 以下	$(1/10)F_c$ かつ $(1.35+F_c/25)$ 以下	長期に対する数値の 1.5 倍の数値
丸　鋼	$(4/100)F_c$ かつ 0.9 以下	$(6/100)F_c$ かつ 1.35 以下	長期に対する数値の 1.5 倍の数値

［注］（1）上端筋とは，曲げ材にあって，その鉄筋の下に 300 mm 以上のコンクリートが打ち込まれている場合の水平鉄筋をいう．
　　　（2）異形鉄筋で，その鉄筋までのコンクリートのかぶり厚さが鉄筋の径の 1.5 倍未満の場合には，その鉄筋の許容付着応力度は，この表の値に「かぶり厚さ/鉄筋径の 1.5 倍」を乗じた値とする．
［記号］F_c：コンクリートの設計基準強度（N/mm²）

1．コンクリートおよび充填コンクリートならびにモルタルの許容応力度および材料強度

（1）コンクリートおよび充填コンクリートの許容応力度・材料強度

　壁式 RC 造建物に使用するコンクリートの許容応力度は，RC 規準と同様としている．コンクリートの短期許容せん断応力度は，建築基準法施行令第 91 条および平成 12 年建設省告示第 1450 号では長期の数値の 2 倍となっているが，RC 規準では 1.5 倍としている．これは，建築基準法施行令が材料特性の観点から許容応力度を定めているのに対して，RC 規準では許容せん断耐力との関係から長期の 1.5 倍の数値としており，短期許容せん断応力度を定める背景が異なっているためである．また，本規準では，壁式 RC 造建物も鉄筋コンクリート造構造物の一つとして，許容応力度を RC 規準と整合させている．

　PCaRC 造部材接合部に充填する充填コンクリートの許容応力度および材料強度は，現場施工のコンクリートと同様の数値としている．また，鉛直接合部の許容せん断力算定用の許容応力度は，せん断，圧縮に対する許容応力度は，それぞれコンクリートと同値とした．

（2）モルタルの許容応力度・材料強度

　PCaRC 造部材接合部に使用する充填モルタルや敷きモルタルの許容応力度および材料強度は法

令や告示に規定されていないことから，本規準においては充填コンクリートと同様の数値を用いることとした．

2. 鉄筋の許容応力度・材料強度

鉄筋の許容応力度は，SD 295 の長期許容圧縮応力度および長期許容引張応力度を基準強度／1.5 とした以外は RC 規準の数値と同様である．また，鉄筋の材料強度は，圧縮および引張とも基準強度の 1.1 倍の数値とした．

3. 鋼材および溶接部の許容応力度・材料強度

本規準においては，鋼材は PCaRC 造部材どうしの水平接合部にのみ使用することとしている．構造用鋼材の許容応力度および材料強度は，令第 90 条および第 96 条によれば解説表 5.1 のとおりである．

鋼材等および溶接部の許容応力度ならびに材料強度ならびに基準強度は，平 12 建告第 2464 号第 1・第 3（最終改正平成 19 年 5 月 18 日国土交通省告示第 623 号）によることとする．

解説表 5.1 構造用鋼材の許容応力度・材料強度（N/mm²）

長期		短期		材料強度	
圧縮・引張・曲げ	せん断	圧縮・引張・曲げ	せん断	圧縮・引張・曲げ	せん断
$F/1.5$	$F/(1.5\sqrt{3})$	長期に対する数値の 1.5 倍の数値	長期に対する数値の 1.5 倍の数値	F	$F/\sqrt{3}$

〔記号〕 F：鋼材等の種類および材質に応じて国土交通大臣が定める基準強度（N/mm²）
〔注〕 炭素鋼の構造用鋼材で JIS に定めるものについては，圧縮・引張・曲げに対する材料強度は，$1.1F$ とする．

4. 鉄筋のコンクリートに対する許容付着応力度

鉄筋のコンクリートに対する許容付着応力度についても RC 規準[5.1]と同様としている．

[参考文献]

5.1) 日本建築学会：鉄筋コンクリート構造計算規準・同解説，p.60，2024.12

6条 構造計画

6.1 規模

> 1. 各階の階高は，4 m 以下とする．
> 2. 屋根勾配を設ける場合，軒より棟までの高さは，原則として 2 m 以下とする．ただし，高さ方向 2 m 以内にスラブ等剛強な横架材を設ける場合は，この限りでない．
> 3. 建物の長さは，原則として 80 m 以下とする．ただし，地震時におけるスラブの面内振動や地震入力の位相ずれ等に対する検討を行い，耐震安全性を確認した場合は，この限りでない．

1. 各階の階高

設計規準においては階高を 3 m 以下と規定していた．また，計算規準（2006 年版）においては，

- 階高が 3 m を超える階を有する場合には，総曲げ抵抗モーメントの確認を行う
- 標準せん断力係数 $C_0 \geqq 0.2$ 時における各階各方向の層間変形角を $1/2\,000$ 以下に抑えること
- 各階各方向の剛性率が 0.6 未満の場合，特別な配慮を要する設計（耐力壁および壁梁のせん断設計において特別な配慮を要する設計によるとともに，総曲げ抵抗モーメントの確認を行う）を行うこと．
- 各階各方向の偏心率が 0.15 を超える場合は，上記と同様な特別な配慮を要する設計を行うことを条件に，階高規定を設計規準よりも緩和している．

しかし，階高を無制限に緩和すると，

- 転倒モーメントが大きくなり，端部曲げ補強筋量が最小規定値より極端に増大する場合もあること
- 階高を高くした階の剛性が小さくなり，その階の剛性率が極端に小さくなる可能性があること
- 耐力壁の終局強度等が，計算規準で想定している範囲を下回る可能性があること

等の理由から，階高を 4 m 以下としていた．

本規準においては，10.1.2 項に規定しているように標準せん断力係数 $C_0 \geqq 0.2$ 時における各階各方向の層間変形角が $1/2\,000$ 以下であることを確認する（確認省略規定有り）こと，および短期荷重時における耐力壁の曲げモーメントに対する設計を行う（設計規準（2003 年版）においては，配筋規定を満たすことで，曲げモーメントに対する設計は省略可としていた）ことを考慮し，計算規準と同様に各階の階高は 4 m 以下とした．

2．棟の高さと軒の高さの差

壁式 RC 造建物の構造設計においては，通常地震層せん断力の高さ方向の分布を表す係数 A_i を昭 55 建告第 1793 号第 1 第 3（最終改正平成 19 年 5 月 18 日国土交通省告示第 597 号）に示された略算式より算定しており，本規準においても当該外力分布を用いて種々の検討を行っている．

屋根スラブを山形や片流れとする場合等で，棟の高さ（地盤面から屋根スラブの最も高い部分までの高さをいい，以下同様とする）と軒の高さとの差が大きいと，地震力による外力分布が本規準の構造検討時の外力分布と大きく異なる場合も想定されることから，その差は原則として 2 m 以下

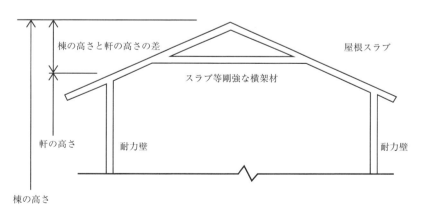

解説図 6.1.1　棟の高さと軒の高さの差が 2 m を超える場合に設ける横架材の例

とした．棟の高さと軒の高さとの差が 2 m を超える場合は，精算により地震時の外力分布を算出するか，または軒の上方 2 m 以内にスラブ等剛強な横架材を設け〔解説図 6.1.1 参照〕，その横架材より上方は塔屋として設計する等の対応が必要である．

3．建物の長さ

長さが長大な建物は，地震時のスラブの面内震動や地震入力の位相ずれ等の影響を受けて，複雑な挙動をする可能性がある．したがって，動的解析を行わないと実挙動や実応力を把握することは難しい．さらに，温度応力の影響や不同沈下に伴う問題が生じることもある．建物の長さを何 m 程度に抑えておくのが妥当であるかを決める必要があるが，現時点では資料もほとんどなく明確な回答は出せない．そこで本規準では，過去の実施例を参考にして一応 80 m とした．建築物の長さが 80 m を超える場合は，上記に対する検討が必要となる．

6.2 耐力壁および壁梁の配置

1. 耐力壁は，平面および立面上釣合いよく配置する．
2. 上階の耐力壁は，原則として下階の耐力壁の上に配置する．ただし，曲げモーメント，せん断力ならびに軸方向力を有効に下階の耐力壁に伝達できる場合は，この限りでない．
3. 各階の耐力壁の頂部には，原則として壁梁を有効に連続して設けるものとする．ただし，建物としての一体性が確保でき，かつ耐力壁の負担せん断力が適切に評価できる場合は，この限りでない．
4. PCa 壁式 RC 造建物または建物の構造部分の PCaRC 造耐力壁の中心線より囲まれた部分の水平投影面積は，原則として 60 m^2 以下とする．ただし，スラブの面内および面外方向の所要剛性と強度が確保できる場合は，この限りでない．

1．「耐力壁」に要求される条件

耐力壁は，平面的に釣合いよく配置するとともに，立面的にも連続して設けることが肝要である．耐力壁に要求される条件は，次のようである．

a) 上階および当該階の壁に作用する鉛直荷重を下階に伝達できること．ただし，面外剛性の小さいスラブ等の抵抗要素による鉛直荷重の伝達は考慮することができない．
b) 上階および当該階の壁に作用する水平荷重を，当該階のスラブに伝達できること．

このためには，

c) 壁体の回転を拘束する抵抗要素が存在すること．
d) 壁体のせん断力を下階に伝達する抵抗要素が存在すること．

が必要である．

耐力壁の釣合いよい配置とは，上記事項を考慮し以下の条件を満たすことが必要である．

① 各階各方向における構面ごとの耐力壁の長さや配置に著しい差がないこと．
② 地震時において建物に著しいねじれ変形が生じないこと．

以下に，耐力壁の平面計画および立面計画において釣合いよい配置の基本的な事項について記載する．

(1) 耐力壁の配置計画

1) 耐力壁配置の原則

本規準においては，部材剛性に基づく応力・変形解析を行うとともに，保有水平耐力計算を行うことを原則としているものの，一定の条件を満たすことにより保有水平耐力の確認を行わないことも可能である．保有水平耐力計算の要否に係わらず，壁式RC造においては，建物の隅角部において耐力壁をL形，T形，十字形に配置するとともに，耐力壁を釣合いよく配置することが健全な建物を設計するうえでの基本である．

2) 耐力壁の平面計画

解説図6.2.1の（a）～（e）は壁式RC造建物の単純化した平面プランで，斜線部は耐力壁を表す．なお，長方形断面耐力壁は長さ方向の断面二次モーメントは大きいが，厚さ方向の断面二次モーメントは小さく，かつ面外方向の曲げ強度も小さいことから，ここではねじれや面外方向の力に対する抵抗力は無視することとする．同図（a）のように，2枚の耐力壁 l と j を有する建物は，左右方向の力に対して抵抗できず，言うまでもなくこのような構造は不安定である．同図（b）のような耐力壁の配置も不安定で，建物は耐力壁 l と i の交点を中心に回転し，地震の方向によっては耐力壁の抵抗はまったく期待できない．同図（c）のように耐力壁の交点が二つ存在し，耐力壁の交点を中心に回転しないことから安定となり，耐力壁の水平抵抗が期待できるようになる．この場合，各耐力壁が分担する水平力は耐力壁の剛性とは無関係で，力の釣合いから決定される．耐力壁が同図（d），（e）のように配置された場合には，耐力壁が分担する水平力は耐力壁の剛性に関係し，応力解析により求める必要がある．

解説図6.2.1（a）や（b）のような耐力壁配置が不安定なことは明らかであるが，解説図6.2.2に示したものも解説図6.2.1（b）と同様に耐力壁の延長線が1点で交わることから，すべて不安定な耐力壁配置であることに注意されたい．解説図6.2.2中のG点は回転中心，すなわち剛心である．

以上述べたことからも分かるように，安定な耐力壁配置の必要条件は，平面上における各耐力壁の壁線（延長線を含む）の交点が二つ以上存在することである．上述のような不安定構造は別としても，耐力壁が釣合いよく配置されていないと，建物にねじれが生じる．したがって，スラブは，水平移動とともに剛心Gの回りに回転を起こし，回転中心（剛心）Gから離れた耐力壁には，せん断力の増減が生じ，設計上その増分を見込む必要がある．

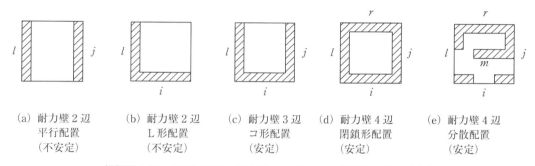

解説図 6.2.1　平面プランと耐力壁 i, j, l, r, m 配置と安定・不安定

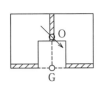 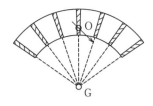

　(a) 耐力壁2辺配置　　(b) 耐力壁十字配置　　(c) 耐力壁3辺配置　　(d) 耐力壁扇形配置
　　 回転中心Gで交差　　 　回転中心Gで交差　　　回転中心Gで交差　　　回転中心Gで交差

〔記号〕////：耐力壁，G：剛心，O：重心，——→：地震力作用方向

解説図6.2.2　不安定な耐力壁配置の例

　一方向を壁式RC造とし，他方向をラーメン構造とするなど異種の構造形式を併用すると，剛心G回りのねじり剛性が小さくなり，偏心距離が大きい場合には設計用せん断力の補正係数が大きくなることから，このような建物は本規準の適用範囲から除外している．

　耐力壁の辺長比（耐力壁の長さl/耐力壁の高さh）の差異に基づく剛性の不均一や，部分的欠陥に起因する耐力壁のせん断力の部分的過負担は，これに基づくひび割れが耐力壁に発生しても，適切な補強（例えば，横補強筋量を多くする等）がなされていれば，応力の再配分によって解消される傾向がある．これに対し，均衡の取れない耐力壁配置に基づく耐力壁のせん断力の部分的過負担は，これに基づくひび割れが耐力壁に発生すると，剛心Gと重心Oとの間の距離が一般に大きくなるため，助長される傾向がある．したがって，耐力壁配置に関する平面計画には，十分注意を払う必要がある．

　3）耐力壁の立面計画

　耐力壁の平面計画については，かなり注意を払いながら，その立面計画についてはほとんど無関心な場合が多い．耐力壁は，建物に作用する地震力を基礎構造を介して地盤に伝える役割を課せられていることから，その立面計画にも十分配慮する必要がある．各耐力壁を相互に連結する壁梁は，その境界端の曲げモーメントおよびせん断力によって耐力壁の浮上りや建物の転倒を防止し，耐力壁のせん断抵抗の低下を防止する重要な役割を担っている〔解説図6.2.3参照〕．当該壁梁が早期に曲げ降伏やせん断破壊が生じる場合には，耐力壁の保有する水平耐力が十分発揮できなくなる〔解説図6.2.4参照〕．各耐力壁が壁梁により一体となって初めて大きなせん断抵抗が期待できることに留意し，耐力壁相互を連結する壁梁は十分剛強なものとする必要がある〔6.4の解説参照〕．

2．上下階における耐力壁の連続配置の原則

　耐力壁を解説図6.2.3のように上下に連続して配置することは，本規準の適用範囲である地上階数が5以下の建築物に対しては，まず無難な方法と言えよう．

　耐力壁を上下に連続して配置しない場合には，その周辺を十分剛強な壁梁で固めるほか，耐力壁の回転を阻止できる有効な鉛直の受け材としての直交壁や支柱を下端に設けておくことが望ましい．この受け材は，耐力壁の回転を有効に阻止できるよう，なるべく耐力壁の両端近くに配置することが望ましく，具体的には，以下の方法などが考えられる．

　a）耐力壁の端部に下階の耐力壁を重ねて配置する（解説図6.2.5(a)）．

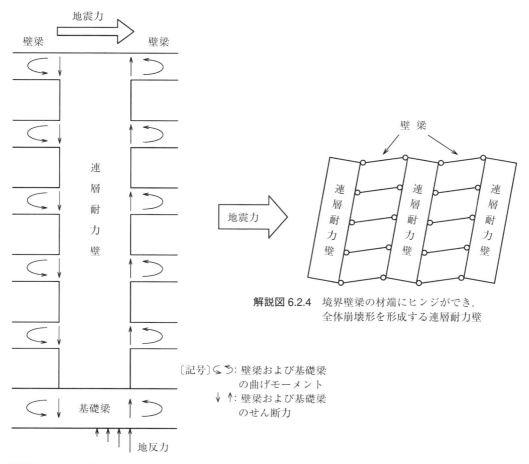

解説図 6.2.3 連層耐力壁に作用する水平力の釣合い

解説図 6.2.4 境界壁梁の材端にヒンジができ，全体崩壊形を形成する連層耐力壁

b）耐力壁の端部に直交する耐力壁を下階に配置する（解説図 6.2.5(b)）．

c）耐力壁の端部に耐力壁を支持する支柱を下階に設ける（解説図 6.2.5(c)）．

支承面が小さい場合には，これらの受け材にはかなりの応力集中が生じることになることから，

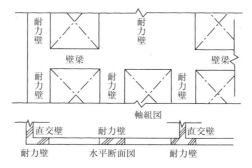

（a）耐力壁の両端部に耐力壁を重ねて配置

解説図 6.2.5 耐力壁の有効な鉛直の受け材の例

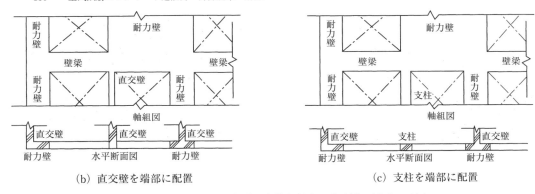

解説図 6.2.5 耐力壁の有効な鉛直の受け材の例（つづき）

当該部分の補強には十分注意する必要がある〔6.3 の解説参照〕．受け材にリブを設け，平面形をL形，T形，十字形とすれば，局部座屈の防止に有効である．耐力壁の周辺を十分固め，平面計画も適切に行えば，連層耐力壁と比べて応力集中や曲げ変形が少なくなることから，有利となる場合も考えられる．

5階建現場打ち壁式RC造共同住宅の実大試験体[6.2.1)]および準実大構面試験体に関する水平加力の各実験[6.2.2)]の解析と考察から，5階建の1階の層せん断力が水平耐力に達したときの計算方向の全耐力壁に関する平均せん断応力度 $\overline{\tau_u}$ は，使用するコンクリートの種類に関係なく，（解6.2.1）式で与えられることが推論されている[6.2.3)]．

$$\overline{\tau_u} \fallingdotseq 1.7 \cdot {}_sf_s \qquad (解 6.2.1)$$

記号　$\overline{\tau_u}$：実大5層立体試験体の最大耐力時における1階耐力壁の平均せん断応力度（N/mm^2）

　　　${}_sf_s$：コンクリートの短期許容せん断応力度（N/mm^2）

本規準においては，階高・壁率・壁量等の規定を満たす場合は保有水平耐力の確認や総曲げ抵抗モーメントの確認が免除されるが，このような建物において，耐力壁の立面計画が適切でなく令第82条の3（保有水平耐力）の第7の規定に基づく昭55建告第1792号（最終改正平成19年告示第596号）によって規定された"各階の剛性率 R_{si} が0.6を下回る場合"も想定される．しかしながら，

（a）　R_{si} が小さい階では，層間変形角が他の階より大きくなる要因として水平力が A_i 分布による数値より大きいことも想定され（逆に，層間変形角が小さい他の階の地震力算定用単位重量が想定している数値よりも小さい場合も想定される），耐力壁に生じる平均せん断応力度 $\overline{\tau_i}$ が各階の地震力算定用単位重量が 13.5 kN/m^2 で標準壁量および最小壁厚の場合の平均せん断応力度の数値 $\overline{\tau_{0i}}$〔解説表 6.2.1 参照〕より大きくなるおそれがある．

（b）　5階建現場打ち壁式RC造共同住宅の実大立体試験体に関する水平加力実験[6.2.1)]の解析と考察から，計算方向の耐力壁に顕著なせん断ひび割れが発生するときの当該計算方向の全耐力壁に関する平均せん断応力度 $\overline{\tau_{cr}}$ は，使用するコンクリートの種類に関係なく（解6.2.2）式で与えられることが推論されているので，各階のせん断ひび割れ発生時の水平力は当該計算方向の耐力壁の壁率 $L_{wi} \cdot t_i$ に比例すると仮定できる．

（c）本規準では，現場打ちおよび PCa 壁式 RC 造建物がその計画供用期間中に数度は遭遇する地震に対して，耐力壁や壁梁には原則として顕著なせん断ひび割れを生じさせない設計方針をとっている〔1.2 の解説参照〕．この観点に立てば，本規準で規定している壁率 $L_{wi}・t_i$ は，本節の解説で後述するように決して余裕のある数値ではない．

以上のことを考慮すると，標準せん断力係数 $C_0=0.2$ の地震力に対して耐力壁および壁梁に顕著なせん断ひび割れが発生することを防止する設計方針を堅持するため，本規準においては，個々の耐力壁に生じる短期荷重時のせん断応力度が，使用するコンクリートの短期許容せん断応力度以下となることを確認するとともに，壁梁の短期設計用せん断力が短期許容せん断力以下となることを確認することとしている．

なお，上下階で壁量や壁率の数値に極端な差がある場合は，壁量や壁率が極端に小さい階の層間変形角が他の階に比して極端に大きくなり，結果として剛性率が 0.6 を下回ることが生じることも想定される．このような場合は，耐力壁が釣合いよく配置されていることにはならないことから，耐力壁の立面的配置は，地震層せん断力に応じた比に対して極端な差が無いようにするのがよい．

3．耐力壁頂部の壁梁配置

各階の耐力壁頂部には壁梁を有効に連続して設け，建物としての立体効果を確保することが壁式構造としての大前提である．なお，「原則として」としたのは，集合住宅の用途に供する建物等における張り間方向に設けられる戸境壁のように 1 構面が開口部の無い独立連層耐力壁より構成される場合，当該独立連層耐力壁の頂部には壁梁を設ける必要がないが，両端には直交壁を設け，以下に記載する壁梁の役割を直交壁に代替させる必要がある．

壁梁は，耐力壁の浮上りや転倒を阻止する重要な役割を担っている．さらに，1 方向の耐力壁が顕著なせん断ひび割れの発生によって，鉛直支持能力が低下しても，他方向の健全な耐力壁がこの鉛直力の一部を支持できるように，耐力壁の応力を相互に伝え，危険な落階を防止する重要な役割を有している．通常設計される現場打ち壁式 RC 造建物の耐力壁は，せん断補強筋比が 0.15～0.25％と極めて少なく，万一顕著なせん断ひび割れが発生すると負担せん断力が低下する脆性的な耐力壁で構成されているが，このような現場打ち壁式 RC 造建物の意外に高い靱性[6.2.1),6.2.3)]は，ラーメン構造と比べると落階現象が起きにくい構造特性がもたらす立体効果によるところが大きいと考えられる．すなわち，立体効果を十分に発揮するためには，耐力壁を 2 方向にバランス良く配置することのみならず，それらを壁梁で構造耐力上有効に連結することが重要となる．現場打ちおよび PCa 壁式 RC 造に壁梁を設ける趣旨は，スラブの固定荷重と積載荷重を安全に支持するとともに，地震時における耐力壁の応力を相互に伝えることができるようにすることである．

4．耐力壁で囲まれた部分の水平投影面積 60 m^2

PCa 壁式 RC 規準によれば，本規定を設けた理由として，下記の記載がある（単位系は SI 単位系に修正）．

『建築物の平面で，耐力壁の中心線により囲まれた部分の水平投影面積を原則として 60 m^2 以下としたのは，壁式プレキャスト鉄筋コンクリート造が大きな地震の経験が少ないこと，現場打ち壁式鉄筋コンクリート造に比べて接合部という弱点になりかねないものをもっていることなどを考慮

し，さらに本規準の対象と考えている壁式構造という概念を逸脱することがないようにしたためである．通常の設計では，床板を架け渡す関係から，けた行方向の対象構面の間隔は 5 m 以内となることが多く，この場合の張り間方向の対隣構面の間隔は 12 m 程度となる．仮に最大の場合について単純な試算をすると，スラブ部分に生じる水平力は最上階で，

・耐震規定による場合

$$P = 60\,\mathrm{m}^2 \times 5\,\mathrm{kN/m}^2 \times 1.713\ (A_i) \times 0.5\ (C_B) = 257\,\mathrm{kN}$$

・1 G の加速度が作用した場合

$$P = 60\,\mathrm{m}^2 \times 5\,\mathrm{kN/m}^2 \times 1.0 = 300\,\mathrm{kN}$$

となって，これを張り間方向の耐力壁に伝達する場合，床板-耐力壁のジョイント数を 6 個（通常の設計の場合のジョイント数）とすると，1 か所あたり最大で 50 kN となる．したがって，現実的には十分に設計可能であると考えられる．なお，「原則として」としたのは，集合住宅において 60 m² を超える場合もあることを考慮したものであるが，その場合には振動性状・境界効果・応力集中などに留意して行うことが必要である[6.2.4]．

本規定は，PCa 壁式 RC 造と同様に単配筋である補強コンクリートブロック造に対する令第 62 条の 4 第 1 項を準用したものと考えられ，文献 6.2.5) によれば，「第 1 項は，耐力壁を釣合い良く配置する具体的基準を示したもので，耐力壁の中心線より囲まれた部分の水平投影面積は，60 m² 以下とするよう規定している」と記載されている．

耐力壁の中心線で囲まれた部分の水平投影面積が 60 m² を超える場合は，耐力壁および壁梁の形状や配置等に十分留意し，地震時において耐力壁や壁梁ならびに PCaRC 造部材接合部に過度の応力集中が生じないよう構造計画を行うことが重要である．なお，耐力壁の中心線や中心線の延長線で囲まれた部分の水平投影面積が大きい場合は，必然的に周辺を耐力壁や壁梁ならびに耐力壁・壁梁接合部または小梁で支持されるスラブの面積も増大し，結果としてスラブの端部曲げモーメントが増大したり，耐力壁の軸方向圧縮応力度が増大したりすることも想定されることから，構造計画に十分留意するとともに，下記の検討を行うことが重要である．

（a）耐力壁の長期軸方向圧縮応力度が過大にならないような耐力壁の厚さや長さの決定
（b）建物外周部の耐力壁の面外曲げモーメントに対する検討
（c）壁梁や小梁の長期荷重時における曲げひび割れやせん断ひび割れに対する検討
（d）スラブの端部固定度低下に伴うスラブのたわみ増大や，ひび割れ発生等に対する検討
（e）地震時における剛床仮定成立の可否および建物のねじれに対する検討

[参 考 文 献]

6.2.1) 松島　豊：実大 5 階建アパートの実験的研究（水平加力実験の概要について），実大 5 階建壁式鉄筋コンクリート造アパートの耐震実験，昭和 43 年度・昭和 44 年度建築研究年報，1969，1970，実大 5 階建壁式鉄筋コンクリート造アパートの破壊実験報告，コンクリート ジャーナル，Vol.8，No.1，1970.1

6.2.2) 坪井善勝・冨井政英・徳広育夫：壁式 RC 構造の再検討（その 7）準実大構面の水平加力実験概要，（その 8）純実大構面の水平加力実験解析，日本建築学会論文報告集号外，1965.9

6.2.3) 日本建築学会：建築耐震設計における保有水平耐力と変形性能(1990), 壁構造, 壁式鉄筋コンクリート造, 1990.10
6.2.4) 日本建築学会：壁式プレキャスト鉄筋コンクリート造設計規準・同解説, pp.43〜44, 1984.3
6.2.5) 帝国地方行政学会：詳解建築基準法, 1973.6

6.3 耐力壁の構造
6.3.1 耐力壁の実長

1. 耐力壁の実長（耐力壁の長さのうち、検討方向の壁率および壁量算定上算入できる長さをいい、以下同様とする）は、450 mm 以上とするとともに、原則として同一の実長を有する部分の高さ（図 6.3.1）の 30％以上とする．なお、8.1 節本文 1.(4) によらない場合は、この限りでない．

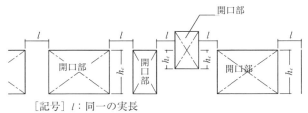

[記号] l：同一の実長
h_e：同一の実長を有する部分の高さ

図 6.3.1　同一の実長を有する部分の高さ h_e のとり方

2. 耐力壁の小開口が次の条件を満たし、かつ 9.3 節に規定する補強を行った場合は、実長の算定において当該小開口を無視することができる（図 6.3.2）．

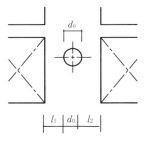

[条件]
(i) $l_1 \geq 200$ mm, $l_2 \geq 200$ mm
(ii) $d_0 \leq 450$ mm
(iii) $d_0 \leq l_1, l_2$

〔記号〕 l_1, l_2：小開口縁と耐力壁端部までの寸法
d_0：円形の小開口の直径

(a) 円形口の場合

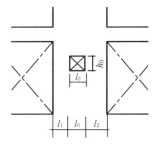

[条件]
(i) $l_1 \geq 200$ mm, $l_2 \geq 200$ mm
(ii) $l_0 + h_0 \leq 800$ mm
(iii) $0.5 \leq h_0/l_0 \leq 2.0$
(iv) $l_0 \leq l_1, l_2$

〔記号〕 l_0：長方形口の内法長さ
h_0：長方形口の内法高さ
l_1, l_2：小開口縁と耐力壁端部までの寸法

(b) 長方形口の場合

図 6.3.2　耐力壁の実長算定において無視してよい小開口の条件

1. 耐力壁の実長および辺長比の規定

　壁量や壁率の算定において，検討方向の耐力壁の長さを用いるが，高さ方向に長さが変化する耐力壁（解説図6.3.1）や隣接する開口部の高さや形状に応じて，どの部分の長さを算入すべきかが重要である．壁量や壁率の算定において算入できる長さを「実長」と定義するが，450 mm の数値規定は，令第78条の2第2項第1号および平成13年国土交通省告示第1026号と同様である．

　また，同一の実長を有する部分の高さの30％以上の規定（耐力壁の辺長比規定）は，地震時における耐力壁の変形のうち曲げ変形の占める比率を小さくし，所要のせん断剛性やせん断終局強度を付与するためである．解説図6.3.2に，壁量および壁率算定上実長に算入されない例を示す．

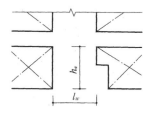

解説図 6.3.1　同一階の高さ方向で耐力壁の長さが変化する場合の耐力壁の実長と同一の実長 l を有する部分の高さ h_e のとり方

　水平荷重時の応力・変形解析を曲げ・せん断変形ならびに剛域を考慮した解法による場合は，架構の剛性（曲げ剛性，せん断剛性）は耐力壁や壁梁ならびに基礎梁の剛性との関係から直接的に算定されることから，耐力壁の辺長比規定を必ず満たす必要はない．一方，8.1節本文1．（4）に記載の条件を満たすことにより水平荷重時応力解析を平均せん断応力度法による場合は，耐力壁に接続する壁梁や基礎梁の剛性が十分に大きく，かつ耐力壁の負担せん断力は耐力壁の水平断面積に比例するとして各耐力壁の負担せん断力や曲げモーメントを算出することから，せん断変形が卓越するという条件付与の一方法として辺長比を規定することとしている．

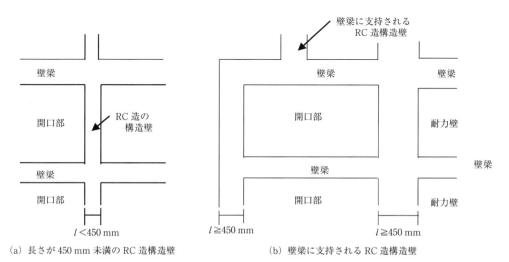

(a) 長さが450 mm 未満のRC造構造壁　　(b) 壁梁に支持されるRC造構造壁

解説図 6.3.2　壁量および壁率算定上実長に算入されない例

2. 壁量・壁率計算における耐力壁の実長において無視できる小開口

本規準において耐力壁に設けられる小開口が本文2.に記載のとおり図6.3.2に記載の規定を満たし，かつ小開口周囲を本規準9.3節により補強をしておけば，当該耐力壁の壁量および壁率算定における耐力壁の実長において，その小開口の存在を無視してよいとしている．しかし，小開口を有する耐力壁に関する壁式RC造耐力壁に関する実験は皆無に近い．

日本住宅公団（現 都市再生機構）によって開発された6～8階建壁式構造設計要領[6.3.1]（以下，8FW要領という）においては，壁量および壁率算定における耐力壁の長さにおいて無視してよい小開口の寸法限度，とその補強方法が記載されている．

8FW要領において採用されている小開口周囲の補強筋の設計式は，RC規準（1991）に記載されている式を準用したものである．また，8FW要領の解説によれば，これらの式によって小開口周囲の補強筋を算定するときに生じる引張力に対して，補強筋に生じる応力度が短期許容引張応力度以内に納まるような量の補強筋を配筋しておけば，想定した作用せん断力のもとでは引張降伏は生じない，としている．

文献6.3.2)で行われた試験体の平面図および軸組図は，解説図6.3.3に示すものである．試験体は8階建の一般的な共同住宅をモデルとしたもので，1階あたり2住戸とした8階建のうち下部5層を取り出した実大の立体試験体である．Y_1通りの最外端の耐力壁（解説図6.3.3中のC_{13}）とY_3通り階段室側の耐力壁（解説図6.3.3中のC_{32}）には，それぞれ$l_0 \cdot h_0 = 490 \times 260$ mm および 310×440 mm の小開口が1階から3階に設けられている．

このうち，Y_3通りの耐力壁の小開口は，壁梁の下端より下にあり，Y_1通りに設けられている小開口は，耐力壁・壁梁接合部に設けられている．

実験で得られた荷重（平均せん断応力度）～変形（頂部部材角）曲線を解説図6.3.4（図中の一点鎖線は解析値）に，また，小開口を有する耐力壁の最終ひび割れ状況を，解説図6.3.5および解説図6.3.6に示す．小開口を有する耐力壁に関連する主な実験結果は，下記のようである．

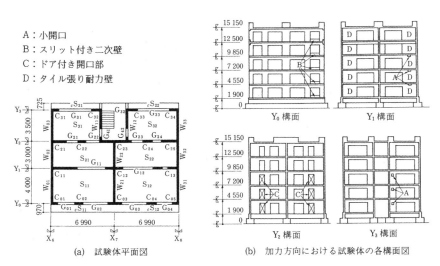

解説図 6.3.3 8FW試験体の平面図および各構面立面図[6.3.2]

① 小開口の四隅部分には，最大耐力の約1/10程度の低い荷重時（平均せん断応力度 $\bar{\tau} \fallingdotseq 0.25$ N/mm^2）から斜めひび割れが発生し，荷重の増大とともにこれらのひび割れの長さは進展したが，ひび割れ幅は試験体が大変形に至るまでまったく広がらず，小開口周囲には圧壊もまったく生じなかった．

② 小開口周囲の補強筋のひずみについては，計測を行った12か所のうち1か所を除き，降伏ひずみ以下であることが認められた．

③ これらの小開口付き耐力壁を含む Y_1 および Y_3 構面は，最終荷重時までにいずれも1階耐力壁脚部と2階以上の壁梁の曲げ降伏によって全体的な曲げ崩壊メカニズムを形成するに至っている．

④ 上記のように，小開口の存在はその耐力壁の靱性に好ましくない影響を与えていない．

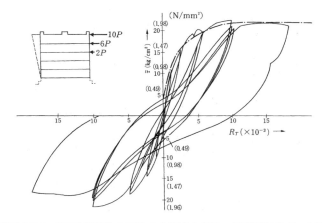

解説図 6.3.4 8FW 試験体の平均せん断応力度 $\bar{\tau}$ ～頂部部材角 R_T 曲線[6.3.2)]

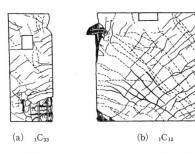

解説図 6.3.5 小開口を有する耐力壁の最終ひび割れ状況[6.3.2)]

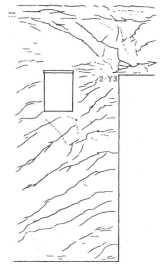

解説図 6.3.6 $_3C_{33}$ 耐力壁の小開口の最終ひび割れ状況[6.3.2)]

なお，試験体における小開口周囲の補強筋量の採用値と計算値は，解説表6.3.1のようになっており，実際に配筋された補強筋量は，Y3通りの耐力壁（本文2.に規定する小開口を有する耐力壁）で，試験体の最大耐力時における1階耐力壁の平均せん断応力度に当該小開口付き耐力壁の断面積を乗じたせん断力を用いた計算より求まる所要補強筋量の0.47〜0.86と1を下回っている．それにもかかわらず，これらの小開口を有する耐力壁の実験結果は，十分耐震的であった．

以上の理由より，本文2.の規定を満たす小開口は，壁量および壁率算定における耐力壁の実長計算において，無視してよいこととした．

解説表6.3.1 8FW試験体の小開口周囲の補強筋採用値と計算（文献6.3.2）を基に計算）

通り	耐力壁 $t \cdot l$ (mm)	小開口 $l_0 \cdot h_0$ (mm)	設計用せん断力（kN）			補強筋断面積採用値[*4]／計算値[*5] (mm²)			
			Q_{M1}[*2]	Q_{M2}[*2]	$2Q_E$[*3]	設計用せん断力	斜め補強筋 a_d/a_{d0}	縦補強筋 a_v/a_{v0}	横補強筋 a_h/a_{h0}
Y3	270× 1 620[*1]	310×440	761	735	496	Q_{M1}	0.47 (=254/543)	0.67 (=398/597)	0.86 (=254/296)
						$2Q_E$	0.92 (=254/275)	1.41 (=398/282)	1.32 (=254/193)

[注] *1：文献6.3.2）に記載の試験体平面図より推定．
*2：Q_{M1}は，試験体最大耐力時平均せん断応力度（2.236 N/mm²）に耐力壁断面積を乗じた数値．Q_{M2}は，弾塑性解析によるメカニズム時せん断力[6.3.2]．
*3：試験体の短期荷重相当時における耐力壁の平均せん断応力度（0.567 N/mm²）に耐力壁の断面積を乗じた数値を2倍した数値．
*4：試験体の小開口周囲の補強筋量（斜め補強筋2-D13，縦補強筋2-D16，横補強筋2-D13）[6.3.2]
*5：本規準（9.3.1）式〜（9.3.3）式および，$_sf_t=295$ N/mm² より算定．

6.3.2 耐力壁の厚さ

1. 壁式RC造耐力壁の厚さは，現場打ち壁式RC造にあっては表6.3.1，PCa壁式RC造耐力壁にあっては表6.3.2に示す数値以上とする．

表6.3.1 現場打ち壁式RC造耐力壁の最小厚さ

階			最小壁厚 t_0 (mm)	備 考
地上階	地階を除く階数が1の建築物		120，かつ $h_s/25$*	h_s：構造耐力上主要な鉛直支点間距離（mm）
	地階を除く階数が2の建築物の各階		150，かつ $h_s/22$*	
	地下を除く階数が3〜5の建築物	最 上 階	150，かつ $h_s/22$*	
		その他の階	180，かつ $h_s/22$*	
地 階			180，かつ $h_s/18$*	

[注]*：面内応力のほか面外座屈に対する安全性の検討および配筋納まり，設計かぶり厚さの確認ならびにコンクリートの充填性等を確認した場合は，その数値によってよいが，最小壁厚の数値以上とする．

表 6.3.2 PCa 壁式 RC 造耐力壁の最小厚さ

階		最小壁厚 t_0 (mm)	備　考
地上階	最上階および最上階から数えた階数が 2 の階	120, かつ $h_s/25$*	h_s：構造耐力上主要な鉛直支点間距離 (mm)
	その他の階	150, かつ $h_s/22$*	
地　階		180, かつ $h_s/18$*	

［注］＊：面内応力のほか面外座屈に対する安全性の検討および配筋納まり，設計かぶり厚さの確認ならびにコンクリートの充填性等を確認した場合は，その数値によってよいが，最小壁厚の数値以上とする．

2．表 6.3.1 および表 6.3.2 における構造耐力上主要な鉛直支点間距離 h_s は，下記による．
（1）耐力壁に剛なスラブが接続する場合は，それらの相互の中心間距離（図 6.3.3 (a)）とする．
（2）1 階の床板を剛な RC 造以外の構造とする場合で，当該耐力壁下の基礎梁と直交する方向に当該耐力壁の面外方向の変形を拘束できる基礎梁を有する場合（図 6.3.3 (b)），もしくは，当該耐力壁の厚さに比して幅が十分大きく，かつ面外剛性が大きな基礎梁が取り付く場合（図 6.3.3 (c)）は，基礎梁上面と 2 階スラブ中心間距離とする．
（3）上記（1），（2）以外の場合は，基礎梁下面より 2 階スラブ中心間距離とする（図 6.3.3 (d)）．
（4）傾斜屋根を支持する耐力壁等で，スラブ中心間距離が変化する場合，当該耐力壁の構造耐力上主要な鉛直支点間距離 h_s は，その平均値としてよい（図 6.3.3 (e)）．

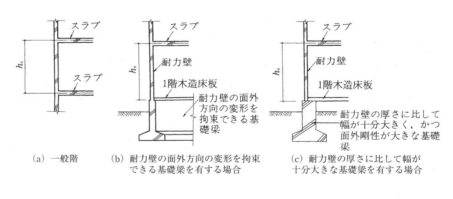

(a) 一般階　　(b) 耐力壁の面外方向の変形を拘束できる基礎梁を有する場合　　(c) 耐力壁の厚さに比して幅が十分大きな基礎梁を有する場合

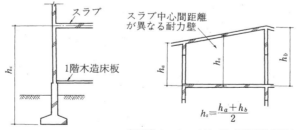

(d) (b) および (c) 以外の場合　　(e) スラブ中心間距離が変化する場合

〔記号〕h_a, h_b：スラブ中心間距離が異なる耐力壁の高さのうちの最小値，最大値

図 6.3.3　構造耐力上主要な鉛直支点間距離 h_s

1. 耐力壁の厚さ

（1） 現場打ち壁式RC造耐力壁の厚さ

本文表6.3.1に規定する現場打ち壁式RC造耐力壁の最小壁厚 t_0 は，壁式RC造建物としての所要の剛性を確保するとともに，標準せん断力係数 $C_0=0.2$ の中地震時に耐力壁に顕著なせん断ひび割れを生じさせないようにするための所要の壁率を確保するために定めたものである．また，構造耐力上主要な鉛直支点間距離 h_s との比の規定は，耐力壁の面外座屈に対する安全性を確保するために定めたものである．厚さの薄い柱状のRC造壁で，耐力壁の規定に適合しないため本項の規定に拘束されないものでも，軸方向力および壁面に直交する面外曲げモーメントが大きく面外座屈のおそれのある場合には，断面設計にあたって，RC規準の柱の解説[6.3.3]に準じて解説表6.3.2の割合で，これらの応力を割り増す必要がある．ACI規準[6.3.4]では，壁厚に関しては4 inch（≒102 mm）以上と規定されている．また，壁厚の構造耐力上主要な鉛直支点間距離のうち小さい方の距離に関しても，1/25以上の制限がある．

なお，耐力壁の厚さは，所要の構造安全性を確保するほか，耐久性（設計かぶり厚さの確保），配筋納まりならびにコンクリートの充填性等を考慮して決定する必要がある．

解説表6.3.2 軸方向力および面外曲げモーメントの割増し（文献6.3.3）に基づき作成）

	t/h_s	1/10	1/15	1/20	1/25
割増し係数	普通コンクリート	1.00	1.00	1.25	1.75
	軽量コンクリート	1.00	1.20	1.50	―

〔記号〕 t：耐力壁厚，h_s：構造耐力上主要な鉛直支点間距離

（2） PCa壁式RC造耐力壁の最小厚さ

PCa壁式RC造耐力壁の最小厚さは，次の諸点を考慮して現場打ち壁式RC造耐力壁の最小厚さ規定に比して平屋建の場合を除き30 mm薄くしてもよいとしている．

a) 耐力壁板や耐力壁は，PCaRC造部材製造工場において鋼製その他の精度が保証される堅牢な型枠を用いて，振動等の方法により，コンクリートが密実に充填される装置によって製作し，かつ，十分に養生を行える製品であること．また，このことは配筋が壁板の中央に確実に配筋できることや，壁板コンクリートの設計基準強度が均質に保証されること等の面で品質がよいこと．

b) 本構造の鉛直荷重や地震時の水平荷重は，現場打ち壁式RC造と比して小さいということが荷重の低減の面から有利と考えられること．

c) 既往の実大PCa壁式RC造建物の耐震実験[6.3.5]や構面実験，ならびに数多くの実在建物で本規定と同じ壁厚で面外座屈等の構造上の問題が特に生じていないこと．

一方，所要の保有水平耐力を確保するためには，一部の部材の配筋量が従来より多くなることが予想され，かぶり厚さの確保を含む配筋上の納まりの問題が生じるので，この点，設計上の留意が必要である．

なお，表6.3.2に記載の構造耐力上主要な鉛直支点間距離 h_s との比の規定を満たさない場合は，

前記（1）と同様に面外座屈等に対する検討を行う必要がある．

2．構造耐力上主要な鉛直支点間距離 h_s

構造耐力上主要な鉛直支点間距離 h_s は，耐力壁の面外座屈を拘束できる長さである．本文2．に h_s のとり方を計算規準［補足］より転載した．

1階の床板は，できるだけRC造とするのが建物の足元を十分強固にしておく面で望ましい．床レベルに構造的に一体のRC造の床板（以下，スラブという）を設けない場合には，地盤面上に構造的に一体のスラブを設けてもよい．

［参 考 文 献］

6.3.1) 日本住宅公団建築部：建築構造設計要領［6～8階建壁式構造］，1980.1
6.3.2) 広沢雅也・後藤哲郎・平石久廣・芳村　学：高層［6～8階建］壁式鉄筋コンクリート造の標準化を目的とした実大建物の耐震実験研究，コンクリート工学，Vol.19，No.4，April.1981．
6.3.3) 日本建築学会：鉄筋コンクリート構造計算規準・同解説，p.155，2024.12
6.3.4) ACI Structural Building Code Requirement for Reinforced Concrete，ACI 318-83，1983
6.3.5) 広沢雅也ほか：壁式プレキャスト構造5階建の破壊実験，建設省建築研究所年報，1968

6.4　壁梁の構造

1．壁梁のせいは，原則として450 mm以上とする．なお，一部の壁梁のせいは450 mm未満としてよいが，下限値は350 mmとする．
2．壁梁の幅は，これに接続する耐力壁の厚さ以上とする．壁梁の幅が接続する耐力壁の厚さより大きい場合，耐力壁・壁梁接合部も壁梁の幅以上とする．
3．剛なスラブと一体となっていない壁梁の等価幅は，構造耐力上主要な水平支点間距離（壁梁に連続する耐力壁が平面上で直交する耐力壁，壁梁または小梁の中心間距離をいい，以下同様とする）の1/20以上とし，かつ壁梁は，面外方向の荷重に対しても所要の構造性能を有することを確認する．
4．壁梁に設けることのできる開口は，次の（1）から（4）を満たすものとする．
　（1）円形孔の直径および矩形開口の壁梁のせい方向の辺長は，壁梁せいの1/3以下とする．
　（2）円形孔および矩形開口の上縁，下縁と壁梁の上端，下端までの距離は，補強筋の配筋納まりと設計かぶり厚さならびにコンクリートの充填性を確保できる数値以上とする．
　（3）耐力壁縁と円形孔または矩形開口の縁までの距離は，原則として壁梁のせい以上とする．なお，所要の強度と変形性能が確保できる場合は，この限りでない．
　（4）同一の壁梁に2個以上の円形孔を設ける場合，円形孔の中心間距離は，隣り合う円形孔の直径の和の1.5倍以上とする．

1．壁梁のせい

壁梁のせいを450 mm以上とする規定は，構造規定により壁梁に一定以上の剛性と強度を確保することを意図して定めたものである．しかし，玄関上部や出入り口等，内法スパン長さ l_0 のせい D に対する比が1.5未満の壁梁（以下，短スパン壁梁という）を計画することは，せん断設計が可能であるとしても，靱性確保の観点からは必ずしも望ましくない場合もある．また，本規準による設計では，断面の寸法によらず設計用地震力に対して必要な曲げ強度やせん断強度は，応力解析に基づく断面算定によって確保される．そこで，短スパン壁梁となることを避けるため，そのせいが450

mmを下回ることも許容することとした．ただし，壁梁としての構造上の役割〔6.2節解説 3．参照〕を確保する意味で，せいは 350 mm を下限値とした．

2．壁梁の幅

壁梁の剛性は耐力壁の剛性より一般的に小さくなりがちであることから，壁梁の幅はこれに接続する耐力壁の厚さ以上としている．通常，壁梁の幅は，端部曲げ補強筋の配置や鉄筋のコンクリートに対するかぶり厚さを考慮して耐力壁厚と同じ厚さとしている．壁梁の幅が耐力壁の厚さを超える場合は，耐力壁・壁梁接合部も壁梁の幅以上とするとともに，壁梁主筋の位置保持や拘束のための工夫が必要となる．

3．剛なスラブと一体となっていない壁梁の等価幅

本規定は，剛なスラブと一体となっていない壁梁の面外曲げに対する剛性と強度を確保するために設けた．壁梁の等価幅〔解説図 6.4.1 参照〕を，構造耐力上主要な水平支点間距離〔解説図 6.4.2 参照〕の 1/20 以上とする構造規定とし，それ以外の断面に対しては面外曲げに対して十分大きな曲げ剛性を確保する趣旨である．

L 形や T 形等の長方形以外の断面を有する壁梁の等価幅 b_{e0} は，面外方向に等価な曲げ剛性を有する長方形断面の梁幅として，（解 6.4.1）式より算定する．

$$b_{e0} = \sqrt[3]{\frac{12 I_0}{D}} \geq l_h / 20 \qquad (解 6.4.1)$$

記号　b_{e0}：長方形以外の断面を有する壁梁の等価幅（mm）
　　　I_0：面外方向の断面二次モーメント（mm^4）
　　　D：長方形以外の断面を有する壁梁のせい（mm）
　　　l_h：壁梁の構造耐力上主要な水平支点間距離（mm）

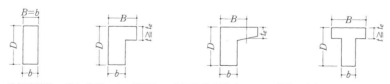

(a) 長方形断面　(b) 片側フランジ付き　(c) 片側変断面フランジ付き　(d) 両側フランジ付き

〔記号〕B：壁梁の等価幅　t：フランジ厚さ　b：壁梁の幅
　　　　D：壁梁のせい　t_e：150 mm 以上（平屋では 120 mm 以上）

解説図 6.4.1　壁梁の等価幅

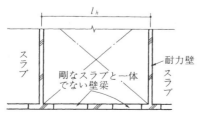

解説図 6.4.2　壁梁の構造耐力上主要な水平支点間距離 l_h

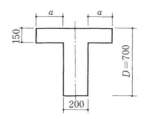

解説図 6.4.3　壁梁の等価幅の計算例

例えば，$l_h = 8\,000$ mm の場合，壁梁のせいを 700 mm，厚さを 200 mm とすると，

$$b_{e0} = \sqrt[3]{\frac{12 I_0}{D}} \geq 8\,000 / 20 = 400 \text{ mm}$$ より，$12 I_0 \geq 4.48 \times 10^{10}$ mm^4

となり，壁梁の所要面外方向の断面二次モーメントは，下記のとおりとなる．

$$I_0 \geq 3.73 \times 10^9 \text{ mm}^4$$

解説図 6.4.3 のような T 形断面を考えると，必要なスラブの幅 a は，次のようになる．

$$150 \times (2a + 200)^3 / 12 + 550 \times 200^3 / 12 \geq 3.73 \times 10^9 \text{ mm}^4$$

$$\therefore a \geq 223 \text{ mm}$$

4．壁梁に設ける円形孔および矩形開口

壁端には，通常給気のための開口が設けられる場合が多い．壁梁に設けることのできる円形孔または矩形開口の大きさや位置等については，RC 規準[6.4.1)]に準じて規定している．

[参考文献]

6.4.1)　日本建築学会：鉄筋コンクリート構造計算規準・同解説，pp.399～414，2024.12

6.5　屋根板および床板の構造

1. 構造耐力上主要な部分である屋根板および床板は，原則として RC 造とし，鉛直荷重を支持するとともに水平力によって生じる応力を耐力壁および壁梁（最下階の床板にあっては基礎梁）に伝えることができる十分な強度および剛性を有する構造とする．なお，次の（1）から（3）に該当する場合は，RC 造以外の構造としてもよい．
   （1）軟弱地盤以外に建つ地下階のない現場打ち壁式 RC 造建物の 1 階の床板
   （2）軟弱地盤以外に建つ地上階数 2 以下の現場打ち壁式 RC 造建物の最上階の屋根板
   （3）軟弱地盤以外に建つ地下階のない地上階数 2 または平家建の PCa 壁式 RC 造建物の 1 階の床板
2. PCa 造スラブを壁梁や耐力壁ならびに基礎梁等の支持部材に載せる場合は，PCa 造スラブの端部ののみ込み長さを 40 mm 以上とし，PCa 造スラブと支持部材とは，鉄筋または接合金物等により有効に緊結する．ただし，耐力壁の厚さや壁梁等の幅が 120 mm 以上 150 mm 以下の場合には，上記のみ込み長さを 30 mm 以上とすることができる．
3. 屋根板および床板は，使用上有害となる著しい大きなたわみ，振動障害ならびにひび割れの発生を防止する．
4. 開口部を有するスラブは，開口により生じる応力の集中に対して安全であるようにするほか，著しい大きなたわみ，振動障害ならびにひび割れの発生を防止する．

1．屋根板および床板の構造

屋根板および床板は，長期的に作用する固定荷重（自重および仕上げ荷重の和）および積載荷重を支持するとともに，地震力等の水平力を耐力壁に伝える重要な役割を担っており，耐力壁や壁梁および基礎梁等の周辺架構と一体の剛な RC 造とするべきである．一般の RC 造建物では，屋根板および床板は周辺架構と一体の剛なスラブとしているが，現場打ち壁式 RC 造や PCa 壁式 RC 造の共同住宅や個人住宅等において，1 階の床板を木造としたり，RC 造の土間スラブまたは PCa 造の置きスラブとしている場合が見られるが，屋根板および床板は支持部材と一体の RC 造とするのが

原則である．軟弱地盤の場合には，基礎の水平面内における相対移動や回転を防止するとともに，基礎梁と一体となって基礎梁の曲げ剛性を高めて建物の不同沈下を防止するため，必ず周辺架構と構造的に一体のスラブとする必要がある．

PCa造のスラブは，PCa造スラブとPCaRC造耐力壁およびPCa造スラブどうしにPCaRC造部材接合部を有するので，一般に現場打ちのスラブに比べて剛性が低くなる．したがって，耐力壁の配置では平面区画ごとに壁量があまり差がないように配置するとともに，スラブの面内剛性を高めて立体的な安定性を確保することが必要である．階数2以下の最下階の床板も，基礎部の水平移動やねじれ防止等を考慮し，周辺架構と構造的に一体のスラブとするのが望ましい．

軟弱地盤（昭55建告第1793号に定める第三種地盤をいい，以下同様とする）以外に建つ地下階がなく，かつ保有水平耐力計算を必要としない現場打ち壁式RC造建物は，基礎の変形に伴う建物全体の水平変位や回転変形が小さく，かつねじれ変形も小さいと考えられることから，1階床面位置での面内剛性が十分に確保されていることを前提にすれば，十分な水平耐力を有していると考えられる．したがって，このような場合は1階床板を周辺架構と構造的に一体のRC造としなくてもよいが，建物全体の足下を固めておく意味では，1階床板も周辺架構と構造的に一体のRC造とするのが望ましい．特に，1階の階高の高い建物では1階床板も周辺架構と構造的に一体のRC造とするのがよい．1階床板を周辺架構と構造的に一体のRC造としない場合は，基礎梁を密に配置し，建物の足下を固めるよう留意する．

また，軟弱地盤以外に建つ地上階数が2以下の現場打ち壁式RC造建物は，地盤変形も小さく，かつ耐震的にかなりの余力を有していることなどを考慮し，最上階の屋根板は周辺架構と構造的に一体のRC造としなくてもよいこととした．なお，耐力壁が水平力に対してその性能を十分発揮するためには，耐力壁の面外座屈等を防止する必要があり，他の方法でそれらが生じないよう工夫をしてもよいが，建物全体の剛性を増大させること，また，水平力をスムーズに耐力壁に伝達させることなどを考慮すれば，最上階屋根板も周辺架構と構造的に一体のRC造とするのがよい．

一方，PCa壁式RC造建物の床剛性は，現場打ち壁式RC造建物の床剛性に比して小さいことから，RC造以外の構造としてよい場合を，軟弱地盤以外に建つ地下階のない地上階数2または平家建の1階の床板のみに限定している[6.5.1]．

2．PCa壁式RC造におけるPCa造スラブののみ込み長さ

PCa造スラブのPCaRC造耐力壁板やPCaRC造耐力壁（以下，総称してPCaRC造耐力壁という）へののみ込み長さは40 mm以上とし，PCa造スラブ端部に破損が生じないように留意するとともに，無筋部で支持させてはならない．ただし，壁厚120 mm以上150 mm以下の場合は遮音性を確保するための充填モルタルの幅を考慮してのみ込み長さを30 mm以上とした．

また，PCa造スラブ端部は，のみ込み長さを確保するほか，PCaRC造耐力壁とPCa造スラブとの接合部においては，接合筋や配管ならびに配線などによるコンクリート欠込み部の幅の合計が，PCa造スラブ支持辺長さに比して極端に長くならないように設計上留意する．

PCa造スラブどうしおよびPCa造スラブとPCaRC造耐力壁との接合は，十分安全であるように原則として接合金具を溶接接合とするのがよい．PCa造スラブの接合部は，スラブ自身が局部震度

1.0の水平力を受けた場合に当該接合部に生じる面内せん断力（局部震度が1.0を超える場合は，さらに上向きの応力）に対して設計する．局部震度の数値は，水平加速度によりPCa造スラブに生じる応力，および，それを支持するPCaRC造耐力壁の負担せん断力などの応力集中を考慮したものである．

PCa造スラブの配置は，各階で一方向に配置するよりも両方向に釣合いよく配置するのが理想である．また，PCa造スラブの接合部目地部とPCaRC造耐力壁やPCaRC造壁梁との接合目地部が平面的に同一線上に重なる部分（いわゆる，いも目地部）には，各平面区画ごとの壁量が不均一な場合，あるいは対隣耐力壁間の距離が大きい場合などでは耐力壁の変形の相違により，引張応力が生じるおそれがあるので，設計上留意する必要がある．

なお，PCa造スラブやPCaRC造耐力壁との接合には，ガス爆発を考慮した設計を規定した外国の規準（British Standard Code）もある．我が国では耐震構造としての接合がなされているため，現時点ではこれに対する特別な規定は設けていないが，設計上念頭に入れておくべきものと思われる．

3．スラブのたわみ

スラブの長期たわみに起因して発生する障害は，スラブの長期たわみが $l_x/250$（l_x：スラブの短辺方向内法長さ）程度以上[6.5.2]，また，スラブの上下方向の固有振動数が15 Hz程度以下になると多くなるといわれている．また，たわみが20 mmを超えると，間仕切りに障害が生じるとされている．

RC規準でのスラブ厚は，スラブの長期たわみが $l_x/250$ 以下となるように決めたものであり，この程度のスラブ厚を確保しておけば，周辺を耐力壁や梁で支持されたスラブの面積が大きくない限り固有振動数は一般に15 Hz以上となり，振動障害は生じないと考えられる．

軽量コンクリートはヤング係数が普通コンクリートに比して小さいことから，周辺固定スラブにあっては（解6.5.1）式を用いてスラブ厚さを決めるのがよい．PCa壁式RC造におけるPCa造スラブのように周辺固定度が現場施工のスラブに比して小さい場合は，周辺支持条件を適切に考慮して，応力やたわみ等に対する検討を行う．

$$\frac{w \cdot l_x^4 \cdot \lambda^4}{32(1+\lambda^4) \cdot E \cdot t^3} \leq \frac{l_x}{4\,000} \tag{解6.5.1}$$

記号　w：スラブの全荷重（N/m²）で，次式による．

　　　　　$w = \gamma_1 \cdot t + w_p$

　　γ_1：鉄筋コンクリートの単位体積重量（N/m³）

　　t：スラブの厚さ（m）

　　w_p：積載荷重と仕上げ荷重との和（N/m²）

　　l_x：スラブの短辺方向内法長さ（m）

　　λ：スラブの辺長比 $\left(=\dfrac{l_y}{l_x}\right)$

　　l_y：スラブの長辺方向内法長さ（m）

　　E：コンクリートのヤング係数（N/m²）

4．スラブの開口

スラブに開口を設ける場合には，その開口部によって鉛直力および水平力の伝達に支障をきたさないようにすると同時に，開口部周辺に生じる応力に対しても十分配慮し，配筋設計を行う必要がある．開口部の大きさは，スラブに大きなたわみ，振動障害ならびにコンクリートの過大なひび割れを生じさせないよう開口位置や寸法を決定する必要がある．

[参 考 文 献]

6.5.1) 日本建築センター：壁式鉄筋コンクリート造設計施工指針，pp.31～32，2006.7
6.5.2) 日本建築学会：鉄筋コンクリート構造計算規準・同解説，pp.277～278，2024.12

6.6　基礎の構造

1．建物の最下階の耐力壁下および開口部下には，基礎梁を有効に連続して設ける．
2．基礎（基礎梁および基礎スラブ（杭基礎の場合はパイルキャップ）ならびに杭をいい，以下同様とする）は，鉛直荷重および水平荷重に対して，十分安全な耐力を有するよう設計するほか，次の（1）から（3）に適合する構造とする．
　（1）基礎スラブ（杭基礎の場合はパイルキャップ）および基礎梁は，一体のRC造とする．
　（2）基礎梁の幅は，これに接続する耐力壁の厚さ以上とする．
　（3）基礎スラブ（杭基礎の場合はパイルキャップ）および基礎梁は，十分な土への根入れ深さを確保する．
3．基礎梁に設ける開口は，6.4節4．に準じる．

1．基礎梁の配置

現場打ち壁式RC造やPCa壁式RC造建物の基礎形式を直接基礎とする場合は，耐力壁と壁梁で構成される構面の下部には布基礎（連続フーチング基礎ともいい，以下同様とする）を有効に連続して配置し，構面を補剛する．布基礎は，基礎梁と底盤部である基礎スラブより構成される〔解説図6.6.1〕．

地盤が軟弱な場合は，直接基礎とすることは一般には困難であることから，地盤改良併用直接基礎または杭基礎が採用される．杭基礎の場合，パイルキャップは杭頭周辺部のみ設け，それ以外は基礎梁のみとすることができる．

また，直接基礎の場合でも，その直上に内法長さの大きい開口があり，基礎スラブからの地盤反力により基礎梁に過大な上向きの曲げモーメントが生じることを避けるため，基礎スラブを設けるに基礎梁のみとすることもある．

基礎梁の剛性を増すために，上記のような基礎スラブを要しない箇所にも，ある程度の幅を有する基礎スラブを設けることも行われ

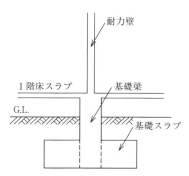

解説図 6.6.1　布基礎における基礎梁と基礎スラブの関係

る．基礎梁は，最下階スラブの固定荷重と積載荷重を安全に支持するほか，壁梁と同様に構面の下部を補強して耐力壁との一体化を確保する役割を担っている．また，建物の不同沈下および耐力壁の浮上りなどを阻止する重要な役割も有している．したがって，構面の耐力壁の下部のほか，不同沈下を防止する箇所には基礎梁を有効に連続して設け，基礎構造全体の剛性を大きくしておくことによって上部構造の応力を均等に地盤へ伝達（杭基礎の場合は，杭を介して地盤へ伝達）することが可能となる．

地震時における耐力壁の局所的な浮上りを検討する場合は，直交方向の架構も考慮してよいが，考慮にあたっては基礎スラブおよび基礎梁の検討も併せて行う必要がある．

2．基礎の設計方針と構造

（1）直接基礎

直接基礎の場合の基礎スラブの底面積は，長期および短期の各接地圧が長期および短期の許容支持力度を超えないよう算定する．

1964年6月の新潟地震および1983年5月の日本海中部地震では，4階建および2階建の現場打ち壁式RC造共同住宅建物が転倒もしくは傾斜して使用不能となった（解説写真6.6.1）．

写真6.6.1 1964年6月新潟県地震で転倒した新潟市川岸町の県営4階建現場打ち壁式RC造建物[6.6.1]

この場合は，地盤が極めて軟弱で地震時に砂質地盤が液状化現象を起こし，建物が沈み込んだり傾斜したりしたが，同じ団地内で半地下の倉庫を有する4階建の現場打ち壁式RC造共同住宅建物は，ほとんど傾斜せず再使用に供されている．したがって，事前に十分な地盤調査を実施し，地震時の転倒モーメントに対して基礎が沈下しないよう杭基礎の採用などを検討する必要がある．また，地下室を設けたりして基礎の根入れ深さを大きくすれば，転倒防止に有効であろう．

（2）杭基礎

軟弱地盤の場合には，一般には杭基礎が採用される．杭の設置位置は開口部の下部を避け，耐力壁下で軸方向力の大きい箇所を選定する．杭頭はパイルキャップで十分緊結し，水平荷重で杭が損傷しないよう設計する．

（3）基礎の構造

布基礎および基礎梁に関しては，上記の設計方針のほか，水平荷重時に面内の曲げモーメントやせん断力等の応力に対して安全であるように設計する必要がある．このほか，基礎は次の1）から

3) までに適合するものとする.
　1) 一体のRC造の原則

　　基礎構造の一体性を確保するため,および各種基礎形式に対応するため,基礎梁および基礎スラブは現場施工の一体のRC造とすることを原則とした.基礎梁や基礎スラブをPCaRC造とする場合は,下記の検討が必要である.

　　（a） 架設時の施工精度の確保と施工誤差により生じる応力に対する検討（PCaRC造接合部含む）
　　（b） 部材相互の接合部の一体性と施工性
　　（c） PCaRC造接合部への充填コンクリートの充填性確保と耐久性への配慮

　2) 基礎梁の幅

　　耐力壁の脚部は,できる限り固定条件（この仮定は,応力解析を平均せん断応力度法により壁梁や基礎梁の応力算定をする際に認めている）に近くするため,耐力壁に取り付く基礎梁は剛性の大きいものとする必要がある.また,基礎梁側面の設計かぶり厚さは,接続する耐力壁に比して両側面とも10mm以上大きくする必要があることを考慮し,基礎梁の幅はこれに接続する耐力壁の厚さ以上とする.

　3) 基礎根入れ深さ

　　水平力の地盤への伝達は,直接基礎では基礎スラブ底面の摩擦力,杭基礎では杭の水平抵抗で行われるが,基礎梁前面の受動土圧や基礎梁側面の摩擦抵抗も二次的な水平抵抗要素として考慮できる場合も地盤条件によっては考えられるので,基礎の根入れ深さを十分確保することとしている.基礎の根入れ深さは,軒高の6〜10%程度以上とするのがよい.

3. 基礎梁に設ける円形孔および矩形開口

基礎梁に設ける円形孔または矩形開口の大きさや位置等は,6.4本文4.に準じることとしている.

[参考文献]

6.6.1) 日本建築学会：壁式鉄筋コンクリート設計規準・同解説,p.68,2006.10

6.7 耐力壁・壁梁接合部および耐力壁・基礎梁接合部の構造

1. 耐力壁・壁梁接合部の厚さは,接続する耐力壁の厚さ以上,かつ壁梁の幅以上とする.
2. 耐力壁・壁梁接合部には,原則として開口を設けないものとする.やむを得ず開口を設ける場合は,次の（1）および（2）による.
　（1） T形または十字形耐力壁・壁梁接合部に開口を設ける場合は,2個以下とするとともに次の（ⅰ）から（ⅳ）の全てを満たすものとする（図6.7.1）.
　　（ⅰ） 開口の最大内法長さ（円形の場合は直径,矩形の場合は長辺の長さをいい,以下同様とする）は,200mm以下である.
　　（ⅱ） 耐力壁端部から開口縁までの縁間距離が200mm以上である.
　　（ⅲ） 耐力壁・壁梁接合部の長さが,（6.7.1）式を満たす.なお,開口間に直交壁が接続する場合は,（6.7.2）式を満たす.

$$l \geq 400 + 2(R_1 + R_2) \tag{6.7.1}$$
$$l \geq 400 + (R_1 + R_2) + t \tag{6.7.2}$$

記号　l：耐力壁・壁梁接合部の長さ（mm）

　　　R_1, R_2：耐力壁・壁梁接合部に設ける開口の最大内法長さ（mm）

　　　t：耐力壁・壁梁接合部の開口間に接続する直交壁の厚さ（mm）

(iv) 開口の中心は，壁梁せいの1/2の線上より上方である．

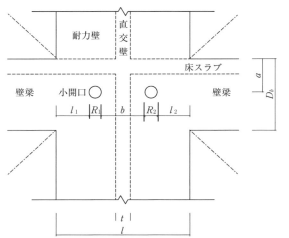

［条件］
・$a \leq D_b/2$
・$l_1 \geq 200$ mm, $l_2 \geq 200$ mm
・R_1, $R_2 \leq 200$ mm
・$b \geq (R_1 + R_2)$（直交壁無し）
・$b \geq t$（直交壁有り）

〔記号〕
a：開口中心と壁梁天端までの距離
b：耐力壁・壁梁接合部の開口部間の内法長さ
t：直交壁の厚さ
R_1, R_2：開口の最大内法長さ
D_b：壁梁のせい
l_1, l_2：耐力壁端から開口縁までの距離
l：耐力壁・壁梁接合部の長さ

図 6.7.1　T形または十字形耐力壁・壁梁接合部に設けることのできる開口の条件

(2) ト形およびL形耐力壁・壁梁接合部に開口を設ける場合は，次の(i)から(iv)の全てを満たすものとする．

(i) 開口の数は1個とするとともに，開口の最大内法長さは，200 mm 以下である．

(ii) 耐力壁端部から開口縁までの縁間距離が200 mm 以上である．

(iii) 耐力壁・壁梁接合部の長さが，次式を満たす．

$$l \geq 400 + R \tag{6.7.3}$$

記号　l：耐力壁・壁梁接合部の長さ（mm）

　　　R：耐力壁・壁梁接合部に設ける開口の最大内法長さ（mm）

(iv) 開口の中心は，壁梁せいの1/2の線上より上方である．

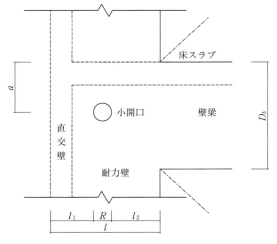

［条件］
・$a \leq D_b/2$
・$l_1 \geq 200$ mm, $l_2 \geq 200$ mm
・$R \leq 200$ mm

〔記号〕
a：開口中心と壁梁天端までの距離
R：開口の最大内法長さ
D_b：壁梁のせい
l_1, l_2：耐力壁端から開口縁までの距離
l：耐力壁・壁梁接合部の長さ

図 6.7.2　ト形またはL形耐力壁・壁梁接合部に設けることのできる開口の条件

3. 耐力壁・基礎梁接合部の厚さは，接続する耐力壁の厚さ以上，かつ基礎梁の幅以上とする．
4. 耐力壁・基礎梁接合部には，原則として開口を設けないものとする．やむを得ず開口を設ける場合は，次の（1）および（2）による．
 （1） 逆T形耐力壁・基礎梁接合部に開口を設ける場合は，次の（ⅰ）から（ⅳ）の全てを満たすものとする（図6.7.3）．
  （ⅰ） 開口の最大内法長さは，基礎梁せいの1/3以下かつ600 mm以下である．
  （ⅱ） 耐力壁端部から開口縁までの縁間距離が200 mm以上である．
  （ⅲ） 耐力壁・基礎梁接合部の長さが，(6.7.4)式を満たす．なお，開口間に直交基礎梁を有する場合は，(6.7.5)式を満たす．

$$l \geq 400 + 2(R_1 + R_2) \tag{6.7.4}$$
$$l \geq 400 + (R_1 + R_2) + b_G \tag{6.7.5}$$

   記号　　l：耐力壁・壁梁接合部の長さ（mm）
   　　　　R_1, R_2：耐力壁・基礎梁接合部に設ける開口の最大内法長さ（mm）
   　　　　b_G：耐力壁・基礎梁接合部の開口間に接続する直交基礎梁の幅（mm）
  （ⅳ） 開口下縁と基礎端下縁との距離が400 mm以上である．

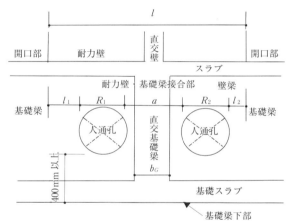

［条件］
・ $l_1 \geq 200$ mm，$l_2 \geq 200$ mm
・ $a \geq R_1 + R_2$（直交基礎梁無し）
・ $a \geq b_G$（直交基礎梁有り）
・ $R_1, R_2 \leq$ 基礎梁せいの1/3かつ600 mm

［記号］
a：開口縁間距離
b_G：耐力壁・基礎梁接合部の開口間に接続する直交基礎梁の幅
l_1, l_2：耐力壁端部から開口縁までの距離
R_1, R_2：耐力壁・基礎梁接合部に設ける開口の最大内法長さ
l：耐力壁・壁梁接合部の長さ

図6.7.3　逆T形耐力壁・基礎梁接合部に設けることのできる開口の条件

 （2） L形耐力壁・基礎梁接合部に開口を設ける場合は，次の（ⅰ）から（ⅳ）の全てを満たすものとする（図6.7.4）．
  （ⅰ） 開口の数は1個とするとともに，開口の最大内法長さは，基礎梁せいの1/3以下かつ600 mm以下である．
  （ⅱ） 耐力壁端部から開口縁までの縁間距離が200 mm以上である．
  （ⅲ） 耐力壁・基礎梁接合部の長さが，次式を満たす．

$$l \geq 400 + R \tag{6.7.6}$$

   記号　　l：耐力壁・基礎梁接合部の長さ（mm）
   　　　　R：耐力壁・基礎梁接合部に設ける開口の最大内法長さ（mm）
  （ⅳ） 開口下縁と基礎端下縁との距離が400 mm以上である．

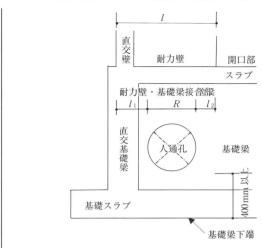

図 6.7.4 L 形耐力壁・基礎梁接合部に設けることのできる開口の条件

1. 耐力壁・壁梁接合部

耐力壁・壁梁接合部（以下，接合部と略記）は，耐力壁の一部であるが，耐力壁と壁梁が交差する部分をいう（図 6.7.1）．

本規定は，今回の改定で新たに追加した項目である．壁式 RC 造建物は，元来壁板に適度の開口を設け，各階に壁板と構造的に一体のスラブを設けた箱形の構造形式である．耐力壁に設けた開口が出入口等のように高さが高くなると，当該開口上部はラーメン構造における梁に該当する壁梁となり，壁梁の剛性および強度は，当該壁梁が接続する耐力壁の剛性および強度に大きな影響を及ぼす．したがって，各階の耐力壁の頂部には，壁梁を有効に連続して設けることとしている．

設計規準や計算規準においては，耐震計算ルート 1 の現場打ち壁式 RC 造建物を対象としており，耐力壁の厚さを標準壁厚より大きくした場合は壁量を標準壁量よりも 30 mm/m² を限度に低減（計算規準においては，さらに使用するコンクリートの設計基準強度を 18 N/mm² よりも高くした場合，および建設地の地震地域係数の導入により標準壁量よりも 50 mm/m² を限度に壁量低減が可）できるとしているが，標準せん断力係数 $C_0=0.2$ の短期荷重時における各階各方向の層間変形角が 1/2 000 以下となるよう構造規定が定められており，個々の耐力壁の長さや接合部の長さも一定程度以上確保されており，接合部の強度も確保されていると考えられる．

また，設計規準に基づいて設計・建設された現場打ち壁式 RC 造建物は，RC ラーメン構造建物が大破・崩壊した過去の被害地震においても，現場打ち壁式 RC 造建物は中破もしくは小破以下であり，耐力壁・壁梁接合部にも，過大なせん断ひび割れが生じたものは皆無である．

一方，本規準は，耐震計算ルート 3 の壁式 RC 造建物も対象としており，また壁梁の主筋も終局時においては曲げ降伏することも想定されることから，耐力壁・壁梁接合部は終局時においても過大なせん断ひび割れの発生や壁梁主筋の定着破壊が生じないようにすることが必要であることを考慮し，本節により構造計画するとともに，9.8 節および 10.5.3 項により中地震時における損傷制御ならびに大地震時における安全性確保のための設計を行うこととしている．

壁式 RC 造建物の接合部は，通常の，RC ラーメン構造建物における柱梁接合部に比して，
- 接合部の厚さは，通常接続する耐力壁や壁梁と同じである，
- 接合部に直交する耐力壁や壁梁によって拘束される面積の接合部の面積に対する比率（柱梁接合部に対する直交梁の拘束効果に相当するもの）が比較的小さい，

という特徴を有している．したがって，耐力壁の長さが特に短く，壁梁の曲げ強度が大きい場合には，接合部に生じるメカニズム時せん断力も大きくなり，応答変位およびエネルギー吸収能力の点で，接合部が耐震上の弱点となることも想定される．

2．接合部に設けることのできる開口の位置・大きさ

壁式 RC 造建物の接合部に小開口が設けられた場合の影響について検討した資料[6.7.1)]は少ないが，耐力壁の長さが壁梁のせいに比してある程度大きければ，接合部に生じるせん断応力度は小さいと考えられる．本文の規定は，上記文献や文献 6.7.2)に準じて定めている．

3．耐力壁・基礎梁接合部の厚さ

6.6 節 2.（2）に記載のように，基礎梁の幅はこれに接続する耐力壁の厚さ以上とする必要がある．耐力壁・基礎梁接合部は，基礎の一部と考えることができることから，耐力壁・基礎梁接合部の厚さは，接続する耐力壁の厚さ以上かつ基礎梁の幅以上とする．

4．耐力壁・基礎梁接合部に設ける開口の位置・大きさ規定

基礎梁には，設備配管の点検のための人通孔が設けられるのが一般的である．人通孔は，開口部下に設ける場合と耐力壁・基礎梁接合部に設けられる場合の二通りが考えられる．耐力壁・基礎梁接合部に開口を設ける場合の規定は，大きさ以外は本節 2. に準じている．

[参考文献]

6.7.1) 遠藤克彦ほか：壁柱・はり接合部の開口補強に関する実験的研究（その 1．実験概要）（その 2．実験結果）―高層壁式ラーメン構造に関する研究―，日本建築学会大会学術講演梗概集，C．構造 II，pp.227〜230，1987.8

6.7.2) 日本建築学会：鉄筋コンクリート組積造（RM 造）建物の構造設計・計算規準（案）・同解説，pp.180〜184，2021.3

6.8 プレキャスト RC 造部材接合部の構造

1．プレキャスト RC 造部材接合部（以下，PCaRC 造部材接合部という）は，その剛性および強度等について実験結果を十分考慮し，想定される応力に対して所要の構造性能を有するようにする．
2．PCaRC 造耐力壁の鉛直接合部は，次の（1）および（2）による．
   （1）鉛直接合部はウェットジョイントとし，1-D10 または 1-9Φ 以上のコッター筋により有効に接合する．
   （2）鉛直接合部内の縦補強筋は，1-D13 または 1-13Φ 以上とする．
3．PCaRC 造部材の水平接合部は，次の（1）から（3）による．
   （1）PCaRC 造耐力壁の水平接合部に接合金物を用いる場合，接合金物の鋼板の厚さは，原則として 9 mm 以上とする．ただし，SM490 を使用しかつ溶接熱の影響等を検討し問題ないことを確かめた場合は，6 mm 以上とすることができる．

（2）　水平接合部に用いる鉛直接合筋は，1-D13または1-13Φ以上，かつ，その径は部材厚さの0.15倍以下とする．
　（3）　保有水平耐力を確認する計算ルートの場合，水平接合部は直ジョイント方式とする．
4．PCaRC造壁梁の鉛直接合部は，上記2．による．また，水平接合部は，現場打ちRC造部分との一体性を確保するため所要の接合筋を配筋するとともに，接合面を面粗し処理する．
5．PCaRC造部材接合部に用いる鉄筋および接合金物等は，防錆および耐火上安全であるように被覆する．

1．プレキャストRC造部材接合部の構造

　PCa壁式RC造による建物が，構造部材を「有効に接合した」建物であり，現場打ち壁式RC造建物とは部材の接合方法が大きく異なる点に特徴がある．本会より，PCa壁式RC規準が最初に刊行されたのが1965（昭和40）年であり，第3回改定が現場打ち壁式RC造およびPCa壁式RC造関連の告示（昭58建告第1319号）が交付された翌年の1983（昭和58）年である．それから四半世紀以上が経過しているが，この間の大きな変化としては，PCaRC造耐力壁（以下，耐力壁と略記）の水平接合部がセッティングベース方式から耐力壁の水平接合部の鉛直接合筋どうしを直接接合する直ジョイント（突合せ溶接継手，重ねアーク溶接継手または機械式継手）方式へと変化したこと，および地上階数が6〜11までの高層のPCa壁式RC造建物が旧建築基準法第38条に基づいて大臣認定を取得して建設されていることである．

　PCaRC造部材接合部において，どのような接合を「有効な接合」とみなすかが，本構造の本質的問題であるといっても過言でない．「有効な接合」を具体的な数値で示すことは，非常に困難なことである．しかしながら，現段階でいえば，基本的には「有効な接合」とは，現場打ちの壁式RC造に準じた構造となるような接合を意図したものが該当する．もちろん，PCa壁式RC造としての本構造のあるべき姿が，必ずしも一体構造とは言えないのではないかという議論もあるが，現在までの研究成果では，それに踏み切るには，研究成果が不十分であると考える．

　PCaRC造部材接合部の構造は，耐力壁の配置計画に大きな影響を有することは論じるまでもない．特に，大地震動時でのPCaRC造部材接合部の挙動は，それが完全な一体性を保持することが極めて困難であることから，耐力壁の配置計画，さらに本構造の構造計画にPCaRC造部材接合部関連の検討（接合方法，接合詳細，接合箇所数等）を考慮する必要がある．

　したがって，より具体的に「有効な接合」を定義付けるとすれば，中地震動時程度では一体性を確保するが，大地震動時では耐力壁どうしの水平接合部に靱性に富んだ降伏を許容しながら，耐力壁とPCa造スラブおよびPCa造スラブどうしの水平接合部ならびに耐力壁どうしの鉛直接合部に一体性を確保し，建物全体として一部のPCaRC造部材接合部の降伏を許容し応力再配分を可能とする接合であるといえよう．

　PCaRC造部材接合部の設計を行うに際しては，以上の考えを踏まえた算定方法が提示される必要があるが，想定される応力およびそれに対する的確な算定式を示すことは現時点でも困難である．大地震動時において，一部のPCaRC造部材接合部の降伏を許容しながら，その靱性を評価する方法は実験による必要があるが，それらの実験資料も十分ではない．したがって，現在までに実験研究および施工実績を有するいくつかの接合方法について，理論・実験および施工性等の各方面から

検討し，一応「有効な接合」と考えられる接合方法を例示しながら，併せて PCaRC 造部材接合部の設計方法を示すこととした．しかし，必ずしも，こうした接合方法および算定方法のみに固執する訳ではなく，将来このほかにも種々の合理的な接合方法および算定方法が考えられるであろうし，またそれを期待するものである．以下に，現時点における設計・施工実績を有する PCaRC 造部材接合部および接合方法の種類などに関する一般的事項を記載する．

PCaRC 造部材接合部の種類を，接合される部材別に分類すると，1）耐力壁と耐力壁，2）耐力板とスラブ，3）スラブとスラブ，4）その他（階段，間仕切り等と耐力壁またはスラブ，壁梁や基礎梁どうし，ハーフ PCaRC 造壁梁や基礎梁と現場打ち RC 造部分，ハーフ PCa 造スラブと現場打ち RC 造部分）になる．また，接合面の形式からいえば，a）平面接合，b）交差接合，に分類される．さらに，PCaRC 造部材接合部の方向によって分類すると，解説図 6.8.1 のように，i）鉛直接合部（通称，鉛直ジョイント），ii）水平接合部（通称，水平ジョイント）からなる．

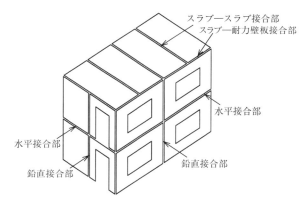

解説図 6.8.1 PCaRC 造部材接合部の方向による分類[6.8.1)]

1）の耐力壁どうしの接合は，上・下階の耐力壁どうしを接合する場合と，横方向すなわち隣接する耐力壁どうしを接合する場合である．前者は，接合面の形式から言えば，a）の平面接合であり，接合部の方向から言えば ii）の水平接合部である．後者の場合は，接合面の形式から言えば同一面内の耐力壁どうしの接合と，直交する耐力壁どうしの接合，すなわち，L形，T形，十字形接合があるので，a）平面接合と b）交差接合の2種類の場合があり，接合部の方向から言えば鉛直接合部である．2）の耐力壁とスラブとの接合は，接合面から言えば b）の交差接合であり，接合部の方向から言えば ii）の水平接合部である．3）のスラブどうしの接合は，接合面から言えば平面接合であり，接合部の方向から言えば水平接合部である．接合方法を大別すると，i）ウェットジョイント，ii）ドライジョイントになる．PCa 壁式 RC 造建物における主な PCaRC 造部材接合部における接合方法の概要は，解説表 6.8.1 のようになる．

解説表 6.8.1 PCa 壁式 RC 造建物における主な PCa 造部材接合部の分類[6.8.1)]

方向	部材	接合形式 \ 接合方法	ウェットジョイント	ドライジョイント
鉛直接合部	耐力壁板どうし	耐力壁板／耐力壁板（平面）	図	—
鉛直接合部	耐力壁板どうし	耐力壁板／耐力壁板（出隅）	図	—
水平接合部	耐力壁板どうし	耐力壁板／耐力壁板	—	図
水平接合部	耐力壁板とスラブ	耐力壁板／スラブ	図	図
水平接合部	スラブどうし	スラブ／スラブ	図	図

このウェットジョイントとドライジョイントの分類はわが国独自のもので，ACI規準に記載されている分類では，ⅰ）現場打ちの充填コンクリートまたは充填モルタルで接合する方法（cast-in-place connection），ⅱ）鋼材を溶接して接合する方法（welded connection），ⅲ）機械的に接合する方法（mechanical connection）となっている．ウェットジョイントは，充填コンクリートまたは充填モルタルそのものの応力伝達によってPCaRC造部材どうしを接合する方法で，ACI規準の分類によれば，ⅰ）がそれに相当している．この場合，充填コンクリートまたは充填モルタルが，鋼材の被覆や単なる仕上げのためのものはウェットジョイントとは呼ばない．ウェットジョイントが一般的に用いられている箇所としては，耐力壁どうしの鉛直接合部があり，その場合の一例としては，耐力壁から出ている鉄筋どうしを溶接接合する（解説図6.8.2）か，または耐力壁からループ上の鉄筋を出して鉛直接合部内に定着されるようにしておき，充填コンクリートまたは充填モルタルを充填して耐力壁どうしを接合する方法がある．ウェットジョイントは，PCaRC造部材接合部の型枠の取付けや解体ならびに充填コンクリートまたは充填モルタルの充填などの煩わしさはあるが，PCaRC造部材製作時や組立て時に伴う寸法誤差が多少あっても，いわゆる「逃げ」が効く利点がある．

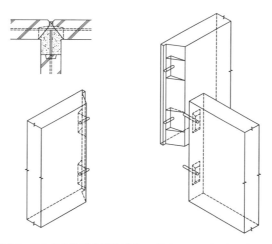

解説図 6.8.2 PCaRC造耐力壁どうしの鉛直ウェットジョイントの例[6.8.1]

ドライジョイントは，ウェットジョイントが充填コンクリートまたは充填モルタルそのものの応力伝達によっているのに対して，充填コンクリートまたは充填モルタルを介さなくても応力伝達ができるように設計された接合方法である．ACI規準の分類によれば，ⅱ），ⅲ）が相当している．たとえば，耐力壁―耐力壁の水平接合部で，上階および下階の耐力壁に定着された先付け金物に添え金物を溶接接合したいわゆるセッティングベースを介して応力伝達を図る接合方法は，ドライジョイントの一例である（解説図6.8.3）．

もちろん，この場合セッティングベースのための耐力壁の欠込み部には，溶接接合後に充填コンクリートまたは充填モルタルが充填されるのであるが，これらは鋼材の防錆や耐火被覆のために施工されるもので，PCaRC造部材接合部の応力伝達に直接関係しないことから，この接合方法をドラ

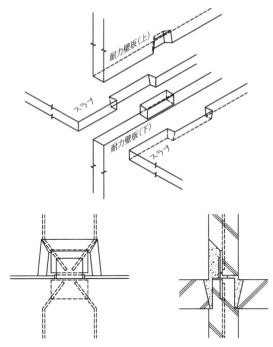

解説図 6.8.3 PCaRC 造耐力壁どうしの水平ドライジョイントの一例[6.8.1)]

イジョイントと呼称している．ドライジョイントは，PCaRC 造部材製作時や組立て時の寸法や建て方精度の要求および作業管理の煩雑さはあるが，PCaRC 部材接合部に型枠および養生を必要としない利点がある．

2．耐力壁の鉛直接合部の構造

鉛直接合部には，解説 1．の接合部の種類で記載しているように，耐力壁どうしの鉛直接合部の他に，耐力壁と PCaRC 造壁梁等との鉛直接合部や PCaRC 造壁梁や基礎梁どうしの鉛直接合部が考えられる．以下に，耐力壁どうしの鉛直接合部について記載する．

（1） 耐力壁の鉛直接合部の接合方法

耐力壁の鉛直接合部（以下，鉛直接合部と略称する）の接合方法としては，ドライジョイントも考えられ実施された例もある（例えば，量産公営住宅工法でのボルト接合）が，ドライジョイントは剛性および一体性が低下するおそれがあり，かつ現在ほとんど採用されていないので，本規準においても鉛直接合部はウェットジョイントに限定した．

鉛直接合部では，一般に耐力壁の側面小口に設けられたシヤーコッターより出したコッター筋どうしを溶接接合するか，またはシヤーコッターよりループ状に出したコッター筋どうしをラップさせて縦補強筋を通した後に，充填コンクリートまたは充填モルタルを充填する．鉛直接合部の種類には，耐力壁からのコッター筋の形状およびコッター筋どうし，あるいはコッター筋とスパイラル筋のラップ方式などがあり，多種多様である．また，鉛直接合部に作用する荷重は，鉛直接合部の形状・寸法・接合方法によってその数値は異なり，せん断力以外にも鉛直接合部に直交する方向からの圧縮および引張力等が考えられ複雑である．したがって，鉛直接合部の強度および剛性の評価

は，実験により，それもできれば構面実験によって定めるのが望ましい．

既往の鉛直接合部の実験は，実験方法，コッターの形状，コッター筋の量，コンクリート強度等が実験によって異なるため，実験結果のばらつきは非常に大きく，定量的な評価を下すまでには至っていない．しかしながら，以下のような性質が鉛直接合部にはあるものと言えよう．

1) せん断ひび割れは，コッター筋の量によって異なるが，ほとんどが充填コンクリートの斜張力によるものである．
2) せん断強度は，概ねせん断面積，すなわちシヤーコッター面積とシヤーコッターの数に比例する．
3) せん断強度は，実験方法によるが，コッター筋の断面積や数に比例して増大する傾向がある．
4) せん断ひび割れ発生後の靱性は，コッター筋によるところが大きい．

コッター筋の最小径の規定は，以上の実験結果を基に定めたもので，中地震動時を対象としたものでなく，大地震動時を対象とした終局強度の向上とせん断ひび割れ発生後の靱性を期待しての規定である．

(2) 鉛直接合部の許容せん断力算定用の許容応力度

耐力壁の鉛直接合部に作用する力は，地震時のせん断力以外にも，鉛直接合部に直交する方向の圧縮力および引張力等が考えられるが，縦補強筋やスラブ等の剛性や強度を期待して，せん断力に対して設計する．同一階であっても，各耐力壁の鉛直接合部のコッターの負担せん断力には差があるが，変形能を期待し，かつ許容応力度を低く抑えることにより，その点を補い一様な均等分布として取り扱う．

PCa壁式RC規準においては，シヤーコッターおよび充填コンクリートの短期許容せん断応力度を，解説表6.8.2のように定めている[6.8.1]．

解説表6.8.2 シヤーコッターおよび充填コンクリートの短期許容せん断応力度[6.8.1]

	短期許容せん断応力度
シヤーコッターの直接せん断*	20 (kgf/cm^2) (2.0 N/mm^2)*
充填コンクリートのせん断*	7 (kgf/cm^2) (0.7 N/mm^2)*

[注] *：文献6.8.1)の表現を修正している．

文献6.8.1)によれば，「充填コンクリートの短期許容せん断応力度7 kgf/cm^2 (0.7 N/mm^2) の数値は，充填コンクリートの設計基準強度を210 kgf/cm^2 (21 N/mm^2) とした時，充填コンクリートに斜めひび割れが発生し始めるときの実験結果の値である．この値は，充填コンクリートの強度によってはさらに大きく取り得るものと予想されるが，施工による充填コンクリートの強度の不確実性およびシヤーコッター部の応力集中を考慮して低く抑えてある．」と記載されている．また，シヤーコッターの直接せん断に対する短期許容せん断応力度を20 kgf/cm^2 (2 N/mm^2) としている[6.8.1]が，これについては「シヤーコッター部にすべりによるひび割れが明瞭に入ったときの実験結果の値である．」と記載されている．

本規準においては，最近のコンクリートの高強度・高性能化および施工技術の向上ならびに施工品質管理への取組みや施工実績等を踏まえ，表5.2に記載のとおり，充填コンクリートの許容せん断応力度を普通コンクリートの許容せん断応力度の数値と同じとしている．

　また，シヤーコッターの直接せん断に対する短期許容せん断応力度は，シヤーコッターの直接せん断強度を考慮した割増し係数を導入〔9.12節参照〕することとし，充填コンクリートの短期許容せん断応力度の数値と同様とした．さらに，シヤーコッターの局部圧縮に対する許容圧縮応力度は，局部圧縮に対する割増し係数を導入〔9.12節参照〕することで，コンクリートの許容圧縮応力度と同値とすることとした．

　上記の割増し係数は，鉛直接合部を有する耐力壁の実験結果を基に定めている文献6.8.1）の短期許容せん断応力度より定めているが，文献6.8.1）には「以上の許容せん断応力度の数値は，実験結果の数値より定めたものであることから，実験でのシヤーコッターの形状が解説図6.8.4に示すようにコッター深さd，長さhが，それぞれ$d=30$ mm前後，$h=100〜200$ mm程度のものと異なる形状である場合は，新たに実験によって確かめることが必要である．」と記載されているので，留意されたい．

　なお，充填コンクリートのシヤーコッターおよび充填コンクリートのせん断応力度の検討に際しては，それぞれの厚さとして，2本目地の場合はコッター幅および耐力壁厚を取ることができるが，1本目地の場合は有効厚さとして解説図6.8.5に示すt_eおよびt_e'を採ることとする．シヤーコッターの数および位置は，各シヤーコッターの負担せん断力が一様となるに十分な数，すなわち各鉛直接合部で6個程度が，階高にわたってほぼ均等に設けるべきである．一方，地上階数2以下の低層の建物で，各耐力壁を独立した耐力壁として安全性を確認した場合には，鉛直接合部を設けないこともできる．

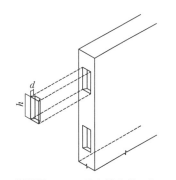

解説図6.8.4 鉛直接合部シヤーコッターの形状[6.8.1]

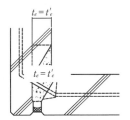

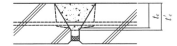

解説図6.8.5 鉛直接合部の有効厚さ[6.8.1]

　鉛直接合部を有する耐力壁の水平せん断応力度の分布は，鉛直接合部にせん断ひび割れが生じる前と後では変わることが，実験および解析から知られている．すなわち，解説図6.8.6に示すようにせん断ひび割れ発生前では，水平せん断応力度の分布は一体性の仮定による放物線分布であるが，せん断ひび割れ発生後は鉛直接合部のせん断変形から，その箇所を谷とした二つの山の形となる．また，それによって耐力壁と耐力壁の水平接合部での垂直応力も一体性が崩れ，鉛直接合部で不連

続となる.

耐力壁の鉛直接合部が当該耐力壁の中央にある場合の最大せん断応力度 τ_{max} は，せん断応力度の平均値の 1.2 倍となることから，個々の耐力壁の短期荷重時のせん断力を算定したうえで，せん断応力度分布における集中係数の 1.2 を乗じる必要がある．なお，鉛直接合部が耐力壁の端部にある場合は，せん断応力度分布の集中係数は 1.0 としてよい．

なお，耐力壁端部で直交壁どうしの接合，すなわち，L 形接合の場合の鉛直接合部の設計用せん断力には，直交壁の押さえ効果によるせん断力を考慮する必要がある．

鉛直接合部の抵抗機構は複雑であり，必ずしも上記のようなコッターの直接せん断と充填コンクリートのせん断抵抗で，鉛直接合部の設計が完全とは言えない．たとえば，充填コンクリートのせん断ひび割れ発生後は，せん断伝達機構が変化し，鉛直接合部が耐力壁どうしを結ぶ圧縮筋かいの働きをする伝達機構となることが考えられる．したがって，終局時の鉛直接合部の検討が必要である．

本構造では大地震動時の応答ベースシヤー係数を 0.5 程度としているので，終局時の鉛直接合部の設計用せん断力は耐震計算ルート 1 の場合は，$2.5 Q_S$（Q_S：標準せん断力係数 $C_0=0.2$ 時に耐力壁に生じるせん断力）としてよいとしている．

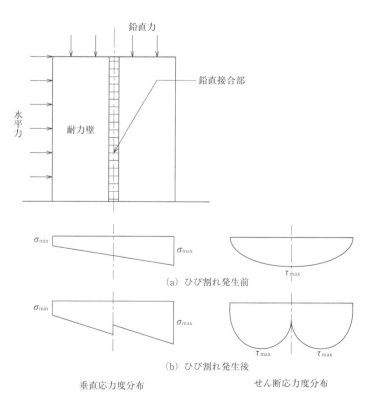

解説図 6.8.6 鉛直接合部のせん断ひび割れ発生前と発生後の垂直応力度分布とせん断応力度分布[6.8.1]

（3） 鉛直接合部の縦補強筋

鉛直接合部の縦補強筋は，終局強度の増加と，特に耐力壁からのコッター筋がループ状でラップされた接合方法の場合，コッター筋の定着効果を高めるなど，その効果は著しい．それ以外にも，ジョイントコンクリート部分の斜張力によるせん断ひび割れや，収縮による水平ひび割れの伸展の防止にも役立っている．また，鉛直接合部の一体性から，鉛直接合部の縦補強筋は耐力壁の曲げ補強筋として算入することができる．本項の規定は，以上のような効果を十分に果たすために，鉛直接合部内の縦補強筋の最小鉄筋量を定めたものである．しかしながら，反面過大な縦補強筋は，そのかぶり厚さの減少をきたし，その有効性を低下させるおそれもある．特に，1本目地の場合は，縦補強筋に対する十分なかぶり厚さを確保する必要がある．また，耐力壁の端部で，L形接合を行う場合は，縦補強筋の応力が大きくジョイントコンクリートによる拘束が弱いので，縦補強筋の座屈を防止するため十分に拘束するための配筋を行う必要がある．

3．水平接合部

水平接合部は，耐力壁―耐力壁，耐力壁―スラブおよびスラブ―スラブの接合が対象となる．これらの接合部の接合方法としては，耐力壁板どうしの接合ではドライジョイント，さらにドライジョイントの改良形である直形ドライジョイントが，耐力壁―スラブ接合ではドライジョイントも用いられるが，主としてウェットジョイントが採用されている．

（1） 耐力壁―耐力壁水平接合部の接合金物の厚さと設計・施工

本項は，耐力壁―耐力壁の水平接合部の接合方法として，耐力壁に定着された先付け金物に添え金物を溶接接合した，いわゆるセッティングベース方式を主としたドライジョイントの鋼板の厚さに関する規定である．鋼板は，溶接性の観点からSS400，厚さ9mm以上を原則としたが，溶接用鋼材としてSM490が使用されることを考慮し，溶接熱の影響や強度上の検討を行うことを条件に，厚さ6mm以上としてよいこととしている．

耐力壁―耐力壁の水平接合部に作用する力は，曲げモーメント，せん断力ならびに軸方向力と多様である．耐力壁―耐力壁の水平接合部にセッティングベース方式を用いた場合，曲げモーメントによる引張力は鉛直接合部の縦補強筋に負担させ，セッティングベースに水平せん断力を負担させるものとしての許容応力度設計が行われてきた．しかし，セッティングベース方式の構面実験の結果，その耐力を十分有することは確認されたが，抵抗機構としてはセッティングベースは水平せん断力を負担するよりも，曲げモーメントによる引張力に抵抗し，水平せん断力に対しては耐力壁どうしの摩擦力が抵抗していることが明らかとなった[6.8.2]．したがって，水平接合部では，各耐力壁ごとに設計用せん断力$2.5Q_s$に対して，摩擦を考慮した終局強度の検討を行うものとする．曲げモーメントに対しては，終局時において鉛直接合筋の伸びによる靱性のある降伏形式となる設計が望ましい．

なお，セッティングベース方式の場合は，ドライジョイントによる接合方法全般に言えるように，剛性の不足，施工誤差，特にセッティングベースの面外方向の誤差（板厚方向の間隙）による耐力低下，防水目地による溶接部のモルタルの欠如などが生じないよう細心の配慮が必要である．

（2） 鉛直接合筋の径

セッティングベースが水平せん断力に抵抗せず，むしろ曲げモーメントによる引張力に抵抗するという実験結果[6.8.2]より，鉛直接合筋（一般的には，耐力壁の曲げ補強筋）どうしを直接接合したものが，直形ドライジョイントである．鉛直接合筋の接合方法としては，解説図 6.8.7 に示すように，平鋼，山形鋼，半円鋼などの添え鋼板を当てた溶接接合，上下の耐力壁からの鉛直接合筋にシース管を嵌め，それをグリップする圧着接合，同様にねじ鉄筋の鉛直接合筋にねじ付きカプラーをはめて締め付けるねじ締付け接合，また鉛直接合筋にスリーブをはめ，鉛直接合筋とスリーブ間にグラウトモルタルを注入するスリーブ接合など，多様である．しかし，基本的には耐力壁間の敷きモルタルを介して摩擦力で水平せん断力に，鉛直接合筋で曲げモーメントによる引張力に，それぞれ抵抗させるものである．

本項は，この鉛直接合筋の径を規定したもので，鉛直接合部の縦補強筋および耐力壁端部の縦補強筋に準じて最小径を D13 としている．また，その径を耐力壁厚さの 0.15 倍以下としたのは，PCaRC 造部材は概して板厚が薄いのに対して，鉛直接合筋が過大に太いとコンクリートが割裂破壊するおそれがあるので，その最大径を抑えたものである．特に，鉛直接合部の接合方法がスリーブ接合や圧着接合の場合は，スリーブやシース管の寸法が鉛直接合筋より太いので，スパイラル筋等のコンクリートの割裂破壊防止の補強が必要である．

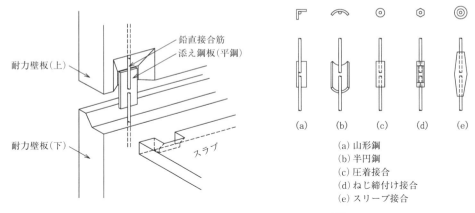

解説図 6.8.7　直形ドライジョイントの例[6.8.1]

（3） 保有水平耐力計算の場合の耐力壁の水平接合部の接合方式

耐力壁の水平接合部における接合方式の1種であるセッティングベース方式は，ドライジョイントであり，耐力壁脚部に曲げ降伏が生じた後の変形性能に関してはセッティングプレートと定着筋とのフレアー溶接部の変形性能に依存するが，当該部分の変形特性に関しての資料が少ないことを考慮し，当該部材の水平接合部の鉄筋どうしの継手に機械式継手を用いる直ジョイント方式を採用することで，上下の耐力壁板の一体性を向上させることとした．

4．PCaRC 造部材接合部に用いる鉄筋・接合金物等の防錆・耐火処理

PCaRC 造部材接合部に用いる鉄筋および接合金物の防錆および耐火処理については，JASS 10 の 2.5～2.7 節の解説[6.8.3]に示されている防錆および耐火上有効な処理を施す必要がある．特に，

ドライジョイントの場合には，接合金物の防錆処理に注意を払うべきである．また、接合金物の耐火被覆については、建築基準法施行令第107条に基づく平成12年建設省告示第1399号第1第1号イに従い，鉄骨に対するコンクリートのかぶり厚さを30 mm以上確保する必要があるため，PCaRC造部材製造時や施工時の誤差を考慮し設計かぶり厚さを40 mm以上とする必要がある．

[参 考 文 献]

6.8.1) 日本建築学会：壁式プレキャスト鉄筋コンクリート造設計規準・同解説，pp.65～76，1984.4
6.8.2) 末永保美：壁式プレキャスト鉄筋コンクリート造の力学的挙動に関する基礎的研究，その1　接合部ジョイントの改良および構面の力学的挙動についての再検討，日本建築学会大会学術講演梗概集，pp.1245～1246，1972.09
6.8.3) 日本建築学会：建築工事標準仕様書・同解説 JASS 10 プレキャスト鉄筋コンクリート工事，pp.44～47，2007.7

7条　荷重および外力とその組合せ

1．構造計算に採用する荷重および外力とその組合せは，建築基準法および同施行令（以下，法および令という）ならびに関連告示（以下，告示という）に定めるところによる．
2．土圧力や水圧力など，告示に数値の規定のないものについては，本会編「建築基礎構造設計指針」等による．

1．荷重および外力とその組合せ

本規準では，部材の断面設計は想定される荷重および外力による応力を適切に組み合わせた応力に基づいて行うこととしている．この場合の荷重および外力とその組合せは，建築基準法（以下，法という）および建築基準法施行令（以下，令という）ならびに関連告示に定めるところによる．面外荷重を支持する耐力壁やRC造の手すり等は，水平震度1.0以上の面外方向荷重を考慮する．

なお，法および令ならびに告示に規定されていない荷重は，本会編「建築物荷重指針・同解説」[7.1)]に示されたところによる．

2．土圧力・水圧力等

地下外壁や基礎梁は，自重および積載荷重ならびに地震荷重の他に，通常土圧および水圧を受ける場合があるが，これらの数値については法・令および告示に規定がないことから，本会編「建築物荷重指針・同解説」[7.1)]や「建築基礎構造設計指針」[7.2)]等を参考に設定する．なお，津波荷重に対する構造設計に際しては，平23国交告第1318号等による．

また，建物に付属するエレベーターや配管類の重量、機械室や電気室の機械重量，ならびに屋上緑化を施す場合の重量等は，適切な資料に基づいて設定する．なお，将来的に想定される荷重類についても，可能な範囲内で設計上考慮しておくことが望ましい．

[参 考 文 献]

7.1) 日本建築学会：建築物荷重指針・同解説，2015.2
7.2) 日本建築学会：建築基礎構造設計指針，pp.80～95，2019.11

8条　構造解析の基本事項

8.1　応力・変形解析

1．壁式 RC 造建物の許容応力度計算において必要な応力・変形解析は，原則として部材の弾性剛性に立脚した計算によるほか，次の（1）から（4）による．

(1) 応力および変形の算定は，原則として，曲げモーメントおよびせん断力により生じる変形ならびに剛域を考慮した等価な骨組に置換する解析法によるものとし，必要に応じて軸方向変形も考慮する．

(2) 部材に局部的なひび割れが生じ，剛性低下の影響が無視できない場合は，適切な復元力特性を設定して非線形解析を行い，各部の応力，変形を算定する．また，PCa 壁式 RC 造の場合は，上記に加え，PCaRC 造部材接合部の剛性を適切に考慮できる解析法による．

(3) 面外変形の影響が無視できない部材に対しては，面外変形を考慮する．

(4) 下記の i ）から v ）の全てを満たす場合は，水平荷重時応力算定を平均せん断応力度法によることができる．

　ⅰ）軒の高さが 16 m 以下である．

　ⅱ）各階の階高が 3.5 m 以下である．

　ⅲ）各階各方向の壁率が，次式を満たす．

$$_i a_w \geq \frac{Z \cdot W \cdot A_i \cdot \beta}{2.5 S_i} \tag{8.1.1}$$

　　記号　$_i a_w$：i 階における各計算方向ごとの壁率（mm²／m²）で，計算方向の耐力壁の水平断面積［（耐力壁の実長）×（耐力壁の厚さ）］の合計を当該階の壁率算定用床面積で除した数値

　　　　　Z：地震地域係数

　　　　　W：地震力を計算する場合における当該階が支える部分の固定荷重と積載荷重との和（特定行政庁が指定する多雪区域においては，さらに積雪荷重を加えるものとする）（N）

　　　　　A_i：地震層せん断力の高さ方向の分布を表す係数

　　　　　β：使用するコンクリートの設計基準強度による係数で，1.0 とする．

　　　　　2.5：耐力壁のせん断強度の基準値（N/mm²）

　　　　　S_i：i 階の壁率算定用床面積（m²）．上階にバルコニーや外廊下などがある場合は，その面積の 1/2 以上を加算する．

　ⅳ）各階各方向の壁量が次式を満たす．

$$L_w \geq \alpha \cdot Z \cdot L_{w0}, \text{かつ}, L_w \geq L_{wm} \tag{8.1.2}$$

　　記号　L_w：各階における各計算方向の壁量（mm/m²）で，耐力壁の実長を当該階の壁量算定用床面積で除した数値

　　　　　α：耐力壁の厚さ t が表 10.1.3（PCa 壁式 RC 造にあっては表 10.1.4）に示す最小壁厚 t_0 より大きい場合の低減係数で，次式による．

$$\alpha = \frac{t_0 \cdot \Sigma l}{\Sigma(t \cdot l)}, \text{ただし}, \alpha \geq 1 - \frac{30}{L_{w0}} \tag{8.1.3}$$

　　　　　t_0：耐力壁の最小壁厚（mm）

　　　　　Σl：耐力壁の実長の和（mm）

　　　　　$\Sigma(t \cdot l)$：耐力壁の厚さ t に耐力壁の実長 l を乗じた数値の和（mm²）

　　　　　L_{w0}：標準壁量（mm/m²）で，表 10.1.1，PCa 壁式 RC 造にあっては表 10.1.2 による．

　　　　　L_{wm}：最小壁量（mm/m²）で，表 10.1.1，PCa 壁式 RC 造にあっては表 10.1.2 による．

　ⅴ）耐力壁の実長が 450 mm 以上，かつ同一の実長を有する部分の高さの 30% 以上である．

2．壁式 RC 造建物の保有水平耐力は，原則として架構を構成する耐力壁，壁梁，基礎梁などの構造要素の弾塑性挙動を適切に再現できるモデルを用いた架構の増分解析によって求めることとし，各部材の非線形領域を含めた復元力特性を適切に考慮する．ただし，増分解析以外の方法を用いる場合は，各算定法の特

長を十分に理解して用いることとする．

1．一次設計における応力・変形解析について

　一次設計である許容応力度計算における応力・変形を算定する解析では，部材の弾性剛性に立脚した計算方法を採用することを原則とする．ただし，ひび割れの発生が無視できない場合については，ひび割れ後の非線形領域を考慮した弾性解析を基本とする．また，長期応力に対する検討も，ここで示す方法を使用してよい．

（1）　建物のモデル化について

　応力・変形の算定においては，原則として，曲げモーメントおよびせん断力により生じる変形ならびに剛域を考慮した等価な骨組に置換する解析法によるものとし，必要に応じて軸方向変形も考慮する．水平荷重に対する曲げモーメントの算定にあたっては，耐力壁，壁梁各部材のフェイス位置の数値をもって，その箇所の設計用曲げモーメントの値とみなしてよい．

　1）剛性評価の原則

　本規準では，10.1.1項に建物のけた行方向および張り間方向の各々について壁率，壁量の満たすべき最小値が規定されているとともに，6.3.1項および6.3.2項に耐力壁の長さおよび厚さに関する規定があり，さらに耐力壁の頂部には壁梁を有効に設けることとしている．壁式RC造は，これらの規定により大きな水平耐力と高い剛性を有する構造となっている．けた行，張り間の両方向ともに規定に応じた耐力壁が設けられることになるので，一般的に耐力壁は大きな面外からの荷重を負担することはなく，また耐力壁に有効に接続する壁梁が面材としての強度および剛性を発揮させる条件を備えている．

　大きな水平耐力と高い剛性を有する構造的な特徴により，壁式RC造は地震時水平荷重に対して概ね弾性的な挙動をする．本規準9.2節における耐力壁の短期荷重時のせん断応力度が使用するコンクリートの短期許容せん断応力度以下となることの確認，および10.1.2項の層間変形角が1/2000以下となることの確認により，地震時において壁式RC造が概ね弾性範囲内で応答することを確かめる行為として位置付けることができる．

　したがって，壁式RC造においては，応力解析は，原則として部材の剛性を弾性剛性により評価して行うこととした．ただし，荷重の作用により他の部位より大きな変形が生じると想定される部材に対しては，部材の剛性の算定に際しては適切な剛性低下を考慮してもよい．この際，剛性低下の設定を誤り，部材剛性を過大に低下させると，作用荷重により生じる応力に対して過小な設計用応力を算出する結果となる．さらに，実状に則さない剛性低下を設定すると，剛性率ならびに偏心率を建物の実状に則さない値として算定する危険性があるので十分留意する必要がある．

　2）耐力壁の軸方向力の計算

　本規定による鉛直荷重時の耐力壁の軸方向力は，解説図8.1.1のようになる．すなわち，直交する構面のなす角の2等分線①，隣り合う構面との2等分線②，壁梁の内法スパンの2等分線③で囲まれた部分のスラブ荷重をその部分に含まれる構面の耐力壁の負担する荷重とする．例えば，zone A は W_1（B通りけた行方向の耐力壁）の，zone B は W_2（(2)通り張り間方向の耐力壁）の荷重とする．

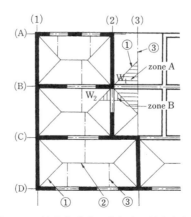

解説図 8.1.1 鉛直荷重時の耐力壁の軸方向力算定法

(2) 非線形領域における扱い

構造部材に局部的なひび割れが生じ，剛性低下の影響が無視できない場合は，その影響を適切に考慮した復元力特性を設定して非線形解析を行い，各部の応力，変形を算定する．例えば，スパン長が短い壁梁などの地震時に変形が集中する部材が，剛性低下を考慮してよい部材に該当する．

また，PCa 壁式 RC 造建物の応力・変形解析の場合，一次設計における応力解析は平均せん断応力度法を用いる方法や，曲げ・せん断変形，剛域ならびに PCaRC 造部材接合部の変形を考慮したラーメン解法[8.1.1]など適切な方法を用いる．耐力壁の曲げモーメントは，水平接合部や壁梁の接続状態により反曲点高さ比を適切に仮定して算定するが，接合方法に直ジョイント方式を用いる場合で，応力算定に平均せん断応力度法を用いる場合は，反曲点高さ比を解説図 8.1.2 に示すように仮定してよい．

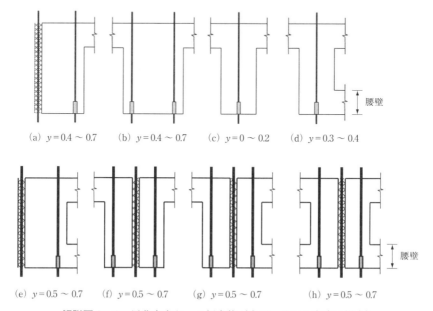

解説図 8.1.2 反曲点高さ y の仮定値（直ジョイント方式の場合）

各図は以下の場合を想定している．なお図中，腰壁がある場合にその部分（図中の矢印↕の範囲）が壁梁として有効とみなすことができるのは，せいが 450 mm 以上の場合である．

（a）　腰壁が取り付かない耐力壁の両端に鉛直接合筋（一端鉛直接合部，他端直ジョイント）がある場合
（b）　腰壁が取り付かない耐力壁の両端に鉛直接合筋（両端直ジョイント）がある場合
（c）　腰壁が取り付かない耐力壁の中央部に鉛直接合筋がある場合
（d）　片側に腰壁が取り付く耐力壁の中央部に鉛直接合筋がある場合
（e）　片側に腰壁が取り付く耐力壁の両端に鉛直接合筋がある場合
（f）　腰壁が取り付かない耐力壁の両端に鉛直接合筋（中央部に鉛直接合部）がある場合
（g）　片側に腰壁が取り付く耐力壁の両端に鉛直接合筋（中央部に鉛直接合部）がある場合
（h）　両側に腰壁が取り付く耐力壁の両端に鉛直接合筋（中央部に鉛直接合部）がある場合

（3）　面外方向の挙動

　壁式 RC 造における耐力壁で直交壁が接続しない独立壁形式の場合や長さまたは高さが著しく大きい耐力壁の場合，面外方向に対する挙動に留意する必要がある．面外方向の挙動は当該耐力壁の断面や配筋だけでなく，端部の固定度にも依存するため，それらを適切に評価できる部材のモデル化が必要となる．また，一般に平面解析において，このような面外挙動を評価することは難しいため，立体解析において耐力壁の面外変形を評価する必要がある．ただし，標準せん断力係数 $C_0 \geq 0.2$ 時において，各階各方向の層間変形角が 1/2 000 以下であることが確認されているか，ルート 1 を満たし，かつ，(8.1.2) 式で算定する必要壁量と同量以上有している場合は，面外方向の挙動は大きくないことから，検討を省略できる．

（4）　平均せん断応力度法を用いた応力算定

　応力算定方法については，前述のとおり弾性解析によることが原則であるが，壁式 RC 造建物の構造特性に鑑み，簡易的に建物の各部材の応力を算定する方法として，平均せん断応力度法がある．ただし，本手法を用いて水平荷重時応力を算定できるのは，個々の耐力壁において曲げ変形の占める比率が小さく，建物が水平荷重に対して一様にせん断変形すると想定できる場合であり，それを満足するための条件を本文に示している．

　また，開口部を含む二つ以上の耐力壁を一つの耐力壁にモデル化した場合の各々の断面算定（特に，開口部周囲の補強）は，平均せん断応力度法の考え方によることができる．すなわち，まず開口部による剛性低下を考慮して一つの耐力壁にモデル化し，応力解析によりその応力を算出する．次に，開口部を含む各々の耐力壁の断面積に応じて，算出された平均せん断応力度から各耐力壁のせん断力を算出する．更に，反曲点高さを耐力壁の中央として耐力壁の曲げモーメントを算出し，この値から壁梁の応力を算出すればよい．また，PCa 壁式 RC 造においては，直ジョイント方式などの場合に対して，反曲点高さを適切に設定〔解説図 8.1.2 参照〕する必要がある．

　関連して，平均せん断応力度法を用いた場合に，層間変形角を算定する方法を以下に示す．平均せん断応力度 $\bar{\tau}$ を用いて，せん断変形量は次式で計算できる．

$$\delta_S = \frac{\kappa \cdot \bar{\tau}}{G} \cdot h \qquad \text{(解 8.1.1)}$$

記号　δ_S：耐力壁のせん断変形量（mm）

　　　　κ：せん断剛性に関する形状係数（長方形断面の場合 1.2）

　　　　$\bar{\tau}$：平均せん断応力度（N/mm^2）

　　　　G：せん断弾性係数（N/mm^2）

　　　　h：階高（mm）

耐力壁の変形角 R は，せん断変形角 R_S と曲げ変形による変形角 R_B の和として評価され，次式により表すことができる〔付 4. 参照〕．

$$R_S = \frac{\kappa \cdot Q}{G \cdot A_w} = \frac{1.2Q}{G \cdot A_w} \qquad \text{(解 8.1.2)}$$

$$R_B = \frac{\delta_B}{h} = \frac{Q}{6E \cdot I \cdot h}(3h_0 \cdot h^2 - h^3) \qquad \text{(解 8.1.3)}$$

記号　R_S：せん断変形角，R_B：曲げ変形角

　　　　κ：断面の形状による集中係数（長方形の場合，1.2），Q：作用せん断力

　　　　A_w：耐力壁の断面積（$=t \cdot l$），G：せん断弾性係数（$=E/2.4$），E：ヤング係数

　　　　h：耐力壁の内法高さ，l：耐力壁の長さ，t：耐力壁の厚さ，

　　　　h_0：反曲点高さ（$=y_0 \cdot h$），y_0：反曲点高さ比

（解 8.1.2）式および（解 8.1.3）式より，R_S および R_B は，次のように変形できる．

$$R_S = \frac{1.2Q}{G \cdot t \cdot l} \qquad \text{(解 8.1.4)}$$

$$R_B = \frac{Q \cdot h^3}{\frac{2.4}{2}G \cdot t \cdot l^3 \cdot h}(3y_0 - 1) = R_S\left(\frac{h^2}{1.44l^2}\right)(3y_0 - 1) = R_S\left(\frac{h}{1.2l}\right)^2(3y_0 - 1) \qquad \text{(解 8.1.5)}$$

したがって，せん断と曲げの変形比率は以下の式となる．

$$\frac{R_S}{R_B} = 1.44 \times \left(\frac{l}{h}\right)^2 / (3y_0 - 1) \qquad \text{(解 8.1.6)}$$

ここで，反曲点高さ比 $y_0 = 0.5$ とした時，（解 8.1.6）式は次のようになる．

$$\frac{R_S}{R_{B, y_0=0.5}} = 2.88 \times \left(\frac{l}{h}\right)^2 \qquad \text{(解 8.1.7)}$$

よって，$l/h = 0.6$ の時，せん断変形と曲げ変形がほぼ等しくなる．

一方，全体曲げ変形は，張り間方向の連層壁においてはその変形を無視できないが，耐震的に問題となるけた行方向を考える場合には無視できる．例えば，せん断変形と曲げ変形の比は $h/l = 10/3$ の時，$1:4$[8.1.2]となり，その場合の耐力壁の変形角 R は，以下の式で表すことができる．

$$R = R_S + R_B \approx 5R_S \qquad \text{(解 8.1.8)}$$

ただし，耐力壁の内法高さが 3 m を超える場合は，$h > 3$ m，$0 < h/l < 10/3$（（h/l が 10/3 以下の規

定あり）の2条件より $l \geq 0.9\,\mathrm{m}$ となり，（解 8.1.7）および（解 8.1.8）式は以下の式で表せる．

$$R_B = \frac{1}{2.88}(h/0.9)^2 R_S = 0.43(h)^2 R_S \fallingdotseq 4R_S(h/3)^2$$

$$R = R_S + 4R_S \cdot \left(\frac{h}{3}\right)^2 \tag{解 8.1.9}$$

また，（解 8.1.5）式中の反曲点高さ比 y_0 を（解 8.1.10）式で表すと，耐力壁の曲げ変形はアスペクト比に連動することとなり，（解 8.1.11）式で表すことができる．

$$y_0 = 1.5l/h \tag{解 8.1.10}$$

$$R_B = \frac{Q \cdot h^3}{\dfrac{2.4}{2}G \cdot t \cdot l^3 \cdot h}(3y_0 - 1) = R_S\left(\frac{h^2}{1.44^2}\right)(3y_0 - 1) = R_S\left(\frac{h}{1.44^2}\right)(4.5l - h) \tag{解 8.1.11}$$

なお，一般に反曲点高さ比 y_0 は，下層階が 0.6，上層階 0.4，その他の階は 0.5 としてよい．

2．二次設計における応力・変形解析について

　壁式 RC 造建物の保有水平耐力は，原則として，架構を構成する耐力壁，壁梁，基礎梁などの構造要素の弾塑性挙動を適切に再現したモデルを用いた架構の非線形増分解析によって求めることとし，各部材の非線形領域を含めた復元力特性を適切に考慮する．ただし，増分解析以外の方法を用いる場合は，各算定法の特徴を十分に理解して用いる必要がある．

[参考文献]

8.1.1）高木次郎・北山和宏・見波　進：新設開口補強を伴う既存壁式プレキャスト鉄筋コンクリート構造耐震壁の数値解析モデル，日本建築学会構造系論文集，第 663 号，pp.1015～1024，2011

8.1.2）日本建築学会構造委員会：壁式構造建築物の性能評価に向けて，2000 年度日本建築学会（東北）大会壁式構造部門，パネルディスカッション資料，2000.9

8.2　部材のモデル化

1．弾塑性状態における耐力壁のモデル化
　　耐力壁のモデルは，原則として面内方向に生じる曲げモーメント・軸方向力・せん断力の組合せおよび直交部材とその配筋が弾塑性の復元力特性に及ぼす影響を適切に評価するとともに，次の（1）から（3）による．
（1）耐力壁は，以下のモデルを用いることができる．ただし，モデルの特性と適用範囲に十分に留意して適用する．
　　（a）耐力壁を1本の鉛直方向の線材としたモデル
　　（b）耐力壁を3本の鉛直方向の線材としたモデル
　　（c）耐力壁を2本の鉛直方向の線材とブレースに置換したモデル
　　（d）材料の応力度－ひずみ関係に立脚したモデル
（2）耐力壁間に開口がある場合，もしくは，一様な配筋や断面形状でない部分がある場合には，それぞれの断面の特性を考慮できる剛性および強度を有する復元力特性を設定する．ただし，左右の耐力壁に囲まれる開口部の等価開口周比が 0.4 以下の場合には，開口部を含む2以上の耐力壁を一つの等価な耐力壁モデルを表す復元力特性を設定してよい．この場合，開口部によるせん断剛性の低減率は，

(8.2.1)式による．なお，6.3節に定める小開口にあっては，せん断剛性の低下を無視するものとする．

$$r_1 = 1 - 1.25\sqrt{(h_0 \cdot l_0)/(h \cdot l)}, \quad ただし, \quad r_0 = \sqrt{(h_0 \cdot l_0)/(h \cdot l)} \leq 0.4 \qquad (8.2.1)$$

記号　r_1：開口によるせん断剛性低減率
　　　h_0：開口部の内法高さ（mm）
　　　l_0：開口部の内法長さ（mm）
　　　h：耐力壁の構造耐力上主要な鉛直支点間距離（mm）
　　　l：耐力壁の長さ（mm）
　　　r_0：等価開口周比

また，開口部によるせん断終局強度の低減率は，10.4.1項による．

(3) 直交壁が取り付く耐力壁の曲げ剛性の算定では，直交壁の協力幅を適切に考慮した復元力特性を設定する．

2．弾塑性状態における壁梁および基礎梁（以下，壁梁等という）のモデル化

壁梁等のモデルは，原則として断面の重心を通る線材としてモデル化し，曲げ変形，せん断変形，および必要に応じて軸方向変形を考慮するほか，次の（1）から（3）による．

(1) 壁梁等のモデル化においては，端部曲げ補強筋の定着性能を勘案して適切に復元力特性を設定する．
(2) 壁梁等のせいに比して内法長さが短い壁梁等の曲げ剛性にあっては，それを適切に低減してもよい．
(3) 耐力壁の剛性が壁梁等の合成に比して十分大きい場合は，鉛直荷重に対する壁梁等の応力は，有効スパン（内法長さに剛域端までの距離を加えた数値）に対する両端固定梁として求めてもよい．

3．耐力壁・壁梁接合部および耐力壁・基礎梁接合部ならびにPCaRC造部材接合部のモデル化

耐力壁と壁梁または基礎梁との接合部（以下，耐力壁・壁梁等接合部という）ならびにPCaRC造部材接合部のモデル化は，次の（1）から（3）による．

(1) 耐力壁・壁梁等接合部のひび割れ後の耐力壁と壁梁や基礎梁の接合部に作用する部材端の力と変位の関係は，当該接合部の変形と強度を考慮する．
(2) 耐力壁と壁梁や基礎梁の材軸がこれらの当該接合部において一点に交わらず偏心している場合には，偏心の影響による剛性および強度の低下を適切に考慮する．ただし，耐力壁・壁梁等接合部に構造上有効な耐力壁等の面材が連続する場合，もしくは一方の部材の曲げ強度が他方の部材の曲げ強度に対して十分な余裕がある場合には，当該接合部は十分な強度を有する部分であるものと仮定することができる．
(3) 適切に打ち継がれた現場打ちコンクリートの境界面は一体と考えてよいが，PCaRC造部材，ハーフPCaRC造部材においては，PCaRC造部材接合部の剛性および強度を十分大きくし，PCaRC造部材接合部を一体としてモデル化することを原則とする．

1．弾塑性状態における耐力壁のモデル化

（1）耐力壁のモデル化の方法と特徴

壁部材の挙動を精確に再現するためには，面材を面材のまま扱う有限要素法のような解析法を採用するのが望ましい．しかし，解析コストがかさむことや，面材を設計する体系が完成されていない現状，更に有限要素法から求まる各材料の応力から，どのようにして設計用の断面力を計算するかが不明確なことを考慮すると，面材を線材にモデル化して解析するのが一般的であろう．応力解析法を選択する場合には，解説表8.2.1に示した各種のモデル化の有している長所，短所と実際の構造物の特性とを照らし合わせて，適切なモデル化の方法を選ぶべきである．

文献8.2.1）では，平均せん断応力度法と直接剛性法から得られる応力の比較が行われている．これによると，検討を行った建物では，直接剛性法によって得られる応力は，平均せん断応力度法による応力に比べ，1階耐力壁脚部での曲げモーメント，基礎梁の曲げモーメント，せん断力が大き

くなっている．逆に，壁梁については，上階部分の壁梁と基礎梁を除き，平均せん断応力度法による応力が直接剛性法による応力より大きな値を与えている．

(2) 耐力壁を線材置換する場合

(a) 耐力壁を1本の鉛直方向の線材としてモデル化する場合（解説図8.2.1）は，耐力壁長さを剛域とする梁を有し，耐力壁の中心部分上下端に材端剛塑性ばね，中央部に軸ばね，およびせん断ばねを配したモデルとして扱う．当該線材モデルの曲げおよび軸方向（特に引張側）特性については，端部曲げ補強筋や交差部縦補強筋を考慮して3折れ線の復元力特性を設定する．また，せん断特性は解説(b)による．

壁梁に設定する剛度により，耐力壁に接続する壁梁との剛比が決定するため，剛度の設定には注意が必要である．壁式構造の耐力壁と壁梁より構成される架構では，耐力壁の反曲点位置が階の中

解説表8.2.1 耐力壁のモデル化のための各種方法の比較[8.2.2]

	壁エレメント法	線材置換法	ブレース置換法	有限要素法1	有限要素法2
モデル化の方法と考え方	耐震壁を壁柱に置換し，その上下端に剛域を設けて柱・梁の節点へピンで結合する．	耐震壁とその付帯柱を一体の柱とみなし，梁の端部に壁幅分の剛域を設ける．	耐震壁をせん断剛性が等価なブレースに置換する．曲げ剛性は柱の断面積で調整する．	耐震壁を板要素に分割し，連続体として扱う．柱と梁は線材として扱う．	柱・梁・耐震壁をすべて有限要素法で扱う．
精度と適用範囲	有限要素法1に近い精度が得られる．	耐震壁が不規則に配置されるとき，剛域の考え方が難しく，精度が悪い．	精度は壁エレメント法と同等．耐震壁に軸力が発生するような架構の場合は，精度の検討が必要．	分割数を増やすことにより精解が得られる．	有限要素法1より精度が高い．
インプット	架構を通り名と階名で表せる．モデル化が自動的に行われる．	架構を通り名，階名で表せない．モデル化と断面性能の計算の自動化は無理．	架構を通り名と階名で表せる．架構によってはモデル化の自動化は可能であるが，原則として計算によって求めインプットする．	架構を通り名と階名で表せる．有限要素の分割法を固定すればモデル化の自動化は可能．	架構を通り名と階名で表せる．モデル化の自動化については有限要素法1と同じであるが，壁がない部分の柱・梁も分割する必要がある．
アウトプット	応力は壁柱と付帯柱のM, N, Qが別々に出力されるので，これらを加算する必要がある．	応力は，壁と付帯柱を一体としたM, N, Qによって得られ，架構の性質をつかみやすい．	応力はブレースと柱の軸力で得られる．これらの軸力から耐震壁のM, N, Qを求める必要がある．	壁の応力は，σ_x, σ_y, τ_{xy}で得られ，柱・梁の応力はM, N, Qで得られる．耐震壁については現行の断面検討の体系と合わない．	応力は全て，σ_x, σ_y, τ_{xy}で得られる．これらの応力は現行の断面検討の体系と合わない．

［注］ 壁エレメント法は，付帯柱が無くてもよい．

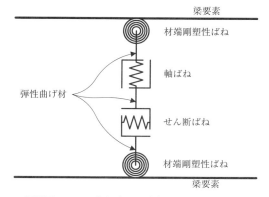

解説図 8.2.1 耐力壁の 1 本柱でのモデル化の例

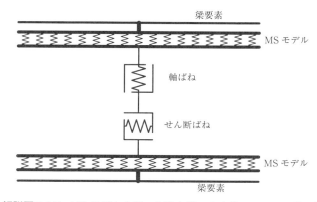

解説図 8.2.2 MS モデルを用いた耐力壁の 1 本柱でのモデル化の例

に位置する場合が多いため，材端剛塑性ばねを耐力壁の上下端に配する．耐力壁の曲げ剛性を考慮するため，全てのばねは弾性曲げ材で連結する．軸ばね，およびせん断ばねは耐力壁全体の軸方向およびせん断挙動を表す弾塑性ばねである．ここで，対象とする耐力壁に直交壁が接続する場合は，直交壁の影響を適切に考慮する必要がある．材端剛塑性ばねは，解説（b）に基づき，耐力壁の反曲点が壁高さの中央にあると仮定して求めた想定部材角に対する復元力特性として設定する．

このモデル化では，一般的には曲げと軸力の相関関係を考慮できないこと，接続する壁梁のせん断力が耐力壁の曲げ強度に与える影響（断面の中立軸の移動）を考慮できないこと，といった制約条件がある．

特に，耐力壁の曲げ強度と軸力の相関関係を考慮するため，材端剛塑性ばねの代わりに解説図8.2.2に示すように，耐力壁上下端の断面をコンクリートおよび鉄筋の要素に細かく分割し，各ばねに力―変形関係を設定し，平面保持を仮定してMS (Multi-Spring)モデルを配するモデル化もある．この場合でも，耐力壁に取り付く壁梁のせん断力に起因する軸力は，耐力壁の図心位置に作用することとなる．

（b）耐力壁を3本の鉛直方向の線材にモデル化する場合（解説図8.2.3）には，耐力壁の上下の梁の曲げ剛性は十分に大きくし，両端ピンで接続される鉛直材が両脇にあり，中央に非線形曲げ特

性を表す材端剛塑性回転ばね，軸方向の非線形特性を表す弾塑性軸ばね，および直交壁の影響も考慮した耐力壁全体のせん断特性を表す弾塑性せん断ばねを有する鉛直材より構成される．両端の2本の線材は，原則として曲げ剛性はゼロ，すなわち上下両端部の固定条件がピンの柱とし，軸剛性を与える．引張側の特性については，端部曲げ補強筋の断面と配筋，初期軸力およびコンクリートのひび割れ，鉄筋の降伏を考慮した3折れ線の復元力特性を設定する．圧縮側の特性については，端部の壁部分のコンクリートおよび端部曲げ補強筋量を元に2折れ線の復元力特性を設定する．両側柱付き耐震壁の壁板に相当する中央の鉛直材には，壁板部分の曲げ，軸，せん断特性を設定する．曲げ特性については，当該壁部分の曲げひび割れ，縦筋の降伏を考慮した3折れ線を，軸特性については前述同様，圧縮特性と引張特性のそれぞれの復元力特性を設定する．せん断特性については，耐力壁全体のコンクリートのせん断ひび割れとせん断補強筋の降伏を考慮して3折れ線の復元力特性を設定する．

　耐力壁と壁梁の接続は，この剛梁の更に外側にある梁要素により行われる．この梁要素は，通常，梁の断面二次モーメントを十分に大きくした剛性を付与する．このモデルでは，とり付く境界梁のせん断力は，それぞれ両側の鉛直材に軸力として作用するため，境界梁のせん断力により耐力壁に生じる曲げモーメントを算定することができる．

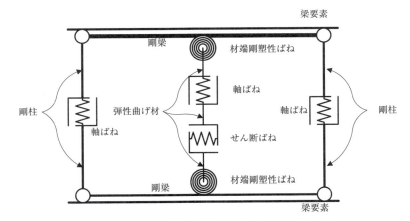

解説図 8.2.3　3本の鉛直材を用いたモデル化の例

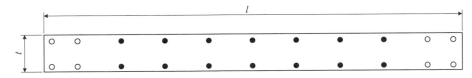

解説図 8.2.4　モデル化する耐力壁の断面（○：端部曲げ補強筋，●：中間部縦筋）

　例えば，解説図8.2.4のような断面を有する長さlの耐力壁について考える．
　上記耐力壁の3本の鉛直材への分割は，解説図8.2.5のように行うことが多い．すなわち，両脇の鉛直材としては，端部曲げ補強筋の配されている断面（図中網掛け部分），あるいは直交壁と交差

する部分とし，それ以外の部分を中央の鉛直材に分割する方法である．

両端の鉛直材は，解説図 8.2.5 の網掛け部分のコンクリート断面積と端部曲げ補強筋を有する柱の非線形軸方向モデルとしてモデル化される．

中央の鉛直材の材端剛塑性回転ばねおよび軸ばねの特性は，解説図 8.2.5 の中央部分，すなわち中間部縦筋による曲げ降伏強度を有する壁板として定義される．一方，せん断ばねに関しては，両端の鉛直材は水平力を負担しないことから，両端部分も含めた耐力壁全体のせん断特性として定義される．材端剛塑性ばねモデルの曲げ強度を求める際には，一般的には軸力の影響を考慮しない場合が多い．そのため，場合によっては端部の鉛直材の引張降伏よりも，中央部の材端剛塑性ばねモデルの降伏の方が先に発生する場合がある．しかし，耐力壁全体としては，端部曲げ補強筋の効果の方が中央の鉛直材の影響よりも大きいこと，両側の鉛直材の挙動から全体曲げ抵抗を模擬しうることから，壁板全体が曲げ降伏する時の強度に与える影響は大きくない．

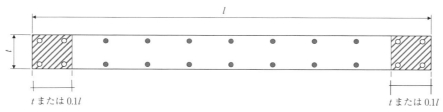

解説図 8.2.5 耐力壁の 3 本の鉛直材への分割

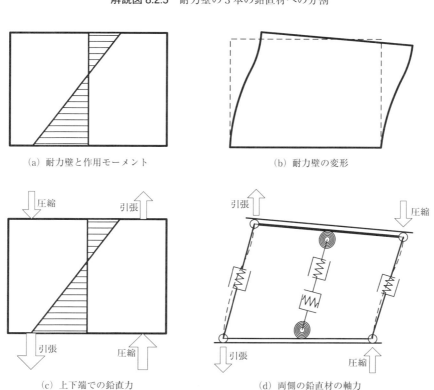

解説図 8.2.6 反曲点が耐力壁内にある場合のモデルの挙動

元来，このモデルは，主として曲げ挙動の卓越する連層耐震壁をモデル化するために開発されたものである．そのため，反曲点が部材内に入ってくるような場合には注意が必要である．例えば，解説図 8.2.6(a)に示すような曲げモーメントが耐力壁に作用した場合を考える．実際の耐力壁の変形は同図(b)のようになり，耐力壁上下端に作用する鉛直方向力は，模式的に同図(c)のように表せる．一方，3本の鉛直材によりモデル化すると両端の鉛直材はピン接合された材で，軸力は一定であるため，同図(d)のように挙動し，両端の鉛直材の挙動が実現象と対応しなくなる．特に，反曲点が耐力壁内に存在し，かつ軸力が小さいと両端の端部曲げ補強筋の効果が小さくなり，曲げ剛性を適切に考慮できなくなることに留意する必要である．

（c）耐力壁を2本の鉛直方向の線材とブレースにモデル化する場合（解説図 8.2.7）には，耐力壁の上下の梁の曲げ剛性は十分に大きくし，両側の鉛直部材の軸剛性は，当該耐力壁の曲げ剛性と等価になるよう，初期軸力およびコンクリートのひび割れ，鉄筋の降伏を考慮した3折れ線となる軸方向の復元力特性を定める．ブレース材の軸剛性は，コンクリートのせん断ひび割れとせん断補強筋の降伏を考慮した耐力壁のせん断特性を表す3折れ線の復元力特性を設定する．

各材は両端ピンで接合されているため，軸剛性および軸耐力のみで全体の挙動が決定する．柱材およびブレース材の軸剛性と軸耐力を解説図 8.2.7のように仮定すると，弾性での耐力壁の軸剛性と水平剛性は次式により計算できる．

$$軸剛性 \quad K_A = {}_{左}K_C + {}_{右}K_C + ({}_1K_b + {}_2K_b)\cdot\sin\theta \qquad (解 8.2.1)$$

$$水平剛性 \quad K_H = ({}_1K_b + {}_2K_b)\cdot\cos\theta \qquad (解 8.2.2)$$

記号　K_b：ブレース材の軸剛性

　　　K_C：柱材の軸剛性

　　　θ：ブレース材の梁要素に対する角度

弾性解析では，目標とする軸剛性，および水平剛性を設定し，それに従って K_C と K_b を設定することとなる．一方，非線形領域では，耐力壁全体の非線形挙動を再現するように柱材およびブレース材のそれぞれに非線形モデルを設定することは極めて困難である．特に，ブレース材の軸剛性が耐力壁の軸剛性および水平剛性に与える割合が，角度 θ で固定されていることがその理由の一つである．

また，耐力壁に軸力のみが作用したときの軸耐力，および軸力がない場合の水平耐力および曲げ

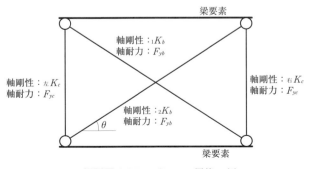

解説図 8.2.7　ブレース置換の例

降伏モーメントは，耐力壁の長さ l を用いて次式により計算できる．

軸 耐 力　　$F_{yA}=2F_{yc}+2F_{yb}\cdot\sin\theta$

水平耐力　　$F_{yH}=2F_{yb}\cdot\cos\theta$　　　　　　　　　　　　　　　　（解 8.2.3）

曲げ降伏モーメント　$F_{yA}=(F_{yc}+F_{yb}\cdot\sin\theta)\cdot l$

記号　　F_{yb}：ブレース材の軸方向耐力（N）

　　　　F_{yc}：柱材の軸方向耐力（N）

　　　　l：耐力壁の長さ（mm）

　特に，ブレース材の耐力が水平耐力および曲げ降伏耐力に関連しており，耐力壁の軸耐力，水平耐力，曲げ降伏モーメントを任意に設定するのは極めて困難である．また，上記解説（b）および解説図 8.2.6 のケースと同様に，軸方向力が無く耐力壁の反曲点がちょうど壁高さの中央に位置した場合，柱材は力を負担しなくなるという問題がある．

　以上のように，ブレース置換は，非線形解析に用いることは難しいと言える．

　（d）　軸力と曲げモーメントの相関性を考慮する場合には，材料の応力度－ひずみ関係に立脚したモデル化を行う．断面を微小断面に分割し，平面保持を仮定して，ある曲率に対して，中立軸位置を未知数として各々の分割要素におけるひずみを求める．そのひずみから分割要素の応力度を算定し，分担面積に応じた分割要素に作用する力と断面に作用する力の釣合いによって，中立軸位置を算定して，断面に作用するモーメントを求める．分割要素のひずみから応力度を算定するときに，材料の応力度－ひずみ関係を用いることにより非線形特性を考慮することができる．非線形解析の場合には，中立軸位置を仮定して応力度を算定し，断面の釣合いを満足するよう繰返し計算を行う．

　一般には水平力による曲げモーメントは，材端で最大値となる事がほとんどであるので，解説図 8.2.8 に示すように，中央部を弾性領域，材端の一定の区間長をヒンジ領域として設定し，ヒンジ領域の曲率を材端曲げモーメントから算定される曲率として，この区間に非線形成分を集中させるモデル化がよく行われる．このヒンジ長は，実験結果と対応させて決定されることが多く，その場合には，せん断変形や耐力壁・壁梁接合部からの鉄筋の抜出し変形量も含んだものとして設定する事が多い．耐力壁のヒンジ長さは梁部材より狭いとされており，耐力壁の全高さの 1/6 または耐力壁厚さの大きい方とされている[8.2.2)]．近年行われている側柱のない連層耐震壁の実験においては拘束されたコンクリートのモデルを用いた断面解析より $0.2D$（D：部材せい）とした場合に終局変形が実験値と整合する結果が得られており[8.2.3)]，この値は試験体の全高さの 1/6 以下となっている．以上のことから，ヒンジ領域の設定においては現時点で確立したものはないが，現時点においては壁全高さの 1/6 以下程度にする方法を用いることができるものと考えられる．ただし，周辺に壁梁が接続して曲げ戻しの作用がある場合については十分な知見がなく，さらなる詳細な検討が必要である．

（3）　耐力壁における開口部の扱い

　ⅰ）複数の耐力壁を一つの壁にモデル化する場合の開口部の取扱い

　　　耐力壁間に開口がある複数の耐力壁を一枚の耐力壁としてモデル化する場合，その一枚の耐力壁は，開口を有する耐力壁とみなすことができる．そのときのせん断剛性は，等価開口周比

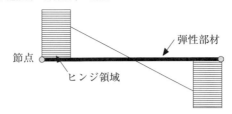

解説図 8.2.8　ヒンジ領域と曲率分布

によって開口低減率を乗じて算定することとする．なお，妻構面に同一位置に出入口開口が設けられている場合は，耐力壁と壁梁の架構にモデル化する．窓開口を有する場合は，窓開口上下を壁梁としてモデル化するか，または有開口耐力壁としてモデル化する．

ⅱ）小開口の取扱い

6.3.1項に記載の小開口を有する耐力壁の剛性は，小開口の影響を無視して解析することとする．これは本規準に規定する小開口による剛性の変化は小さいこと，ならびに小開口によるせん断剛性等の低下を考慮して作用応力を小さくすることは，小開口まわりに集中すると考えられる応力に対して危険側の評価になると考えられるからである．しかし，小開口の設けられる位置によっては曲げ剛性の低下を無視できない場合もあるので，注意が必要である．

（4）耐力壁を線材に置換する場合のばねの復元力特性

本文（a），（b）に記載された耐力壁をモデル化する際に，曲げばね，せん断ばね，軸ばねを適切に設定する必要がある．ここでは本文（a）で記載された1本の鉛直方向の線材として耐力壁をモデル化する場合を対象とする．

耐力壁を線材にモデル化する場合，耐力壁の曲げモーメント M と曲率 ϕ の関係，せん断力 Q とせん断ひずみ γ の関係は，原則としてそれぞれ3折れ線および2折れ線にモデル化する（解説図8.2.9，解説図8.2.10）．ただし，せん断ひび割れ強度 Q_1 がせん断強度 Q_2 より大きい場合は，Q_2 が第一折れ点の耐力となる．図中 ϕ_2 を算定する際にも以下の α_y を用いてよい．

解説図8.2.9中の記号の定義を，以下に示す．

M_1：曲げひび割れモーメント（N・mm）で，次式による．

$$M_1 = Z_e \cdot (\sigma_t + \sigma_0)$$

Z_e：耐力壁の等価断面係数（mm³）

σ_t：コンクリートの曲げ引張強度（N/mm²）で，次式による．

$$\sigma_t = 0.56\sqrt{\sigma_B}$$

σ_B：コンクリートの圧縮強度（N/mm²）で，設計基準強度とする．

σ_0：コンクリートの軸圧縮応力度（N/mm²）

M_2：耐力壁の曲げ強度（N・mm）で，10.4.1項による．

K_1：初期曲げ剛性（N・mm²）で，次式による．

$$K_1 = E \cdot I_e$$

I_e：耐力壁の等価断面二次モーメント（mm⁴）

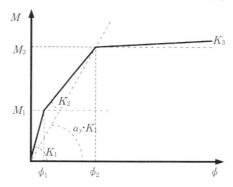

解説図 8.2.9 耐力壁の曲げばねの復元力特性

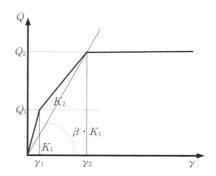

解説図 8.2.10 耐力壁のせん断ばねの復元力特性

K_2：ひび割れ後剛性（$N \cdot mm^2$）で，次式による．

　　$K_2 = (M_2 - M_1)/(\phi_2 - \phi_1)$

ϕ_1：曲げひび割れ時曲率（1/mm）で，以下の式による．

　　$\phi_1 = M_1/K_1$

ϕ_2：曲げ降伏時曲率（1/mm）で，以下の式による．

　　$\phi_2 = M_2/(\alpha_y \cdot K_1)$

α_y：降伏点剛性低下率で，次式による．

　　$\alpha_y = ({}_wM_y \cdot c_n)/(E \cdot I_e \cdot \varepsilon_y)$

${}_wM_y$：耐力壁の曲げ降伏モーメント（$N \cdot mm$）

c_n：弾性時中立軸から引張側縦補強筋重心までの距離（mm）

E：コンクリートのヤング係数（N/mm^2）

ε_y：引張側縦補強筋の降伏ひずみ

K_3：降伏後の割線剛性（$N \cdot mm$）で，初期剛性の 1/1 000 以下とする．

解説図 8.2.10 中の記号の定義を，以下に示す．

Q_1：耐力壁のせん断ひび割れ強度（N）で，次式による．

　　$Q_1 = \tau_{scr} \cdot t \cdot l/\kappa_1$

τ_{scr}：コンクリートのせん断ひび割れ強度（N/mm^2）で，次式による．

$$\tau_{scr}=\sqrt{(\sigma_T{}^2+\sigma_t\cdot\sigma_0)}$$

σ_t：コンクリートの引張強度（N/mm²）で，次式による．

$$\sigma_t=0.31\sqrt{\sigma_B}$$

σ_B：コンクリートの圧縮強度（N/mm²）で，設計基準強度とする．

σ_0：鉛直荷重による壁板の圧縮応力度（N/mm²）

κ_1：耐力壁のせん断応力度に対する形状係数で，1.5 とする．

t：耐力壁の厚さ（mm）

l：耐力壁の長さ（mm）

Q_2：耐力壁のせん断強度（N）で，10.4.1 項による．

K_1：耐力壁の初期せん断剛性（N）で，次式による．

$$K_1=G_e\cdot A/\kappa_2$$

κ_2：耐力壁のせん断剛性に対する形状係数で，1.2 とする．

G_e：コンクリートのせん断弾性係数（N/mm²）

A：耐力壁の断面積（mm²）

β：せん断ひび割れによるせん断剛性低下率[8.2.4], [8.2.5]で，次のいずれかの式による．

$$\beta=0.46\cdot p_w\cdot\sigma_y/F_c+0.14$$

$$\beta=0.24\times(R_S\times10^3)^{-0.75}$$

p_w：耐力壁の横補強筋比

σ_y：同上鉄筋の規格降伏点（N/mm²）

F_c：コンクリートの設計基準強度（N/mm²）

R_s：せん断変形角（通常は 1/250～1/200）

γ_1：耐力壁のせん断ひび割れ時せん断変形角（rad）

γ_2：耐力壁のせん断強度時変形角（rad）（＝0.004 rad）

耐力壁の軸方向力－軸方向変形関係は，引張側の剛性低下を考慮した修正 N モデル〔解説図 8.2.11〕による．

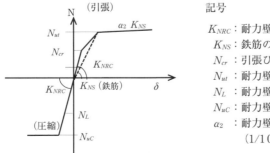

解説図 8.2.11　耐力壁の軸ばねの復元力特性

（5） 直交壁を有する耐力壁の曲げ剛性の評価

　壁梁の曲げ剛性に寄与するスラブの協力幅と同様に，直交壁を有する耐力壁の曲げ剛性に寄与する直交壁の協力幅の評価は応力分布を算出するうえで重要な因子である．直交壁を有する耐力壁の剛性は，適切に評価しないと十字形やＩ字形の独立連層耐力壁の負担応力が過大となり，その断面設計が困難となり，また実際に応力を負担すべき直交壁付き耐力壁の応力算定も誤差が大きくなる．その際の剛性増大率については，工学的な立場から，協力幅を無視した場合の2倍程度をもってその限度とすべきであろう．

　（解8.2.4）式は，RC 規準に記載の梁に対するスラブの協力幅を表す式を準用したものである．（解8.2.4）式中の h を反曲点高さとした場合を解説図8.2.12に示す．（解8.2.4）式は，RC 規準に記載の梁に対するスラブの協力幅を表す式を準用したものである．（解8.2.4）式中の h として試験体高さ（試験体反曲点高さ）とした場合を解説図8.2.12に示す．h として試験体高さ（試験体の反曲点高さ）の2倍を取り，試験体の壁柱の可撓長さとして $D/4$（D：壁柱のせい）を考慮した結果を解説図8.2.13に示す．解説図8.2.13の方が実験値に対する適合がよい[8.2.7),8.2.8)]．

$$b_a = \begin{cases} \left(0.5 - 0.6\dfrac{a}{h}\right) \cdot a & (a \leq 0.5h) \\ 0.1h & (a > 0.5h) \end{cases} \quad \text{（解8.2.4）}$$

ただし，
　　　$b_a + t \leq l$：妻壁の場合（耐力壁の端部片側に直交壁が付く場合）〔解説図8.2.14参照〕
　　　$2b_a + t \leq l$：戸境壁の場合（耐力壁の中央に直交壁が付く場合）〔解説図8.2.14参照〕
記号
　　　b_a：直交材の協力幅（mm）〔解説図8.2.14参照〕
　　　l：直交壁の長さ（mm）〔解説図8.2.14参照〕
　　　a：並列耐力壁の心々間距離（mm）〔解説図8.2.14参照〕
　　　h：反曲点高さ（mm）で，本規準においては，階高とする．
　　　t：耐力壁の厚さ（mm）

　ただし，これらの部材のせん断剛性については直交部材の協力幅は無視する．（解8.2.4）式は，反曲点位置を決定するために反復計算が必要となり，算定がかなり複雑となる．この関係を実際の設計例にあわせ工学的にまとめたものが（解8.2.5）式である．

解説図 8.2.12　Ｔ形耐力壁の弾性剛性[8.2.6)]

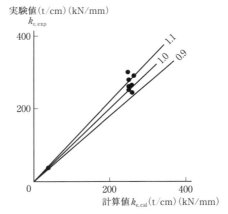

解説図 8.2.13 T形断面壁柱の初期剛性の実験と計算値の比較[8.2.7]

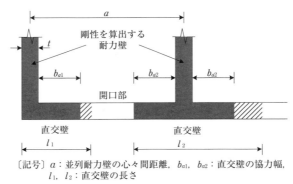

〔記号〕 a：並列耐力壁の心々間距離，b_{a1}, b_{a2}：直交壁の協力幅，l_1, l_2：直交壁の長さ

解説図 8.2.14 （解 8.2.4）式による直交壁の協力幅の取り方

$$b_{a1}, b_{a2} = 0.1l, \quad かつ, \quad b_{a1} \leq \frac{a_1}{4}, \quad b_{a2} \leq \frac{a_2}{4} \tag{解 8.2.5}$$

記号　b_{a1}, b_{a2}：直交材の協力幅（m）〔解説図 8.2.15〕

　　　　l：部材長さ（耐力壁と壁梁より構成される架構方向の耐力壁では階高．独立耐力壁では階高の2倍，壁梁にあっては剛域端スパン長）（mm）

　　　　a_1, a_2：協力幅を算定する部材と並列する隣接部材までの内法長さ（mm）〔解説図 8.2.15〕

なお，次の曲げ剛性増大率 ϕ を慣用値として用いても実用上は差し支えない．

　　両側直交部材付：$\phi = 1.8$

　　片側直交部材付：$\phi = 1.5$

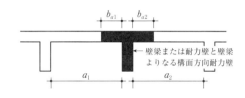
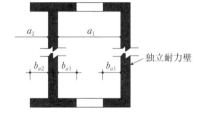

(a) 壁梁に対するスラブの協力幅，または耐力壁と壁梁より構成される構面方向の耐力壁に対する直交壁の協力幅

(b) 独立耐力壁に対する直交材の協力幅

解説図 8.2.15 （解 8.2.5）式による直交材の協力幅のとり方

2．壁梁および基礎梁

壁梁および基礎梁（以下，総称して壁梁等という）の弾塑性の復元力特性は，原則として，断面の重心を通る線材としてモデル化し，曲げ変形，せん断変形を考慮する．

（1） 曲げ特性

コンクリートの曲げひび割れと，曲げ強度後の剛性低下を考慮した3折れ線の復元力特性とする．部材に作用する曲げモーメント分布の逆対称性が強くない場合は，曲げモーメント分布を仮定して，回転角 θ を求める必要がある．耐力壁・壁梁接合部および耐力壁・基礎梁接合部における鉄筋の抜出しは一般的には無視するが，定着長が不十分な場合にはその影響を適切に考慮する必要がある．

$M - \theta$ 関係（曲げモーメント－回転角関係）を，解説図 8.2.16 に示す．

（2） せん断特性

せん断強度後の剛性低下を考慮した2折れ線の復元力特性とする．せん断剛性は，せん断ひび割れによる剛性低下は曲げ剛性低下率のなかに含まれると考え，せん断ひび割れによるせん断剛性の低下は考慮しない．$Q - \gamma$ 関係（せん断力－変形角関係）を，解説図 8.2.17 に示す．なお，壁梁がせん断破壊する場合は3折れ線の復元力特性を用いることとし，適切にせん断剛性低下率を設定する〔付図 2.1.13 参照〕．

（3） 内法長さが短い壁梁の曲げ剛性の低減

壁長の長い耐力壁に接続する壁梁で，せいに比べ内法長さが比較的短い短スパン壁梁などでは，標準せん断力係数 $C_0 \geqq 0.2$ の応力算定時においても大きな応力が集中し，曲げひび割れが早期に発生することが十分に予想される．このような場合，その部材の曲げ剛性として弾性剛性を用いて応力および変形の算定を行うことは不合理である．そこで，ひび割れ性状を考慮した復元力特性を用いるか，または，適切に曲げ剛性を低下させ，その等価剛性を用いた応力・変形解析（等価線形解析）を行い，その剛性の仮定が妥当かどうかを繰返し計算により検討することが望ましい．しかしながら，このような部材に対しては他の部材（剛性低下させない部材）と比べて2倍程度の降伏に伴う曲げ変形を許容すること，ならびにそれらの剛性評価の誤差が建物全体に与える影響は小さいので，ここでは曲げ剛性の低下率の値として1/2程度を限度として，塑性変形に至らない状態における応力・変形の算定を行えば，繰返し計算による検討は省略してよいであろう．低下割合に限度を設けたのは，塑性率2程度の変形では顕著な破壊が生じないことが，これまでの実験結果から推

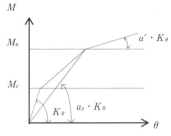

解説図 8.2.16 壁梁の曲げモーメント M – 回転角 θ 関係

記号
K_θ：弾性曲げ剛性
α_y：曲げ剛性低下率[8.2.8]
α'：曲げ強度後の剛性低下率
M_c：曲げひび割れモーメント
M_u：曲げ強度

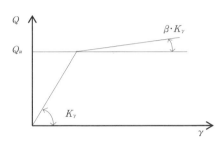

解説図 8.2.17 壁梁のせん断力 Q – せん断変形角 γ 関係

記号
K_γ：$G \cdot As/\kappa$（弾性剛性）
β：せん断強度後の剛性低下率（1/1 000）
Q_u：せん断強度

定されるからである．

（4） 鉛直荷重に対する応力計算

壁式 RC 造では，通常，耐力壁の剛性が壁梁の剛性に比べて高いため，壁梁の応力は有効スパン長さに対する両端固定梁としての応力を設計用応力として差し支えない．しかし，解説図 8.2.18 のとおり，比較的，内法長さの長い外端壁梁が壁長の短い耐力壁に接続する場合には，両端固定梁とみなすことはできない．この場合でも構面全体の解析は行わず，解説図 8.2.19 に示すようにモデル化して，局所的な解析により応力を算出してもよい．また，小梁を支持していない内法スパン長さ 1 m 以下の壁梁では，荷重項（C, M_0, Q）の計算すなわち，長期応力の計算を省略できる．ただし，小梁を受ける壁梁や杭反力を受ける基礎梁の長期応力の計算は省略することはできない．

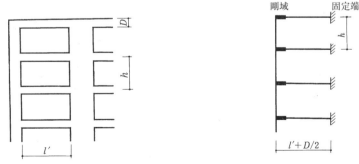

〔記号〕D：壁梁せい，h：構造階高，l'：壁梁の内法長さ

解説図 8.2.18 内法スパン長さの長い壁梁の例

解説図 8.2.19 内法スパン長さの長い外端壁梁の鉛直荷重に対するモデル

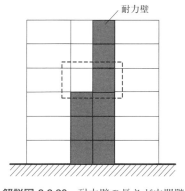

解説図 8.2.20　耐力壁の長さが中間階で変わる場合[8.2.9)]

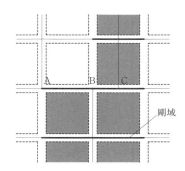

解説図 8.2.21　耐力壁の長さが中間階で変わる場合のモデル化[8.2.9)]

　また，解説図 8.2.20 および 8.2.21 に示すように壁位置が上下階でずれる場合は，耐力壁上部の仮想の梁部分は剛域とする．あるいは，同図に示すように耐力壁の長さが階途中で変わる場合は，平均壁長さを用いる等，実状に応じたモデル化を行い，応力を計算する．

（5）　壁梁等の端部曲げ補強筋の定着長が不足する場合のモデル化

　一般に，曲げ降伏する壁梁主筋の定着性能は，その変形性能を確保する場合に重要な検討項目であり，本規準の 9.14 節にその方法が示されている．ここでは，それらの規定を満足しない場合の壁梁のモデル化の留意点について示す．

　壁式 RC 造の耐力壁・壁梁接合部における壁梁主筋の定着性能に関する研究[8.2.10)]のうち 4 体の試験体（R01，R02，R04，R05）の実験結果と得られた知見を示す．ここで着目する R01，R02 試験体（変動因子は壁梁主筋量，解説図 8.2.22）は，直交壁とスラブを有するト形耐力壁・壁梁接合部，R04，R05 試験体（変動因子は接合部内のせん断補強筋量）は，直交壁とスラブ付き壁梁の接合部である．これらの試験体の壁梁主筋の定着性能は，R02 の 1 段筋（鉄筋で拘束された領域）を除き，本規準 9.14 節に記載の検定式を満足していない．

　以上の試験体に対して，以下の実験結果が得られている．

① R01 および R02 試験体について，本規準 9.14 節の定着規定を満足せずともただちに脆性的な定着破壊に至ることはない．ただし，最大耐力後の繰返しでは，今回の実験でも特に，上端スラブ付き壁梁で下端が引張となる加力方向では主筋定着部での破壊が進行しており，塑性域での高い靱性能は期待できない．

② R01 および R02 の試験体は壁梁主筋が降伏し，壁梁が曲げ降伏している．R01 の上端引張時の曲げ強度時せん断力（実験値）は計算値を概ね確保しているものの，下端引張時のそれは計算値をやや下回っている．R02 の実験値は上端，下端ともに計算値をやや下回り，特に下端引張時にその傾向が強い．さらに，折曲げ定着部がスラブにも直交壁にも拘束されていない試験体 R02 の下端 2 段筋では比較的小さい荷重で折曲げ定着部のコンクリートが破壊している．また，上端筋については，RC 規準によれば R01 の定着性能が低いことになるが，実験では逆の傾向となる結果であった．これは，直交壁とスラブによる拘束は一定の効果があることを示唆している．

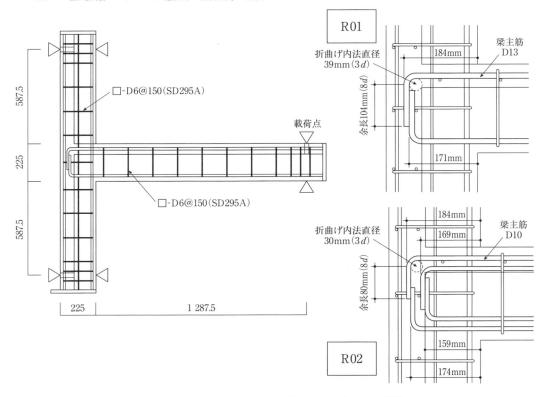

解説図 8.2.22 壁梁と耐力壁接合部試験体の概要[8.2.10]

③ R04，R05 試験体について，正側載荷時（スラブ引張時）は直交壁の縦筋が降伏し，負側載荷時（スラブ圧縮時）は直交壁縦筋が降伏する前に最大耐力を迎え耐力低下した．

以上のことから，本規準 9.14 節の検討では定着性能が劣ると判断される壁梁部材については端部の固定度を緩和した状態にて応力算定を行い，部材の定着性能を総合的に評価することが望ましい．例えば，壁梁の靱性能を期待する建物の保有耐力計算を行う場合，壁梁の曲戻し効果は期待できないため，端部の固定度をピンとしてモデル化を行うことなどが挙げられる．

3．耐力壁・壁梁接合部および耐力壁・基礎梁接合部ならびに PCaRC 造部材接合部

PCaRC 造部材接合部は，一体に挙動する場合，現場打ち壁式 RC 造と同等に扱うことができる．そのためには，PCa コンクリートと現場打ちコンクリート（モルタルを含む）の境界面（接合面）を横切って鉄筋が連続し，部材間の応力伝達が十分に行われることが必要である．

そのため，PCaRC 造部材に定着されている接合用鉄筋または接合用鋼板等（以下，接合鉄筋等という）が，隣接する PCaRC 造部材や現場打ちコンクリート部分に配置される接合鉄筋等と適切に接合され，軸引張力や曲げ引張力ならびにせん断力の伝達に有効であるようにする．また，PCaRC 造部材間の空隙には，原則として充填コンクリートを充填（鉛直接合部以外の狭小な空隙部には充填モルタルの使用可）し，軸圧縮力や曲げ圧縮力，せん断力の伝達に有効であるようにする．

PCaRC 造部材接合部への充填コンクリートや充填モルタルの充填が確実に施工することにより，PCa 壁式 RC 造は現場打ち壁式 RC 造となんら変わらないものとなるが，実際には現場打ちの打継

ぎ面を鉄筋が横切る場合と同条件の接合部とすることは難しい．

　PCaRC造耐力壁（以下，耐力壁と略記）の鉛直接合部は，充填コンクリートを介して隣接する耐力壁と接合される．耐力壁双方から突出する鉄筋は，溶接，機械式継手，重ね継手などの方法により連続させることができるが，PCaRC造部材の鉛直接合面は現場打ちRC造部材とまったく同条件とはいえず，通常は，せん断力の伝達のためにシヤーコッターおよび接合筋を設ける．

　耐力壁の水平接合部では，合理的な施工のため接合鉄筋等は現場打ち壁式RC造と同条件にはできず，集約した位置に接合鉄筋等を配置している．敷モルタルや充填モルタルは軸方向圧縮力を伝達でき，摩擦によりせん断力の伝達が期待できると考えられる．正しく施工された耐力壁に設けた水平接合部における摩擦係数は0.7程度確保できるので，必要保有水平耐力時においてもせん断力は伝達できることになる．

　PCaRC造部材接合部は，原則として建物が保有水平耐力に至るまで先行降伏しないものとする．ただし，保有水平耐力に達する以前にPCaRC造部材接合部が先行破壊する場合は，PCaRC造部材接合部はベースシヤー係数に換算して$0.55 \times$形状係数F_{es}の水平力によって生じる応力に対して破壊しないような強度を付与することとする．

　PCaRC造耐力壁とPCa造スラブとの接合部やPCa造スラブ相互の接合部については，床板の一体性を確保する観点から水平力の伝達（特に，終局時での応力再配分）を可能とする接合でなければならない．

[参考文献]

8.2.1) 堀井　博・和田　章：構造設計のためのメモランダム5，建築技術，1980.7
8.2.2) 日本建築学会：鉄筋コンクリート造建物の靱性保証型耐震設計指針・同解説，1999.8
8.2.3) Konno, S, Sakamoto, K, Sakashita, T, Mukai, T, Tani, M, and Fukuyama, H："Effect of Boundary Column on the Seismic Behavior of Cantilever Structural Walls", Proceedings of 15th World Comference on Earthquake Engineering, ID3619, pp.1〜8, 2012.9
8.2.4) 菅野俊介：鉄筋コンクリート部材の復元力特性に関する研究—曲げ降伏するはり，柱および無開口耐震壁の強度と剛性に関する実験的研究—，コンクリートジャーナル，Vol.11, No2, pp.1〜9, 1973.2
8.2.5) 冨井政英：鉄筋コンクリート板のせん断抵抗に関する研究，東京大学精算技術研究所報告6，1957.1
8.2.6) 大塚　弘・後藤哲郎：直交壁を有する壁柱のせん断強度に関する研究（その2．妻側壁柱のせん断実験）—高層壁式ラーメン構造に関する研究—，日本建築学会大会学術講演梗概集，C，構造Ⅱ，pp.569〜570, 1987.8
8.2.7) 平石久廣・稲井栄一・後藤哲郎・今井　弘・狩野芳一：高層壁式ラーメン鉄筋コンクリート造建物における壁柱の耐震性能評価に関する研究，日本建築学会大会構造系論文報告集第439号，pp.133〜144, 1992.9
8.2.8) 日本建築学会：鉄筋コンクリート構造計算規準・同解説，pp.83〜84, 2024.12
8.2.9) 堀井　博・和田　章：構造設計のためのメモランダム4，建築技術，1980.6
8.2.10) 松士智史・楠原文雄・塩原　等・向井智久・壁谷澤寿一・福山　洋：壁式RC造の外部柱梁接合部における梁主筋の定着性能の実験，日本建築学会大会学術講演梗概集，C-2, 構造Ⅳ，pp.887〜888, 2011.7

8.3 骨組のモデル化

骨組解析では，鉛直荷重および水平荷重に対する挙動を再現できる適切な骨組モデルを設定するとともに，次の（1）から（5）による．なお，8.1節本文．1．（4）を満たす場合は，この限りでない．
（1） 原則として，壁梁，基礎梁，耐力壁ならびにスラブ等の部材から構成され，直交部材の効果を適切に考慮した平面架構を連成したモデルによる．ただし，直交方向の架構の影響を適切に考慮した部材モデルを用いる場合には，立体架構モデルによってもよい．
（2） 骨組に作用する水平力は，スラブの重心位置または節点の位置に集中して作用するものとしてよい．
（3） ねじれ挙動の影響が大きい建物に対して平面架構モデルを用いて評価する場合，ねじれの影響を適切に評価する．
（4） 立体架構モデルによる解析の場合は，次の（ⅰ）および（ⅱ）による．
　（ⅰ） 解析モデルの支点は，解析方向の耐力壁材軸中心と基礎梁材軸中心の交点に設ける．なお，杭基礎の場合は，杭配置を考慮する．
　（ⅱ） 各階のスラブは，一般には面内に並進変形および回転変形が可能な剛床と仮定してよい．ただし，吹抜けなどにより剛床仮定が成立しない場合は，その影響を適切に考慮する．
（5） 基礎構造や地盤の鉛直変位の影響が大きく耐力壁の剛性に与える影響が大きい場合は，それらの変位を適切に考慮する．

・ 骨組解析とその特徴

本規準では，従来壁式RC造で用いられてきた「平均せん断応力度法」による応力解析の代わりに，部材の剛性に立脚した，より合理的な方法により行うことを原則としている．その際，解析対象建物のモデル化の方法については，設計者が適切なものを選択する必要がある．しかしながら，現状の解析技術を鑑みると，耐力壁から構成される壁式RC造に対して，立体架構モデルを用いて適切に建物の耐震性能を評価することは困難である．その大きな理由に，耐力壁の立体効果を評価することの難しさがある．そこで，本規準では直交部材を考慮した部材のモデル化を行った平面架構モデルを用いた解析を基本とすることとしている．

建物の応力解析の方法には構面を面材としてそのまま解析する有限要素法や構面の壁梁等と耐力壁を等価な骨組に置換する骨組置換法などがある．また，おのおの独立の平面構面の集合として解析する場合もあれば，建物全体を立体骨組として解析することもあるなど多種多様であるが，その中でも曲げ・せん断変形，軸方向変形および剛域を考慮した平面骨組置換法は構造設計の実務家の間で広く普及し定着した感が強い．また，立体架構モデルを用いた解析では部材のモデル化における問題点も明らかにされつつあることから，本規準においては，直交部材を考慮した部材のモデル化を行った平面架構モデルを用いた解析を基本とすることとした．なお，骨組置換法による解析については，文献8.3.1)，8.3.2)などが参考となろう．

以下に，本文（1）から（5）に記載の内容を概説する．
（1） 平面骨組置換による解析
（ⅰ） 平面骨組置換による解析法の特徴と留意点

この方法は剛床を仮定し，解析対象構面（フレーム）をすべて直列につなげて解析するもので，剛床仮定が成立するようにスラブの面内剛性が十分に確保されていることが必要である．耐力壁，壁梁，基礎梁ならびに耐力壁・壁梁等接合部は等価な線材に置換されるが，この際に曲げ・せん断変

形，直交材の影響等を適切に評価することが必要であり，また，等価な剛域の評価（耐力壁または壁梁等の縁（フェイス）から部材せいの 1/4 までの内側を剛域とする），または耐力壁・壁梁等接合部の変形を考慮することが必要である．一般に 5 階建程度までの建物であれば耐力壁の軸方向変形を無視し得るが，長さの短い耐力壁では軸方向変形を無視し得ない場合もあるので注意を要する．その場合は軸方向変形を適切にモデル化し，解析で考慮する必要がある．

建物を線材から構成される骨組として解析する際には，部材の材軸はその部材の全断面を有効としたときの図心を結ぶ線によって定めるのが原則であるが，実際には各スパン，各階あるいは，力壁と壁梁等の節点で材軸にずれが生じる．しかし，これらのずれが小さい場合には，軸線を通して長方形骨組モデルに置き換えて解析しても実用上は十分である．そのずれが著しい場合には，任意形のフレームを扱い得る解析法によることが望ましい．耐力壁をそれと等価なせん断剛性を有するブレースと等価な曲げ剛性を持つ柱に置換する方法（ブレース置換法）〔8.2 節（2）（c）参照〕も，ここでいう骨組置換法の一つである．その場合，耐力壁の平面保持の仮定と，耐力壁と壁梁等の節点の回転が耐力壁によって拘束される効果を得るために，耐力壁内に仮想の梁を設け，その剛性を十分剛（例えば，置換柱の剛性の 100 倍程度）にする必要がある．また，耐力壁の軸方向変形を無視できない場合には，ブレース置換法の軸方向変形の精度について注意を要するとともに，置換ブレースと置換柱の軸方向力から耐力壁の曲げモーメント，軸方向力，せん断力を求める必要がある．

平面架構解析を用いるためには，以下の条件を満たすことが必要である．

① 各階各方向における構面ごとの耐力壁の長さや配置に著しい差がないこと．
② 地震時において建物に著しいねじれ変形が生じないこと．

上記を確認する一つの方法として，剛性率や偏心率を規定する方法があるが，ルート 1 を適用できる建物は，十分な量の耐力壁の水平断面積を有しており，水平耐力も十分に確保されていることを考慮し，剛性率や偏心率の規定を設けていない．なお，ルート 3 を適用する建物においては，剛性率および偏心率による必要保有水平耐力の割増し規定を設けている．

(ⅱ) 架構実験によるモデル化の検証

文献 8.3.1)においては，解説図 8.3.1 に示す立面形状の試験体に対して，耐力壁，壁梁を曲げ・せん断変形，剛域（剛域は RC 規準による）を考慮した線材に置き換え，撓角法を使って全体骨組を同時に解いている．各構面（A〜C）ごとの応力図は解説図 8.3.2 のようになっている．この図には 1 階の各耐力壁のせん断力について計算値とロゼットゲージによる測定結果から得られた実験値が示されている．1 階の各耐力壁の分担するせん断力の計算値は，ほぼ実験値に近い値となっている．C 構面階段室横の二つの耐力壁における計算による分担せん断力が実験値とやや離れているが，この部分は小開口を有する耐力壁と考え，二つの耐力壁のせん断力の合計を考えれば実験値，計算値はよく一致しているといえよう．また，各構面ごとのせん断力負担率も実験と計算で 1 割程度の差しかない．

文献 8.3.1)，8.3.2)によれば，比較的ラーメン線が通っている場合は工学的に十分満足できる精度の解が骨組置換法の一つである線材置換法により得られる．しかし，解説図 8.2.20 に示すように耐力壁の長さが中間階で変わる架構のような場合，解説図 8.2.21 のようにモデル化すると，AB，

BC間に全長がすべて剛域とされる梁ができてしまい，解の精度を確保することができなくなってしまう．正しい解を得るためには，実際の挙動を念頭においた適切な架構のモデル化を行うことが大切である．

また，文献8.3.5)，8.3.6)では，上記試験体に対して平面架構の連成モデルを用いて実験が実施されたけた行方向およびその直交方向である張り間方向に関する検討を実施されている．その検討において，けた行方向は8.2節で示された部材のモデル化を行ったうえで平面連成モデルを用いた場合，全体変形角0.5％程度までは概ね評価できていることが示されている．また，張り間方向の検討においては，同様のモデルを用いた場合，直交部材の効果を適切に評価する必要があることが

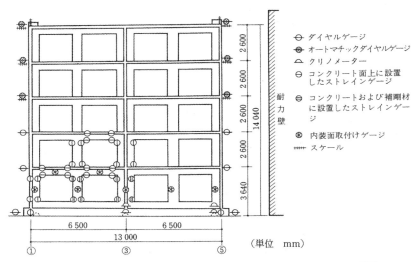

解説図 8.3.1 実大5階建壁式鉄筋コンクリート造アパートの立面図[8.3.1)]

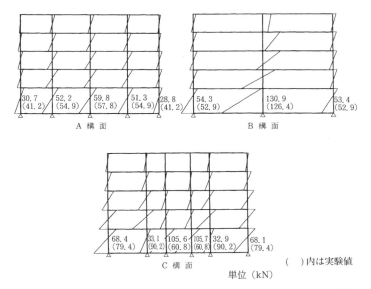

解説図 8.3.2 実大5階建壁式鉄筋コンクリート造アパートの応力[8.3.1)]

示されている．詳細は付録9に記載されているため参照されたい．

(2) 水平力作用位置

地震荷重による水平力は，原則としてスラブレベルに集中して作用するものとして単純化してもよい．ただし，不規則にスラブが配置されるスキップフロアなど，その全体剛床仮定が成立しない場合は，それぞれ別のスラブとして扱い，それぞれのスラブ重心位置に水平地震力を作用させる必要がある．

(3) ねじれによる負担せん断力の補正

立体解析を用いて一次設計における部材の応力算定を行う場合には，建物のねじれの影響を直接考慮できるので補正の必要はないが，平面骨組解析を行う場合あるいは平均せん断応力度法による場合には全体ねじれの影響が評価できないので，別途考慮する必要がある．その場合は，平面骨組解析から得られる各フレームの負担せん断力と層間変形とから各フレームの各階の等価せん断剛性を次式により計算し，それをもとに各階の剛心を計算する方法がある．

$$_iK_{jx}=\frac{_iQ_{jx}}{_i\delta_x}, \quad _iK_{jy}=\frac{_iQ_{jy}}{_i\delta_y} \quad （ここでiは層，jはフレーム位置を示す） \qquad (解8.3.1)$$

記号　$_iK_{jx}, {}_iK_{jy}$：x方向およびy方向のi層jフレームの等価せん断剛性（N/mm）

　　　$_iQ_{jx}, {}_iQ_{jy}$：x方向およびy方向のi層jフレームの負担せん断力（N）

　　　$_i\delta_x, {}_i\delta_y$　：x方向およびy方向のi層の層間変形（mm）

剛心と重心とが一致しない場合には，剛心を中心に建物が回転することにより生じるモーメントに対する応力が付加されることになる．したがって，この偏心の影響による応力が大きい場合には，平面骨組解析から得られた負担せん断力は補正を必要とする．次式よりX方向のせん断力の補正係数 $_i\alpha_{jx}$ が求められ，前もって求めてある $_iQ_{jx}$ に $_i\alpha_{jx}$ を乗じれば，ねじれを考慮したX方向のせん断力が求められる．以後の式はi層について述べる．

$$\alpha_{jx}=1+\frac{\sum K_{jx}\cdot e}{J_x+J_y}\cdot y \qquad (解8.3.2)$$

記号　α_{jx}：X方向のせん断力の補正係数

　　　K_{jx}：X方向のせん断剛性（N/mm）

　　　e：偏心距離

　　　J_x, J_y：K値の二次モーメント（N・mm）で，次式による．

$$\left.\begin{array}{l} J_x=\sum(K_{jx}\cdot y^2)=\sum(K_{jx}\cdot y_1^2)-\sum(K_{jx}\cdot \bar{y}_1^2) \\ J_y=\sum(K_{jy}\cdot x^2)=\sum(K_{jy}\cdot x_1^2)-\sum(K_{jy}\cdot \bar{x}_1^2) \end{array}\right\} \qquad (解8.3.3)$$

　　　y：剛心を通る軸からの距離

　　　x_1, y_1：左端下端からの距離（mm）〔解説図8.3.3参照〕

　　　　　　剛心距離 $\bar{x}_1, \bar{y}_1$

　　　$\bar{x}_1, \bar{y}_1$：剛心距離（mm）で，次式による．

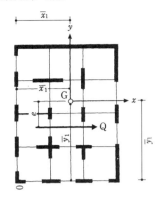

解説図 8.3.3 ねじれによる負担せん断力の補正

$$\bar{x}_1 = \frac{\sum(K_{jy} \cdot x_1)}{\sum K_{jy}} , \quad \bar{y}_1 = \frac{\sum(K_{jx} \cdot y_1)}{\sum K_{jx}} \tag{解 8.3.4}$$

なお，（1）で示した実大壁式架構試験体の解析検討において上記の式を用いてねじれ補正を行った結果を示しているため，詳細は付9．を参照されたい．

（4） 立体架構モデルによる解析

（ⅰ） 立体架構モデルにおける支点位置

ここでいう立体架構モデルとは，（1）でいう平面骨組置換の手法を水平2方向に拡張したもので，重心と剛心が著しくずれる場合，あるいは平面骨組置換が困難な場合は，この解析法によるのがよい．立体架構モデルによる解析においても、解析モデルにおける支点位置は，平面解析モデルの場合と同様に地震力検討方向の耐力壁の材軸中心と基礎梁材軸中心の交点に設ける必要がある〔解説図8.3.4〕．

この理由は，本規準においては地震力検討方向の耐力壁に直交壁が取り付く場合，当該耐力壁の許容曲げモーメントや曲げ強度ならびにせん断強度の算定において，直交壁の長期軸方向力の一部を考慮していることによる．杭基礎の場合は，杭の中心位置（群杭にあっては群杭の中心位置）は地震力検討方向耐力壁の軸心位置に配置すべきである．地盤および杭の変形を応力・変形解析に考

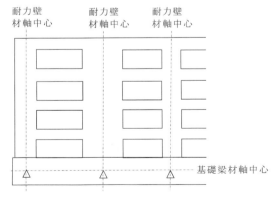

解説図 8.3.4 解析モデルにおける交点位置

慮する場合は，（5）による．

（ⅱ）立体架構モデルにおけるスラブの面内剛性評価

応力・変形解析の際には，スラブの面内剛性の評価が必要となることもある．また，直交壁はピロティ建物の引張柱と同じで水平力はほとんど負担しないが，引張軸力は負担し，層全体としての曲げ強度は上がる．それにより増加した水平力は，例えばピロティ建物の場合には圧縮側の柱が負担しているが，立体架構モデルでは負担すべき部材の剛性評価が十分にできていないのが現状である．なお，平面架構モデルにおける解析では，有効幅内にある直交壁の曲げ強度と曲げ剛性を考慮し，それに応じたせん断力の確認も行うこととしている．

構面ごとの剛性や耐力が大きく異なる場合，崩壊メカニズムに近い状態ではスラブにもひび割れが発生し，剛床仮定が適用できない場合がある．スラブを伝達するせん断力による面内せん断力が，せん断ひび割れ強度を超えるような場合には，スラブの剛性を評価した解析とすることが望ましい．また，剛床仮定が成立しない場合には，壁梁に作用する軸力の影響をその曲げ強度算定や耐力壁の部材ランクを決定する際に考慮する必要がある．

（5）耐力壁の復元力特性評価における地盤および杭の変形

壁式 RC 造のように上部構造の剛性が著しく高い場合には，これを支持する基礎部分の剛性評価（基礎の回転剛性）が非常に重要となる．特に，壁長の長い耐力壁は，それ自体は大きな剛性を有しているが，耐力壁脚部の固定度により剛性は大きく変化する．具体的に，一次設計における応力解析では原則としてピン支持とし，基礎梁が剛強であればピン支持の位置は壁端部としてよい．一方，ピン支持の位置を壁中央部に設ける場合に，直交梁の効果を考慮することができる．また，地盤や基礎構造の影響が大きい場合に適切なばねを設定する．このように，基礎の回転剛性を考慮すると，上階の壁梁の応力は一般に大きくなることに注意を要する．

二次設計に構造特性係数 Ds を算定する場合は，壁脚部をピン支持として浮上り崩壊形とならないよう留意する．なお，保有水平耐力算定時も，原則として同様のモデル化としてよい．

基礎の鉛直ばね定数に関する資料は RC 規準解説に詳しく説明されているため，それを参照されたい．また，杭基礎の場合の基礎回転（杭の鉛直方向剛性）は文献 8.3.3)，8.3.4) にその評価法が示されているので参考にするとよい．

[参 考 文 献]

8.3.1) 松島　豊：実大 5 階建壁式鉄筋コンクリート造アパート耐震実験，昭和 44 年度建築研究所年報，1969.12

8.3.2) 広沢雅也ほか：8 階建壁式鉄筋コンクリート造アパートの耐震性に関する実大破壊実験（その 1〜その 8），日本建築学会大会学術講演梗概集構造系，pp.1669〜1684，1980.8

8.3.3) 日本道路協会：道路橋示方書・同解説Ⅳ，下部構造編，pp.406〜408，2012．

8.3.4) 梅村　魁：鉄筋コンクリート建物の動的耐震設計法・続（中層編），技報堂出版，1982.12

8.3.5) 太田あゆみ・三角和歩・向井智久・衣笠秀行：実大 5 層壁式架構試験体を対象とした構造性能評価に関する解析的研究，日本地震工学会・大会，2022.12

8.3.6) 太田あゆみ・向井智久・衣笠秀行：実大 5 層壁式架構試験体梁間方向を対象とした構造性能評価に関する解析的研究，日本コンクリート工学年次大会，2023.7

9条　許容応力度設計
9.1　耐力壁の軸方向力と曲げモーメントに対する断面算定

> 1. 耐力壁の設計用曲げモーメントが，許容曲げモーメント以下となることを確認する．
> 2. 耐力壁の設計用曲げモーメントは，7条および8条に基づき以下の方法で算定する．
>   （1）長期設計用曲げモーメントは，4.に記載する長期荷重時の断面算定位置の曲げモーメントとする．
>   （2）短期設計用曲げモーメントは，4.に記載する短期荷重時の断面算定位置の曲げモーメントとする．
> 3. 耐力壁の許容曲げモーメントは，以下の方法で算定する．
>   （1）軸方向力と曲げモーメントを同時に受ける耐力壁においては，軸方向力を受ける状態で断面内の応力度を算定し，圧縮縁がコンクリートの許容圧縮応力度に達した時，および引張鉄筋が許容引張応力度に達した時に対して算出される曲げモーメントのうち，小さい方の数値とする．
>   （2）PCaRC造耐力壁にあっては，水平接合部の鉛直接合筋と鉛直接合部内の接合筋ならびに軸方向力を考慮して許容曲げモーメントを算定する．
>   （3）曲げ剛性に有効な直交壁内の縦補強筋は，許容曲げモーメントの算定において考慮してもよい．
>   （4）面外曲げモーメントが作用する耐力壁の面外許容曲げモーメントは，スラブに準じて算定してよい．この時，耐力壁の軸方向力を適切に考慮する．
> 4. 耐力壁の断面算定位置は，通常，上下開口端（フェイス位置）としてよい．

1．耐力壁の曲げモーメントに対する断面算定

耐力壁の断面算定は，7条に記載の荷重および外力とその組合せに対して8条で計算される耐力壁の各断面算定位置での設計用曲げモーメントが，当該位置での許容曲げモーメント以下になることを確認する．なお，許容曲げモーメントを算出する際には，軸方向力の効果を適切に考慮する．

2．耐力壁の設計用曲げモーメント

（1）長期設計用曲げモーメント

耐力壁の長期設計用曲げモーメントは，8条で計算される長期荷重時の各断面算定位置における曲げモーメントを用いる．ただし，立体解析による応力解析の場合は，直交壁が取り付く場合の当該耐力壁の曲げモーメント，および直交壁の長期軸方向力ならびに直交壁の長期軸方向力による偏心曲げモーメント等を適切に考慮する．

（2）短期設計用曲げモーメント

耐力壁の短期設計用曲げモーメントは，8条で計算される短期荷重時の各断面算定位置における曲げモーメントを用いる．なお，長期設計時の場合と同様に，立体解析による応力解析の場合は，直交壁による影響を適切に考慮する．

3．耐力壁の許容曲げモーメント

（1）軸方向力と曲げモーメントを同時に受ける耐力壁

耐力壁の許容曲げモーメントは，以下によって算定してよい．ただし，立体解析の場合は，直交壁にも同時に応力が発生するため，直交壁を含めた引張鉄筋の取扱いに注意を要する．

　ⅰ）長期許容曲げモーメント

　　耐力壁の長期許容曲げモーメントは，RC規準14条により算定してよい．

　ⅱ）短期許容曲げモーメント

耐力壁の短期許容曲げモーメントは，以下によって算定してよい．

a) 圧縮応力度比が0.4未満の場合の短期許容曲げモーメント

壁式RC造耐力壁の短期許容曲げモーメントは，耐力壁の短期荷重時の圧縮応力度比$N_S/(t \cdot l \cdot {}_sf_c)$〔記号：(解9.1.2)式の記号の説明参照〕が0.4未満の場合は，(解9.1.1)式より算定してよい．

$$M_{AS} = C \cdot t \cdot l^2 \tag{解9.1.1}$$

記号　M_{AS}：耐力壁の短期許容曲げモーメント（N・mm）

　　　C：許容曲げモーメント係数（N/mm²）で，(解9.1.2)式のC_1とC_2のうち小さい方の数値とする．

$$\left. \begin{array}{l} C_1 = \left\{ \dfrac{40}{3} \left(1 - 1.2\dfrac{N_S}{t \cdot l \cdot {}_sf_c}\right) \cdot p_t + \dfrac{1}{15}\left(1 + 1.2\dfrac{N_S}{t \cdot l \cdot {}_sf_c}\right) \right\} \cdot {}_sf_c \\ C_2 = \left(0.8 p_t + 0.37\dfrac{N_S}{t \cdot l \cdot {}_sf_t}\right) \cdot {}_sf_t \end{array} \right\} \tag{解9.1.2}$$

　　　N_S：耐力壁の短期軸方向力（N）

　　　${}_sf_c$：コンクリートの短期許容圧縮応力度（N/mm²）

　　　t：耐力壁の厚さ（mm）

　　　l：耐力壁の長さ（mm）

　　　p_t：引張鉄筋とみなせる鉄筋比（$=a_t/(t \cdot l)$）

　　　a_t：曲げモーメントに有効な範囲内の引張鉄筋断面積（mm²）

　　　${}_sf_c$：引張鉄筋とみなせる鉄筋の短期許容引張応力度（N/mm²）

引張鉄筋とみなせる鉄筋は，引張側の当該耐力壁の曲げ剛性に有効な範囲内〔解説図8.2.14参照〕の直交壁の縦筋を考慮してもよい．また，引張側端部より壁厚tまたは壁長lの0.1倍の長さのうち，大きい方の数値の範囲内にある縦筋は引張鉄筋とみなしてよい（解説図9.1.1）．

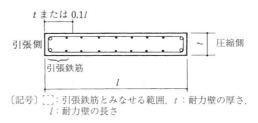

〔記号〕▢：引張鉄筋とみなせる範囲，t：耐力壁の厚さ，l：耐力壁の長さ

解説図9.1.1　引張鉄筋とみなせる壁式RC造耐力壁内の縦補強筋の範囲

b) 短期許容曲げモーメントの略算式

壁式RC造耐力壁の短期許容曲げモーメントは，(解9.1.3)式によって算定してもよい．

なお，耐力壁の短期荷重時の圧縮応力度比$N_S/(t \cdot l \cdot {}_sf_c)$（記号：(解9.1.2)式の記号の説明参照）は，0.4未満とする．

$$M_{AS} = 0.8 a_t \cdot {}_sf_t \cdot l + 0.3 N \cdot l \tag{解9.1.3}$$

記号　M_{AS}：壁式RC造耐力壁の短期許容曲げモーメント（N・mm）

a_t：曲げモーメントに有効な範囲内の引張鉄筋断面積（mm²）

$_sf_t$：引張鉄筋の短期許容引張応力度（N/mm²）

l：耐力壁の長さ（mm）

N：耐力壁の短期荷重時軸方向力（圧縮を正とする）（N）

（解 9.1.3）式は，柱の曲げ終局強度の略算式（解 9.1.4）式より，導いたものである．

$$M_u = 0.8 a_t \cdot \sigma_y \cdot D + 0.5 N \cdot D \cdot \left(1 - \frac{N}{b \cdot D \cdot F_c}\right), \quad \text{ただし，} N \leq 0.4 b \cdot D \cdot F_c \quad \text{（解 9.1.4）}$$

記号　M_u：柱の曲げ終局強度（N・mm）

a_t：柱の曲げ終局強度に有効な引張鉄筋断面積（mm²）

σ_y：引張鉄筋の材料強度（N/mm²）

D：柱断面せい（mm）

N：柱の軸方向力（圧縮を正とする）（N）

b：柱の幅（mm）

F_c：コンクリートの設計基準強度（N/mm²）

（解 9.1.4）式において，$N \leq 0.4 b \cdot D \cdot F_c$ より（解 9.1.5）式となる．

$$M_u \geq 0.8 a_t \cdot \sigma_y \cdot D + 0.3 N \cdot D \quad \text{（解 9.1.5）}$$

（解 9.1.5）式において，$M_u = M_{AS}$，$\sigma_y = _sf_t$，$D = l$ とすると，（解 9.1.3）式が得られる．

（2）PCaRC 造耐力壁の許容曲げモーメント

ⅰ）PCaRC 造耐力壁の短期許容曲げモーメントは，現場打ち壁式 RC 造耐力壁の短期許容曲げモーメントの算定に準じてよいが，水平接合部の鉛直接合筋と鉛直接合部内の接合筋ならびに軸方向力を考慮する．

ⅱ）PCaRC 造耐力壁の短期許容曲げモーメントは，（解 9.1.6）式によってもよい．

$$M_{AS} = a_t \cdot _sf_t \cdot j + 0.5 j \cdot N, \quad \text{ただし，} \left(\frac{_DM}{j} + \frac{N}{2}\right) \leq 0.15 t \cdot l \cdot _sf_c \quad \text{（解 9.1.6）}$$

記号　M_{AS}：PCaRC 造耐力壁の短期許容曲げモーメント（N・mm）

a_t：PCaRC 造耐力壁の短期許容曲げモーメントに有効な範囲内の引張鉄筋断面積（mm²）

$_sf_t$：引張鉄筋の短期許容引張応力度（N/mm²）

j：PCaRC 造耐力壁の短期許容曲げモーメントに有効な引張鉄筋の重心間距離（mm）

N：PCaRC 造耐力壁の短期荷重時軸方向力（圧縮を正とする）（N）

$_DM$：PCaRC 造耐力壁の短期設計用曲げモーメント（N・mm）

t：PCaRC 造耐力壁の厚さ（mm）

l：PCaRC 造耐力壁の長さ（mm）

$_sf_c$：PCaRC 造耐力壁のコンクリートの短期許容圧縮応力度（N/mm²）

なお，許容曲げモーメントに算入できる鉄筋は，縦方向に連続して配筋される PCaRC 造部材内

鉛直接合筋および鉛直接合部内の接合筋とする（解説図9.1.2）.

また，PCaRC造耐力壁内に配筋されている縦補助筋〔解説図9.1.2参照〕は，壁脚部で下階耐力壁の曲げ補強筋と接合されないので壁脚では許容曲げモーメントに算入できないが，開口部上端位置では定着が確保された場合は考慮して計算する.

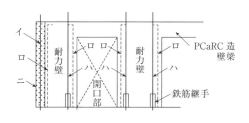

イ：鉛直接合部内の縦補強筋
ロ：縦補強筋
ハ：端部曲げ補強筋
ニ：鉛直接合部

［注］ロの縦補助筋は，曲げ補強筋に算入できない.
なお，図の場合など，壁頭においては所要の定着長さが確保できる場合は曲げ補強筋に算入してよい.

解説図 9.1.2 PCaRC造耐力壁の許容曲げモーメントに算入できる縦補強筋

（3）縦補強筋および有効な範囲内の直交壁内の縦補強筋を考慮した許容曲げモーメント算定式

端部曲げ補強筋のほかに，交差部縦補強筋，中間部縦補強筋ならびに有効な範囲内の直交壁内の縦補強筋を考慮した許容曲げモーメントは，(解9.1.7)式により算定してよい[9.1.1]．ただし，中立軸の位置は，解説図9.1.3に示す範囲とする．なお，直交壁の有効な範囲は，曲げ剛性に評価した範囲とする．

$$M_A = C \cdot t \cdot {_sd_1}^2 + \sum(N_i \cdot {_Nd_i}) \quad (i=0 \sim m) \tag{解9.1.7}$$

C は曲げモーメント係数（N/mm²）で，(解9.1.8)式の C_1 と (解9.1.10) 式の C_2 のうち，小さい方の数値とする〔解説図9.1.3〕.

$$C_1 = \left(I_S - S_S \cdot X_{n1} - \frac{X_{n1}^3}{6 \cdot n}\right) \cdot n \cdot \frac{f_c}{X_{n1}} \tag{解9.1.8}$$

なお，(解9.1.8)式中の中立軸比 X_{n1} は，(解9.1.9)式による.

$$X_{n1} = \frac{X_m}{{_sd_1}} = (\eta - n \cdot p_g) + \left\{(\eta - n \cdot p_g)^2 + 2n \cdot S_S\right\}^{1/2} \tag{解9.1.9}$$

$$C_2 = \left(I_S - S_S \cdot X_{n1} - \frac{X_{n1}^3}{6 \cdot n}\right) \cdot \frac{f_t}{1 - X_{n1}} \tag{解9.1.10}$$

なお，(解9.1.10)式中の中立軸比 X_{n1} は，(解9.1.11)式による.

$$X_{n1} = \frac{X_n}{{_sd_1}} = -n \cdot \left[\frac{\eta}{\alpha} + p_g - \sqrt{\left(\frac{\eta}{\alpha} + p_g\right)^2 + \frac{2}{n} \cdot \left(\frac{\eta}{\alpha} + S_S\right)}\right] \tag{解9.1.11}$$

記号 　M_A：中間部縦補強筋を考慮した耐力壁の許容曲げモーメント（N・mm）

　　　t：許容曲げモーメント算出用の耐力壁の厚さ（mm）で，圧縮側に直交壁が取り付く場合は，有効な範囲内の長さを含む（解説図9.1.3）.

　　　${_sd_1}$：圧縮縁より引張側端部曲げ補強筋位置までの距離（mm）（解説図9.1.3）

　　　$N_0, {_Nd_0}$：計算方向の当該耐力壁の軸方向力（N），および圧縮縁から軸方向力 N_0 の作用位置までの距離（mm）（解説図9.1.4）

N_i, $_Nd_i$：i番目の直交壁の軸方向力のうち，許容曲げモーメントに有効な範囲内（耐力壁の弾性剛性算定時に有効とした協力幅内）の軸方向力（N），および圧縮縁から軸方向力 N_i の作用位置までの距離（mm）（解説図9.1.4）

m：直交壁の数

η：全軸方向力を計算方向の耐力壁のみで支持するときの圧縮応力度とコンクリートの許容圧縮応力度の比で，（解9.1.12）式による．

$$\eta = \frac{\sum N_i}{t \cdot {_sd_1} \cdot f_c} \quad (i=0 \sim m) \tag{解9.1.12}$$

n：コンクリートに対する鉄筋のヤング係数比

α：$\alpha = f_t/f_c$

f_t：縦補強筋の許容引張応力度（N/mm^2）

f_c：コンクリートの許容圧縮応力度（N/mm^2）

X_n：圧縮縁より中立軸までの距離（mm）（解説図9.1.3）

I_S：縦補強筋の圧縮縁に対する断面二次モーメントを $(b \cdot {_sd_1}^3)$ で除した数値で，（解9.1.13）式による．

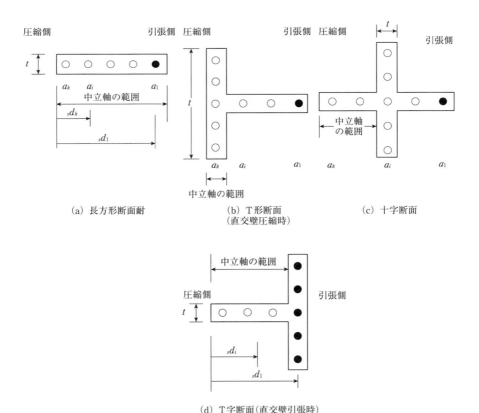

〔記号〕●：耐力壁の引張側端部曲げ補強筋　○：左記以外の縦補強筋

解説図 9.1.3　中立軸の取り得る範囲

$$I_S = \frac{\sum(a_i \cdot {}_s d_i)}{t \cdot {}_s d_1{}^3} \quad (i=1 \sim k) \tag{解 9.1.13}$$

k：縦補強筋の本数（複配筋の場合は，組数）

$a_i, {}_s d_i$：引張側端部曲げ補強筋から数えて i 番目の縦補強筋の断面積（mm²）と，その中心までの圧縮縁からの距離（mm）．なお，許容曲げモーメントに有効な範囲内の直交壁内の縦補強筋も含む（解説図9.1.4）．

S_S：縦補強筋の圧縮縁に対する断面一次モーメントを $(b \cdot {}_s d_1{}^2)$ で除した数値で，（解 9.1.14）式による．

$$S_S = \frac{\sum(a_i \cdot {}_s d_i)}{t \cdot {}_s d_1{}^2} \quad (i=1 \sim k) \tag{解 9.1.14}$$

p_g：引張鉄筋比で，次式による．

$$p_g = \frac{\sum a_i}{t \cdot {}_s d_1} \quad (i=1 \sim k) \tag{解 9.1.15}$$

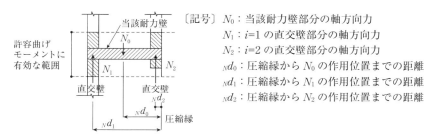

解説図 9.1.4 耐力壁の許容曲げモーメントに考慮する軸方向力

（4） 面外許容曲げモーメント

スラブの端部曲げモーメントの影響を受けやすい建物外周部の耐力壁の面外許容曲げモーメントは，スラブの断面算定式を用いて，長期および短期面外許容モーメントを算定してよいが，耐久性や防水性等を考慮して，曲げ引張応力度 σ_{tb} が許容曲げ引張応力度（$=(0.37 \sim 0.56)\sqrt{F_c}$，$F_c$：コンクリートの設計基準強度（N/mm²））に比して十分に小さくする等，曲げひび割れを発生させないよう十分な壁厚を確保することが望ましい．

なお，屋根を木造とするなど，壁の周辺が十分に拘束されていない場合は，地震力等の面外荷重に対して3辺支持や片持ち壁等の適切な支持条件下でスラブの算定式を適用する．

また，土圧を受ける壁についても同様に面外曲げモーメントに対してスラブの断面算定式を用いて算定してよいが，曲げひび割れを発生させないよう十分な壁厚を確保することが望ましい．

4．耐力壁の断面算定位置

耐力壁における断面算定位置は，通常，開口部上下端（フェイス）位置としてよい．なお，耐力壁において壁脚または壁頭部の左右の開口端位置が異なる場合は，壁脚部においては開口部下端が高い方の開口部端，壁頭部においては開口部上端部が低い方の開口部端を断面算定位置としてよい．

ただし，土圧等により面外に曲げモーメントが発生する場合は，耐力壁上下支持部材のスラブ位

置と中間部，また，直交壁が土圧等を受けて耐力壁の中間部に曲げモーメントが発生する場合は，耐力壁中間部についても考慮する．

[参考文献]

9.1.1) 日本建築学会：鉄筋コンクリート組積造（RM造）建物の構造設計・計算規準（案）・同解説，pp.224～230，2021.3

9.2 耐力壁のせん断力に対する断面算定

1．耐力壁の長期設計用せん断力が，(9.2.1) 式を満たすことを確認する．

$$_DQ_L \leq Q_{AL} \tag{9.2.1}$$

記号　$_DQ_L$：耐力壁の長期設計用せん断力（N）で，8条で計算される応力を用いる．

　　　Q_{AL}：耐力壁の長期許容せん断力（N）で，(9.2.2) 式による．

$$Q_{AL} = r \cdot t \cdot j \cdot {_Lf_s} \tag{9.2.2}$$

r：8条に規定する小開口に対する低減率で，(9.2.3) 式の r_1 と r_2 のうち，小さい方の数値とする．

$$\left. \begin{array}{l} r_1 = 1 - \dfrac{l_0}{l} \\ r_2 = 1 - \sqrt{\dfrac{h_0 \cdot l_0}{h \cdot l}} \end{array} \right\} \tag{9.2.3}$$

l_0：小開口の内法長さ（mm）
l：耐力壁の長さ（mm）
h_0：小開口の内法高さ（mm）
h：耐力壁の高さ（mm）
t：耐力壁の厚さ（mm）
j：耐力壁の応力中心距離（mm）
$_Lf_s$：コンクリートの長期許容せん断応力度（N/mm²）

2．耐力壁の短期荷重時せん断応力度が，(9.2.4) 式を満たすことを確認する．

$$\tau \leq {_sf_s} \tag{9.2.4}$$

記号　τ：耐力壁の短期荷重時せん断応力度（N/mm²）で，(9.2.5) 式による．

$$\tau = \dfrac{Q_S}{r \cdot t \cdot j} \tag{9.2.5}$$

Q_S：標準せん断力係数 $C_0 \geq 0.2$ の時の短期荷重時の耐力壁のせん断力（N）なお，水平荷重時応力算定を平均せん断応力度法による場合は，(9.2.6) 式による．また，平面骨組解析による場合等においては，ねじれによる負担せん断力の補正後の数値とする．なお，補正係数が1未満の場合は，1とする．

$$Q_S = Q_L + \overline{\tau_{0.2}} \cdot \alpha_s \cdot \alpha_j \cdot t \cdot l_w \tag{9.2.6}$$

Q_L：耐力壁の長期荷重時せん断力（N）
$\overline{\tau_{0.2}}$：標準せん断力係数 $C_0 \geq 0.2$ の時の耐力壁の平均せん断応力度（N/mm²）
α_s：せん断力の集中係数で，次式による．なお，$l_w/\overline{l_w} \leq 1.0$ の場合は $\alpha_s = 1.0$ とし，$l_w/\overline{l_w} > 1.5$ の場合は $\alpha_s = 1.5$ とする．

$$\alpha_s = l_w/\overline{l_w} \tag{9.2.7}$$

l_w：各階各方向の耐力壁の長さ（mm）
$\overline{l_w}$：各階各方向の耐力壁の平均長さ（mm）

α_J：ねじれによる負担せん断力の補正係数で、$\alpha_J < 1.0$ の場合は $\alpha_J = 1.0$ とする.

t：耐力壁の厚さ（mm）

r：耐力壁の小開口による低減率で、（9.2.3）式による.

j：耐力壁の応力中心距離（mm）

${}_sf_s$：コンクリートの短期許容せん断応力度（N/mm²）

3．耐力壁の短期設計用せん断力が，（9.2.8）式を満たすことを確認する．ただし，10条の保有耐力の検討を行う場合は（9.2.8）式の検討は省略してよい．

$$_DQ_S \leq Q_{AS} \tag{9.2.8}$$

記号　${}_DQ_S$：耐力壁の短期設計用せん断力（N）で，（9.2.9）式または（9.2.10）式による.

$$_DQ_S = \frac{\sum M_y}{h'} \tag{9.2.9}$$

$$_DQ_S = Q_L + n \cdot Q_E \tag{9.2.10}$$

$\sum M_y$：壁頭および壁脚の降伏曲げモーメントの絶対値の和（N・mm）．この場合，壁頭の降伏曲げモーメントの絶対値よりも壁頭に連なる壁梁の降伏曲げモーメントの絶対値の和の1/2が小さい場合には，小さい方の数値を壁頭の降伏曲げモーメントとしてよい．ただし，最上層の耐力壁では上記1/2を1とする.

h'：耐力壁の内法高さ（mm）

Q_L：耐力壁の長期荷重時せん断力（N）

n：せん断力の割増し係数で，2.0以上とする.

Q_E：標準せん断力係数 $C_0 \geq 0.2$ 時における耐力壁のせん断力（N）．なお，水平荷重時応力算定を平面骨組解析等による場合は，ねじれによる負担せん断力の割増し係数を考慮した数値（せん断力の補正係数が1未満の場合は1とする）とし，平均せん断応力度法による場合は（9.2.6）式の右辺第2項による

Q_{AS}：耐力壁の短期許容せん断力（N）で，（9.2.11）式による.

$$Q_{AS} = r \cdot t \cdot j \{ {}_sf_s + 0.5 {}_wf_t (p_w - 0.002) \} \tag{9.2.11}$$

r：耐力壁の小開口による低減率で，（9.2.3）式による.

t：耐力壁の厚さ（mm）

j：耐力壁の応力中心距離（mm）

${}_sf_s$：コンクリートの短期許容せん断応力度（N/mm²）

${}_wf_t$：耐力壁の横補強筋のせん断補強用短期許容引張応力度（N/mm²）

p_w：耐力壁の横補強筋比で，p_w の数値が0.002を下回る場合は0.002とし，0.012を上回る場合は0.012とする.

1．耐力壁の長期せん断力に対する設計

（1）耐力壁の長期設計用せん断力

耐力壁の長期設計用せん断力は，8条で計算される長期荷重時の上下各開口端（フェイス位置）におけるせん断力を用いる．

（2）耐力壁の長期許容せん断力

耐力壁の長期許容せん断力は，縦補強筋および横補強筋の補強効果を無視して，コンクリートの長期許容せん断応力度を基に開口低減を考慮して算定する．

（3）小開口に対する低減率

矩形以外の小開口の低減率の取扱いは，等価な矩形に置換して（9.2.3）式による．

円形の小開口の低減率の取扱いは，（解9.2.1）式による．

$$l_0=\sqrt{\pi}\cdot d_0/2, \quad h_0\cdot l_0=\pi\cdot d_0^2/4 \tag{解 9.2.1}$$

記号　l_0：円形小開口と等価な面積の正方形小開口の内法長さ（mm）

　　　d_0：円形小開口の直径（mm）

　　　h_0：円形小開口と等価な面積の正方形小開口の内法高さ（mm）

　等価開口周比が0.4以下となる開口を有する妻壁等において，開口部を有する1枚の等価な有開口耐力壁と見なして応力解析を行った場合には，(9.2.3)式の開口低減率を準用し，1枚の耐力壁として検討するほか，開口横の個々の耐力壁についても曲げモーメントやせん断力に対する検討を行う．

2. 耐力壁の短期荷重時せん断応力度

（1）せん断ひび割れの防止

　一般に，曲げひび割れとせん断ひび割れとのひび割れ幅を比較すると，曲げひび割れ幅は荷重の除荷とともに，ひび割れが急速に閉じるのに対し，せん断ひび割れは残留ひび割れ幅が大きい．したがって，建物の設計供用期間中に度々起こるような地震動に対してせん断ひび割れが生じることは，漏水や鉄筋の腐食など，使用性および耐久性の観点から望ましいことではない．一方，ひび割れの発生による剛性の低下が，それ以降の建物の地震応答に影響し，剛性の低下が早期に生じるような場合には地震応答が想定した数値より大きくなることも考えられる．付4.には，ひび割れ強度，および，これに伴う履歴特性の第2勾配をパラメーターにした最大応答層間変形角の計算例が示されている．最大速度を50 cm/sとした入力地震動に対して，ひび割れ強度時の層せん断力係数を0.1以下とした場合は，最大応答層間変形角が部材実験などでせん断破壊が生じ始める変形角1/200を超えているのに対し，これを0.2とした場合の最大応答層間変形角は1/200以下に留まっている．

　これらのことを考慮し，標準せん断力係数 $C_0\geq 0.2$ の短期荷重時において，耐力壁にはせん断ひ

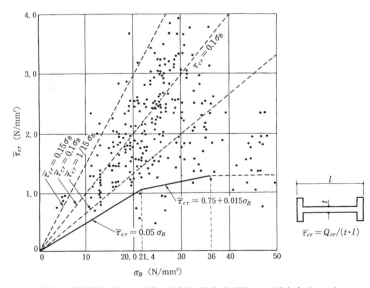

解説図 9.2.1　無開口耐震壁の初せん断ひび割れ発生時平均せん断応力度 $\overline{\tau_{cr}}$ とコンクリートの圧縮強度 σ_B の関係[9.2.1]

び割れが生じないように本規定を設けている．

解説図9.2.1に，無開口耐震壁の初せん断ひび割れ発生時の平均せん断応力度 $\overline{\tau_{cr}}$ とコンクリートの圧縮強度 σ_B との関係を示す．実験値は大きくばらついてはいるが，コンクリートの短期許容せん断応力度は，初せん断ひび割れ発生時平均せん断応力度の下限値であると言える．なお，せん断ひび割れ強度を算定する式としては，解説図9.2.2の(1)式および(2)式が提案されている．

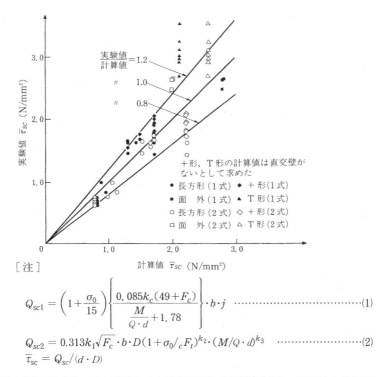

[注]

$$Q_{sc1} = \left(1 + \frac{\sigma_0}{15}\right)\left\{\frac{0.085k_c(49+F_c)}{\frac{M}{Q \cdot d}+1.78}\right\} \cdot b \cdot j \quad \cdots\cdots(1)$$

$$Q_{sc2} = 0.313k_1\sqrt{F_c} \cdot b \cdot D(1+\sigma_0/{_cF_t})^{k_2} \cdot (M/Q \cdot d)^{k_3} \quad \cdots\cdots(2)$$

$$\overline{\tau_{sc}} = Q_{sc}/(d \cdot D)$$

解説図 9.2.2 壁式ラーメン壁柱のせん断ひび割れ強度[9.2.2]〔式中の記号は文献9.2.2) 参照〕

(2) 短期荷重時せん断応力度の算定

耐力壁の短期荷重時せん断力 Q_S は，8条で計算される短期荷重時の数値とする．なお，耐力壁の長期せん断力 Q_L は，長期荷重時に大きなせん断力が作用する耐力壁を除き，通常の場合無視してもよい．なお，水平荷重時せん断力は，水平荷重時応力算定を平面骨組解析等や平均せん断応力度法による場合は，次の(i)および(ii)により補正する．

(i) ねじれによる負担せん断力の補正

水平荷重時応力・変形解析を立体架構モデルによる場合はねじれの影響が考慮されるが，平面骨組解析や平均せん断応力度法による場合は，ねじれによる負担せん断力の補正((9.2.6)式中の係数 α_j) を行う．

(ii) 平均せん断応力度法による場合のせん断力の集中係数 α_s の考慮

水平荷重時応力算定を平均せん断応力度法による場合は，耐力壁の負担せん断力は地震力検討方向の断面積に応じて配分することになるが，曲げ剛性や接続する壁梁の剛性は考慮されない．文献

9.2.3)～9.2.6)に記載の設計例において，地震力検討方向の耐力壁の長さ l_w の当該階の耐力壁の平均長さ $\overline{l_w}$ に対する比と，平面骨組解析や立体解析モデル等の精算法による耐力壁のせん断力 Q_E の平均せん断応力度法によるせん断力 Q_E' $(=\overline{\tau}_{0.2} \cdot t \cdot l_w)$ に対する比を検討した結果を，解説図 9.2.3 に示す．同図によれば，(9.2.6)式右辺第2項(ただし，ここではねじれによる負担せん断力の補正係数 α_j は 1.0 としている)による割増し係数 α_s は妥当であることがわかる．

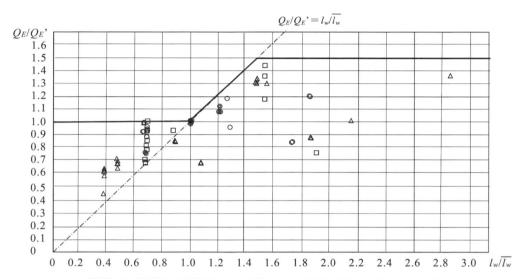

〔記号〕 Q_E：清算法による耐力壁のせん断力，Q_E'：平均せん断応力度法によるせん断力，
l_w：地震力検討方向1階耐力壁の長さ，$\overline{l_w}$：地震力検討方向1階耐力壁の平均長さ，
○：文献 9.2.3)の設計例のデータ，△：文献 9.2.4)の設計例のデータ，
□：文献 9.2.5)の設計例のデータ，◎：文献 9.2.6)の設計例のデータ，

解説図 9.2.3 文献 9.2.3)～9.2.6)における Q_E/Q_E' と $l_w/\overline{l_w}$ の関係

8.1節1.(4)のi)からv)を満たす5階建現場打ち壁式 RC 造建物の1階耐力壁に生じる標準せん断力係数 $C_0=0.2$ 時の平均せん断応力度と使用するコンクリートの短期許容せん断応力度 $_s f_s$ との関係を，解説表 9.2.1 に示す．

解説表 9.2.1 より，使用するコンクリートの短期許容せん断応力度の平均せん断応力度に対する比は 1.80 以上となっている．ねじれによる負担せん断力の補正係数 α_j が 1.2 以下となる場合には(9.2.6)式右辺第2項の $\alpha_s \cdot \alpha_j$ の最大値は 1.8 となる．(9.2.5)式の右辺において，小開口による低減率 $r=1.0$，長さ l_w の耐力壁の応力中心距離 $j=0.78 l_w$ $(\fallingdotseq l_w (1-d_t/l_w) \times 7/8 = l_w (1-0.1) \times 7/8)$ とし，(9.2.6)式における $Q_L=0$，$\overline{\tau}_{0.2}=0.5 \mathrm{N/mm^2}$ とすると，当該耐力壁に生じる短期荷重時せん断応力度は，$\tau=1.15 \mathrm{N/mm^2}$ $(=0.5 \times 1.8 t \cdot l_w/(1.0 t \times 0.78 l_w))$ となり，コンクリートの所要設計基準強度 F_c は 30 N/mm² となる．PCa 壁式 RC 造建物においても同様の傾向を有しているので，以上を考慮の上建物の平面・立面形状および耐力壁の長さや配置等に十分留意する必要がある．

解説表9.2.1 ルート1の規定を満たす5階建現場打ち壁式RC造建物の1階耐力壁の短期荷重時平均せん断応力度とコンクリートの短期許容せん断応力度との関係

コンクリートの設計基準強度 F_c (N/mm²)	コンクリートの短期許容せん断応力度 $_sf_s$ (N/mm²)	短期荷重時平均せん断応力度 $\bar{\tau}_{0.2}$ (N/mm²)	$_sf_s/\bar{\tau}_{0.2}$
18	0.90		1.80
21	1.05		2.10
24	1.095		2.19
27	1.14	0.50	2.28
30	1.185		2.37
33	1.23		2.46
36	1.275		2.55

〔記号〕$\bar{\tau}_{0.2}$：耐力壁の短期荷重時平均せん断応力度で，次式より算定．

$$\bar{\tau}_{0.2} = Z \cdot W \cdot A_i \times 0.2/(t_0 \cdot L_{w0} \cdot S)$$
$$= 1.0 \times 13\,500S \times 5 \times 1.0 \times 0.2/(180 \times 150S) = 13\,500/27\,000 = 0.50 \text{ N/mm}^2$$

〔検討条件〕・耐力壁の長期荷重時せん断力：$Q_L=0$，・壁率，壁量算定用床面積：各階 S m²
・地震力算定用単位重量：各階 $w_i = 13\,500$ N/m²
・最小壁厚：$t_0 = 180$ mm，・最小壁量：$L_{w0} = 150$ mm/m²

3．耐力壁の短期荷重時せん断力に対する設計

（1）短期設計用せん断力

（9.2.9）式により短期設計用せん断力を求める場合は，耐力壁の形状および耐力壁周囲の開口部形状ならびに壁梁の形状に十分留意し，危険断面位置および内法高さを定める．

水平荷重のみでなく鉛直力をも負担している耐力壁が，せん断破壊することは耐震性能上好ましいことではない．耐力壁のせん断破壊を防止するためには，次の2つの方法が考えられる．

・方法(ⅰ)：曲げ降伏をせん断破壊に先行させ，予想される応答変形時においても耐力壁にせん断破壊が生じないように靱性設計を行う．

・方法(ⅱ)：建物の設計供用期間中に発生する可能性のある大地震動時に生じるような応力に対しても，耐力壁がせん断破壊しないように強度設計を行う．

本規準においては，上記の二つの方法を併用している．すなわち，短期設計用せん断力として（9.2.9）式を用い，曲げ降伏をせん断破壊に先行させ，せん断破壊を防止する方法（ⅰ）と，耐力壁の短期設計用せん断力として水平荷重時のせん断力を2倍以上とした値を用い，間接的に大地震動時に対してもせん断破壊が生じないようにする方法（設計用せん断力を（9.2.10）式による方法）の2つの方法を併記した．これらの方法，特に，後者の方法では必ずしも想定を上回る大地震動時において耐力壁がせん断破壊しないとの保証はないが，本規準では保有水平耐力の確認を行わない場合は，壁率により間接的に水平耐力を確保し，壁量および層間変形角の規定により間接的に剛性を確保する規定を設けていることから，この程度のせん断設計で層および建物全体としての十分な耐震性を保証し得ると考えられる．これらのことは，主として方法(ⅱ)によって設計された壁式RC造建物に顕著な震害例が見られないこと，および方法(ⅰ)，(ⅱ)を併用した壁式RC造に関する既往の実大実験における優れた耐震性からも実証されている．

（2） 耐力壁の降伏曲げモーメント

耐力壁の降伏曲げモーメントは，(解9.2.2) 式を用いて算定してよい．

$$M_y = \sum(a_t \cdot \sigma_y) \cdot l' + 0.5\sum(a_w \cdot \sigma_{wy})l' + 0.5N \cdot l' + M_e \qquad (解9.2.2)$$

記号　M_y：耐力壁の降伏曲げモーメント（N・mm）

$\sum(a_t \cdot \sigma_y)$：a_t に σ_y を乗じた数値の和（N）

a_t：引張鉄筋の断面積（mm²）で，降伏曲げモーメントに有効な直交壁内の縦補強筋を含む．ここで，降伏曲げモーメントに有効な直交壁の範囲は，片側につき直交壁厚さの6倍，または隣り合う耐力壁までの内法スパン長さの1/4 および開口部端部までの長さのうち最小の数値とする．

σ_y：同上鉄筋の規格降伏点（N/mm²）

l'：両端に直交壁がある場合はその中心間距離，その他は，耐力壁の長さ l の 0.9 倍の数値．

$\sum(a_w \cdot \sigma_{wy})$：$a_w$ に σ_{wy} を乗じた数値の和（N）

a_w：耐力壁の中間部縦補強筋の断面積（mm²）で，中間部に直交壁が取り付く場合は，降伏曲げモーメントに有効な範囲内の直交壁内の縦補強筋を含む．

σ_{wy}：同上鉄筋の規格降伏点（N/mm²）

N：耐力壁に作用する軸方向力（N）（引張の時は負とする．ただし，軸方向引張耐力を超えない）で，次式による．

$$N = N_L + N_E + N_{WT}$$

N_L：耐力壁の長期軸方向力（N）

N_E：耐力壁の $C_0 \geq 0.2$ に対する水平荷重時軸方向力（N）

N_{WT}：直交壁の軸方向力のうち，耐力壁の降伏曲げモーメントに関係する軸方向力（N）で，解説図 9.2.4 のような場合には次のように算定する．

・耐力壁 W_1 に対して，$N_{WT} = 0.25N_1$

・耐力壁 W_2 に対して，$N_{WT} = 0.25(N_1 + N_2)$

・耐力壁 W_3 に対して，$N_{WT} = 0.25N_2$

ただし，N_1，N_2 は直交壁の長期軸方向力である．

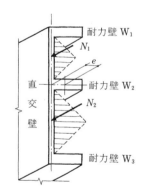

解説図 9.2.4 耐力壁の軸方向力

M_e：N_{WT} による偏心曲げモーメント（N・mm）で，次式で与えられる．

$$M_e = N_{WT} \cdot e$$

e：耐力壁中心と直交壁心との距離（mm）で，直交壁が耐力壁の引張側に取り付く場合には正の値，圧縮側に取り付く場合には負の値とし，直交壁が耐力壁の中央に取り付く場合には零とする．

（3） 短期許容せん断力

(9.2.11) 式は，RC 規準の柱の許容せん断力を準用したものである．本規準では耐力壁の横補強

筋比 p_w の下限値は 0.0015 としており，RC 規準での柱のせん断補強筋比の下限値 p_w の 0.002 を下回っている．p_w が 0.002 を下回る場合においても p_w ＝0.002 としている理由は，次による．

（ⅰ） (9.2.8)式の横補強筋に関する第2項の値が，(10.4.5) 式のせん断強度式の第2項の値より p_w ＝0.0015〜0.002 においても大きく下回る〔解説図 9.2.5 参照〕．

（ⅱ） 一般に，せん断強度は，せん断スパン比が小さくなると大きくなる傾向にある．(9.2.8)式は，せん断スパン比3という柱を想定して提案されているのに対して，耐力壁のせん断スパン比は通常2以下である．

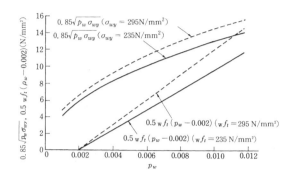

解説図 9.2.5　許容せん断力 (9.2.11) 式の第2項およびせん断強度式 (10.4.5) 式の第2項における横補強筋の負担せん断応力度

4．面外せん断力に対する設計

外周部耐力壁などスラブ端部の曲げモーメントの影響によるせん断力や，土圧や水圧等により面内方向および面外方向に同時に長期せん断力が生じる場合は，壁厚を十分に確保して，面外の曲げひび割れを防止して，耐久性や防水性等を確保するとともに，せん断用断面積を確保する．

（1）　長期荷重に対する設計

耐力壁の各部における面外せん断応力度が，コンクリートの長期許容せん断応力度を超えないことを確認する．面外せん断応力度 τ (N/mm^2) は，(解 9.2.3) 式による．

$$\tau = Q/j \qquad\qquad\qquad (解 9.2.3)$$

記号　　τ：耐力壁の面外せん断力によるせん断応力度 (N/mm^2)

　　　　Q：耐力壁の単位長さあたりの面外せん断力 (N/mm)

　　　　j：耐力壁の面外曲げモーメントに対する応力中心距離 (mm) で，$(7/8)d$ とすることができる．

　　　　d：耐力壁の面外曲げモーメントに対する有効せい (mm)

（2）　短期荷重に対する設計

長期荷重に対する設計と同様に，耐力壁の各部における面外せん断応力度が，コンクリートの短期許容せん断応力度を超えないことを確認する．

[参考文献]

9.2.1) 日本建築学会：鉄筋コンクリート構造計算規準・同解説，p.309，2024.12
9.2.2) 稲井栄一・平石久廣・今井　弘・狩野芳一：壁柱の耐震性能に関する研究成果の概要－高層壁式ラーメン構造に関する研究―，日本建築学会大会学術講演梗概集，C，構造Ⅱ，pp.837〜838，1989.9
9.2.3) 日本建築学会：壁式鉄筋コンクリート造設計・計算規準・同解説，pp.335〜396，2017.9
9.2.4) 日本建築学会：鉄筋コンクリート組積造（RM造）建物の構造設計・計算規準（案）・同解説，pp.485〜546，2021.3
9.2.5) 日本建築学会：鉄筋コンクリート組積造（RM造）建物の構造設計・計算規準（案）・同解説，pp.443〜484，2021.3
9.2.6) 日本建築学会：壁式鉄筋コンクリート造設計・計算規準・同解説，pp.397〜456，2017.9

9.3　耐力壁の小開口および開口部周囲の補強

1. 6.3.1項本文2.に規定する耐力壁の小開口周囲の補強は，次の（1）から（3）による．
（1）耐力壁の小開口周囲における付加斜張力および縁張力は，短期荷重時設計用せん断力に基づいて算定し，小開口周囲はこれらの力に対して安全なように補強する．
（2）小開口周囲には（9.3.1）式から（9.3.3）式を満たす補強筋を配置する．補強筋を配置する範囲は，小開口縁より耐力壁の厚さまたは耐力壁の長さに0.1を乗じた数値のいずれか大きい方の数値とする．なお，斜め補強筋量を$1/\sqrt{2}$倍した補強筋量を縦補強筋および横補強筋に加算して配筋してもよい．
（3）小開口横の横補強筋比は，小開口上下の無開口部分の$1/r$（r：小開口に対する低減率で，（9.2.3）式による）倍以上または0.012以上とする．

$$a_{d0} = T_d / {}_s f_t \tag{9.3.1}$$

$$a_{v0} = T_v / {}_s f_t \tag{9.3.2}$$

$$a_{h0} = T_h / {}_s f_t \tag{9.3.3}$$

記号　a_{d0}：小開口周囲の斜め補強筋量（mm²）
　　　T_d：小開口隅角部の付加斜張力（N）で，次式による．

$$T_d = \frac{h_0 + l_0}{2\sqrt{2} \cdot l} \cdot {}_D Q_S \tag{9.3.4}$$

　　　h_0：耐力壁の小開口の内法高さ（mm）で，円形孔の場合は直径とする（図9.3.1）．
　　　l_0：耐力壁の小開口の内法長さ（mm）で，円形孔の場合は直径とする（図9.3.1）．
　　　l：耐力壁の長さ（mm）（図9.3.1）
　　　${}_D Q_S$：9.2により求まる耐力壁の短期設計用せん断力（N）
　　　${}_s f_t$：小開口周囲の補強筋の短期許容引張応力度（N/mm²）
　　　a_{v0}：小開口周囲の縦補強筋量（mm²）
　　　T_v：小開口隅角部の鉛直縁張力（N）で，次式による．

$$T_v = \frac{h_0}{2(l-l_0)} \cdot {}_D Q_S \tag{9.3.5}$$

　　　a_{h0}：小開口周囲の横補強筋量（mm²）
　　　T_h：小開口隅角部の水平縁張力（N）で，次式による．

$$T_h = \frac{l_0}{2(h-h_0)} \cdot \frac{h}{l} \cdot {}_D Q_S \tag{9.3.6}$$

　　　h：耐力壁の高さ（mm）（図9.3.1）

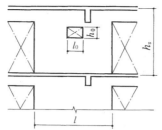

図 9.3.1 耐力壁の小開口と h_0, l_0, l, h のとり方

2. 応力・変形解析において，開口部を挟む二つの耐力壁を一つの等価な耐力壁としてモデル化（以下，有開口耐力壁という）した場合，開口部周囲の補強は，次の（1）および（2）による．
(1) 開口部周囲には，(9.3.7) 式から (9.3.9) 式を満たす補強筋量を配置する．斜め補強筋量を $1/\sqrt{2}$ 倍した補強筋量を縦補強筋および横補強筋に加算して配筋してもよい．
(2) 有開口耐力壁の曲げ強度およびせん断強度の算定に際しては，開口部周囲の補強筋は考慮しないものとする．

$$A_d \cdot {}_sf_t + \frac{A_v \cdot {}_sf_t + A_h \cdot {}_sf_t}{\sqrt{2}} \geqq \frac{h_0 + l_0}{2\sqrt{2}\,l} \cdot {}_DQ_S \tag{9.3.7}$$

$$(l - l_{0p}) \cdot \left(\frac{A_d \cdot {}_sf_t}{\sqrt{2}} + A_{v0} \cdot {}_sf_t\right) + \frac{t \cdot (l - l_{0p})^2}{4(n_h + 1)} \cdot p_{sv} \cdot {}_sf_t \geqq \frac{h_0}{2} \cdot {}_DQ_S \tag{9.3.8}$$

$$(h - h_{0p}) \cdot \left(\frac{A_d \cdot {}_sf_t}{\sqrt{2}} + A_{h0} \cdot {}_sf_t\right) + \frac{t \cdot (h - h_{0p})^2}{4n_v} \cdot p_{sh} \cdot {}_sf_t \geqq \frac{l_0}{2} \cdot \frac{h}{l} \cdot {}_DQ_S \tag{9.3.9}$$

記号　A_d：開口部周囲の斜め補強筋の断面積（mm²）
　　　${}_sf_t$：開口部周囲の補強筋の短期許容引張応力度（N/mm²）
　　　A_v：開口部周囲の縦補強筋の断面積（mm²）で，開口部周囲補強の目的に限定して配筋される縦補強筋 A_{v0} や開口部端より 500 mm 以内かつ，開口部端と耐力壁端との中間線を超えない範囲内の縦補強筋を含む．
　　　A_h：開口部周囲の横補強筋の断面積（mm²）で，開口部周囲の補強の目的に限定して配筋される横補強筋 A_{h0} や開口部端より 500 mm 以内かつ，開口部端と上階スラブ上面位置までの高さの 1/2 を超えない範囲内の横補強筋を含む．
　　　h_0：開口部の内法高さ（mm）（図 9.3.2）
　　　l_0：開口部の内法長さ（mm）（図 9.3.2）
　　　l：耐力壁の長さ（mm）（図 9.3.2）
　　　${}_DQ_S$：有開口耐力壁の短期荷重時設計用せん断力（N）で，標準せん断力係数 $C_0 \geqq 0.2$ の水平荷重時せん断力に 2.0 以上を乗じた数値．
　　　l_{0p}：開口部の水平断面への投影長さの和（mm）
　　　A_{v0}：開口部周囲の補強の目的に限定して配筋される縦補強筋筋の断面積（mm）
　　　t：有開口耐力壁の厚さ（mm）
　　　p_{sv}：有開口耐力壁の縦補強筋比で，次式による．
$$p_{sv} = a_{wv}/(t \cdot s) \tag{9.3.10}$$
　　　a_{wv}：有開口耐力壁の 1 組の縦補強筋の断面積（mm²）
　　　s：有開口耐力壁の縦補強筋の間隔（mm）
　　　n_h：有開口耐力壁の水平方向に並ぶ開口部の数
　　　h：当該階の有開口耐力壁の高さ（上階の水平力作用位置から下階の水平反力位置までの距離）（mm）．原則として下階床から上階床までの距離とする（図 9.3.2）．
　　　h_{0p}：開口部の鉛直断面への投影高さの和（mm）

A_{h0}：開口部周囲の補強の目的に限定して配筋される横補強筋の断面積（mm²）
p_{sh}：有開口耐力壁の横補強筋比で，次式による．
$$p_{sh} = a_{wh}/(t \cdot s) \qquad (9.3.11)$$
a_{wh}：有開口耐力壁の1組の横補強筋の断面積（mm²）
s：有開口耐力壁の横補強筋の間隔（mm）
n_v：有開口耐力壁の鉛直方向に並ぶ開口部の数

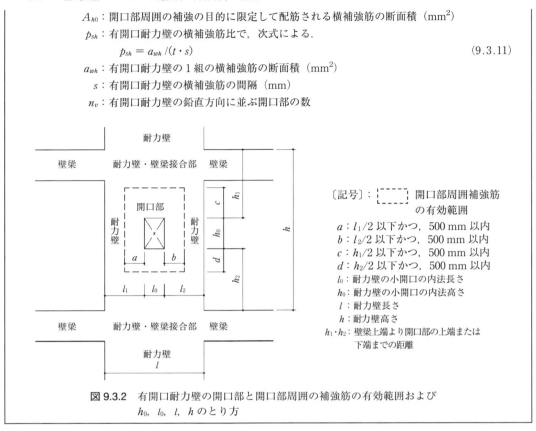

図 9.3.2 有開口耐力壁の開口部と開口部周囲の補強筋の有効範囲および h_0，l_0，l，h のとり方

1．耐力壁の小開口周囲の補強

（1） 耐力壁の小開口

耐力壁の小開口は，6.3.1項に規定しており，壁率および壁量の算定において無視してよい（応力・変形解析に際しても，無視する）小さな開口である．したがって，小開口周囲に生じるひび割れが小開口を有する耐力壁の破壊の要因とならないようにするとともに，当該耐力壁の強度および変形性状に影響を及ぼすことのないように，小開口周囲は適切に補強する必要がある．

（2） 小開口周囲の補強

長期荷重時において，小開口を有する耐力壁にせん断力が生じる場合，当該小開口周囲の補強は，短期設計用せん断力 $_DQ_S$ を長期設計用せん断力 $_DQ_L$ と置き換えて，本節に準じて検討する．また，短期設計用せん断力は，次のいずれかの式による．

$$_DQ_S = {_DQ_L} + n \cdot Q_E \qquad (解9.3.1)$$

$$_DQ_S = \frac{\sum M_y}{h'} \qquad (解9.3.2)$$

記号　$_DQ_S$：耐力壁の短期設計用せん断力（N）
　　　$_DQ_L$：耐力壁の長期設計用せん断力（N）
　　　n：割増し係数で，2.0以上とする．

Q_E：標準せん断力係数 $C_0 \geqq 0.2$ の水平荷重時における耐力壁のせん断力（N）．なお，水平荷重時応力算定を平面骨組解析等による場合は，ねじれによる負担せん断力の割増し係数を考慮した数値，平均せん断応力度法による場合は（9.2.6）式右辺第2項による．

$\sum M_y, h'$：（9.2.8）式の記号の説明による．

（3） 耐力壁の小開口周囲の補強量検討用短期設計用せん断力

壁率および壁量算定上無視してよい小開口周囲の補強筋量検討用短期設計用せん断力は，9.2節に記載の $_DQ_S$（（解9.3.1）式または（解9.3.2）式）を用いることとしている．計算規準[9.3.1]においても，耐力壁の小開口周囲の補強に用いるせん断力を本規準に記載の短期荷重時の耐力壁のせん断力 $_DQ_S$ としている．本規準においても下記理由により，上記（解9.3.1）式または（解9.3.2）式のいずれかによる $_DQ_S$ とした．

a） 有開口耐力壁としてモデル化する場合の開口部周囲の補強に用いるせん断力を，RC規準（2024）[9.3.2]に準じて（解9.3.1）式または（解9.3.2）式のいずれかとしていることから，小開口周囲の補強に用いるせん断力も同様とすることとした．

b） 小開口周囲に対しては短期荷重時せん断力の2倍程度のせん断力に対して補強しておけば，最大耐力時においても開口部周囲には大きな損傷が生じていないことが8FW試験体[9.3.3]において実証されている．

（4） 小開口横の補強要領

小開口横の部分は，当該耐力壁の横補強筋比の $1/r$（r：小開口に対する低減率で，（9.2.3）式による）倍以上の横補強筋を配筋する．ただし，横補強筋比が0.012を上回る場合は，これを0.012としてよい（解説図9.3.1）．なお，直径（矩形の小開口の場合は，外接円の直径）が100 mm以下の小開口の場合は，解説図9.3.1によらず小開口の周囲に（9.3.1）式から（9.3.3）式により求まる補強筋を配筋すればよい．なお，斜め補強筋は $1/\sqrt{2}$ 倍した補強筋量を縦補強筋および横補強筋の必要断面積に加算して配筋してもよい．

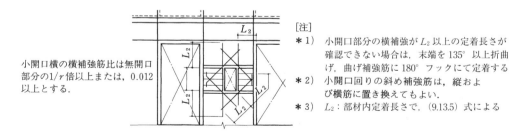

解説図 9.3.1 壁量・壁率の算定上無視してよい小開口周囲の補強要領

（5） 小開口横の横補強筋比

RC造有開口耐震壁の震害および実験によれば，開口補強がなされていても，小開口横の壁板部がせん断破壊した例が数多くみられる．したがって，小開口横の耐力壁の横補強筋比を小開口による許容せん断力に関する低減率 r の逆数に応じて割り増し，このような破壊の防止または遅延を図

ることとした.

(6) 小開口周囲の付加斜張力および縁張力

小開口隅角部の付加斜張力 T_d に関しては，斜め補強筋によるコンクリートの充填性の低下を防止するため，これを縦補強筋および横補強筋に負担させる目的で，縦方向成分および横方向成分の力に換算（$T_d \times 1/\sqrt{2}$）し，小開口周囲の鉛直縁張力 T_v および水平縁張力 T_h に加算して負担させてもよいこととした.

(7) 耐力壁の小開口周囲の補強計算例

集合住宅のバルコニー側の戸境壁が取り付く耐力壁に設備用小開口（暖冷房機用スリーブ $\phi 75$ mm，上下2か所，同一水平断面2か所の合計4か所，解説図9.3.2）を設けた場合の小開口周囲の補強筋量を算定する．計算条件を，下記に示す．なお，小開口間の中心間距離 505 mm は小開口直径の6.7倍と十分大きいことから，ここでは小開口が単独に存在するとみなして各小開口周囲の補強筋量を算定する．

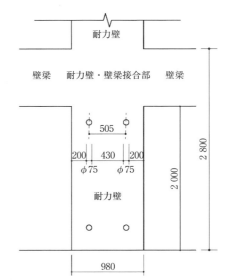

解説図 9.3.2 耐力壁の小開口の径と配置例（設備用スリーブ）

- 耐力壁の厚さ，長さ：$t \cdot l = 200 \times 980$ mm
- 耐力壁の高さ（構造耐力上主要な鉛直支点間距離）：$h = 2\,800$ mm
- 小開口の大きさ，個数：$\phi 75$ mm，同一水平断面に2か所，高さ方向に2か所
- コンクリートの設計基準強度：$F_c = 24$ N/mm^2

a) 小開口周囲の補強計算に用いる設計用せん断力の算定

小開口周囲の補強計算に用いる設計用せん断力は，ここでは次式より算定する．

$$_DQ_S = 2Q_E = 2\overline{\tau_{0.2}} \cdot t \cdot l = 2_sf_s \cdot t \cdot l = 2 \times 1.095 \times 200 \times 980 = 429.3 \times 10^3 \text{ N}$$

b) 付加斜張力 T_d および T_d に対する小開口隅角部の斜め補強筋の必要断面積 a_{d0}

$$T_d = \frac{h_0 + l_0}{2\sqrt{2} \cdot l} \cdot {_DQ_S} = \frac{75 + 75}{2\sqrt{2} \times 980} \times 429.3 \times 10^3 = 23.3 \times 10^3 \text{ N}$$

$$a_{d0} = T_d / {_sf_t} = 23.3 \times 10^3 / 295 = 78.8 \text{ mm}^2$$

c) 鉛直縁張力 T_v および T_v に対する小開口隅角部の縦補強筋の必要断面積 a_{v0}

$$T_v = \frac{h_0}{2(l - l_0)} \cdot {_DQ_S} = \frac{75}{2 \times (980 - 75)} \times 429.3 \times 10^3 = 17.8 \times 10^3 \text{ N}$$

$$a_{v0} = T_v / {_sf_t} = 17.8 \times 10^3 / 295 = 60.4 \text{ mm}^2 \quad \Rightarrow 2\text{-D13} \ (= 254 \text{ mm}^2)$$

斜め補強筋を縦補強筋と横補強筋に置き換えて配筋する場合，縦補強筋の必要断面積は次のとおりとなる．

$$a_{v0}' = a_{d0}/\sqrt{2} + a_{v0} = 78.8/\sqrt{2} + 60.4 = 55.8 + 60.4 = 116.2 \text{ mm}^2 \quad \Rightarrow 2\text{-D13} \ (= 254 \text{ mm}^2)$$

d) 水平縁張力 T_h および T_h に対する小開口隅角部の横補強筋の必要断面積 a_{h0}

$$T_h = \frac{l_0}{2(h-h_0)} \cdot \frac{h}{l} \cdot {}_D Q_S = \frac{75}{2\times(2\,800-75)} \times \frac{2\,800}{980} \times 429.3\times 10^3 = 16.9\times 10^3\,\text{N}$$

$a_{h0} = T_h/{}_sf_t = 16.9\times 10^3/295 = 57.3\,\text{mm}^2$ ⇒ 2-D13（$=254\,\text{mm}^2$）

斜め補強筋を縦補強筋と横補強筋に置き換えて配筋する場合，横補強筋の必要断面積は次のとおりとなる．

$a_{h0}' = a_{d0}/\sqrt{2} + a_{h0} = 78.8/\sqrt{2} + 57.3 = 55.8 + 57.3 = 113.1\,\text{mm}^2$ ⇒ 2-D13（$=254\,\text{mm}^2$）

e）計 算 結 果

耐力壁に設ける小開口の直径が 75 mm であり $\sum l_0/l = 2\times 75/980 = 0.153$ と小さいことから，小開口周囲の縦補強筋および横補強筋量は最少補強筋量規定の 2-D13 で OK となっている．

（8） 6.3.1 項本文 2. に規定する小開口周囲の補強計算例

本規準 6.3.1 項本文 2. において，壁量および壁率計算上無視できる小開口の位置と大きさが規定されている．また，小開口周囲には計算によるほか，無開口部分の横補強筋比の $1/r$（r：小開口による低減率）以上または 0.012 以上の横補強筋を配することとしている．

ここでは，耐力壁の長さを $l=1\,200\,\text{mm}$，小開口の大きさが $h_0=l_0=400\,\text{mm}$，小開口の端あき寸法が $l_1=l_2=400\,\text{mm}$，耐力壁の高さ $h=2\,800\,\text{mm}$（解説図 9.3.3）の場合の小開口周囲の補強筋量を算定する．なお，コンクリートの設計基準強度は $F_c=24\,\text{N/mm}^2$ とする．

a）小開口による低減率

・$r_1 = 1 - l_0/l = 1 - 400/1\,200 = 0.667$

・$r_2 = 1 - \sqrt{\dfrac{h_0 \cdot l_0}{h \cdot l}} = 1 - \sqrt{\dfrac{400\times 00}{2\,800\times 1\,200}} = 1 - 0.218 = 0.782$

∴ $r = \min(r_1, r_2) = 0.667$

b）補強計算に用いる設計用せん断力の算定

小開口周囲の補強計算に用いる設計用せん断力は，ここでは次式より算定する．

$${}_D Q_S = 2\cdot Q_E = 2\times \overline{\tau_{0.2}}\cdot t\cdot l = 2\,{}_sf_s\cdot t\cdot l$$
$$= 2\times 1.095\times 200\times 1\,200 = 525.6\times 10^3\,\text{N}$$

c）付加斜張力 T_d および T_d に対する小開口隅角部の斜め補強筋の必要断面積 a_{d0}

$$T_d = \frac{h_0 + l_0}{2\sqrt{2}\cdot l}\cdot {}_D Q_S = \frac{400+400}{2\sqrt{2}\times 1\,200}\times 525.6\times 10^3\,\text{N}$$
$$= 123.9\times 10^3\,\text{N}$$

$a_{d0} = T_d/{}_sf_t = 123.9\times 10^3/295 = 420.0\,\text{mm}^2$

d）鉛直縁張力 T_v および T_v に対する小開口隅角部の縦補強筋の必要断面積 a_{v0}

$$T_v = \frac{h_0}{2(l-l_0)}\cdot {}_D Q_S = \frac{400}{2\times(1\,200-400)}\times 525.6\times 10^3$$

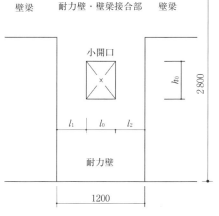

［計算条件］ $l_1 = l_2 = 400\,\text{mm} \geqq l_0$
$l_0 = h_0 = 400\,\text{mm}$

解説図 9.3.3 耐力壁の小開口例

$$= 131.4 \times 10^3 \, \text{N}$$

$$a_{v0} = T_v / {}_sf_t = 131.4 \times 10^3 / 295 = 445.4 \, \text{mm}^2 \quad \Rightarrow 2\text{-D19} \, (=574 \, \text{mm}^2)$$

斜め補強筋を縦補強筋と横補強筋に置き換えて配筋する場合，縦補強筋の必要断面積は次のとおりとなる．

$$a_{v0}' = a_{d0}/\sqrt{2} + a_{v0} = 420.0/\sqrt{2} + 445.5 = 297.0 + 445.5 = 742.5 \quad \Rightarrow 3\text{-D19} \, (=861 \, \text{mm}^2)$$

e）水平縁張力 T_h および T_h に対する小開口隅角部の横補強筋の必要断面積 a_{h0}

$$T_h = \frac{l_0}{2(h-h_0)} \cdot \frac{h}{l} \cdot {}_DQ_S = \frac{400}{2 \times (2\,800-400)} \times \frac{2\,800}{1\,200} \times 525.6 \times 10^3 = 102.2 \times 10^3 \, \text{N}$$

$$a_{h0} = T_h / {}_sf_t = 102.2 \times 10^3 / 295 = 346.5 \, \text{mm}^2 \quad \Rightarrow 2\text{-D16} \, (=398 \, \text{mm}^2)$$

斜め補強筋を縦補強筋と横補強筋に置き換えて配筋する場合，横補強筋の必要断面積は次のとおりとなる．

$$a_{h0}' = a_{d0}/\sqrt{2} + a_{h0} = 420.0/\sqrt{2} + 346.5 = 297.0 + 346.4 = 643.5 \, \text{mm}^2 \quad \Rightarrow 3\text{-D19}(=861 \, \text{mm}^2)$$

f）計 算 結 果

耐力壁の開口による低減率が 0.33 程度の小開口を設けた場合，かなりの補強筋量が必要となることが分かる．なお，小開口横には無開口部分の横補強筋比の $1/r$ 倍以上（当該数値が 0.012 を超える場合は，0.012）の横補強筋比を配筋する．

2．有開口耐力壁としてモデル化した場合の開口部周囲の補強

（1） 開口部周囲の補強量検討用の設計用せん断力

開口部を挟む二つの耐力壁を一つの有開口耐力壁としてモデル化する場合の開口部周囲の補強筋量算定式は，RC 規準（2024）によっている．なお，開口部周囲の補強筋量算定に用いる設計用せん断力は上記 1．と同様としている．

（2） 有開口耐力壁としてモデル化した開口部周囲の補強筋量の算定例

解説図 9.3.4 に示す有開口耐力壁における開口部周囲の補強筋量算定例を以下に示す．計算条件

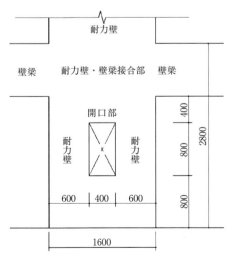

解説図 9.3.4 有開口耐力壁の開口部例

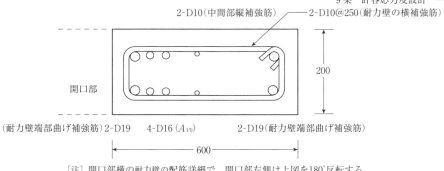

(a) 開口部横（右側）の補強筋配筋詳細（水平断面）

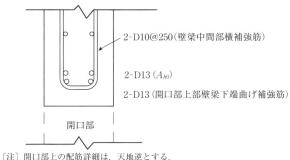

(b) 開口部上の補強筋配筋詳細（鉛直断面）

解説図 9.3.5 解説図 9.3.4 の有開口耐力壁の開口部周囲の補強要領

は，下記のとおりである．

- 開口部の大きさ：$l_{0p} \cdot h_{0p} = 400 \times 800$ mm
- 有開口耐力壁の厚さ，長さ：$t = 200$ mm，$l = 1\,600$ mm
- 開口部横の中間部縦補強筋比：$p_{sv} = 2 \times 71/(200 \times 240) = 0.00295$（2-D10，間隔 240 mm）
- 有開口耐力壁の横補強筋比：$p_{sh} = 2 \times 71/(200 \times 250) = 0.00284$（2-D10 @ 250）
- コンクリートの設計基準強度：$F_c = 24$ N/mm^2
- 開口部周囲の補強筋：開口部周囲の補強を目的に限定して配筋される補強筋 A_{v0}，A_{h0} を除く補強筋
- 開口部際の縦補強筋：2-D19（SD 345）
- 開口部横の 300 mm の範囲内の中間部縦補強筋：2-D10（SD 295）
- 開口部上下の横補強筋：2-D13（SD 295）
- 開口部上下の上記横補強筋以外の補強筋：2-D10（SD 295）

  （開口部上下 400 mm の範囲内[*1)]の補強筋）

  [注]*1)　開口部の上部の有効な補強筋の範囲＝min（500 mm，1 200 mm/2）

  　　　　　開口部の下部の有効な補強筋の範囲＝min（500 mm，800 mm/2）

  　　　　　上記数値の最小値である 400 mm を採用．

a）開口部周囲の補強計算に用いる設計用せん断力の算定

開口部周囲の補強計算に用いる設計用せん断力は，ここでは次式より算定する．

$$_DQ_S = 2Q_E = 2\overline{\tau_{0.2}} \cdot t \cdot l = 2 {}_sf_s \cdot t \cdot l = 2 \times 1.095 \times 200 \times 1\,600 = 700.8 \times 10^3 \text{ N}$$

b ） 開口部隅角部の付加斜張力 T_d と必要補強筋量の算定

$$T_d = \frac{h_0 + l_0}{2\sqrt{2} \cdot l} \cdot {}_DQ_S = \frac{800 + 400}{2\sqrt{2} \times 1\,600} \times 700.8 \times 10^3 = 185.9 \times 10^3 \text{ N}$$

斜め補強筋は配筋せずに縦補強筋と横補強筋にて補強する方針とする．開口部周囲の縦補強筋断面積を A_v（開口部横の 300 mm の範囲内の縦筋を含む），開口部周囲の横補強筋の断面積 A_h（開口部の上部，下部 400 mm の範囲内の横筋を含む）とすると，必要な縦補強筋および横補強筋は，次のとおりとなる．

・(9.3.7) 式の左辺 $= A_d \cdot {}_sf_t + (A_v \cdot {}_sf_t + A_h \cdot {}_sf_t)/\sqrt{2}$
$\qquad\qquad = \{(2 \times 287 \times 345 + 2 \times 71 \times 295) + 2 \times 127 \times 295 + 2 \times 71 \times 295\}/\sqrt{2}$
$\qquad\qquad = (239.9 + 116.8) \times 10^3 /\sqrt{2} = 252.2 \times 10^3 \text{ N}$

・(9.3.7) 式の右辺 $= T_d = 185.9 \times 10^3 \text{ N}$

左辺の数値 ＞ 右辺の数値より，開口補強目的の補強筋 A_{v0}，A_{h0} は不要となる．

c ） 開口部左右の付加曲げモーメントに対する検討

・(9.3.8) 式の左辺 $= (l - l_{0p}) \cdot \left(\dfrac{A_d \cdot {}_sf_t}{\sqrt{2}} + A_{v0} \cdot {}_sf_t\right) + t \cdot (l - l_{0p})^2 \cdot p_{sv} \cdot \dfrac{{}_sf_t}{4(n_h + 1)}$
$\qquad\qquad = (1\,600 - 400) \times A_{v0} \times 295 + 200 \times (1\,600 - 400)^2 \times 0.00295 \times 295/(4 \times 2)$
$\qquad\qquad = 1\,200 \times A_{v0} \times 295 + 31.3 \times 10^6$

・(9.3.8) 式の右辺 $= \dfrac{h_0}{2} \cdot {}_DQ_S = \dfrac{800}{2} \times 700.8 \times 10^3 = 280.3 \times 10^6$

∴ $A_{v0} \geq (280.3 \times 10^6 - 31.3 \times 10^6)/(1\,200 \times 295) = 249.0 \times 10^6/(1\,200 \times 295)$
$\qquad\qquad\qquad\qquad\qquad\qquad = 703.4 \text{ mm}^2 \Rightarrow$ 4-D16（$= 796 \text{ mm}^2$）

d ） 開口部上下の付加曲げモーメントに対する検討

・(9.3.9) 式の左辺 $= (h - h_{0p}) \cdot \left(\dfrac{A_d \cdot {}_sf_t}{\sqrt{2}} + A_{h0} \cdot {}_sf_t\right) + t \cdot (h - h_{0p})^2 \cdot p_{sh} \cdot \dfrac{{}_sf_t}{4n_v}$
$\qquad\qquad = (2\,800 - 800) A_{v0} \times 295 + 200 \times (2\,800 - 800)^2 \times 0.00284 \times 295/(4 \times 1)$
$\qquad\qquad = 2\,000 \times 295 A_{h0} + 167.6 \times 10^6$

・(9.3.9) 式の右辺 $= \dfrac{l_0}{2} \cdot \dfrac{h}{l} \cdot {}_DQ_S = \dfrac{400}{2} \times \dfrac{2\,800}{1\,600} \times 700.8 \times 10^3 = 245.3 \times 10^6$

∴ $A_{h0} \geq (245.3 - 167.6) \times 10^6/(2\,000 \times 295) = 131.7 \text{ mm}^2 \Rightarrow$ 2-D13（$= 254 \text{ mm}^2$）

（3） 開口部を有する短辺方向妻壁を有開口耐力壁としてモデル化する場合の開口部周囲の補強筋量の算定例

解説図 9.3.6 に示す開口部を有する妻側耐力壁の開口部周囲の補強筋量算定例を以下に示す．計算条件は，下記のとおりである．

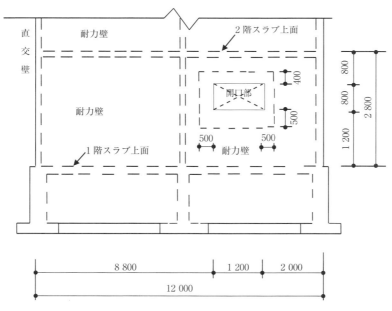

解説図 9.3.6 短辺方向妻壁の開口部の例

- 開口部の位置，大きさ：5階建ての1階妻壁，$l_{op} \cdot h_{op} = 1\,200 \times 800$ mm
- 有開口耐力壁の厚さ，長さ：$t = 200$ mm, $l = 12\,000$ mm
- 開口部横の中間部縦補強筋比：$p_{sv} = 2 \times 71/(200 \times 250) = 0.00284$（2-D10 @ 250）
- 耐力壁の横補強筋比：$p_{sh} = 2 \times 71/(200 \times 250) = 0.00284$（2-D10 @ 250）
- コンクリートの設計基準強度：$F_c = 24$ N/mm^2
- 開口部周囲の補強筋：開口部周囲の補強を目的に限定して配筋される補強筋 A_{v0}，A_{h0} を除く補強筋
- 開口部際の縦補強筋：2-D16（SD 295）（表9.4.1，$h_0 \leq 1.0$ m）
- 開口部横の 500 mm の範囲内の中間部縦補強筋：2-D10（SD 295A）
- 開口部上下の横補強筋：2-D13（SD 295A）
- 開口部上下の上記横補強筋以外の補強筋：2-D10（SD 295A）

（開口部上 400 mm，下 500 mm の範囲内[*1] の補強筋）

[注] *1) 開口部の上部の有効な補強筋の範囲 = min（500 mm，800 mm/2）= 400 mm
開口部の下部の有効な補強筋の範囲 = min（500 mm，1 200 mm/2）= 500 mm
上記数値の最小値である 400 mm を採用．

a) 開口部周囲の補強計算に用いる設計用せん断力の算定

開口部周囲の補強計算に用いる設計用せん断力は，次式より算定する．

$$_DQ_S = 2Q_E = 2\overline{\tau_{0.2}} \cdot t \cdot l = 2 {}_s f_s \cdot t \cdot l = 2 \times 1.095 \times 200 \times 12\,000 = 5\,256.0 \times 10^3 \text{ N}$$

b) 開口部隅角部の付加斜張力 T_d と必要補強筋量の算定

斜め補強筋は配筋せずに縦補強筋と横補強筋にて補強する方針とする．開口部周囲の縦補強筋断面積を A_v（開口部横の 500 mm の範囲内の縦筋を含む），開口部周囲の横補強筋の断

面積 A_h（開口部の上部 400 mm，下部 500 mm の範囲内の横筋を含む）とすると，必要な縦補強筋および横補強筋は，次のとおりとなる．なお，次の c ）および d ）の検討結果より，$A_{v0}=0$，$A_{h0}=861$ mm^2 を考慮する．

・(9.3.7) 式の左辺 $= A_d \cdot {}_sf_t + \dfrac{A_v \cdot {}_sf_t \cdot A_h \cdot {}_sf_t}{\sqrt{2}}$

$$= \dfrac{2 \times 199 \times 295 + 2 \times 71 \times 295 + 2 \times 71 \times 295 + 3 \times 287 \times 345}{\sqrt{2}}$$

$$= (159.3 + 339.0) \times 10^3 / \sqrt{2} = 352.4 \times 10^3 \text{ N}$$

・(9.3.7) 式の右辺 $= T_d = \dfrac{h_0 + l_0}{2\sqrt{2}\,l} \cdot {}_DQ_S = \dfrac{800 + 1\,200}{2\sqrt{2} \times 12\,000} \times 5\,256.0 \times 10^3 = 309.8 \times 10^3$ N

左辺の数値 ＞ 右辺の数値より，開口補強目的の補強筋は $A_{v0}=0$，A_{h0} は 3-D19（SD 345）となる．

c ）開口部左右の付加曲げモーメントに対する検討

・(9.3.8) 式の左辺 $= (l - l_{0p}) \cdot \left(\dfrac{A_d \cdot {}_sf_t}{\sqrt{2}} + A_{v0} \cdot {}_sf_t \right) + t \cdot (l - l_{0p})^2 \cdot p_{sv} \cdot \dfrac{{}_sf_t}{4(n_h + 1)}$

$$= (12\,000 - 1\,200) \times A_{v0} \times 295$$
$$+ 200 \times (12\,000 - 1\,200)^2 \times 0.00284 \times 295 / (4 \times 2)$$

$$= 10\,800\, A_{v0} \times 295 + 2\,443\,024\,800 = 3.186\, A_{v0} \times 10^6 + 2\,443.0 \times 10^6$$

・(9.3.8) 式の右辺 $= \dfrac{h_0}{2} \cdot {}_DQ_S = \dfrac{800}{2} \times 5\,256.0 \times 10^3 = 2\,102.4 \times 10^6$

上記より，$A_{v0}=0$ としても左辺 ＞ 右辺となることから，開口部左右の付加曲げモーメントに対しては，補強を目的とした鉛直方向の補強筋 A_{v0} は不要となる．

d ）開口部上下の付加曲げモーメントに対する検討

・(9.3.9) 式の左辺 $= (h - h_{0p}) \cdot \left(\dfrac{A_d \cdot {}_sf_t}{\sqrt{2}} A_{h0} \cdot {}_sf_t \right) + t \cdot (h - h_{0p})^2 \cdot p_{sh} \cdot \dfrac{{}_sf_t}{4n_v}$

$$= (2\,800 - 800) \times A_{h0} \times 345 + 200 \times (2\,800 - 800)^2 \times 0.00284 \times 295 / (4 \times 1)$$

$$= 2\,000 \times 345\, A_{h0} + 167.6 \times 10^6$$

・(9.3.9) 式の右辺 $= \dfrac{l_0}{2} \cdot \dfrac{h}{l} \cdot {}_DQ_S = \dfrac{1\,200}{2} \times \dfrac{2\,800}{12\,000} \times 5\,256.0 \times 10^3 = 735.8 \times 10^6$

∴ $A_{h0} \geqq (735.8 - 167.6) \times 10^6 / (2\,000 \times 345) = 823.5$ mm^2 ⇒ 3-D19（$=861$ mm^2）

計算結果に基づく開口部周囲の補強筋の配筋図を，解説図 9.3.7 に示す．

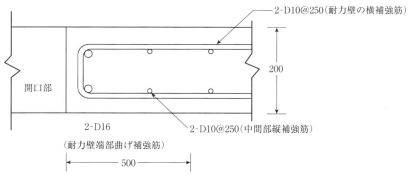

(a) 開口部横（右側）の補強筋配筋詳細（水平断面）

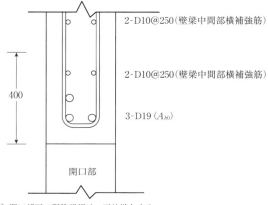

(b) 開口部上下の補強筋配筋詳細（鉛直断面）

解説図 9.3.7　解説図 9.3.6 の有開口耐力壁の開口部周囲の補強筋配筋要領

[参 考 文 献]

9.3.1)　日本建築学会：壁式鉄筋コンクリート造計算規準・同解説，pp.173〜179，pp.184〜185，2006.10
9.3.2)　日本建築学会：鉄筋コンクリート構造計算規準・同解説，pp.298〜299，2024.12
9.3.3)　広沢雅也・後藤哲郎・平石久廣・芳村　学：高層（6〜8階建）壁式鉄筋コンクリート造の標準化を目的とした実大建物の耐震実験研究，コンクリート工学，Vol.19，0.4，1981

9.4　耐力壁の配筋規定

1．耐力壁の端部曲げ補強筋の配筋は，次の（1）および（2）による．
（1）耐力壁の端部，隅角部，開口部の鉛直縁などには，端部曲げ補強筋として 1-D13（複配筋にあっては 2-D13）以上，かつ 9.1 節の断面算定により求まる数値以上ならびに表 9.4.1（PCa 壁式 RC 造にあっては表 9.4.2）に示す配筋，または，これらと同等以上の鉄筋量を配する．なお，10.1.1 項に規定する保有水平耐力の確認を行う場合は，表 9.4.1（PCa 壁式 RC 造にあっては表 9.4.2）によらなくてもよい．
（2）厚さが 200 mm を超える耐力壁および PCaRC 造耐力壁の端部曲げ補強筋は，複配筋とする．

表 9.4.1 耐力壁の最小端部曲げ補強筋量（現場打ち壁式 RC 造）

建物の階数および階	耐力壁の最小端部曲げ補強筋量	
	$h_0 \leq 1\,\mathrm{m}$	$h_0 > 1\,\mathrm{m}$
平家の 1 階	1-D13	1-D13
2 階建の各階，3 階建，4 階建ならびに 5 階建の最上階	1-D13	2-D13
3 階建，4 階建ならびに 5 階建の最上階から数えて 2 つめの階	2-D13	2-D13
平家および 2 階建の地下階，3 階建の 1 階および地下階，4 階建の 2 階，1 階および地下階，5 階建の 3 階および 2 階	2-D13	2-D16
5 階建の 1 階および地下階	2-D16	2-D19

〔記号〕 h_0：開口部の内法高さ

表 9.4.2 耐力壁の最少端部曲げ補強筋量（PCa 壁式 RC 造）

階	鉛直接合部に接続する端部の補強筋量	耐力壁の最小端部曲げ補強筋量	
		$h_0 \leq 1\,\mathrm{m}$	$h_0 > 1\,\mathrm{m}$
最上階から数えて 1～2 つめの階	1-D13	1-D13	1-D13
最上階から数えて 3 つめの階		1-D13	1-D16
最上階から数えて 4 つめの階		1-D16	1-D19
最上階から数えて 5 つめの階		1-D19	1-D22
地下階		1-D19	1-D22

〔記号〕 h_0：開口部の内法高さ（開口部の上部または下部が有効な壁梁とみなせない場合は，その部分の高さを加算した高さとする）

2．耐力壁のせん断補強筋の配筋は，次の（1）から（4）による．
（1） 耐力壁には，横方向に横補強筋および縦方向に縦補強筋（以下，総称してせん断補強筋という）を配置するとともに，せん断補強筋比はコンクリートの単位鉛直断面積または単位水平断面積に対して，それぞれ（9.4.1）式で与えられる数値以上かつ 0.15％以上（PCa 壁式 RC 造にあっては 0.2％以上）とする．なお，横補強筋比は 9.2 節により求まる数値と（9.4.1）式により求まる数値のうち，大きい方の数値以上とする．

$$p_s = \frac{p_{s0} \cdot L_{w0} \cdot t_0}{{}_i a_w} \tag{9.4.1}$$

記号　p_s：耐力壁のせん断補強筋比（％）
　　　p_{s0}：表 9.4.3（PCa 壁式 RC 造にあっては表 9.4.4）に示す耐力壁の標準せん断補強筋比（％）
　　　L_{w0}：表 10.1.1 および表 10.1.2 に示す標準壁量（mm/m²）
　　　t_0：表 10.1.3 および表 10.1.4 に示す最小壁厚（mm）
　　　${}_i a_w$：各階各方向の壁率（mm²/m²）

表 9.4.3 耐力壁の標準せん断補強筋比 p_{s0}（％）（現場打ち壁式 RC 造）

建物の階数および階		標準せん断補強筋比
地上階	平家の 1 階，2 階建の最上階	0.15
	2 階建の 1 階，3 階建，4 階建ならびに 5 階建の最上階および最上階から数えて 2 つめの階	0.20
	その他の階	0.25
地下階		0.25

表 9.4.4 耐力壁の標準せん断補強筋比 p_{s0}（％）（PCa 壁式 RC 造）

建物の階数および階		標準せん断補強筋比
地上階	2 階建以下の各階および 3 階建以上の最上階	0.20
	3 階建の 1 階および 2 階，4 階建の 2 階および 3 階，5 階建の 3 階および 4 階	0.25
	4 階建の 1 階，5 階建の 1 階および 2 階	0.30

　［注］　地下階は現場打ち壁式 RC 造とし，表 9.4.3 を適用する．

（2）　PCaRC 造耐力壁の鉛直接合部の横補強筋比（コッター筋比）は，PCaRC 造耐力壁の横補強筋比の 1/2 以上を横補強筋（コッター筋）として配筋し，水平接合部における縦補強筋比は，0.2％以上とする．

（3）　横補強筋および中間部縦補強筋（縦補強筋のうち端部曲げ補強筋および交差部縦補強筋以外の縦補強筋をいい，以下同様とする）は D10 以上とし，耐力壁の見付け面に対するせん断補強筋の間隔は，それぞれ 300 mm 以下とする．ただし，複配筋とする場合は，片側のせん断補強筋の間隔は，それぞれ 450 mm 以下とする．

（4）　厚さが 200 mm を超える現場打ち RC 造耐力壁および PCaRC 造耐力壁のせん断補強筋は，複配筋とする．

3．耐力壁と他の部材との接合部の配筋，および耐力壁交差部の配筋は，次の（1）から（6）による．

（1）　現場打ち RC 造耐力壁とスラブとの交差部には，D13 以上の補強筋を配筋する．

（2）　現場打ち RC 造耐力壁の交差部の縦補強筋の最少配筋は，表 9.4.5 による．

表 9.4.5　現場打ち RC 造耐力壁の交差部の最小縦補強筋量

	単配筋耐力壁どうし	複配筋耐力壁どうし	単配筋と複配筋耐力壁	
L 形交差部	1-D13	4-D13	2-D13	
T 形交差部	1-D13	4-D13	複配筋通し配筋	1-D13
			単配筋通し配筋	2-D13
十字形交差部	1-D13	4-D13	2-D13	

（3）　PCaRC 造耐力壁の鉛直接合部のコッター筋は，1-D10 または 1-9Φ 以上，鉛直接合部内縦補強筋は，1-D13 または 1-13Φ 以上とする．また，PCaRC 造耐力壁の水平接合部の鉛直接合筋は，1-D13 または 1-13Φ 以上とする．

（4）　現場打ち RC 造耐力壁とこれに直交する壁梁または小梁との接合部において，壁梁の横補強筋または小梁の端部曲げ補強筋の投影定着長さが必要投影定着長さ未満となる場合，壁梁の横補強筋または小梁の端部曲げ補強筋の折曲げ部内側に定着性確保のため 1-D13 以上の補強筋を配置する．

（5）　現場打ち RC 造耐力壁の横補強筋の定着は，耐力壁が単配筋の場合，横補強筋の末端には 180° フックを設け，端部曲げ補強筋にかぎ掛けするか，直交壁内に定着する．複配筋の場合は，末端に 135° フックを設けて端部曲げ補強筋にかぎ掛けし帯筋形式とする（図 9.4.1 (a)）か，135° 以上のフック付き横補強筋と U 字筋とを併用する配筋形式とする（図 9.4.1 (b)）．なお，端部に直交壁が取り付く場合は，直交壁内に折り曲げて定着してもよい．

（6）　PCaRC 造耐力壁には，その周辺部に縦縁筋および横縁筋を配し，内部に縦補強筋および横補強筋ならびに縦補助筋を配する（図 9.4.2）．

　　縦縁筋および横縁筋は D13 以上の異形鉄筋を用いることとする．横縁筋は，PCaRC 造耐力壁の最外端では折り曲げて縦縁筋と重ねることとし，その重ね継手長さは，縦縁筋と横縁筋の呼び名の数値のうちの小さい方の数値の 30 倍以上とする．

　　PCaRC 造耐力壁が単配筋の場合，縦補助筋および横補強筋の末端には 180° フックを設け，それぞれ横縁筋および縦縁筋にかぎ掛けする．複配筋の場合は，縦補助筋および横補強筋の末端には 135° 以上のフックを設けて，それぞれ横縁筋および縦縁筋にかぎ掛けし帯筋形式（図 9.4.1 (a)）とするか，U 字筋と 135° 以上のフック付きの横補強筋を併用する配筋形式（図 9.4.1 (b)）を用いる．

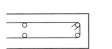
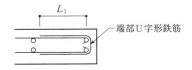

〔記号〕L_1：重ね継手長さ

(a) 135°フック付き帯筋形式　　　(b) 135°以上フックとU字形鉄筋併用形式

図 9.4.1 現場打ち壁式RC造耐力壁およびPCaRC造耐力壁が複配筋の場合の横補強筋端部の配筋要領

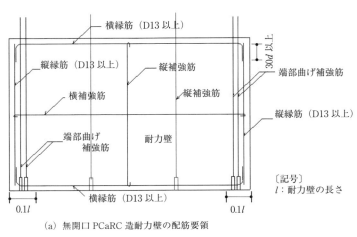

(a) 無開口PCaRC造耐力壁の配筋要領

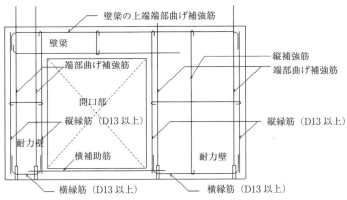

(b) 開口付きPCaRC造耐力壁板の配筋要領

図 9.4.2 PCaRC造耐力壁および耐力壁板の縦補強筋，横補強筋，端部曲げ補強筋，縦縁筋，横縁筋ならびに横補助筋の配筋要領

1．耐力壁の端部曲げ補強筋の配筋規定

(1) 端部曲げ補強筋の配筋量等

ⅰ) 端部曲げ補強筋の鉄筋種別による最小曲げ補強筋量の補正

表9.4.1および表9.4.2の最小端部曲げ補強筋量の規定は，鉄筋の短期許容引張応力度を235 N/mm²として必要な補強筋を検討したもので，端部曲げ補強筋として，短期許容引張応

力度が 295 N/mm² 以上の鉄筋を用いる場合は，(解 9.4.1) 式より求まる値以上の鉄筋量になるように，表 9.4.1（PCaRC 造耐力壁にあっては表 9.4.2）の補強筋量を置き換えてもよい．

$$a'_{t0} = a_{t0} \times 235 / {}_sf_t \qquad (解 9.4.1)$$

記号　a'_{t0}：短期許容引張応力度が 295 N/mm² 以上の端部曲げ補強筋を使用する場合の最小端部曲げ補強筋量（mm²）

　　　a_{t0}：表 9.4.1（PCaRC 造にあっては表 9.4.2）の最小端部曲げ補強筋量で，断面積に置き換えた数値（mm²）

　　　${}_sf_t$：曲げ補強筋の短期許容引張応力度（N/mm²）

ⅱ）総曲げ抵抗モーメントの確認を行う場合における最小端部曲げ補強筋量の確保

　　表 9.4.1 および表 9.4.2 の最小端部曲げ補強筋量の規定は，10.1.1 項に規定する保有水平耐力の確認を行う場合は，表 9.4.1（PCaRC 造耐力壁にあっては表 9.4.2）によらなくてもよいが，総曲げ抵抗モーメントの確認を行う場合は，2 階以上の耐力壁の曲げ強度が，全体降伏機構時の曲げモーメントよりも大きいことが前提になっていることから，最小曲げ補強筋量を確保することとした．

（2）複配筋配置

表 9.4.1 に規定した平屋を除く建物の端部曲げ補強筋に沿った開口部縁の高さ h_0 が 1 m を超える端部曲げ補強筋 2-D13 は，耐力壁の面外曲げモーメントに対してもある程度の抵抗を確保するため，壁筋を複配筋配置とするのが望ましいことを考慮したものである．なお，PCaRC 造耐力壁の表 9.4.2 は単配筋を想定して記載したが，壁厚が 200 mm を超える場合は複配筋とし，表中の配筋と同等以上とする．

2．耐力壁のせん断補強筋の配筋規定

（1）標準せん断補強筋比 p_{s0}

本規準では，耐力壁には，標準せん断力係数 $C_0 \geqq 0.2$ の短期荷重時にせん断ひび割れの発生を許容しない方針としているが，コンクリートの収縮ひび割れなど不測の状態に対処して，コンクリートの引張強度を無視し，せん断補強筋だけで標準せん断力係数 C_0 に関する法規上の下限値 0.2 によって算定される層せん断力を負担できるせん断補強筋比 p_s を一つの目安に，本節の表 9.4.3（PCaRC 造耐力壁にあっては表 9.4.4）に掲げる各階の耐力壁の標準せん断補強筋比を規定した．

実大 5 層立体試験体および準実大構面の各水平加力実験によれば，実際には，コンクリートや直交壁もかなりのせん断力を負担し，1 階では，いずれも $C_0 = 0.2$ として算定された層せん断力の 4.33 倍の水平耐力を有していたと報告されている（解説図 9.4.1）．

コンクリートの単位水平断面に対して，耐力壁のせん断補強筋が負担できるせん断応力度 ${}_s\tau_a$ とせん断補強筋比 p_s との関係は，耐力壁の軸方向力を無視すると，(解 9.4.2) 式[9.4.1]で与えられる．

$$_s\tau_a = p_s \cdot {}_sf_t \qquad (解 9.4.2)$$

記号　${}_s\tau_a$：耐力壁のせん断補強筋が負担できるせん断応力度（N/mm²）

　　　p_s：耐力壁のせん断補強筋比（0.012 以上は 0.012 とする）

$_sf_t$：せん断補強筋のせん断補強用短期許容引張応力度（N/mm²）

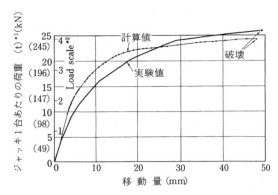

[注] ＊1　ジャッキは各階3台の計15台．
＊2　Load scale 1 は，設計荷重段階．

解説図 9.4.1　現場打ち壁式 RC 造実大 5 層立体試験体の荷重～建物の頂部変形関係[9.4.2]

せん断補強筋として SD295（$_sf_t=295$ N/mm²）を使用するものとし，本節表 9.4.1 に掲げる各階の耐力壁の標準せん断補強筋比から（解 9.4.2）式を用いて各階の耐力壁の短期許容せん断応力度 $_s\tau_a$ を求めてみると，解説表 9.4.1 に掲げる数値が得られる．

解説表 9.4.1　現場打ち壁式 RC 造耐力壁のせん断補強筋比が当該階の標準せん断補強筋比に該当する場合，コンクリートの単位水平断面積に対して，そのせん断補強筋が負担できる短期許容せん断応力度 $_s\tau_a$（N/mm²）

	5階建	4階建	3階建	2階建	平家
5階	0.59	—	—	—	—
4階	0.59	0.59	—	—	—
3階	0.73	0.59	0.59	—	—
2階	0.73	0.73	0.59	0.44	—
1階	0.73	0.73	0.73	0.59	0.44

一方，最小壁厚 t_0 と標準壁量 L_{w0} を有する現場打ち壁式 RC 造建物の各階各方向の耐力壁に生じる標準せん断力係数 C_0 が 0.2 の短期荷重時の平均せん断応力度の計算例を，解説表 9.4.2 に示す．

耐力壁の形状などの差異による応力集中は，せん断ひび割れ発生後の応力の再配分によって緩和されることを考慮し，解説表 9.4.2 に掲げた各階における計算方向の耐力壁に関する標準平均せん断応力度と，解説表 9.4.1 に掲げた各階耐力壁の $_s\tau_a$ を比較すると，標準せん断力係数 $C_0=0.2$ に対しては，せん断ひび割れがたとえ発生しても，せん断補強筋に生じる引張応力度が短期許容引張応力度を超えないように各階耐力壁の標準せん断補強筋比が規定されていることが分かる．

（9.4.1）式は，標準壁量，標準壁厚の場合のせん断補強筋比の下限値を示したもので，この場合のせん断補強筋量が標準壁量および最小壁厚の場合のせん断補強筋量の下限値と等しくなるように定めたものである．ただし，せん断補強筋比を小さくしすぎると，不測の事態における粘りがなくなることから，せん断補強筋比の下限値を 0.15 %（PCaRC 造耐力壁にあっては 0.2 %以上）と規

解説表 9.4.2 標準的な現場打ち壁式 RC 造建物の各階耐力壁の $\bar{\tau}$ および $\bar{\tau}_0$

階	$\Sigma W_i/S$ (N/m²)	α_i	A_i *1	Q_i/S (N/m²)	t_0 (mm)	L_{Wm} (mm/m²)	ΣA_w *2 $/S$ (mm²/m²)	$\bar{\tau}$ *4 $\Rightarrow \bar{\tau}_0$
5	12 000	0.2	1.714	4 114	150	120	18 000	0.23 ⇒ 0.25
4	24 000	0.4	1.414	6 788	180	120	21 600	0.32 ⇒ 0.35
3	36 000	0.6	1.242	8 943	180	120	21 600	0.42 ⇒ 0.45
2	48 000	0.8	1.112	10 676	180	150	27 000	0.40 ⇒ 0.45
1	60 000	1.0	1.000	12 000	180	150	27 000	0.45 ⇒ 0.45
地下階	72 000			14 400 *3	180	200	36 000	0.40 ⇒ 0.40

[注] *1：$A_i = 1 + (1/\sqrt{\alpha_i} - \alpha_i) \cdot \dfrac{2T}{(1+3T)}$, $T = 0.02H$ *2：$\Sigma A_w = t_0 \cdot L_{wm} \cdot S$
*3：地下階の地震層せん断力 = $12\,000 \times 6 \times S \times 0.2 = 14\,400 \cdot S$
*4：$\bar{\tau} = (Q_i/S)/(\Sigma A_w/S)$

[計算条件] 各階の地震力算定用単位重量：12 000（N/m²），建物高さ：$H=18.5$（$=3.5 \times 5 + 1.0$）m,
各階階高：$h=3.5$ m，地震地域係数：$Z=1.0$，振動特性係数 $R_t=1.0$，標準せん断力係数：
$C_0=0.2$，1 階階高中央より下部の地震力算定用設計震度：$k=0.2$，
各階の壁量算定用床面積：S（m²）

定した．ACI 規準では，最小せん断補強筋比を横補強筋は 0.25 ％，縦補強筋は 0.15 ％と規定している．

（2）PCaRC 造耐力壁の鉛直接合部の横補強筋比および水平接合部の縦補強筋比

PCaRC 造耐力壁の鉛直接合部および水平接合部は，コッター筋等がせん断応力の伝達に十分に寄与するとして，鉛直接合部内および鉛直接合内のせん断補強筋比については，明確に規定されていなかった．本規定では部材の連続性を考慮して，鉛直接合部内では横補強筋比（コッター筋比）に対して，水平接合部内では縦補強筋比に対して最小補強筋比を規定した．なお，水平接合部は，端部曲げ補強筋および鉛直接合筋等を縦補強筋比として，鉛直接合部は水平方向接合筋（コッター筋）等を横補強筋比に算入して良いが，せん断補強筋としての定着を PCaRC 造耐力壁内に確保しているものとする．

鉛直接合部の横補強筋比を耐力壁板の横補強筋比の 1/2 以上配筋すれば，鉛直接合部を含む耐力壁が一体の耐力壁とみなすことについては，既往の文献 9.4.3）によっている．その文献の実験は PCa 壁式 RC 造耐力壁の鉛直接合部のせん断強度確認を目的としたもので，試験体 16 体の耐力壁板部分の横補強筋比は全て 0.84 ％としている．鉛直接合部を水平方向に貫通する鉄筋を横補強筋とした横補強筋比は，コッター筋比として 0 ％（3 体），0.07 ％（1 体），0.15 ％（4 体）ならびに 0.33％（8 体）の 4 水準で，頭つなぎ筋比として 0.11％（1 体），0.20 ％（2 体），0.31％（7 体），0.40％（3 体），0.60％（1 体），0.71％（2 体）の 6 水準となっている．鉛直接合部横補強筋比（コッター筋比と頭つなぎ筋比の和）は 0.26 ％〜0.75 ％で，3 体が 0.26 ％〜0.31 ％，13 体が 0.53 ％〜0.75 ％となっている．

最大耐力時の破壊形式として，9 体が耐力壁曲げ降伏で，7 体が鉛直接合部せん断破壊の 2 通りとなっている．鉛直接合部せん断破壊した 7 体の鉛直接合部横補強筋比は 0.27 ％〜0.71 ％で，2 体

が 0.27 %, 0.31 %, 5 体が 0.64 %～0.71 % となっている.

　鉛直接合部せん断破壊時の最大耐力は, PCaRC 造耐力壁部分のせん断補強筋比 0.84% として (10.4.5) 式を用いて算出したせん断強度の 1.05～1.55 倍で, 1.05 倍の試験体はコッターおよびコッター筋を省略した本規準の適用範囲外のもので, その 1 体を除いた 5 体は 1.21～1.55 倍となっている. また, 鉛直接合部横補強筋比が耐力壁板部分のせん断補強筋比 0.84 % の 1/2 以下の 0.27 %, 0.31 % の 2 体は 1.45, 1.21 倍となっているので, 鉛直接合部の横補強筋比は耐力壁の横補強筋比の 1/2 以上としてよいとした. なお, 終局強度算定式による鉛直接合部の強度から換算される耐力壁のせん断強度は, (10.4.5) 式を用いて算出されるせん断強度より小さくなるのが一般的で, 文献 9.4.3) の試験体においても, おおむね (10.4.5) 式から算出されるせん断強度の 80% 以下となっている.

　水平接合部は, 当該部に生じる曲げモーメント, せん断力および軸方向力を伝達できる余裕を持った強度を確保するため, 縦補強筋比の規定は特に必要ないが, 工学的判断で最小縦補強筋比を規定した. なお, 縦補強筋比は, 当該水平接合部を鉛直方向に貫通する所要の定着長さを有する全ての鉄筋を考慮して計算してよい.

（3） せん断補強筋径と間隔

　せん断補強筋の径は D10 以上とし, その間隔は, ひび割れ発生時の応力緩和と構造ひび割れおよび収縮ひび割れの伸展制御などの面から, 耐力壁の見付け面積に対して 300 mm 以下, 複配筋とする場合においては片側のせん断補強筋の間隔は 450 mm 以下とするよう規定した.

　せん断補強筋比 p_s から鉄筋間隔 x を求める式は, （解 9.4.3）式および（解 9.4.4）式で与えられる.

　　・単配筋の場合　$x = a_s/(p_s \cdot t)$　　　　　　　　　　　　　　　　　（解 9.4.3）

　　・複配筋の場合　$x = 2a_s/(p_s \cdot t)$　　　　　　　　　　　　　　　　（解 9.4.4）

　　　記号　　x：鉄筋間隔（mm）
　　　　　　　a_s：せん断補強筋の断面積（mm^2）
　　　　　　　p_s：耐力壁のせん断補強筋比
　　　　　　　t：耐力壁の厚さ（mm）

（4） せん断補強筋の複配筋

　耐力壁のせん断補強筋は, 面外方向の曲げ応力に対してもある程度の抵抗に付与するとともに, 壁表面の収縮ひび割れ防止のために複配筋にすることが望ましいが, 厚さが薄い耐力壁の配筋を複配筋とした場合, 壁梁の曲げ補強筋やせん断補強筋との納まりやコンクリートの充填性ならびに所要かぶり厚さの確保等が困難となる場合も想定されることを考慮し, 厚さ 200 mm 以下の耐力壁は単配筋としてもよいこととした. しかし, 単配筋とする場合は, 面外曲げひび割れや収縮ひび割れに対する十分な検討が必要である.

3．耐力壁と他の部材との接合部および耐力壁交差部の配筋規定

（1） 現場打ち RC 造耐力壁とスラブとの接合部の補強筋

　現場打ち RC 造耐力壁とスラブとの接合部の補強筋は, 当該接合部の構造性能を保持するため,

D13以上の補強筋を使用することを規定した.

(2) 現場打ちRC造耐力壁の交差部の縦補強筋

直交部材が,当該部材の剛性,耐力,変形能に良好な影響を及ぼすことは実大立体耐震実験や直交材を有する部材の実験からも明らかである.したがって,現場打ちRC造耐力壁の交差部は両方向の耐力壁が,少なくとも地震時において必要とされる変形に至るまでは,できるだけ剛接であることが望ましい.表9.4.5の配筋は,このような要求に対して規定したものである.詳細については本会編「壁式構造配筋指針・同解説」[9.4.4]を参考にするとよい.

(3) PCaRC造耐力壁の鉛直接合部および水平接合部の補強筋

PCaRC造耐力壁相互を一体化する鉛直接合部内のコッター筋および縦筋は,PCaRC造耐力壁のせん断ひび割れや収縮ひび割れの伸展防止に役立ち,曲げ補強筋に算入できる縦補強筋を含め,終局耐力の確保に著しい効果を及ぼすことから,最小鉄筋量を定めた.なお,PCaRC造部材接合部については6.8節を参照されたい.

(4) 直交壁に支持される壁梁または小梁の曲げ補強筋および横補強筋の直交壁への定着

　ⅰ) 壁梁または小梁の曲げ補強筋および横補強筋を直交壁内に折曲げ定着

　　壁梁または小梁の曲げ補強筋および横補強筋を直交壁内に折曲げ定着する場合,水平投影長さが計算により求まる必要水平投影長さ未満となることが通常であることから,曲げ補強筋や横補強筋の折曲げ部内側に定着性能確保のため直交方向に1-D13以上の補強筋を配置することとしている.

　ⅱ) 耐力壁に作用する直交梁による応力集中の処理

　　耐力壁と直交方向の壁梁または小梁との接合部は,当該壁梁や小梁端部に生じる曲げモーメントやせん断力を十分に負担できるよう控壁を設ける(解説図9.4.2(a))か,交差部に控壁を設けることができない場合は,耐力壁の縦補強筋および横補強筋を各々複配筋とするとともに,直交梁による面外曲げモーメントに対して十分な抵抗性を付与する(解説図9.4.2(b))など,十分安全な構造とする必要がある.

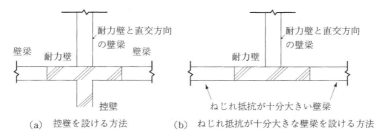

解説図9.4.2 直交梁が接続する場合の直交梁端応力の処理方法

(5) 現場打ちRC造耐力壁端部の横補強筋の定着

現場打ちRC造耐力壁(以下,耐力壁と略記)端部の横補強筋の端部は,定着の目的とともに耐力壁端部の縦補強筋の確保やコンクリート圧縮縁の保持のため,耐力壁が単配筋の場合は横補強筋の末端には180°フックを設け,端部曲げ補強筋にかぎ掛けし,耐力壁が複配筋の場合は末端に135°フ

ックを設けて端部曲げ補強筋にかぎ掛けして帯筋形式（図9.4.1（a））とするか，135°以上のフック付き横補強筋とU字形筋とを併用する配筋形式（図9.4.1（b））を用いるとした．詳細については，本会編「壁式構造配筋指針・同解説」[9.4.5]を参考にするとよい．

（6） PCaRC造耐力壁の配筋

PCa壁式RC造に用いる耐力壁や耐力壁板（以下，総称して耐力壁という）には，耐力壁内部の縦補強筋および横補強筋の定着および耐力壁端部の補強を目的に，周辺部にD13以上の縦縁筋および横縁筋を配し，耐力壁端では，縁筋の連続性を目的に横縁筋は折り曲げて縦縁筋と重ねることとし，その重ね継手長さは，縦縁筋と横縁筋の呼び名の数値のうち小さい方に対して30倍以上とした．

耐力壁が単配筋の場合，縦補助筋および横補強筋の末端には180°フックを設け，それぞれ横縁筋および縦縁筋にかぎ掛けする．複配筋の場合は，縦補助筋および横補強筋の末端には135°以上のフックを設けてそれぞれ横縁筋および縦縁筋にかぎ掛けし，図9.4.1（a）に示すように帯筋形式とするか，U字形筋と135°以上のフック付の横補強筋を併用する配筋方式（図9.4.1（b））を用いる．

[参考文献]

9.4.1） 日本建築学会：鉄筋コンクリート構造計算規準・同解説，pp.223～224，1999.11
9.4.2） 松島　豊：実大5階建壁式RC造アパートの実験的研究，昭和43年度建築研究所年報，1968.11
9.4.3） 日本建築学会：壁式プレキャスト構造の鉛直接合部の挙動と設計法，1989.4
9.4.4） 日本建築学会：壁式構造配筋指針・同解説，pp.52～57，2013.2
9.4.5） 日本建築学会：壁式構造配筋指針・同解説，pp.49～51，2013.2

9.5 壁梁の曲げモーメントに対する断面算定

1. 壁梁の設計用曲げモーメントが，許容曲げモーメント以下となることを確認する．
2. 壁梁の設計用曲げモーメントは，7条および8条に基づき以下の方法で算定する．
   （1） 長期荷重時の長期設計用曲げモーメントは，4．に記載する長期荷重時の断面算定位置の曲げモーメントとする．
   （2） 短期荷重時の短期設計用曲げモーメントは，4．に記載する短期荷重時の断面算定位置の曲げモーメントとする．
3. 壁梁の許容曲げモーメントは，有効な範囲内のスラブ内の鉄筋や端部曲げ補強筋以外の中間部横補強筋を考慮することができる．
4. 壁梁の断面算定位置は，通常，端部は開口部左右端（フェイス），中央部は中央部近辺の最大曲げモーメント発生位置としてよい．

1．壁梁の曲げモーメントに対する断面算定

壁梁の断面算定は，7条に記載の荷重および外力とその組合せに対して8条で計算される壁梁の各断面算定位置での設計用曲げモーメントが，断面算定位置における許容曲げモーメント以下となることを確認する．

2．壁梁の設計用曲げモーメント

（1） 壁梁の長期設計用曲げモーメントは，8条で計算される長期荷重時の各断面算定位置における曲げモーメントを用いる．

（2） 壁梁の短期設計用曲げモーメントは，8条で計算される水平荷重時の各断面算定位置における曲げモーメントに，（1）で算定される長期荷重時の曲げモーメントを加算した数値とする．

3．壁梁の許容曲げモーメント

壁梁の許容曲げモーメントは，略算的に（解9.5.1）式を用いてよいが，RC規準（2024）13条[解説]2. に従って精算してもよい．（解9.5.1）式は釣合い鉄筋比以下で適用することが前提で，応力中心距離を求める際の係数7/8は，通常の壁梁での複筋比γが0.5程度以上の範囲では，曲げ理論による精算値に対して安全側になると考えてよい．

（1） 壁梁の許容曲げモーメント算定式

$$M_A = a_t \cdot f_t \cdot j \tag{解9.5.1}$$

記号　M_A：壁梁の許容曲げモーメント（N・mm）

　　　a_t：壁梁の端部曲げ補強筋の断面積（mm^2）

　　　f_t：同上鉄筋の許容引張応力度（N/mm^2）

　　　j：壁梁の応力中心距離（mm）で，（7/8）dとすることができる．

　　　d：壁梁の有効せい（mm）

（2） 中間部横補強筋および有効な範囲内のスラブ筋を考慮した壁梁の許容曲げモーメント略算式

壁梁の中間部横補強筋および有効な範囲内のスラブ筋を考慮した許容曲げモーメントは，（解9.5.2）式によってよい[9.5.1]．

$$M_A = C \cdot b \cdot {_s}d_1^2 \tag{解9.5.2}$$

Cは曲げモーメント係数（N/mm^2）で，（解9.5.3）式のC_1と（解9.5.4）のC_2のうち，小さい方の数値とする．

$$C_1 = \{I_S - S_S \cdot X_{n1} - X_{n1}^3/(6 \cdot n)\} \cdot n \cdot f_c / X_{n1} \tag{解9.5.3}$$

$$C_2 = \{I_S - S_S \cdot X_{n1} - X_{n1}^3/(6 \cdot n)\} \cdot f_t / (1 - X_{n1}) \tag{解9.5.4}$$

なお，式中の中立軸比X_{n1}は，（解9.5.5）式による．

$$X_{n1} = X_n / {_s}d_1 = -n \cdot p_g + \sqrt{n^2 \cdot p_g^2 + 2n \cdot S_S} \tag{解9.5.5}$$

記号　M_A：中間部横補強筋および有効な範囲内のスラブ筋を考慮した壁梁の許容曲げモーメント（N・mm）

　　　b：許容曲げモーメント算出用の壁梁の幅（mm）で，圧縮側にスラブが取り付く場合は，有効な範囲内の長さを含む（解説図9.5.1）．

　　　${_s}d_1$：圧縮縁より引張側端部曲げ補強筋位置までの距離（mm）（解説図9.5.1）

　　　n：コンクリートに対する鉄筋のヤング係数比

　　　f_t：横補強筋の許容引張応力度（N/mm^2）

　　　f_c：コンクリートの許容圧縮応力度（N/mm^2）

　　　X_n：圧縮縁より中立軸までの距離（mm）（解説図9.5.1）

　　　I_S：横補強筋の圧縮縁に対する断面二次モーメントを（$b \cdot {_s}d_1^3$）で除した数値で，（解9.5.6）式による．

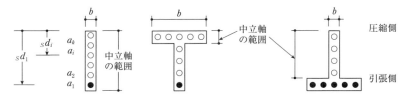

〔記号〕●：引張側端部曲げ補強筋, ○：左記以外の補強筋

解説図 9.5.1 壁梁における中立軸のとり得る範囲

$$I_S = \frac{\sum(a_i \cdot {}_sd_i^2)}{b \cdot {}_sd_1^3} \quad (i=1\sim k) \tag{解 9.5.6}$$

k：横補強筋の本数（複配筋の場合は，組数）

$a_i, {}_sd_i$：引張側端部曲げ補強筋から数えて i 番目の横補強筋の断面積（mm^2）と，その中心までの圧縮縁からの距離（mm）．なお，許容曲げモーメントに有効な範囲内〔解説図 8.2.15(a) 参照〕のスラブ筋も含む（解説図 9.5.1）．

S_S：横補強筋の圧縮縁に対する断面一次モーメントを（$b \cdot {}_sd_1^2$）で除した数値で，（解 9.5.7）式による．

$$S_S = \frac{\sum(a_i \cdot {}_sd_i)}{b \cdot {}_sd_1^2} \quad (i=1\sim k) \tag{解 9.5.7}$$

p_g：（解 9.5.8）式による．

$$p_g = \frac{\sum a_i}{b \cdot {}_sd_1} \quad (i=1\sim k) \tag{解 9.5.8}$$

なお，中間部横補強筋等を考慮する場合には，その鉄筋の定着長さの確保に留意する．

4．壁梁の断面算定位置

壁梁の断面算定位置は，通常，端部は開口部左右端（フェイス）および中央部は，中央部近辺最大曲げモーメント発生位置としてよい．なお，壁梁の端部において上下の開口端部位置が異なる場合は，他端に近い方の開口端としてよい．ただし，手すり壁が梁中間部から始まる場合等，剛性が急変する部位など必要に応じて検討する．

[参 考 文 献]

9.5.1) 日本建築学会：鉄筋コンクリート組積造（RM 造）建物の構造設計・計算規準（案）・同解説，pp.251〜253, 2021.3

9.6 壁梁のせん断力に対する断面算定

1．壁梁の長期設計用せん断力が，(9.6.1) 式を満たすことを確認する．
$$_DQ_L \leq {}_AQ_L \tag{9.6.1}$$
記号 $_DQ_L$：壁梁の長期設計用せん断力（N）
　　 $_AQ_L$：壁梁の長期許容せん断力（N）で，(9.6.2) 式による．

$$Q_{AL} = b \cdot j \cdot \alpha \cdot {}_L f_s \tag{9.6.2}$$

b：壁梁の幅（mm）

j：壁梁の応力中心距離（mm）

α：壁梁のせん断スパン比による割増し係数で，次式による．

$$\alpha = \frac{4}{\frac{M}{Q \cdot d} + 1}, \quad \text{かつ}, \quad 1 \leq \alpha \leq 2$$

M：長期荷重時の壁梁の最大曲げモーメント（N・mm）

Q：長期荷重時の壁梁の最大せん断力（N）

d：壁梁の有効せい（mm）

${}_L f_s$：コンクリートの長期許容せん断応力度（N/mm^2）

2．壁梁の短期設計用せん断力が，(9.6.3)式を満たすことを確認する．

$${}_D Q_S \leq {}_A Q_S \tag{9.6.3}$$

記号　${}_D Q_S$：壁梁の短期計用せん断力（N）で，(9.6.4)式による．

$${}_D Q_S = \min\left({}_D Q_L + n \cdot Q_E, \; {}_D Q_L + \frac{\sum M_y}{l'}\right) \tag{9.6.4}$$

${}_D Q_L$：壁梁の長期設計用せん断力（N）

n：せん断力の割増し係数で，$n \geq 1.5$とする．ただし，保有水平耐力の確認または総曲げ抵抗モーメントの確認を行わない場合は，$n \geq 2.0$とする．

Q_E：8条により求められる壁梁の水平荷重時せん断力（N）．なお，水平荷重時応力算定を平均せん断応力度法による場合は，(9.2.6)式右辺第2項に規定する耐力壁の水平荷重時せん断力より耐力壁の曲げモーメントを算定し，節点位置における曲げモーメントを壁梁に配分して求まる壁梁の曲げモーメントより算定されるせん断力（N）とする．

$\sum M_y$：せん断力が最大となるような壁梁両端の降伏曲げモーメントの絶対値の和（N・mm）で，次式によることができる．

$$\sum M_y = 0.9 \sum (a_t \cdot \sigma_y \cdot d) \tag{9.6.5}$$

$\sum(a_t \cdot \sigma_y \cdot d)$：$a_t$に$\sigma_y$および$d$を乗じた数値の和（N・mm）

a_t：壁梁の引張鉄筋の断面積（mm^2）で，降伏曲げモーメントに有効な範囲内（壁梁端より壁梁せいの0.1倍または200 mmの範囲）の横補強筋や曲げ剛性に有効な範囲内のスラブ筋を含む．

σ_y：同上鉄筋の規格降伏点（N/mm^2）

d：壁梁の有効せい（mm）

l'：壁梁の内法長さ（mm）

${}_A Q_S$：壁梁の短期許容せん断力（N）で，(9.6.6)式による．

$${}_A Q_S = b \cdot j \cdot \{\alpha \cdot {}_s f_s + 0.5 {}_w f_t \cdot (p_w - 0.002)\} \tag{9.6.6}$$

b：壁梁の幅（mm）

j：壁梁の応力中心距離（mm）

α：壁梁のせん断スパン比による割増し係数で，次式による．

$$\alpha = \frac{4}{\frac{M}{Q \cdot d} + 1}, \quad \text{かつ}, \quad 1 \leq \alpha \leq 2$$

M：短期荷重時の壁梁の最大曲げモーメント（N・mm）

Q：短期荷重時の壁梁の最大せん断力（N）

${}_s f_s$：コンクリートの短期許容せん断応力度（N/mm^2）

${}_w f_t$：壁梁の縦補強筋のせん断補強用短期許容引張応力度（N/mm^2）

p_w：壁梁の縦補強筋比（p_wの値は，0.002を下回る場合は0.002とし，0.012を超える場合は0.012とする）

3．壁梁の小開口周囲の補強

> 壁梁にやむを得ず小開口を設ける場合には，小開口周囲における補強後の許容せん断力が，当該小開口を有する壁梁の設計用せん断力を上回ることを確認する．

1．壁梁の長期荷重時せん断設計

壁梁の長期せん断力が壁梁の長期許容せん断力以下であることを確認する．壁梁の長期設計用せん断力は，8条で計算される長期荷重時の各断面算定位置におけるせん断力を用いる．

2．壁梁の短期荷重時せん断設計

（1）壁梁の短期荷重時におけるせん断設計

壁梁の短期荷重時におけるせん断設計において，特に壁梁のせん断破壊を防止し，靱性のある挙動を期待して設計する場合には，設計用せん断力の評価に十分注意する必要がある．設計用せん断力は水平荷重によるせん断力に基づくよりも，原則として配筋された曲げ補強筋量に対して両端の降伏曲げモーメントが最大になる時のせん断力に，長期荷重によるせん断力を加えた数値以上とするのが望ましい．この最大せん断力の評価では，厳密には，降伏曲げモーメントの算定式の精度のほか，降伏曲げモーメントが上昇する計算外の要因に対して配慮する必要がある．これらの要因としては，

ⅰ）曲げ補強筋の実際の降伏強度が規格降伏点より高くなる可能性

ⅱ）施工上の理由により計算書以上に配筋される曲げ補強筋

ⅲ）スラブおよびスラブ筋の効果

ⅳ）耐力壁・壁梁接合部隅角部の斜めひび割れ防止に配筋した縦補強筋および横補強筋による効果

などが考えられる．

RC規準（2024）の許容応力度に基づくせん断設計法では，部分的には終局強度設計法の考え方を取り入れて極力せん断破壊を防止することを目標としているが，上記要因に対しては，許容せん断力にも安全率が含まれていることを前提に，曲げ強度の厳密な計算はしないでよいことになっている．本規定でも，設計用せん断力を配筋後の引張鉄筋量に基づいた降伏曲げモーメントにより算定する場合は，特にこれらの要因を考慮する必要はないとしている．

さらに，保有水平耐力の確認または総曲げ抵抗モーメントの確認を行わない場合には，実用的な設計法を考慮して，RC規準（2024）でも規定されているように，略算的に水平荷重時のせん断力を割り増しして，長期荷重によるせん断力に加えた数値を設計せん断力とすることを許容する．この割増し係数は，RC規準（2024）では1.5以上としているが，数字的に格別の根拠はないと解説されている[9.6.1]．さらに文献9.6.1)では，「4階建程度以下の建物では水平荷重時のせん断力の割増しを2倍以上にとることが望ましく，7, 8階程度のものでは1.5倍まで低減することができるのではないかと思われる」と記述されていること，および壁式RC造の壁梁では，構造規定などにより設計用モーメントに対して必要となる量を超過して引張筋が配筋される場合があることを考慮し，割増し係数は2.0以上とした．

（2） 壁梁の短期設計用せん断力算定用降伏曲げモーメント

壁梁の降伏曲げモーメントは，(解9.6.1)式によることができる．

$$M_y = 0.9\sum(a_t \cdot \sigma_y \cdot d) \tag{解9.6.1}$$

記号　M_y, $\sum(a_t \cdot \sigma_y \cdot d)$, a_t, σ_y, d：(9.6.5)式の記号の説明による．

壁梁の引張鉄筋の断面積 a_t には，RC規準に準じて有効な範囲内の横補強筋やスラブ筋を考慮することとしている．

（3） 無開口壁梁の許容せん断力

壁梁の許容せん断力の算定式は，基本的にRC規準（2024）の許容せん断力の算定式としている．壁梁の縦補強筋比 p_w が0.002を下回る場合，0.002として許容せん断力を計算することに関しては，9.2節の解説3．（3）を参照されたい．

3．壁梁の小開口周囲の補強

壁梁の剛性および強度に影響を与える大きな開口は，設けないのが望ましい．やむを得ず小開口を設ける場合には，6.4節の規定に従って設け，強度および剛性への影響を適切に考慮し十分に補強する．小開口がある場合の壁梁の設計法に関しては，確立したものがないのが現状であるが，小開口まわりの縦補強筋の算定方法および補強方法に関して，RC規準（2024）22条に一案が示されているので，参考にされたい．

[参考文献]

9.6.1)　日本建築学会：鉄筋コンクリート構造計算規準・同解説，pp.164～166，2024.12

9.7　壁梁の配筋規定

1. 壁梁の端部曲げ補強筋は1-D13（幅が200mmを超える場合は2-D13の鉄筋を複配筋）以上とし，補強筋量は9.5節によるほか，表9.7.1（PCa壁式RC造の壁梁にあっては表9.7.2）以上とする．なお，10条に規定する保有水平耐力の確認または総曲げ抵抗モーメントの確認を行う場合は，表9.7.1（PCa壁式RC造の壁梁にあっては表9.7.2）を満たさなくてもよい．また，長期荷重時に正負最大曲げモーメントを受ける部分の引張鉄筋断面積は，$0.004b \cdot d$（b：壁梁の幅，d：壁梁の有効せい）または存在応力によって必要とされる引張鉄筋量の4/3倍のうち，小さい方の数値以上とする．

表9.7.1　壁梁の最小端部曲げ補強筋量（現場打ち壁式RC造）

建物の階数および位置	$l_0 \leq 1$ m	$l_0 > 1$ m
平家のR階の壁梁	1-D13	1-D13
2階建のR階および2階の壁梁，3階建，4階建ならびに5階建のR階の壁梁	1-D13	2-D13
3階建，4階建ならびに5階建の最上階の壁梁	2-D13	2-D13
3階建の2階の壁梁，4階建の3階および2階の壁梁，5階建の4階および3階の壁梁	2-D13	2-D16
5階建の2階壁梁	2-D16	2-D19

〔記号〕　l_0：壁梁の内法長さ
〔注〕　地下階を有する場合の1階の壁梁および地下階の壁梁の最小端部曲げ補強筋量は，2階の最小端部曲げ補強筋量以上とする．

表9.7.2 壁梁の最小端部曲げ補強筋量（PCa 壁式 RC 造）

建物の階数および位置	最小端部曲げ補強筋
全　階	1-D13

[注] 地下階（現場打ち壁式 RC 造）を有する場合の1階壁梁および地下階の壁梁の最小端部曲げ補強筋量は，表9.7.1の2階壁梁の最小端部曲げ補強筋以上とする．

2．壁梁の中間部横補強筋は D10 以上とするほか，横補強筋比および縦補強筋比は表9.7.3（PCa 壁式 RC 造の壁梁にあっては表9.7.4）以上とする．

表9.7.3 壁梁の横補強筋比および縦補強筋比（現場打ち壁式 RC 造）

建物の階数および位置		横補強筋比および縦補強筋比（%）
地上階	平家の R 階壁梁，2 階建の R 階壁梁	0.15
	2 階建の 2 階壁梁，3 階建，4 階建ならびに 5 階建の R 階および最上階の壁梁	0.20
	その他の階の壁梁	0.25
地下階を有する建物の1階および地下階の壁梁		0.25

[注] 壁梁の横補強筋比 ＝100×(壁梁の横補強筋の断面積の和)/(壁梁の鉛直断面積)
　　 壁梁の縦補強筋比 ＝100×(壁梁の縦補強筋の断面積の和)/(壁梁の水平断面積)

表9.7.4 壁梁の横補強筋比および縦補強筋比（PCa 壁式 RC 造）

建物の階数および位置		横補強筋比および縦補強筋比（%）
地上階	平家の R 階壁梁，2 階建の R 階および 2 階壁梁，3 階建，4 階建ならびに 5 階建の R 階壁梁	0.20
	3 階建の 3 階および 2 階壁梁，4 階建の 4 階および 3 階壁梁，5 階建の 5 階および 4 階壁梁	0.25
	4 階建の 2 階壁梁，5 階建の 3 階および 2 階壁梁	0.30

[注] 横補強筋比および縦補強筋比の算定式は，表9.7.3 脚注による．
　　 地下階は現場打ち壁式 RC 造とし，1 階壁梁および地下階の壁梁の横補強筋比および縦補強筋比は，表9.7.3 による．

3．壁梁の縦補強筋は D10（PCa 壁式 RC 造の壁梁にあっては D6）以上とし，補強筋量は9.6節によるほか表9.7.3（PCa 壁式 RC 造の壁梁にあっては表9.7.4）の数値以上とする．

4．壁梁の縦補強筋は端部曲げ補強筋を包含し，端部曲げ補強筋内部のコンクリートを十分に拘束するように配置する．その末端は，135°以上に曲げて定着するか，または相互に溶接する．ただし，単配筋の場合には，鉄筋端部に180°フックを付けて定着する．標準フックの折曲げ内法直径は，本会編「壁式構造配筋指針・同解説」による．

5．縦補強筋の間隔は，壁梁せいの1/2以下とする．

6．壁梁の見付け面に対する縦補強筋および横補強筋の間隔は，それぞれ300 mm 以下とする．ただし，複配筋とする場合は，片側の縦補強筋および横補強筋の間隔は，それぞれ450 mm 以下とする．

1．壁梁の端部曲げ補強筋の構造規定

壁梁の引張鉄筋比は，通常釣合い鉄筋比以下となるので，端部曲げ補強筋の主な役割は，圧縮側の補強よりはひび割れの発生によってコンクリートが負担できなくなった引張応力をコンクリートに代わって伝達し，壁梁の負担する応力を各構面内に確実に伝達して安全性を確保することにある．

壁梁の端部曲げ補強筋は1-D13（幅が200 mmを超える場合は2-D13の鉄筋を複配筋）以上とし，補強筋量は9.5節によるほか，表9.7.1（PCa壁式RC造の壁梁にあっては表9.7.2）以上とする．なお，現場打ち壁式RC造においてPCa壁式RC造の壁梁とは異なり曲げ補強筋量を1-D13でなく細かく定めているのは，計算において多くの場合，表記配筋量を上回る結果を得ることにより便宜上定めたものである．

2．壁梁のせん断補強筋の構造規定

　壁梁のせん断補強筋（縦補強筋および横補強筋の総称で，以下同様とする）は，壁梁が接する耐力壁のせん断補強筋に準じて配筋する．すなわち，壁梁についても9.4筋本文2.に記載の耐力壁のせん断補強筋配筋規定を満たすとともに，壁梁特有の長期および短期荷重時の設計用曲げモーメントおよびせん断力に対して十分なせん断補強筋を配置する必要がある．

　壁梁の縦補強筋（RC造梁のあばら筋に相当する鉄筋）は，せん断力を伝達する主体であるコンクリートの拘束に対して有効に作用する必要があり，上下端の端部曲げ補強筋で囲まれた内部のコンクリートを十分に拘束するように配置する．また，縦補強筋は，せん断ひび割れの想定される水平と45°のせん断ひび割れ面で少なくとも一つ（複配筋の場合は1組）の縦補強筋を配置することとし，その間隔を壁梁せいの1/2以下とする．

　開口付きPCaRC造耐力壁板に設ける壁梁の配筋は，解説図9.7.1に示す要領とする．壁梁の曲げ補強筋はD13以上の異形鉄筋とし，定着長さの範囲を耐力壁板の頂部または脚部横縁筋と兼用してよい．

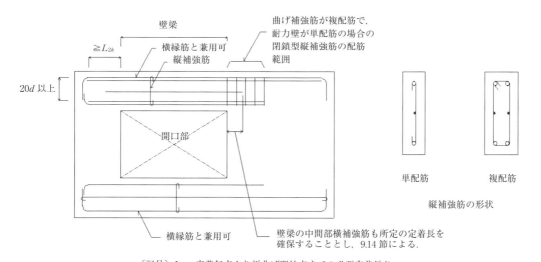

〔記号〕L_{2h}：定着起点より折曲げ開始点までの必要定着長さ

解説図9.7.1　開口付きPCaRC造耐力壁板に設ける壁梁の配筋

　壁梁の端部曲げ補強筋には原則として継手を設けない．また，その端部は耐力壁・壁梁接合部内に定着させる．定着長さは9.14節による．

　壁梁の端部曲げ補強筋が複配筋で耐力壁の配筋が単配筋の場合，壁梁の端部曲げ補強筋の耐力壁・壁梁接合部への定着部分を縦補強筋比として0.2％以上の閉鎖型縦補強筋形状の拘束鉄筋によ

り拘束する．なお，PCa 壁式 RC 造壁梁にあっては，部材が比較的薄いため，壁梁の縦補強筋に D6 の鉄筋を使用してもよい．

壁梁の縦補強筋は，端部曲げ補強筋が単配筋の場合には，その末端を 180° フックとする．また，壁梁の端部曲げ補強筋以外の中間部横補強筋は，施工用の腹筋と考えず耐力壁の横補強筋と同様に定着させる．定着長さは 9.14 節による．

3．壁梁の縦補強筋の径および縦補強筋量

現場打ち壁式 RC 造の壁梁の縦補強筋の最小径は，通常使用されている異形鉄筋の最小径である D10 としている．PCa 壁式 RC 造の壁梁にあっては幅が小さいことを考慮し，D6 以上の縦補強筋を使用してよいとした．壁梁の縦補強筋比は，耐力壁の標準せん断補強筋比と同じ数値以上としている．なお，壁梁の厚さを耐力壁の厚さより大きくして壁梁を複配筋とし，耐力壁が単配筋の場合は，壁梁の端部曲げ補強筋の定着部分は複配筋壁梁の縦補強筋形状と同様とする（解説図 9.7.1）．

4．壁梁の縦補強筋形状

壁梁は RC ラーメン構造の梁に該当する部材であることから，縦補強筋は端部曲げ補強筋を包含するように単配筋にあっては末端を 180° フック付きとし，複配筋にあってはあばら筋と同様に末端を 135° 以上のフック付きとするとともに閉鎖型とする．

5．縦補強筋の間隔

壁梁の縦補強筋は壁梁に生じるせん断力に抵抗させる補強筋であることから，可能な限り間隔を小さくするのがよい．間隔は計算規準と同様に，壁梁せいの 1/2 以下としている．

6．見付け面に対する縦補強筋および横補強筋の配筋間隔

壁梁の縦補強筋および横補強筋は耐力壁の縦補強筋および横補強筋と同様に，ひび割れ発生時の応力緩和と構造ひび割れおよび収縮ひび割れの伸展制御などの面から，壁梁の見付け面に対して 300 mm 以下，複配筋とする場合においては片側のせん断補強筋の間隔は 450 mm 以下とするよう規定した．

9.8 耐力壁・壁梁接合部および耐力壁・基礎梁接合部の設計

1．耐力壁・壁梁接合部の短期設計用せん断力が，原則として (9.8.1) 式を満たすことを確認する．ただし，保有水平耐力の確認を必要としない場合は，この限りでない．

$$_DQ_{p,S} \leqq {_AQ_{p,S}} \tag{9.8.1}$$

記号 $_DQ_{p,S}$：短期荷重時における耐力壁・壁梁接合部の設計用せん断力 (N) で，次式による．

$$_DQ_{p,s} = T_{b1} + C_{b2} - Q_w \tag{9.8.2}$$

T_{b1}：耐力壁・壁梁接合部に接続する右（または左）側の壁梁上端曲げ補強筋に生じる短期荷重時引張力 (N) で，次式より算定してよい〔図 9.8.1 参照〕．

$$T_{b1} = M_{b1} / j_{b1} \tag{9.8.3}$$

M_{b1}：耐力壁・壁梁接合部に接続する右（または左）側の壁梁端部上端に生じる短期荷重時曲げモーメント (N·mm)

j_{b1}：耐力壁・壁梁接合部に接続する右（または左）側の壁梁の応力中心距離 (mm)

C_{b2}：耐力壁・壁梁接合部に接続する左（または右）側の壁梁端部上端に生じる短期荷重時圧縮力 (N) で，次式より算定してよい〔図 9.8.1 参照〕．

$$C_{b2} = M_{b2}/j_{b2} \tag{9.8.4}$$

M_{b2}：耐力壁・壁梁接合部に接続する左（または右）側の壁梁端部下端に生じる短期荷重時曲げモーメント（N・mm）

j_{b2}：耐力壁・壁梁接合部に接続する左（または右）側の壁梁の応力中心距離（mm）

Q_w：耐力壁・壁梁接合部に接続する上階の耐力壁に生じる短期荷重時せん断力（N）（図9.8.1参照）で，上階に耐力壁が接続しない場合は0とする．

$_AQ_{p,S}$：耐力壁・壁梁接合部の短期許容せん断力（N）で，次式による．

$$_AQ_{p,S} = \tau_{p,scr} \cdot t \cdot (l_w - \Sigma R_0) \tag{9.8.5}$$

$\tau_{p,scr}$：耐力壁・壁梁接合部のせん断ひび割れ強度（N/mm^2）で，次式による．

$$\tau_{p,scr} = \sqrt{\sigma_{tj}^2 + \sigma_{tj} \cdot \sigma_0} \tag{9.8.6}$$

σ_{tj}：耐力壁・壁梁接合部のコンクリートの引張強度（N/mm^2）で，次式より算定してよい．

$$\sigma_{tj} = 0.47\sqrt{\sigma_B} \tag{9.8.7}$$

σ_B：コンクリートの圧縮強度（N/mm^2）で，設計基準強度とする．

σ_0：短期荷重時における耐力壁・壁梁接合部の圧縮応力度（N/mm^2）

t：耐力壁・壁梁接合部の厚さ（mm）

l_w：耐力壁・壁梁接合部の長さ（mm），または壁梁端部曲げ補強筋を90°折曲げ定着する場合の折曲げ筋の水平投影長さ．

ΣR_0：耐力壁・壁梁接合部に設けられた小開口の直径の和（mm）で，矩形の場合は外接円の直径の和とする．

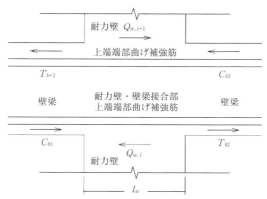

〔記号〕$Q_{w,i+1}$：耐力壁・壁梁接合部に接続する上階の耐力壁に生じる短期荷重時せん断力
$Q_{w,i}$：耐力壁・壁梁接合部に接続する当該の耐力壁に生じる短期荷重時せん断力
T_{b1}：十字形耐力壁・壁梁接合部に接続する左側の壁梁上端端部曲げ補強筋に生じる短期荷重時引張力
T_{b2}：十字形耐力壁・壁梁接合部に接続する右側の壁梁下端端部曲げ補強筋に生じる短期荷重時引張力
C_{b1}：十字形耐力壁・壁梁接合部に接続する右側の壁梁下端に生じる短期荷重時圧縮力
C_{b2}：十字形耐力壁・壁梁接合部に接続する右側の壁梁上端に生じる短期荷重時圧縮力
l_w：十字形耐力壁・壁梁接合部の長さ

図9.8.1 十字形耐力壁・壁梁接合部の短期荷重時応力

2．耐力壁・基礎梁接合部の短期荷重時におけるせん断設計は，本節1．に準じる．

3．耐力壁・壁梁接合部および耐力壁・基礎梁接合部に設けた小開口周囲には，縦方向および横方向に複配筋にあっては2-D13以上，単配筋にあっては1-D13以上の補強筋を配する．なお，横方向の補強筋は，壁梁や基礎梁の横補強筋と兼用することができる．

1. 耐力壁・壁梁接合部の短期荷重時に対する設計

（1） 耐力壁・壁梁接合部のせん断ひび割れ発生防止

RC規準（2024）によれば，柱梁接合部の大地震動に対する検討のみを行い，中地震動に対する検討を行わなくてよいとしている．この理由としては，中地震動程度の水平荷重に対しては，梁および柱の主筋が短期許容引張応力度以下であり，仮に柱梁接合部にせん断ひび割れを生じたとしても，水平荷重の作用終了後にはひび割れ幅が十分に小さくなるであろうと予想されることや，実際に中地震動程度によって柱梁接合部に被害を受けた例が過去にほとんどないこと等を勘案したことによると，記載されている[9.8.1)]．

壁式RC造建物において，耐力壁・壁梁接合部（以下，単に接合部という）に接続する耐力壁の長さが，当該接合部に接続する壁梁のせいに比して比較的大きくない場合，地震時において接合部には耐力壁に生じるせん断力とは逆方向の大きなせん断力が生じる可能性がある．

設計規準や計算規準においては，壁量の低減量は標準壁量から各々最大で30 mm/m^2，50 mm/m^{2}とし，また耐震設計ルート1を満たす壁率を有することと規定しており，このことにより耐力壁の長さも一定程度確保され，かつ壁梁の端部曲げ補強筋量もそれほど大きくないことから，接合部のせん断力に対する設計については，規定されていなかった．

一方，本規準においては，耐震計算ルート3の壁式RC造建物も適用範囲内としており，この場合，壁量や壁率の規定を満たすことは免除されることになり，接合部の長さが小さいものや，接合部に接続する壁梁の主筋量も多くなる場合も想定される．接合部の長さが短く，接続する壁梁の主筋量が多い場合，接合部の入力せん断力も大きなものとなることが想定される．壁式RC造建物における接合部は，RCラーメン構造の柱・梁接合部とは異なり，厚さが薄くかつ接合部のコンクリートを拘束する横補強筋比も小さい（単配筋の場合には，接合部のコンクリートを拘束する横補強筋は配筋されない）ことから，接合部にせん断ひび割れが発生すると接合部の剛性が大きく低下し，建物全体の耐震性に大きな影響を及ぼすことが危惧される．

一方，本規準においては，計算規準と同様に，短期荷重時における耐力壁に生じるせん断応力度を使用するコンクリートの短期許容せん断応力度以下となることを確認する〔9.2節参照〕こととしており，短期荷重時に接合部にせん断ひび割れが生じることは，ほとんどないと考えられる．ただし，壁梁の端部曲げ補強筋比が大きく（例えば，1％以上），かつ接合部の長さが短い（例えば，900 mm程度以下）場合は，大きなせん断力が接合部に発生することが想定されるので，このような場合は，短期荷重時における設計を行う必要がある．

（2） 耐力壁・壁梁接合部の短期許容せん断力

接合部の短期許容せん断力は，（9.8.5）式に記載のように，接合部のせん断ひび割れ強度に接合部の厚さと長さを乗じることにより算出することとしている．本規準においては，接合部のせん断ひび割れ強度を本会編「鉄筋コンクリート造建物の靱性保証型耐震設計指針・同解説」[9.8.2)]（以下，RC靱性保証指針という）と同様に主応力度式としている．また，（9.8.7）式中に用いるコンクリートの引張強度は，柱および梁のせん断ひび割れ強度の算定に用いるコンクリートの引張強度（$\sigma_t = 0.313\sqrt{\sigma_B}$）に1.5を乗じて良いとしている[9.8.2)]．なお，本規準においては有効数字二桁表記

とし，0.313 を 0.31，0.469 を 0.47 としている．

　厚さの薄い扁平な壁式 RC 造接合部に関する実験資料は少ないが，本規準においては接合部のせん断補強筋を考慮しない主応力度式に基づく式を用いてよいとした．また，小開口を有する接合部の短期許容せん断力算定に際して接合部の長さより小開口の直径の和を減じているのは，文献 9.8.3），9.8.4）や文献 9.8.5）を参考とした．

（3）　接合部のせん断ひび割れ発生防止に必要な接合部長さと壁梁の端部曲げ補強筋量の上限値

　短期荷重時に接合部に顕著なせん断ひび割れが生じることを防止するために必要な接合部の長さと接合部に接続する壁梁の端部曲げ補強筋量（十字形または T 字形接合部の場合は，接合部に接続する左側の壁梁の上端または下端端部曲げ補強筋と右側の壁梁の下端または上端端部曲げ補強筋の断面積の和で，ト形または L 形接合部の場合は，接合部に接続する壁梁の端部曲げ補強筋量）の上限値の計算例を以下に示す．なお，接合部には小開口が設けられていない場合とする．

　十字形および T 字形接合部の検討条件を，以下に示す．

①　壁梁の端部曲げ補強筋：D16～D22（SD 345）
②　接合部の長さ：l_w＝450 mm，600 mm，750 mm，900 mm，1 050 mm の 5 ケース
③　接合部の厚さ：t＝200 mm
④　耐力壁に生じる短期荷重時せん断力：Q_w：ここでは次式より算定する．

$$Q_w = \tau_{0.2} \cdot t \cdot j = 0.8 {}_s f_s \cdot t \cdot l_w$$

　　　記号　$\tau_{0.2}$：短期荷重時における耐力壁のせん断応力度（N/mm^2）
　　　　　　${}_s f_s$：コンクリートの短期許容せん断応力度（N/mm^2）

⑤　コンクリートの設計基準強度：F_c＝18，21，24，27，30，33，36 N/mm^2
⑥　C_{b2}＝T_{b2} とする．
⑦　耐力壁の圧縮応力度：σ_0＝0 とする．

　十字形または T 字形接合部の短期荷重時に対する（9.8.1）式による計算結果を，解説表 9.8.1 に示す．

　解説表 9.8.1 によれば，接合部の長さが短く接続する左右の壁梁の端部曲げ補強筋量の和が表中の数値より多い場合は，短期荷重時に接合部にせん断ひび割れが生じる可能性が高いことが分かる．このような場合は，壁梁の端部曲げ補強筋に生じる引張力や耐力壁に生じるせん断力に基づいて詳細に検討するほか，接合部の長さを大きくするなどの対策を行う必要がある．

　ト形または L 形接合部に対する検討結果を解説表 9.8.2 に示す（検討条件は，上記に同じ）が，ト形または L 形接合部の場合も十字形または T 形接合部と同様の傾向を有しており，同様な検討を行うのがよい．

（4）　小開口を有する耐力壁・壁梁接合部の短期許容せん断力式

　壁式 RC 造建物の耐力壁と壁梁の接合部には，通常台所や浴室・便所の排気のための小開口が設けられることが多い．小開口を有する接合部の強度・変形性状に関する実験および解析的研究は，ほとんどなされていない．ここでは，小開口を有する接合部の短期許容せん断力式について，8 階建の壁式 RC 造の標準化を目的として実施された 8 階建壁式 RC 造建物の下部 5 層の実大立体耐震

解説表 9.8.1 短期荷重時に十字形・T字形接合部のせん断ひび割れ発生を防止するために必要な左右の壁梁の端部曲げ補強筋量の和の最大配筋量と配筋例（小開口無しの場合）

F_c	接合部（耐力壁）の長さ l_w，接合部（耐力壁）の厚さ $t=200$ mm と設定									
	$l_w=450$ mm		$l_w=600$ mm		$l_w=750$ mm		$l_w=900$ mm		$l_w=1\,050$ mm	
	a_t (mm²)	配筋例	a_t (mm²)	配筋例	a_t (mm²)	配筋例	a_t (mm²)	配筋例	a_t (mm²)	配筋例
18	706	2-D16	942	2-D19	1 178	2-D19	1 413	2-D19+1-D16	1 649	3-D19
		1-D19		1-D19		2-D19		2-D19		2-D19+1-D16
21	779	1-D19+1-D16	1 039	2-D19	1 299	1-D19+2-D16	1 559	3-D19	1 819	3-D19
		1-D19		2-D16		2-D19		1-D19+2-D16		3-D19
24	827	2-D16	1 103	2-D19	1 379	2-D19+1-D16	1 655	3-D19	1 931	3-D19+1-D16
		2-D16		1-D19+1-D16		2-D19		2-D19+1-D16		3-D19
27	873	2-D19	1 164	2-D19	1 456	3-D19	1 747	3-D19	2 038	4-D19
		1-D19		2-D19		2-D19		3-D19		3-D19
30	917	2-D19	1 223	2-D19	1 529	2-D19+1-D16	1 834	3-D19+1-D16	2 140	4-D19
		1-D19		2-D19		1-D19+2-D16		2-D19+1-D16		2-D19+2-D16
33	959	2-D19	1 279	1-D19+2-D16	1 599	3-D19	1 919	2-D19+2-D16	2 238	4-D19
		1-D19		2-D19		1-D19+2-D16		3-D19		3-D19+1-D16
36	1 000	2-D19	1 333	1-D19+2-D16	1 666	3-D19	2 000	3-D19+1-D16	2 333	4-D19
		2-D16		3-D16		2-D19+1-D16		3-D19		4-D19

〔記号〕　F_c：コンクリートの設計基準強度（N/mm²）
　　　　a_t：接合部に接続する左右の壁梁の端部上端曲げ補強筋と下端端部曲げ補強筋の断面積の和
　　　　（鉄筋種別 SD 345 の場合）
〔注〕　上段の配筋は左側（右側）の壁梁の端部上端曲げ補強筋，下段は右側（左側）の壁梁の端部曲げ補強筋の配筋例

実験[9.8.6]における試験体（以下，8FW 試験体という）に設けられていた小開口を有する接合部を対象とし，試験体での接合部に生じているせん断力を（9.8.2）式により算定して（9.8.5）式による短期許容せん断力と比較するとともに，実験における当該接合部の挙動と比較することにより，提案する計算式の妥当性を検証する．

また，上記検討結果より，ト形耐力壁・壁梁接合部に小開口（φ200 mm）を設ける場合に，短期荷重時に（9.8.1）式を満たすに必要な接合部の長さを検討する．

（ i ）　実大立体試験体[9.8.6]における小開口付き接合部の検討

　　8FW 試験体の平面図および各構面の立面図を，解説図 6.3.2 に示す．Y1 通りの耐力壁 C13 の接合部に設けられている小開口を含む周辺の部材寸法を，解説図 9.8.1 に示す．

　　耐力壁 C13 および壁梁 G12 の断面および配筋は，以下のとおりである．なお，材料強度は文献

解説表 9.8.2 短期荷重時にト形接合部のせん断ひび割れ発生を防止するために必要な壁梁の端部曲げ補強筋量の和の最大配筋量と配筋例（小開口無しの場合）

F_c	接合部（耐力壁）の長さ l_w，接合部（耐力壁）の厚さ $t=200$ mm と設定									
	$l_w=450$ mm		$l_w=600$ mm		$l_w=750$ mm		$l_w=900$ mm		$l_w=1050$ mm	
	a_t (mm^2)	配筋例	a_t (mm^2)	配筋例	a_t (mm^2)	配筋例	a_t (mm^2)	配筋例	a_t (mm^2)	配筋例
18	706	2-D16+1-D19	942	3-D19	1178	4-D19	1413	3-D22+1-D16	1649	4-D22 1-D16*1
21	779	2-D19+1-D16	1039	2-D19+2-D16	1294	1-D22+3-D19	1559	4-D22	1819	4-D22 1-D16*1
24	827	4-D16	1103	3-D19 1-D16	1379	3-D22+1-D16	1655	4-D22	1931	4-D22 1-D19*1
27	873	3-D19	1164	4-D19	1456	3-D22+1-D19	1747	4-D22 1-D16*1	2038	4-D22 1-D22*1
30	917	3-D19	1223	4-D19	1529	3-D22+1-D19	1834	4-D22 1-D16*1	2140	4-D22 2-D19*1
33	959	3-D19	1279	4-D19	1599	4-D22	1919	4-D22 1-D19*1	2238	4-D22 2-D19*1
36	1000	2-D19+2-D16	1333	2-D22+1-D19+1-D16	1666	4-D22	2000	4-D22 1-D22*1	2333	4-D22 2-D22*1

〔記号〕 F_c：コンクリートの設計基準強度（N/mm^2）
    a_t：ト形接合部に接続する左側または右側の壁梁の端部上端曲げ補強筋または下端端部曲げ補強筋量（鉄筋種別 SD345 の場合）
〔注〕 *1：幅 200 mm の壁梁に配筋可能な鉄筋は，上下とも 4-D22 まで（2-D22 × 2 段）である．
    4-D22 を超える場合は，スラブ内配筋とすることも可である．

9.8.6) によっている．

- 1 階および 2 階耐力壁 C13
  - 断　面：$t \cdot l_w = 270 \times 2890$ mm（長さは推定）
  - 配　筋：端部曲げ補強筋 4-D25（1 階），4-D22（2 階）（Y2 通り配筋より推定）
    中間部縦補強筋および横補強筋 D10 @ 200
- 2 階壁梁 G12
  - 断　面：$b \cdot D = 270 \times 650$ mm
  - 配　筋：上端および下端端部曲げ補強筋 4-D25（SD 295A），$\sigma_y = 3424$ kgf/cm^2（335.8 N/mm^2）
    中間部横筋 2-D10，縦補強筋（STP）：D10・D13 @ 100
- 2 階スラブ
  - 厚　さ：$t = 130$ mm
  - 配　筋：D10，$\sigma_y = 3892$ kgf/cm^2（381.7 N/mm^2），D13，$\sigma_y = 4054$ kgf/cm^2（397.6 N/mm^2）
  - コンクリートの圧縮強度（1 階）：$\sigma_B = 240.1$ kgf/cm^2（23.5 N/mm^2）
  - 開口部周囲の補強筋：縦方向両端に 2-D16（横方向は壁梁主筋が兼ねる），斜め方向に 2-D16

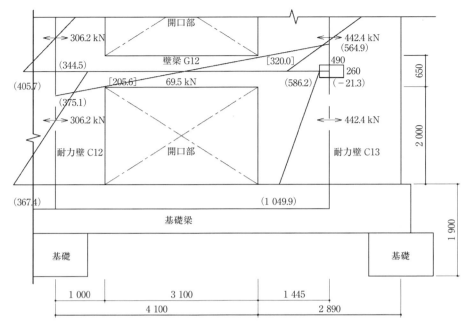

[注]（ ）：曲げモーメント（節点位置，1階壁脚フェイスモーメント）
　　［ ］：壁梁フェイスモーメント

解説図 9.8.1　8FW試験体Y_1通り耐力壁C13の接合部と小開口および短期荷重相当時応力

(ⅱ)　短期荷重相当時の荷重階における試験体の検討対象接合部のせん断力の検討

(a)　2階壁梁G12に生じる短期荷重相当時荷重階における曲げモーメント

　文献9.8.6）によれば，8FW試験体の短期荷重時に相当する荷重階（以下，短期荷重相当時という）における耐力壁の平均せん断応力度は，1階および2階で5.78 kgf/cm²（0.567 N/mm²）となっている．この時の架構の応力図は文献に記載されていないことから，ここでは，上記の数値と耐力壁の反曲点高さ比を仮定することにより，応力を算定する．なお，耐力壁のせん断力の集中係数（ラーメン解法による耐力壁のせん断力／平均せん断応力度による耐力壁のせん断力）は，1.0とした．

・2階および1階耐力壁C13に生じるせん断力：$Q_{c13}=0.567×270×2\,890=442.4×10^3$ N
・2階および1階耐力壁C12に生じるせん断力：$Q_{c12}=0.567×270×2\,000=306.2×10^3$ N

　2階耐力壁の反曲点高さ比を0.5，1階耐力壁の反曲点高さ比を耐力壁C12で0.6，長さの大きい耐力壁C13でせん断力の集中係数を1.3程度と仮定すると，2階壁梁G12に生じる応力は，解説図9.8.1のように算定される．

　解説図9.8.1より，短期荷重相当時における2階壁梁のC13側端部に生じる曲げモーメントは，320.0 kN・mとなる．壁梁自重と負担スラブの自重による長期荷重時曲げモーメントは，次のとおり算定される（試験体であるので，仕上げ荷重と積載荷重は考慮しない）．

　　$M_L=\{24.0×0.27×0.52+24.0×0.13×(3.0+4.0)×0.5\}×3.1×3.1/12=11.4$ kN・m

　したがって，試験体の短期荷重相当時における2階壁梁G12のX8側端部上端に生じる曲げ

モーメントは，次のとおり算定される．

$$M_s = M_E + M_L = 320.0 + 11.4 = 331.3 \text{ kN·m}$$

上記に必要な端部曲げ補強筋の断面積は，使用鉄筋を SD 295，D25 とすると，

$$\sum_{req} a_t = 331.3 \times 10^6 / \{295 \times (650-90) \times 7/8\} = 331.3 \times 10^6 / (295 \times 490) = 2\,292 \text{ mm}^2$$

となる．所要鉄筋本数は 5-D25 となるが，解説図 9.8.1 の壁梁の短期荷重相当時における設計用曲げモーメントは推定値であることから，以下の検討においては 4-D25 として検討する．

（b） 耐力壁 C13 と壁梁 G12 との 2 階接合部に生じる短期荷重相当時のせん断力

短期荷重相当時に試験体の検討対象接合部に生じるせん断力は，(9.8.1) 式に記載の下式より算定する．

$$_DQ_{p,S} = T_{b1} + C_{b2} - Q_w \quad (解 9.8.1)$$

上式に下記を挿入する．

$$T_{b1} = C_{b2} = M_s / j = 331.3 / 0.49 = 676.1 \text{ kN}$$

一方，検討する接合部に接続する上下の耐力壁に生じるせん断力 Q_w は，解説図 9.8.1 より 442.4 kN である．したがって，短期荷重相当時に当該接合部に生じるせん断力は，以下のとおり算定される．

$$_DQ_{p,S} = T_{b1} + C_{b2} - Q_w = 676.1 + 676.1 - 442.4 = 909.8 \text{ kN}$$

（c） 検討対象接合部の短期許容せん断力

検討対象接合部の短期許容せん断力は，(9.8.6) 式である下式より算定する．

$$_AQ_{p,S} = \tau_{p,scr} \cdot t \cdot (l_w - \sum R_0) \quad (解 9.8.2)$$

上式に下記を代入する．

$$\tau_{p,scr} = \sqrt{\sigma_{tj}^2 + \sigma_{tj} \cdot \sigma_0} = 0.47\sqrt{23.5} = 2.27 \text{ N/mm}^2 \quad (\sigma_0 = 0 \text{ と仮定})$$

$t = 270$ mm，$l_w = 2\,890$ mm

$\sum R_0 = 555$ mm（490×260 mm の長方形小開口の外接円の直径）

したがって，検討対象接合部の短期許容せん断力 $_AQ_{p,S}$ は，次のとおり算定される．

$$_AQ_{p,S} = \tau_{p,scr} \cdot t \cdot (l_w - \sum R_0) = 2.27 \times 270 \times (2\,890 - 555) = 1\,443 \times 10^3 \text{ N} = 1\,433 \text{ kN}$$

（d） 接合部設計用せん断力と短期許容せん断力の比較および試験体における当該接合部の挙動

上記（b）と（c）より，短期荷重相当時における当該接合部の設計用せん断力 909.8 kN に対して，短期許容せん断力は 1 433 kN と計算され，$_AQ_{p,S} / _DQ_{p,S}$ の比は 1.58 となっている．したがって，小開口を有する当該接合部は短期荷重相当時においては，計算上せん断ひび割れが生じないと言える．

一方，試験体の挙動は文献 9.8.6）によれば，次のとおり記載されている（括弧内加筆）．

「第 2 サイクル（$Q \fallingdotseq 400$ t）はベースシヤー係数を 0.21 とした設計荷重に相当するが，この段階では，各階の梁の端部や 1 階の壁脚部に曲げひび割れが数本発生し，一部のものは曲げせん断ひび割れに発展した．また，壁厚の薄い妻壁（解説図 6.3.2 における X6 通りの壁厚 90 mm，X8 通りの壁厚 220 mm）には加力方向の壁の曲げせん断ひび割れにつながる水平ひび割れが生じ，2，3 階の床スラブにも梁の曲げひび割れにつながる水平ひび割れが数本生じた．ま

た，試験体の平均せん断応力度～頂部部材角曲線〔解説図6.3.3参照〕によれば，第2サイクル時の頂部部材角は0.45×10^{-3}程度であり，解説図6.3.4(b)を見ても開口部周囲にはせん断ひび割れが発生していない.」

以上より，小開口を有する接合部の短期許容せん断力を(9.8.5)式により算定してよいと判断できる．

(5) 小開口を有する耐力壁・壁梁接合部のせん断ひび割れ発生防止に必要な壁梁の端部曲げ補強筋上限値

(i) ト形接合部の場合

ここでは，地上階数5の壁式RC造建物の2階のト形接合部に台所排気用小開口（$\phi 200$ mm）を設ける場合に，(9.8.1)式を満たすに必要な壁梁の端部曲げ補強筋量の上限値を検討する．検討条件は，以下のとおりである．

・ト形接合部の厚さ，長さ：$t \cdot l_w = 200 \times 1000$ mm
・ト形接合部に設ける小開口：$\sum R_0 = 200$ mm（$\phi 200$ mmの小開口1か所）
・ト形接合部に接続する壁梁の断面：$b \cdot D = 200$ mm$\times 800$ mm
・ト形接合部に接続する壁梁の端部曲げ補強筋の種別：SD345（$=345$ N/mm^2）
・コンクリートの設計基準強度：$F_c = 24$ N/mm^2
・2階ト形接合部に接続する上階耐力壁の短期荷重時平均せん断応力度：$\bar{\tau} = 0.5$ N/mm^2

上記より，短期荷重時に2階ト形接合部に生じるせん断力は，下記のとおり算定される．

$$_DQ_{p,S} = M_{b1}/j - Q_w = a_{t1} \cdot {_sf_t} - Q_w = a_{t1} \times 345 - 0.5 \times 200 \times 1000$$

一方，接合部の短期許容せん断力は，次のとおり算定される．

$$_AQ_{p,S} = 0.47\sqrt{24} \times 200 \times (1000 - 200)$$

(9.8.1)式より，壁梁の端部曲げ補強筋量は，次の条件を満たす必要がある．

$$a_{t1} \leq \{0.47\sqrt{24} \times 200 \times (1000-200) + 0.5 \times 200 \times 1000\}/345$$
$$= (2.30 \times 200 \times 800 + 100\,000)/345 = 1357.7 \text{ mm}^2 \rightarrow 2\text{-D22}^{*1} + 2\text{-D19}(\sum a_t = 1352 \text{ mm}^2)$$

　　　　　[注]＊1：耐力壁の端部縦補強筋がD19の場合は，耐力壁と壁梁の端部曲げ補強筋の納まりを考慮すると，厚さ200 mmの場合，D22の配筋は不可となる．

(ii) 十字形接合部の場合

(i)と同様に，5階建壁式RC造建物の2階の戸境壁である直交壁（厚さ200 mm）を有する十字形接合部に直径200 mmの円形小開口が2個設ける場合に，(9.8.1)式を満たすに必要な壁梁の端部曲げ補強筋の上限値と検討する．検討条件は，以下のとおりである．

・十字形接合部の厚さ，長さ：$t \cdot l_w = 200 \times 1000$ mm〔6.7の規定参照〕
・十字形接合部に設ける小開口：$\sum R_0 = 400$ mm（$\phi 200$ mmの小開口2か所）
・十字形接合部に接続する壁梁の断面：$b \cdot D = 200$ mm$\times 800$ mm
・十字形接合部に接続する壁梁の端部曲げ補強筋の種別：SD 345（$=345$ N/mm^2）
・コンクリートの設計基準強度：$F_c = 24$ N/mm^2
・2階十字形接合部に接続する上階耐力壁の短期荷重時平均せん断応力度：$\bar{\tau} = 0.5$ N/mm^2

上記より，短期荷重時に2階十字形接合部に生じるせん断力は，下記のとおり算定される．

$$_DQ_{p,S} = M_{b1}/j + M_{b2}/j - Q_w = (a_{t1}+a_{12})\cdot {_s}f_t - Q_w = (a_{t1}+a_{12}) \times 345 - 0.5 \times 200 \times 1\,000$$

一方，接合部の短期許容せん断力は，次のとおり算定される．

$$_AQ_{p,S} = 0.47\sqrt{24} \times 200 \times (1\,000 - 2 \times 200)$$

(9.8.1) 式より，十字形接合部に接続する左右の壁梁の端部曲げ補強筋量の和は，次の条件を満たす必要がある．

$$(a_{t1}+a_{t2}) \leq \{0.47\sqrt{24} \times 200 \times (1\,000 - 2 \times 200) + 0.5 \times 200 \times 1\,000\}/345$$
$$= (2.30 \times 200 \times 600 + 100\,000)/345 = 1\,099 \text{ mm}^2$$

→ 上端端部曲げ補強筋 2-D19，下端端部曲げ補強筋 2-D16（$\sum a_t = 1\,148 \text{ mm}^2$）

上記より，壁梁に必要となる端部曲げ補強筋量が多くなると想定される場合で，十字形接合部に小開口を2個設ける場合は，十字形接合部には十分な厚さや長さを確保するとともに，コンクリートの設計基準強度の高いものを使用する必要がある．

2．耐力壁・基礎梁接合部の短期荷重時に対する設計

耐力壁・基礎梁接合部にも短期荷重時に耐力壁・壁梁接合部と同様にせん断力が生じることから，本文1．に準じて設計することとしている．耐力壁・基礎梁接合部に生じる短期荷重時設計用せん断力は，(9.8.2) 式に準じて算定すればよい．

3．接合部に設けられた小開口周囲の補強

小開口が設けられた接合部のせん断ひび割れ強度式やせん断強度式には，小開口周囲の補強筋の効果が考慮されていない．しかしながら，小開口周囲に生じるひび割れの拡大防止には有効であると考えられることから，小開口周囲には最小量の補強筋を配筋することとした（解説図9.8.2）．

なお，本文3．に記載の小開口周囲の補強筋（縦方向および横方向に複配筋にあっては2-D13以上，単配筋にあっては1-D13以上の補強筋）以上の接合部内横補強筋や耐力壁の中間部縦補強筋が配筋されている場合は，小開口周囲の補強筋は，これらと兼ねることができる．

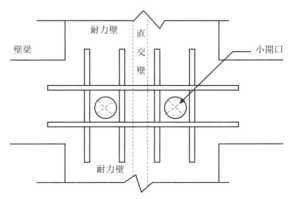

[注] 小開口周囲の補強筋各2-D13（単配筋の場合，各1-D13）

解説図 9.8.2 耐力壁・壁梁接合部の小開口周囲の補強要領

[参 考 文 献]

9.8.1) 日本建築学会：鉄筋コンクリート構造計算規準・同解説，pp.188～189，2024.12
9.8.2) 日本建築学会：鉄筋コンクリート造建物の靱性保証型耐震設計指針・同解説，p.274，1999.8
9.8.3) 渡邊正人・西原　寛・松崎育弘・八木敏行・中野克彦・千葉　修・澤井布兆：WR-PC構法に関する共同研究，柱―梁接合部実験（その1），日本建築学会大会学術講演梗概集，C，構造Ⅱ，p.517～518，1993.7
9.8.4) 星野恒明・鈴木英明・松崎育弘・飯塚正義・中野克彦・和泉信之・渡邊正人：WR-PC構法に関する共同研究，柱―梁接合部実験（その2），日本建築学会大会学術講演梗概集，C，構造Ⅱ，p.519～520，1993.7
9.8.5) 日本建築学会：鉄筋コンクリート組積造（RM造）建物の構造設計・計算規準（案）・同解説，pp.261～267，2021.3
9.8.6) 広沢雅也・後藤哲郎・芳村　学・平石久廣：高層（6～8階建）壁式鉄筋コンクリート造の標準化を目的とした実大建物の耐震破壊実験，コンクリート工学，Vol.19，No.4，pp.91～105，1981.4

9.9　スラブの断面算定

1. 面外曲げモーメントおよび面外せん断力に対するスラブの断面算定は，9.5節および9.6節に準じて算定してよい．
2. 面内方向に対するスラブの曲げモーメントおよびせん断力に対する断面算定は，9.1節から9.3節に準じて算定してよい．
3. 付着および継手ならびに定着に対する算定は，9.13節および9.14節による．
4. スラブの配筋は上記によるほか，次の（1）から（3）による．
（1） スラブの引張鉄筋は，D10以上の異形鉄筋または鉄線の径が6mm以上の溶接金網を用い，正負最大曲げモーメントを受ける部分にあっては，その間隔を表9.9.1に示す数値とする．

表9.9.1　スラブの配筋

	普通コンクリート	軽量コンクリート1種
短辺方向	200mm以下 径6mmの溶接金網では150mm以下	200mm以下 径6mmの溶接金網では150mm以下
長辺方向	300mm以下かつ，スラブ厚さの3倍以下 径6mmの溶接金網では200mm以下	250mm以下 径6mmの溶接金網では200mm以下

（2） スラブ各方向の全幅について，鉄筋全断面積のコンクリート全断面積に対する割合は0.2%以上とする．
（3） PCa壁式RC造に使用するPCa造スラブ内の配筋は，地震時に生じる面内せん断力の周辺部材への伝達に対しても十分考慮する．施工時の荷重についても，のみ込み部分の破損の防止のために鉄筋を配置する．
5. たわみおよび振動に対する検討は，RC規準等による．

1. 面外曲げモーメントおよび面外せん断力に対する断面算定

　スラブ厚さの最小値は，RC規準と同じとしている．スラブ配筋を上下通し配筋とし，かつ電気配線をスラブ内に埋め込む場合は，スラブ周辺部に沿って配置することを避けるとともに，設計かぶり厚さの確保や，鉄筋間の所要寸法の確保等を考慮すると200mm以上必要となる場合があることに留意する．

面外曲げモーメントおよび面外せん断力に対するスラブの断面算定は，9.5節および9.6節の壁梁の断面算定に準じて算定してよい．なお，合成床板を使用する場合は，各工法の設計指針等による．

2. 面内曲げモーメントおよび面内せん断力に対する断面算定

面内曲げモーメントおよび面内せん断力に対するスラブの断面算定は，9.1節および9.2節の耐力壁の断面算定準じて算定して良い．なお，合成床板を使用する場合は，各工法の設計指針等による．

3. 付着・継手ならびに定着に対する検討

スラブ曲げ補強筋の付着長さの検討，重ね継手長さの検討は9.13節による．また，スラブ主筋の定着長さの検討は，9.14節による．

4. 最小配筋規定

（1） スラブの引張鉄筋径

スラブの鉄筋にD13未満を使用した場合，施工時に乱れやすく適正な有効せいや間隔が保ちにくいので，少なくともD13を混用するのが望ましい．

（2） スラブに配筋する最小鉄筋量

本会編「鉄筋コンクリート造建築物の収縮ひび割れ制御設計・設計指針・同解説（2003）」では，鉄筋全断面積のコンクリート全断面積に対する割合は0.3%以上が望ましいとしている．

（3） PCa壁式RC造のスラブ配筋

はね出しスラブを有しないフルPCa造スラブ周辺の支持状態は，通常の場合単純支持状態に限りなく近い状態であると考えられる．このため，このような場合は端部上端筋を配筋しなくてもよいといえるが，地震時等に生じる面内せん断力等も考慮して決定する．

フルPCa造スラブでは，施工時に支保工を設けない場合があるので，施工時の荷重を想定し必要に応じて検討するとともに，不測の荷重によるのみ込み部分の破損や脱落などを防止するために，のみ込み部分には鉄筋が配置されるように十分配慮する．合成床板を使用する場合は，各工法の設計指針による．PCa造スラブ内の配筋は解説図9.9.1に示す要領とし，鉄筋は周辺より割り付け，必要本数をなるべく均等かつ主筋の間隔は200 mm以下，配力筋の間隔は300 mm以下に配筋する．なお，PCa造スラブ周辺部に配筋する鉄筋では，隣接してコンクリートが充填される方向には，一般のプレキャスト造部材に用いる設計かぶり厚さ〔JASS 10参照〕によらず，充填コンクリート等の充填性を考慮し設計かぶり厚さを5 mm以上としてよいこととする．また，のみ込み部分の主筋

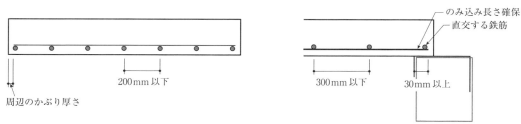

(a) 主筋間隔　　　　　　　　　　(b) 配力筋間隔とのみ込み部分の配筋要領

解説図 9.9.1　フルPCa造スラブの配筋要領

端部は，のみ込み部の割裂防止のため 30 mm 以上ののみ込みをとり，周辺（支持部材上の小口面）のかぶり厚さは最小の 5 mm が望ましく，また，直交する鉄筋の最外部配筋もなるべく周辺（支持部材上の小口面）に近く配置する．

5．たわみ・振動に対する検討

RC 規準（2024）の「付 7．長期荷重時におけるひび割れと変形」を参考に，スラブのたわみは，周辺支持条件に十分注意するとともに，長期間の荷重により変形が増大することを考慮し，計算による初期弾性たわみに変形増大係数を考慮する必要がある．また，スラブの振動は，RC 規準（2024）の「付 5．床スラブの振動評価」を参考に，特に振動が問題となる場合には検討する．

9.10 基礎の設計

1．基礎梁の曲げモーメントおよびせん断力に対する断面算定は，9.5 節および 9.6 節に準じる．なお，ねじりに対する断面算定は，RC 規準による．また，基礎梁の配筋は，次の(1)から(4)による．
　(1) 構造耐力上有効な幅が 200 mm を超える基礎梁は，複配筋とする．
　(2) 基礎梁の端部曲げ補強筋は計算によって求まる鉄筋量以上かつ D13 以上とする．また，基礎梁の中間部横補強筋は D10 以上とする．なお，長期荷重時に正負最大曲げモーメントを受ける部分の端部曲げ補強筋断面積は，$0.004 b \cdot d$（b：基礎梁の幅，d：基礎梁の有効せい）または存在応力によって必要とされる端部曲げ補強筋筋量の 4/3 倍のうち，小さい方の数値以上とする．
　(3) 基礎梁の縦補強筋は D10 以上とする．
　(4) 基礎梁のせん断補強筋比は計算によって求まる鉄筋量以上かつ 0.2% 以上とするとともに，せん断補強筋の間隔は，横方向および縦方向それぞれ 300 mm 以下かつ基礎梁せいの 1/2 以下とする．
2．基礎梁にやむを得ず小開口を設ける場合には，小開口周囲における補強後の許容せん断力が当該小開口を有する基礎梁の設計用せん断力を上回ることを確認する．
3．基礎スラブの曲げモーメントおよびせん断力に対する断面算定は，次の(1)から(3)による．
　(1) 基礎スラブの設計用曲げモーメントが，許容曲げモーメント以下となることを確認する．
　(2) 基礎スラブの設計用せん断力が，許容せん断力以下となることを確認する．
　(3) 長期荷重時に基礎スラブに曲げひび割れやせん断ひび割れが生じないこと，および短期荷重時に基礎スラブにせん断ひび割れが生じないことを確認する．
4．パイルキャップの曲げモーメントおよびせん断力ならびにパンチングに対する断面算定は，次の(1)から(3)による．
　(1) パイルキャップの設計用曲げモーメントが，許容曲げモーメント以下となることを確認する．
　(2) パイルキャップの設計用せん断力が，許容せん断力以下となることを確認する．
　(3) 長期荷重時にパイルキャップに曲げひび割れやせん断ひび割れが生じないこと，および短期荷重時にパイルキャップにせん断ひび割れが生じないことを確認する．
5．杭の軸方向力および曲げモーメントならびにせん断力に対する断面算定は，次の(1)から(4)による．
　(1) 杭に作用する設計用軸方向力が，杭体の許容軸方向力ならびに地盤から定まる許容鉛直支持力および許容引抜き抵抗力以下となることを確認する．
　(2) 杭の設計用曲げモーメントが，許容曲げモーメント以下となることを確認する．なお，杭頭条件は，原則として固定とする．
　(3) 杭の設計用せん断力が，許容せん断力以下となることを確認する．
　(4) 長期荷重時に杭に曲げひび割れやせん断ひび割れが生じないこと，および短期荷重時に杭にせん断ひび割れが生じないことを確認する．
6．長期および短期荷重時において，基礎に浮上りが生じないことを確認する

1．基礎梁の断面算定

基礎梁の断面算定は，杭基礎にあっては杭頭の応力，直接基礎にあっては接地圧を受ける梁として，長期応力および短期応力に対して，9.5節「壁梁の曲げモーメントに対する断面算定」，および9.6節「壁梁のせん断力に対する断面算定」に準じて算定してよい．

また，布基礎やべた基礎から伝達される基礎スラブ端部曲げモーメント，および杭基礎の杭の偏心や地震時に生じる杭頭のせん断力や曲げモーメントに抵抗して発生するねじり応力に対する断面算定は，RC規準に準じて算定してよい．

2．基礎梁の小開口

基礎梁にやむを得ず小開口を設ける場合には，壁梁の場合と同様に6.4節の規定に従って設け，小開口周囲の補強はRC規準(2024)22条に一案が示されているので，参考にされたい．

3．基礎スラブの断面算定

基礎スラブに対して，長期荷重時においては使用性を確保し，標準せん断力係数 $C_0 \geq 0.2$ の短期荷重時においては，損傷制御性を確保する．また，基礎スラブは地中に設置され，ひび割れ等の発見や補修が困難であることから，長期荷重時において，曲げひび割れやせん断ひび割れが生じないこと，および短期荷重時に基礎スラブにせん断ひび割れが生じないことを確認することとした．

（1）長期荷重時および短期荷重時における曲げモーメントに対する断面算定

壁式RC造建物の基礎スラブは，布基礎（連続フーチング基礎）またはべた基礎のいずれかとするのが一般的である．布基礎の場合は，基礎梁側面から張り出した片持スラブとして接地圧（自重および土被り荷重を除く）による曲げモーメントを算定し，壁梁に準じて断面算定を行う．べた基礎の場合は，上部構造のスラブに準じて接地圧による各部の曲げモーメントを算定し，断面設計を行う．

（2）長期荷重時および短期荷重時におけるせん断力に対する断面算定

上記と同様に，長期荷重時および短期荷重時における基礎スラブ各部の面外方向せん断力を算定し，許容せん断力が上回るようにする．設計用せん断力および許容せん断力は，壁梁に準じて算定する．

（3）長期荷重時における曲げひび割れおよびせん断ひび割れの防止ならびに短期荷重時におけるせん断ひび割れの防止

1）曲げひび割れ発生の防止

長期荷重時において基礎スラブに曲げひび割れが生じないようにするため，次式を満たすことを確認する．

$$_{DL}M_{FS} \leq 0.56\sqrt{\sigma_B} \cdot Z \tag{解 9.10.1}$$

$$M_{yFS} \geq 1.5 \times 0.56\sqrt{\sigma_B} \cdot Z \tag{解 9.10.2}$$

記号　$_{DL}M_{FS}$：基礎スラブの長期荷重時の設計用曲げモーメント（N・mm）

　　　σ_B：基礎スラブのコンクリートの圧縮強度（N/mm²）で，設計基準強度とする．

　　　Z：基礎スラブの断面係数（mm³）

　　　M_{yFS}：基礎スラブの降伏曲げモーメント（N・mm）

（解 9.10.2）式は，（解 9.10.1）式の右辺第 1 項のコンクリートの曲げひび割れ強度が平均的な数値でバラツキも大きいことから，曲げひび割れモーメントに対して降伏曲げモーメントが十分上回るよう引張鉄筋量を確保することを意図したことによる．なお，$_{DL}M_{FS} \leq 0.38\sqrt{\sigma_B} \cdot Z$〔記号は，（解 9.10.1）の記号の説明参照〕の場合は，（解 9.10.2）式の検討は不要である．

2）せん断ひび割れ発生の防止

長期荷重時において基礎スラブにせん断ひび割れが生じないようにするため，（解 9.10.3）式を満たすことを確認する．また，短期荷重時において基礎スラブにせん断ひび割れが生じないようにするため，（解 9.10.4）式または（解 9.10.5）式を満たすことを確認する．

$$_{DL}Q_{FS} \leq b \cdot j \cdot \alpha \cdot {}_Lf_s \tag{解 9.10.3}$$

$$_{DL}Q_{FS} \leq b \cdot j \cdot \alpha \cdot {}_sf_s \tag{解 9.10.4}$$

$$_{DL}Q_{FS} \leq \frac{0.065 k_c\,(49+\sigma_B)}{\frac{M}{Q \cdot d}+1.7} b \cdot j \tag{解 9.10.5}$$

記号　$_{DL}Q_{FS}$：基礎スラブの長期荷重時設計用せん断力（N）

　　　b：基礎スラブの幅（mm）

　　　j：基礎スラブの応力中心距離（mm）で，(7/8)d とする．

　　　d：基礎スラブの有効せい（mm）

　　　α：基礎スラブのせん断スパン比による割増し係数で，次式による．

$$\alpha = \frac{4}{\frac{M}{Q \cdot d}+1} \,,\, かつ，1 \leq \alpha \leq 2 \tag{解 9.10.6}$$

　　　M：最大曲げモーメント（N・mm）

　　　Q：最大せん断力（N）

　　　$_Lf_s$：コンクリートの長期許容せん断応力度（N/mm²）

　　　$_{DS}Q_{FS}$：基礎スラブの短期荷重時設計用せん断力（N）

　　　$_sf_s$：コンクリートの短期許容せん断応力度（N/mm²）

　　　k_c：断面寸法による補正係数で，RC 規準[9.10.1]による．

　　　σ_B：基礎スラブのコンクリートの圧縮強度（N/mm²）で，設計基準強度とする．

4．パイルキャップの断面算定

パイルキャップに対しても，長期荷重時においては使用性を確保し，標準せん断力係数 $C_0 \geq 0.2$ の短期荷重時においては，損傷制御性を確保する．また，パイルキャップは地中に設置されひび割れ等の発見や補修が困難であることから，長期荷重時において，曲げひび割れやせん断ひび割れが生じないこと，短期荷重時においてせん断ひび割れが生じないことを確認することとした．

壁式 RC 造建物の基礎形式を杭基礎とする場合，杭を支持するパイルキャップは，耐力壁・基礎梁接合部下に設置するのが一般的である．この場合，地震力の作用方向により杭頭曲げモーメントにより基礎梁に偏心モーメントによるねじり応力が生じるので，基礎梁は杭頭曲げモーメントとねじり応力を負担する必要がある．

パイルキャップは，杭頭に生じる軸方向力，曲げモーメントならびにせん断力を基礎梁に伝達す

る必要があることから，これらの応力に対して所要の構造性能を確保できるよう断面設計を行うこととする．

(1) パイルキャップの曲げモーメントに対する断面算定
(i) 杭頭応力によるパイルキャップの曲げモーメントに対する断面算定

杭が耐力壁・基礎梁接合部下に配置される場合（解説図 9.10.1 (a)）は，パイルキャップには杭の軸方向力による曲げモーメントやせん断力は生じないが，杭が耐力壁・基礎梁接合部より張り出した位置に配置される場合（解説図 9.10.1 (b)）は，パイルキャップには杭の軸方向力により曲げモーメントおよびせん断力が生じる．また，水平荷重時には，杭頭曲げモーメントによりパイルキャップには曲げモーメントやねじりモーメントも生じる．

杭の配置が解説図 9.10.1 (b) の場合は，杭の軸方向力によりパイルキャップに生じる長期および短期荷重時設計用曲げモーメントに対して，壁梁に準じて算定される長期および短期許容曲げモーメントが上回ることを確認する．また，(解 9.10.1) 式に準じてパイルキャップの曲げひび割れモーメントを算定し，長期荷重時設計用曲げモーメントを上回ることを確認する．また，水平荷重時における杭頭曲げモーメントにより生じる曲げモーメントやねじりモーメントに対する断面算定も行う必要がある．

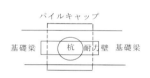 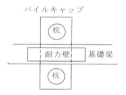

(a) 耐力壁・基礎梁接合部下に杭を配置した例　(b) 耐力壁・基礎梁接合部より杭を張り出して配置した例

解説図 9.10.1 耐力壁・基礎梁接合部と杭配置例

(ii) パイルキャップ埋込み部の長期荷重時曲げモーメントに対する断面算定

既製杭の杭頭において，定着筋をパイルキャップ内に定着する接合方法（以下，接合法 A という）および杭頭部をパイルキャップに埋め込む接合方法（以下，接合方法 B という）の 2 種類がある．パイルキャップ埋込み部の曲げモーメントに対する断面算定は，パイルキャップ埋込み部の許容曲げモーメントが設計用曲げモーメントを上回ることを確認することにより行う．

既製杭の杭頭接合方法 B の場合のパイルキャップ埋込み部の許容曲げモーメントは下記による．

(a) パイルキャップへの埋込み部前・後面のコンクリートの支圧による長期許容曲げモーメントは，文献 9.10.2) に記載の損傷限界曲げモーメントを短期許容曲げモーメントに置き換え文献 9.10.2) 式中の $_sf_c$ をパイルキャップコンクリートの長期許容圧縮応力度 $_Lf_c$ に置き換えた次式より算定してよい．

$$_{AL}M_{ph} = {_Lf_c} \cdot \frac{D \cdot h^2 \cdot L}{6L + 4h} \qquad (解 9.10.7)$$

記号　$_{AL}M_{ph}$：接合法 B による場合のパイルキャップへの埋込み部前・後面のコンクリートの支圧による長期許容曲げモーメント（N・mm）

$_{L}f_c$：パイルキャップのコンクリートの長期許容圧縮応力度（N/mm²）

D：杭外径（mm）

h：杭のパイルキャップへの埋込み長さ（mm）

L：杭頭の曲げモーメント M とせん断力 Q の比（$=M/Q$）

（b）やむを得ず杭を耐力壁・基礎梁接合部の基礎梁側面より張り出して配置する場合（解説図 9.10.2）のパイルキャップの埋込み部の長期許容曲げモーメントは，上記（a）によるほか，短期許容曲げモーメント算定式[9.10.2)]中の $_sf_t$ を $_Lf_t$（$_Lf_t$：引張鉄筋の長期許容引張応力度）に置き換えた次式にて算定してもよい．

$$_{AL}M_{PC} = \beta_b \cdot a_t \cdot {_L}f_t \cdot j \qquad (解 9.10.8)$$

記号　$_{AL}M_{PC}$：パイルキャップ埋込み部の鉛直方向長期許容曲げモーメント（N・mm）

β_b：パイルキャップの形状による低減係数で，次式による．

・$d/l_p < 2.0$ の場合：$\beta_b = 1.0$

・$2.0 \leq d/l_p$ の場合：$\beta_b = -0.12 d/l_p + 1.24$（$\beta_b \leq l_p/a$ の場合は $\beta_b = l_p/a$）

d：基礎梁の有効せい（mm）

l_p：基礎梁側面から杭心までの距離（mm）（解説図 9.10.2）

a：基礎梁材軸中心から杭心までの距離（mm）（解説図 9.10.2）

a_t：パイルキャップの引張鉄筋断面積（mm²）

$_Lf_t$：同上鉄筋の短期許容引張応力度（N/mm²）

j：パイルキャップの応力中心距離（mm）で，$(7/8)d$（d：パイルキャップの有効せい）としてよい．

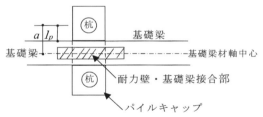

〔記号〕　l_p：基礎梁側面から杭心までの距離
　　　　　a：基礎梁材軸中心から杭心までの距離

解説図 9.10.2　耐力壁・基礎梁接合部の基礎梁側面より張り出して杭を設置する場合の各部寸法

（ⅲ）パイルキャップ埋込み部の短期荷重時曲げモーメントに対する断面算定

（a）パイルキャップへの埋込み部前・後面のコンクリートの支圧による短期許容曲げモーメントは，文献 9.10.2) に記載の損傷限界曲げモーメントを短期許容曲げモーメントとした（解 9.10.9）式より算定してよい．

$$_{AL}M_{ph} = {}_sf_c \cdot \frac{D \cdot h^2 \cdot L}{6L+4h} \tag{解 9.10.9}$$

記号 $_{AL}M_{ph}$：接合法Bによる場合のパイルキャップへの埋込み部前・後面のコンクリートの支圧による短期許容曲げモーメント（N・mm）

$_sf_c$：パイルキャップのコンクリートの短期許容圧縮応力度（N/mm²）

D：杭外径（mm）

h：杭のパイルキャップへの埋込み長さ（mm）

L：杭頭の曲げモーメント M とせん断力 Q の比（$=M/Q$）

(b) やむを得ず杭を耐力壁・基礎梁接合部の基礎梁側面より張り出して配置する場合（解説図9.10.2）のパイルキャップ埋込み部の短期許容曲げモーメントは，上記（a）によるほか，次式にて算定してもよい．

$$_{AS}M_{PC} = \beta_b \cdot a_t \cdot {}_sf_t \cdot j \tag{解 9.10.10}$$

記号 $_{AS}M_{PC}$：パイルキャップ埋込み部の鉛直方向短期許容曲げモーメント（N・mm）

β_b, j：（解9.10.8）式の記号の説明による．

a_t：パイルキャップの引張鉄筋断面積（mm²）

$_sf_t$：同上鉄筋の短期許容引張応力度（N/mm²）

(2) パイルキャップのせん断力に対する断算定

(ⅰ) 杭頭応力によるパイルキャップのせん断力に対する断面算定

(1)(ⅰ)と同様に，杭が耐力壁・基礎梁接合部より張り出した位置に配置される場合（解説図9.10.1(b)）は，パイルキャップには杭の軸方向力により曲げモーメントおよびせん断力が生じる．また，水平荷重時には，杭頭曲げモーメントによりパイルキャップには曲げモーメントやねじりモーメントも生じる．

杭の配置が解説図9.10.1(b)の場合は，杭の軸方向力によりパイルキャップに生じる長期および短期荷重時設計用せん断力に対して，壁梁に準じて算定される長期および短期許容せん断力が上回ることを確認する．短期荷重時設計用せん断力は，次式による．

$$_{DS}Q_{PC} = {}_{DL}Q_{PC} + n \cdot {}_EQ_{PC} \tag{解 9.10.11}$$

記号 $_{DS}Q_{PC}$：短期荷重時における杭頭に生じる軸方向力によるパイルキャップの設計用せん断力（kN）

$_{DL}Q_{PC}$：長期荷重時における杭頭に生じる軸方向力によるパイルキャップの設計用せん断力（kN）

n：割増し係数で，2.0以上とする．

$_EQ_{PC}$：標準せん断力係数時に杭頭に生じる軸方向力によるパイルキャップのせん断力（kN）

(ⅱ) パイルキャップ埋込み部のせん断力に対する断面算定

パイルキャップ埋込み部のせん断力に対する断面算定は，埋込み部の生じる設計用せん断力に対して埋込み部の許容せん断力が上回ることを確認することにより行う．以下に，パイルキャッ

プ埋込み部の許容せん断力算定式を示す.

(a) 接合法Aによる場合のパイルキャップへの埋込み部の短期許容せん断力は，文献9.10.2)に記載の次式による．長期許容せん断力は，(解9.10.11)式中の係数 (2/3) を (1/3) に置き換えて算定してよい.

$$_sQ_{hi} = (2/3)_c\sigma_t \cdot A_{qc1} \tag{解9.10.12}$$

記号　$_sQ_{hi}$：接合法Aにおけるパイルキャップへの埋込み部前面のコンクリートの短期許容せん断力 (N)

$_c\sigma_t$：パイルキャップのコンクリートの引張強度 (N/mm^2) で，次式による.

$$_c\sigma_t = 0.313\sqrt{F_c} \tag{解9.10.13}$$

F_c：パイルキャップのコンクリートの設計基準強度 (N/mm^2)

A_{qc1}：水平力作用方向の杭前面のパイルキャップのコーン状破壊面の有効鉛直投影面積 (mm^2) で，次式による.

$$A_{qc1} = \frac{1}{2}\pi\left(c+\frac{D}{2}\right)\cdot c + 2c\cdot h \tag{解9.10.14}$$

c：杭表面とパイルキャップ側面までの距離 (mm) (解説図9.10.3)

D：杭外径 (mm)

h：杭のパイルキャップへの埋込み長さ (mm) (解説図9.10.3)

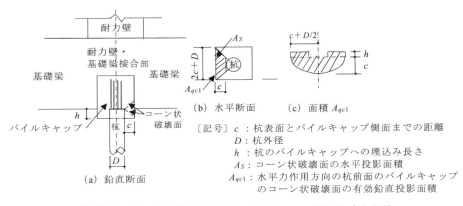

解説図9.10.3 接合法Aの場合のパイルキャップ断面と各部記号

(b) 接合法Bによる場合のパイルキャップへの埋込み部の短期許容せん断力は，文献9.10.2)に記載の次式による．長期許容せん断力は，(解9.10.14)式中の係数 (2/3) を (1/3) に置き置えて算定してよい.

$$_sQ_{ph} = (2/3)_c\sigma_s \cdot A_s \tag{解9.10.15}$$

記号　$_sQ_{ph}$：接合法Bにおけるパイルキャップへの埋込み部の短期許容せん断力 (N)

$_c\sigma_s$：パイルキャップのコンクリートの直接せん断強度 (N/mm^2) で，次式による.

$$_c\sigma_s = 0.335\sqrt{F_c} \tag{解9.10.16}$$

F_c：パイルキャップのコンクリートの設計基準強度 (N/mm^2)

A_s：水平力作用方向の杭前面のパイルキャップのせん断破壊面の水平投影面積（mm²）で，次式による．

$$A_s = c \cdot (c+D)，ただし c/D \leq 1.0 \qquad (解9.10.17)$$

c, D：(解9.10.13) 式の記号の説明による．

(c) パイルキャップの鉛直方向許容せん断力は，次式による．

$$_{AL}Q_{cp} = b_e \cdot j \cdot {_Lf_s} \qquad (解9.10.18)$$

$$_{AL}Q_{cp} = b_e \cdot j \cdot {_sf_s} \qquad (解9.10.19)$$

記号　$_{AL}Q_{cp}$：パイルキャップの鉛直方向長期許容せん断力（N）

b_e：パイルキャップの許容せん断力算定用有効幅（mm）で，次式による．

$$b_e = \min(D+2c, H_e) \qquad (解9.10.20)$$

H_e：杭天端よりパイルキャップ天端までの距離（mm）

D：杭外径（mm）

c：杭表面とパイルキャップ側面までの距離（mm）で，$0.75D$ を超える場合は $0.75D$ とする．

j：パイルキャップの応力中心距離（mm）で，$(7/8)d$ としてよい．

d：パイルキャップの有効せい（mm）

$_Lf_s$：パイルキャップのコンクリートの長期許容せん断応力度（N/mm²）

$_{AS}Q_{cp}$：パイルキャップの鉛直方向短期許容せん断力（N）

$_sf_s$：パイルキャップのコンクリートの短期許容せん断応力度（N/mm²）

(3) 長期荷重時および短期荷重時における曲げひび割れおよびせん断ひび割れの防止

長期荷重時および短期荷重時にけるパイルキャップの曲げひび割れおよびせん断ひび割れ防止の検討は，前記(2)(c)に記載のように，パイルキャップの鉛直方向の長期および短期許容せん断力を鉄筋を無視して算定していることから，省略してよい．

5．杭の断面算定

(1) 杭に生じる軸方向力に対する検討

長期荷重時および短期荷重時に杭に生じる軸方向力および引抜き力が，次式を満たすことを確認する．

$$_DN_P \leq {_AR_{PG}} \qquad (解9.10.21)$$

$$_DN_P \leq {_AN_P} \qquad (解9.10.22)$$

$$_DT_P \leq {_AT_{PG}} \qquad (解9.10.23)$$

$$_DT_P \leq {_AT_P} \qquad (解9.10.24)$$

記号　$_DN_P$：長期荷重時および短期荷重時に杭に生じる軸方向力（kN）

$_AR_{PG}$：地盤より定まる杭の長期および短期許容支持力（kN）で，平13国交告第1113号第5第1号によるほか，「建築基礎構造設計指針」[9.10.3] による．

$_AN_P$：杭体の長期および短期許容軸方向力（kN）で，次式による．

$$_AN_P = f_c \cdot A_p \times 10^{-3} \qquad (解9.10.25)$$

f_c：杭に用いるコンクリートの長期および短期許容圧縮応力度（N/mm²）で，平13国交告第1113号第8による．

A_p：杭体コンクリートの断面積（mm²）

$_DT_P$：長期荷重時および短期荷重時に杭に生じる引抜き力（kN）

$_AT_{PG}$：地盤より定まる長期および短期許容引抜き抵抗力（kN）で，平13国交告第1113号第5第3号によるほか，「建築基礎構造設計指針」[9.10.3]による．

$_AT_P$：杭頭接合部および杭体接合部の長期および短期許容引張力（kN）で，関連規準・指針類による．

（2）　杭体の曲げモーメントに対する断面算定

長期荷重時および短期期荷重時における杭体の設計用曲げモーメントに対して，長期および短期許容曲げモーメントが上回ることを確認する．杭体の長期および短期許容曲げモーメントは，「鉄筋コンクリート基礎構造部材の耐震設計指針（案）・同解説」[9.10.4]等による．

（3）　杭体のせん断力に対する断面算定

長期荷重時および短期期荷重時における杭体の設計用せん断力に対して，長期および短期許容せん断力が上回ることを確認する．杭体の長期および短期許容せん断力は，「鉄筋コンクリート基礎構造部材の耐震設計指針（案）・同解説」[9.10.4]等による．

なお，杭体の短期荷重時設計用せん断力は，次式による．

$$_{DS}Q_P = {_{DL}Q_P} + n \cdot {_{DE}Q_P} \tag{解9.10.26}$$

記号　$_{DS}Q_P$：杭体の短期荷重時設計用せん断力（kN）

　　　　$_{DL}Q_P$：杭体の長期荷重時設計用せん断力（kN）

　　　　n：割増し係数で，2以上とする．

　　　　$_{DE}Q_P$：標準せん断力係数 $C_0 \geqq 0.2$ 時に杭体に生じるせん断力（kN）

（4）　長期荷重時における曲げひび割れの防止および短期荷重時におけるせん断ひび割れの防止

長期荷重時において杭体に曲げひび割れが生じないこと，および短期荷重時において杭体にせん断ひび割れが生じないことを確認する．

杭体の曲げひび割れモーメントおよびせん断ひび割れ力は，「鉄筋コンクリート基礎構造部材の耐震設計指針（案）・同解説」[9.10.4]等による．

6．基礎浮上り防止の検討

長期荷重時に片側土圧等を受ける場合は，基礎に浮上りが生じないことの確認を行う．地震時における基礎の局部的な浮上り防止に対する検討する場合は，直交方向の架構も考慮してよいが，考慮にあたっては基礎スラブおよび基礎梁の検討も合わせて行う必要がある．

また，短期荷重時において，建物の引張側外縁の基礎に浮上りを生じても，他の基礎下の接地圧が地盤の短期許容支持力度（杭の場合には短期許容支持力）以下であれば，特に設計上問題となることはない．しかしながら，耐力壁の引張側外縁の基礎に浮上りが生じた後の耐力壁の強度上の余力が少ないという問題があることから，標準せん断力係数 $C_0 = 0.2$ 時において基礎に浮上りが生じないことの確認を行うこととする．なお，杭基礎の場合には，杭の短期許容引抜き抵抗力を超え

ないことを確認する．

[参 考 文 献]

9.10.1) 日本建築学会：鉄筋コンクリート構造計算規準・同解説，pp.167〜170，2024.12
9.10.2) 日本建築学会：鉄筋コンクリート基礎構造部材の耐震設計指針（案）・同解説，2017.3
9.10.3) 日本建築学会：建築基礎構造設計指針，pp.194〜233，pp.243〜255，2019.11
9.10.4) 日本建築学会：鉄筋コンクリート基礎構造部材の耐震設計指針（案）・同解説，pp.152〜232，2017.3

9.11 その他の部材の断面算定

1．小梁の曲げモーメントおよびせん断力に対する断面算定は壁梁に準じるとともに，小梁の断面および配筋は，下記（1）から（4）によるほか，RC規準による．なお，長期荷重時に正負最大曲げモーメントを受ける部分の引張鉄筋断面積は，$0.004b \cdot d$（b：小梁の幅，d：小梁の有効せい）または存在応力によって必要とされる引張鉄筋量の4/3倍のうち，小さい方の数値以上とする．
 （1） 長期荷重時において，耐久上および使用上支障となる曲げひび割れやせん断ひび割れが生じない断面とする．
 （2） 小梁の幅は単配筋にあっては150mm以上，複配筋にあっては200mm以上とする．
 （3） 小梁の端部曲げ補強筋は単配筋にあっては1-D13以上，複配筋にあっては2-D13以上とする．
 （4） あばら筋はD10以上の異形鉄筋とするとともに，あばら筋比は計算によって求まる数値以上，かつ0.2%以上とする．
2．片持梁および片持スラブ等の片持部材の断面算定は，9.5節から9.7節および9.9節によるほか，下記による．なお，長期荷重時に正負最大曲げモーメントを受ける部分の引張鉄筋断面積は，$0.004b \cdot d$（b：片持梁の幅，d：片持梁の有効せい）または存在応力によって必要とされる引張鉄筋量の4/3倍のうち，小さい方の数値以上とする．
 （1） 長期荷重時において，耐久上および使用上支障となる曲げひび割れやせん断ひび割れが生じない断面とする．
 （2） 地震時における鉛直震度を考慮した設計用曲げモーメントおよび設計用せん断力に対して，短期許容曲げモーメントおよび短期許容せん断力が上回ることを確認する．

1．小梁の断面算定および構造規定

　小梁は，直交する壁梁や耐力壁に支持されることから端部の固定度に十分留意して応力や変形を算定する必要がある．また，端部において支持部材の耐力壁や壁梁に大きな面外曲げ応力が生じるおそれがある場合は，支持部材の面外曲げモーメントやねじりに対する断面算定も必要である．さらに，端部曲げ補強筋の折曲げ定着の納まりを十分検討したうえで，断面を設定することも重要である．また，使用上および耐久上支障となるひび割れ（曲げひび割れおよびせん断ひび割れ）が生じないよう断面および使用するコンクリートの設計基準強度を設定することが肝要である．

　小梁の曲げモーメントおよびせん断力に対する断面算定は，壁梁に準じるとともに，本文に記載の最小配筋規定を満たすこととする．

2．片 持 部 材

　片持梁および片持スラブは，長期間の荷重により変形が増大することを考慮して，使用上の支障が生じないことを確認する．また，原則として鉛直震度$1.0Z$（Z：地震地域係数）以上の鉛直力に

より生じる応力に対しても断面算定を行う．

9.12 プレキャスト RC 造部材接合部の設計

1. PCaRC 造耐力壁（以下，本節においては単に耐力壁という）の鉛直接合部の設計は，次の（1）から（3）による

（1） 長期設計用せん断力が，(9.12.1) 式を満たすことを確認する．

$$_{DL}Q_V \leqq {_{AL}}Q_V \tag{9.12.1}$$

記号 $_{DL}Q_V$：耐力壁の鉛直接合部に生じる長期荷重時の設計用せん断力（N）で，(9.12.2) 式による．なお，鉛直接合部を介して軸方向力を伝達させる場合は，その軸方向力を加えるものとする．

$$_{DL}Q_V = {_L}Q_V \cdot (H/l_w) \tag{9.12.2}$$

$_LQ_V$：長期荷重時に耐力壁に生じる水平方向のせん断力（N）

H：当該階の階高（mm）

l_w：耐力壁の長さ（mm）

$_{AL}Q_V$：鉛直接合部の長期許容せん断力（N）で，(9.12.3) 式による．

$$_{AL}Q_V = \min({_{AL}}Q_{SS},\ {_{AL}}N_{CS},\ {_{AL}}Q_{SW}) \tag{9.12.3}$$

$_{AL}Q_{SS}$：シヤーコッターの長期許容せん断力（N）で，(9.12.4) 式による．

$$_{AL}Q_{SS} = B \cdot \alpha_1 \cdot {_L}f_{SS} \cdot n \tag{9.12.4}$$

B：シヤーコッター1個の鉛直断面積（mm^2）で，シヤーコッターが取り付く耐力壁の表面が傾斜している場合は，計算する方向と直交する方向へ投影した面積とする（図9.12.1）．

α_1：シヤーコッターの直接せん断を考慮した割増し係数で，2.0 とする．

$_Lf_{SS}$：シヤーコッターの長期許容せん断応力度（N/mm^2）で，充填コンクリートまたは充填モルタルの長期許容せん断応力度とする（表5.2）．

n：当該鉛直接合部のシヤーコッターの個数

$_{AL}N_{CS}$：シヤーコッターの長期局部許容圧縮力（N）で，(9.12.5) 式による．

$$_{AL}N_{CS} = A \cdot \alpha_2 \cdot {_L}f_{CS} \cdot n \tag{9.12.5}$$

A：シヤーコッター1個の水平断面積（mm^2）（図9.12.1）

α_2：充填コンクリートまたは充填モルタルの局部圧縮を考慮した割増し係数で，1.2 とする．

$_Lf_{CS}$：シヤーコッターの長期許容圧縮応力度（N/mm^2）で，充填コンクリート，充填モルタルまたは耐力壁のコンクリートの長期許容圧縮応力度のうちの最小値とする．

$_{AL}Q_{SW}$：充填コンクリートまたは充填モルタルの長期許容せん断力（N）で，(9.12.6) 式による．

$$_{AL}Q_{SW} = b_1 \cdot {_L}f_{SW} \cdot H \tag{9.12.6}$$

b_1：充填コンクリートまたは充填モルタルのせん断力に対する有効な幅（mm）（図9.12.1）

$_Lf_{SW}$：充填コンクリートまたは充填モルタルの長期許容せん断応力度（N/mm^2）で，表5.2 による．

（2） 短期設計用せん断力が，(9.12.7) 式を満たすことを確認する．

$$_{DS}Q_V \leqq {_{AS}}Q_V \tag{9.12.7}$$

記号 $_{DS}Q_V$：耐力壁の鉛直接合部の短期荷重時設計用せん断力（N）で，(9.12.8) 式による．

$$_{DS}Q_V = {_{DL}}Q_V + Q_{EV} \tag{9.12.8}$$

$_{DL}Q_V$：(9.12.1) 式の記号の説明による．

Q_{EV}：標準せん断力係数 $C_0 \geqq 0.2$ の地震力により耐力壁の鉛直接合部に生じるせん断力（N）で，(9.12.9)式による．なお，水平荷重時応力解析を平均せん断応力度法による場合は，(9.12.10) 式による．

$$Q_{EV} = Q_E \cdot (H/l_w) \cdot \Phi \tag{9.12.9}$$

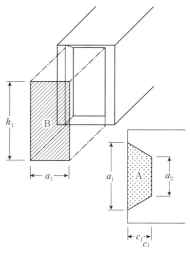
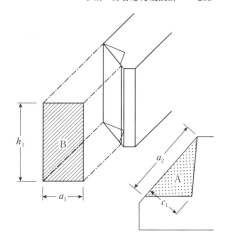

〔記号〕 A：水平断面積（$=(a_1+a_2)\cdot c_1/2$）
　　　　B：投影鉛直断面積（$=a_1\cdot h_1$）
　　　　a_1, a_2：シヤーコッターの幅
　　　　h_1：シヤーコッターの高さ
　　　　c_1：シヤーコッターの深さ

(a) 二本目地タイプ

〔記号〕 A：水平断面積（$=a_2\cdot c_1/2$）
　　　　B：投影鉛直断面積（$=a_1\cdot h_1$）
　　　　a_1, a_2：シヤーコッターの幅
　　　　h_1：シヤーコッターの高さ
　　　　c_1：シヤーコッターの深さ

(b) 一本目地タイプ

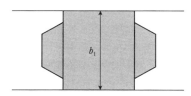
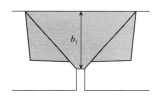

(c) 二本目地タイプ

(d) 一本目地タイプ

〔記号〕 b_1：充填コンクリートまたは充填モルタルの有効な幅

図 9.12.1 シヤーコッターの鉛直断面積と水平断面積，および充填コンクリートまたは充填モルタルの有効な幅

　Q_E：標準せん断力係数 $C_0 \geq 0.2$ の地震力により耐力壁に生じる水平方向のせん断力（N）．応力変形解析を平面骨組解析による場合は，ねじれによる負担せん断力補正後の数値とする．なお，せん断力の補正係数が1未満の場合は，1とする．
H, l_w：(9.12.2) 式の記号の説明による．
　$\varPhi$：耐力壁のせん断応力度分布における集中係数で，1.2とする．ただし，建物隅角部等の耐力壁端部の鉛直接合部では1.0としてよい．
　$\overline{\tau_{0.2}}$：建物の当該階における標準せん断力係数 $C_0 \geq 0.2$ 時における耐力壁の平均せん断応力度（N/mm²）で，(9.12.11) 式による．

$$\overline{\tau_{0.2}} = Z \cdot A_i \cdot W \cdot C_0 / \sum A_w \tag{9.12.11}$$

　Z：地震地域係数
　A_i：地震層せん断力の高さ方向の分布を表す係数
　W：地震力を算定する場合における当該階が支える部分の固定荷重と積載荷重との和（特定行政庁が指定する多雪区域においては，さらに積雪荷重を加えるものとする）（N）
　C_0：標準せん断力係数（≥ 0.2）

ΣA_w：当該階の地震力検討方向の耐力壁の水平断面積の和（mm^2）

α_s, α_j：(9.2.6) 式の記号の説明による．

t：耐力壁の厚さ（mm）

$_{AS}Q_V$：鉛直接合部の短期許容せん断力（N）で，(9.12.12) 式による．

$$_{AS}Q_V = \min(_{AS}Q_{SS},\ _{AS}N_{CS},\ _{AS}Q_{SW}) \tag{9.12.12}$$

$_{AS}Q_{SS}$：シヤーコッターの短期許容せん断力（N）で，(9.12.13) 式による．

$$_{AS}Q_{SS} = B \cdot \alpha_1 \cdot {_sf_{ss}} \cdot n \tag{9.12.13}$$

B, α_1, n：(9.12.4) 式の記号の説明による．

$_sf_{ss}$：シヤーコッターの短期許容せん断応力度（N/mm^2）で，充填コンクリートまたは充填モルタルの短期許容せん断応力度とする（表 5.2）．

$_{AS}N_{CS}$：シヤーコッターの短期局部許容圧縮力（N）で，(9.12.14) 式による．

$$_{AS}N_{CS} = A \cdot \alpha_2 \cdot {_sf_{cs}} \cdot n \tag{9.12.14}$$

A, α_2, n：(9.12.5) 式の記号の説明による．

$_sf_{cs}$：シヤーコッターの短期許容圧縮応力度（N/mm^2）で，充填コンクリート，充填モルタルまたは耐力壁のコンクリートの短期許容圧縮応力度のうちの最小値とする．

$_{AS}Q_{SW}$：充填コンクリートまたは充填モルタルの短期許容せん断力（N）で，(9.12.15) 式による．

$$_{AS}Q_{SW} = b_1 \cdot {_sf_{sw}} \cdot H \tag{9.12.15}$$

b_1：(9.12.6) 式の記号の説明による．

$_sf_{sw}$：充填コンクリートまたは充填モルタルの短期許容せん断応力度（N/mm^2）で，表 5.2 による．

H：(9.12.2) 式の記号の説明による．

（3）保有水平耐力の確認が必要とされない建物においては，標準せん断力係数 $C_0 = 0.5$ 以上の地震力に対して鉛直接合部に所要の強度を確保するため，(9.12.16) 式を満たすことを確認する．

$$_{DU}Q_V \leq {_UQ_V} \tag{9.12.16}$$

記号 $_{DU}Q_V$：鉛直接合部の終局時設計用せん断力（N）で，(9.12.17) 式による．

$$_{DU}Q_V = {_{DL}Q_V} + 2.5 Q_{EV}/\Phi \tag{9.12.17}$$

$_{DL}Q_V$：(9.12.1) 式の記号の説明による．

Q_{EV}：(9.12.9) 式または (9.12.10) 式の記号の説明による．

Φ：終局時における集中係数で，1.0 とする．

$_UQ_V$：鉛直接合部のせん断強度（N）で，(9.12.18) 式による．

$$_UQ_V = \min(_UQ_{SS},\ _UN_{CS},\ _UQ_{SW}) \tag{9.12.18}$$

$_UQ_{SS}$：シヤーコッターのせん断強度（N）で，(9.12.19) 式による．

$$_UQ_{SS} = 0.10 F_c \cdot A_{sc} + \Sigma(a_v \cdot \sigma_y) \tag{9.12.19}$$

F_c：充填コンクリートまたは充填モルタルの設計基準強度（N/mm^2）

A_{sc}：シヤーコッターの鉛直断面積の和（mm^2）

$\Sigma(a_v \cdot \sigma_y)$：$a_v$ に σ_y を乗じた数値の和（N）

a_v：シヤーコッターのコッター筋断面積（mm^2）

σ_y：コッター筋の規格降伏点（N/mm^2）

$_UN_{CS}$：シヤーコッターの局部圧縮強度（N）で，(9.12.20) 式による．

$$_UN_{CS} = A \cdot \alpha_2 \cdot F_c \cdot n \tag{9.12.20}$$

A, α_2, n：(9.12.5) 式の記号の説明による．

F_c：充填コンクリートまたは充填モルタルの設計基準強度（N/mm^2）

$_UQ_{SW}$：シヤーコッター部の充填コンクリートまたは充填モルタルのせん断強度（N）で，(9.12.21) 式による．

$$_UQ_{SW} = b_1 \cdot {_sf_{sw}} \cdot H + 1.4 \Sigma(a_v \cdot \sigma_y) \tag{9.12.21}$$

$b_1, {_sf_{sw}}, H$：(9.12.15) 式の記号の説明による．

2．耐力壁の水平接合部の設計は，次の(1)から(3)による．
  （1） 長期荷重時に水平接合部に生じる応力が，長期許容耐力以下となることを確認する．なお，長期荷重時における耐力壁の曲げモーメントが短期荷重時曲げモーメントに比して1/1.5未満の場合は，長期荷重時に対する水平接合部の設計を省略することができる．
  （2） 短期荷重時に水平接合部生じる応力が，短期許容耐力以下となることを確認する．なお，標準せん断力係数$C_0=0.5$以上の地震時における水平接合部に生じるせん断力が，当該水平接合部のせん断強度以下となることを確認する場合は，短期に対する水平接合部のせん断力に対する設計を省略することができる．
  （3） 保有水平耐力の確認が必要とされない建物においては，標準せん断力係数$C_0=0.5$以上の地震力に対して水平接合部に所要の強度を確保するため，次式を満たすことを確認する．

$$_{DU}Q_H \leqq {}_U Q_{SH} \tag{9.12.22}$$

  記号 $_{DU}Q_H$：水平接合部の終局時設計用せん断力（N）で，次式による．

$$_{DU}Q_H = 2.5\,Q_{EH} \tag{9.12.23}$$

  Q_{EH}：標準せん断力係数$C_0 \geqq 0.2$の地震力により耐力壁に生じるせん断力（N）で，水平荷重時応力解析を平均せん断応力度法による場合は，(9.2.6)式右辺第2項による．
  $_U Q_{SH}$：水平接合部のせん断強度（N）で，次式による．

$$_U Q_{SH} = 0.7\{\sum(a_h \cdot \sigma_y) + N_h\} \tag{9.12.24}$$

  $\sum(a_h \cdot \sigma_y)$：a_hにσ_yを乗じた数値の和（N）
  a_h：水平接合部の有効な接合筋の断面積（mm^2）で，鉛直接合部内の縦筋を含む．ただし，鋼板形式の接合筋のように鉛直方向に対して角度θ傾いている時は，$a_h \cdot \cos\theta$とする．
  σ_y：水平接合部の接合筋および鉛直接合部内の縦筋の規格降伏点（N/mm^2）
  N_h：耐力壁の軸方向力（N）で，圧縮を正とし引張を0とする．

3．PCa造スラブ（PCa造スラブを構成する1枚ごとのPCaRC造の床板および屋根板をいい，以下同様とする）とPCa造スラブおよびPCa造スラブと耐力壁との水平接合部（以下，PCa造スラブ等の水平接合部という）の設計は，次の(1)から(3)による．
  （1） 標準せん断力係数$C_0 \geqq 0.2$の短期荷重時における水平接合部に生じるせん断力が，当該水平接合部の短期許容せん断力以下となるように，次式を満たすことを確認する．

$$_{DS}Q_{hj} \leqq {}_{AS}Q_{hj} \tag{9.12.25}$$

  記号 $_{DS}Q_{hj}$：標準せん断力係数$C_0 \geqq 0.2$の短期荷重時におけるPCa造スラブ等の水平接合部1個あたりの設計用せん断力（N）で，(9.12.26)式による．

$$_{DS}Q_{hj} = C_i \cdot W/S_n + {}_s Q_{sn} \tag{9.12.26}$$

  C_i：標準せん断力係数$C_0 \geqq 0.2$とした時の当該階の地震層せん断力係数
  W：PCa造スラブどうしの接合部の設計においては，PCa造スラブが支える部分の固定荷重と積載荷重との和（特定行政庁が指定する多雪区域においては，さらに積雪荷重を加えるものとする）で，PCa造スラブと耐力壁，壁梁および基礎梁等の接合部の設計においては，PCa造スラブが支える固定荷重と積載荷重との和（特定行政庁が指定する多雪区域においては，さらに積雪荷重を加えるものとする）（N）
  S_n：PCa造スラブどうしの接合部の設計においては，PCa造スラブどうしが接する部分の設計用せん断力計算方向の水平接合部の個数で，PCa造スラブと耐力壁，壁梁および基礎梁等との接合部の設計においては，当該接合部の設計用せん断力計算方向の水平接合部の個数
  $_s Q_{sn}$：セットバック等がある場合で，PCa造スラブを介して伝達すべき地震力がある場合に，PCa造スラブの水平接合部1個あたりに生じるせん断力（N）で，(9.12.27)式による．

$$_s Q_{sn} = {}_s Q_{ss} \cdot (A_s/\sum A_s) \cdot (1/n) \tag{9.12.27}$$

  $_s Q_{ss}$：PCa造スラブを介して伝達すべきせん断力（N）
  A_s：せん断力を伝達させるPCa造スラブの全有効断面の内，水平接合部が存在する部分の断面積（mm^2）

$\sum A_s$：せん断力を伝達させる PCa 造スラブの全有効断面積（mm²）

n：A_s 部分に存在する水平接合部の個数

$_{AS}Q_{hj}$：水平接合部の短期許容せん断力（N）で，PCa 造床板と PCa 造床板の水平接合部は（9.12.28）式，PCa 造スラブと耐力壁，壁梁および基礎梁等との水平接合部は（9.12.29）式による．

$$_{AS}Q_{hj} = \min(_{AS}Q_{SS,s},\ _{AS}N_{CS,s},\ _{AS}Q_{SW,s}) \tag{9.12.28}$$

$$_{A}Q_{Shj} = 1.17 a_s \sqrt{F_c \cdot {_wf_t}} \tag{9.12.29}$$

$_{AS}Q_{SS,s}$：PCa 造スラブと PCa 造スラブの水平接合部のシヤーコッターの短期許容せん断力（N）で，次式による．

$$_{AS}Q_{SS,s} = B \cdot \alpha_1 \cdot {_sf_{SS}} \cdot n \tag{9.12.30}$$

B：PCa 造スラブと PCa 造スラブの水平接合部のシヤーコッター 1 個の鉛直断面のスラブ面内方向への投影面積（mm²）（図 9.12.2）

α_1：PCa 造スラブと PCa 造スラブの水平接合部のシヤーコッターの直接せん断を考慮した割増し係数で，2.0 とする．

$_sf_{SS}$：PCa 造スラブと PCa 造スラブの水平接合部のシヤーコッターの短期許容せん断応力度（N/mm²）で，表 5.2 による．

n：PCa 造スラブと PCa 造スラブの水平接合部のシヤーコッターの個数

$_{AS}N_{CS,s}$：PCa 造スラブと PCa 造スラブの水平接合部のシヤーコッターの短期局部許容圧縮力（N）で，（9.12.31）式による．

$$_{AS}N_{CS,s} = A \cdot \alpha_2 \cdot {_sf_{CS}} \cdot n \tag{9.12.31}$$

A：PCa 造スラブと PCa 造スラブの水平接合部のシヤーコッターの水平断面積（mm²）（図 9.12.2）

α_2：PCa 造スラブと PCa 造スラブの水平接合部のシヤーコッターの局部圧縮力を考慮した割増し係数で，1.2 としてよい．

$_sf_{CS}$：PCa 造スラブと PCa 造スラブの水平接合部のシヤーコッターの短期許容圧縮応力度（N/mm²）で，表 5.2 による．

$_{AS}Q_{SW,s}$：PCa 造スラブと PCa 造スラブの水平接合部のシヤーコッターの充填コンクリートまたは充填モルタル部分の短期許容せん断力（N）で，（9.12.32）式による．

$$_{AS}Q_{SW,s} = {_sf_{SW}} \cdot a \cdot b \tag{9.12.32}$$

$_sf_{SW}$：PCa 造スラブと PCa 造スラブの水平接合部のシヤーコッター部の充填コンクリートまたは充填モルタルの短期許容せん断応力度（N/mm²）で，表 5.2 による．

a：PCa 造スラブと PCa 造スラブの水平接合部のシヤーコッターの充填コンクリートまたは充填モルタルのせん断力に対する有効な幅（mm）（図 9.12.2）

b：PCa 造スラブと PCa 造スラブの水平接合部のシヤーコッターの充填コンクリートまたは充填モルタルのせん断力に対する有効な高さ（mm）（図 9.12.2）

a_s：ダウエル筋の断面積（mm²）

F_c：充填コンクリートまたは充填モルタルの設計基準強度（N/mm²）

$_wf_t$：ダウエル筋のせん断補強用短期許容引張応力度（N/mm²）で，390 N/mm² 以下とする．

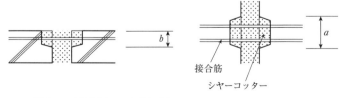

［注］a：有効な幅　b：有効な高さ

図 9.12.2 PCa 造スラブ―PCa 造スラブ接合部の形状と寸法例

(2) 保有水平耐力の確認が必要とされない建物においては，標準せん断力係数 $C_0=0.5$ 以上の地震力に対して接合部に所要の強度を確保するため，PCa造スラブ等の水平接合部は，次式を満たすことを確認する．

$$_{DU}Q_{hi} \leq {_U}Q_{hi} \tag{9.12.33}$$

記号　$_{DU}Q_{hi}$：PCa造スラブ等の水平接合部1個あたりの終局設計用せん断力 (N) で，(9.12.34) 式による．

$$_{DU}Q_{hi} = k \cdot W/S_n + {_U}Q_{sn} \tag{9.12.34}$$

k：局部水平震度 (≧1.0) で，標準せん断力係数 $C_0 \geq 0.5$ とした時の当該階の地震層せん断力係数 C_i が1.0を上回る場合は，k は C_i と読み替える．

W, S_n：(9.12.26) 式の記号の説明による．

$_U Q_{sn}$：セットバック等がある場合で，PCa造スラブを介して伝達すべき地震力がある時に，PCa造スラブの水平接合部1個あたりに生じるせん断力 (N) で，(9.12.27) 式の $_sQ_{ss}$ に2.5以上の数値を乗じた数値とする．

$_U Q_{hi}$：PCa造スラブ等の水平接合部のせん断強度 (N) で，(9.12.35) 式による．

$$_U Q_{hi} = 1.65 a_s \cdot \sqrt{F_c \cdot \sigma_y} \tag{9.12.35}$$

a_s, F_c：(9.12.29) 式の記号の説明による．

σ_y：ダウエル筋の規格降伏点 (N/mm^2) で，390 N/mm^2 以下とする．

(3) のみ込み部の設計

PCa造スラブののみ込み部に生じる局部圧縮応力度が，次式を満たすことを確認する．

$$_L \sigma_{pc} \leq \sigma_t / \sqrt{2} \tag{9.12.36}$$
$$_U \sigma_{pc} \leq \tau_u / \sqrt{2} \tag{9.12.37}$$

記号　$_L \sigma_{pc}$：PCa造スラブののみ込み部に生じる長期荷重時局部圧縮応力度 (N/mm^2) で，次式による．

$$_L \sigma_{pc} = {_{wL}} \cdot A/(a \cdot l_b) \tag{9.12.38}$$

w_L：PCa造スラブの長期荷重時単位面積あたりの鉛直荷重 (N/mm^2)

A：PCa造スラブののみ込み部の局部圧縮応力度を検討するPCa造スラブの面積 (mm^2)

a：PCa造スラブののみ込み長さ (mm)

l_b：PCa造スラブののみ込み部の局部圧縮応力度を検討するPCa造スラブののみ込み部の全長さ (mm)

σ_t：PCa造スラブののみ込み部を支持するコンクリートの引張強度 (N/mm^2) で，次式による．

$$\sigma_t = 0.313\sqrt{F_c} \tag{9.12.39}$$

F_c：PCa造スラブののみ込み部を支持するコンクリートの設計基準強度 (N/mm^2)

$_U \sigma_{pc}$：PCa造スラブののみ込み部に生じる設計用鉛直震度 $k_v \geq 1.0$ 時の局部圧縮応力度 (N/mm^2) で，次式による．

$$_U \sigma_{pc} = (1.0 + k_v) \cdot w_s \cdot A/(a \cdot l_b) \tag{9.12.40}$$

w_s：PCa造スラブの設計用鉛直震度 $k_v \geq 1.0$ 時の単位面積あたりの鉛直荷重 (N/mm^2)

τ_u：PCa造スラブののみ込み部を支持するコンクリートの直接せん断強度 (N/mm^2) で，次式による．

$$\tau_u = 1.06 \sigma_t \tag{9.12.41}$$

4．PCa造壁梁の鉛直接合部の設計は，次の(1)から(3)による．

(1) PCaRC造壁梁の鉛直接合部の長期設計用せん断力が，次式を満たすことを確認する．

$$_{DL}Q_V \leq {_{AL}}Q_V \tag{9.12.42}$$

記号　$_{DL}Q_V$：PCaRC造壁梁の鉛直接合部に生じる長期荷重時の設計用せん断力 (N) で，鉛直接合部に生じる長期荷重時のせん断力とする．

$_{AL}Q_V$：PCaRC造壁梁の鉛直接合部の長期許容せん断力 (N) で，(9.12.43) 式による．

$$_{AL}Q_V = \min(_{AL}Q_{SS},\ _{AL}N_{CS}) \tag{9.12.43}$$

$_{AL}Q_{SS}$：PCaRC 造壁梁の鉛直接合部のシヤーコッターの長期許容せん断力（N）で，(9.12.44)式による．

$$_{AL}Q_{SS} = B \cdot \alpha_1 \cdot {}_Lf_{SS} \cdot n \tag{9.12.44}$$

B：PCaRC 造壁梁の鉛直接合部のシヤーコッター 1 個の鉛直断面積の計算する方向と直交する方向への投影面積（mm^2）

α_1：PCaRC 造壁梁の鉛直接合部のシヤーコッターの直接せん断を考慮した割増し係数で，2.0 とする．

$_Lf_{SS}$：PCaRC 造壁梁の鉛直接合部のシヤーコッター部の充填コンクリートまたは充填モルタルの長期許容せん断応力度（N/mm^2）で，表 5.2 による．

n：当該 PCaRC 造壁梁の鉛直接合部のシヤーコッターの個数

$_{AL}N_{CS}$：PCaRC 造壁梁の鉛直接合部のシヤーコッターの長期局部許容圧縮力（N）で，(9.12.45)式による．

$$_{AL}N_{CS} = A \cdot \alpha_2 \cdot {}_Lf_{CS} \cdot n \tag{9.12.45}$$

A：PCaRC 造壁梁の鉛直接合部のシヤーコッター 1 個の水平断面積（mm^2）

α_2：PCaRC 造壁梁の鉛直接合部の充填コンクリートまたは充填モルタルの局部圧縮を考慮した割増し係数で，1.2 とする．

$_Lf_{CS}$：PCa 造 RC 壁梁の鉛直接合部のシヤーコッターの長期許容圧縮応力度（N/mm^2）で，表 5.2 による．

(2) PCaRC 造壁梁の鉛直接合部の短期設計用せん断力が，次式を満たすことを確認する．

$$_{DS}Q_V \leq {}_{AS}Q_V \tag{9.12.46}$$

記号　$_{DS}Q_V$：PCaRC 造壁梁の鉛直接合部に生じる短期荷重時の設計用せん断力（N）で，(9.12.47)式による．

$$_{DS}Q_V = {}_{DL}Q_V + n \cdot Q_{EV} \tag{9.12.47}$$

$_{DL}Q_V$：PCaRC 造壁梁の鉛直接合部に生じる長期荷重時の設計用せん断力（N）で，鉛直接合部に生じる長期荷重時のせん断力とする．

n：せん断力の割増し係数で，2.0 以上とする．

Q_{EV}：標準せん断力係数 $C_0 \geq 0.2$ の地震力により PCaRC 造壁梁の鉛直接合部に生じるせん断力（N）で，鉛直接合部の位置，形状に基づき適切に算定する．

$_{AS}Q_V$：PCaRC 造壁梁の鉛直接合部の短期許容せん断力（N）で，(9.12.48)式または (9.12.49) 式のいずれかによる．

$$_{AS}Q_V = \min(_{AS}Q_{SS},\ _{AS}N_{CS}) \tag{9.12.48}$$
$$_{AS}Q_V = \min(_{AS}Q_{V1},\ _{AS}N_{V2}) \tag{9.12.49}$$

$_{AS}Q_{SS}$：PCaRC 造壁梁の鉛直接合部のシヤーコッターの短期許容せん断力（N）で，(9.12.50)式による．

$$_{AS}Q_{SS} = B \cdot \alpha_1 \cdot {}_sf_{SS} \cdot n \tag{9.12.50}$$

$B,\ \alpha_1,\ n$：(9.12.42) 式の記号の説明による．

$_sf_{SS}$：PCaRC 造壁梁の鉛直接合部のシヤーコッター部の充填コンクリートまたは充填モルタルの短期許容せん断応力度（N/mm^2）で，表 5.2 による．

$_{AS}N_{CS}$：PCaRC 造壁梁の鉛直接合部のシヤーコッターの短期局部許容圧縮力（N）で，(9.12.51)式による．

$$_{AS}N_{CS} = A \cdot \alpha_2 \cdot {}_sf_{CS} \cdot n \tag{9.12.51}$$

$A,\ \alpha_2,\ n$：(9.12.45) 式の記号の説明による．

$_sf_{CS}$：PCaRC 造壁梁の鉛直接合部のシヤーコッターの短期許容圧縮応力度（N/mm^2）で，シヤーコッター部の充填コンクリートまたは充填モルタルと壁梁等のコンクリートの短期許容圧縮応力度のうちの最小値とする．

$_AQ_{SV1}$：PCaRC 造壁梁の鉛直接合部に作用する短期荷重時における曲げ圧縮応力に基づく短期

許容せん断力（N）で，(9.12.52) 式による．
$$_{AS}Q_{V1} = \mu \cdot C \tag{9.12.52}$$

μ：接触面圧縮応力伝達の摩擦係数で，実験にて確認する場合を除き，0.6 とする．

C：PCaRC 造壁梁の鉛直接合部に作用する短期荷重時における曲げ圧縮合力（N）で，(9.12.53) 式により算定する．
$$C = M_s / j \tag{9.12.53}$$

M_s：PCaRC 造壁梁の鉛直接合部における短期荷重時曲げモーメント（N・mm）

j：PCaRC 造壁梁の応力中心距離（mm）で，$(7/8)d$ としてよい．

d：PCaRC 造壁梁の有効せい（mm）

$_{AS}Q_{V2}$：PCaRC 造壁梁の鉛直接合面を横切る鉄筋とコンクリートの支圧強度による短期許容せん断伝達力（N）で，(9.12.54) 式による
$$_{AS}Q_{V2} = 1.17 a_s \cdot \sqrt{F_c \cdot {_wf_t}} \tag{9.12.54}$$

a_s：PCaRC 造壁梁の鉛直接合面を横切る圧縮側主筋と接合筋の全断面積（mm²）

F_c：PCaRC 造壁梁の鉛直接合部の充填コンクリートまたは充填モルタルの設計基準強度（N/mm²）

$_wf_t$：PCaRC 造壁梁の鉛直接合面を横切る圧縮側主筋と接合筋のせん断補強用短期許容引張応力度（N/mm²）

（3）保有水平耐力の確認が必要とされない建物においては，標準せん断力係数 $C_0 = 0.5$ 以上の地震力に対して鉛直接合部に所要の強度を確保するため，PCaRC 造壁梁の鉛直接合部は，次式を満たすことを確認する．
$$_{DU}Q_V \leqq {_UQ_V} \tag{9.12.55}$$

記号 $_{DU}Q_V$：PCa 造壁梁の鉛直接合部の終局設計用せん断力（N）で，次式による．
$$_{DU}Q_V = {_{DL}Q_V} + 2.5 Q_{EV} \tag{9.12.56}$$

$_{LV}Q_V$：(9.12.47) 式の記号の説明による．

Q_{EV}：標準せん断力係数 $C_0 = 0.2$ 以上の地震力により PCaRC 造壁梁の鉛直接合部に生じるせん断力（N）で，鉛直接合部の位置，形状に基づき算定する．

$_UQ_V$：PCaRC 造壁梁の鉛直接合部のせん断強度（N）で，(9.12.57) 式から (9.12.59) 式のいずれかの式により算定する．
$$_UQ_V = \min({_UQ_{SS}}, {_UN_{CS}}) \tag{9.12.57}$$
$$_UQ_V = \mu \cdot C \tag{9.12.58}$$
$$_UQ_V = 1.65 a_s \cdot \sqrt{F_c \cdot \sigma_y} \tag{9.12.59}$$

$_UQ_{SS}$：PCaRC 造壁梁の鉛直接合部のシヤーコッターのせん断強度（N）で，(9.12.60) 式による．
$$_UQ_{SS} = 0.10 F_c \cdot A_{sc} + \sum(a_v \cdot \sigma_y) \tag{9.12.60}$$

F_c：PCaRC 造壁梁の鉛直接合部の充填コンクリートまたは充填モルタルの設計基準強度（N/mm²）

A_{sc}：PCaRC 造壁梁の鉛直接合部のシヤーコッターの鉛直断面積の和（mm²）

$\sum(a_v \cdot \sigma_y)$：a_v に σ_y を乗じた数値の和（N）

a_v：PCaRC 造壁梁の端部曲げ補強筋および鉛直接合部のコッター筋の断面積（mm²）

σ_y：同上鉄筋の規格降伏点（N/mm²）

$_UN_{CS}$：PCaRC 造壁梁の鉛直接合部のシヤーコッターの局部圧縮強度（N）で，次式による．
$$_UN_{CS} = A \cdot \alpha_2 \cdot F_c \cdot n \tag{9.12.61}$$

A，α_2，n：(9.12.45) 式の記号の説明による．

F_c：PCaRC 造壁梁の鉛直接合部のシヤーコッター部の充填コンクリートまたは充填モルタルと PCaRC 造壁梁のコンクリートの設計基準強度（N/mm²）のうちの最小値とする．

μ：(9.12.52) 式の記号の説明による．

C：PCaRC 造壁梁の鉛直接合部に作用する終局時曲げ圧縮合力（N）で，(9.12.62) 式によ

り算定する．
$$C = M_U/(0.9d) \tag{9.12.62}$$

M_U：終局時の PCaRC 造壁梁の鉛直接合部位置での曲げモーメント（N・mm）
d：PCaRC 造壁梁の有効せい（mm）
a_s：圧縮側主筋と接合筋の全断面積（mm^2）
a_y：同上鉄筋の規格降伏点（N/mm^2）

5．PCaRC 造壁梁の天端を現場打ちコンクリートとする場合の水平接合部の設計は，次の(1)から(3)による．

（1） 長期荷重時に現場打ち RC 造部分と PCaRC 造壁梁との水平接合部に生じるせん断応力度が，コンクリートの長期許容せん断応力度以下となるよう次式を満たすことを確認する．

$$\tau_L = \sum a_t \cdot {}_L\sigma_t / (b \cdot \sum l_1) \leq {}_Lf_s \tag{9.12.63}$$

記号　τ_L：長期荷重時に現場打ち RC 造部分と PCaRC 造壁梁との水平接合部に生じるせん断応力度（N/mm^2）
　　　$\sum a_t$：PCaRC 造壁梁の上端端部曲げ補強筋の断面積の和（mm^2）
　　　${}_L\sigma_t$：長期荷重時に PCaRC 造壁梁の上端端部曲げ補強筋に生じる引張応力度（N/mm^2）
　　　b：PCaRC 造壁梁の幅（mm）
　　　$\sum l_1$：長期荷重時において上端端部曲げ補強筋に引張応力度が生じている区間長さ（mm）
　　　${}_Lf_s$：PCaRC 造壁梁の現場打ち RC 造部分のコンクリートの長期許容せん断応力度（N/mm^2）と PCaRC 造壁梁のコンクリートの長期許容せん断応力度のうちの小さい方の数値．

（2） 短期荷重時に現場打ち RC 造部分と PCaRC 造壁梁との水平接合部に生じるせん断応力度が，コンクリートの短期許容せん断応力度以下となるよう次式を満たすことを確認する．

$$\tau_S = \sum a_t \cdot {}_S\sigma_t / (b \cdot \sum l_2) \leq {}_Sf_s \tag{9.12.64}$$

記号　τ_S：短期荷重時に現場打ち RC 造部分と PCaRC 造壁梁との水平接合部に生じるせん断応力度（N/mm^2）
　　　${}_S\sigma_t$：短期荷重時に PCaRC 造壁梁の上端端部曲げ補強筋に生じる引張応力度（N/mm^2）
　　　$\sum l_2$：短期荷重時において上端端部曲げ補強筋に引張応力度が生じている区間長さ（mm）
　　　$\sum a_t, b$：(9.12.63) 式の記号の説明による．
　　　${}_Sf_s$：PCaRC 造壁梁の現場打ち RC 造部分のコンクリートの短期許容せん断応力（N/mm^2）と PCaRC 造壁梁のコンクリートの短期許容せん断応力度のうちの小さい方の数値．

（3） 保有水平耐力の確認が必要とされない建物においては，次式を満たすことを確認する．

$$\tau_U = \sum a_t \cdot \sigma_y / (b \cdot \sum l_3) \leq \tau_{SU} \tag{9.12.65}$$

記号　τ_U：終局時に現場打ち RC 造部分と PCaRC 造壁梁との水平接合部に生じるせん断応力度（N/mm^2）
　　　$\sum a_t, b$：(9.12.63) 式の記号の説明による．
　　　σ_y：PCaRC 造壁梁の上端端部曲げ補強筋の材料強度（N/mm^2）
　　　$\sum l_3$：終局時において上端端部曲げ補強筋に引張応力度が生じている区間長さ（mm）
　　　τ_{SU}：現場打ち RC 造部分と PCaRC 造壁梁との水平接合部のせん断強度（N/mm^2）で，次式による．

$$\tau_{SU} = \mu_s \cdot p_w \cdot \sigma_{wy}, \quad かつ，\quad \tau_{SU} \leq 0.7 \times (0.7 - F_c/200) \cdot (F_c/2) \tag{9.12.66}$$

　　　μ_s：現場打ち RC 造部分と PCaRC 造壁梁との水平接合部の摩擦係数で，現場打ちコンクリートを打設する PCaRC 造壁梁との水平接合部の摩擦係数で，現場打ちコンクリートを打設する PCaRC 造壁梁との水平接合面のレイタンスを除去する場合 0.6，水平接合面のレイタンスを除去し，かつ 5 mm 程度の凹凸を設けた場合 1.0 とする．
　　　p_w：PCaRC 造壁梁の縦補強筋比で，0.012 以上は 0.012 とする．
　　　σ_{wy}：PCaRC 造壁梁の縦補強筋の規格降伏点（N/mm^2）で，345 N/mm^2 以下とする．
　　　F_c：CaRC 造壁梁の現場打ち RC 造部分のコンクリートの設計基準強度（N/mm^2）と PCaRC 造壁梁のコンクリートの設計基準強度のうちの小さい方の数値とする．

6. 土圧，水圧により面外方向の応力を受ける PCaRC 造部材接合部および耐力壁が上下に連続していない場合で PCaRC 造部材接合部を介して軸方向力を伝達する耐力壁の鉛直接合部は，当該 PCaRC 造部材接合部に生じる長期の応力が，当該 PCaRC 造部材接合部の長期許容耐力以下となることを確認する．なお，短期荷重時応力および終局時応力に対する設計も行うものとする．

7. PCaRC 造部材接合部は前記 1. から 6. によるほか，次の (1) から (6) の構造規定を満たすものとする．
   (1) 耐力壁の鉛直接合部は，下記の (i) および (ii) による．
       (i) 鉛直接合部内には，1-D13 以上の縦筋を連続して配置する．
       (ii) 鉛直接合部内の横方向には 1-10 以上の接合筋を配置するとともに，接合筋相互を溶接により有効に接合させるか，またはループ状に出したコッター筋をラップさせ，縦筋を通す方法のいずれかとする．
   (2) PCaRC 造壁梁の鉛直接合部は，次の (i) および (ii) による．
       (i) 鉛直接合部内には，1-D10 以上の縦補強筋を配置する．
       (ii) 鉛直接合部の横方向には，PCaRC 造壁梁の端部曲げ補強筋および D10 以上の接合筋（端部曲げ補強筋以外の中間部横補強筋と兼用してよい）を使用し，端部曲げ補強筋相互および接合筋相互を溶接もしくは機械式継手により有効に接合する．
   (3) 耐力壁および PCaRC 造壁梁の鉛直接合部には，せん断力を有効に伝達させるためのシヤーコッターを均等な間隔に設けるとともに，充填コンクリートまたは充填モルタルを密実に充填する．
   (4) 水平接合部に用いる鋼板の厚さは 6 mm 以上とし，接合筋は D13 以上かつ耐力壁および壁梁等の部材厚さの 0.15 倍以下の径とする．
   (5) PCaRC 造壁梁の鉛直接合部に鋼板を用いて溶接接合する場合で，当該接合部を構造設計上ピンとする場合，当該接合部は軸方向力およびせん断力の伝達が可能な構造詳細とする．
   (6) PCa 造スラブ等の水平接合部は，次の (i) から (v) による．
       (i) PCa 造スラブどうしを接合する位置は，スラブ筋の壁梁および基礎梁の曲げ強度に対する協力効果を高めるために，接合部に直交する壁梁および基礎梁の近くに設ける．
       (ii) PCa 造スラブどうしの水平接合部にはシヤーコッターを設け，十分な定着長さを有する接合筋（2-D10 以上）または鋼板を用い溶接する．
       (iii) PCa 造スラブと耐力壁，壁梁ならびに基礎梁との接合部には，耐力壁，壁梁ならびに基礎梁から十分な定着長さを有する接合筋または縦補強筋を突出させて充填コンクリートまたは充填モルタルにより一体化させるか，鋼板を用いて溶接接合する．
       (iv) PCa 造スラブどうしの水平接合部の個数は 2 以上とし，PCa 造スラブと耐力壁，壁梁ならびに基礎梁との接合部の個数は 2 以上とし，各 PCa 造スラブごとに 2 個以上設けるものとする．
       (v) 水平接合部の充填コンクリートまたは充填モルタルは，密実に充填する．

1. PCaRC 造耐力壁の鉛直接合部の設計

（1） PCaRC 造耐力壁の鉛直接合部の長期荷重時設計用せん断力

PCaRC 造耐力壁（以下，本節においては単に耐力壁という）の鉛直接合部のせん断力に対する設計において，長期荷重時では，耐力壁の軸方向力は直接当該耐力壁を支持する下層階の耐力壁に伝達されるので，鉛直接合部に作用する力は無視してもよいこととしている．ただし，耐力壁が上下に連続しない場合などで，鉛直接合部を介して隣接する耐力壁に軸方向力を伝達させる場合には，伝達すべき軸方向力を鉛直接合部の長期設計用せん断力とする必要がある．

（2） 耐力壁のせん断応力度分布を考慮した集中係数 ϕ

6.8 節解説（2）に記載のように，耐力壁にせん断ひび割れが生じる以前においては，鉛直接合部に生じるせん断応力度の最大値に対して鉛直接合部を設計する必要があることから，(9.12.9) 式お

よび(9.12.10)式において,せん断応力度分布における集中係数 Φ を乗じることとしている.なお,建物の隅角部の耐力壁は,鉛直接合部が耐力壁の端部に設けられることから,耐力壁内のせん断応力度分布を考慮してせん断応力度分布における集中係数 Φ は1.0としてよいこととした.また,終局時においては,ひび割れの発生により応力再配分が行われるものとして,せん断応力度分布における集中係数 Φ は1.0としている.

(3) 終局時設計用せん断力

鉛直接合部の終局時設計用せん断力は,保有水平耐力の検討を必要とする建物にあっては,10.5.4項に記載の保証設計用の当該部のせん断力とする.保有水平耐力の検討を必要としない建物の終局時設計用せん断力は,標準せん断力係数 $C_0 \geqq 0.2$ の水平荷重時における各耐力壁に生じるせん断力に対し,割増し係数を2.5として算定する.平均せん断応力度法による場合は,短期設計用地震力による平均せん断応力度から計算されるせん断力に対し,割増し係数を2.5として算定する.

割増し係数を2.5としたのは,文献9.12.1)において割増し係数を2.5としており,これはPCa壁式RC造では終局時の標準せん断力係数を0.5程度としたことによるものである.

(4) 耐力壁の鉛直接合部の許容せん断力式およびせん断強度式

耐力壁の鉛直接合部の許容せん断力式およびせん断強度式は,文献9.12.1)に準拠している.ただし,本規準では,鉛直接合部のせん断破壊を極力避けるために,せん断強度式中の接合筋などの材料強度を,強度のばらつきなどを考慮して降伏点の下限値である規格降伏点を用いることとした.なお,耐力壁以外の接合部においても同様としている.

本文には,鉛直接合部がウエットジョイントの場合の許容せん断力式およびせん断強度式を示しているが,鋼板形式(ドライジョイント)とする場合は,許容せん断耐力およびせん断強度を,鋼板の材質,突合せまたは隅肉溶接の使い分け,および接合筋の接合角度等の実況に応じ適切に算定する.

なお,許容せん断力式およびせん断強度式と,既往の実験結果との対応は,文献9.12.2)を参照されたい.

2. 耐力壁の水平接合部の設計

(1) 長期荷重時の設計

耐力壁の水平接合部は,一般に耐力壁の下端に設けられ,その位置に生じる長期荷重時の軸方向力,曲げモーメントおよびせん断力に対して設計することになる.水平接合部の軸方向力と曲げモーメントに対する設計は,引張および圧縮鉄筋の位置および断面積から,長期許容曲げモーメント以下となることを確認する.

水平接合部に生じる引張応力に対しては,接合筋等が引張鉄筋として用いられる.直ジョイント方式では接合筋,鋼板形式では接合金物,および鉛直接合部内の縦筋を引張鉄筋として用いるが,それらの位置が通常の引張鉄筋の位置と異なるので実状に合わせて算定しなければならない.

鋼板形式の場合,引張鉄筋とみなす鋼材は,接合用の鋼板または鋼板に溶接されるアンカー筋となるが,それらの溶接部は接合される鋼材の引張強度以上の強度を確保する.なお,アンカー筋を

ハの字形状に角度を付ける場合は，その接合筋の鉛直方向成分を有効な引張強度として算定する．

引張鉄筋に鉛直方向の接合筋または接合金物を用いる場合，それらはせん断力に対する設計にも兼用されることになる．(9.12.24)式のせん断強度式において，接合筋または接合金物が耐力に寄与する要素は，それらに引張力が作用することで生じる反力としての圧縮力であり，軸方向力と曲げモーメントに対する引張鉄筋と兼用してよいことになる．

なお，壁式RC造においては一般に壁梁の内法スパン長が短く，接続する耐力壁に生じる長期設計用曲げモーメントは小さいので，長期許容曲げモーメントを超えるようなことは一般に生じない．したがって，長期荷重時の設計は省略してもよいと考えられる．ただし，内法スパン長の長い壁梁が接続する外端の耐力壁や，接続する左右の壁梁の内法スパン長が著しく異なる場合等，耐力壁に生じる曲げモーメントが小さくない場合は設計を省略できないが，長期設計用曲げモーメントが短期荷重時設計用曲げモーメントに比して1/1.5未満の場合は，使用材料の許容応力度の比が1/1.5以上の差があることを考慮して省略することができるとした．

(2) 短期荷重時の設計

壁式PCa造設計規準[9.12.3]では標準せん断力係数$C_0=0.5$以上の地震時における水平接合部に生じるせん断力に対して，当該水平接合部のせん断強度以下となることを確認することとし，短期荷重時に水平接合部に生じるせん断力に対する短期許容せん断耐力式を規定していない．それは，せん断耐力が曲げ圧縮に基づく摩擦式で，摩擦抵抗は許容耐力とはなじまないことと，標準せん断力係数$C_0=0.5$以上の地震時における水平接合部に生じるせん断力に対して設計すれば，短期荷重時のせん断力に対しては余裕が十分あると考えられるからである．

(3) 終局時設計用せん断力

水平接合部の終局時設計用せん断力は，保有水平耐力の検討を必要とする建物にあっては，10.5.4項に記載の保証設計用の当該部のせん断力とする．保有水平耐力の検討を行わない建物の終局時設計用せん断力は，鉛直接合部の終局時設計用せん断力と同様に，割増し係数を2.5として算定する．

3．PCa造スラブ等の水平接合部およびのみ込み部の設計

(1) PCa造スラブ等の水平接合部の短期荷重時における設計用せん断力および設計方法

地震力が作用したとき，スラブには積載荷重を含む自重および剛床仮定による耐力壁への応力配分のため水平力が生じる．PCa造スラブ等の水平接合部の短期荷重時における設計用せん断力は，標準せん断力係数$C_0≧0.2$時におけるPCa造スラブ等の水平接合部1個あたりの設計用せん断力とし，PCa造スラブ等の水平接合部の短期許容せん断力が設計用せん断力以上となることを確認する．セットバックや耐力壁の配置に偏心等がある場合では，地震力によって生じるスラブの面内せん断力に対する検討も必要である．PCa造スラブ等の水平接合部には，伝達される水平力によりせん断力が作用することになり，水平接合部の位置によって負担する床面積より計算すればよい．なお，耐力壁の外部に突出する廊下等の先端部に設けられる階段との接合部には，せん断力だけでなく引張力が作用する場合があるので，引張力に対する検討も必要である．

（2） 保有水平耐力の確認が不要のPCa造スラブ等の水平接合部の設計

保有水平耐力の確認が必要とされない建物のPCa造スラブ等の水平接合部は，標準せん断力係数 $C_0=0.5$ 以上の地震力に対して所要の強度を確保することとし，当該水平接合部1か所あたりに生じる終局時の設計用せん断力（局部水平震度 k を1.0として算定するが，標準せん断力係数 C_0 を0.5以上とした時の水平接合部を検討する階の地震層せん断力係数 C_i が1.0を上回る場合は局部水平震度 k は C_i と読み替える）に対して当該水平接合部のせん断強度がこれ以上となることを確保することとしている．なお，セットバック等がある場合で，PCa造スラブを介して伝達すべき地震力がある場合は，当該地震力によりPCa造スラブ等の水平接合部箇所に生じるせん断力を加算する．

（3） のみ込み部の設計方法

のみ込み部には，PCa造スラブからの局部圧縮応力が作用し，のみ込み部の支圧で耐えることになる．ただし，壁板の支圧部の長さ（のみ込み部の長さ）は通常30〜50 mm程度であるので，支圧による割裂ひび割れに対する補強筋が配置できないことが多く，コンクリートのみで抵抗するものと考えた方がよい．引張力に抵抗する部分は解説図9.12.2に示すように破壊を想定する面が45度として，のみ込み部ののみ込み長さとした．解説図9.12.2に，のみ込み部に生じる局部圧縮応力度と，当該局部圧縮応力度により生じるひび割れ面と抵抗力の関係を示す．

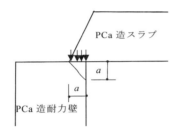

〔記号〕 a：PCa造スラブののみ込み長さ

解説図9.12.1 のみ込み部に生じる局部圧縮応力度

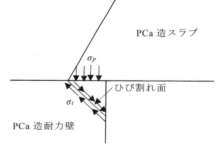

解説図9.12.2 のみ込み部に生じる局部圧縮応力度 σ_p とひび割れ面の抵抗応力 σ_t の関係

以下に，PCa造スラブののみ込み部の局部圧縮応力度に対する検討例を示す．

（a） 検討条件（解説図9.12.3）

・PCa造スラブ厚さ：$t_s=200$ mm

・仕上げ荷重　　　：$w_f=600\times10^{-6}$ N/mm^2

・積載荷重　　　　：$w_{LL}=1\,800\times10^{-6}$ N/mm^2

　（スラブ算定用）

　　　　　　　　　＝ 600×10^{-6} N/mm^2

　（地震力算定用）

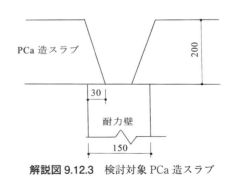

解説図9.12.3 検討対象PCa造スラブ

・のみ込み部を支持するコンクリートの設計基準強度：$F_c=24$ N/mm^2

- PCa造スラブののみ込み長さ：$a=30$ mm
- PCa造スラブ1枚の寸法：$2\,000\times 5\,000$ mm（二辺耐力壁支持，二辺PCa造スラブどうし接合の場合）〔解説図10.5.8（a）参照〕
- のみ込み部の全長さ（PCa造耐力壁の水平接合部の長さ 300 mm × 2か所と設定）：
  $l_b=2\times(2\,000-300\times2)=2\,800$ mm

（b）（9.12.36）式による検討

- PCa造スラブの長期荷重時単位面積あたりの鉛直荷重：
  $w_L=(24\,000\times10^{-6}\times0.2+600\times10^{-6}+1\,800\times10^{-6})=7\,200\times10^{-6}$ N/mm^2
- PCa造スラブのみ込み部の局部圧縮応力度を検討するPCa造スラブの面積：
  $A=2\,000\times5\,000=10\times10^6$ mm^2
- PCa造スラブのみ込み部に生じる長期荷重時圧縮応力度：
  $\sigma_{pc}=w_L\cdot A/(a\cdot l_b)=7\,200\times10^{-6}\times10\times10^6/(30\times2\,800)=0.86$ N/mm^2
- PCa造スラブのみ込み部を支持するコンクリートの引張強度：
  $\sigma_t=0.313\sqrt{F_c}=0.313\sqrt{24}=1.53$ N/mm^2
- 検討結果：$\sigma_{pc}(=0.86$ N/mm$^2)<\sigma_t/\sqrt{2}\;(=1.08$ N/mm$^2)$　OK

（c）（9.12.37）式による検討

- PCa造スラブの設計用鉛直震度 $k_v=1.0$ 時の単位面積あたりの鉛直荷重：
  $w_S=(4\,800+600+600)\times10^{-6}=6\,000\times10^{-6}$ N/mm^2
- PCa造スラブのみ込み部に生じる設計用鉛直震度 $k_v=1.0$ 時の局部圧縮応力度：
  $_U\sigma_{pc}=(1.0+k_v)\cdot w_S\cdot A/(a\cdot l_b)=(1.0+1.0)\times6\,000\times10^{-6}\times10\times10^6/(30\times2\,800)$
  $=1.43$ N/mm^2
- PCa造スラブのみ込み部を支持するコンクリートの直接せん断強度：
  $\tau_u=1.06\sigma_t=1.06\times1.53=1.62$ N/mm^2
- 検討結果：$_U\sigma_{pc}(=1.43$ N/mm$^2)<\tau_u/\sqrt{2}\;(=1.14$ N/mm$^2)$　NG
- のみ込み部ののみ込み長さ a を 40 mm に変更する．$_U\sigma_p$ は下記となり $\tau_u/\sqrt{2}$ 以下となり OK となる．
  $_U\sigma_{pc}=(1.0+1.0)\times6\,000\times10^{-6}\times10\times10^6/(40\times2\,800)=1.08$ N/mm^2

4．PCaRC造壁梁の鉛直接合部の設計

PCaRC造壁梁の鉛直接合部の設計は，次の（1）および（2）による．

（1）PCaRC造壁梁の鉛直接合部の設計用せん断力

PCaRC造壁梁の鉛直接合部の短期設計用せん断力は，長期荷重時せん断力に標準せん断力係数 $C_0\geqq0.2$ の水平荷重時のPCaRC造壁梁のせん断力を，原則として2.0倍以上割り増した数値を加算して算定する．また，保有水平耐力の確認が必要とされない方向のPCaRC造壁梁の鉛直接合部の終局時設計用せん断力は，標準せん断力係数 $C_0\geqq0.2$ とした水平荷重時の応力解析で求まる壁梁等のせん断力を2.5倍以上割り増して算定する．なお，10.5.4項によってもよい．

（2） PCaRC造壁梁の鉛直接合部の許容せん断力式およびせん断強度式

PCaRC造壁梁の鉛直接合部の長期許容せん断力式は，PCaRC造壁梁の存在応力および変形が小さいことを考慮して耐力壁の鉛直接合部と同様に，シヤーコッターの許容せん断力式としている．短期許容せん断力式およびせん断強度式は，a）シヤーコッターのせん断耐力式，b）接合部に作用する力が大きくて変形が大きくなる場合を考慮して，接触面圧縮力に基づく摩擦力によるせん断力伝達抵抗式，ならびに c ）接触面から $8b_d$（b_d：異形鉄筋の呼び名に用いた数値）以上定着された鉄筋（ダウエル鉄筋）とコンクリートの支圧によるダウエルによるせん断力伝達抵抗式のいずれかによるものとしている．定着長さを $8b_d$ 以上としているのは，鉄筋と接触しているコンクリートの支圧応力度が，接触面を底辺，定着された鉄筋の先端を頂点とした三角形分布とした応力度による支圧強度とし，鉄筋の断面積によるせん断強度（9.12.59）式とほぼ等しくなるようにしたことによる．なお，鉄筋の規格降伏点とコンクリートの設計基準強度の比を約 10：1 とした．

5．現場打ちRC造部分と一体とするPCaRC造壁梁との水平接合部の設計

スラブを現場打ちとし合成梁とする場合には，現場打ちRC造部分との接合面が水平接合部となる．

6．PCaRC造部材接合部のせん断強度式

PCaRC造部材接合部のせん断強度式と，既往の実験結果との対応は，文献 9.12.2）の付録を参照されたい．

7．PCa造スラブ等の水平接合部の箇所数

PCa造スラブ等の水平接合部の箇所数は，水平荷重時の伝達すべきせん断力に応じて決められるが，大震動時での鉛直荷重によるPCa造スラブの落下防止も考慮すると，解説図9.12.4のような外部の接合部では耐力壁板に定着された接合筋または接合金物と接合するとともに，2か所以上としている．なお，水平接合部の配置は，PCa造スラブの水平回転拘束のためには端部近くに設けるのが望ましい．

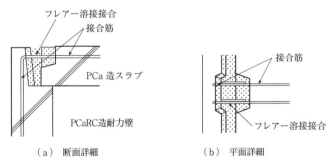

解説図 9.12.4 外壁とPCa造スラブの接合部例

[参 考 文 献]

9.12.1) 日本建築センター：壁式鉄筋コンクリート造設計施工指針，pp.57～71，2006.7
9.12.2) プレハブ建築協会：プレキャスト建築技術集成第2編 W-PC の設計，2003.1
9.12.3) 日本建築学会：壁式プレキャスト鉄筋コンクリート造設計規準・同解説，1982.6

9.13 付着・継手

1. 曲げ材の引張鉄筋の付着に対する検討は，次の（1）から（4）による．
   （1） 曲げ材の引張鉄筋では，スパン内において付着応力度の算定を行い，本節1.（3）によって長期荷重時および短期荷重時に対する設計を行う．なお，束ね鉄筋は，断面積の等価な1本の鉄筋として取り扱う．
   （2） 本節1.（3）の平均付着応力度の算定において，曲げ材の引張鉄筋の付着検定断面と付着長さ l_d は，以下による．
   　1）付着検定断面は，スパン内で最大曲げモーメントとなる断面とする．
   　2）スパン途中でカットオフされる鉄筋（以下，カットオフ鉄筋という）の付着長さ l_d は，付着検定断面から鉄筋端までの長さとし，鉄筋端部に標準フック〔9.14節参照〕を設ける場合は，付着検定断面から折曲げ開始点までの長さとする．
   　3）長期荷重時および短期荷重時に対する検討おいて，スパン内を通し配筋される鉄筋（以下，通し筋という）の付着長さ l_d は，曲げ材の内法長さ L とする．
   （3） 曲げ材の引張鉄筋の付着応力度の検討は，以下による．
   　1）長期荷重時に対する検討は，（9.13.1）式または（9.13.2）式による．

$$\tau_{a1}=\frac{Q_L}{\sum\phi\cdot j}\leqq {}_Lf_a \tag{9.13.1}$$

$$\tau_{a2}=\frac{{}_L\sigma_t\cdot d_b}{4(l_d-d)}\leqq 0.8{}_Lf_a \tag{9.13.2}$$

   　2）短期荷重時に対する検討は，（9.13.3）式または（9.13.4）式による．

$$\tau_{a1}=\frac{Q_L+Q_E}{\sum\phi\cdot j}\leqq {}_sf_a \tag{9.13.3}$$

$$\tau_{a2}=\frac{{}_s\sigma_t\cdot d_b}{4(l_d-d)}\leqq 0.8{}_sf_a \tag{9.13.4}$$

   　記号　τ_{a1}：引張鉄筋の曲げ付着応力度（N/mm²）
   　　　　Q_L：長期荷重時せん断力（N）
   　　　　$\sum\phi$：引張鉄筋の周長の和（mm）
   　　　　j：曲げ材の応力中心距離（mm）で，$j=(7/8)d$ とすることができる．
   　　　　${}_Lf_a$：長期許容付着応力度（N/mm²）
   　　　　τ_{a2}：引張鉄筋の平均付着応力度（N/mm²）
   　　　　${}_L\sigma_t$：付着検定断面位置における長期荷重時の鉄筋存在応力度（N/mm²）で，鉄筋端に標準フックを設ける場合には，その数値の2/3倍とすることができる．
   　　　　d_b：引張鉄筋径（mm）で，異形鉄筋では呼び名に用いた数値とする．
   　　　　l_d：引張鉄筋の付着長さ（mm）で，（9.13.2）式，（9.13.4）式においては，対象とする荷重の作用により曲げ材にせん断ひび割れが生じないことが確かめられた場合には，式中の (l_d-d) を l_d としてよい．
   　　　　d：曲げ材の有効せい（mm）
   　　　　Q_E：水平荷重時せん断力（N）で，水平荷重時応力算定を平均せん断応力度法による場合は，（9.2.6）式右辺第2項による．また，平面骨組解析による場合においては，ねじれによる負担せん断力の補正後の数値とする．なお，せん断力の補正係数が1未満の場合は，1とする．
   　　　　${}_sf_a$：短期許容付着応力度（N/mm²）
   　　　　${}_s\sigma_t$：付着検定断面位置における短期荷重時の鉄筋存在応力度（N/mm²）で，鉄筋端に標準フックを設ける場合には，その数値の2/3倍とすることができる．

（4） 付着に関する構造規定
1）カットオフ鉄筋は，計算上不要となる断面を越えて部材有効せい d 以上延長する．
2）引張を受ける上端筋および下端筋の1/3以上は，部材全長に連続して，あるいは継手を設けて配置する．
3）引張鉄筋の付着長さは，原則として 300 mm を下回らないものとする．ただし，直接基礎における基礎スラブの引張鉄筋で，末端に標準フックを設ける場合は，この限りでない．
4）壁梁の出隅部分においては，鉄筋の末端に標準フックを設ける．

2．鉄筋の継手には，重ね継手，ガス圧接継手，溶接継手，または機械式継手を用いる．ガス圧接継手，機械式継手ならびに溶接継手は，原則として部材応力および鉄筋存在応力度の小さい箇所に設ける．重ね継手は，次の（1）から（6）によるものとする．

（1） D25以上の鉄筋には，原則として重ね継手を設けない．ただし，曲げ降伏を計画しない部材にあってはこの限りでない．
（2） 鉄筋の重ね継手は，部材応力および鉄筋存在応力度の小さい箇所に設けることを原則とする．なお，耐力壁脚部に限り重ね継手を設けてもよい．
（3） 曲げ補強鉄筋の重ね継手長さは，次の1）および2）を満足するように設定する．ただし，200 mm および鉄筋径の25倍以上とする．
1）重ね継手の長期荷重時および短期荷重時に対する検討は，引張力が生じる鉄筋に対しては（9.13.5）式または（9.13.7）式により，圧縮鉄筋に対しては（9.13.6）式または（9.13.8）式により行う．
（a） コンクリートの割裂を防止する有効な拘束がない場合：

$$\frac{\sigma_t \cdot d_b}{4l} \leq 0.8 f_a \tag{9.13.5}$$

$$\frac{\sigma_c \cdot d_b}{4l} \leq 1.5 \times 0.8 f_a \tag{9.13.6}$$

（b） コンクリートの割裂を防止する有効な拘束がある場合：

$$\frac{\sigma_t \cdot d_p}{4l} \leq f_a \tag{9.13.7}$$

$$\frac{\sigma_c \cdot d_p}{4l} \leq 1.5 f_a \tag{9.13.8}$$

記号　σ_t：引張力が生じる鉄筋の継手部分の最大存在応力度（N/mm^2）で，鉄筋端に標準フックを設ける場合には，その数値の2/3倍とすることができる．
　　　d_b：鉄筋径（mm）で，異形鉄筋では呼び名に用いた数値とする．
　　　l：重ね継手長さ（mm）．鉄筋端に標準フックを設ける場合にはフックを除いた長さとする．
　　　f_a：許容付着応力度（N/mm^2）で，鉄筋の位置にかかわらず上端筋に対する数値を用いる．
　　　σ_c：圧縮鉄筋の継手部分の最大存在応力度（N/mm^2）

2）鉄筋の重ね継手長さは，重ね継手をこれらの部材における引張力の最も小さい部分に設ける場合にあっては，鉄筋の径（径の異なる鉄筋にあっては細い鉄筋の径）の25倍以上かつ上記1）により求まる長さ以上とし，重ね継手を引張力の最も小さい部分以外の部分に設ける場合にあっては，鉄筋の径（径の異なる鉄筋にあっては細い鉄筋の径）の40倍以上かつ上記1）により求まる長さ以上とする．

なお，本節によるほか10.5.5項の継手の保証設計を行い，いずれか大きい方の数値以上とする場合は，この限りでない．
（4） 重ね継手は，曲げひび割れが継手部分に沿って生じるような部位には設けない．
（5） 溶接金網の重ね継手は，重ね継手長さを最外端の横筋間で測った距離とし，横筋間隔に50 mmを加えた長さ以上かつ150 mm以上とする．
（6） 壁梁の出隅部分の鉄筋を部材内で重ね継手する場合，鉄筋の末端には標準フックを設ける．

3．引張鉄筋の部材内への定着は，曲げ材の引張鉄筋については本節1．に従い，その他の引張鉄筋につい

ては(9.13.5)式または(9.13.7)式により検討を行う．ただし，式中の記号 l を定着長さと置き換える．

1．曲げ材の引張鉄筋の付着に対する設計

（1）付着検討方針

　これまで壁式RC造の計算規準では，RC規準1991年版の許容付着応力度に基づく設計法を採用してきたが，RC規準2010年版が長期荷重に対して使用限界以下，中地震動程度の短期荷重に対して損傷限界以下，大地震動に対して安全限界以下であることを設計目標とした設計方法，すなわち長期，短期の荷重作用時の曲げ付着応力度あるいは平均付着応力度を算定し，許容付着応力度以下であることを確認する設計方法，一方で大地震動に対する安全性を確保するためには，部材が曲げ降伏した場合でも，曲げ補強鉄筋に沿った付着割裂破壊が生じないように設計する方法が示された．

　本規準においては，RC規準(2024)[9.13.1]にならい，曲げ材の引張鉄筋の付着に対する検討は，クリアスパン内における曲げ補強筋（通し筋およびカットオフ筋）の付着に対する長期および短期荷重時に対する検討，および保有水平耐力の確認を必要とする場合等は終局時に対する検討〔10.5.5項参照〕を行うこととしている．

　やむを得ず鉄筋を束ねて配筋する場合の付着に対する検討は，断面積が等しい1本の鉄筋として等価な鉄筋径（異形鉄筋にあっては呼び名に用いた数値）を用いて行えばよい．

（2）付着検定断面および付着長さ l_d

　1）付着検定断面

　付着検定断面は，付着作用によって鉄筋に生じる引張力を周囲のコンクリートへ伝達するのに必要となる付着長さ l_d を算定するための起点となる断面である．一般には，スパン内で最大曲げモーメントとなる断面である．耐力壁や壁梁では付着検定断面は部材端部であるが，部材中央部の引張が支配的な小梁，スラブならびに接地圧を受ける基礎梁では，部材中央付近の断面となる場合もある．壁式RC造においては，通常，壁梁や基礎梁ならびに小梁（以下，壁梁等という）の内法長さがラーメン構造の梁より短いことから，壁梁等の主筋は部材内でカットオフすることは少なく，通し配筋されることが多い．しかしながら，一部の壁梁等においては端部と中央部での主筋本数が異なり，カットオフされる場合も見受けられる．したがって，スパン途中で鉄筋がカットオフされる場合には，カットオフされない鉄筋の付着検定断面は，カットオフされる鉄筋が計算上不要となる断面となる．

　2）曲げ材の引張鉄筋の付着長さ

　（i）スパン途中でカットオフされる鉄筋の付着長さ

　2段目主筋がカットオフされる場合は，通し配筋される1段目主筋に対して，カットオフされる鉄筋が計算上不要となる断面が危険断面となり，ここから残された鉄筋の鉄筋端までの長さが検討すべき付着長さとなる．なお，鉄筋端に標準フック〔9.14節参照〕を設ける場合は，付着検定断面から標準フック開始点までの長さを付着長さとしてよい．詳細は，RC規準(2024)[9.13.1]を参照されたい．

　（ii）スパン内を通し配筋される鉄筋の付着長さ

RC規準（2024）によれば，「通し配筋については，付着長さをスパン内法長さとし，圧縮端の鉄筋応力度を0と仮定している．通し筋は部材の圧縮端側の仕口で定着されていること，および損傷制御の検討でも鉄筋の塑性化はほとんど進行していないことを前提に，周囲にカットオフ筋がある場合でも通し筋の付着長さはスパン内法長さとしてよいと判断した」[9.13.2]と記載されていることから，通し筋の付着長さ l_d を部材内法長さとしている．

（3） 曲げ材の引張鉄筋の付着応力度の検討

長期荷重時および短期荷重時における曲げ材の引張鉄筋に対する検討は，当該鉄筋に生じる曲げ付着応力度もしくは平均付着応力度を算定し，許容付着応力度以下となることを確認する．

平均付着応力度が許容付着応力度以下となる検討式である（9.13.4）式を展開すれば，以下の式が得られる．

$$l_d \geq \frac{\sigma_t \cdot d_b}{4 \times 0.8 f_a} + d \qquad (解9.13.1)$$

（解9.13.1）式は，「壁式鉄筋コンクリート造計算規準・同解説」に記載の式（$l_d \geq \sigma_t \cdot d_b / (0.8 f_a \cdot \Phi) + \min(j, 500\text{ mm})$）と類似しているが，右辺第2項がやや異なるものの基本的な考え方は大きく変わらない．（解9.13.1）式の右辺第1項を計算すると，コンクリートの設計基準強度と鉄筋種別に応じて，解説表9.13.1および解説表9.13.2が得られる．付着長さは，解説表9.13.1や解説表9.13.2の数値に曲げ材の有効せい d を加算した数値となり，かなりの長さになることが分かる．

【壁梁端部曲げ補強筋の付着検討の計算例】

壁梁を対象として，端部曲げ補強筋の付着に対する検討を行う．壁梁せい750 mm，壁梁幅200 mmで，上端端部曲げ補強筋4-D16（2本はスラブ内配筋）と2-D13が2段配筋されており，二段筋は壁梁端部から850 mmの位置でカットオフされる．下端端部曲げ補強筋は2-D22（SD345）で通し配筋されている．縦補強筋は，2-D13＠100で配筋されている（解説図9.13.1）．内法スパンは1 800 mmである．コンクリートには普通コンクリートを使用し，その設計基準強度 F_c は21 N/mm² である．D13およびD16は，SD295である．

（1） 計 算 条 件

（a） 許容応力度等

端部曲げ補強筋（SD295）の許容引張応力度は，以下のとおりである．

・長期許容引張応力度：$_L f_t = 295/1.5$ N/mm²
・短期許容引張応力度：$_S f_t = 295$ N/mm²

端部曲げ補強筋（D16）に対する許容付着応力度 f_a は，次のとおりである（解説表9.13.3）．

・1段目有効せい $d_1 = 750 - 70 = 680$ mm，応力中心距離 $j_1 = (7/8) \times 680 = 595$ mm
・2段目有効せい $d_2 = 750 - 100 = 650$ mm，応力中心距離 $j_2 = (7/8) \times 650 = 569$ mm
・平均有効せい $d_{12} = 750 - 85 = 665$ mm，応力中心距離 $j_{12} = (7/8) \times 665 = 582$ mm
・かぶり厚さ ＝40 mm

（b） 設計用応力（解説図9.13.2）：

解説表 9.13.1 $\sigma_t \cdot d_b / (4 \times 0.8 {}_sf_a)$ の計算結果（SD 295 の場合（$\sigma_t = 295$））（上端筋）

F_c (N/mm²)	${}_sf_a$ *1 (N/mm²)	直線の場合		フック付きの場合	
		計算値	丸めた数値	計算値	丸めた数値
18	1.80	51.2 d	55 d	34.1 d	35 d
21	2.10	43.9 d	45 d	29.3 d	30 d
24	2.31	39.9 d	40 d	26.6 d	30 d
27	2.43	37.9 d	40 d	25.3 d	30 d
30	2.55	36.2 d	40 d	24.1 d	25 d
33	2.67	34.5 d	35 d	23.0 d	25 d
36	2.79	33.0 d	35 d	22.0 d	25 d

〔注〕 ＊1：上端筋に対する数値
〔記号〕F_c：コンクリートの設計基準強度，${}_sf_a$：短期許容付着応力度
　　　　d：異形鉄筋の呼び名に用いた数値

解説表 9.13.2 $\sigma_t \cdot d_b / (4 \times 0.8 {}_sf_a)$ の計算結果（SD 345 の場合（$\sigma_t = 345$ N/mm²））（上端筋）

F_c (N/mm²)	${}_sf_a$ *1 (N/mm²)	直線の場合		フック付きの場合	
		計算値	丸めた数値	計算値	丸めた数値
18	1.80	59.9 d	60 d	39.9 d	40 d
21	2.10	51.3 d	55 d	34.1 d	35 d
24	2.31	46.7 d	50 d	31.1 d	35 d
27	2.43	44.4 d	45 d	29.6 d	30 d
30	2.55	42.3 d	45 d	28.2 d	30 d
33	2.67	40.4 d	45 d	26.9 d	30 d
36	2.79	38.6 d	40 d	25.7 d	30 d

〔注〕 ＊1：上端筋に対する数値
〔記号〕F_c：コンクリートの設計基準強度，${}_sf_a$：短期許容付着応力度
　　　　d：異形鉄筋の呼び名に用いた数値

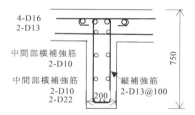

解説図 9.13.1 断面および配筋

解説表 9.13.3 異形鉄筋のコンクリートに対する許容付着応力度

	長　期		短　期	
	上端筋	その他の鉄筋	上端筋	その他の鉄筋
許容付着応力度(N/mm²)	1.40	2.10	2.10	3.15

・危険断面位置：$M_L=10.8$ kN・m, $Q_L=20.0$ kN, $M_{E,左}=100.0$ kN・m,

$M_{E,右}=160.0$ kN・m, $Q_E=144.4$ kN

・中央位置：$M_L=5.0$ kN・m, $M_{E,(左,右)}=30.0$ kN・m

・カットオフ位置：Q_L は直線勾配とし，$Q_L=1.2$ kN とみなす．

壁梁の短期荷重時せん断力：$Q_L+Q_E=20.0 + 144.4=164.4$ kN

（2）計算結果

1）曲げ付着応力度検討：次式にて短期の検討を行う．

$$\frac{Q_L+Q_E}{\sum \phi \cdot j} \leq {}_s f_a$$

（a）上端端部曲げ補強筋：4-D16 + 2-D13

危険断面（曲げモーメント最大）位置における曲げ付着応力度

$$\tau_{a1}=\frac{164.4\times 10^3}{(4\times 50+2\times 40)\times 665\times 7/8}$$

$$=1.01 \text{ N/mm}^2$$

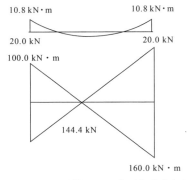

解説図 9.13.2　長期および水平荷重時応力図

検討結果：$\tau_{a1}=1.01$ N/mm² $\leq {}_s f_a$（$=2.10$ N/mm²）　OK

（b）下端端部曲げ補強筋：2-D22

曲げ付着応力度：$\tau_{a1}=164.4\times 10^3/(2\times 70\times 680\times 7/8)=1.97$ N/mm²

検討結果：$\tau_{a1}=1.97 < {}_s f_a$（$=3.15$ N/mm²）　OK

（c）カットオフ位置における通し筋：

曲げ付着応力度：$\tau_{a1}=(Q_L+Q_E)/(\sum\Phi \cdot j)=164.4\times 10^3/\{(4\times 50)\times 595\}=1.38$ N/mm²

検討結果：$\tau_{a1}=1.38$ N/mm² $< {}_s f_a$（$=2.10$ N/mm²）　OK

2）引張鉄筋の平均付着応力度検討：(9.13.4)式により検討する．

$$\tau_{a2}={}_s\sigma_t \cdot d_b/\{4(l_d-d_1)\} \leq 0.8 {}_s f_a$$

（a）上端通し筋（4-D16）の付着：

・付着長さ：$l_d=(L+d_1)/2=(1\,800+680)/2=1\,240$ mm

・上端筋の存在引張応力度：${}_s\sigma_t=(M_L+M_E)/(\sum A_s \cdot j_{12})$

$=(10.8+160.0)\times 10^6/\{(4\times 199 + 2\times 127)\times 582\}=279.5$ N/mm²

・上端筋の平均付着応力度

$\tau_{a2}=279.5\times 16/\{4\times(1\,240-680)\}=2.00$ N/mm² $>0.8\times 2.10=1.68$ N/mm²　NG

（b）上端カットオフ筋（2-D13）の付着検討：

$\tau_{a2}=279.5\times 13/\{4\times(850 - 650)\}=4.55$ N/mm² >1.68 N/mm²　NG

3）せん断ひび割れ発生の有無の検討

せん断ひび割れの発生の有無によって(9.13.4)式の分母が異なるため，以下にせん断ひび割れ発生の有無を検討する．

4) 短期荷重時におけるせん断ひび割れ発生の有無の検討

せん断ひび割れ強度：下記の2つの式で検討する．

（a） コンクリートの短期許容せん断応力度に基づく場合

$$\alpha \cdot {}_sf_s \cdot b \cdot j = \frac{4}{\frac{170.8}{164 \times 0.38}+1} \times 1.05 \times 200 \times 680 \times 7/8 = 1.58 \times 1.05 \times 200 \times 680 \times 7/8$$

$$= 197.4 \times 10^3 = 197.4 \text{ kN} > Q_L + Q_E\ (=164.4 \text{ kN})$$

（b） せん断ひび割れ強度式に基づく場合（RC規準(2018)15条(解15.1)式をSI単位系に変換）

$$Q_{sc} = Q_c\min = \frac{0.065k_c(50+\sigma_B)}{\frac{M}{Q \cdot d}+1.7} \cdot b \cdot j$$

上式に下記を代入すると，せん断ひび割れ強度は，次のとおりとなる．

$$k_c = 0.72,\ \sigma_B = F_c = 21 \text{ N/mm}^2,\ M/(Q \cdot d) = 170.8/(164.0 \times 0.68) = 1.53$$

$$Q_{sc} = 0.065 \times 0.72 \times ((50+21)/(1.53+1.7)) \times 200 \times 680 \times 7/8 = 122.4 \times 10^3$$

$$= 122.4 \text{ kN} < Q_L + Q_E\ (=164.4 \text{ kN}$$

上記より，2つの検討式で異なる結果が得られたことから，短期応力下で当該壁梁にはせん断ひび割れが生じる可能性を有しており，(9.13.4)式による検討はNGとなる．一方，(9.13.3)式による曲げ付着検討はOKとなっていることから，曲げ材の引張鉄筋の付着応力度の検討はOKとする．

次に，本節1.(5)(i)に従って，カットオフ筋が計算上不要となる断面を超えて部材の有効せいd以上延長されていることを確認する．

カットオフ筋が計算上不要となる断面での1段目主筋の引張応力度は295 N/mm^2（短期許容引張応力度）である．そこで，カットオフ筋が計算上不要となる断面で，残された通し筋4-D16による許容曲げモーメント${}_{dc}M_r$は，次のとおりとなる．

$${}_{dc}M_r = \Sigma A_s \cdot {}_s\sigma_i \cdot j_i = 796 \times 295 \times 595 = 139.7 \times 10^6 = 139.7 \text{ kN} \cdot \text{m}$$

ここで，ΣA_s：1段目主筋（4-D16）の全断面積，${}_s\sigma_i$：1段目主筋の短期許容引張応力度，

j_i：1段目主筋に対する応力中心距離

曲げモーメント分布を，簡単のため危険断面と部材中央での曲げモーメントを直線で結んだものと仮定すると，カットオフ筋が計算上不要となる断面は、柱面の危険断面から138 mmの位置となる．

これより，138 mm + d_1 = 138 mm + 680 mm = 818 mm < 付着長さl_d = 850 mm　OK

5) ま と め

上記の検討の結果，以下の結論が得られた．

・カットオフ筋の付着の検討は，せん断ひび割れの発生の有無の検討を行い，短期応力時にせん断ひび割れが発生する可能性があり，(9.13.4)式は満たさないが(9.13.3)式を満たすことを確認し，付着に対する検討を満足する結果が得られた．

（4） 付着に関する構造規定

1） カットオフ筋の所要延長長さ

RC 規準（2024）によれば，カットオフ位置は基本的に圧縮応力領域内とすることが望ましいが，鉄筋引張応力の増大現象（テンションスチフニング）を部材全長にわたって考慮することにより，引張応力領域でのカットオフについて曲げ，せん断力に対する個別の規定を設けていないと記述されている[9.13.3)]．本規準においても，特別な検討をする場合を除き，本構造規定を設けている．

片持梁の上端筋や接地圧を受ける基礎スラブ下端筋は，曲げ補強筋が不要となる自由端側断面では，理論上はこれ以上の鉄筋の延長は必要ではないが，これらの鉄筋端を標準フックとして延長することが望ましい[9.13.3)]．

2） 引張力を受ける上端筋および下端筋のカットオフおよび部材内通し筋の本数

本構造規定も RC 規準（2024）と同様であるので，詳細は文献9.13.4)を参照されたい．

3） 引張鉄筋の最小付着長さ

曲げ材の引張鉄筋の最小付着長さについても，RC 規準（2024）にならい 300 mm 以上としているが，曲げ降伏を計画しない基礎スラブの引張鉄筋については，鉄筋先端に標準フックを設けることで付着長さを 300 mm 未満としてもよいと考える．

4） 部材内でカットオフする壁梁の出隅部分の鉄筋における標準フック

本規定は令第 73 条第 1 項に規定されており，スラブが接続しない部分の壁梁の出隅部分の鉄筋は，かぶりコンクリートが割れやすいこと，および火災時に付着強度が低下することを考慮して設けられた規定である．部材内でカットオフした壁梁の実験がないことから，本規準においては，令第 73 条第 1 項と同様，部材内でカットオフする壁梁の出隅部分の鉄筋の末端には標準フックを設けることとしている．なお，壁梁の横補強筋は単配筋もしくは複配筋であり，出隅部分の端部曲げ補強筋は通し配筋とすることから，本規定は実質的には問題とならない．

2．継手の種類と重ね継手

鉄筋の継手には，重ね継手，ガス圧接継手，溶接継手，機械式継手があるが，現場打ち壁式 RC 造建物においては鉄筋の継手には重ね継手もしくはガス圧接継手が使用され，プレキャスト壁式 RC 造建物においては重ね継手やガス圧接継手ならびに機械式継手が使用される．機械式継手は指定性能評価機関において評定を取得した工法を用いることとし，ガス圧接継手および溶接継手は部材応力および鉄筋存在応力度の小さい箇所に設けることとする．本規準においては，継手長さを計算にて算定する必要のある重ね継手について主に規定している．

（1） 重ね継手を許容する鉄筋径

重ね継手部の破壊形式は，コンクリートの割裂きを伴う付着割裂破壊であり，一般に鉄筋径が大きいほど付着割裂強度が低下するといわれていることを考慮し，本規準においては D25 以上の鉄筋には重ね継手を設けないことを原則としている．なお，曲げ降伏を計画しない基礎梁や場所打ち鉄筋コンクリート杭の D25 以上の主筋の継手には重ね継手を用いてもよい．

（2） 鉄筋の重ね継手位置

鉄筋の継手は，応力の小さい箇所に設けることが原則である．一方，施工の省力化，合理化の要求から梁端部位置の重ね継手や，全数継手の可能性に関する研究が蓄積され，これらの要求に応え

られることが最近の研究で示されており，1991年版のRC規準で認められていなかった全数継手，D29やD32などの太径鉄筋，梁端部ヒンジ域での重ね継手を許容する指針（案）[9.13.5]が刊行されるに至っている．したがって，全数継手の要求に対しては上記指針（案）によって設計するのがよいが，以下に示す同指針（案）の構造規定を同時に満足させることを条件に，10.5.5項に記載の(10.5.45)式を満足するように定めた重ね継手長さを，全数重ね継手する場合の必要重ね継手長さとしてもよい．

【重ね継手の全数継手設計指針（案）の規定】
- 壁梁の主筋を同一断面で全数継手とする場合には，せん断補強筋比0.4%以上の横補強筋を重ね継手領域に主筋径の5倍以下の間隔で配置する．
- 壁梁端部の降伏ヒンジとなる部位に全数継手を設ける場合には，梁端部断面から有効せいの領域にある重ね長さは，その半分の長さのみ継手長さに有効と考える．さらに，0.7%以上の横補強筋を主筋径の5倍以下の間隔で配し，すべての継手を直接拘束する．
- 全数継手は，柱梁接合部内に設けてはならない．

(3) 曲げ補強筋の重ね継手長さ

1) 必要重ね継手長さの算定

重ね継手についても付着の設計法と同様に，長期の使用性確保，短期の損傷制御および大地震動に対する安全性確保のための検討を行う設計方法が2010年版RC規準で示された．具体的には，1991年版のRC規準の規定（鉄筋径はD25以下）を参照して，長期荷重時ないし短期荷重時の鉄筋存在応力度が上端筋の許容付着応力度以下となるように継手長さを設定することが示されている．壁式構造における鉄筋の継手には，圧接継手のほかに重ね継手が通常使用されることが多いことから，本規準においても原則RC規準の改定趣旨に準拠している．ただし，耐力壁・壁梁接合部はラーメン構造における柱梁接合部に比べて部材厚さが小さく，柱梁接合部における帯筋のような配筋規定もないことから，ラーメン構造における接合部よりもコンクリートの拘束効果が小さいことを考慮する必要がある．特に，単配筋となる部分については，この定着部分にも壁梁部分のフック付き縦補強筋のような拘束鉄筋を配置できれば拘束効果が期待できると考えられるが，耐力壁・壁梁接合部の厚さを考えると拘束筋の配筋は困難であることから，許容付着応力度を0.8倍に低減することとした．以上を踏まえ，次式により必要重ね継手長さを算定する．

$$l_a \geqq \sigma_t \cdot a_t / (0.8 f_a \cdot \Phi) = \sigma_t \cdot d_b / (4 \times 0.8 f_a) \qquad (解9.13.2)$$

記号 l_a：必要重ね継手長さ（mm）で，鉄筋径の異なる場合は細い方の数値を用いる．

σ_t：曲げ補強筋の継手算定断面位置における引張応力度（N/mm²）

a_t：同上鉄筋の断面積（mm²）

f_a：許容付着応力度（N/mm²）で，鉄筋の位置に係わらず上端筋に対する数値とする．

Φ：鉄筋の周長（mm）

d_b：異形鉄筋の呼び名に用いた数値（mm）

引張鉄筋の重ね継手の必要長さは(9.13.5)式または(9.13.7)式により算定するのが原則であるが，鉄筋の応力度σ_tの算定がやや煩雑なので，実用的にはσ_tを短期許容引張応力度$_sf_t$として

算定した値を安全側に丸めた値を使用することもできる．解説表 9.13.4 および解説表 9.13.5 に，コンクリートの割裂を防止する有効な拘束がない部分における引張鉄筋の必要重ね継手長さの計算値と丸めた数値を示す．表中には，鉄筋の種類とコンクリートの設計基準強度を対応して示している．コンクリートの割裂を防止する有効な拘束がある部分における引張鉄筋の必要重ね継手長さについては，(9.13.7) 式に基づき計算すればよい．

重ね継手長さの最小値については，RC 規準 (2024) においては曲げ補強筋の重ね継手は，引張鉄筋，圧縮鉄筋とも最小継手長さを 200 mm かつ $20 d_b$ 以上としている[9.13.6]．本規準においては，令第 73 条第 2 項に記載の重ね継手長さの規定にならい $20 d_b$ を $25 d_b$ としている．

2) 令第 73 条第 2 項の適用除外

令第 73 条第 2 項において，鉄筋等の重ね継手に関する仕様規定（部材における引張力の最も小さい部分にあっては鉄筋の径（異なる鉄筋径にあっては細い鉄筋の径）の 25 倍以上，継手を引張力の最も小さい部分以外の部分に設ける場合にあっては，鉄筋の径（異なる鉄筋径にあっては細い鉄筋の径）の 40 倍以上）がされている．一方，平 19 国交告第 594 号第 4 第四号のただし書によれば，当該構造部分の実況に応じた加力試験によって耐力，靱性および付着に関する性能が当該構造部分に関する規定に適合する部材と同等以上であることが確認された場合にあっては，この限りでないとされている．

組積造に関する日米共同大型耐震実験研究において，れんが RM ユニット内にて重ね継手を設けた試験体（重ね継手長さ 25d, 40d, 50d, d：異形鉄筋の呼び名に用いた数値）および重ね継手なしの試験体の引抜き試験が行われており，各試験体とも重ね継手無しの試験体とほぼ同様の性能を有していることが報告されている[9.13.7]．組積造に関する日米共同大型耐震実験研究の成果ならびに

解説表 9.13.4 (9.13.5) 式による必要重ね継手長さ（SD 295 の場合）

F_c (N/mm²)	$_sf_a$[*1] (N/mm²)	直線重ね継手長さ		フック付き重ね継手長さ	
		計算値 l_a[*2]	重ね継手長さ L_1	計算値 l_a[*3]	重ね継手長さ L_{1h}
18	1.80	$51.2 d_b$	$55 d_b$	$34.1 d_b$	$35 d_b$
21	2.10	$43.9 d_b$	$45 d_b$	$29.3 d_b$	$30 d_b$
24	2.31	$39.9 d_b$	$40 d_b$	$26.6 d_b$	$30 d_b$
27	2.43	$37.9 d_b$	$40 d_b$	$25.3 d_b$	$30 d_b$
30	2.55	$36.2 d_b$	$40 d_b$	$24.1 d_b$	$30 d_b$[*5]
33	2.67	$34.5 d_b$	$40 d_b$[*4]	$23.0 d_b$	$30 d_b$[*5]
36	2.79	$33.0 d_b$	$40 d_b$[*4]	$22.0 d_b$	$30 d_b$[*5]

〔記号〕F_c：コンクリートの設計基準強度，$_sf_a$：短期許容付着応力度，
d_b：異形鉄筋の呼び名に用いた数値

〔注〕 *1：上端筋の数値， *2：$l_a=\,_s\sigma_t \cdot d_b/(0.8f_a)$， *3：$l_a=\,_s\sigma_t \cdot d_b/(0.8f_a) \times 2/3$

*4：重ね継手を引張力の最も小さい部分以外の部分に設ける場合にあっては，$40 d_b$ 以上とする．なお，(10.5.49) 式により重ね継手の保証設計を行う場合は，上表の計算値の数値と (10.5.49) 式より求まる数値のうちの大きい方の数値以上とする．

*5：フック付き重ね継手を引張力の最も小さい部分以外の部分に設ける場合にあっては，$30 d_b$ 以上とする．なお，(10.5.49) 式により重ね継手の保証設計を行う場合は，上表の計算値の数値と (10.5.49) 式より求まる数値のうちの大きい方の数値以上とする．

解説表 9.13.5 （9.13.5）式による必要重ね継手長さ（SD 345 の場合）

F_c (N/mm²)	$_sf_a$ *1 (N/mm²)	直線重ね継手長さ		フック付き重ね継手長さ	
		計算値 l_a *2	重ね継手長さ L_1	計算値 l_a *2	重ね継手長さ L_{1h}
18	1.80	59.9 d_b	60 d_b	39.9 d_b	40 d_b
21	2.10	51.3 d_b	55 d_b	34.2 d_b	35 d_b
24	2.31	46.7 d_b	50 d_b	31.1 d_b	35 d_b
27	2.43	44.4 d_b	45 d_b	29.6 d_b	30 d_b
30	2.55	42.3 d_b	45 d_b	28.2 d_b	30 d_b
33	2.67	40.4 d_b	45 d_b	26.9 d_b	30 d_b
36	2.79	38.6 d_b	40 d_b	25.8 d_b	30 d_b

〔記号〕 F_c：コンクリートの設計基準強度，$_sf_a$：短期許容付着応力度，
　　　　d_b：異形鉄筋の呼び名に用いた数値
〔注〕 ＊1：上端筋の数値，＊2：$l_a={}_s\sigma_t \cdot d_b/(0.8f_a)$，＊3：$l_a={}_s\sigma_t \cdot d_b/(0.8f_a)\times 2/3$

RM 造に関する告示（平 15 国交告第 463 号）を基に作成された「鉄筋コンクリート組積造（RM 造）建築物の構造設計指針・同解説」（監修　国土交通省国土技術政策総合研究所，独立行政法人建築研究所，編集　日本建築行政会議，(社)建築研究振興協会）[9.13.8]においても重ね継手に関する仕様規定は記載されていない．

　壁式 RC 造は鉄筋コンクリート組積造（RM 造）と同形式の壁式構造であることから，上記に基づき本規準においては重ね継手長さは，本節 2.（3）1）により求まる重ね継手長さと 10.5.5 項 2. により求まる重ね継手長さのうちの長い方の数値以上を確保する場合は，令第 73 条第 2 項を適用除外としている．

（4）　重ね継手を設けない部位

　本規定も RC 規準（2024）[9.13.9]と同様であり，耐力壁・壁梁接合部内で曲げ引張応力によって壁梁の端部曲げ補強筋に沿う曲げひび割れが生じるような部位では，あらかじめ割裂ひび割れが生じているに等しい状況であり，耐力壁・壁梁接合部内での壁梁の端部曲げ補強筋の重ね継手は設けないこととする．なお，中間部横筋や耐力壁・スラブ接合部補強筋の耐力壁・壁梁接合部内での重ね継手は許容する．

（5）　溶接金網の重ね継手

　本規定も RC 規準（2024）[9.13.9]と同様である．

（6）　壁梁の出隅部分の鉄筋を部材内で重ね継手する場合の鉄筋の末端における標準フック

　本規定は令第 73 条第 1 項の規定であり，スラブが接続しない部分の壁梁の出隅部分の鉄筋は，かぶりコンクリートが割れ易いことおよび火災時に付着強度が低下することを考慮して設けられた規定である．壁梁の配筋は単配筋もしくは複配筋であり，部材内で出隅部分の端部曲げ補強筋は通し配筋するのが一般的であることから，当該規定は実質的には問題とならない．なお，やむを得ず出隅部分の端部曲げ補強筋を部材内で重ね継手する場合は，当該鉄筋の末端には標準フックを設ける必要がある．

　以上，壁式 RC 造の継手で最も多用されるのは重ね継手であるので，それについて規定した．ガ

3．引張鉄筋の部材内への定着

耐力壁やスラブならびに壁梁等に設ける小開口や開口部周囲に配筋する引張鉄筋やカットオフ鉄筋の部材内定着について，所要長さの算定が許容付着応力度を用いて行うことから，本項に規定している．

耐力壁や壁梁等の曲げ材のカットオフ筋の所要付着長さは本項1．に従って算定する．小開口や開口部周囲の補強筋の所要付着長さは（9.13.5）式により算定する．

[参 考 文 献]

9.13.1) 日本建築学会：鉄筋コンクリート構造計算規準・同解説，pp.213〜234，2024.12
9.13.2) 日本建築学会：鉄筋コンクリート構造計算規準・同解説，p.217，2024.12
9.13.3) 日本建築学会：鉄筋コンクリート構造計算規準・同解説，pp.230〜233，2024.12
9.13.4) 日本建築学会：鉄筋コンクリート構造計算規準・同解説，p.233，2024.12
9.13.5) 日本建築学会：重ね継手の全数継手設計指針（案）・同解説，1996．
9.13.6) 日本建築学会：鉄筋コンクリート構造計算規準・同解説，p.212，p.236，2024.12
9.13.7) 松村　晃・五十嵐泉：組積造に関する日米共同大型耐震実験研究（77）れんがRM造における補強鉄の重ね継手実験，日本建築学会大会学術講演梗概集，C，構造Ⅱ，pp.1701〜1702，1989.9
9.13.8) （社）建築研究振興協会：鉄筋コンクリート組積造（RM造）建築物の構造設計指針・同解説，pp.2-197〜2-201，平成16年12月，2004.12
9.13.9) 日本建築学会：鉄筋コンクリート構造計算規準・同解説，pp.235〜236，2024.12

9.14　定　　　着

1．異形鉄筋の接合部への定着は，必要定着長さ l_{ab} 以上の定着長さ l_a を確保する．
2．直線定着する場合の定着長さ l_a は，定着起点から当該鉄筋端までの長さとする．本節6．に規定する標準フックを鉄筋端に設ける場合は，定着起点からフックまでの投影定着長さを l_a とする．また，また，信頼できる機械式定着具を壁梁の出隅部分の鉄筋端に設ける場合は，本節によるほか10.5.5項による．
3．曲げ材の引張鉄筋の定着検討は，以下による．
（1）長期荷重時に対する検討は，（9.14.1）式または（9.14.2）式による．
　（a）コンクリートを拘束する有効な拘束がない場合：

$$l_{ab} = \frac{{}_L\sigma_t \cdot d_b}{4 \times 0.8 {}_L f_a} \tag{9.14.1}$$

　（b）コンクリートを拘束する有効な拘束がある場合：

$$l_{ab} = \frac{{}_L\sigma_t \cdot d_b}{4 {}_L f_a} \tag{9.14.2}$$

　　記号　l_{ab}：曲げ材の引張鉄筋の長期荷重時における必要定着長さ（mm）
　　　　　${}_L\sigma_t$：曲げ材の引張鉄筋の長期荷重時引張応力度（N/mm^2）で，長期許容引張応力度としてよい．鉄筋端に鉄筋端に標準フックを設ける場合は，その数値の2/3倍とすることができる．
　　　　　d_b：鉄筋径（mm）で，異形鉄筋では呼び名に用いた数値．
　　　　　${}_L f_a$：長期許容付着応力度（N/mm^2）で，表5.4による．

（2） 短期荷重時に対する検討は，(9.14.3) 式または (9.14.4) 式による．
　（a） コンクリートを拘束する有効な拘束がない場合：

$$l_{ab} = \frac{{}_s\sigma_t \cdot d_b}{4 \times 0.8\,{}_sf_a} \tag{9.14.3}$$

　（b） コンクリートを拘束する有効な拘束がある場合：

$$l_{ab} = \frac{{}_s\sigma_t \cdot d_b}{4\,{}_sf_a} \tag{9.14.4}$$

　　記号　　l_{ab}：曲げ材の引張鉄筋の短期荷重時における必要定着長さ (mm)
　　　　　${}_s\sigma_t$：曲げ材の引張鉄筋の短期荷重時引張応力度 (N/mm²) で，短期許容引張応力度としてよい．鉄筋端に鉄筋端に標準フックを設ける場合は，その数値の 2/3 倍とすることができる．
　　　　　d_b：鉄筋径 (mm) で，異形鉄筋では呼び名に用いた数値．
　　　　　${}_sf_a$：短期許容付着応力度 (N/mm²) で，表 5.4 による．

4．耐力壁・壁梁接合部（以下，接合部という）内を通して配筋される壁梁および耐力壁・基礎梁接合部（以下，接合部という）内を通して配筋される基礎梁の主筋径は (9.14.5) 式を，接合部内を通して配筋される耐力壁の縦補強筋の主筋径は (9.14.6) 式を満たすことを原則とする．ただし，極めて稀に発生する荷重および外力の組合せ時に接合部に接続する部材の主筋の降伏が生じない場合は，これを緩和してよい．なお，(9.14.5) 式および (9.14.6) 式の代わりに本会編「鉄筋コンクリート造建物の靱性保証型耐震設計指針・同解説」の 8.4 節によって検討してもよい．

$$d_b \leq 3.6(1.5 + 0.1F_c) \cdot \frac{D}{{}_sf_t} \tag{9.14.5}$$

$$d_b \leq 3.0(1.5 + 0.1F_c) \cdot \frac{D}{{}_sf_t} \tag{9.14.6}$$

　　記号　　d_b：鉄筋径 (mm) で，異形鉄筋では呼び名に用いた数値．
　　　　　F_c：コンクリートの設計基準強度 (N/mm²)
　　　　　D：通し配筋される部材の全せい (mm)
　　　　　${}_sf_t$：鉄筋の短期許容引張応力度 (N/mm²)

5．定着に関する構造規定は，次の (1) から (7) による．
（1） 壁梁の出隅部分の鉄筋の末端は，かぎ状に折り曲げて定着する．なお，本節によるほか 10.5.5 項による場合は，かぎ状に折り曲げて定着しなくてもよい．ただし，最上層外端耐力壁・壁梁接合部への壁梁の上端端部曲げ補強筋の定着は，定着起点から $0.75\,l_w$（l_w：耐力壁・壁梁接合部の全せい）以上確保した上で 90°に折り曲げ，折曲げ後の直線部分で所要の定着長さ以上を確保する．なお，直交壁内へ定着してもよい．
（2） 引張応力を受ける鉄筋の直線定着長さは，原則として 300 mm 以上とする．ただし，非耐震部材で特別な配慮をした場合は，この限りでない．
（3） 折曲げ定着の場合は，原則として投影定着長さ（定着起点から折曲げ終点までの長さをいい，以下同様とする）を $8\,d_b$（d_b：異形鉄筋の呼び名に用いた数値）かつ 150 mm 以上とする．ただし，設計で長期応力のみ負担すると考えた部材で特別な配慮をした場合は，この限りでない．
（4） 折曲げによる壁梁の主筋の接合部および直交壁への定着，および耐力等の縦補強筋の接合部への定着における投影定着長さは，上記接合部全せいの 0.75 倍以上を基本とし，接合部側へ折り曲げることを原則とする．ただし，接合部全せいが十分に大きい場合，あるいは特別な配慮をした場合は，この限りでない．
（5） 特殊な定着箇所においては，応力が無理なく伝達されるような断面および配筋とする．
（6） 圧縮応力のみを受ける鉄筋の接合部への定着は，投影定着長さを $8\,d_b$ 以上とする．
（7） 部材固定端における溶接金網の定着では，接合面から最外端の横筋までの長さを横筋間隔に 50 mm

を加えた長さ以上かつ 150 mm 以上とする．
6．標準フックの余長，鉄筋の折曲げ内法直径は，次の（1）および（2）による．
（1） 本節によって定着の検定を行う折曲げ定着筋の標準フックの余長は，90°折曲げの場合は鉄筋径の8倍以上，135°折曲げの場合は鉄筋径の6倍以上，もしくは 180°折曲げの場合は鉄筋径の4倍以上のいずれかとする．
（2） 折曲げ部の折曲げ内法直径の最小値は，表 9.14.1 による．

表 9.14.1 標準フックの折曲げ内法直径の最小値

折曲げ角度	鉄筋種別	鉄筋径による区分	鉄筋の折曲げ内法直径の最小値
180°	SD 295	D16 以下	$3d_b$ [*1]
135°	SD 345	D19〜D41	$4d_b$
90°	SD 390	D41 以下	$5d_b$

〔記号〕 d_b：異形鉄筋の呼び名に用いた数値（mm）
〔注〕 *1：折曲げに際して割れ，ひび割れ等が生じないことが確かめられた場合で，かつ折曲げ部内側に直交方向に D13 以上の補強筋を配する場合は，折曲げ内法直径の最小値を D10，D13 に限り $2d_b$ としてもよい．

1．定着設計の基本的な考え方

鉄筋の定着には，支持部材への定着と同一部材内への定着がある．本節では，支持部材への定着について記載する．同一部材内への定着は，9.13 節による．

曲げ材の引張鉄筋の支持部材への定着検討は，支持部材端に生じる引張力に対して定着側鉄筋に生じる平均付着応力度による抵抗力が上回るよう必要定着長さを算定し，定着長さが必要定着長さ以上確保されていることを確認することである．すなわち，定着設計の基本は，次式を満たすことを確認するものである．

$$l_a \geq l_{ab} \qquad (解 9.14.1)$$

記号　l_a：定着長さ（mm）で，定着起点（支持部材の仕口端）より鉄筋末端までの長さ（折曲げ定着の場合は，定着起点から標準フック開始点までの長さ）とする．

l_{ab}：必要定着長さ（mm）

引張鉄筋の必要定着長さの算定においては，壁式 RC 造における構造部材の構造上の固有の特性を考慮する必要がある．本構造における耐力壁や壁梁は複配筋または単配筋である．また，壁梁や耐力壁が複配筋の場合においても，壁梁の横補強筋が耐力壁端部曲げ補強筋の外側に配筋される場合が一般的である．この場合，壁梁の横補強筋のうち1本は，非拘束領域内への定着となることに留意する必要がある．また，単配筋の耐力壁や壁梁の場合は，必然的に非拘束領域への定着となる．

2．定着の起点と定着長さ

曲げ材の引張鉄筋の支持部材への定着長さは，定着起点（支持部材のコンクリート面）から直線定着の場合は鉄筋端までの長さ，折曲げ定着の場合は標準フック開始点までの長さとする．

3．曲げ材の引張鉄筋の定着検討

（1） 長期荷重時および短期荷重時における定着検討

2018 年版の RC 規準での定着の検討では，外柱梁接合部（ト形，L 形）での柱主筋および梁主筋の定着，内柱梁接合部（十字形，T 形）での柱主筋や梁主筋の通し筋の定着，杭の主筋，小梁主筋，

壁筋やスラブ筋などの定着一般を対象とし，定着破壊に対する安全性の確保を目標としている．いずれの破壊形式も，破壊に至るまでの剛性は高いことから，安全限界の検討を行えば，使用限界，損傷限界については自ずと担保されるとしている[9.14.1]．

本規準においては，RC規準（1991）にならい，長期荷重時および短期荷重時における定着設計を行うこととするとともに，単配筋や複配筋の場合において主筋の定着部分のコンクリートの割裂を防止する有効な拘束がない場合は，文献[9.14.2]に基づき許容付着応力度に低減係数 0.8 を乗じることとしている．

（2） 折曲げ定着における必要投影定着長さが確保できない場合の対応策

壁式RC造耐力壁の厚さおよび壁梁の幅は通常 150～210 mm 程度と薄いことから，折曲げ定着の場合の必要定着長さを確保することが困難となる場合が多い．これに対する対応策として，2024年版のRC規準の解説に記載の「特別な配慮」[9.14.3]や，これまでに蓄積された実験研究を基に，以下に示す方法で必要投影定着長さを満足しない場合の対応策について示す．

フック付き必要定着長さが確保できない場合の具体例として，以下に示す3つの場合が想定される．

① 耐震部材の主筋を同一構面の長さの短い耐力壁・壁梁接合部に 90°折曲げ定着する場合
② 耐震部材，または片持梁および片持スラブの主筋を直交する部材内に 90°折曲げ定着する場合
③ 小梁およびスラブの主筋を壁梁，基礎梁ならびに直交壁に 90°折曲げ定着する場合

上記の3通りに対して，以下に示す対応方法で必要定着長さを確保する（解説表 9.14.1）．

解説表 9.14.1 に記載の③の対応方法は，前述のRC規準（2024）の 17 条の解説[9.14.3]において，非耐震部材である小梁やスラブを対象に特別な配慮として設けられている規定であるが，前記①や②についても，(10.5.52) 式における $S=1.0$ を 1.25 と読み替えて準用することとした．

壁式RC構造への適用の妥当性については今後詳細に検討される必要があるが，本規準においては緩和規定を適用する場合は，90°折曲げ部内側に定着性能確保のための補強筋を配置す

解説表 9.14.1 必要投影定着長さが確保できない場合の対応方法

ケース	内容	対応方法
①	耐震部材の主筋を同一構面の長さの短い耐力壁・壁梁接合部に 90°折曲げ定着する場合で，必要投影定着長さが確保できない場合	接合面を定着起点として，鉄筋先端までの総長さを定着長さ l_a とし必要長さ（(10.5.51) 式においては，$S=1.25$ として算定）を確保する（解説図 9.14.1）．
②	耐震部材または片持梁および片持スラブの主筋を直交する部材内に定着する場合で，必要投影定着長さが確保できない場合	折曲げ終点を定着起点として，鉄筋先端までの長さを定着長さ l_a とし必要長さ（(10.5.51) 式においては，$S=1.25$ として算定）を確保する（解説図 9.14.2）．
③	90°折曲げ定着する小梁やスラブの主筋の必要投影定着長さが (10.5.51) 式において $S=0.5$ を用いて算定される数値の 2/3 以上である場合	仕口面から鉄筋端までの総延長長さ（折曲げ部分および余長を含む）を定着長さ l_a とし必要長さ（(10.5.51) 式においては，$S=1.0$ として算定）を確保する[9.14.3]．解説図 9.14.2 によってもよい．
	90°折曲げ定着する小梁やスラブの主筋の必要投影定着長さが (10.5.51) 式において $S=0.5$ を用いて算定される数値の 2/3 未満である場合	折曲げ終点を定着起点として，鉄筋先端までの長さを定着長さ l_a とし必要長さ（(10.5.51) 式においては，$S=1.0$ として算定）を確保する[9.14.3]．解説図 9.14.3 によってもよい．

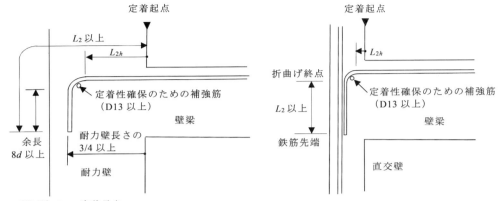

解説図 9.14.1 投影定着長さが不足する場合（壁梁主筋を耐力壁・壁梁接合部内に 90°折曲げ定着する場合）の定着要領[9.14.4)]

解説図 9.14.2 投影定着長さが不足する場合（壁梁主筋を直交耐力壁に 90°折曲げ定着する場合）の定着要領[9.14.4)]

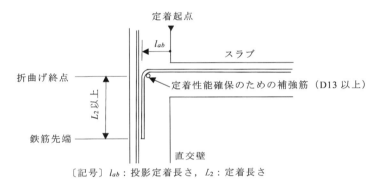

解説図 9.14.3 投影定着長さが不足する場合（スラブ上端主筋を支持部材に 90°折曲げ定着する場合）の定着要領[9.14.4)]

る[9.14.5)〜9.14.7)]ことでよしとした．

壁式 RC 造の耐力壁・壁梁接合部における壁梁主筋の定着性能に関する研究[9.14.8)]のうち 2 体の試験体（R01，R02）の実験結果と得られた知見を示す．ここで着目する両試験体は，いずれも直交壁とスラブを有するト形耐力壁・壁梁接合部であり，一般的な壁式 RC 造に使用される断面を 1/2 スケールにした縮小モデルである．これらの試験体の壁梁主筋の定着性能は，R02 の 1 段筋（鉄筋で拘束された領域）を除き，(10.5.51)式を満足しておらず，前述した RC 規準（2024）の 17 条の解説にある緩和規定を構造部材に適用した場合の規定も満足していない．以上の試験体に対して，以下の実験結果が得られている．

・RC 規準（2018）の定着規定を満足せずとも，ただちに脆性的な定着破壊に至ることはない．ただし，最大耐力後の繰返しでは，今回の実験でも，特にスラブの取り付かない側が引張となる加力方向では主筋定着部での破壊が進行しており，塑性域での靭性能は期待できない．

・いずれの試験体も壁梁主筋が降伏し，壁梁が曲げ降伏している．R01 の上端引張時の曲げ強度

時せん断力（実験値）は計算値を概ね確保しているものの，下端引張時のそれは計算値をやや下回っている．R02の実験値は上端，下端ともに計算値をやや下回り，特に下端引張時にその傾向が強い．さらに，折曲げ定着部がスラブにも直交壁にも拘束されていない試験体R02の下端2段筋では比較的小さい荷重で折曲げ定着部のコンクリートが破壊している．また，上端筋については，RC規準ではR01の定着性能が低いことになるが，実験では逆の傾向となる結果であった．これは，直交壁とスラブによる拘束は一定の効果があることを示唆している．

以上のことから，スラブと直交壁による主筋拘束の効果が認められることから，その領域において鉄筋を定着する場合，(10.5.51)式中の係数 α はコア内定着とみなしてよいこととした．一方，外周構面において，壁梁主筋を定着する耐力壁・壁梁接合部にスラブや直交壁が取り付かない場合，壁梁主筋は耐力壁コア内に定着することが推奨される．このように本規定を満足しない場合の安全性に関する知見が現時点で十分ではないため，部材のモデル化においてこれらを安全側に評価することが望まれる．

(3) 必要定着長さの算定

1) 必要定着長さの算定方法

必要定着長さは，(9.14.1)～(9.14.4)式により算定することとするが，鉄筋に生じる引張応力度 σ_t の算定が煩雑であることから，実用的には σ_t を使用する鉄筋の許容引張応力度 f_t として算定した数値を安全側に丸めた数値を採用すればよい．

2) 壁梁の端部曲げ補強筋の必要定着長さの算定例

一例として，壁梁の上端端部曲げ補強筋および下端端部曲げ補強筋の耐力壁・壁梁接合部への必要定着長さ，ならびに耐力壁縦補強筋の基礎梁や最上層耐力壁・壁梁接合部への必要定着長さの計算結果を，解説表9.14.2から解説表9.14.4に示す．

解説表9.14.2から解説表9.14.4においては，(10.5.51)式による必要定着長さも併せて示して

解説表9.14.2 壁梁の上端端部曲げ補強筋の耐力壁・壁梁接合部への
必要直線定着長さ（鉄筋種別 SD345，非拘束領域への定着）

F_c (N/mm^2)	$_Lf_a$ (N/mm^2)	$_sf_a$ (N/mm^2)	f_b (N/mm^2)	$\dfrac{_Lf_t \cdot d_b}{4 \times 0.8 _Lf_a}$	$\dfrac{_sf_t \cdot d_b}{4 \times 0.8 _sf_a}$	$\dfrac{a \cdot S \cdot _sf_t \cdot d_b}{10 f_b}$	必要直線定着長さ（丸めた数値）
18	1.20	2.07	1.350	56.0 d_b	52.1 d_b	39.9 d_b	60 d_b
21	1.40	2.10	1.425	48.0 d_b	51.4 d_b	37.9 d_b	55 d_b
24	1.54	2.31	1.500	43.7 d_b	46.7 d_b	36.0 d_b	50 d_b
27	1.62	2.43	1.575	41.5 d_b	44.4 d_b	34.3 d_b	45 d_b
30	1.70	2.55	1.650	39.6 d_b	42.3 d_b	32.7 d_b	45 d_b
33	1.78	2.67	1.725	37.8 d_b	40.4 d_b	31.3 d_b	45 d_b
36	1.86	2.79	1.800	36.2 d_b	38.7 d_b	30.0 d_b	40 d_b
42	2.02	3.03	1.950	33.3 d_b	35.6 d_b	27.7 d_b	40 d_b

〔記号〕 F_c：コンクリートの設計基準強度，$_Lf_a$：長期許容付着応力度，
$_sf_a$：短期許容付着応力度，$_Lf_t$：SD345 D25以下の長期許容引張応力度（=215 N/mm^2），
$_sf_t$：SD345の短期許容引張応力度（=345 N/mm^2），d_b：異形鉄筋の呼び名に用いた数値，
f_b：付着割裂の基準となる強度（その他の鉄筋の数値），$a = S = 1.25$

解説表 9.14.3 壁梁の下端端部曲げ補強筋の耐力壁・壁梁接合部への必要直線定着長さ（鉄筋種別 SD345，非拘束領域への定着）

F_c (N/mm^2)	$_Lf_a$ (N/mm^2)	$_sf_a$ (N/mm^2)	f_b (N/mm^2)	$\dfrac{_Lf_t \cdot d_b}{4 \times 0.8_Lf_a}$	$\dfrac{_sf_t \cdot d_b}{4 \times 0.8_sf_a}$	$\dfrac{a \cdot S \cdot {_sf_t} \cdot d_b}{10 f_b}$	必要直線定着長さ（丸めた数値）
18	1.80	2.70	1.350	37.3 d_b	39.9 d_b	39.9 d_b	40 d_b
21	2.10	3.15	1.425	32.0 d_b	34.3 d_b	37.9 d_b	40 d_b
24	2.31	3.465	1.500	29.1 d_b	31.2 d_b	36.0 d_b	40 d_b
27	2.43	3.645	1.575	27.7 d_b	29.6 d_b	34.3 d_b	35 d_b
30	2.55	3.825	1.650	26.4 d_b	28.2 d_b	32.7 d_b	35 d_b
33	2.67	4.005	1.725	25.2 d_b	27.0 d_b	31.3 d_b	35 d_b
36	2.79	4.185	1.800	24.1 d_b	25.8 d_b	30.0 d_b	30 d_b
42	3.03	4.545	1.950	22.2 d_b	23.8 d_b	27.7 d_b	30 d_b

〔記号〕解説表 9.14.2 の記号の説明による．

解説表 9.14.4 耐力壁の端部曲げ補強筋の基礎梁および最上層耐力壁・壁梁接合部への必要直線定着長さ（鉄筋種別 SD345，非拘束領域への定着）

F_c (N/mm^2)	$_Lf_a$ (N/mm^2)	$_sf_a$ (N/mm^2)	f_b (N/mm^2)	$\dfrac{_Lf_t \cdot d_b}{4 \times 0.8_Lf_a}$	$\dfrac{_sf_t \cdot d_b}{4 \times 0.8_sf_a}$	$\dfrac{a \cdot S \cdot {_sf_t} \cdot d_b}{10 f_b}$	必要直線定着長さ（丸めた数値）
18	1.80	2.70	1.350	37.3 d_b	39.9 d_b	39.9 d_b	40 d_b
21	2.10	3.15	1.425	32.0 d_b	34.3 d_b	37.9 d_b	40 d_b
24	2.31	3.465	1.500	29.1 d_b	31.2 d_b	36.0 d_b	40 d_b
27	2.43	3.645	1.575	27.7 d_b	29.6 d_b	34.3 d_b	35 d_b
30	2.55	3.825	1.650	26.4 d_b	28.2 d_b	32.7 d_b	35 d_b
33	2.67	4.005	1.725	25.2 d_b	27.0 d_b	31.3 d_b	35 d_b
36	2.79	4.185	1.800	24.1 d_b	25.8 d_b	30.0 d_b	30 d_b
42	3.03	4.545	1.950	22.2 d_b	23.8 d_b	27.7 d_b	30 d_b

〔記号〕解説表 9.14.2 の記号の説明による．

いる．解説表 9.14.2 から解説表 9.14.4 より，必要定着長さが短期荷重時に対する検討で決まる場合と定着に関する保証設計で決まる場合の二通りがあることがわかる．

　建物外端における耐力壁の長さは，解説表 9.14.2 や解説表 9.14.3 を考慮のうえ，使用する壁梁の端部曲げ補強筋径とコンクリートの設計基準強度の設定を考慮して構造計画の段階で設定することが重要である．また，基礎梁や耐力壁・壁梁接合部のせいについても，同様の留意が必要である．

4．耐力壁・壁梁接合部内を通して配筋される壁梁，基礎梁ならびに耐力壁の主筋径の制限

　RC 規準（2024）17 条[9.14.9]において，柱梁接合部内に通し配筋定着する場合の主筋径の制限式として，（解 9.14.2）式が記載されている．

$$\frac{d_b}{D} \leqq 3.6 \frac{1.5 + 0.1 F_c}{_sf_t} \tag{解 9.14.2}$$

記号　d_b：異形鉄筋の呼び名に用いた数値（mm），D：通し配筋される部材の全せい（mm）
　　　　F_c：コンクリートの設計基準強度（N/mm^2）
　　　　$_sf_t$：鉄筋の短期許容引張応力度（N/mm^2）

（解9.14.2）式は，RC規準（2024）によれば，下記のようにして導かれている．

「鉄筋コンクリート造建物の靱性保証型耐震設計指針・同解説」（以下，RC靱性指針と略記）に記載の通し配筋の付着検定は，以下のとおりである[9.14.10]．

$$\tau_j \leq \tau_u \quad \text{(解 9.14.3)}$$

記号　τ_j：設計用付着応力度（N/mm^2）で，次式による．

$$\tau_j = \frac{(1+\gamma) \cdot \sigma_{yu} \cdot d_b}{4D} \quad \text{(解 9.14.4)}$$

γ：複筋比

σ_{yu}：主筋の上限強度算定用強度（N/mm^2）

d_b：異形鉄筋の呼び名に用いた数値（mm）

D：梁主筋の付着の検討の際には柱せい，柱主筋の付着の検討の際には梁せい（mm）

τ_u：柱および梁の主筋の柱梁接合部内での付着強度（N/mm^2）で，次式による．

$$\tau_u = 0.7 \times \left(1 + \frac{\sigma_0}{\sigma_B}\right) \cdot \sigma_B^{2/3} \quad \text{(解 9.14.5)}$$

σ_0：柱の圧縮応力度（N/mm^2）（柱主筋の付着強度算定の場合には0とする）

σ_B：コンクリートの圧縮強度（N/mm^2）で，設計基準強度とする．

（解9.14.4）式および（解9.14.5）式に，$\gamma=1.0$，$\sigma_{yu}={_sf_t}$，$\sigma_0/\sigma_B=0.2$，$\sigma_B^{2/3}=2.14\times(1.5+0.1\sigma_B)$ を代入すると，次式が得られる．

$$2{_sf_t} \cdot d_b/(4D) \leq 0.7 \times (1+0.2) \times 2.14 \times (1.5+0.1\sigma_B)$$
$$d_b/D \leq 2 \times 0.7 \times (1+0.2) \times 2.14 \times (1.5+0.1\sigma_B)/{_sf_t} \fallingdotseq 3.6 \times (1.5+0.1)/{_sf_t}$$
$$\text{(解 9.14.6)}$$

また，（解9.14.4）式および（解9.14.5）式に $\gamma=1.0$，$\sigma_{yu}={_sf_t}$，$\sigma_0/\sigma_B=0$，$\sigma_B^{2/3}=2.14\times(1.5+0.1\sigma_B)$ を代入すると，次式が得られる．

$$2{_sf_t} \cdot d_b/(4D) \leq 0.7 \times (1+0) \times 2.14 \times (1.5+0.1\sigma_B)$$
$$d_b/D \leq 2 \times 0.7 \times 2.14 \times (1.5+0.1\sigma_B)/{_sf_t} \fallingdotseq 3.0 \times (1.5+0.1)/{_sf_t} \quad \text{(解 9.14.7)}$$

壁式RC構造の場合は，耐力壁の長期軸方向応力度は1 N/mm^{2}前後であることから，$\sigma_0/\sigma_B=0$とする必要があるが，RC規準においても引張力が生じる柱梁接合部内を通し配筋される梁主筋に対して，係数3.6を変えることの記載がないことを考慮し，壁梁および基礎梁の横補強筋の接合部内への通し配筋の検討は，（9.14.5）式を採用してよいとした．

耐力壁の縦補強筋の耐力壁・壁梁接合部の通し筋の径は，軸方向応力度を0とした（9.14.6）式を用いる必要がある．なお，（9.14.6）式に替えてRC靱性保証指針[9.14.10]の解説に記載の緩和規定である次式によって検討してもよい．

$$\tau_j \leq 1.25\tau_u \quad \text{(解 9.14.8)}$$

記号　τ_f：設計用付着応力度（N/mm²）で，（解 9.14.4）式による．

　　　τ_u：接合部内での耐力壁縦補強筋の付着強度（N/mm²）で，（解 9.14.5）式による．

5. 定着に関する構造規定

（1）壁梁の出隅部分の鉄筋の末端のかぎ状折曲げ

1）壁梁の出隅部分の鉄筋の末端のかぎ状折曲げ

本規定は，施行令第73条（鉄筋の継手及び定着）に規定されている内容である．令第36条（構造方法に関する技術的基準）第2項によれば，令第73条の規定を適用除外とする場合は，平19国交告第594号第4に適合する必要があるとしている．同告示にはただし書として「当該構造部分の実況に応じた加力実験によって耐力，靭性および付着に関する性能が当該構造部分に関する規定に適合する部材と同等以上であることが確認された場合にあっては，この限りでない．」とされている．

本構造と同様の壁式RC造と同形式の鉄筋コンクリート組積造（RM造）に関する告示（平15国交告第463号）と組積造に関する日米共同大型耐震実験研究成果を基に作成された「鉄筋コンクリート組積造（RM造）建築物の構造設計指針・同解説」[9.14.11]の9.11節（鉄筋の定着）によれば，所要の定着長さ以上を確保する場合は最上層の壁梁の外端を除き直線定着を可としている．文献9.14.11）は，刊行に際して国土交通省　国土技術政策総合研究所および独立行政法人（現 国立研究開発法人）建築研究所の監修を受け，日本建築行政会議と㈳建築研究振興協会により編集されている．したがって，文献9.14.11）の9.11節（鉄筋の定着）に関する規定は，平19国交告第594号第4に規定されるただし書に該当し，壁梁の出隅部分の末端はかぎ状に折り曲げる必要はないと判断される．

本規準においては，本節に基づき定着に関する長期および短期荷重時に対する許容応力度設計と10.5.5項に規定する定着に関する保証設計を行うことで，壁梁の出隅部分の鉄筋の末端はかぎ状に折り曲げなくてもよいとしている．

2）最上層外端耐力壁・壁梁接合部への壁梁の上端端部曲げ補強筋の定着

上階の耐力壁の軸方向力による抑えのない最上層外端耐力壁・壁梁接合部への壁梁の上端端部曲げ補強筋の定着に関して，耐力壁・壁梁接合部際から曲げせん断ひび割れが生じることが想定され十分な引張力を発揮できなくなることを考慮する必要がある[9.14.12]ことから，最上層外端壁梁の上端端部曲げ補強筋の耐力壁・壁梁接合部への定着は，定着起点から $0.75\,l_w$（l_w：耐力壁・壁梁接合部の長さ）以上確保した上で90°に折り曲げ，折曲げ後の直線部分で所要の定着長さ以上確保することとした（解説図9.14.4）．なお，直交壁内へ定着してもよい．

（2）引張鉄筋の直線定着長さの最小値

本規定は，RC規準（2024）の規定[9.14.14]と同様である．片持部材を除く非耐震部材の引張鉄筋で拘束領域への必要直線定着長さは，（9.14.2）式に $_L\sigma_t=195\,\text{N/mm}^2$，$_Lf_a=1.80\,\text{N/mm}^2$（$F_c=18\,\text{N/mm}^2$，その他の鉄筋），$d_b=13\,\text{mm}$ を代入すると，$l_b=351.2\,\text{mm}$ となり，$_L\sigma_t=0.8\times195\,\text{N/mm}^2$ の場合は $l_b=281.7\,\text{mm}$ となる．したがって $l_b<300\,\text{mm}$ となるのは稀であるので，本規定は実質的には問題となることはないと考えられる．

片持部材を除く非耐震部材（小梁，スラブならびに非構造壁等）で，引張応力度が十分に小さい

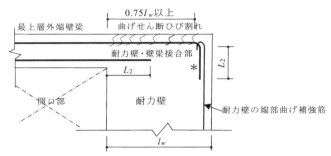

〔記号〕L_2：定着長さ，l_w：耐力壁・壁梁接合部の長さ
＊：直交壁内へ定着してもよい．

解説図 9.14.4 最上層外端壁梁の上端端部曲げ補強筋 90°折曲げ定着
（文献 9.14.13）を基に作成）

場合（例えば，短期荷重時における引張応力度が長期許容引張応力度以下等）には，$20d$（d：異形鉄筋の呼び名に用いた数値）を下回らない範囲で直線定着長さを 300 mm 未満としてもよいと考える．

（3）折曲げ定着の場合の投影定着長さの最小値

投影定着長さの最小規定である $8d_b$ かつ 150 mm 以上は，文献 9.14.14）によれば，「掻出し破壊防止のために必要最小長さと考えられる投影定着長さを規定した」と記載されている．壁式 RC 造部材は通常厚さが 150〜210 mm 程度であることから，投影定着長さが $8d_b$ かつ 150 mm を下回る場合も想定される．

「壁式構造配筋指針・同解説」によれば，「スラブの主筋を壁梁，臥梁，基礎梁ならびに直交壁に折曲げ定着する場合で，定着長さが表 5.2.2 のフック付き定着長さ L2h を満足しない場合には，定着起点から鉄筋先端までの長さを $40d$（d：異形鉄筋の呼び名に用いた数値）以上確保するとともに，折曲げ部内側に定着性能確保のための補強筋（D13 以上）を配置することとしている」[9.14.15]ので，これによればよい．

（4）耐力壁・壁梁接合部へ主筋を折曲げ定着する場合の最小投影定着長さ

本規定は，RC 規準における柱梁接合部への梁主筋の折曲げ定着に関する構造規定を準用したもので，折曲げ投影定着長さの計算値が接合部全せいの 0.75 倍未満の数値となる場合でも，0.75 倍以上の数値を確保するとともに，接合部側へ折り曲げることを規定したものである．これを満たすことが困難な場合は，RC 規準（2024）[9.14.16]に準じて次式により耐力壁・壁梁接合部のせん断強度を低減する〔10.4.3 項参照〕．

$$\Phi_A = \frac{l_{dh}}{0.75D} \leq 1 \tag{解 9.14.9}$$

記号　Φ_A：耐力壁・壁梁接合部のせん断強度低減係数
　　　l_{dh}：壁梁主筋または耐力壁主筋の折曲げ定着部の投影定着長さ（mm）
　　　D：耐力壁・壁梁接合部の長さまたは，せい（mm）

（5） 特殊な定着箇所における断面および配筋

壁式 RC 造建物における耐震部材の主筋における特殊な定着箇所としては，杭基礎におけるパイルキャップ内での耐力壁の端部曲げ補強筋と杭頭鉄筋や杭頭接合筋の定着である．詳細は，文献 9.14.17) を参照されたい．

（6） 圧縮応力のみを受ける鉄筋の接合部への最小投影定着長さ

圧縮力に対しては，折り曲げた先はコンクリートの圧縮破壊をまねくおそれがあり定着に有効でないことから本規定を設けている．小梁の下端筋に D19 以上を用いると最小投影定着長さが 152 mm となり，厚さが 200 mm 以下の耐力壁や幅が 200 mm 以下の壁梁では確保困難となることから注意する必要がある．

（7） 部材固定端での溶接金網の定着

本規定は RC 規準（2024）と同様であるので，詳細は文献 9.14.18) を参照されたい．

6. 標準フックの余長・折曲げ内法直径

（1） 標準フックの余長および標準フックの側面かぶり厚さ

折曲げ定着の場合は，折曲げ開始点以降での所定の長さを確保することが定着性能を確保するうえで重要である．余長を $8 \sim 12 d_b$（d_b：異形鉄筋の呼び名に用いた数値）と変化させた場合でも定着強度は同程度であったことから，余長の最小長さが $8 d_b$ とされている[9.14.19]．

折曲げ内法直径が $4 d_b$ の場合，いずれの曲げ角度に対しても折曲げ開始点以降の鉄筋の長さは全て同じとなっている．

（2） 鉄筋の折曲げ内法直径

鉄筋の折曲げ部内側に生じる支圧力は，折曲げ内法直径が小さいほど大きくなるため，コンクリートの局部圧縮破壊を避けるために内法直径の最小値を規定している[9.14.19]．表 9.14.1 に記載の標準フックの折曲げ内法直径は，JIS G3112 に規定される 180°折曲げ試験における内法半径の 2 倍の数値である．

「壁式構造配筋指針・同解説」によれば，D13 以下であって折曲げに際して割れ，ひび割れ等が生じないことが確かめられた場合でかつ，折曲げ部内側に直交方向に D13 以上の補強筋を配する場合に折曲げ内法直径を $2d$（d：異形鉄筋の呼び名に用いた数値）としてもよいと記載されている[9.14.20]ので，これによってもよい．

[参考文献]

9.14.1) 日本建築学会：鉄筋コンクリート構造計算規準・同解説，p.251，2024.12
9.14.2) 日本建築学会：壁式構造関係設計規準集・同解説（壁式鉄筋コンクリート造編），pp.210～213，2003.9
9.14.3) 日本建築学会：鉄筋コンクリート構造計算規準・同解説，pp.255～267，2024.12
9.14.4) 日本建築学会：壁式構造配筋指針・同解説，p.211，p.219，2016.5
9.14.5) 源氏　修・平松道明・今川憲英・吉田　宏・吉崎征二：薄肉 PC ラーメン工法の水平加力実験（その 1，その 2），日本建築学会大会学術講演梗概集，C-2，構造Ⅳ，pp.49～52，1995.7
9.14.6) 椎野暢朗・源氏　修・平松道明・伊藤　忍・田中材幸・小林　淳・吉田　宏：薄肉 PC ラーメン工法の水平加力実験（その 3，その 4），日本建築学会大会学術講演梗概集，C-2，構造Ⅳ，pp.693～696，

9.14.7) 田中材幸・平松道明・伊藤　忍・小林　淳：薄肉PCラーメン工法の水平加力実験（その5，その6），日本建築学会大会学術講演梗概集，C-2，構造Ⅳ，pp.889〜892, 1998.7
9.14.8) 松士智史・楠原文雄・塩原　等・向井智久・壁谷澤寿一・福山　洋：壁式RC造の外部柱梁接合部における梁主筋の定着性能の実験, 日本建築学会大会学術講演梗概集, C2, 構造Ⅳ, pp.887〜888, 2011.7
9.14.9) 日本建築学会：鉄筋コンクリート構造計算規準・同解説，p.262〜264, 2024.12
9.14.10) 日本建築学会：鉄筋コンクリート造建物の靱性保証型耐震設計指針・同解説，p.255〜257, 1999.8
9.14.11) ㈳建築研究振興協会：鉄筋コンクリート組積造（RM造）建築物の構造設計指針・同解説，p.2-202, 平成16年12月，2004.12
9.14.12) 日本建築学会：鉄筋コンクリート構造計算規準・同解説，pp.253〜255, 2024.12
9.14.13) 日本建築学会：壁式構造関係設計規準集・同解説（壁式鉄筋コンクリート造編），pp.211〜212, 2003.9
9.14.14) 日本建築学会：鉄筋コンクリート構造計算規準・同解説，pp.264〜266, 2024.12
9.14.15) 日本建築学会：壁式構造配筋指針・同解説，pp.210〜220, 2016.5
9.14.16) 日本建築学会：鉄筋コンクリート構造計算規準・同解説，pp.265〜266, 2024.12
9.14.17) 日本建築学会：鉄筋コンクリート構造計算規準・同解説，p.268, 2024.12
9.14.18) 日本建築学会：鉄筋コンクリート構造計算規準・同解説，p.269, 2024.12
9.14.19) 日本建築学会：鉄筋コンクリート構造計算規準・同解説，pp.269〜270, 2024.12
9.14.20) 日本建築学会：壁式構造配筋指針・同解説，pp.195〜196, 2016.5

10条　保有水平耐力計算

10.1　基本方針

10.1.1　保有水平耐力の確認

各階各方向の保有水平耐力が（10.1.1）式に定める必要保有水平耐力以上であることを確認する．ただし，次の（1）から（6）の全てを満たす場合においては，この限りでない．なお，次の（2）から（6）の全てを満たす場合においては，10.1.3項に記載の総曲げ抵抗モーメントの確認によってもよい．

$$Q_{un} = D_s \cdot F_{es} \cdot Q_{ud} \tag{10.1.1}$$

記号　Q_{un}：各階各方向の必要保有水平耐力（N）
　　　D_s：構造特性係数で，10.2節による．
　　　F_{es}：各階の形状特性を表す係数
　　　Q_{ud}：標準せん断力係数 $C_0 \geq 1.0$ の地震力によって各階に生じる水平力（N）で，令第88条第1項および第3項による．

（1）各階の階高が3.5m以下である．
（2）各階各方向の壁率が（10.1.2）式を満たす．

$$_i a_w \geq Z \cdot W_i \cdot A_i \cdot \beta / (2.5 S_i) \tag{10.1.2}$$

記号　$_i a_w$：i 階における計算方向ごとの壁率（mm²/m²）で，計算方向の耐力壁の壁率算定用水平断面積の和を当該階の壁率算定用床面積で除した数値
　　　Z：地震地域係数
　　　W_i：地震力を計算する場合における i 階が支える部分の固定荷重と積載荷重との和（特定行政庁が指定する多雪区域においては，さらに積雪荷重を加えるものとする）（N）
　　　A_i：建物の振動特性に応じて地震層せん断力の高さ方向の分布を表す係数
　　　β：使用するコンクリートの設計基準強度 F_c（N/mm²）による壁率の低減係数で，次式による．

$$= \sqrt{18/F_c}, \quad ただし \beta \geq 1/\sqrt{2} \tag{10.1.3}$$

2.5：耐力壁のせん断強度の基準値（N/mm²）

S_i：i 階の壁率算定用床面積（m²）

（3）各階各方向の壁量が（10.1.4）式を満たす．

$$L_w \geq \alpha \cdot \beta \cdot Z \cdot L_{w0} \quad かつ, \quad L_w \geq L_{wm} \tag{10.1.4}$$

記号　L_w：各階における各計算方向ごとの壁量（mm/m²）で，計算方向の耐力壁の実長の和を当該階の壁量算定用床面積（壁率算定用床面積に同じ）で除した数値

α：耐力壁の厚さが最小壁厚より大きい場合の壁量の低減係数で，（10.1.5）式による．

$$\alpha = t_0 \cdot \sum l / \sum (t \cdot l) \tag{10.1.5}$$

t_0：耐力壁の最小壁厚（mm）で，現場打ち壁式 RC 造にあっては表 10.1.3，PCa 壁式 RC 造にあっては表 10.1.4 による．

$\sum l$：耐力壁の実長の和（mm）

$\sum (t \cdot l)$：耐力壁の厚さに実長を乗じた数値の和（mm²）

t：耐力壁の厚さ（mm）

l：耐力壁の実長（mm）

β, Z：（10.1.2）式の記号の説明による．

L_{w0}：標準壁量（mm/m²）で，現場打ち壁式 RC 造にあっては表 10.1.1，PCa 壁式 RC 造にあっては表 10.1.2 による．

L_{wm}：最小壁量（mm/m²）で，現場打ち壁式 RC 造にあっては表 10.1.1，PCa 壁式 RC 造にあっては表 10.1.2 による．

表 10.1.1　標準壁量および最小壁量（現場打ち壁式 RC 造）（mm/m²）

階		標準壁量 L_{w0}	最小壁量 L_{wm}
地上階	最上階から数えて 1 から 3 の階	120	70
	最上階から数えて 4 および 5 の階	150	100
地下階		200	150

表 10.1.2　標準壁量および最小壁量（PCa 壁式 RC 造）（mm/m²）

建物および階		標準壁量 L_{w0}	最小壁量 L_{wm}
地上階	地階を除く階数が 1 から 3 の建物の各階	120	70
	地階を除く階数が 4 および 5 の建物の各階	150	100
地下階		200	150

表 10.1.3　耐力壁の最小壁厚 t_0（現場打ち壁式 RC 造）（mm）

建物および階			最小壁厚 t_0
地上階	地階を除く階数が 1 の建物		120
	地階を除く階数が 2 の建物の各階		150
	地階を除く階数が 3 以上の建物	最上階	150
		その他の階	180
地下階			180

表 10.1.4　耐力壁の最小壁厚 t_0（PCa 壁式 RC 造）（mm）

階		最小壁厚 t_0
地上階	最上階および最上階から数えて 2 の階	120
	その他の階	150
地下階		180

（4） 床板および屋根板が RC 造である．なお，次の（a）から（c）に該当する場合は，この限りでない．
　（a） 軟弱地盤以外に建つ地下階のない現場打ち壁式 RC 造建物の 1 階の床板
　（b） 軟弱地盤以外に建つ地上階数 2 以下の現場打ち壁式 RC 造建物の最上階の屋根板
　（c） 軟弱地盤以外に建つ地下階のない地上階数 2 または平家建の PCa 壁式 RC 造建物の 1 階の床板
（5） 複筋梁である．
（6） 壁梁の主筋が D13 以上である．

・保有水平耐力の検討

1） 保有水平耐力の確認を必要とする建物

平成 13 年国土交通省告示第 1026 号（改正平 19 国交告第 603 号，以下同様）の規定では，本文の（1）から（6）までの要件うち一つでも満たさない場合は，保有水平耐力計算によって耐震安全性を確かめることが求められている．

標準壁量以上を有し，平面および立面形状が整形な従来の設計規準に従って設計された壁式 RC 造建物が優れた耐震性を有することは，過去の被害地震においてもほとんど被害がなかったことにより実証されている．しかしながら，設計規準は建物が整形な形状を有することを前提とし，かつ，軒高は 16 m 以下，階高は原則 3 m 以下等，仕様書的な構造規定が設けられていたことから，平面や立面的に自由度の高い建物の設計に対応するには困難であった．そこで，より自由度の高い設計を可能とする計算規準を制定し，上記の軒高や階高に関する制限を緩和するとともに，耐震性能を確保するために，剛性率および偏心率の検討ならびに総曲げ抵抗モーメントによる略算的な保有水平耐力の確保を規定していた．

本規準は，法令との整合性を確保するともに，自由度の高い建物の耐震性を確認するために保有水平耐力を確認することを規定したものである．本文の（1）から（6）の全ての要件を満たす場合は，保有水平耐力を確認する必要はないが，本文の（2）から（6）の全ての要件を満たす場合は，略算的な保有水平耐力の算定として，総曲げ抵抗モーメントの確認をすることでもよいこととしている．

2） 建物の降伏形式

崩壊メカニズムは，1 階耐力壁脚部と各階壁梁端部に曲げ降伏ヒンジが生じる全体降伏機構となることが望ましいが，壁式 RC 造特有の短スパン壁梁や長さの小さい耐力壁ならびに長さの特に大きい耐力壁の存在等を考慮するとともに，より自由度の高い建物を可能とするために次の①から⑤に該当する場合も許容する．

　① 直上階に耐力壁が接続しない耐力壁頭部や引張側耐力壁の曲げ降伏
　② 壁長の短い耐力壁の頭部および脚部の曲げ降伏

③ 壁長の長い耐力壁のせん断破壊
④ 壁長の長い耐力壁に接続する基礎梁の曲げ降伏
⑤ 短スパン壁梁のせん断破壊

せん断破壊する耐力壁が混在する場合には，建物の保有水平耐力の算定は，せん断破壊する耐力壁の影響を考慮するものとする．

せん断補強筋比を上限値としてもせん断破壊するような短スパン壁梁の場合は，せん断破壊を許容する．

3）構造特性係数

壁式 RC 造の構造特性係数 D_s は，昭和 55 年建設省告示第 1792 号に規定されている算出方法に基づくものとして 10.2 節による．

4）剛性率および偏心率の算定

設計の自由度を高める意図から本規準では，ある程度剛性率の小さいものや偏心率が大きいものも制限を設けないで設計できるようにしている．しかし，本規準で設計される建物も，平面および立面とも整形な建物と同等の耐震性を確保することが本規準の趣旨であり，短期荷重時における最大層間変形角を 1/2 000 以下とすることで，その趣旨を担保することにした．本来，偏心率は小さい方が，剛性率は大きい方が望ましいことはいうまでもない．しかし，両方向の水平剛性が大きい壁式 RC 造建物にあっては，ねじり剛性も必然的に大きくなり，ねじれ振動による変形が並進成分に対して特別大きくなることはないと判断し，偏心率の制限は特に設けていない．また，剛性率については本来 0.3 以上とすることが望ましいが，これについても高い水平剛性により本構造ではほとんど問題とならないし，2 階建については計算上剛性率が 0.3 を下回る場合があっても，壁量，せん断応力度の規定（短期荷重時における耐力壁のせん断応力度 ≦ コンクリートの短期許容せん断応力度）により，耐力および剛性を必然的に十分確保できることから，特に制限を設けていない．また，保有水平耐力計算が必要な建物においても，昭和 55 年建設省告示第 1792 号により F_{es} を求めればよい．

5）保有水平耐力計算の除外規定

ⅰ）軒高および階高

本規準では軒高を 20 m 以下，階高を 4 m 以下としているが，平成 13 年国土交通省告示第 1026 号と同様に，階高が 3.5 m を超える場合には原則として保有水平耐力計算の確認を行うこととしている．階高が 3 m を超える階を有する場合には，

① 転倒モーメントが大きくなる場合があること，
② 階高を高くした階の剛性が小さくなり，その階の剛性率が小さくなる可能性があること，
③ 耐力壁の強度などが，本規準で想定している範囲を下回る可能性があること，

等の理由から階高の上限を 4 m としている．

ⅱ）壁率および壁量算定用床面積

a）各階のけた行方向および張り間方向の耐力壁の中心線で囲まれる面積とする．なお，上階に連続的に長く設けられたバルコニーや外部廊下ならびにひさしなどの片持スラブが設けら

れている場合は，これらの面積の 1/2 以上を加算する．

b) 令第 2 条第 1 項第 8 号により階数に算入されない昇降機械室等（以下，ペントハウスという）の床面積は，最上階の壁率および壁量算定用床面積に加算する．

iii) 耐力壁の壁率算定用水平断面積

a) 壁率計算方向の各耐力壁の実長に各耐力壁の厚さを乗じて算出する．

b) 建物隅角部の耐力壁の水平断面形状が L 形，T 形，十字形となっておらず，構造耐力上有効な壁梁のみで連結されている場合，当該壁梁に接続する耐力壁は，壁率算定上その剛性を適切に評価（たとえば，耐力壁の水平断面積に 1/2 を乗じる等）したうえで，壁率算定用水平断面積に算入することができる．

c) 平面上，耐力壁が壁率を計算する方向に対して傾斜している場合は，当該計算方向に対する壁率算定用水平断面積には見付け水平断面積をとるものとし，(解 10.1.1) 式による．なお，上記傾斜角が 45°を超える場合は，傾斜する耐力壁は壁率算定上無視するものとする（解説図 10.1.1）．

$$A_w = t_1 \cdot l_{w1} + t_2 \cos\theta \cdot l_{w2} = t_1 \cdot l_{w1} + t_2 \cos\theta \cdot l_2 \cos\theta \qquad (解 10.1.1)$$

記号　A_w：平面上傾斜を有する耐力壁の壁率計算方向の壁率算定用水平断面積 (mm²)

t_1：壁率計算方向の耐力壁の厚さ (mm)

l_{w1}：壁率計算方向の耐力壁の実長 (mm)

t_2：壁率計算方向と θ 傾斜した方向の耐力壁の厚さ (mm)

θ：壁率計算方向と耐力壁との角度（45°以下）

l_{w2}：壁率計算方向と平面上 θ 傾斜した方向の耐力壁の壁率計算方向の見付け実長 (mm)

l_2：壁率計算方向と平面上 θ 傾斜した方向の耐力壁の実長 (mm)

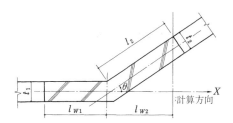

解説図 10.1.1　平面的に傾斜している耐力壁の壁率算定用実長

d) 立面的に傾斜している耐力壁の壁率算定用水平断面積は，(解 10.1.2) 式による．なお，傾斜角が 45°を超える場合は，壁率算定上これを無視する．

$$A_w = (t_1 \cdot \cos\theta) \cdot l_{w1} \qquad (解 10.1.2)$$

記号　A_w：立面的に傾斜している耐力壁の壁率算定用水平断面積 (mm²)

t_1：同上耐力壁の厚さ (mm)（解説図 10.1.2）

θ：立面的に傾斜している耐力壁の傾斜角（解説図 10.1.2）

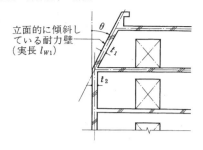

解説図 10.1.2 立面的に傾斜している耐力壁

l_{w1}：同上耐力壁の壁率計算方向の実長（mm）

e）立面的に傾斜している耐力壁に直交する耐力壁の壁率算定用水平断面積は，（解 10.1.3）式による．

$$A_w = t_3 \cdot l_{w1} \qquad (解 10.1.3)$$

記号　A_w：立面的に傾斜している耐力壁に直交する耐力壁（耐力壁の頭部と脚部で実長が異なる耐力壁）の壁率算定用水平断面積（mm^2）

　　　t_3：同上耐力壁の厚さ（mm）（解説図 10.1.3）

　　　l_{w1}：同上耐力壁の頭部または脚部のうちの小さい方の実長（mm）（解説図 10.1.3）

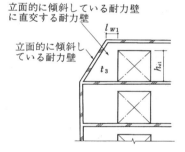

解説図 10.1.3 耐力壁の実長が同一階の高さ方向で変化する耐力壁

f）直下階の耐力壁の実長より長い実長を有する耐力壁，あるいは直下階の耐力壁の長さ方向へずれて配置された耐力壁の壁率算定用水平断面積は，当該耐力壁の厚さに次の①または②による実長を乗じて算出する．

① 解説図 10.1.4（a）の場合，耐力壁の実長は（解 10.1.4）式による．

$$l_{w2} = l_{w0} + l_a + l_b \qquad (解 10.1.4)$$

記号　l_{w2}：直下階の耐力壁の実長より長さが大きい耐力壁の実長（mm）

　　　l_{w0}：同上耐力壁のうち，直下階の耐力壁の実長部分と共有する部分の長さ（mm）

　　　l_a：次式による．

$$l_a = \min(D_1, \ l_1) \ (mm)$$

　　　D_1：直下階の耐力壁の一端（解説図 10.1.4（a）においては左側）に接続する壁梁のせい（mm）

l_1：直下階の耐力壁縁より当該壁縁までの長さ（mm）

l_b：次式による．

$$l_b = \min(D_2, l_3) \text{ (mm)}$$

D_2：直下階の耐力壁の他端（解説図 10.1.4（a）においては右側）に接続する壁梁のせい（mm）

l_3：直下階の耐力壁縁より当該階の耐力壁縁までの長さ（mm）

② 解説図 10.1.4（b）の場合，耐力壁の実長は，（解 10.1.5）式による．

$$l_{w2} = l_{w0} + l_a \quad (\text{解 } 10.1.5)$$

記号　l_{w2}：直下階の耐力壁の長さ方向へずれて配置される耐力壁の実長（mm）

l_{w0}：同上耐力壁のうち，直下階の耐力壁実長部分と共有する部分の長さ（mm）

l_a：次式による．

$$l_a = \min(D_1, l_1) \text{ (mm)}$$

D_1：直下階の耐力壁に対してずれる方向に接続する壁梁のせい（mm）

l_1：直下階の耐力壁縁より当該壁縁までの長さ（mm）

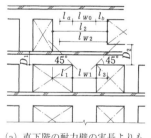 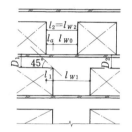

(a) 直下階の耐力壁の実長よりも長い実長を有する耐力壁　　(b) 直下階の耐力壁の長さ方向へずれて配置された耐力壁

解説図 10.1.4　耐力壁と壁梁で支持された耐力壁で壁率に算入できる耐力壁の実長

g）　壁率の計算例（現場打ち壁式 RC 造の場合）

（10.1.2）式を満たすために必要な壁率の計算例を次に示す．計算条件は，次のとおりである．

- 建物規模：地上階数 5（セットバックなし）
- 各階の壁率算定用床面積：S（m²）
- 地震力算定用単位重量：$\overline{w_i} = W_i/S = 13\,500$（N/m²）
- 建物の高さ：$H = 18.5$ m，各階階高：$h = 3.5$ m
- 地震地域係数：$Z = 1.0$
- 標準せん断力係数：$C_0 = 1.0$
- 一次固有周期：$T = 0.02\,H = 0.02 \times (3.5 \times 5 + 1.0) = 0.37$（s）
- 振動特性係数：$R_t = 1.0$
- 使用するコンクリートの設計基準強度：$F_c = 18$（N/mm²），$\beta = \sqrt{18/F_c} = 1.0$

計算結果を解説表 10.1.1 に示す．解説表 10.1.1 より，地震力算定用単位重量が 13 500 N/m² の

解説表 10.1.1 壁率の計算例（各階の階高 $h=3.5$ m, $\overline{w_i}=13\,500$ N/m² の場合）

階	W_i/S (N/m²)	$\sum W_i/S$ (N/m²)	A_i	Q_i/S (N/m²)	所要壁率[*1] (mm²/m²)	（最小壁厚）×（標準壁量）[*2] (= 壁率) (mm²/m²)
5	13 500	13 500	1.715	23 153	9 262	150 mm×120 mm/m² （=18 000）
4	13 500	27 000	1.415	38 205	15 282	180 mm×120 mm/m² （=21 600）
3	13 500	40 500	1.218	49 329	19 732	180 mm×120 mm/m² （=21 600）
2	13 500	54 000	1.112	60 018	24 008	180 mm×150 mm/m² （=27 000）
1	13 500	67 500	1.000	67 500	27 000	180 mm×150 mm/m² （=27 000）

〔記号〕 W_i：各階の地震力算定用重量 (N), S：各階の壁率算定用床面積 (m²),
A_i：振動特性係数〔$=1+\left(\frac{1}{\sqrt{\alpha_i}}-\alpha_i\right)\cdot\frac{2T}{1+3T}$, $\alpha_i=\sum_{i=j}^{n}W_i/\sum_{j=1}^{n}W_j$〕,
Q_i：標準せん断力係数 $C_0=1.0$ 時における各階の地震層せん断力 (N)

〔注〕 *1：所要壁率 $=\sum W_i\cdot A_i\cdot\beta/(2.5S)=Q_i/(2.5S)$
*2：最小壁厚は表 10.1.3, 標準壁量は表 10.1.1 による.

場合，1 階における所要壁率は最小壁厚と標準壁量から算定される壁率と同値となっていることが分かる．

　　h) 6.3.1 項本文 2. の規定を満たし, かつ 9.3 節に規定する小開口周囲の補強を行った場合は，壁率算定上小開口を無視してよい．

iv)（10.1.2）式の背景

本規準に基づいて設計される壁式 RC 造建物は，平成 13 年国土交通省告示第 1026 号によるものと同等以上の耐震性能を有することとしている．したがって，保有水平耐力計算を行わない場合は平成 19 年国土交通省告示第 593 号第 2 号イを満たす必要があり，地上部分の各階の耐力壁の水平断面積が次の式に適合する必要がある．

$$\sum 2.5\,A_W \geq Z\cdot W\cdot A_i\cdot\beta \quad\quad\quad (解10.1.6)$$

　　記号　2.5：耐力壁のせん断強度の基準値 (N/mm²)
　　　　　A_W：当該階の壁率算定用の耐力壁の水平断面積 (mm²)
　　Z, W, A_i, β：(10.1.2) 式の記号の説明による．

（解 10.1.6）式を壁率に置き換えると（解 10.1.7）式が得られ，これは（10.1.2）式と同じである．

$$\sum A_W = {}_i a_w\cdot S_i \geq Z\cdot W\cdot A_i\cdot\beta/2.5$$
$$\therefore\ {}_i a_w \geq Z\cdot W\cdot A_i\cdot\beta/(2.5\,S_i) \quad\quad\quad (解10.1.7)$$

　　記号　${}_i a_w$, S_i：(10.1.2) 式の記号の説明による．

v) 壁量の計算

　　a) 壁量算定上無視してよい小開口

　　　　耐力壁の小開口が 6.3.1 項本文 2. の規定を満たし，かつ 9.3 節に規定する小開口周囲の補強を行った場合は，壁量の算定において小開口を無視してよいものとする．

　　b)（10.1.4）式の背景

　　　　各階各方向の壁量は（10.1.4）式を満たすことと規定しているが，（10.1.4）式の右辺は，壁量を係数 α, β, Z を乗じることによって壁量を標準壁量 L_{w0} より最小壁量 L_{wn} を限度に低

減できることを意味している．

係数 α は，耐力壁の厚さ t が最小壁厚 t_0 より大きい場合に壁量を低減してもよいことを意味し，これは平成 13 年国土交通省告示第 1026 号（改正平 19 国交告第 603 号）の規定と同じである．さらに，最小壁量を規定しているため，係数 β および Z により壁量を低減できることとしている．以下にその背景を概説する．

イ）各階の必要壁量の規定値を決定する際に基本となるのは，各階の地震層せん断力であり，外力としての地震層せん断力は，令第 88 条第 1 項により地震地域係数 Z を乗じてよいこととされている．本規準では，次の①から③を検討することで，壁量を地震地域係数 Z に応じて低減できることとした．
  ① 10.1.1 項本文の（2）により，各階の壁率は（10.1.2）式を満たす．
  ② 9.2 節の 2．により，各階の耐力壁に生じるせん断応力度を，使用するコンクリートの短期許容せん断応力度以下とする．
  ③ 10.1.1 項の保有水平耐力の確認，または 10.1.3 の総曲げ抵抗モーメントの検討を行う．

ロ）コンクリートの設計基準強度 F_c が 18 N/mm^2 を超え，より強度の高いコンクリートを使用することは，建物の耐震性の向上とともに，構造体の耐久性が向上する面からも望ましいことから，本規準においては，設計基準強度 F_c の高いコンクリートを使用するメリットを壁量の低減という形で採用することとしている．

壁量を係数 β（$=\sqrt{18/F_c}$）に応じて低減できることとしたのは，上記イ）①，②，③に加えて，設計基準強度が高いことにより，耐力壁のせん断ひび割れ強度やせん断強度が上昇することを踏まえたことによる．なお，係数 β は文献 10.1.1）中の各種ひび割れ強度式や文献 10.1.2）に記載されているせん断ひび割れ強度を考慮して定めたものである．

c）せん断応力度 τ の比較

イ）標準壁量 L_{w0} および最小壁厚 t_0 の場合の耐力壁のせん断応力度レベル
  ① 地震地域係数 Z および振動特性係数 R_t をそれぞれ 1.0 とし，各階の地震力算定用平均単位重量 $\overline{w_i}$ を 12 000 N/m^2，各階の壁率算定用床面積 S_i m^2 を全階とも等しく S m^2 とすると，5 階建の 1 階の耐力壁に生じる地震時平均せん断応力度 $\bar{\tau}$ は，標準せん断力係数 C_0 を 0.2 とすると，次のとおりである．なお，常時荷重による平均せん断応力度は，ここでは無視する．

$$\bar{\tau} = \frac{Q}{\sum A_w} = \frac{Z \cdot R_t \cdot A_i \cdot W \cdot C_0}{t_0 \cdot L_{w0} \cdot S_1} = \frac{1.0 \times 1.0 \times 1.0 \times 12\,000 \times S \times 5 \times 0.2}{180 \times 150 \times S}$$

$$= \frac{12\,000}{27\,000} = 0.44 \; (\text{N/mm}^2)$$

  ② 各耐力壁に生じるせん断応力度 τ は，せん断力の集中係数（応力解析による耐力壁のせん断力 Q_E の平均せん断応力度 $\bar{\tau}$ に基づく当該耐力壁のせん断力（$=\bar{\tau} \cdot t_0 \cdot l$）に対する比）を 1.5 とし，また，けた行方向耐力壁の長さ l をこれまでの設計例をふまえて 600〜4 000 mm，引張縁から引張鉄筋重心までの距離 d_t を 63 mm とすると，次のようになる．

$$\tau = \frac{Q_E}{t_0 \cdot j} = \frac{1.5 \times \bar{\tau} \cdot t_0 \cdot l}{t_0 \times 7/8\,(l-63)} = \frac{1.5 \times 0.44}{7/8 \times \left(1 - \frac{63}{l}\right)} = \frac{0.66}{7/8 \times (1-63/(600 \sim 4\,000))}$$

$$= \frac{0.66}{7/8 \times (0.984 \sim 0.895)} = 0.77 \sim 0.85 \ (\text{N/mm}^2)$$

一方,使用するコンクリートの設計基準強度 F_c を $18\,\text{N/mm}^2$ とすると,コンクリートの短期許容せん断応力度は,$0.9\,\text{N/mm}^2$ である.前述のせん断応力度は短期許容せん断応力度以下であり,耐力壁にはせん断ひび割れは生じないと考えられる.

ロ)耐力壁の厚さが $225\,\text{mm}$ で,コンクリートの設計基準強度 F_c が $24\,\text{N/mm}^2$ 使用の場合の耐力壁のせん断応力度レベル

① (10.1.4)式を用いて壁量を低減した場合,イ)①と同様な検討を行うと,次のようになる.

(条件)・5階建の1階の耐力壁の厚さ t:$225\,\text{mm}$
・使用するコンクリートの設計基準強度:$F_c = 24\,\text{N/mm}^2$
・$Z = R_t = A_1 = 1.0$

耐力壁の厚さ t による低減係数 α は,次式より 0.80 となる.

$$\alpha = \frac{t_0 \cdot \sum l}{\sum (t \cdot l)} = \frac{180 \sum l}{225 \sum l} = 0.80$$

また,使用するコンクリートの設計基準強度 F_c による低減係数 β は,次の数値となる.

$$\beta = \sqrt{18/24} = 0.87$$

したがって,(10.1.4)式により求まる所要壁量 L_W は,次のようになる.

$$L_W = \alpha \cdot \beta \cdot Z \cdot L_{W0} = 0.80 \times 0.87 \times 1.0 \times 150 = 104.4\ (\text{mm/m}^2) > L_{Wm}\,(=100\,\text{mm/m}^2)$$

次に,上記耐力壁の厚さおよび壁量が(10.1.2)式の壁率を満足するかどうかを検討する.

地震力算定用平均単位重量をイ)①と同様に各階 $12\,000\,\text{N/m}^2$,各階の壁率算定用床面積 $S_i\,\text{m}^2$ を全階 $S\,\text{m}^2$ とすると,1階における所要壁率 $_ia_W$ は,次のとおりである.

$$_ia_W \geq Z \cdot W \cdot A_i \cdot \beta /(2.5 S_i) = 1.0 \times 12\,000\,S \times 5 \times 1.0 \times 0.87/(2.5\,S)$$
$$= 20\,880\ (\text{mm}^2/\text{m}^2)$$

一方,耐力壁の厚さ t が $225\,\text{mm}$ で,壁量 L_W が $104.4\,\text{mm/m}^2$ のときの壁率は,$23\,490\,\text{mm}^2/\text{m}^2$ であるので,(10.1.2)式を満足する.

② 上記①より,耐力壁の厚さ t が $225\,\text{mm}$,壁量 L_W が,$104.4\,\text{mm/m}^2$ の5階建壁式RC造建物の1階耐力壁に生じる短期荷重時の平均せん断応力度 $\bar{\tau}$ およびせん断応力度 τ は,前記に従って計算すると,次のようになる.

$$\bar{\tau} = \frac{Q}{\sum A_w} = \frac{Z \cdot A_1 \cdot R_t \cdot W \cdot C_0}{t \cdot L_w \cdot S_1} = \frac{1.0 \times 1.0 \times 1.0 \times 12\,000\,S \times 5 \times 0.2}{225 \times 104.4\,S} = 0.51\,\text{N/mm}^2$$

$$\tau = \frac{Q_E}{t \cdot j} = \frac{1.5 \times 0.51 \times t \cdot l}{t \times 7/8\,(l-63)} = \frac{1.5 \times 0.51}{7/8 \times (0.984 \sim 0.895)} = 0.89 \sim 0.98\,\text{N/mm}^2$$

一方，使用するコンクリートの設計基準強度 F_c は $24\,\mathrm{N/mm^2}$ であり，コンクリートの短期許容せん断応力度は $1.095\,\mathrm{N/mm^2}$ であるので，耐力壁にはせん断ひび割れは生じないと考えられる.

③ 最小壁厚，標準壁量による建物と（10.1.4）式を適用して耐力壁厚 $225\,\mathrm{mm}$，壁量 $104.4\,\mathrm{mm/m^2}$，使用するコンクリートの設計基準強度 $F_c=24\,\mathrm{N/mm^2}$ の建物の標準せん断力係数 $C_0=0.2$ におけるせん断応力度を5階建の1階で比較すると，解説表10.1.2のようになる.

解説表10.1.2からもわかるように，（10.1.4）式により壁量を低減した建物も本規準に基づく標準的な建物に比較して，せん断応力度のレベルから見て同程度の耐震性を有しているといえる．一方，既往の実大実験結果の最大耐力時の構造諸元は，解説表10.1.3のとおりである.

これらの表より，（10.1.4）式により壁量を低減しても下限の壁率が規定されており，耐震性については実大実験結果から判断して問題となることはないと考えられる.

解説表 10.1.2 耐力壁のせん断応力度 τ の比較（5階建の1階）

壁量 $(\mathrm{mm/m^2})$	壁厚 (mm)	F_c $(\mathrm{N/mm^2})$	sf_s $(\mathrm{N/mm^2})$	$\overline{\tau}$ $(\mathrm{N/mm^2})$	τ $(\mathrm{N/mm^2})$	sf_s/τ
150	180	18	0.90	0.44	0.85	1.05
104.4	225	24	1.095	0.51	0.98	1.11

解説表 10.1.3 既往の壁式 RC 造実大実験結果

	壁厚 (mm)	壁量 $(\mathrm{mm/m^2})$	壁率 $(\mathrm{mm^2/m^2})$	σ_B $(\mathrm{N/mm^2})$	壁筋比 (%)	$\overline{\tau_{scr}}$ $(\mathrm{N/mm^2})$	$\overline{\tau_u}$ $(\mathrm{N/mm^2})$	$\overline{\tau_u}/\sigma_B$	最大耐力時1階部材角
5FWRC造[*1]	180	150	27 000	22.5	0.28	1.27	2.12	0.094	7.3/1 000
5FWRC造[*2]	150	120	18 000	22.5	0.25	1.08	2.06	0.091	7.1/1 000

［注］ ＊1：参考文献10.1.3）
　　　＊2：参考文献10.1.4）
［記号］ σ_B：コンクリートの圧縮強度，$\overline{\tau_{scr}}$：初せん断ひび割れ発生時平均せん断応力度，$\overline{\tau_u}$：最大耐力時平均せん断応力度

vi) 床板および屋根板を RC 造以外とする場合の保有水平耐力計算の除外規定

床板および屋根板を RC 造以外の構造とする場合は保有水平耐力の確認を必要とするが，本文（4）の（a）から（c）に該当する部分は RC 造としなくてもよいとしている〔6.5節解説1.参照〕[10.1.5)]．

10.1.2　層間変形角の確認

> 標準せん断力係数 $C_0 \geqq 0.2$ の地震力によって生じる各階各方向の層間変形角が $1/2\,000$ 以下であることを確認する．ただし，次の（1）から（3）の全てを満たす場合においては，この限りでない.
> （1）階高が $3.5\,\mathrm{m}$ 以下である.
> （2）各階各方向の壁率が，（10.1.2）式を満たす.

(3) 各階各方向の壁量が，(10.1.4) 式を満たす．

・層間変形角の確認

　本規準は，強度および剛性の確保のために，保有水平耐力と層間変形角の確認することを原則としている．ここでは，層間変形角の算定に際しての注意点と，層間変形角の確認を必要としない場合について，以下に概説する．

　1) 基礎回転に基づく層間変形角の取扱い

　層間変形角の算定（8条に基づいて計算した剛性を用いて令82条の2により算定）において，地盤および杭の変形を考慮する場合は，基礎回転による変形角は層間変形角に算入しなくてよい．

　2) 各階層間変形角を 1/2 000 以下に抑えた背景

　ⅰ) 耐力壁にせん断ひび割れが発生すると急激にひび割れが進展し，種々の障害が予想されることから，せん断ひび割れが発生することのないよう壁率および壁量の規定を設けるとともに，層間変形角も抑えることにしている．

　ⅱ) 5階建壁式RC造建物において，本規準で規定する標準壁量および標準壁量に最小壁厚を乗じた壁率の建物（解説図 10.1.5）と，けた行方向で壁量 100 mm/m^2，壁厚 200 mm の建物（解説図 10.1.6）の標準せん断力係数 $C_0=0.2$ および振動特性係数 $R_t=1.0$ のときの各階の層間変形と層間変形角の計算例を，解説表 10.1.4 に示す．

　解説表 10.1.4 によれば，壁量・壁率の低減により，建物の一次固有周期は14％程度長くなるとともに，最大層間変形角（2階）は，1/4 560 から 1/3 360 と 1.36 倍大きくなっているが，いずれも 1/2 000 以下となっており，本項の規定を満たしていることがわかる．

　ⅲ) けた行方向の壁量が 120 mm/m^2，壁厚が 150 mm の5階建壁式RC造実大立体試験体の平面図を解説図 10.1.7 に，けた行方向加力実験[10.1.4), 10.1.5)] より得られた荷重 － 建物頂部変形関係を

解説表 10.1.4　壁量・壁率の差による層間変形角と一次固有周期の計算例

壁量 (mm/m^2)		150		100		150	
壁率 (mm^2/m^2)		27 000[*1]		20 000[*2]		27 000[*1]	
検討方向		けた行方向		けた行方向		張り間方向	
階	階高 (mm)	層間変形 (mm)	層間変形角	層間変形 (mm)	層間変形角	層間変形 (mm)	層間変形角
5	2 700	0.348	1/7 760	0.461	1/5 860	0.174	1/15 520
4	2 700	0.473	1/5 710	0.630	1/4 290	0.199	1/13 570
3	2 700	0.568	1/4 750	0.757	1/3 570	0.208	1/12 980
2	2 700	0.606	1/4 560	0.803	1/3 360	0.200	1/13 500
1	3 350	0.575	1/5 830	0.727	1/4 610	0.210	1/15 950
1次固有周期 (s)		0.184		0.210		0.112	

[注] *1：1階の壁率
　　 *2：1階の壁率（$Z=1.0$，$F_c=27$ N/mm^2，$t=225$ mm の場合，(10.1.4) 式を適用すると $L_w=100$ mm/m^2 となり，壁率は 22 500 mm^2/m^2 となるが，ここでは層間変形角の検討のため耐力壁厚 t を 200 mm としている．）

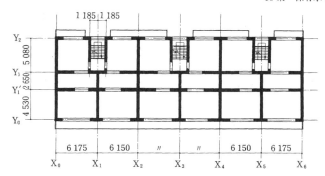

解説図 10.1.5 標準壁量および標準壁率の建物平面図　壁量 150 mm/m² （両方向）

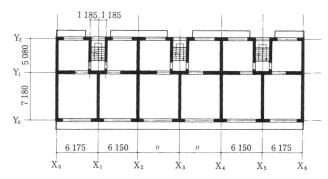

解説図 10.1.6 けた行方向で壁量 100 mm/m²，壁厚 200 mm の建物平面図
（張り間方向壁量 150 mm/m²）

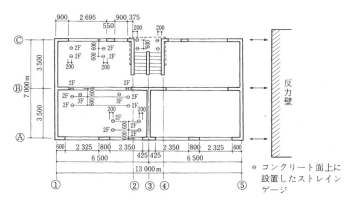

解説図 10.1.7 試験体平面図[10.1.4]

解説図 10.1.8 に示す．

解説図 10.1.8 によれば，設計荷重（$C_0=0.2$）に相当する荷重段階 1 における建物頂部の変形は，約 2.5 mm であり，試験体の高さ 14.04 m で除した変形角は，約 1/5 600 程度である．

また，このときの 1 階の層間変形角は，1/2 632（＝1.0 mm/2 600 mm）[10.1.4] となっているが，本規準で規定する壁量・壁厚は，文献 10.1.4）の試験体の壁量・壁厚より大きいことを考えれば，層

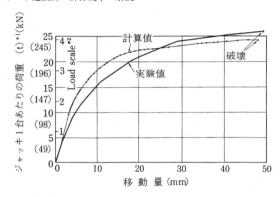

[注] ＊1：ジャッキは各階3台の計15台．
＊2：Load scale 1 は，設計荷重段階．

解説図 10.1.8 荷重－建物頂部変形関係[10.1.4]

間変形角を 1/2 000 以下に抑えることは，十分可能である．

iv）けた行方向の水平剛性に及ぼす壁梁および耐力壁の形状と階高の影響

けた行方向の水平剛性には，壁梁，耐力壁の形状や階高が影響する．ここでは，これらが上記の層間変形角に及ぼす影響を検討した解析結果[10.1.6]を示す．

検討対象とする標準建物の概要を解説表 10.1.5 に，建物の軸組図を解説図 10.1.9 に示す．

本標準建物は 5 階建て建物で，階高は 3 m，建物高さは 15 m である．検討方向のけた行方向はスパン長 6.8 m の 5 スパンで 34 m，張り間方向は 2 構面でスパン長は 8 m である．なお，建物の張り間方向は，両妻面のみに独立連層耐力壁を設けているが，当該耐力壁両端に開口を設け，けた行方向の水平剛性に与える直交壁の影響をなるべく小さくしている．けた行方向の内側耐力壁の壁長は 2 800 mm であり，外端耐力壁の壁長はその 1/2 としている．壁厚は全階 200 mm で，壁梁のせいは 800 mm である．地震地域係数は 1.0，地震力算定用単位重量は 12 000 N/m² としている．コ

解説表 10.1.5 検討対象とする標準建物の概要

建物長さ	X 方向	34 m	各階重量	1F～5F	3 264 kN
	Y 方向	8 m	地震力算定用単位重量	12 000 N/m²	
床面積	1F～5F	272 m²	階 高	1F～5F	3 m
開口高さ	1F～5F	2 200 mm	軒 高	15 m	
壁梁せい	1F～5F	800 mm	腰壁高さ	1F～5F	0
スパン L	1F～5F	6 800 mm	壁 厚	1F～5F	200 mm
壁 長	1F～5F	内側耐力壁長	2 800 mm		
		外端耐力壁長	1 400 mm		
壁 量	103 mm/m²		壁 率	20 588 mm²/m²	
基 礎	杭基礎		鉄 筋	SD295	
基礎梁	せい	2 000 mm	コンクリート	$F_c = 18$ N/mm²	
	幅	450 mm		$E_c = 20 600$ N/mm²	

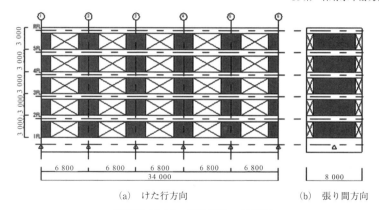

(a) けた行方向 　　　　　　　(b) 張り間方向

解説図 10.1.9 標準建物の軸組図

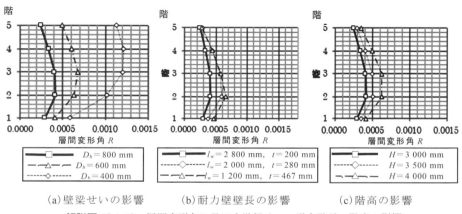

(a) 壁梁せいの影響　　(b) 耐力壁壁長の影響　　(c) 階高の影響

解説図 10.1.10 層間変形角に及ぼす壁梁せい・耐力壁長・階高の影響

ンクリートの設計基準強度は 18 N/mm^2 である．けた行方向の壁量は 103 mm/m^2 で 1 階の最小壁量 100 mm/m^2 を満たすが，壁量規定値の 0.76 倍である．また，壁率は 20 588 mm^2/m^2 で 1 階の壁率規定値の 0.86 倍である．

　上記の標準建物の解析に加えて，壁梁せい D_b，耐力壁の壁長 l_w，階高 H を全階で変更した建物の解析を行った．ただし，地震力算定用単位重量は標準建物と同一としている．解析での水平外力は，標準せん断力係数 C_0 を 0.2 とする一次設計用地震力とし，固有周期と各階重量より A_i 分布に基づき算定した．解析ソフトは立体解析モデルを使用し，耐力壁および壁梁は弾性，耐力壁・壁梁接合部には剛域（フェイス位置より部材せいの 1/4 の可撓域を考慮）を設定している．また，壁梁の断面二次モーメントは片側スラブ付きを想定して 1.5 倍した．鉄筋の影響は無視した．解析では基礎梁の回転は固定している．解析結果を，解説図 10.1.10（a）〜（c）に示す．

　解説図 10.1.10（a）は，壁梁せい D_b を変更した場合における各階の層間変形角 R の解析値を示している．図中の実線が標準建物（D_b=800mm）の結果で，壁梁せい D_b が小さいほど，層間変形角 R は大きく増大する．層間変形角を 1/2 000 以下（0.0005 以下）にするには，800 mm 程度の壁梁せいが必要となる．

解説図 10.1.10(b)は，耐力壁の壁長 l_w を変更した場合である．その際，壁厚 t も変更し，耐力壁断面積を一定（壁率一定）とした．図中の実線が標準建物（$l_w=2\,800$ mm）の結果で，壁長 l_w を小さくすると層間変形角 R は増大し，壁長 2 000 mm では層間変形角は 1/2 000 を超えている．

解説図 10.1.10(c)は，階高 H を変更した場合である．実線が標準建物（$H=3\,000$ mm）の結果で，階高が大きいほど層間変形角は増大し，階高 4 000 mm で 1/2 000 を超えている．

v) 初期剛性と地震応答との関係

本規準で設計される建物は，大地震動時においても 1/200 程度以下の層間変形角に納まることが前提である．解説図 10.1.11 は，種々の初期剛性を有する 5 階建建物のモデルに対して，大地震動として地動最大速度 50 cm/s を想定して応答計算を行った結果について，横軸に初期剛性（$C_0=0.2$ 時の層間変形角で表現），縦軸に応答最大層間変形角をプロットしたものである〔詳細は付 4. を参照〕．

同図より，最大速度 50 cm/s 程度の大地震動に対しては，$C_0=0.2$ の水平力に対して 1/2 000 の層間変形角に納まる初期剛性を確保しておけば，層間変形角 1/200 を大きく超える応答はないと考えてよいことが分かる．

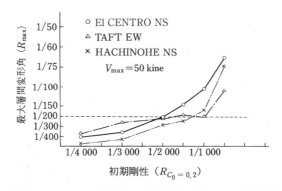

解説図 10.1.11 初期剛性と応答層間変形角との関係[10.1.7]

数多くの実験によれば[10.1.8]，最大耐力時の RC 造耐力壁の変形角は 1/200 程度であることが示されている．過去の震災においても本構造による建物がほとんど無被害であったのは，ここで規定している剛性よりもさらに高い剛性を一般に有していること，また，第 2 種および第 3 種地盤の場合には本構造との動的相互作用効果，すなわち地盤への逸散減衰や地盤の塑性化に伴う入力の低減が大きく，本構造への実質的な地震入力がかなり低減されていることが考えられる．例えば，公団住宅地震入力評価指針[10.1.9]によれば 20〜50%程度入力が低減することが示されている．

一方，第 1 種地盤のように堅固な地盤上に壁式 RC 造建物が建つ場合には，第 2 種および第 3 種地盤上のような相互作用効果はほとんど期待できないが，第 1 種地盤による入力地震動の卓越周期は短く，たとえ地表加速度自体が大きくとも，建物への入力エネルギーはさほど大きくならないことが一般的に知られている[10.1.10]．また，構造体が少しでも塑性化することにより，その効果はより一層期待できる．

層間変形角 1/2 000 に相当する初期剛性を有する本建物の 50 cm/s 入力に対する応答は 1/200 程

度に納まるが，それは耐力壁の限界変形角付近であり，不測の事態に対するさらなる余裕は，第2種および第3種地盤にあっては相互作用，第1種地盤にあっては周期特性にて得られているものと考えられる．以上の効果が定量的に評価できない現状においては，層間変形角 $R_{max} \leq 1/2\,000$ に余裕を持たせた設計が望まれる．

　vi）層間変形角の算定

　層間変形角の算定に際しては，並進成分のみでなくねじれ等の変形成分も考慮し，その層で最大の層間変形より算定する．

　3）層間変形角検討の省略

　保有水平耐力の確認が必要とされない建物の要件は，10.1.1の本文（1）～（6）の全てを満たすこととしているが，層間変形角の確認を必要としない要件としては，10.1.1の本文（1）～（3）と同じ10.1.2の本文（1）～（3）を満たすこととしている．本解説2）ii）で，本文（1）～（3）を満たせば，各階の層間変形角が1/2 000以下となることが想定されることから，層間変形角の検討は省略してよいとした．

10.1.3 総曲げ抵抗モーメントの確認

総曲げ抵抗モーメントの確認は，（10.1.6）式を満たすことにより行う．

$$_RM_u \geq {_{OT}M_u} \tag{10.1.6}$$

記号 $_RM_u$：検討方向における総曲げ抵抗モーメント（N・mm）で，次式による．

$$_RM_u = \sum {_wM_u} + \sum {_bM_u'} \tag{10.1.7}$$

$\sum {_wM_u}$：1階耐力壁脚部の曲げ強度の和（N・mm）

$_wM_u$：1階耐力壁の曲げ強度（N・mm）で，10.4.1項による．

$\sum {_bM_u'}$：2階以上の壁梁の各節点における曲げ強度の和（N・mm）

$_bM_u'$：壁梁の各節点における曲げ強度（N・mm）で，次式による．

$$_bM_u' = {_bM_u} \cdot l/l' \tag{10.1.8}$$

$_bM_u$：壁梁端部の曲げ強度（N・mm）で，10.4.2項による．

l：壁梁両端の耐力壁の心々間距離（mm）

l'：壁梁の内法スパン長さ（mm）

$_{OT}M_u$：各階の構造特性係数を0.5としたときの必要保有水平耐力に相当する水平外力による1階耐力壁脚部まわりの転倒モーメント（N・mm）で，次式による．

$$_{OT}M_u = 0.5 \sum_{i=1}^{n} F_{es0\,i} \cdot Z \cdot R_t \cdot A_i \cdot W_i \cdot h_i \tag{10.1.9}$$

n：建物の地上階数

$F_{es0\,i}$：i階の剛性率 $R_{s,i}$ および偏心率 $R_{e,i}$ によって定まる i 階の割増し係数で，次による．

$$\begin{aligned} F_{es0,i} &= (10/3 \times R_{e,i} + 0.5) \cdot F_{s,i} & (R_{e,i} \geq 0.15) \\ F_{es0,i} &= F_{s,i} & (R_{e,i} < 0.15) \\ F_{s,i} &= 2.0 - R_{s,i}/0.6 & (R_{s,i} < 0.6) \\ F_{s,i} &= 1.0 & (R_{e,i} \geq 0.6) \end{aligned} \tag{10.1.10}$$

Z：地震地域係数

R_t：建物と地盤の固有周期に応じて地震層せん断力係数を低減する係数

A_i：建物の振動特性に応じて地震層せん断力の高さ方向の分布を表す i 階の係数

W_i：地震力を計算する場合における i 階が支える固定荷重と積載荷重の和（特定行政庁が指定する多雪区域においては，さらに積雪荷重を考慮する）（N）

h_i：i階の階高（m）

・総曲げ抵抗モーメントによる略算的な保有水平耐力の算定

総曲げ抵抗モーメントの確認による目標耐震性能は，現行の二次設計の考え方で表現すると，構造特性係数が0.5相当の必要保有水平耐力を有することになる．この目標値に関しては議論の余地はあるが，本規準で要求される耐力壁の水平断面積は，平成19年国土交通省告示第593号に定める建物の要件（いわゆる二次設計免除の規定）を数値のうえでは満足しており，また，降伏が想定される壁梁および耐力壁脚部も基本的に曲げ降伏形に設計することを意図しているので，現行施行令の必要保有水平耐力の上限値（構造特性係数$D_s=0.55$）をやや下回る程度とすることは，十分許容しうるものと考えられる．

本項に規定した総曲げ抵抗モーメントの確認方法は，文献10.1.11)による二次設計の手法をほぼ踏襲したものであるが，具体的にはかなり略算的に適用したものである．まず，解説図10.1.12に示すように，2階以上の壁梁端および1階耐力壁脚部に降伏ヒンジが生じる全体降伏機構（メカニズム）を想定する．必要保有水平耐力を，この降伏機構に対して割増し係数F_{es0}によって割り増しされた層せん断力係数分布の水平外力として定義し，構造特性係数を0.5とすると，この水平外力による転倒モーメントは(10.1.9)式で表される．この転倒モーメントは，仮想仕事法などにより，(10.1.8)式による壁梁の各節点における曲げ強度${}_bM_u'$と，1階耐力壁脚部の曲げ強度の総和に等しくなる．(10.1.8)式は，両端の個々の節点モーメントに対しては正確ではないが，壁梁両端の和としては精解となる）．すなわち，必要とされる保有水平耐力を各層で定義するのではなく，建物全体の水平外力による転倒モーメントで定義しており，部材強度の分布や割増し等も特に層を限定して要求してはいない．

この考え方は壁梁降伏形の，いわゆる全体降伏機構が実現する建物に対しては，ほとんど問題がないものと考えられる．

以上で明らかなように，本項による保有水平耐力の略算では，2階以上の耐力壁の曲げ強度およびせん断強度が，全体降伏機構時の曲げモーメントやせん断力よりも大きいことが前提条件になっている．これに対して，耐力壁のせん断強度に関しては，9.2節による設計用せん断力の割増しによって，全体降伏機構時の応力以上の耐力が個別に確保されるが，曲げ強度に関しては暗に壁率や壁量の規定等によって確保されると考えていることになる．したがって，標準せん断力係数$C_0=0.2$の短期荷重時の曲げモーメントに対する設計で余裕のない耐力壁がある場合は，補強することが望ましい．

以上の検討で，曲げ強度の総和が不足している場合は，さらに降伏ヒンジ位置の曲げ補強筋を補

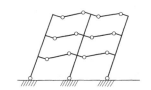

解説図 10.1.12 想定する降伏機構

強することになる．この場合，不足分が少ない場合は工学的な判断により，割増し係数 F_{es0} の大きな層で設計用応力に対して余裕の少ない壁梁端部を補強する程度でよく，さらに，その周辺の耐力壁等も補強しておくのがよい．しかし，かなりの補強が必要となる場合は，壁梁の断面が小さいか，あるいは著しく不整形な構造計画であると思われるので，仮定断面あるいは構造計画の段階から検討し直すのが望ましい．

なお，明快な全体降伏形が形成されないような架構を有する場合には，(10.1.7) 式より算出される総曲げ抵抗モーメントは，建物全体の内部仕事量とは異なることから，10.1.1 項による保有水平耐力の確認を行う必要がある．

[参 考 文 献]

10.1.1) 日本建築学会：鉄筋コンクリート終局強度設計に関する資料シリーズ 18，建築雑誌，Vol.95，No.1171，1980.10

10.1.2) 高橋 仁・広沢雅也・秋山友昭・田中恵司：鉄筋コンクリート耐震壁の耐震性能に関する総合研究（その 2）せん断ひび割れ強度について，日本建築学会大会学術講演梗概集，構造系，pp.1609～1610，1976.8

10.1.3) 品川多美二・遠藤利根穂：上下および水平ずれ壁式構造実大実験，昭和 45 年度建築研究所年報，1975．

10.1.4) 松島 豊：実大 5 階建壁式 RC 造アパートの実験的研究，昭和 43 年度建築研究所年報，1968.11

10.1.5) 松島 豊：実大 5 階建壁式鉄筋コンクリート造アパートの耐震実験，昭和 44 年度建築研究所年報，1969.12

10.1.6) 稲井栄一・秋田知芳：壁式鉄筋コンクリート造建物の地震時層間変形の簡易算定法に関する研究，日本建築学会大会学術講演梗概種，C-2，構造Ⅳ，pp.795～796，2015.09

10.1.7) 日本建築学会：壁式構造関係設計規準集・同解説（壁式鉄筋コンクリート造編）付 5．2003.9

10.1.8) 建設省建築研究所：鉄筋コンクリート部材の強度と靱性，建築研究報告書，No.76，1977.3

10.1.9) 井上芳生・大沢 胖・松島 豊・北川良和・山崎 裕・河村壮一：公団住宅の入力評価に関する研究（その 6―地震入力評価指針・同解説（案）の概要―1），日本建築学会大会学術講演梗概集，B，構造Ⅰ，pp.591～592，1987.08

10.1.10) 建設省建築研究所：平成 5 年釧路沖地震における地震記録とその建物破壊力の検証，建築研究報告書，No.134，1996.3

10.1.11) 全国官報販売協同組合：2020 年版建築物の構造関係技術基準解説書，pp.343～347，2020.11

10.2　構造特性係数の設定

構造特性係数 D_s は，平成 19 年国土交通省告示第 596 号に規定されている算出方法に基づき，次の（1）から（3）による．
（1）耐力壁の種別を，次の表 10.2.1 に従い，耐力壁の区分に応じて定める．

表 10.2.1 耐力壁の種別

耐力壁の区分		$\overline{\tau_u}/F_c$ の数値	耐力壁の種別
条件	せん断破壊その他の構造耐力上支障のある急激な耐力の低下のおそれのある破壊を生じないこと.	0.1 以下	WA
		0.125 以下	WB
		0.15 以下	WC
	WA, WB, または WC のいずれにも該当しない場合		WD

〔記号〕
$\overline{\tau_u}$：メカニズム時に耐力壁の断面に生じる平均せん断応力度（N/mm²）で，次式による．
　　$\overline{\tau_u}=Q_M/(r \cdot t \cdot l)$
　　$Q_M=Q_m+Q_L$
Q_M：メカニズム時における耐力壁のせん断力（N）
r：耐力壁の小開口による低減率で，(9.2.3) 式による．
t：耐力壁の厚さ（mm）
l：耐力壁の長さ（mm）
Q_m：メカニズム時における耐力壁のせん断力（N）で，長期荷重時せん断力を除く数値．
Q_L：長期荷重時における耐力壁のせん断力（N）
F_c：コンクリートの設計基準強度（N/mm²）

（2）　耐力壁の部材群としての種別を，表 10.2.2 に従い，当該階の耐力壁の水平耐力の割合の数値に応じて定める．ただし，部材の種別が WD である耐力壁について当該部材を取り除いた建物の架構に局部崩壊が生じる場合にあっては，部材群としての種別は D とする．

表 10.2.2 耐力壁の部材群としての種別

耐力壁の水平耐力の割合	部材群としての種別
$\gamma_A \geq 0.5$ かつ $\gamma_C \leq 0.2$	A
$\gamma_C < 0.5$（部材群としての種別が A の場合を除く．）	B
$\gamma_C \geq 0.5$	C

〔記号〕
γ_A：種別 WA である耐力壁の水平耐力の和を種別 WD である耐力壁を除く全ての耐力壁の水平耐力の和で除した数値
γ_C：種別 WC である耐力壁の水平耐力の和を種別 WD である耐力壁を除く全ての耐力壁の水平耐力の和で除した数値

（3）　各階の構造特性係数 D_s は，当該階の耐力壁の部材群としての種別に応じ，表 10.2.3 に掲げる数値以上の数値とする．

表 10.2.3 各階の構造特性係数 D_s の数値

耐力壁の部材群としての種別	D_s の数値
A	0.45
B	0.50
C	0.55
D	0.55

・各階各方向の構造特性係数の設定

　壁式 RC 造建物の各階各方向の構造特性係数 D_s の設定は，平成 19 年国土交通省告示第 596 号に

基づき壁梁の種別に拘わらずメカニズムが形成されたときの耐力壁の破壊形式と平均せん断応力度比ならびに各種別の耐力壁の水平耐力に占める割合が関係する．以下に，メカニズムの形成の判定に関係する項目について記述する．

(1) 部材の破壊形式

構造耐力上支障のある急激な耐力の低下のおそれのある破壊には，耐力壁のせん断破壊や鉛直荷重支持能力の喪失ならびにPCaRC造耐力壁における鉛直接合部破壊などがある．

耐力壁が鉛直荷重支持能力を喪失した場合には，それに代わる鉛直荷重支持部材が近傍になければ局部崩壊が生じると同時に，その上部の耐力壁が負担すべき水平力の支持能力も喪失され急激な耐力低下を招くことから，本規準ではこのような破壊を許容していない．

PCaRC造耐力壁における鉛直接合部は，その接合部を介して隣接する耐力壁相互を一体化しているが，鉛直接合部が破壊すると，別々の耐力壁として挙動するものの耐力は低下する．

(2) 種別判定に用いる耐力壁のメカニズム時せん断力の定め方

　　a) 接続する壁梁や基礎梁に先行して耐力壁が曲げ破壊もしくはせん断破壊する場合

　　　① 耐力壁の壁頭や壁脚が曲げ破壊した時の壁頭と壁脚の曲げモーメントから算定される耐力壁のせん断力

　　　② 耐力壁がせん断破壊した時のせん断力

　　b) 耐力壁に接続する壁梁や基礎梁が先行して曲げ破壊もしくはせん断破壊する場合

　　　① 壁梁や基礎梁が曲げ破壊した時の壁頭と壁脚の曲げモーメントから算定される耐力壁のせん断力

　　　② 壁梁や基礎梁がせん断破壊した時の壁頭と壁脚の曲げモーメントから算定される耐力壁のせん断力

(3) WDの耐力壁が存在する場合

種別WDの耐力壁が存在する場合は，その部材を取り除いて構成される建物の架構に局部崩壊が生じない場合は，残りの耐力壁の部材種別と水平耐力負担率（表10.2.2中のγ_A，γ_C）より部材群としての種別判定を行う．WD部材の耐力壁を取り除いた場合に局部崩壊が生じる場合は，その時点をもって建物が急激な耐力低下を生じるものとして部材群としての種別をDとする．

PCaRC造耐力壁の場合で，鉛直接合部が破壊した時は，当該鉛直接合部に接続する耐力壁が個々の耐力壁に分割されることになるが，それにより建物が不安定となるか，または，局部崩壊が生じることがなければ，個々の耐力壁の破壊形式と平均せん断応力度比を再計算して当該耐力壁の種別を判定し，部材群としての種別を判定する．

(4) 構造特性係数D_sの数値

構造特性係数D_sの数値は，平成19年国土交通省告示第596号第4第四号ロに規定されている壁式構造の数値としている．

1) 壁梁がせん断破壊する場合の取扱い

壁梁がせん断破壊し，落階等の局部崩壊が生じる場合には，耐力壁の部材群としての種別をDとし，構造特性係数D_sを0.55とするとともに，その時点を崩壊メカニズムとする．

通常の長さの壁梁がせん断破壊する場合で,落階等の局部崩壊が生じるおそれがない場合には,せん断破壊が生じても,残りの部材が終局強度に達するまでの変形性能を当該壁梁が有しているとして崩壊メカニズムを考える.仮想仕事法を用いる場合には,当該壁梁の曲げ強度をせん断強度時曲げモーメントに置き換えて,接続する耐力壁の部材種別の判定を行う.

短スパン壁梁(内法長さ l_0/壁梁のせい $D≦1.5$ の壁梁)がせん断破壊する場合には,短スパン壁梁のせん断破壊時の節点での曲げモーメントを接続する耐力壁に分配して耐力壁のせん断力を算定し耐力壁の種別判定を行う.なお,保有水平耐力の算定には,当該短スパン壁梁の強度は無視するものとする.

なお,静的増分解析を行う場合には,せん断破壊する壁梁の復元力特性として解説図8.2.17に示すせん断特性を設定してよい.ただし,前述のように,壁梁のせん断破壊により落階等の局部破壊が生じる場合には,その時点を崩壊メカニズムとする.耐力壁の部材種別の判定には、耐力壁に生じた最大せん断応力度を用いる.

2)耐力壁の部材群としての種別を定めるときの建物の崩壊メカニズムの定め方

全体崩壊形のメカニズムが形成された場合〔解説図10.2.1参照〕の各耐力壁の種別は,その時の応力に基づいて表10.2.1から定めればよい.

メカニズムが形成される前に壁梁にせん断破壊が生じる場合は,さらに荷重を増分し,メカニズムが形成された時点〔解説図10.2.2参照〕の応力により,各耐力壁の種別を表10.2.1から定めればよい.なお,荷重の増分に際し,せん断破壊した壁梁の剛性と耐力は保持したままか,または,適宜低減してもよい.

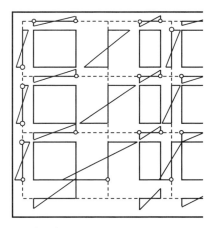

〔記号〕○:曲げ降伏

解説図10.2.1 全体崩壊形のメカニズムの例

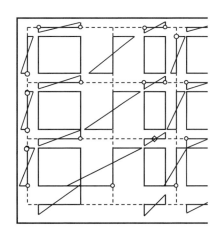

〔記号〕○:曲げ降伏 ◇:せん断破壊

解説図10.2.2 壁梁にせん断破壊が生じるメカニズムの例

メカニズムが形成される前に耐力壁にせん断破壊が生じる場合は,さらに荷重を増分し,メカニズムが形成された時点(解説図10.2.3(a)や(b))の各耐力壁の部材種別式と水平力負担比率により,各耐力壁の種別を表10.2.1から定めればよい.なお,荷重の増分に際し,せん断破壊した耐力壁の剛性と耐力は保持したままか,または,適宜低減してもよい.ただし,せん断破壊した耐力

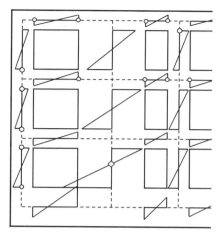
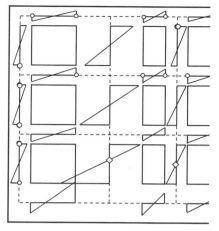

〔記号〕○：曲げ降伏　◇：せん断破壊

(a) 1階の壁長の長い耐力壁がせん断破壊する例

〔記号〕○：曲げ降伏　◇：せん断破壊

(b) 1階の壁長の長い耐力壁と壁長の短い耐力壁がせん断破壊する例

解説図 10.2.3　耐力壁にせん断破壊が生じるメカニズムの例

壁が負担している軸方向力を隣接する他の部材が負担できない場合（いわゆる第二種構造要素に該当）は，その時点でメカニズムが形成されたものとするとともに，部材群としての種別をDとする．

10.3　保有水平耐力の計算法

> 保有水平耐力の計算は，原則として非線形荷重増分解析法とし，部材モデル，架構モデル等は8条によるとともに，耐力低下を伴う部材の存在を考慮する．ただし，1階耐力壁脚部と各階壁梁が曲げ降伏となる全体曲げ降伏形が形成される場合や，全体曲げ降伏形ではないがメカニズムが正しく算出できる場合等は，仮想仕事法等の略算によってもよい．なお，仮想仕事法等の略算による場合の各階の保有水平耐力分布は，一次設計時の層せん断力の分布に概ね等しくなることを確認する．

・**保有水平耐力の計算法**

保有水平耐力の計算は，本文に記載の方法によるとともに，下記による．

（ⅰ）　耐力低下を伴う耐力壁または壁梁が存在する場合

1）耐力壁のせん断破壊により局部崩壊が生じる場合

① 各階の保有水平耐力は，局部崩壊の原因となる耐力壁がせん断破壊した時点の水平力とする．

② 構造特性係数 $D_s=0.55$ 時に相当する地震層せん断力時以前にせん断破壊が生じた壁梁は，保有水平耐力計算には考慮しない．

③ 局部崩壊が生じる以前にせん断破壊する耐力壁のせん断力は，強度を維持するものとして保有水平耐力に考慮してよい．

2）耐力壁のせん断破壊が生じても局部崩壊が生じない場合

① 部材群の種別 A（$D_s=0.45$）の場合

イ) せん断破壊する壁梁（短スパン壁梁を含む）は種別判定に考慮するが，保有水平耐力計算に際しては，無視する．

ロ) 部材種別 WD の耐力壁は，保有水平耐力計算において当該耐力壁の水平力を無視する．

② 部材群の種別 B（$D_s=0.50$）の場合

上記イ），ロ）に同じ．

③ 部材群の種別 C，D（$D_s=0.55$）の場合

イ) せん断破壊する短スパン壁梁は，保有水平耐力計算に際しては考慮しない．

ロ) 保有水平耐力は，最大層間変形角が概ね 1/200 時点の各階の水平力とする．

ハ) せん断破壊する部材は，せん断強度を維持するものとして増分解析を継続してよい．

(ⅱ) 仮想仕事法と節点振分け法による保有水平耐力計算

1）保有水平耐力を計算する方向の全ての架構において，耐力壁の曲げ強度が壁梁の曲げ強度に比べて大きい場合の保有水平耐力は，1階耐力壁脚部と各階壁梁が曲げ降伏すると仮定して，仮想仕事法の原理に基づく略算法（以下，仮想仕事法という）によって求めても十分精度のよい計算結果が得られる．この場合，耐力壁のメカニズム時せん断力は，壁梁が反曲点位置でローラー支持されていると仮定して，耐力壁1枚ごとに仮想仕事法により求めてよい．その際，原則として1階壁脚を除き，耐力壁には降伏ヒンジが生じないように所要の曲げ余裕度とせん断余裕度を確保する．

一方，節点振分け法は，上下の耐力壁への曲げモーメントの振分け方によっては，下層階における耐力壁の応力状態が実状と異なることがあるので，保有水平耐力分布が，一次設計時の外力分布に概ね等しくなるように上下の耐力壁への分配率を設定する．

2）引張側耐力壁および壁長の短い耐力壁の扱い

メカニズム時に引張力が作用する耐力壁および壁長の短い耐力壁については，これらに取り付く壁梁の曲げ降伏先行が保証されない場合があり，壁梁の曲げ降伏を仮定して仮想仕事法を適用すると危険側の結果となることがある．したがって，このような場合は，耐力壁の曲げ降伏を含めた形成可能なメカニズムに対して仮想仕事法を適用し，保有水平耐力を計算する必要がある．

3）全体曲げ降伏形でないがメカニズムが算出できる場合

保有水平耐力を算定する方向が全て独立連層耐力壁架構より構成され，かつ1階の耐力壁が全てせん断破壊または曲げ破壊となる場合は，メカニズム応力が正しく算定されることから仮想仕事法によってもよい．

10.4 部材・接合部の終局強度算定式

10.4.1 耐力壁の終局強度算定式

1．耐力壁の曲げ強度 $_wM_u$ は，(10.4.1) 式を用いてよい．

$$_wM_u = \sum(a_t \cdot \sigma_y) \cdot l' + 0.5\sum(a_w \cdot \sigma_{wy}) \cdot l' + 0.5N \cdot l' + M_e \quad (10.4.1)$$

記号　$_wM_u$：耐力壁の曲げ強度（N・mm）

$\sum(a_t \cdot \sigma_y)$：a_t に σ_y を乗じた数値の和（N）

a_t：引張鉄筋の断面積（mm²）で，曲げ強度に有効な範囲内の直交壁内の縦補強筋を含む．

ここで，曲げ強度に有効な直交壁の範囲は，片側につき直交壁厚さの6倍または隣り合う耐力壁までの内法スパン長さの1/4および開口部端部までの長さのうち最小の数値とする．

σ_y：同上鉄筋の材料強度（N/mm²）で，規格降伏点の1.1倍とする．

l'：両端に直交壁が接続する場合は，その中心間距離，その他は耐力壁の長さ l（有開口耐力壁にあっては開口部を含む2以上の耐力壁の全長さ）の0.9倍の数値（mm）

$\sum(a_w \cdot \sigma_{wy})$：$a_w$ に σ_{wy} を乗じた数値の和（N）

a_w：耐力壁の中間部縦補強筋の断面積の和（mm²）で，中間部に直交壁が取り付く場合は，曲げ強度に有効な範囲内の直交壁内の縦補強筋を含む．

σ_{wy}：同上鉄筋の材料強度（N/mm²）で，規格降伏点の1.1倍とする．

N：耐力壁に作用する軸方向力（引張の時は負とする．ただし，軸方向引張強度を超えない）（N）で，次式による．

$$N = N_L + N_m + N_{WT} \tag{10.4.2}$$

N_L：耐力壁の長期荷重時軸方向力（N）

N_m：耐力壁のメカニズム時付加軸方向力（N）．なお，総曲げ抵抗モーメントの算定に用いる1階耐力壁の曲げ強度算定に際しては，N_m を N_E（耐力壁の標準せん断力係数 $C_0 \geq 0.2$ に対する水平荷重時軸方向力）に置き替える．

N_{WT}：直交壁の軸方向力のうち，耐力壁の曲げ強度に関係する軸方向力（N）で，図10.4.1のような場合には次のように算定する．ただし，N_1 および N_2 は，直交壁の長期荷重時軸方向力である．

・耐力壁 W_1 に対して，$N_{WT} = 0.25 N_1$
・耐力壁 W_2 に対して，$N_{WT} = 0.25 (N_1 + N_2)$ (10.4.3)
・耐力壁 W_3 に対して，$N_{WT} = 0.25 N_2$

M_e：N_{WT} による偏心モーメント（N・mm）で，次式で与えられる．

$$M_e = N_{WT} \cdot e \tag{10.4.4}$$

e：耐力壁中心と直交壁心との距離（mm）で，直交壁が耐力壁の引張側に取り付く場合には正，圧縮側に取り付く場合には負の値とし，直交壁が耐力壁の中央に取り付く場合には零とする（図10.4.1）．

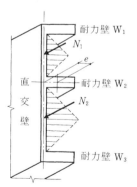

図 10.4.1 耐力壁の軸方向力

2．耐力壁のせん断強度 $_wQ_{su}$ は，(10.4.5)式による．なお，軽量コンクリート1種を使用する場合は，(10.4.5)式に0.9を乗じる．

$$_wQ_{su} = r \cdot \left\{ \frac{0.053 \, p_{te}^{0.23}(F_c + 18)}{M/(Q \cdot 1) + 0.12} + 0.85\sqrt{p_{we} \cdot {_s\sigma_{wy}}} + 0.1 \overline{\sigma_{0e}} \right\} \cdot t_e \cdot j \tag{10.4.5}$$

記号　$_wQ_{su}$：耐力壁のせん断強度（N）

r：小開口による低減率で，(9.2.3) 式による．なお，有開口耐力壁としてモデル化する場合は，次式による．
$$r=\min(r_1,\ r_2,\ r_3)$$
r_1：開口部の幅による低減率で，次式による．
$$r_1=1-1.1\times l_{0p}/l$$
l_{0p}：開口部の水平断面への投影長さの和 (mm)
l：開口部を含む 2 以上の耐力壁の全長さ (mm)
r_2：開口部の見付面積による低減率で，次式による．
$$r_2=1-1.1\times\sqrt{h_{0p}\cdot l_{0p}/(h\cdot l)},\ \ \text{かつ}\ r_2\geqq 0.6$$
h_{0p}：開口部の鉛直断面への投影高さの和 (mm)
h：当該階の有開口耐力壁の高さ (mm) で，階高とする．
r_3：開口部の高さによる低減率で，次式による．
$$r_3=1-\lambda\cdot\sum h_0/\sum h$$
λ：当該階から下階の耐力壁または基礎梁が変形しないと仮定することに伴う係数で，開口部がほぼ縦 1 列で特に検討しない場合は，次式による．
$$\lambda=\frac{1}{2}(1+l_0/l)$$
l_0：開口部高さによる低減率 r_3 の算出で該当する開口部の長さ (mm)
$\sum h_0$：開口部上下の破壊の原因となり得る開口部高さの和 (mm) で，$\sum$ は当該階から最上階までとする．開口部が上下階に連続して配置されている場合は下記①，不規則な配置の場合は下記②を下限として想定される破壊モードに応じて低減してよい．
　① 開口部の鉛直断面への投影高さの和 (mm)
　② 水平断面に投影したとき当該階の開口部と重なる開口部の高さの和 (mm)
$\sum h$：当該階床上面から当該耐力壁架構の最上層耐力壁天端までの距離 (mm)
p_{te}：等価引張鉄筋比 (%) で，次式による．
$$p_{te}=100\,a_t/(t_e\cdot l)$$
a_t：(10.4.1) 式の記号の説明による．
t_e：耐力壁のせん断強度に有効な範囲内の直交壁の断面積を加算した全断面積 $\sum A_w$ を，耐力壁の長さ（有開口耐力壁の場合は，開口部を含む 2 以上の耐力壁の全長さ）を l とした長方形断面に置き換えたときの等価厚さ (mm)．ただし，耐力壁の厚さの 1.5 倍以下とする．なお，直交壁の有効な範囲は，耐力壁の側面から片側につき直交壁厚さの 6 倍，または隣り合う耐力間壁までの内法スパン長さの 1/4 ならびに直交壁の長さのうちの最小の数値とする．
l：耐力壁の長さ (mm)，または開口部を含む 2 以上の耐力壁の全長さ (mm)
F_c：コンクリートの設計基準強度 (N/mm^2)
$M/(Q\cdot l)$：せん断スパン比で，1 以下のときは 1，3 以上のときは 3 とする．
M：計算断面位置におけるメカニズム時の曲げモーメント (N・mm)
Q：計算断面位置におけるメカニズム時のせん断力 (N)
p_{we}：等価横補強筋比で，次式による．
$$p_{we}=a_w/(t_e\cdot s),\ \ \text{かつ}\ p_{we}\leqq 0.012\ (t/t_e)$$
a_w：一組の横補強筋の断面積 (mm^2)
s：一組の横補強筋の間隔 (mm)
${}_s\sigma_{wy}$：横補強筋の規格降伏点 (N/mm^2)
$\overline{\sigma_{0e}}$：耐力壁のメカニズム時の平均軸方向応力度 (N/mm^2) で，次式による．
$$\overline{\sigma_{0e}}=(N_L+N_{WT}+N_m)/\sum A_w$$
$N_L,\ N_{WT}$：(10.4.1) 式の記号の説明による．
N_m：耐力壁のメカニズム時付加軸方向力 (N)
$\sum A_w$：耐力壁のせん断強度に有効な範囲内の直交壁の断面積を加算した全断面積 (mm^2)

j：応力中心距離（mm）で，$0.8l'$とする．
l'：(10.4.1) 式の記号の説明による．

1. 耐力壁の曲げ強度

(10.4.1)式は，耐力壁の曲げ強度の実験式である．文献10.4.1)では長方形壁24体，直交壁の付いた壁25体の曲げ強度が，文献10.4.2)では壁式ラーメン壁柱の曲げ強度が検討されている．これらの検討に用いている曲げ強度式は（10.4.1）式とはやや表現が異なっているが，両式により算定される値はほとんど等価である．実験値は計算値より若干大きな値となっている〔解説図10.4.1～解説図10.4.3 参照〕．解説図10.4.4 に，2 階建壁式 RC 造の壁量の低減を目標とした開発研究において実施された耐力壁の曲げ強度に関する実験結果と，直交壁の有効な幅を種々変えた（10.4.1）式による計算値との比較を示す．直交壁厚の6倍を曲げ強度に有効とした場合の曲げ強度は，実験値よりも若干低めの値となっている．なお，(10.4.1) 式は当然，作用軸方向力 N が軸方向引張強度を超えない範囲で適用する．本構造では，軸方向引張強度を超えることは，あまりない

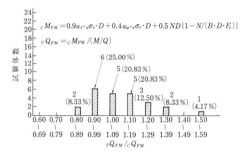

解説図 10.4.1 曲げ強度に関する長方形断面の耐力壁の $_TQ_{FM}$（実験値）/$_cQ_{FM}$（計算値）の頻度分布（十形を含む）[10.4.1)]

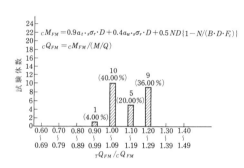

解説図 10.4.2 曲げ強度に関する I 型，ボックス型耐力壁の $_TQ_{FM}$（実験値）/$_cQ_{FM}$（計算値）の頻度分布（┼┼形を含む）[10.4.1)]

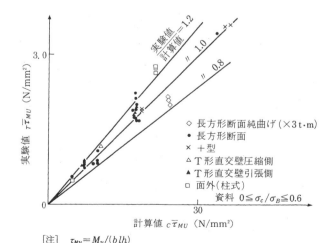

[注] $\tau_{Mu} = M_u/(blh)$
$M_u = 0.9\, a_t \cdot \sigma_y l + 0.4\, a_w \cdot \sigma_{wy} \cdot l + 0.5\, Nl(1 - N/(b \cdot l \cdot \sigma_B))$

解説図 10.4.3 壁式ラーメン壁柱の曲げ強度時せん断力 [10.4.2)]
〔式中の記号は文献10.4.2) 参照〕

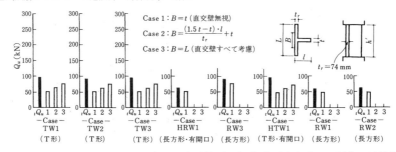

解説図 10.4.4 2階建壁式 RC 造耐力壁の実験値（${}_tQ_u$）と曲げ強度時せん断力の計算値[10.4.3]

と考えられるが，作用軸方向力計算時に確認する必要がある．

2．耐力壁のせん断強度

(10.4.5) 式は，RC 造の柱および耐震壁のせん断強度の下限値を表す式を準用したものである．壁式 RC 造の耐力壁の半数程度は直交壁を有することから，その効果を等価な壁厚に置換して評価しているが，せん断強度に及ぼす直交壁の効果については，未だ不明な点が多い．

解説図 10.4.5 に，高層壁式ラーメン鉄筋コンクリート造の開発において実施された壁柱の実験結果を示す．解説図 10.4.5 より明らかなように，直交壁が圧縮側にある場合の壁柱のせん断強度は，直交壁のない壁柱を大きく上回るのに対し，直交壁が引張側にある場合の壁柱のせん断強度は，それほど上昇していない．

文献 10.4.1) では，長方形断面壁 21 体，直交壁の付いた壁 14 体のせん断強度が検討されている（解説図 10.4.6 および解説図 10.4.7）．せん断強度としては，耐力壁のせん断強度の平均値を与える式を用いている．長方形断面壁の実験結果が計算値と比較的よい対応を示すのに対し，直交壁を有する試験体の計算値は，直交壁を全幅有効としているため 1 割程度実験値を上回っている．解説図 10.4.8 には，2 階建の壁式 RC 造の開発に関して行われた直交壁の効果に関する耐力壁の実験結果とせん断強度の計算値との比較を示す[10.4.3]．直交壁の有効な範囲を本規準と同一とした Case2 の計算結果は，実験値とよい対応を示している．

以上のように，直交壁が耐力壁のせん断強度に及ぼす影響は必ずしも明確ではないが，有効な範囲を限定したうえで，その効果を本規準では取り入れることとした．ただし，解説図 10.4.5 に示したように，直交壁が取り付く箇所によっては，その効果が異なることから，(10.4.5) 式の適用にあ

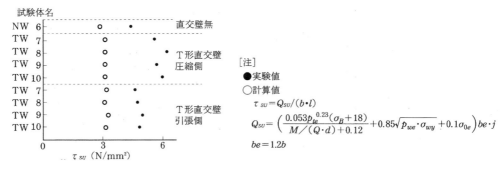

解説図 10.4.5 壁式ラーメン壁柱のせん断強度（文献 10.4.4）を基に作成）

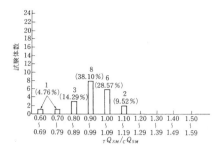
解説図 10.4.6　せん断強度に関する長方形断面壁の $_TQ_{SM}$（実験値）/$_cQ_{SM}$（計算値）の頻度分布（十形を含む）[10.4.1]

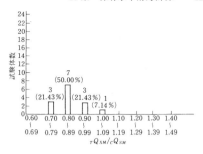
解説図 10.4.7　せん断強度に関するI型，ボックス型の $_TQ_{SM}$（実験値）/$_cQ_{SM}$（計算値）の頻度分布（十形を含む）[10.4.1]

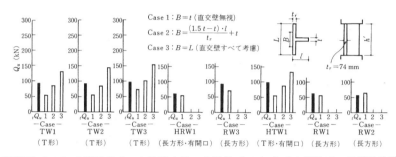
解説図 10.4.8　2階建壁式RC造耐力壁の実験値（$_TQ_u$）とせん断強度の計算値[10.4.3]

たっては直交壁の位置に応じた適切な配慮が望ましい．

　開口を有する耐力壁のせん断強度は，小開口の場合は（9.2.3）式の低減率 r を用いるが，開口部を挟む二以上の耐力壁をひとつの耐力壁としてモデル化して保有水平耐力計算を行う場合は，RC規準(2024)「19条壁部材の算定4．開口による低減」にならった低減率 r を用いることとしており，詳しくはRC規準を参照されたい．

10.4.2　壁梁・基礎梁の終局強度算定式

1．壁梁および基礎梁（以下，壁梁等という）の曲げ強度 $_bM_u$ は，（10.4.6）式を用いてよい．

$$_bM_u = 0.9 \sum (a_t \cdot \sigma_y \cdot d) \tag{10.4.6}$$

　　記号　$_bM_u$：壁梁等の曲げ強度（N・mm）
　　　　$\sum (a_t \cdot \sigma_y \cdot d)$：$a_t$ に σ_y ならびに d を乗じた数値の和（N・mm）
　　　　　　a_t：壁梁等の引張鉄筋の断面積（mm²）で，引張側にスラブが接続する場合，有効な範囲内（片側につき1m）のスラブ筋の断面積を考慮する．
　　　　　　σ_y：同上鉄筋の材料強度（N/mm²）で，規格降伏点の1.1倍とする．
　　　　　　d：壁梁等の有効せい（mm）

2．壁梁等のせん断強度 $_bQ_{su}$ は，（10.4.7）式による．なお，軽量コンクリート1種を使用する場合は，（10.4.7）式に0.9を乗じる．

$$_bQ_{su} = \left\{ \frac{0.053\, p_{te}^{0.23}(F_c+18)}{M/(Q\cdot d)+0.12} + 0.85\sqrt{p_{we}\cdot {}_s\sigma_{wy}} \right\} \cdot b_e \cdot j \tag{10.4.7}$$

記号　$_bQ_{su}$：壁梁等のせん断強度（N）
　　　p_{te}：等価引張鉄筋比（％）で，次式による．
　　　　　　$p_{te} = 100\, a_t/(b_e \cdot d)$
　　　a_t, d：(10.4.6) 式の記号の説明による．
　　　b_e：壁梁等のせん断強度に有効な範囲内のスラブのコンクリート断面積を加算した壁梁等の全断面積 $\sum A_G$ を，せいを D とした等価な長方形断面に置き換えたときの等価幅（mm）で，$b_e = \sum A_G/D$ かつ $1.5b$（b：壁梁等の幅）以下とする．ここで，有効な範囲内とは，壁梁等の側面より 1 m かつ $6t$（t：スラブ厚さ）以内とする．
　　　F_c：コンクリートの設計基準強度（N/mm^2）
　　　$M/(Q\cdot d)$：壁梁等のせん断スパン比で，1 以下のときは 1，3 以上のときは 3 とする．
　　　M：計算断面位置におけるメカニズム時の曲げモーメント（N・mm）
　　　Q：計算断面位置におけるメカニズム時のせん断力（N）
　　　p_{we}：等価縦補強筋比（$= a_w/(b_e\cdot s)$）．ここで，a_w は一組の縦補強筋の断面積（mm^2）で，s はその間隔（mm）．ただし，p_{we} は 0.012 (b/b_e) 以下とする．
　　　σ_{wy}：壁梁等の縦補強筋の規格降伏点（N/mm^2）
　　　j：応力中心距離（mm）で，$(7/8)d$ とすることができる．

1. 壁梁等の曲げ強度

　(10.4.6) 式は，RC 造の梁の曲げ強度の略算式である．文献 10.4.5) によれば，(10.4.6) 式による計算値は，壁梁の試験体の曲げ強度の実験値とよい対応を示している〔解説図 10.4.9 参照〕．

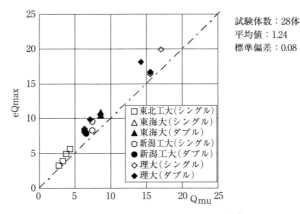

解説図 10.4.9　壁梁の曲げ強度式の適合性[10.4.5)]

2. 壁梁等のせん断強度

　壁梁等のせん断強度算定式は，耐力壁のせん断強度式を (10.4.7) 式のように軸方向力を 0 とし，有効せいの定義を置き換えて準用している．

[参 考 文 献]

10.4.1)　住宅・都市整備公団：建築構造設計要領（案）〔6〜8階建壁式構造〕―構造検討書―1979.10
10.4.2)　平石久廣・稲井栄一・後藤哲郎・今井　弘・狩野芳一：高層壁式ラーメン鉄筋コンクリート建物にお

ける壁柱の耐震性能評価に関する研究，日本建築学会構造系論文報告集，第 439 号，pp.133～144，1992.9

10.4.3) 後藤哲郎・広澤雅也：低層壁式鉄筋コンクリート造の構造性能に関する研究，日本建築学会大会学術講演梗概集，C，構造Ⅱ，pp.219～220，1986.7

10.4.4) 後藤哲郎・山田敏夫・寺崎　浩・大塚　弘・岩城信次ほか：直交壁を有する壁柱のせん断強度に関する研究（その3　壁柱のせん断強度の検討）—構造壁式ラーメン構造に関する研究—，C，構造Ⅱ，pp.571～572，1987.10

10.4.5) 日本建築学会構造委員会：壁式鉄筋コンクリート造建物の構造性能評価指針（案）・同解説，2006.3

10.4.3　耐力壁・壁梁接合部および耐力壁・基礎梁接合部のせん断強度算定式

> 1．耐力壁・壁梁接合部のせん断強度は，(10.4.8) 式による．
> $$Q_{p,su} = \kappa \cdot \Phi \cdot F_j \cdot b_j \cdot (D_j - \sum R_0) \tag{10.4.8}$$
> 記号　$Q_{p,su}$：耐力壁・壁梁接合部のせん断強度 (N)
> 　　　κ：耐力壁・壁梁接合部の形状による係数で，下記による．
> 　　　　・$\kappa = 1.0$：十字形耐力壁・壁梁接合部
> 　　　　・$\kappa = 0.7$：ト形および T 形耐力壁・壁梁接合部
> 　　　　・$\kappa = 0.4$：L 形耐力壁・壁梁接合部
> 　　　Φ：直交壁または直交梁による補正係数で，直交壁または直交梁の有無にかかわらず 0.85 とする．
> 　　　F_j：耐力壁・壁梁接合部のせん断強度の基準値 (N/mm²) で，次式による．
> $$F_j = 0.8 \times \sigma_B^{0.7} \tag{10.4.9}$$
> 　　　σ_B：コンクリートの圧縮強度 (N/mm²) で，設計基準強度とする．
> 　　　b_j：耐力壁・壁梁接合部の有効幅 (mm) で，耐力壁・壁梁接合部の厚さとしてよい．
> 　　　D_j：耐力壁・壁梁接合部の長さまたは，90°折曲げ水平投影長さ (mm)
> 　　　$\sum R_0$：耐力壁・壁梁接合部に設ける小開口の内法長さの和 (mm) で，長方形開口の場合は外接円の直径の和とする．
>
> 2．耐力壁・基礎梁接合部のせん断強度は，1．に準じる．

1．耐力壁・壁梁接合部のせん断強度算定式

　(10.4.8) 式に示す壁式 RC 造耐力壁・壁梁接合部（以下，接合部という）のせん断強度算定式は，RC 靱性保証指針に記載の接合部のせん断強度式[10.4.6)]を基に，壁式 RC 造建物特有の接合部に設けられる小開口を考慮したものである．壁式 RC 造建物の接合部においては，複配筋壁梁の端部曲げ補強筋の内，一方の端部曲げ補強筋は横補強筋で拘束されたコア内に定着されるが，他方の端部曲げ補強筋は接合部内の横補強筋に沿ってコア外に配筋されること，また，単配筋の耐力壁や壁梁の場合は接合部も単配筋でありコアが存在しないという特徴を有している．上記の特徴を有する接合部のせん断強度式として文献 10.4.6) に記載のせん断強度算定式が適用可能かを確認するための直接的な実験はこれまで実施されていないが，ここでは文献 10.4.7)～10.4.9) にて実施された実験結果より，(10.4.8) 式に基づき接合部のせん断強度算定の妥当性を検証する．

　1）実大立体試験体における小開口付き接合部の破壊状況に基づく接合部のせん断強度式の検討

　8FW 試験体[10.4.7),10.4.8)]の平面図および各構面の立面図を，本規準 6.3 節解説図 6.3.2 に示す．Y1 通りの耐力壁 C13 のト形接合部には小開口（490 mm×260 mm）が設けられている．小開口周

囲の耐力壁および壁梁の断面および配筋等は，9.8節の解説1.(4)に記載のとおりである．最大耐力時における試験体の応力図（メカニズム時応力図）が文献10.4.7)には記載されていないことから，ここでは，2階壁梁の配筋に基づく壁梁の曲げ強度時の引張力と，検討対象とするト形接合部に接続する2階耐力壁のメカニズム時せん断力を推定し，最大耐力時に当該接合部に生じるせん断力を算定し，(10.4.8)式による接合部のせん断強度計算値と比較するとともに，試験体の接合部の損傷状況を検証することにより，(10.4.8)式の妥当性を検討する．

a) 試験体2階壁梁G12の曲げ強度時引張力の算定

8FW試験体における壁梁G12の曲げ強度時引張力の算定において，壁梁側面より1m以内のスラブ筋を考慮する．スラブ筋は壁梁側面より1mの範囲内のスラブ上下筋を考慮することとし，片側につき1-D13+7-D10とする．曲げ強度時引張力は，次のとおり算定される．

$$T_u = 4 \times 507 \times 335.8 + 2 \times (127 \times 397.6 + 7 \times 71 \times 381.7)$$
$$= \{681.0 + 2 \times (50.5 + 189.7)\} \times 10^3 \text{ N} = 1\,161.4 \times 10^3 \text{ N} = 1\,161.4 \text{ kN}$$

b) 試験体最大荷重時における耐力壁C13の2階に生じるせん断力

試験体の最大荷重時における耐力壁の平均せん断応力度 $\overline{\tau_{u,\max}}$ は，文献10.4.7)によれば，2.24 N/mm² (22.8 kgf/cm²)であることから，試験体の耐力壁C13の2階に生じるせん断力を次式より推定する．

$$Q_{wm} = \overline{\tau_{u,\max}} \cdot t \cdot l_w = 2.24 \times 270 \times 2\,890 = 1\,747.9 \times 10^3 \text{ N} = 1\,747.9 \text{ kN}$$

c) 試験体最大耐力時における耐力壁C13と壁梁G12のト形接合部に生じるせん断力の推定

試験体の最大耐力時における検討対象接合部に生じるせん断力を，次式より算定する．

$$Q_{U,p} = T_u - Q_{wm} = 1\,161.4 - 1\,747.9 = -586.5 \text{ kN}$$

d) 検討対象接合部のせん断強度

検討対象のト形接合部のせん断強度を，(10.4.8)式より算定する．(10.4.8)式に下記を代入する．

・$\kappa = 0.7$, $\Phi = 0.85$, $F_j = 0.8 \times \sigma_B^{0.7} = 0.8 \times 27.5^{0.7} = 8.14 \text{ N/mm}^2$

・$b_j = t = 270 \text{ mm}$, $D_j = l_w = 2\,890 \text{ mm}$, $\sum R_0 = \sqrt{490^2 + 260^2} = 555 \text{ mm}$（外接円の直径）

∴ $Q_{p,su} = \kappa \cdot \Phi \cdot F_j \cdot b_j \cdot (D_j - \sum R_0) = 0.7 \times 0.85 \times 7.18 \times 270 \times (2\,890 - 555)$
$= 2\,693.3 \times 10^3 \text{ N} = 2\,693 \text{ kN}$

e) 試験体最大荷重時における検討対象接合部の損傷状況との比較

(10.4.8)式による検討対象ト形接合部のせん断強度は2 693 kNであり，試験体最大耐力時における当該接合部の入力せん断力推定値の586.5 kNに対して4.5倍となっている．一方，検討対象接合部と1階耐力壁C13の最終ひび割れ図（解説図6.3.4（b））によれば，接合部には多数のせん断ひび割れが，1階耐力壁には多数の曲げひび割れやせん断ひび割れが生じているが，接合部の小開口周囲にはせん断ひび割れが生じておらず，また，試験体の頂部部材角 15×10^{-3} まで当該接合部にはせん断破壊も生じていない．以上により，接合部のせん断強度式を（10.4.8）式により算定してよいこととした．

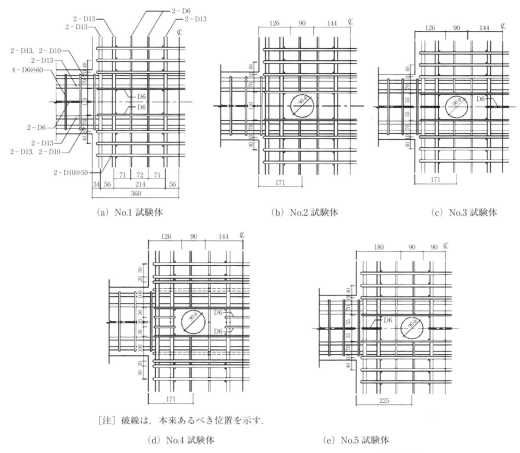

(a) No.1 試験体　　(b) No.2 試験体　　(c) No.3 試験体

(d) No.4 試験体　　(e) No.5 試験体

[注] 破線は，本来あるべき位置を示す．

解説図 10.4.10　壁柱・梁接合部と小開口周囲の配筋詳細[10.4.9), 10.4.10)]

2）壁式ラーメン構造小開口付き壁柱・梁接合部の実験結果[10.4.9),10.4.10)]に基づく接合部せん断強度式の検討

　壁式ラーメン鉄筋コンクリート造建物の壁柱・梁接合部にも設備用小開口が設けられることから，当該接合部の小開口補強に関する実験が行われている．試験体は無開口のもの1体と小開口を有するもの4体の計5体である．試験体の小開口周囲の配筋詳細を解説図10.4.10に示す．

　ここでは，壁式RC造耐力壁・壁梁接合部に小開口を設ける場合の配筋詳細と同様（小開口の上下・左右に縦補強筋と横補強筋を配置する方法）に小開口横の壁柱主筋を横補強筋により拘束補強していないNo.2試験体の最大耐力時に接合部に生じるせん断力と（10.4.8）式によるせん断強度を比較するとともに，試験体の破壊性状を検討する．また，小開口を有しないNo.1試験体とNo.2試験体の荷重～変形曲線より，試験体の変形性能を検討する．

a）No.2試験体諸元および材料強度

① 梁

　　・断面：$b \cdot D = 180 \times 270$ mm

　　・主筋（上下）：4-D13（$\sigma_y = 361.9$ N/mm^2）+ 2-D10（$\sigma_y = 364.8$ N/mm^2）

・引張鉄筋比：$p_t = \sum a_t/(b \cdot d) = 1.61\%$　（$= 650/\{180 \times (270-46)\}$）

・せん断補強筋比：$p_w = 1.19\%$

② 壁柱

・断面：$b \cdot D = 180 \times 720$ mm

・主筋（左右・中央部）：2×5-D13（$\sigma_y = 361.9$ N/mm^2）$+ 4$-D13（$\sigma_y = 361.9$ N/mm^2）

・中間軸筋：8-D6（$\sigma_y = 403.1$ N/mm^2）

・せん断補強筋比：$p_w = 1.58\%$

・圧縮応力度：7.07 N/mm^2（$= \sigma_B/3$）

③ 接合部の小開口：$2 \times \phi 90$ mm

④ コンクリート圧縮強度：$\sigma_B = 21.2$ N/mm^2

b) 接合部の上部壁柱の最大耐力（$Q_{max} = 266.3$ kN）時における接合部入力せん断力

$$_DQ_{up} = T_{u1} + C_{u2} - Q_{max} = (4 \times 127 \times 361.9 + 2 \times 71 \times 364.8) \times 2 - 266.3 \times 10^3$$
$$= (183.8 + 51.8) \times 10^3 \times 2 - 266.3 \times 10^3 = 204.9 \times 10^3 \text{ N}$$

c) 小開口を有する接合部のせん断強度および接合部せん断余裕度 β_p

$$Q_{p,su} = \kappa \cdot \Phi \cdot F_j \cdot b_j \cdot (D_j - \sum R_0)$$
$$= 1.0 \times 0.85 \times (0.8 \times 21.2^{0.7}) \times 180 \times (720 - 2 \times 90) = 560.5 \times 10^3 \text{ N}$$

$$\beta_p = Q_{p,su}/_DQ_{up} = 560.5 \times 10^3/204.9 \times 10^3 = 2.73$$

d) 試験体破壊性状

No.2 試験体と No.1 試験体の荷重～変形曲線（2階梁位置）を解説図 10.4.11 に示す．ほとんどの試験体が，1階水平変形角 R（2階梁軸心位置の水平変位/835 mm）$= 1/400$ で1階壁柱脚の主筋が圧縮降伏し，$R = 1/200$ に至る段階で1階壁柱脚でのコンクリートの圧壊，梁主筋の引張降伏が生じ，1階壁柱脚主筋が引張降伏している．各試験体とも変形の増大により，1階壁柱脚の圧壊と梁端での曲げ破壊が進行し，No.1 試験体は1階壁柱脚主筋の座屈で，No.2 試験体は1階壁柱脚の圧壊に加えて壁柱・梁接合部の圧壊で最終状態となっている．また，各試験体とも $R = 1/200$ でほぼ最大耐力に達し，それ以後の耐力上昇は 5～10% 程度である[10.4.10]．解説図 10.4.11 より，両試験体とも $R = 1/50$ まで耐力低下がなく，十分な靱性能を有している．

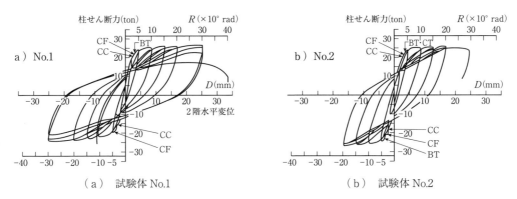

解説図 10.4.11　試験体 No.1 および No.2 の荷重～変形曲線（2階梁心位置）[10.4.10]

試験体 No.2 は小開口横の壁柱主筋の拘束筋がないため，小開口部の外側で壁柱主筋が座屈し，$R=1/33$ 時点で接合部が大きく圧壊して終局状態に至っている．壁柱・梁都合部に小開口を設ける場合，小開口部外側での補強は，せん断に対してより，むしろ小開口部外側の主筋を十分に拘束しコンクリートの圧壊防止に対して有効である．

　以上より，(10.4.8) 式より接合部のせん断強度を算定することができると判断される．また，小開口を有する接合部のせん断余裕度を十分に確保することにより，架構に 1/50 程度の変形性能を確保することが可能であると言える．

2．耐力壁・基礎梁接合部のせん断強度算定式

　耐力壁・基礎梁接合部のせん断強度は，本文 1．に記載の耐力壁・壁梁接合部のせん断強度算定式を準用して算定する．

[参 考 文 献]

10.4.6)　日本建築学会：鉄筋コンクリート造建物の靱性保証型耐震設計指針・同解説，pp.245～255，1998.8
10.4.7)　広澤雅也・後藤哲郎・芳村　学・平石久廣：高層（6～8 階建）壁式鉄筋コンクリート造の標準化を目的とした実大建物の耐震破壊実験，コンクリート工学，Vol.19，No4，pp.91～105，1981.4
10.4.8)　広澤雅也・後藤哲郎・芳村　学・平石久廣：8 階建壁式鉄筋コンクリート造建物の構造耐力－実大破壊実験の結果から－建築技術，pp.123～136，1980.9
10.4.9)　遠藤克彦・小杉一雅・山田哲也・武井一夫：壁柱・はり接合部の開口補強に関する実験的研究（その 1．実験概要），日本建築学会大会学術講演梗概集，C，構造Ⅱ，pp.227～228，1987.8
10.4.10)　小杉一正・遠藤克彦・山田哲也・武井一夫：壁柱・はり接合部の開口補強に関する実験的研究（その 2．実験結果），日本建築学会大会学術講演梗概集，C，構造Ⅱ，pp.229～230，1987.8

10.4.4　プレキャスト RC 造部材接合部のせん断強度算定式

> 1．PCaRC 造耐力壁の鉛直接合部のせん断強度は，(9.12.18) 式によってよい．
> 2．PCaRC 造耐力壁の水平接合部のせん断強度は，(9.12.24) 式によってよい．なお，同式中の N_h は，N_u（N_u：メカニズム時設計用軸方向力 (N) で，軸方向力が負となるときは 0 としてよい）と読み替えるものとする．
> 3．PCa 造スラブ等の水平接合部のせん断強度は，(9.12.35) 式によってよい．
> 4．PCaRC 造壁梁等の鉛直接合部のせん断強度は，(9.12.57) 式，(9.12.58) 式または (9.12.59) 式による．なお，鉛直接合部を鋼板形式（ドライジョイント）とする場合のせん断強度は，鋼板，溶接部ならびにアンカー筋の実況に応じて適切に算定する．
> 5．現場打ちスラブと一体の PCaRC 造壁梁とする場合の水平接合部のせん断強度は，(9.12.66) 式による．

1．PCaRC 造耐力壁の鉛直接合部のせん断強度算定式

　PCaRC 造耐力壁（以下，耐力壁と略記）の鉛直接合部のせん断強度は，本規準 9.12 に記載の (9.12.18) 式によればよいとしている．

　鉛直接合部の抵抗機構は複雑であり，必ずしもシヤーコッターの直接せん断とジョイントコンクリートのせん断設計で，鉛直接合部の設計が完全といえるものではない．たとえば，ジョイントコンクリートのせん断ひび割れ発生後は，せん断伝達機構が変わり，鉛直接合部が耐力壁板どうしを

結ぶ圧縮筋かいの働きをする伝達機構となることが考えられる[10.4.11)].

1) シヤーコッターのせん断強度算定式

耐力壁の鉛直接合部におけるシヤーコッターのせん断強度算定式としては，Hansen 等[10.4.11)]による次式がある[10.4.12)]．

$$Q_v = 0.09 F_c \cdot A_{sc} + (\sigma_y \sum a_v + N_v)$$
$$\text{ただし}, \ 0.01 \leq (\sigma_y \cdot \sum a_v + N_v)/(A \cdot F_c) < 0.08 \quad \text{(解 10.4.1)}$$
$$\sigma_y \leq 6\,000 \ \text{kgf/cm}^2, \ 0.2 \leq A_{sc}/A \leq 0.5$$

記号　Q_v：鉛直接合部のせん断強度（kgf）
　　　F_c：ジョイントコンクリートの圧縮強度（kgf/cm^2）
　　　A_{sc}：鉛直接合部のシヤーコッターの鉛直断面積の和（cm^2）
　　　σ_y：コッター筋の降伏点（kgf/cm^2）
　　　$\sum a_v$：鉛直接合筋のコッター筋断面積（cm^2）
　　　N_v：鉛直接合部に直交する圧縮力（kgf）
　　　A：鉛直接合部の鉛直方向断面積（cm^2）

（解 10.4.1）式において，鉛直接合部に直交する圧縮力を厳密に算定するのは困難であり，かつそれに期待するのは危険側であることを考慮し，シヤーコッターのせん断強度式として（9.12.19）式である次式を採用することとしている．

$$_UQ_{SS} = 0.10 F_c \cdot A_{sc} + \sum(\sigma_y \cdot a_v) \quad \text{(解 10.4.2)}$$

記号　$_UQ_{SS}, F_c, A_{sc}, \sigma_y, a_v$：（9.12.19）式の記号の説明による．

文献 10.4.12) に（解 10.4.2）式と実験値との比較がなされており，拘束の全くない S 形押抜き試験は鉛直接合部の応力状態と必ずしも一致していない点を考慮すれば，（解 10.4.2）式がほぼ安全側の設計式であると記載されている．

2) 鉛直接合部内の縦補強筋

鉛直接合部内の縦補強筋は，耐力壁の終局強度の増加と，特に耐力壁内に定着されたコッター筋がループ状でラップされた接合方法の場合，コッター筋の定着強度を高めるなど，その効果は著しい．それ以外にも，せん断ひび割れである充填コンクリートの斜張力によるひび割れや，収縮による水平ひび割れの伸展の防止にも役立っている．また，鉛直接合部の一体性から，縦補強筋は耐力壁の曲げ補強筋として算入することができる[10.4.12)]．

2．耐力壁の水平接合部のせん断強度算定式

耐力壁の水平接合部のせん断強度は，本規準 9.12 節に記載の（9.12.24）式中の N_h を N_u に置き替えた次式によってよい．

$$Q_{USH} = 0.7 \{\sum (a_h \cdot \sigma_y) + N_u\} \quad \text{(解 10.4.3)}$$

記号　Q_{USH}：耐力壁の水平接合部のせん断強度（N）
　$\sum(a_h \cdot \sigma_y)$：a_h に σ_y を乗じた数値の和（N）
　　　　a_h：耐力壁の水平接合部の有効な接合筋の断面積（mm^2）で，鉛直接合部の縦補強筋を含む．なお，鋼板形式のアンカー筋のように鉛直方向に対して角度 θ 傾い

ている時 $a_h \cdot \cos\theta$ とする.

σ_y：水平接合部の接合筋および鉛直接合部内の縦補強筋の規格降伏点（N/mm²）

N_u：メカニズム時における耐力壁の軸方向力(N)で,圧縮を正とし引張を0とする.

耐力壁の水平接合部のせん断強度としては，A. Mattock ら[10.4.13)]による次式がある[10.4.14)].

$$\tau_h = 14 + 0.8(p_h \cdot \sigma_y + \sigma_h), \quad \text{ただし } \tau_h < 0.3 F_c, \ p_h \cdot \sigma_y + \sigma_h > 14 \qquad (\text{解 }10.4.4)$$

記号　τ_h：水平接合部の終局せん断応力度（kgf/cm²）

　　　p_h：水平接合筋の鉛直接合筋比

　　　σ_y：鉛直接合筋の降伏点（kgf/cm²）

　　　σ_h：水平接合部に直交する軸方向応力度（kgf/cm²）で，圧縮を正，引張を負とする．

　　　F_c：コンクリートの圧縮強度（kgf/cm²）

（解 10.4.2）式による計算値と実験値との比較が文献 10.4.14) に記載されており，「実験方法によっては若干不安全側の値を示すものもあるが，（解 10.4.2）式（文献 10.4.14) 中の (9.4) 式）はほぼ安全側の算定式となっている」と記載されている．

（解 10.4.2）式は，直接せん断形の実験より導かれたものであるので，耐力壁の水平接合部の場合

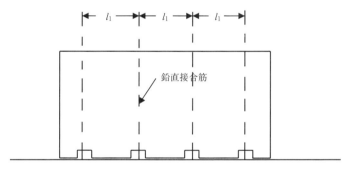

(a) 中間に鉛直接合部を有しない PCaRC 造耐力壁の例

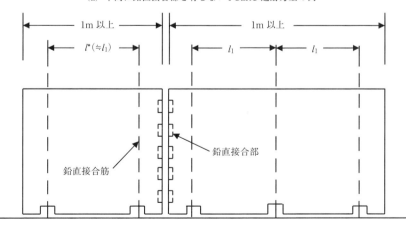

(b) 中間に鉛直接合部を有する PCaRC 造耐力壁の例

解説図 10.4.12　PCaRC 造耐力壁の水平接合部の鉛直接合筋の配置[10.4.14)]

には，水平接合部の圧縮側領域に適用できる．圧縮側領域の軸方向力は，曲げモーメントにより引張側鉛直接合筋 a_{ht} が降伏しているとすると，耐力壁の軸方向力 N_h と引張側鉛直接合筋の降伏引張力 $a_{ht}\cdot\sigma_y$ との和 $a_{ht}\cdot\sigma_y+N_h$ となる．（解10.4.2）式の第1項が耐力壁間の付着力である点，および第2項が小さいと危険側となる点を考慮して，第1項を無視し，第2項の係数0.8を0.7に低減した[10.4.14]ものが（解10.4.3）式である．

（解10.4.4）式は，せん断摩擦式の考えに基づいているので，厳密な意味では正しくないが，（解10.4.3）式は一種の曲げ圧縮摩擦式と考えられる．したがって，終局時においては，水平接合部に接する耐力壁の圧縮側コンクリートは大きな応力を受けることとなるので，著しい局部圧縮が生じないように配慮することが必要である．また，施工面からも完全な摩擦抵抗が期待できるように，建方精度の向上，モルタルの充填方法等に注意する必要がある．特に，バルコニースラブを支持する耐力壁頂部でモルタルを介さずに直接面タッチしている部分では，耐力壁-スラブの接合筋のための開口部を，他の構造耐力に悪影響を及ぼさない範囲で大きくとり，十分なモルタルを充填する等の配慮が必要である．

なお，耐力壁の水平接合部の最小鉛直接合筋比を規定していないが，十分な靱性を有する降伏を期待するためには，鉛直接合筋比を0.12%以上とすることが望ましい．鉛直接合筋は，各耐力壁板について2本以上をほぼ均等に配置し，さらに耐力壁の中間に鉛直接合部があり，鉛直接合部を挟む耐力壁板の幅が1m以上の場合には，鉛直接合部のひび割れ発生により，垂直応力が不連続となり，さらに万一鉛直接合部の耐力機構に支障が起きても，ある程度の耐力を保持するために，解説図10.4.12のように，鉛直接合部に近接して鉛直接合筋を配置する必要がある[10.4.14]．

セッティングベース方式の耐力壁の水平接合部のせん断強度を（解10.4.1）式で検討する場合には，セッティングベースの鉛直方向引張強度を（解10.4.1）式の括弧内の第1項 $a_h\cdot\sigma_y$ に算入してよい．一般には，セッティングベースの強度がアンカー筋で決定するように設計されることから，アンカー筋の鉛直方向引張強度を算入することになる．

3．PCa造スラブ等の水平接合部のせん断強度

PCa造スラブ等の水平接合部のせん断強度は，本規準9.12節に記載の（9.12.35）式によればよいとしている．同式は接触面から $8d_b$（d_b：異形鉄筋の呼び名に用いた数値）以上定着された鉄筋（ダウエル鉄筋）とコンクリートの支圧によるダウエルによるせん断力伝達式である．PCa造スラブ等の水平接合部の鉄筋は十分安全であるように原則として溶接接合とするのがよく，狭小部での接合でもあり，一つの接合部に接合用鉄筋が2本程度と少ないことから同式が妥当である．

4．PCaRC造壁梁等の鉛直接合部のせん断強度

PCaRC造壁梁等の鉛直接合部のせん断強度は，シヤーコッターの直接せん断か支圧による（9.12.57）式，接触面圧縮応力伝達である（9.12.58）式，または接触面から $8d_b$（d_b：異形鉄筋の呼び名に用いた数値）以上定着された鉄筋（接合筋）とコンクリートの支圧によるせん断力伝達式である（9.12.59）式のいずれかの式によってよい．

なお，鉛直接合部を鋼板形式（ドライジョイント）とする場合のせん断強度は，鋼板，溶接部ならびにアンカー筋の実況に応じて適切に算定するが，接合筋のせん断強度で決まるようにするのが

よい．

5．現場打ちスラブと一体の壁梁等の水平接合部のせん断強度

スラブを現場打ちとし合成梁とする場合には，現場打ちRC造部分との接合面が水平接合部となる．このとき，接合面を横切る鉄筋は比較的均等な間隔で多数連続していることからせん断摩擦によるせん断力伝達式である（9.12.66）式によってよい．

[参考文献]

10.4.11) K. Hansen, M. Kavyrchine, G. Melhorn, S. O. Olessen, D. Pume and H. Schwing：Design of Vertical Keyed Shear Joints in Large Panel Buildings, Building Research Practice, July/August 1974

10.4.12) 日本建築学会：壁式プレキャスト鉄筋コンクリート造設計規準・同解説，pp.72～74，1984.3

10.4.13) A. H. Mattock and N. M. Hawkins：Transfer in Reinforced Concrete Recent Reserch, PCI Journal, 1972, 3～4

10.4.14) 日本建築学会：壁式プレキャスト鉄筋コンクリート造設計規準・同解説，pp.76～77，1984.3

10.5 部材・接合部等の保証設計

10.5.1 耐力壁の保証設計

1．耐力壁の保証設計は，次の（1）および（2）による．
（1） メカニズム時に曲げ降伏を計画しない耐力壁には，所要の曲げ強度とせん断強度を確保する．
（2） メカニズム時に曲げ降伏を計画する耐力壁には，所要の靱性を確保する．

2．メカニズム時に曲げ降伏を計画しない耐力壁の曲げ強度が，次式を満たすことを確認する．

$$_wM_u \geq {}_wM_L + {}_wM_m \cdot \alpha_w \tag{10.5.1}$$

記号　$_wM_u$：耐力壁の曲げ強度（N・mm）で，10.4.1項による．
　　　$_wM_L$：耐力壁の長期荷重時曲げモーメント（N・mm）
　　　$_wM_m$：メカニズム時に耐力壁に生じる曲げモーメント（N・mm）で，長期荷重時曲げモーメントを除いた数値．
　　　α_w：耐力壁の曲げ強度上の余力で，表10.5.1による．

3．メカニズム時にせん断破壊を計画しない耐力壁のせん断強度が，次式を満たすことを確認する．

$$_wQ_{su} \geq {}_wQ_L + {}_wQ_m \cdot \beta_w \cdot \beta_l \tag{10.5.2}$$

記号　$_wQ_{su}$：耐力壁のせん断強度（N）で，10.4.1項による．
　　　$_wQ_L$：耐力壁の長期荷重時せん断力（N）
　　　$_wQ_m$：メカニズム時に耐力壁に生じるせん断力（N）で，長期荷重時せん断力を除いた数値
　　　β_w：耐力壁のせん断強度上の余力で，表10.5.1による．
　　　β_l：耐力壁の長さが地震力検討方向の耐力壁の平均長さの1.5倍以上の耐力壁のメカニズム時せん断力の割増し係数で，1.15以上とする．

表10.5.1 耐力壁の曲げ強度上の余力 α_w およびせん断強度上の余力 β_w

	耐力壁の部材群の種別	α_w	β_w
当該階にせん断破壊する耐力壁が存在しない場合	A	1.1 以上	1.1 以上
	B		1.05 以上
	C		1.0 以上
当該階にせん断破壊する耐力壁が存在し,かつ耐力壁のせん断破壊により局部崩壊が生じる場合	D	規定せず	規定せず
当該階にせん断破壊する耐力壁が存在するが,耐力壁のせん断破壊により局部崩壊が生じない場合	A	1.1 以上	1.1 以上
	B		1.05 以上
	C		1.0 以上
	D	規定せず	規定せず

4. 保有水平耐力計算を10.1.3に規定する総曲げ抵抗モーメントによる場合,(10.5.3) 式または (10.5.4) 式を満たすことを確認する.

$$_wQ_{su} \geq \sum {_wM_u}/h' \tag{10.5.3}$$

$$_wQ_{su} \geq {_wQ_L} + 2.5\,F_{es0,i} \cdot Q_E \tag{10.5.4}$$

記号 $_wQ_{su}$:耐力壁のせん断強度 (N) で,10.4.1項による.

$\sum {_wM_u}$:壁頭・壁脚の曲げ強度の絶対値の和 (N・mm). この場合,壁頭の曲げ強度の絶対値よりも,壁頭に接続する壁梁の曲げ強度の絶対値の和の1/2の数値の方が小さい場合には,小さい方の数値を壁頭の曲げ強度としてよい. ただし,最上層では上記数値を1とする.

h':耐力壁の内法高さ (mm)

$_wQ_L$:耐力壁の長期荷重時せん断力 (N)

$F_{es0,i}$:剛性率および偏心率による形状係数で,10.1.3項による.

Q_E:耐力壁の標準せん断力係数 $C_0 \geq 0.2$ に対する水平荷重時せん断力 (N). なお,水平荷重時応力算定を平面骨組解析等による場合はねじれによる負担せん断力の割増し係数を考慮した数値 (せん断力の補正係数が1未満の場合は1とする) とし,平均せん断応力度法による場合は (9.2.6) 式右辺第2項による.

5. 耐力壁に挟まれた開口部を含む架構を一つの有開口耐力壁としてモデル化した場合の当該開口部周囲には (10.5.5) 式から (10.5.7) 式を満たす補強筋を配置する. なお,斜め補強筋量を $1/\sqrt{2}$ 倍した補強筋量を縦補強筋および横補強筋に加算して配筋してもよい.

$$A_d \cdot \sigma_{yd} + \frac{A_v \cdot \sigma_{wv} + A_h \cdot \sigma_{wh}}{2} \geq \frac{h_0 + l_0}{2\sqrt{2}\,l} \cdot Q_{M1} \tag{10.5.5}$$

$$(l - l_{0p}) \cdot \left(\frac{A_d \cdot \sigma_{yd}}{\sqrt{2}} + A_{v0} \cdot \sigma_{yv} \right) + \frac{t \cdot (l - l_{0p})^2}{4(n_h + 1)} \cdot p_{sv} \cdot \sigma_{ysv} \geq \frac{h_0}{2} \cdot Q_{M1} \tag{10.5.6}$$

$$(h - h_{0p}) \cdot \left(\frac{A_d \cdot \sigma_{yd}}{\sqrt{2}} + A_{h0} \cdot \sigma_{yh} \right) + \frac{t \cdot (h - h_{0p})^2}{4(n_h + 1)} \cdot p_{sh} \cdot \sigma_{ysh} \geq \frac{l_0}{2} \cdot \frac{h}{l} \cdot Q_{M1} \tag{10.5.7}$$

記号 A_d:開口部周囲の斜め補強筋の断面積 (mm^2)

σ_{yd}:開口部周囲の斜め補強筋の規格降伏点 (N/mm^2)

A_v:開口部周囲の縦補強筋の断面積 (mm^2) で,開口部周囲の補強の目的に限定して配筋される縦補強筋 A_{v0} や開口部端より 500 mm 以内かつ,開口部端と耐力壁端との中間線を超えない範囲内の縦補強筋を含む.

σ_{yv}:同上縦補強筋の規格降伏点 (N/mm^2)

A_h:開口部周囲の横補強筋の断面積 (mm^2) で,開口部周囲の補強の目的に限定して配筋さ

れる横補強筋 A_{h0} や開口部端より 500 mm 以内かつ，開口部端と上階スラブ上面位置まで高さの1/2 を超えない範囲内の横補強筋を含む．

σ_{yh}：同上横補強筋の規格降伏点（N/mm^2）

h_0：開口部の高さ（mm）（図 10.5.1）

l_0：開口部の長さ（mm）（図 10.5.1）

l：有開口耐力壁の全長さ（mm）（図 10.5.1）

Q_{M1}：メカニズム時に有開口耐力壁に生じるせん断力（N）で，長期荷重時のせん断力を含む．なお，保有水平耐力計算を 10.1.3 項に規定する総曲げ抵抗モーメントによる場合は，(10.5.3) 式または (10.5.3) 式の右辺の数値以上とする．

l_{0p}：開口部の水平断面への投影長さの和（mm）

A_{v0}：開口部周囲の補強の目的に限定して配筋される縦補強筋の断面積（mm^2）

t：有開口耐力壁の厚さ（mm）

p_{sv}：有開口耐力壁の縦補強筋比で，次式による．

$$p_{sv}=a_{wv}/(t \cdot s) \tag{10.5.8}$$

a_{wv}：有開口耐力壁の一組の縦補強筋の断面積（mm^2）

s：有開口耐力壁の一組の縦補強筋の間隔（mm）

σ_{ysv}：開口部周囲の縦補強筋の規格降伏点（N/mm^2）

n_h：有開口耐力壁の水平方向に並ぶ開口部の数

h：当該階の有開口耐力壁の高さ（上階の水平力作用位置から下階の水平反力位置までの距離）（mm）．原則として下階床から上階床までの距離とする（図 10.5.1）．

h_{0p}：開口部の鉛直断面への投影高さの和（mm）

A_{h0}：開口部周囲の補強の目的に限定して配筋される横補強筋の断面積（mm^2）

p_{sh}：有開口耐力壁の横補強筋比で，次式による．

$$p_{sh}=a_{wh}/(t \cdot s) \tag{10.5.9}$$

a_{wh}：有開口耐力壁の一組の横補強筋の断面積（mm^2）

s：有開口耐力壁の横補強筋の間隔（mm）

σ_{ysh}：有開口耐力壁の一組の横補強筋の断面積（mm^2）

n_v：有開口耐力壁の鉛直方向に並ぶ開口部の数

— 340 — 壁式鉄筋コンクリート造設計・計算規準・解説

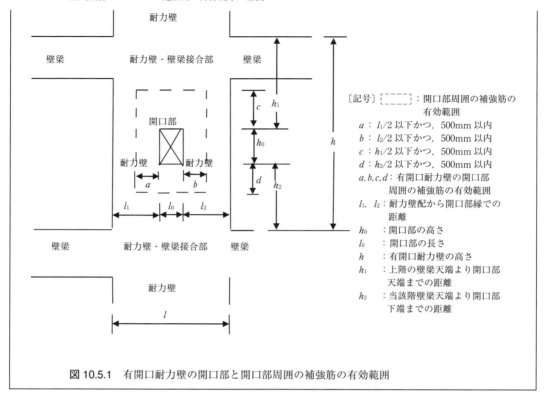

図 10.5.1　有開口耐力壁の開口部と開口部周囲の補強筋の有効範囲

1. 耐力壁の保証設計

　本規準においては，耐震計算ルートとして保有水平耐力計算を行ういわゆるルート3を新たに導入し，設計の自由度を向上している．保有水平耐力計算において設定した降伏機構が形成されるためには，曲げ降伏を計画しない耐力壁には所要の曲げ強度とせん断強度を，曲げ降伏を計画する耐力壁には所要の靱性を確保することは，高剛性と高水平耐力を有する壁式RC造に対しても必要である．

　壁式RC造建物の必要保有水平耐力は，構造特性係数にして0.45〜0.55であり，RC純ラーメン構造の構造特性係数より大きいことから，それほどの靱性（変形性能）を必要としないものの，必要とされる塑性率まで急激な耐力低下が生じないようにすることが重要である．

2. 曲げ強度上の余力の確保

　メカニズム時に曲げ降伏を計画しない耐力壁には所要の曲げ強度を付与する必要がある．メカニズム時における耐力壁の曲げモーメントは，接続する壁梁の曲げ強度の上昇（壁梁端部曲げ補強筋や有効な範囲内のスラブ筋の降伏点の上昇，壁梁の曲げ強度に有効なスラブ筋の有効な範囲の拡大，壁梁の曲げ降伏に伴う壁梁に生じる軸方向力等）や地震層せん断力の高さ方向の分布の変動に伴う反曲点高さの変動を考慮する必要がある．本規準においては，壁式RC造建物の構造特性係数D_sが0.45以上であることを考慮し，曲げ降伏を計画しない耐力壁の曲げ余裕度を検討対象階の耐力壁の部材群の種別に応じて表10.5.1の数値以上確保することとした．

3. せん断強度上の余力の確保

(1) せん断強度上の余力 β_w

長期荷重時やメカニズム時において,圧縮応力度がそれほど大きくない壁式 RC 造耐力壁に所要の靱性を確保するため,本規準においては,検討対象階の耐力壁の部材群の種別に応じて定まる構造特性係数 D_s に応じて,せん断強度上の余力を確保することとした.

せん断強度上の余力 β_w の数値は,検討対象耐力壁が存在する階における耐力壁の部材群の種別に応じた数値とするが,保有水平耐力が必要保有水平耐力に比して十分に大きい場合は,耐力壁の部材群の種別を修正(部材群の種別が A の場合は B または C,部材群の種別が B の場合は C とする)し,構造特性係数 D_s の数値を大きくすることでせん断強度上の余力の数値を小さくしてもよい.上記によっても (10.5.2) 式を満たさない場合は,構造特性係数 D_s を 0.55 とするとともに,次式によってもよい.

$$_wQ_{su} \geq {_wQ_L} + {_wQ_m} \cdot (0.55/D_s') \cdot \beta_l \qquad (解 10.5.1)$$

記号 $_wQ_{su}$, $_wQ_L$, $_wQ_m$, β_l:(10.5.2) 式の記号の説明による.

D_s':換算構造特性係数(>0.55)で,次式による.

$$D_s' = Q_u/(F_{es} \cdot Q_{ud})$$

Q_u:各階各方向の保有水平耐力(N)

F_{es}:各階の形状特性を表す係数で,(10.1.1) 式による.

Q_{ud}:地震力によって各階に生じる水平力(N)で,(10.1.1) 式による.

(2) 壁長の長い耐力壁のせん断力の割増し β_l

壁式 RC 造建物において地震力検討方向の耐力壁の長さが異なる場合,実際の地震時応答を考えると,壁長の長い耐力壁にはメカニズム時せん断力以上のせん断力が生じる可能性があることを考慮し,平均長さの 1.5 倍以上の長さを有する耐力壁に対して割増し係数 β_l にてこれに対応することとした.平均長さの 1.5 倍以上の長さを有する耐力壁架構が 1 階壁脚と 2 階以上の壁梁の曲げ降伏で決まるとすれば,1 階のメカニズム時せん断力が大きくなることは反曲点が下がり,せん断スパン比が小さくなることに相当する.せん断スパン比が 1〜3 の範囲内であれば,これにより,せん断強度式中に第 1 項の分母が小さくなるので,せん断強度計算値が上昇する.したがって,15% 増しのせん断力に対してせん断補強を施しておくことにより,せん断破壊の防止の観点から,安全側の設計になると判断した.

4. 保有水平耐力計算を 10.1.3 項に規定する総曲げ抵抗モーメントによる場合のせん断強度の確保

耐力壁の終局時設計用せん断力は,配筋された縦補強筋(この場合,総曲げ抵抗モーメントの確認によって補強された縦補強筋を含む)に対して計算された壁頭および壁脚の曲げ強度に基づいて (10.5.3) 式により算定するのが,耐力壁にせん断破壊を生じさせない観点から望ましい.この場合,RC 規準の柱の設計用せん断力の算定に準じて,壁頭の曲げ強度の絶対値よりも壁頭に連なる壁梁の曲げ強度の絶対値の 1/2 の数値が小さい場合には,小さい方の数値を壁頭の曲げ強度としてよい(解説図 10.5.1).なお,直上階に耐力壁のない最上層では上記 1/2 の数値を 1 とする(解説図

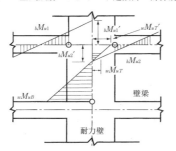

解説図 10.5.1 壁頭の曲げ強度の絶対値よりも壁梁の曲げ強度の絶対値の和の1/2の数値の方が小さい場合の壁頭の曲げ強度の算定法（中間階の場合）

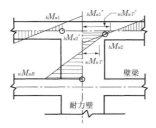

解説図 10.5.2 壁頭の曲げ強度の絶対値よりも壁梁の曲げ強度の絶対値の和の数値の方が小さい場合の壁頭の曲げ強度の算定法（最上層の場合）

10.5.2）．

この場合，壁梁端および壁頭の曲げ強度としては，総曲げ抵抗モーメントの算定に用いたものとする．

一方，（10.5.4）式は，標準せん断力係数 $C_0=0.2$ の水平荷重時に対応する耐力壁のせん断力を，i 階の剛性率と偏心率に応じた割増し係数 $F_{es0,i}$ に 2.5 を乗じた数値に，長期荷重時のせん断力を加算したものである．すなわち，標準せん断力係数 $C_0≧0.5$ の水平荷重時におけるせん断力（標準せん断力係数 $C_0≧0.2$ の水平荷重時のせん断力 Q_E の 2.5 倍のせん断力を想定）に対して $F_{es0,i}$ 倍だけせん断力を大きくしていることになる．標準せん断力係数 $C_0≧0.2$ の水平荷重時に対応する耐力壁のせん断力に対して $2.5 F_{es0,i}$ とすれば，構造特性係数 0.5 とした転倒モーメントの目標値に対応する耐力壁のせん断強度は，各階の $F_{es0,i}$ の数値に応じて個別に確保されることになり，壁式 RC 造に必要とされる水平耐力時において，個々の耐力壁にはせん断破壊が生じないようにすることができると考えられる．

5．有開口耐力壁の開口部周囲の補強

開口部を挟む二つの耐力壁をひとつの有開口耐力壁としてモデル化する場合の開口部周囲の補強筋量の算定式は，RC 規準（2024）に準じている．以下に，開口部周囲の補強筋計算例を示す．なお，開口部周囲の補強筋量算定に用いる設計用せん断力は，標準せん断力係数 $C_0≧0.2$ 時における耐力壁の平均せん断応力度をコンクリートの短期許容せん断応力度として算定している．

1）有開口耐力壁としてモデル化した開口部周囲の補強計算例

解説図 10.5.3 に示す有開口耐力壁における開口部周囲の補強筋量算定例を以下に示す．計算条件は，下記のとおりである．

- 開口部の大きさ：$l_{0p}\cdot h_{0p}=400\times 800$ mm
- 有開口耐力壁の厚さ，長さ：$t=200$ mm, $l=1\,600$ mm
- 有開口耐力壁の縦補強筋比：$p_{sv}=2\times\{4\times 287+2\times 71\}/\{200\times(1\,600-400)\}$
  $=0.01075\{(4\text{-}D19+2\text{-}D10)\times 2\}$
- 有開口耐力壁の横補強筋比：$p_{sh}=2\times 71/(200\times 250)=0.00284$（2-D10 @ 250）
- コンクリートの設計基準強度：$F_c=24$ N/mm^2
- 開口部周囲の補強筋：開口部周囲の補強を目的に限定して配筋される補強筋 A_{v0} および A_{h0} を除く補強筋
- 開口部際の縦補強筋 2-D19（SD345）
- 開口部横の 300 mm の範囲内の中間部縦補強筋 2-D10（SD295）
- 開口部上下の横補強筋 2-D13（SD295）
- 開口部上下の上記横補強筋以外の横補強筋：2-D10（SD295）（開口部上下 400 mm の範囲内[*1] の補強筋）

［注］*1：開口部の上部の有効な補強筋の範囲 ＝min（500 mm，1 200 mm/2）
開口部の下部の有効な補強筋の範囲 ＝min（500 mm，800 mm/2）
上記数値の最小値である 400 mm を採用．

a）開口部周囲の補強計算に用いる設計用せん断力の算定

開口部周囲の補強計算に用いる設計用せん断力は，ここでは次式より算定する．
$$Q_{M1}=(\overline{\tau_{0.2}}\cdot t\cdot l)\times 2.5=(_sf_s\cdot t\cdot l)\times 2.5=1.095\times 200\times 1\,600\times 2.5=876.0\times 10^3 \text{ N}$$

b）開口部隅角部の付加斜張力 T_d と必要補強筋量の算定（(10.5.5) 式の右辺より算定）
$$T_d=(h_0+l_0)/(2\sqrt{2}\,l)\cdot Q_{M1}=(800+400)/(2\sqrt{2}\times 1\,600)\times 876.0\times 10^3=232.3\times 10^3 \text{ N}$$

斜め補強筋は配筋せずに，縦補強筋と横補強筋にて補強する方針とする．開口部周囲の縦補強筋断面積を A_v（開口部横の 300 mm の範囲内の縦筋を含む），開口部周囲の横補強筋の断面積 A_h（開口部の上部，下部 400 mm の範囲内の横筋を含む）とすると，必要な縦補強筋および横補強筋は，次のとおりとなる．

- (10.5.5) 式の左辺 $=A_d\cdot\sigma_{yv}+(A_v\cdot{_s}f_t+A_h\cdot\sigma_{yh})/\sqrt{2}$
  $=\{(2\times 287\times 345+2\times 71\times 295)+2\times 127\times 295+2\times 71\times 295\}/\sqrt{2}$
  $=(239\,920+116\,820)/\sqrt{2}=252.3\times 10^3$ N
- (10.5.5) 式の右辺 $=T_d=(h_0+l_0)/(2\sqrt{2}\,l)\cdot Q_{M1}$
  $=(800+400)/(2\sqrt{2}\times 1\,600)\times 876.0\times 10^3=232.3\times 10^3$ N

左辺の数値 ＞ 右辺の数値より，開口補強目的の補強筋 A_{v0}，A_{h0} は不要となる．

c）開口部左右の付加曲げモーメントに対する検討

- (10.5.6) 式の左辺 $=(l-l_{0p})\cdot(A_d\cdot\sigma_{yd}/\sqrt{2}+A_{v0}\cdot\sigma_{yv})+t\cdot(l-l_{0p})^2/\{4(n_h+1)\}\cdot p_{sv}\cdot\sigma_{ysv}$

$$= (1\,600-400) \times A_{v0} \times 345 + 200 \times (1\,600-400)^2/(4 \times 2) \times 0.01075 \times 295$$

$$= 1\,200 \times A_{v0} \times 345 + 114\,165\,000 \text{ N} \cdot \text{mm}$$

・(10.5.6) 式の右辺 $= (h_0/2) \cdot Q_{M1} = (800/2) \times 876.0 \times 10^3 = 350\,400 \times 10^3 \text{ N} \cdot \text{mm}$

∴ $A_{v0} \geq (350\,400 \times 10^3 - 114\,165 \times 10^3)/(1\,200 \times 345) = 236\,235 \times 10^3/(1\,200 \times 345)$

$$= 570.6 \text{ mm}^2 \Rightarrow 2\text{-D19} \ (=574 \text{ mm}^2)$$

d) 開口部上下の付加曲げモーメントに対する検討

・(10.5.7) 式の左辺 $= (h-h_{0p}) \cdot (A_d \cdot \sigma_{yd}/2\sqrt{2} + A_{h0} \cdot \sigma_{yh}) + t \cdot (h-h_{0p})^2/(4\,n_v) \cdot p_{sh} \cdot \sigma_{ysh}$

$(2\,800-800) \times A_{h0} \times 295 + 200 \times (2\,800-800)^2/(4 \times 1) \times 0.00284 \times 295$

$$= 2\,000 \times 295 \times A_{h0} + 167\,560 \times 10^3 \text{ N} \cdot \text{mm}$$

・(10.5.7) 式の右辺 $= (l_0/2) \cdot (h/l) \cdot Q_{M1}$

$$= (400/2) \times (2\,800/1\,600) \times 876.0 \times 10^3 = 306\,600 \times 10^3 \text{ N} \cdot \text{mm}$$

∴ $A_{h0} \geq (306\,600 - 167\,560) \times 10^3/(2\,000 \times 295) = 235.7 \text{ mm}^2 \Rightarrow 2\text{-D13} \ (=254 \text{ mm}^2)$

上記計算結果による開口部周囲の配筋図を，解説図 10.5.4 に示す．

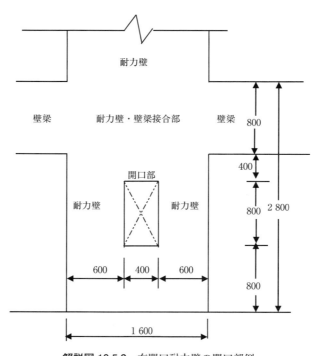

解説図 10.5.3　有開口耐力壁の開口部例

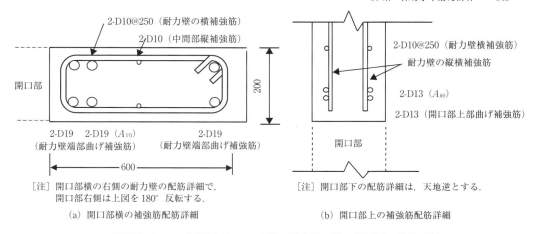

解説図 10.5.4 解説図 10.5.3 の有開口耐力壁の開口部周囲の補強要領

10.5.2 壁梁・基礎梁の保証設計

1. 壁梁および基礎梁の保証設計は，次の（1）および（2）による．
   （1）メカニズム時に曲げ降伏を許容しない壁梁や基礎梁には，所要の曲げ強度およびせん断強度を確保する．
   （2）メカニズム時に曲げ降伏を計画する壁梁や基礎梁には，所要の靱性を確保する．
2. メカニズム時に曲げ降伏を計画する壁梁や基礎梁は，次式を満たすことを確認する．
$$_bQ_{su} \geq {_bQ_L} + {_bQ_m} \cdot \beta_b \tag{10.5.10}$$
   記号 $_bQ_{su}$：壁梁および基礎梁のせん断強度（N）で，10.4.2 項による．
   $_bQ_L$：壁梁および基礎梁の長期荷重時せん断力（N）で，単純梁として算定した数値とする．
   $_bQ_m$：メカニズム時に壁梁および基礎梁に生じるせん断力（N）で，長期荷重時せん断力を除いた数値．なお，メカニズム時に基礎スラブや杭頭に生じる応力による基礎梁の付加せん断力も考慮するものとする．
   β_b：壁梁および基礎梁のせん断強度上の余力で，1.1 以上とする．
3. メカニズム時に曲げ降伏を計画しない壁梁および基礎梁は，（10.5.10）式を満たすとともに次式を満たすことを確認する．
$$_bM_u \geq {_bM_L} + {_bM_m} \cdot \alpha_b \tag{10.5.11}$$
   記号 $_bM_u$：壁梁および基礎梁の曲げ強度（N・mm）で，10.4.2 項による．
   $_bM_L$：壁梁および基礎梁の長期荷重時曲げモーメント（N・mm）
   $_bM_m$：メカニズム時に壁梁および基礎梁に生じる曲げモーメント（N・mm）で，長期荷重時曲げモーメントを除いた数値．なお，メカニズム時に基礎スラブや杭頭に生じる応力による基礎梁の付加曲げモーメントも考慮するものとする．
   α_b：壁梁および基礎梁の曲げ強度上の余力で，1.1 以上とする．
4. 保有水平耐力計算を 10.1.3 項に規定する総曲げ抵抗モーメントによる場合，（10.5.12）式または（10.5.13）式を満たすことを確認する．
$$_bQ_{su} \geq {_bQ_L} + \sum {_bM_u}/l' \tag{10.5.12}$$
$$_bQ_{su} \geq {_bQ_L} + 2.5\overline{F_{es0}} \cdot Q_E \tag{10.5.13}$$
   記号 $_bQ_{su}$：壁梁および基礎梁のせん断強度（N）で，10.4.2 による．
   $_bQ_L$：壁梁および基礎梁の長期荷重時せん断力（N）で，単純梁として算定した数値とする．

$\sum_b M_u$：せん断力が最大となるような壁梁または基礎梁両端の曲げ強度の絶対値の和（N・mm）

l'：壁梁または基礎梁の内法スパン長さ（mm）

$\overline{F_{es0}}$：剛性率および偏心率を考慮した壁梁の割増し係数で，次式による．なお，基礎梁の場合は，1.0としてよい．

$$\overline{F_{es0}} = \frac{\sum_{i=1}^{n}(F_{es0,i} \cdot W_i \cdot A_i \cdot h_i)}{\sum_{i=1}^{n}(W_i \cdot A_i \cdot h_i)} \tag{10.5.14}$$

$F_{es0,i}$：剛性率 R_s および偏心率 R_e によって定まる割増し係数で，次式による．

$$\left.\begin{array}{ll} F_{es0,i} = \left(\dfrac{10}{3}R_e + 0.5\right) \cdot F_s & (R_e > 0.15) \\ F_{es0,i} = F_s & (R_e \leq 0.15) \end{array}\right\} \tag{10.5.15}$$

F_s：剛性率によって定まる数値で，次式による．

$$\left.\begin{array}{ll} F_s = 2.0 - R_s/0.6 & (R_s < 0.6) \\ F_s = 1.0 & (R_s \geq 0.6) \end{array}\right\} \tag{10.5.16}$$

W_i：地震力を計算する場合における i 階が支える部分の固定荷重と積載荷重の和（特定行政庁が指定する多雪区域においては，さらに積雪荷重を考慮する）（N）

A_i：地震層せん断力の高さ方向の分布を表わす係数

h_i：i 階の階高（mm）

Q_E：標準せん断力係数 $C_0 \geq 0.2$ 時における壁梁のせん断力（N）で，(9.6.4) 式による．基礎梁にあっては，標準せん断力係数 $C_0 \geq 0.2$ 時のせん断力（N）で，接地圧や杭頭応力により生じるせん断力を考慮した数値とする．

5．壁梁および基礎梁の小開口周囲には，次式を満たす補強筋を配置する．

$$_bQ_{su0} \geq {_bQ_{uD}} \tag{10.5.17}$$

記号　$_bQ_{su0}$：単独の円形孔を有する壁梁または基礎梁の孔周囲のせん断強度で，次式による．なお，円形孔の直径は壁梁または基礎梁せいの1/3以下とする．

$$Q_{su0} = \left\{ \frac{0.092 \cdot k_u \cdot k_p \cdot (F_c + 18) \cdot \left(1.61 - \dfrac{H}{D}\right)}{\dfrac{M}{Q \cdot d} + 0.12} + 0.85\sqrt{p_s \cdot {_s\sigma_y}} \right\} \cdot b \cdot j \tag{10.5.18}$$

k_u：有効せい d による係数で，$d \geq 400$ mm のときは 0.72 とする．

k_p：引張鉄筋比による係数で，次式による．

$$k_p = 0.82 p_t^{0.23}$$

p_t：引張鉄筋比（%）で，次式による．

$$p_t = 100 a_t / (b \cdot d)$$

a_t：円形孔位置における引張鉄筋断面積（mm²）で，上端端部曲げ補強筋断面積と下端端部曲げ補強筋断面積の小さい方の数値とする．

b：壁梁または基礎梁の幅（mm）

d：壁梁または基礎梁の有効せい（mm）

F_c：コンクリートの設計基準強度（N/mm²）

H：円形孔の直径（mm）

D：壁梁または基礎梁のせい（m）

$M/(Q \cdot d)$：壁梁または基礎梁のせん断スパン比で，1以下の場合は1，3以上の場合は3とする．

M：壁梁または基礎梁の最大曲げモーメント（N・mm）

Q：壁梁または基礎梁の最大せん断力（N）

p_s：円形孔周囲の補強筋比で，次式による．

$$\left.\begin{array}{l} p_s = \min(p_{s1}, p_{s2}) \\ p_{s1} = \sum\{a_{s1}(\sin\theta + \cos\theta)/(b \cdot c_1)\} \\ p_{s2} = \sum\{a_{s2}(\sin\theta + \cos\theta)/(b \cdot c_2)\} \end{array}\right\} \tag{10.5.19}$$

p_{s1}：円形孔中心より片側の有効な範囲 c_1（図 10.5.2）内の縦補強筋比

p_{s2}：円形孔中心より片側の有効な範囲 c_2（図 10.5.2）内の縦補強筋比

$\sum a_{s1}$：円形孔中心より片側の有効な範囲 c_1（図 10.5.2）内の縦補強筋の断面積の和（mm²）

$\sum a_{s2}$：円形孔中心より片側の有効な範囲 c_2（図 10.5.2）内の縦補強筋の断面積の和（mm²）

c_1, c_2：円形孔周囲の補強筋の有効な範囲（mm）で，円形孔中心と円形孔中心より 45°方向に引いた直線が端部曲げ補強筋重心と交わる位置との距離（図 10.5.2）

θ：円形孔周囲の補強筋が壁梁または基礎梁の材軸となす角度

${}_s\sigma_y$：円形孔周囲の補強筋の規格降伏点（N/mm²）

j：壁梁または基礎梁の応力中心距離（mm）で，$(7/8)d$ としてよい．

${}_bQ_{uD}$：単独の円形孔を有する壁梁または基礎梁のメカニズム時設計用せん断力（N）で，保有水平耐力計算を 10.1.1 項による場合は（10.5.10）式の右辺，保有水平耐力計算を 10.1.3 による場合は（10.5.12）式の右辺または（10.5.13）式の右辺による．

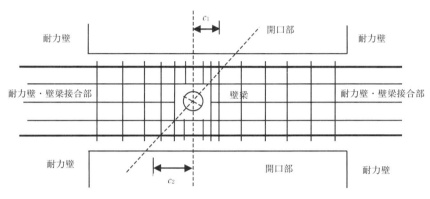

〔記号〕c_1, c_2：円形孔周囲の補強の有効な範囲

図 10.5.2　壁梁内の円形孔および円形孔周囲の補強筋

1．壁梁および基礎梁の保証設計

本規準においては，新たに耐震計算ルートとして保有水平耐力計算を行ういわゆるルート 3 を導入し，設計の自由度を向上することを意図している．保有水平耐力計算において設定した降伏機構が形成されるためには，曲げ降伏を計画する壁梁や基礎梁には所要の変形性能を付与する必要がある．また，曲げ降伏を計画しない壁梁や基礎梁には，所要の強度（曲げ強度，せん断強度）を確保する必要がある．本項においては，壁式 RC 造建物の構造特性係数に応じた壁梁や基礎梁の強度を確保するための保証設計について記載している．

なお，せん断破壊を許容する壁梁や基礎梁は，本項に規定する保証設計は必要としない．

2．せん断強度上の余力の確保

曲げ降伏を許容する壁梁や基礎梁の曲げ強度の上昇要因には，下記の事項が考えられる．

- 主筋の実際の降伏強度が材料強度より高くなる可能性
- スラブコンクリートおよびスラブ筋の効果
- 曲げ降伏に伴い壁梁や基礎梁に生じる軸方向力

壁式 RC 造建物の必要保有水平耐力は，構造特性係数にして 0.45〜0.55 であり，曲げ降伏を計画

する壁梁に必要とされる塑性率は，等価粘性減衰定数 h_{eq} を 0.10 とすると，2.0 程度である．曲げ降伏時部材角を 1/200 程度とすれば，必要とされる変形性能は部材角にして 1/100（安全側に 1/75）程度であり，(10.5.10) 式によるせん断強度上の余力として耐力壁の部材群の種別にかかわらず 1.1 以上とした．

3．メカニズム時に曲げ降伏を計画しない壁梁・基礎梁の曲げ強度上の余力の確保

メカニズム時に曲げ降伏を計画しない壁梁（通常，損傷の有無の確認が困難である基礎梁には，原則として曲げ降伏を計画しない）には，所要のせん断強度とともに曲げ強度を付与する必要がある．

本規準においては，RC ラーメン構造とは異なり，耐力壁に接続する上下・左右の壁梁が曲げ降伏先行する場合においても壁梁の部材種別ではなく，耐力壁の種別で各階の構造特性係数を決定することとしていること，および構造特性係数も 0.45 以上であることを考慮し，曲げ降伏を計画しない壁梁や基礎梁の曲げ強度上の余力は，曲げ降伏する部材の曲げ強度の上昇要因を考慮し耐力壁のせん断強度上の余力と同様 1.1 以上確保することとした．なお，基礎梁のメカニズム時設計用曲げモーメントに対しては，接地圧や杭頭応力による付加曲げモーメントも考慮することとしている．

4．総曲げ抵抗モーメントによる場合の壁梁・基礎梁のせん断強度の確保

保有水平耐力計算を 10.1.3 項に規定する総曲げ抵抗モーメントによる場合は，建物に構造特性係数にして 0.5 以上の保有水平耐力を付与することとしている．このため，本規準においては，計算規準と同様に壁梁や基礎梁のせん断強度が (10.5.12) 式または (10.5.13) 式による終局時の設計用せん断力以上となることを確認することとしている．以下に，(10.5.12) 式と (10.5.13) 式による検討の考え方を記載する．

（1）(10.5.12) 式による検討

壁梁の終局時設計用せん断力は，配筋された補強筋（この場合，総曲げ抵抗モーメントの確認によって補強された端部曲げ補強筋とともに，中間部横補強筋や曲げ強度に有効な範囲内のスラブ筋を含む）に対して計算された両端の曲げ強度に基づいて (10.5.12) 式により算定するのが，壁梁や基礎梁のせん断破壊を防止する観点から本来望ましい．

なお，両端曲げ強度時のせん断力に対してせん断強度上の余力 β_b を 1.1 以上としているのは，解説 2．に記載の内容と同様の主旨である．

（2）(10.5.13) 式による検討

(10.5.13) 式の右辺第二項は，標準せん断力係数 $C_0 \geq 0.2$ の水平荷重時における壁梁や基礎梁のせん断力に対して割増し係数として $2.5\overline{F_{es0}}$ を採用しており，これにより転倒モーメントの目標値（各階の構造特性係数を 0.5 としたときの必要保有水平耐力に相当する水平外力による 1 階耐力壁脚部回りの転倒モーメント）に対応する壁梁のせん断強度が平均的に確保されることになる．(10.5.14) 式による係数 F_{es0} は，(10.1.9) 式による転倒モーメントの，形状係数を 1.0 としたときの転倒モーメントに対する割増し係数となっている．(10.1.9) 式は，次式とも表わすことができる．

$$_u M_T = 0.5\,\overline{F_{es0}} \cdot \sum_{i=1}^{n} (Z \cdot R_t \cdot A_i \cdot W_i \cdot h_i) \qquad \text{(解 10.5.2)}$$

記号　$_u M_T$：各階の構造特性係数を 0.5 としたときの必要保有水平耐力に相当する水平外力

による1階耐力壁脚部回りの転倒モーメント

$\overline{F_{es0}}$：剛性率および偏心率を考慮した壁梁のせん断力の割増し係数で，(10.5.14)式による．

Z：地震地域係数

R_t：建物と地盤の固有周期に応じて地震層せん断力係数を低減する係数

A_i, W_i, h_i：(10.5.14)式の記号の説明による．

　本来，この割増し係数は，各階で$2.5\overline{F_{es0}}$とするべきである（耐力壁では，このように割増しを行う規定としている）が，壁梁降伏型が実現される場合は，割増し係数$\overline{F_{es0}}$によって壁梁の強度を各階単位で割増しする根拠は曖昧であることから，略算的な方法であるが設計の簡便さも考慮して，全体で一様に設計せん断力を割増しする規定としている．

　基礎梁に対しては，(10.5.13)式中の$\overline{F_{es0}}$を1.0とするとともに，Q_Eには水平荷重時における接地圧（杭基礎にあっては杭頭応力）により基礎梁に生じるせん断力も考慮することとしている．

5．小開口を有する壁梁・基礎梁のせん断強度の確保

　小開口を有する壁梁や基礎梁は，建物が所要の水平耐力を発揮する以前にせん断が生じることを防止するとともに，無開口部分より先に小開口部分でせん断破壊が生じないようにすることが望ましい．しかしながら，壁梁や基礎梁の幅はそれ程大きくなく，小開口周囲に斜め補強筋を配することはコンクリートの充填性や配筋納まり上困難であり，結果として小開口周囲に多くの補強筋を配することが困難であることを考慮し，(10.5.17)式を満たせばよいこととした．

　なお，軽量コンクリート1種を使用する場合は，(10.5.18)式の右辺に0.9を乗じることを原則とする．

10.5.3　耐力壁・壁梁接合部および耐力壁・基礎梁接合部の保証設計

1．耐力壁・壁梁および耐力壁・基礎梁接合部（以下，接合部という）は，(10.5.20)式を満たすことを確認する．なお，(10.5.20)式を満たさない場合，当該耐力壁・壁梁接合部に接続する下階の耐力壁，および耐力壁・基礎梁接合部に接続する1階の耐力壁の部材種別をWDとする．

$$Q_{p,su} \geq \beta_p \cdot {_D}Q_{up} \qquad (10.5.20)$$

記号　$Q_{p,su}$：接合部のせん断強度（N）で，10.4.3項による．

β_p：接合部のせん断強度上の余力で，1.1以上とする．

${_D}Q_{up}$：メカニズム時における接合部に生じるせん断力（N）で，(10.5.21)式による．なお，保有水平耐力計算を10.1.3項に規定する総曲げ抵抗モーメントによる場合は，(10.5.22)式による．

$$_{D}Q_{up} = T_{bu1} + C_{bu2} - Q_{wm} \qquad (10.5.21)$$
$$_{D}Q_{up} = T_{bu1} + C_{bu2} - 2.5\,Q_w \qquad (10.5.22)$$

T_{bu1}：接合部に接続する右（または左）側の壁梁または基礎梁上端端部曲げ補強筋に生じるメカニズム時引張力（N）で，次式より算定してよい．なお，メカニズム時に壁梁または基礎梁に曲げ降伏を計画しない場合は，設計用曲げモーメントにより生じる引張力としてもよい．

$$T_{bu1} = \sum (a_{t1} \cdot \sigma_y) \qquad (10.5.23)$$

$\sum (a_{t1} \cdot \sigma_y)$：$a_{t1}$に$\sigma_y$を乗じた数値の和（N）

a_{t1}：接合部に接続する右（または左）側の壁梁または基礎梁上端端部曲げ補強筋の断面積（mm^2）で，引張側にスラブが接続する場合は，壁梁または基礎梁の曲げ強度に有効な範囲内のスラブ筋の断面積を含む．

σ_y：同上鉄筋の材料強度（N/mm^2）

C_{bu2}：接合部に接続する左（または右）側の壁梁または基礎梁端部上端に生じる圧縮力（N）で，次式より算定してよい．なお，メカニズム時に壁梁または基礎梁に曲げ降伏を計画しない場合は，設計用曲げモーメントにより生じる引張力としてもよい．

$$C_{bu2} = \sum(a_{t2} \cdot \sigma_y) \qquad (10.5.24)$$

$\sum(a_{t2} \cdot \sigma_y)$：$a_{t2}$ に σ_y を乗じた数値の和（N）

a_{t2}：接合部に接続する左（または右）側の壁梁または基礎梁下端端部曲げ補強筋の断面積（mm^2）で，引張側にスラブが接続する場合は，壁梁または基礎梁の曲げ強度に有効な範囲内のスラブ筋の断面積を含む．

σ_y：同上鉄筋の材料強度（N/mm^2）

Q_{wm}：接合部に接続する上階耐力壁のメカニズム時せん断力（N）

Q_w：標準せん断力係数 $C_0 \geq 0.2$ の水平荷重時に接合部に接続する耐力壁のせん断力（N）

2．接合部に設けた小開口周囲には，縦方向および横方向に複配筋にあっては2-D13以上，単配筋にあっては1-D13以上の補強筋を配置する．なお，横補強筋は，壁梁または基礎梁の端部曲げ補強筋と兼用することができる．

1．耐力壁・壁梁および耐力壁・基礎梁接合部の保証設計

壁式RC造建物の耐力壁・壁梁接合部や耐力壁・基礎梁接合部（以下，総称して接合部という）がこれまでの被害地震において破壊した事例は我が国においては報告されていない．しかしながら，本規準においては壁量・壁率規定を満たさず耐震計算がルート3となる建物も適用範囲内としており，長さの短い耐力壁も計画されることを想定し，メカニズム時（保有水平耐力を総曲げ抵抗モーメント法により算出する場合にあっては，ベースシヤー係数が0.5に相当する水平荷重時）において接合部のせん断破壊を防止するため，接合部の保証設計を行うこととした．割増し係数としてのせん断強度上の余力は，壁式RC造の構造特性係数が0.45以上であり，建物にそれほど大きな変形能力を期待しなくてもよいことを考慮し，$\beta_p \geq 1.10$ としている．

(10.5.20)式を満たさない場合，当該接合部はせん断破壊先行型と判定し，当該接合部に接続する耐力壁の部材種別をWDと判定することとした．このことは，耐力壁・壁梁接合部も鉛直部材としての耐力壁の一部であるとしたことによる．

以下に，メカニズム時応力に対する接合部の検討例を示す．

（1）(10.5.20)式を満たすに必要な接合部の長さと壁梁主筋量の上限値

(10.5.20)式を満たすに必要な地上階数5の壁式RC造建物の2階部分の接合部の長さと接続する壁梁の端部曲げ補強筋量の上限値の計算結果を，十字形接合部の場合を解説表10.5.1に，ト形接合部の場合を解説表10.5.2に示す．なお，計算条件は，以下のとおりである．

・接合部の小開口：無し

・壁梁の端部曲げ補強筋：D16〜D22（SD 345）

・壁梁の曲げ強度に有効な範囲内のスラブ筋：2-D13+14-D10[*1]（SD295）

・接合部の長さ：l_w=450 mm，600 mm，750 mm，900 mm，1 050 mm の5ケース

解説表 10.5.1　(10.5.20) 式を満たすに必要な 5 階建の 2 階十字形接合部に接続する左右の壁梁の端部曲げ補強筋量の和の最大配筋量と配筋例（接合部に小開口無しの場合）

F_c	接合部（耐力壁）の長さ l_w, 接合部（耐力壁）の厚さ $t=200$ mm と設定									
	$l_w=450$ mm		$l_w=600$ mm		$l_w=750$ mm		$l_w=900$ mm		$l_w=1\,050$ mm	
	a_t	配筋例	a_t	配筋例	a_t	配筋例	a_t	配筋例	a_t	配筋例
18	468	1-D16	980	2-D19	1 492	2-D22	2 004	2-D22+1-D22	2 516	2-D22+1-D22
		1-D16		1-D19		2-D19		1-D22+1-D19		2-D22+1-D22
21	665	1-D19 1-D19	1 243	2-D19 2-D19	1 821	2-D22+1-D16 2-D22	2 398	2-D22+2-D19 2-D22+1-D16	2 976	2-D22+2-D22 2-D22+2-D19
24	808	1-D19+1-D16	1 433	2-D22	2 058	2-D19+2-D19	2 683	2-D22+2-D22	3 308	2-D22+2-D22
		1-D19		2-D10		2-D22		2-D22+1-D19		2-D22+2-D22
27	946	1-D19+1-D16	1 617	2-D22	2 288	2-D22+2-D19	2 959	2-D22+2-D22	3 630	2-D22+2-D22*
		2-D16		2-D22		2-D22		2-D22+2-D19		2-D22 2-D22*
30	1 108	1-D19+1-D16	1 795	2-D22+1-D16	2 511	2-D22+1-D22	3 227	2-D22+2-D22	3 943	2-D22+2-D22*
		1-D19+1-D16		2-D22		2-D22+1-D22		2-D22+2-D22		2-D22+2-D22*

〔記号〕　F_c：コンクリートの設計基準強度（N/mm²）
　　　　a_t：接合部に接続する左右の壁梁の上端端部曲げ補強筋と下端端部曲げ補強筋の断面積の和（鉄筋種別 D345 の場合）（mm²）で，次式より算出．
$$a_t=a_{t1}+a_{t2}\leq\{0.85\times0.8\,F_c^{0.7}\cdot t\cdot l_w+1.1\times2.5\,{}_sf_s\cdot t\cdot0.8l_w$$
$$-1.1\times2\times(127+7\times71)\times1.1\times295\}/(1.1\times1.1\times345)$$

［注］＊：計算上 D25 も可となるが，厚さ 200 mm の壁梁に配筋可能な鉄筋は，上下とも 4-D22 (2-D22×2 段) である．
・配筋例の上段は，上端端部曲げ補強筋，下段は下端端部曲げ補強筋を示す．

・接合部の厚さ：200 mm
・接合部に接続する上階耐力壁に生じるメカニズム時せん断力*²
$$Q_{wm}=2.5\tau_{0.2}\cdot t\cdot j=2.5\,{}_sf_s\cdot t\cdot0.8\,l_w$$

　　［注］＊1：壁梁片側につき 1 m の範囲内の壁梁材軸方向のスラブ上下筋を考慮し，両側スラブ付きとした．また，スラブ受け筋は 1-D13，配筋は上下とも D10@300 と仮定した．
　　　　＊2：メカニズム時に耐力壁に生じる 2 階耐力壁のせん断力は，$C_0=0.2$ 時に耐力壁に生じるせん断応力度がコンクリートの短期許容せん断応力度に等しいとし，その 2.5 倍と仮定した．

・コンクリートの設計基準強度：$F_c=18\sim30$ N/mm²

（2）　(10.5.20) 式を満たすに必要な小開口付き接合部長さの検討例

以下に，開口を有する十字形接合部のメカニズム時保証設計例を示す．計算条件は，下記のとおりである．計算結果を，解説表 10.5.3 に示す．

解説表 10.5.2 （10.5.20）式を満たすに必要な5階建の2階ト形接合部に接続する壁梁の端部曲げ補強筋量の最大配筋量と配筋例（接合部に小開口無しの場合）

F_c	接合部（耐力壁）の長さ l_w、接合部（耐力壁）の厚さ $t=200$ mm と設定									
	$l_w=450$ mm		$l_w=600$ mm		$l_w=750$ mm		$l_w=900$ mm		$l_w=1\,050$ mm	
	a_t	配筋例	a_t	配筋例	a_t	配筋例	a_t	配筋例	a_t	配筋例
18	135	1-D13	536	1-D19+ 1-D16	937	2-D19+ 1-D19	1 338	2-D22+ 1-D19+ 1-D16	1 739	2-D22+ 2-D22*
21	295	2-D13	749	1-D22+ 1-D19	1 203	2-D22+ 2-D16	1 657	2-D22+ 2-D22	2 112	2-D22+ 2-D22*
24	401	2-D16	891	2-D22	1 380	2-D22+ 2-D19	1 870	2-D22+ 2-D22*	2 359	2-D22+ 2-D22*
27	504	1-D19+ 1-D16	1 028	2-D19+ 2-D16	1 551	2-D22+ 2-D22	2 075	2-D22+ 2-D22*	2 599	2-D22+ 2-D22*
30	604	2-D19	1 161	2-D22+ 1-D22	1 719	2-D22+ 2-D22*	2 276	2-D22+ 2-D22*	2 833	2-D22+ 2-D22*

〔記号〕　F_c：コンクリートの設計基準強度（N/mm²）
　　　　a_t：ト形接合部に接続する左側または右側の壁梁の端部上端曲げ補強筋または下端端部曲げ補強筋量（鉄筋種別 SD345 の場合）で、次式より算出．
$$a_t=\{0.7\times0.85\times0.8\,F_c^{0.7}\cdot t\cdot l_w+1.1\times2.5\,_sf_s\cdot t\times0.8l_w\\-1.1\times2\times(127+7\times71)\times1.1\times295\}/(1.1\times1.1\times345)$$

〔注〕*：計算上 D25 も可となるが、厚さ 200 mm の壁梁に配筋可能な鉄筋は、上端下端 4-D22（2-D22×2段）である．

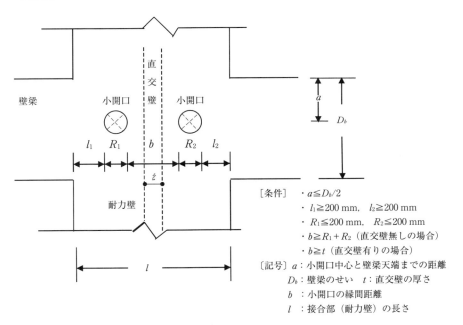

解説図 10.5.5 十字形耐力壁・壁梁接合部の小開口例

・接合部の小開口：φ200 mm×2 か所（解説図 10.5.5）
・壁梁の端部曲げ補強筋：D16〜D22（SD345）
・壁梁の曲げ強度に有効な範囲内のスラブ筋：2-D13+14-D10[*1]（SD295）

- 接合部の長さ：$l_w = 980^{*2}$ mm，1 250 mm，1 500 mm，1 750 mm
- 接合部の厚さ：200 mm
- 接合部に接続する5階建の2階耐力壁に生じるメカニズム時せん断力[*3]

$$Q_{wm} = 2.5\tau_{0.2} \cdot t \cdot j = 2.5 {}_sf_s \cdot t \cdot 0.8 l_w$$

［注］ *1：壁梁片側につき1mの範囲内の壁梁材軸方向のスラブ上下筋を考慮し，両側スラブ付きとした．また，上端スラブ受け筋を1-D13，配筋間隔を上下ともD10@300とした．
*2：厚さ180 mmの直交壁が中央に接続する場合のφ200 mmの小開口を2か所設置する場合の耐力壁・壁梁接合部の最小長さ
*3：メカニズム時に耐力壁に生じる2階耐力壁のせん断力は，$C_0 \geq 0.2$時に耐力壁に生じるせん断応力度がコンクリートの短期許容せん断応力度に等しいとし，その2.5倍と仮定した．

- コンクリートの設計基準強度：$F_c = 18 \sim 27$ N/mm^2

解説表10.5.3より，十字形接合部に小開口を2か所設ける場合は，接続する厚さ200 mmの壁梁の端部曲げ補強筋を配筋可能な上下とも4-D22（2-D22の2段配筋）とするには，$F_c = 21$ N/mm^{2}とした場合，接合部の長さ（＝耐力壁の長さ）は1 500 mm以上必要となることが分かる．

ト形接合部やT形接合部ならびにL形接合部に小開口を設ける場合には，同様の検討を行うことにより，壁梁に配筋できる端部曲げ補強筋の上限値を求めることができる．

解説表10.5.3 (10.5.20)式を満たすに必要な5階建の2階十字形接合部に接続する壁梁の端部曲げ補強筋の最大配筋量と配筋例（小開口φ200×2か所の場合）

F_c	接合部（耐力壁）の長さ l_w，接合部（耐力壁）の厚さ $t = 200$ mm と設定							
	$l_w = 980$ mm		$l_w = 1 250$ mm		$l_w = 1 500$ mm		$l_w = 1 750$ mm	
	a_t	配筋例	a_t	配筋例	a_t	配筋例	a_t	配筋例
18	1 291	1-D22+1-D19	2 212	1-D22+1-D19+2-D19	3 066	2-D22+2-D22	3 919	2-D22+2-D22*
		2-D19		2-D19+2-D19		2-D22+1-D19+1-D22		2-D22+2-D22*
21	1 609	2-D22	2 649	2-D22+2-D19	3 611	2-D22+2-D22*	4 574	2-D22+2-D22*
		2-D22		2-D22+2-D16		2-D22+2-D22*		2-D22+2-D22*
24	1 811	2-D22+1-D16	2 937	2-D22+2-D22	3 978	2-D22+2-D22*	5 020	2-D22+2-D22*
		2-D22		2-D22+2-D22		2-D22+2-D22*		2-D22+2-D22*
27	2 013	2-D22+1-D16	3 216	2-D22+2-D22	4 335	2-D22+2-D22*	5 453	2-D22+2-D22*
		2-D22+1-D16		2-D22+2-D22		2-D22+2-D22*		2-D22+2-D22*
30	2 200	2-D22+2-D19	3 488	2-D22+2-D22*	4 681	2-D22+2-D22*	5 784	2-D22+2-D22*
		2-D22		2-D22+2-D22*		2-D22+2-D22*		2-D22+2-D22*

［記号］ F_c：コンクリートの設計基準強度（N/mm^2）
a_t：接合部に接続する左右の壁梁の上端端部曲げ補強筋と下端端部曲げ補強筋断面積の和（鉄筋種別SD345の場合）（mm^2）で，次式より算定．
$$a_t = a_{t1} + a_{t2} \leq \{0.85 \times 0.8 F_c^{0.7} t \cdot (l_w - 2 \times 200) + 1.1 \times 2.5 {}_sf_s \cdot t \times 0.8 l_w$$
$$- 1.1 \times 2 \times (127 + 7 \times 71) \times 1.1 \times 295\}/(1.1 \times 1.1 \times 345)$$

［注］*：計算上D25も可となるが，厚さ200 mmの壁梁に配筋可能な鉄筋は，上端下端とも4-D22（2-D22×2段）である．
- 配筋例の上段は，上端端部曲げ補強筋，下段は下端端部曲げ補強筋を示す．

2. 接合部に設けた小開口周囲の補強

本規定は，9.8節本文3．と同様である．

10.5.4 プレキャストRC造部材接合部の保証設計

1．PCaRC造耐力壁の鉛直接合部の保証設計は，原則として (10.5.25) 式による．なお，(10.5.25) 式を満たさない場合は，PCaRC造耐力壁の種別はWDとするとともに，(10.5.26) 式を満たすことを確認する．

$$_UQ_V \geq \beta_{J1} \cdot {_mQ_V} \tag{10.5.25}$$

$$_UQ_V \geq ({_wQ_L} + F_{es0.i} \cdot Q_{w.0.55}) \cdot H/l_w \tag{10.5.26}$$

記号 $_UQ_V$：PCaRC造耐力壁の鉛直接合部のせん断強度（N）で，(9.12.18) 式による．

β_{J1}：PCaRC造耐力壁の鉛直接合部のせん断強度上の余力で，表10.5.2による．

表10.5.2 PCaRC造耐力壁の鉛直接合部のせん断強度上の余力 β_{J1} および水平接合部のせん断強度上の余力 β_{J2}

	PCaRC造耐力壁の部材群の種別	β_{J1}, β_{J2}
当該階にせん断破壊するPCaRC造耐力壁が存在しない場合	A	1.1以上
	B	1.05以上
	C	1.0以上
当該階にせん断破壊するPCaRC造耐力壁が存在し，かつPCaRC造耐力壁による局部破壊が生じる場合	D	規定せず
当該階にせん断破壊するPCaRC造耐力壁が存在するが，PCaRC造耐力壁による局部破壊が生じない場合	A	1.1以上
	B	1.05以上
	C	1.0以上
	D	規定せず

$_mQ_V$：メカニズム時におけるPCaRC造耐力壁の鉛直接合部に生じるせん断力（N）で，次式による．

$$_mQ_V = ({_wQ_L} + {_wQ_m}) \cdot H/l_w \tag{10.5.27}$$

$_wQ_L$：PCaRC造耐力壁の長期荷重時せん断力（N）

$_wQ_m$：PCaRC造耐力壁のメカニズム時せん断力（N）で，長期荷重時せん断力を除く数値．なお，保有水平耐力計算を10.1.3項に規定する総曲げ抵抗モーメントによる場合は，(10.5.28) 式または (10.5.29) 式による．

$$_wQ_m = \frac{\sum {_wM_u}}{h'} - {_wQ_L} \tag{10.5.28}$$

$$_wQ_m = 2.5 F_{es0.i} \cdot Q_E \tag{10.5.29}$$

$\sum {_wM_u}$, h'：(10.5.3) 式の記号の説明による．

$F_{es0.i}$, Q_E：(10.5.4) 式の記号の説明による．

H：当該階の階高（mm）

l_w：PCaRC造耐力壁の長さ（mm）

$Q_{w.0.55}$：標準せん断力係数 $C_0 \geq 0.55$ の水平荷重時におけるPCaRC造耐力壁のせん断力（N）

2．PCaRC造耐力壁の水平接合部の保証設計は，原則として (10.5.30) 式による．なお，(10.5.30) 式を満たさない場合は，(10.5.31) 式を満たすことを確認する．

$$_UQ_{SH} \geq \beta_{J2} \cdot {_mQ_H} \tag{10.5.30}$$

10条　保有水平耐力計算　—355—

$$_UQ_{SH} \geq {}_wQ_L + F_{es0,i} \cdot Q_{w,0.55} \tag{10.5.31}$$

記号　$_UQ_{SH}$：PCaRC 造耐力壁の水平接合部のせん断強度（N）で，(9.12.24) 式による．
　　　β_{J2}：PCaRC 造耐力壁の水平接合部のせん断強度上の余力で，表 10.5.2 による．
　　　$_mQ_H$：PCaRC 造耐力壁の水平接合部のメカニズム時せん断力（N）で，次式による．

$$_mQ_H = {}_wQ_L + {}_wQ_m \tag{10.5.32}$$

　　$_wQ_L,\ _wQ_m$：(10.5.27) 式の記号の説明による．
　　$F_{es0,i},\ Q_{w,0.55}$：(10.5.26) 式の記号の説明による．

3． PCa 造スラブ等の水平接合部の保証設計は，(10.5.33) 式による．

$$_UQ_{hi} \geq \beta_{J3} \cdot {}_mQ_{SH} \tag{10.5.33}$$

記号　$_UQ_{hi}$：PCa 造スラブ等の水平接合部のせん断強度（N）で，(9.12.35) 式による．
　　　β_{J3}：PCa 造スラブ等の水平接合部のせん断強度上の余力で，1.1 以上とする．
　　　$_mQ_{SH}$：PCa 造スラブ等の水平接合部のメカニズム時設計用せん断力（N）で，次式による．

$$_mQ_{SH} = k \cdot W/S_n + {}_mQ_{sn} \tag{10.5.34}$$

　　$k,\ W,\ S_n$：(9.12.34) 式の記号の説明による．
　　$_mQ_{sn}$：セットバック等がある場合で，メカニズム時にスラブを介して伝達すべき地震力がある場合に，PCa 造スラブ等の水平接合部 1 か所あたりに生じるせん断力（N）．なお，保有水平耐力計算を 10.1.3 項に規定する総曲げ抵抗モーメントによる場合は，(10.5.35) 式による．

$$_mQ_{sn} = 2.5 F_{es0,i} \cdot {}_sQ_{sn} \cdot (A_s/\sum A_s) \cdot (1/n) \tag{10.5.35}$$

　　$F_{es0,i}$：剛性率および偏心率による形状係数で，10.1.3 項による．
　　$_mQ_{sn},\ A_s,\ \sum A_s,\ n$：(9.12.27) 式の記号の説明による．

4． PCaRC 造壁梁の鉛直接合部の保証設計は，(10.5.36) 式による．

$$_UQ_V \geq {}_{DL}Q_V + \beta_{J4} \cdot {}_mQ_V \tag{10.5.36}$$

記号　$_UQ_V$：PCaRC 造壁梁の鉛直接合部のせん断強度（N）で，(9.12.57) 式による．
　　　$_{DL}Q_V$：PCaRC 造壁梁の鉛直接合部に生じる長期荷重時せん断力（N）
　　　β_{J4}：PCaRC 造壁梁の鉛直接合部のせん断強度上の余力で，1.1 以上とする．
　　　$_mQ_V$：PCaRC 造壁梁の鉛直接合部のメカニズム時せん断力（N）で，長期荷重時せん断力を除く数値．なお，保有水平耐力計算を 10.1.3 項に規定する総曲げ抵抗モーメントによる場合は，(10.5.37) 式または (10.5.38) 式による．

$$_mQ_V = \sum {}_bM_U/l' - {}_{DL}Q_V \tag{10.5.37}$$

$$_mQ_V = 2.5 \overline{F_{es0}} \cdot Q_E \tag{10.5.38}$$

　　$\sum {}_bM_U,\ l'$：(10.5.12) 式の記号の説明による．
　　$\overline{F_{es0}},\ Q_E$：(10.5.13) 式の記号の説明による．

5． PCaRC 造壁梁の現場打ち RC 造部分との水平接合部の保証設計は，(10.5.39) 式による．

$$\tau_{SU} \geq \beta_{J5} \cdot {}_m\tau_U \tag{10.5.39}$$

記号　τ_{SU}：現場打ち RC 造部分と PCaRC 造壁梁の水平接合部のせん断強度 (N/mm^2) で，(9.12.66) 式による．
　　　β_{J5}：現場打ち RC 造部分と PCaRC 造壁梁の水平接合部のせん断強度上の余力で，1.1 以上とする．
　　　$_m\tau_U$：メカニズム時に現場打ち RC 造部分と PCaRC 造壁梁の水平接合部に生じるせん断応力度 (N/mm^2) で，(10.5.40) 式または (10.5.41) 式による．なお，保有水平耐力計算を 10.1.3 項に規定する総曲げ抵抗モーメントによる場合は，(10.5.40) 式による．

$$_m\tau_U = \sum(a_t \cdot \sigma_y)/(b \cdot \Delta l_2) \tag{10.5.40}$$

$$_m\tau_U = ({}_bM_M/j)/(b \cdot \Delta l_2) \tag{10.5.41}$$

　　$\sum(a_t \cdot \sigma_y)$：a_t に σ_y を乗じた数値の和（N）
　　　a_t：PCaRC 造壁梁の上端端部曲げ補強筋の断面積 (mm^2)

σ_y：同上鉄筋の材料強度（N/mm²）

b：PCaRC造壁梁の幅（mm）

Δl_2：メカニズム時において，PCaRC造壁梁の上端端部曲げ補強筋に引張応力度が生じている区間長さ（mm）

$_bM_M$：メカニズム時におけるPCaRC造壁梁の端部上端に生じる曲げモーメント（N・mm）で，長期荷重時曲げモーメントを加算した数値．

j：PCaRC造壁梁の端部における応力中心距離（mm）

1．PCaRC造耐力壁の鉛直接合部の保証設計

PCa壁式RC造建物においては種々のPCaRC造部材どうしの接合部が存在するが，これらのPCaRC造部材接合部は，PCaRC造部材が最大強度を発揮するまで破壊しないことが前提である．

本規準においては，PCaRC造耐力壁の鉛直接合部は，メカニズム時に鉛直接合部に生じるせん断力を当該PCaRC造耐力壁の種別に応じて割り増し，鉛直接合部のせん断強度が当該数値以上となることを確認することを原則としている．なお，保有水平耐力が必要保有水平耐力を大きく上回る場合，鉛直接合部のせん断強度がメカニズム時設計用せん断力以上とすることが設計上困難となることも想定されることから，鉛直接合部の設計用せん断力を（10.5.26）式によってもよいとした．ただし，この場合は，鉛直接合部破壊先行型となることから，耐力壁の種別はWDとする必要がある．以下に，鉛直接合部の保証設計例を示す．

【PCa RC造耐力壁の鉛直接合部の保証設計計算例】

1）計算条件

a）使用材料および鉛直接合部断面形状・寸法等

・充填コンクリート：$F_c=30$ N/mm²

・コッター筋の種類：D10（SD295）

・鉛直接合部の形状：解説図10.5.6参照．

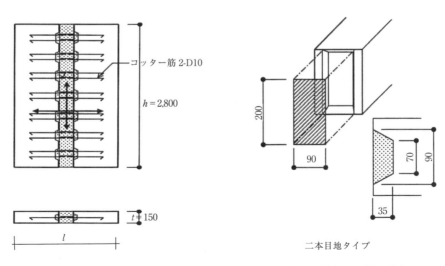

(a) 鉛直断面および水平断面　　　　　　(b) 鉛直接合部の形状・寸法

解説図 10.5.6 PCaRC造耐力壁の鉛直接合部の形状・寸法

b) 鉛直接合部設計用せん断力
- メカニズム時鉛直接合部せん断力：$_mQ_V=525.0$ kN
- PCaRC 造耐力壁の鉛直接合部のせん断強度上の余力：$β_{J1}=1.1$

2) 鉛直接合部の保証設計
- $_UQ_V≧β_{J1}・_mQ_V$ を確認する．
- $_UQ_{SS}=0.10F_c・A_{sc}+\sum(a_v・σ_y)=0.10×30×(7×200×90)+(71×2×7×295)=671.2×10^3$ N
- $_UN_{CS}=A・α_2・F_c・n=(90+70)×35/2×1.2×30×7=705.6×10^3$ N
- $_UQ_{SW}=b_1・_sf_{sw}・H+1.4\sum(a_v・σ_y)=150×(0.49+30/100)×1.5×2\,800+1.4$
  $×(71×2×7×295)=497\,700+410\,522=908.2×10^3$ N
- $_UQ_V=\min(_UQ_{SS},\ _UN_{CS},\ _UQ_{SW})=671.2×10^3$ N → 671.2 kN
- $β_{J1}・_mQ_V=1.1×525.0=577.5$ kN ≦671.2 kN → OK

2．PCaRC 造耐力壁の水平接合部の保証設計

上記1．の主旨と同様に，PCaRC 造耐力壁の水平接合部の終局時設計用せん断力を（10.5.30）式の右辺によることを原則とするが，（10.5.31）式の右辺によってもよいとしている．

以下に，PCaRC 造耐力壁の水平接合部の保証設計の計算例を示す．

1）計算条件
a) 使用材料および水平接合部断面形状・寸法等
- 充填コンクリート・$F_c=30$ N/mm^2
- 鉄筋の種類：D19（SD345）
- 水平接合部の形状：解説図 10.5.7 参照

b) 水平接合部設計用せん断力
- メカニズム時水平接合部せん断力
  $_mQ_H=187.5$ kN（$=75×2.5$）
- PCaRC 造耐力壁の水平接合部のせん断強度上の余力
  $β_{J2}=1.1$

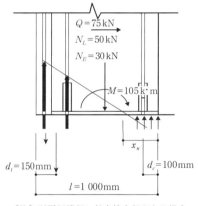

[注] 引張側端部に鉛直接合部がある場合
水平接合部接合筋：D19（SD345）
鉛直接合部軸筋：D19（SD345）

解説図 10.5.7 PCaRC 造耐力壁の水平接合部設計用応力と配筋

2）水平接合部の保証設計
- $_UQ_{SH}≧β_{J2}・_mQ_H$ を確認する．
- $_UQ_{SH}=0.7\{\sum(a_h・σ_y)+N_h\}$
  $=0.7×\{(287×3×345)+(50\,000-30\,000)\}$
  $=0.7×(297.0×10^3+20×10^3=221.9×10^3$ N → 221.9 kN
- $β_{J2}・_mQ_H=1.1×187.5=206.3$ kN ＜ 221.9 kN   OK

3．PCa 造スラブ等の水平接合部の保証設計

PCa 造スラブと PCa 造スラブおよび PCa 造スラブと PCaRC 造耐力壁との水平接合部は，保有水平耐力を発揮するまで破壊しないことが保有水平耐力計算のモデルの妥当性を保証できることから，保証設計用せん断力を（10.5.33）式の右辺とした．

以下に，PCa造スラブとPCaRC造耐力壁との水平接合部の保証設計計算例を示す．なお，セットバックを有しない場合で，大きなねじれ変形が生じない建物とする．

1）計算条件

　a）使用材料および水平接合部断面形状・寸法等

　・充填コンクリート：$F_c=30\,\text{N/mm}^2$

　・接合筋の径・種別：D22（SD345）

　・接合部の配置：解説図 10.5.8 参照

　b）メカニズム時せん断力

　・PCa造床スラブ用メカニズム時せん断力：$_mQ_{SH}=29.0\,\text{kN}$

　・PCaRC造耐力壁スラブとの水平接合部のメカニズム時設計用せん断力：$_mQ_{SH}=58.0\,\text{kN}$

　・PCa造スラブの接合部のせん断強度上の余力：$\beta_{J3}=1.1$

2）水平接合部の保証設計

　・$_UQ_{SH} \geq \beta_{J3} \cdot {_mQ_{SH}}$ を確認する．

　・$_UQ_{SH}=1.65\,a_s\sqrt{F_c \cdot \sigma_y}=1.65 \times 387 \times \sqrt{30 \times 345}=64.9 \times 10^3\,\text{N}\ \rightarrow\ 64.9\,\text{kN}$

　・$\beta_{J3} \cdot {_mQ_{SH}}=1.1 \times 58.0=63.8\,\text{kN} < 64.9\,\text{kN}\ \rightarrow\ $ OK

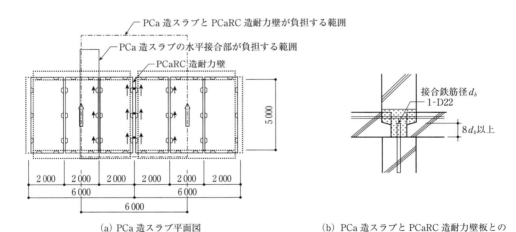

解説図 10.5.8　PCa造スラブ等の水平接合部例

4．PCaRC造壁梁の鉛直接合部の保証設計

　壁梁をPCaRC造とし耐力壁・壁梁接合部を除いた壁梁の内法スパン内で接合する場合の鉛直接合部の保証設計は，上記3．と同様に，メカニズム時における壁梁等に生じるせん断力に割増し係数1.1を乗じた数値に長期荷重時のせん断力を加算した数値以上を設計用せん断力とし，当該鉛直接合部のせん断強度が設計用せん断力以上となることを確認することとした．

　保有水平耐力計算を総曲げ抵抗モーメントによる場合は，壁梁等のメカニズム時応力を直接計算しないことから，メカニズム時せん断力の代わりに（10.5.37）式または（10.5.38）式より求まる数値を用いてよいこととしている．以下に，PCaRC造壁梁の鉛直接合部の保証設計計算例を示す．

1) 使 用 材 料
 ・充填コンクリート：$F_c=30\,\mathrm{N/mm^2}$
 ・主筋の本数・種別：1-D22（SD345）
 ・コッター筋の本数・種別：1-D22（SD345）
 ・鉛直接合部の形状：解説図 10.5.9 参照
 ・シヤーコッターの鉛直断面積 A_{sc}：$200\times 90\,\mathrm{mm^2}$
 ・シヤーコッターの水平断面積 A
 　　　　　　：$(90+70)\times 35/2$

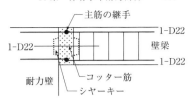

解説図 10.5.9　PCaRC 造壁梁の鉛直接合部例

2) 設計用せん断力
 ・長期荷重時鉛直接合部せん断力：$_{DL}Q_V=21.3\,\mathrm{kN}$
 ・メカニズム時鉛直接合部せん断力：$_mQ_V=119.1\,\mathrm{kN}$
 ・PCa 造壁梁の鉛直接合部のせん断強度上の余力：$\beta_{J4}=1.1$

3) 保 証 設 計
 ・$_UQ_V\geqq {}_{DL}Q_V+\beta_{J4}\cdot {}_mQ_V$ を確認する．
 ・$_UQ_V=\max\{\min(_UQ_{SS},\ _UN_{CS}),\ \mu\cdot C,\ 1.65\,a_s\sqrt{F_c\cdot\sigma_y}\}$
 ・$_UQ_{SS}=0.10\,F_c\cdot A_{sc}+\sum(a_v\cdot\sigma_y)=0.10\times 30\times(1\times 200\times 90)+(387\times 2\times 345+387\times 1\times 345)$
 　　　　　　　　　　　　　　$=54.0\times 10^3+405.0\times 10^3=454.5\times 10^3\,\mathrm{N}\ \ \rightarrow\ \ 454.5\,\mathrm{kN}$
 ・$_UN_{CS}=A\cdot\alpha_2\cdot F_c\cdot n=(90+70)\times 35/2\times 1.2\times 30\times 1=100.8\times 10^3\,\mathrm{N}\ \ \rightarrow\ \ 100.8\,\mathrm{kN}$
 ・$\mu\cdot C=0.6\,a_t\cdot\sigma_y=0.6\times 387\times 345=80.1\times 10^3\,\mathrm{N}\ \ \rightarrow\ \ 80.1\,\mathrm{kN}$
 ・$1.65\,a_s\sqrt{F_c\cdot\sigma_y}=1.65\times\{1\times 387\times\sqrt{30\times 345}+1\times 387\times\sqrt{30\times 345}\}$
 　　　　　　　　　　　$=1.65\times(39.3\times 10^3+39.3\times 10^3)=129.6\times 10^3\,\mathrm{N}\ \ \rightarrow\ \ 129.6\,\mathrm{kN}$
 　∴ $_UQ_V=\max\{\min(454.5,\ 100.8),\ 80.1,\ 129.6\}=129.6\,\mathrm{kN}$
 ・$_{DL}Q_V+\beta_{J4}\cdot {}_mQ_V=21.3+1.1\times(119.1-21.3)=128.9\,\mathrm{kN}<129.6\,\mathrm{kN}\ \ \rightarrow\ \ \mathrm{OK}$

5．現場打ち RC 造部分と PCaRC 造壁梁との水平接合部の保証設計

　PCaRC 造壁梁の天端を現場打ち RC 造とするいわゆるハーフ PCaRC 造とする場合，PCaRC 造壁梁と現場打ち RC 造部分の境界面には水平接合部が存在する．当該水平接合部の終局時設計用せん断応力度としては，メカニズム時における PCaRC 造壁梁の上端端部曲げ補強筋に生じる引張力を，引張力が生じている部分の水平接合部の水平断面積で除したせん断応力度に，割増し係数を 1.1 以上とした数値を乗じた数値とした．以下に，PCaRC 造壁梁の水平接合部の保証設計計算例を示す．

1) 使用材料等
 ・充填コンクリート：$F_c=30\,\mathrm{N/mm^2}$
 ・主筋の種類：D19（SD345）
 ・縦補強筋の種類・間隔：D13（SD295）@75（$p_w=0.00846$）
 ・水平接合面の状態：接合面に人為的凹凸（5 mm 程度）を設ける．→　摩擦係数 $\mu_s=1.0$
 ・PCaRC 造壁梁の幅：$b=200\,\mathrm{mm}$

- PCaRC造壁梁のせいおよび有効せい：$D=650$ mm, $d=595$ mm
- PCaRC造壁梁の内法長さ：$l_0=1\,800$ mm

2） 水平接合部の設計用せん断応力度

- メカニズム時にPCaRC造壁梁に生じる端部上端設計用曲げモーメント：$_bM_m=194.1$ kN・m
  メカニズム時に水平接合部に生じるせん断応力度 $_m\tau_u$ は，（10.5.41）式による．

$$_m\tau_u=\frac{_bM_m}{j}\cdot\frac{1}{b\cdot\Delta l_2}=\frac{\dfrac{194.1\times 10^6}{595\times 7/8}}{200\times 1\,800/2}=2.07\ \text{N/mm}^2$$

- PCaRC造壁梁の水平接合部のせん断強度上の余力：$\beta_{J5}=1.1$
- $\beta_{J5}\cdot {_m\tau_u}=1.1\times 2.07=2.28\ \text{N/mm}^2$

3） 保証設計

- $\tau_{SU}\geqq \beta_{J5}\cdot {_m\tau_U}$ を確認する．
- $\tau_{SU}=\min(\tau_{su1},\ \tau_{su2})=\min(2.49,\ 5.775)=2.49\ \text{N/mm}^2$
- $\tau_{su1}=\mu_s\cdot p_w\cdot \sigma_{wy}=1.0\times 0.00846\times 295=2.49\ \text{N/mm}^2$
- $\tau_{su2}=0.7\times(0.7-F_c/200)\times(F_c/2)=0.7\times(0.7-30/200)\times 30/2=5.775\ \text{N/mm}^2$
- $\beta_{J5}\cdot {_m\tau_u}=1.1\times 2.07=2.28\ \text{N/mm}^2\ <2.49\ \text{N/mm}^2\ \rightarrow\ $OK

10.5.5　付着・継手・定着の保証設計

1．メカニズム時に曲げ降伏する部材の引張鉄筋の付着に対する保証設計は，設計用付着応力度が，原則として通し筋に対しては（10.5.42）式，カットオフ筋に対しては（10.5.43）式を満たすことにより行なう．なお，付着割裂強度に基づく計算等によって，曲げ降伏時に付着割裂破壊が生じないことが確かめられた場合には，下記の検討を省略することができる．

$$\tau_D=\alpha_1\cdot\frac{\sigma_D\cdot d_b}{4(L'-d)}\leqq K\cdot f_b \tag{10.5.42}$$

$$\tau_D=\alpha_2\cdot\frac{\sigma_D\cdot d_b}{4(l_a-d)}\leqq K\cdot f_b,\ \text{ただし}\ l_d\geqq l'+d \tag{10.5.43}$$

記号　τ_D：メカニズム時に曲げ降伏する部材の引張鉄筋の設計用平均付着応力度（N/mm^2）
　　　α_1：通し筋の応力状態を表す係数で，表10.5.3による．

表 10.5.3　通し筋の応力状態を表す係数 α_1

両端が曲げ降伏する部材の通し筋	1段目の鉄筋	2
	多段配筋の2段目以降の鉄筋	1.5
一端曲げ降伏で他端弾性の部材の通し筋		1

　　　σ_D：付着検定断面位置における保証設計用の鉄筋引張応力度（N/mm^2）で，$1.1\sigma_y$（σ_y：鉄筋の規格降伏点）とする．
　　　d_b：鉄筋径（mm）で，異形鉄筋では呼び名に用いた数値．
　　　L'：通し筋の付着長さ（mm）で，付着検定断面においてカットオフ筋がなく通し筋のみの場合は $L'=L$，通し筋とカットオフ筋の両方がある場合は $L'=L-l'$ とする．なお，メカニズム時に曲げ材にせん断ひび割れが生じないことが確かめられた倍には，（10.5.42）式中の（$L'-d$）を L' としてよい．

L：曲げ材の内法長さ（mm）
d：付着検定対象部材の有効せい（mm）
K：鉄筋配置と当該鉄筋を拘束する補強筋（以下，横拘束筋という）による修正係数で，次式による．

$$K = 0.3\frac{C+W}{d_b} + 0.4 \leq 2.5 \tag{10.5.44}$$

C：付着検定断面における鉄筋間のあき，付着検定断面における鉄筋間のあきの平均値，または最小かぶり厚さ $C_{\min}$ の3倍のうちの小さい方の数値（mm）で，$5d_b$ 以下とする．なお，次式より算定してもよい．

$$C = \min\left(鉄筋間のあき,\ \frac{b - N \cdot d_b}{N},\ 3C_{\min},\ 5d_b\right) \tag{10.5.45}$$

b：部材の幅（mm）
N：当該鉄筋列の想定される付着割裂面における鉄筋本数．
W：付着割裂面を横切る横拘束筋の効果を表す換算長さ（mm）で，次式による．

$$W = 80\frac{A_{st}}{s \cdot N} \leq 2.5 d_b \tag{10.5.46}$$

A_{st}：当該鉄筋列の想定される付着割裂面を横切る一組の横拘束筋全断面積（mm^2）
s：一組の横拘束筋（断面積 A_{st}）の間隔（mm）
l'：付着検定断面からカットオフ筋がメカニズム時曲げモーメントに対して計算上不要となる断面までの距離（mm）で，両端が曲げ降伏する部材では（10.5.47）式，一端が曲げ降伏で他端が弾性の部材では（10.5.48）式によってよい．

・両端曲げ降伏部材 ： $l' = \dfrac{A_{cut}}{A_{total}} \cdot \dfrac{L}{2}$ (10.5.47)

・一端曲げ降伏，他端弾性部材： $l' = \dfrac{A_{cut}}{A_{total}} \cdot L$ (10.5.48)

A_{cut}：カットオフされる引張鉄筋の断面積（mm^2）
A_{total}：引張鉄筋の総断面積（mm^2）
f_b：付着割裂の基準となる強度（N/mm^2）で，表10.5.4による．

表10.5.4　付着割裂の基準となる強度 f_b（N/mm^2）

	上端筋[*1]	その他の鉄筋
普通コンクリート	$0.8\left(\dfrac{F_c}{40}+0.9\right)$	$\left(\dfrac{F_c}{40}+0.9\right)$[*2]
軽量コンクリート	普通コンクリートに対する数値の0.8倍の数値	

〔記号〕F_c：コンクリートの設計基準強度（N/mm^2）
［注］ *1：上端筋とは，曲げ材にあって，その鉄筋の下に300 mm 以上のコンクリートが打ち込まれる場合の水平鉄筋をいう．
　　　*2：多段配筋の1段目（断面外側）以外の鉄筋に対しては，上記の数値に0.6を乗じる．

α_2：カットオフ筋の応力状態を表す係数で，表10.5.5による．

表10.5.5　カットオフ筋の応力状態を表す係数 α_2

付着長さが $L/2$ 以下のカットオフ筋	1段目の鉄筋	1
	多段配筋の2段目以降の鉄筋	0.75
付着長さが $L/2$ を超えるカットオフ筋		1

〔記号〕 L：曲げ材の内法長さ（mm）

l_d：カットオフ筋の付着長さ（mm）で，メカニズム時にせん断ひび割れが生じないことが確かめられた場合には（10.5.43）式中の（l_d-d）を l_d としてよい．

2．重ね継手の保証設計は，原則として（10.5.49）式による．ただし，付着割裂強度に基づく計算によって重ね継手長さを定める場合，およびメカニズム時に曲げ降伏を生じるおそれのない端部曲げ補強筋（D25以下に限る）の重ね継手を存在応力度の小さい箇所に設ける場合は，下式によらなくてもよい．

$$\frac{\sigma_u \cdot d_b}{4\,l} \leq K \cdot f_b \tag{10.5.49}$$

記号　σ_u：引張鉄筋の重ね継手部分の材料強度（N/mm²）で，$1.1\sigma_y$（σ_y：鉄筋の規格降伏点）とする．なお，鉄筋端に標準フックを設ける場合は，その数値を2/3倍してよい．
　　　d_b：鉄筋径（mm）で，異形鉄筋では呼び名に用いた数値．
　　　l：重ね継手長さ（mm）で，鉄筋端に9.14節6.（1）に規定する標準フックを設ける場合には，フックを除いた長さとする．なお，200 mm および鉄筋径の25倍以上とする．
　　　K：重ね継手する鉄筋配置と横拘束筋による修正係数で，（10.5.44）式による．なお，（10.5.44）式における係数 C は，（10.5.50）式によって算出してよい．ただし，係数 K，C ならびに W の計算において，鉄筋が密着しない場合であっても鉄筋が密着した継手として扱い，鉄筋本数 N は想定される付着割裂面における全鉄筋本数から継手組数を減じた数値とする．

$$C=\frac{b-\sum d_b}{N} \leq \min(3C_{\min},\ 5d_b) \tag{10.5.50}$$

　　　b：部材の幅（mm）
　　　$\sum d_b$：当該鉄筋列の想定される付着割裂面における鉄筋径の総和（mm）で，継手の鉄筋も含める．
　　　N：想定される付着割裂面における全鉄筋本数から継手組数を減じた数値．
　　　$C_{\min}$：最小かぶり厚さ（mm）
　　　f_b：付着割裂の基準となる強度（N/mm²）で，表10.5.4による．

3．異形鉄筋の定着に対する保証設計は，定着長さ l_a が次式による必要定着長さ l_{ba} 以上であることを確認することにより行う．直線定着する場合の定着長さ l_a は，定着起点から当該鉄筋端までの長さとする．鉄筋端に標準フックを設ける場合は，定着起点からフックまでの投影定着長さを l_a とする．

$$l_{ab}=\frac{\alpha \cdot S \cdot \sigma_t \cdot d_b}{10 f_b} \tag{10.5.51}$$

記号　l_{ab}：曲げ材の引張鉄筋の安全性確保のための必要定着長さ（mm）
　　　α：係数で，横補強筋で拘束されたコア内に定着する場合は1.0，それ以外の場合は1.25とする．
　　　S：必要定着長さの修正係数で，表10.5.6による．
　　　σ_t：接合面のおける鉄筋の引張応力度（N/mm²）で，短期許容引張応力度とする．
　　　d_b：異形鉄筋の呼び名に用いた数値（mm）
　　　f_b：付着割裂の基準となる強度（N/mm²）で，表10.5.4の「その他の鉄筋」の数値による．

表 10.5.6　必要定着長さの修正係数 S

定着方法	種　類		S
直線定着	耐震部材		1.25
	非耐震部材	片持形式部材	1.25
		上記以外の部材	1.0
標準フック併用定着	耐震部材		0.7
	非耐震部材	片持形式部材	0.7
		上記以外の部材	0.5

4．定着に関する構造規定は，9.14 節 5．および 6．によるほか，標準フックの鉄筋側面からコンクリート表面までの側面かぶり厚さの最小値は，表 10.5.7 による．

表 10.5.7　標準フックの側面かぶり厚さ

$S=0.5$ とする場合	$2\,d_b$ 以上かつ 65 mm 以上
$S=0.7$ とする場合	$1.5\,d_b$ 以上かつ 50 mm 以上

〔記号〕S：必要定着長さの修正係数で，表 10.5.6 による．
　　　　d_b：異形鉄筋の呼び名に用いた数値（mm）

1．付着に対する保証設計

　壁式 RC 造建物に所要の耐震性を確保するためには，部材が曲げ降伏した後も一定程度の変形性能を確保することも必要であり，曲げ補強鉄筋に沿った付着割裂破壊が生じないように設計する必要がある．壁式 RC 造においても，曲げ補強筋に太径の異形鉄筋を使用すると，鉄筋に沿って付着割裂破壊を生じることが想定される．付着割裂の進展は，曲げ補強筋まわりの直交筋（壁梁の縦補強筋，耐力壁の横補強筋等）でコンクリートを拘束することにより，ある程度抑えることができるが，付着割裂の影響が大きいと思われる場合は，付着割裂に対する検討が必要となる．

　本規準においては，メカニズム時に曲げ降伏する部材の引張鉄筋の付着に関する保証設計を RC 規準（2024）の 16 条に記載の検討式[10.5.1)]に準じて，通し配筋にあっては（10.5.42）式，カットオフ筋に対して（10.5.43）式にて行うこととした．保証設計に際して，設計用引張応力度 σ_D は，引張鉄筋の材料強度を用いることとしている．なお，（10.5.42）式や（10.5.43）式の代わりに，「鉄筋コンクリート造建物の靱性保証型耐震設計指針・同解説」[10.5.2)]により付着割裂破壊防止の検討を行ってもよい．

【曲げ降伏する壁梁の付着に関する保証設計計算例】

（1）（10.5.42）式による 1 段目通し筋の付着検討

　解説図 10.5.10 に示す壁梁を対象として，1 段目通し筋の付着に対する保証設計の計算例を示す．

　a）計 算 条 件

　・壁梁の断面：幅 200 mm，せい 750 mm（解説図 10.5.10）
　・壁梁の配筋：上端端部曲げ補強筋 2-D19（1 段目）＋2-D19（2 段目），SD345
　　　　　　　縦補強筋 2-D13 @ 100，$p_w=2\times127/(200\times100)=0.0127\ \rightarrow 0.012$

- 壁梁の内法長さ：$l_0 = 3\,600$ mm
- カットオフ位置：壁梁端部から$1\,600$ mm の位置
- 耐力壁配筋：端部曲げ補強筋 2-D19,
  　　　　　　横補強筋 2-D10@200
- コンクリート：普通コンクリート
  　　設計基準強度$F_c = 21$ N/mm^2
- 有効せい　　：$d_1 = 750 - 64 = 686$ mm
  　　　　　　　　　　　（1段目主筋）
  　　　　　　　$d_2 = 750 - 112 = 638$ mm
  　　　　　　　　　　　（2段目主筋）
- 応力中心距離：$j = (7/8) \times (d_1 + d_2)/2 = 579$ mm
- 設計かぶり厚さ：40 mm

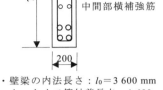

- 壁梁の内法長さ：$l_0 = 3\,600$ mm
- カットオフ筋付着長さ：$1\,600$ mm

解説図 10.5.10 付着検討壁梁断面および配筋

b) 設計用付着応力度の計算

- 通し筋の応力状態を表わす係数：$\alpha_1 = 2.0$（上端1段目の鉄筋）
- 通し筋の付着長さ：
$$L' = L - l' = L - A_{cut}/A_{total} \cdot L/2 = 3\,600 - 2 \times 287/(4 \times 287) \times 3\,600/2$$
$$= 3\,600 - 900 = 2\,700 \text{ mm}$$
- 1段目通し筋の設計用付着応力度：$\tau_D = \alpha_1 \cdot \dfrac{\sigma_D \cdot d_b}{4(L'' - d_1)} = 2.0 \times \dfrac{345 \times 19}{4(2\,700 - 686)} = 1.63$ N/mm^2

c) 1段目通し筋の付着割裂強度の計算

- 付着割裂の基準となる強度（上端筋）：
$$f_{b1} = 0.8 \times (0.9 + F_c/40) = 0.8 \times (0.9 + 21/40) = 1.14 \text{ N/mm}^2$$
- 鉄筋間のあき $= 200 - (40 + 14 + 21 \times 3 + 11 + 40)$
  $= 32$ mm（耐力壁の縦筋との配筋納まり考慮）
- $(b - N \cdot d_b)/N = (200 - 2 \times 19)/2 = 81$ mm
- 係数 C：$C = \min\{$鉄筋間のあき, $(b - N \cdot d_b)/N$, $3C_{min}$, $5d_b\}$
  $= \min\{32, 81, 3 \times 54, 5 \times 19\} = \min\{32, 81, 162, 95\} = 32$ mm
- 換算長さ W：$W = \min\{80 A_{st}/(s \cdot N), 2.5d_b\} = \min\{80 \times (2 \times 127)/(100 \times 2), 47.5\}$
  $= \min(101.6, 47.5) = 47.5$ mm
- 修正係数 K：$K = \min\{0.3 \times (C + W)/d_b + 0.4, 2.5\} = \min\{0.3 \times (32 + 47.5)/19 + 0.4, 2.5\}$
  $= \min(1.65, 2.5) = 1.65$
- $\therefore K \cdot f_b = 1.65 \times 1.14 = 1.88$ N/mm^2

d) 検討結果

$\tau_D (=1.63$ N/mm$^2) < K \cdot f_b (=1.88$ N/mm$^2)$ より,（10.5.42）式を満たしている.

(2) （10.5.43）式による2段目カットオフ筋の付着検討

解説図 10.5.10 に示す壁梁を対象として，2段目カットオフ筋の付着に対する保証設計の計算例を示す.

a）計算条件：1）による．

b）設計用付着応力度の計算

・カットオフ筋の応力状態を表す係数：$\alpha_2=0.75$（付着長さが $L/2$ 以下のカットオフ筋）

・カットオフ筋の付着長さ：$l_d=1\,600$ mm

・カットオフ筋の設計用付着応力度：$\tau_D=\alpha_2 \cdot \dfrac{\sigma_D \cdot d_b}{4(l_d-d_2)}=0.75\times\dfrac{345\times19}{4(1\,600-638)}=1.28$ N/mm^2

c）カットオフ筋の付着割裂強度の計算

・付着割裂の基準となる強度：
$$f_b=0.6\times0.8\times(0.9+F_c/40)=0.6\times0.8\times(0.9+21/40)=0.684 \text{ N/mm}^2$$

・係数 C：$C=\min\{$鉄筋間のあき，$(b-N\cdot d_b)/N,\ 3C_{\min},\ 5d_b\}$
$$=\min\{32,\ 81,\ 3\times54,\ 5\times19\}=32 \text{ mm}$$

・換算長さ W：$W=\min\{80A_{st}/(s\cdot N),\ 2.5d_b\}=\min\{80\times(2\times127)/(100\times2),\ 47.5\}$
$$=\min(101.6,\ 47.5)=47.5 \text{ mm}$$

・修正係数 K：$K=\min\{0.3\times(C+W)/d_b+0.4,\ 2.5\}=\min\{0.3\times(32+47.5)/19+0.4,\ 2.5\}$
$$=\min(1.65,\ 2.5)=1.65$$

∴ $K\cdot f_b=1.65\times0.684=1.12$ N/mm^2

d）検討結果

$\tau_D(=1.28$ N/mm$^2)>K\cdot f_b(=1.12$ N/mm$^2)$ より，(10.5.43) 式を満たしていない．したがって，靱性保証型耐震設計指針式[10.5.2]により付着割裂破壊が生じないことを確認する．

3）靱性保証型耐震設計指針式[10.5.2]による検討

a）計算条件：（1）と同じとする．

b）2段目カットオフ筋の設計用付着応力度の計算

$$\tau_f=\sigma_{yu}\cdot d_b/\{4(l_d-d_2)\}=1.25\times345\times19/\{4\times(1\,600-638)\}=2.13 \text{ N/mm}^2$$

c）カットオフ筋（2段目主筋）の付着割裂信頼強度：τ_{bu2}

$$\tau_{bu2}=\alpha_t\cdot\alpha_2\{(0.085b_{si2}+0.10)\sqrt{\sigma_B}+k_{st2}\} \tag{解10.5.3}$$

記号　α_t：付着割裂信頼強度低減係数で，次式による．

$\left.\begin{array}{l}\alpha_t=0.75+\sigma_B/400\quad\text{（上端端部曲げ補強筋）}\\ \alpha_t=1.0\qquad\qquad\text{（上端端部曲げ補強筋以外）}\end{array}\right\}$

α_2：2段目主筋に対する付着割裂信頼強度の低減係数（$=0.6$）

b_{si2}：2段目主筋の割裂線長さ比で，次式による．

$$b_{si2}=(b-N_2\cdot d_b)/(N_2\cdot d_b) \tag{解10.5.5}$$

b：壁梁の幅（mm）

N_2：2段目主筋の本数

d_b：2段目主筋の呼び名に用いた数値（mm）

σ_B：コンクリートの圧縮強度（N/mm^2）で，設計基準強度とする．

k_{st2}：2段目主筋に対する横拘束筋の効果を表す係数で，次式による．

$$k_{st2}=99\times(b_{si2}+1)\cdot p_w$$

p_w：壁梁の縦補強筋比

（解10.5.3）式〜（解10.5.5）式に，下記を代入する．

$$\alpha_t = 0.75 + \sigma_B/400 = 0.75 + 21/400 = 0.8025$$
$$b_{st2} = (b - N_2 \cdot d_b)/(N_2 \cdot d_b) = (200 - 2 \times 19)/(2 \times 19) = 4.26$$
$$k_{st2} = 99(b_{st2} + 1) \cdot p_w = 99 \times (4.26 + 1) \times 0.012 = 6.24$$
$$\therefore \tau_{bu2} = \alpha_t \cdot \alpha_2 \{(0.085 b_{st2} + 0.10) \cdot \sqrt{\sigma_B} + k_{st2}\}$$
$$= 0.8025 \times 0.6 \times \{(0.085 \times 4.26 + 0.10) \times \sqrt{21} + 6.24\}$$
$$= 0.8025 \times 0.6 \times (0.462 \times 4.582 + 6.24) = 4.02\,\text{N/mm}^2$$

d）検討結果

$$\tau_f(=2.13\,\text{N/mm}^2) < \tau_{bu2}(=4.02\,\text{N/mm}^2) \quad\quad \text{OK}$$

2．重ね継手に対する保証設計

耐震計算ルート3で保有耐力計算を行う場合において，靱性のある部材種別を得るためには，付着割裂破壊を避ける必要がある．大地震動を受けるときの重ね継手部の破壊形式は付着割裂破壊であり，本項1．における鉄筋間のあき，横拘束筋の補強効果の式を一部読み替えることで，基本的に同一の付着強度式が利用できる．本規準においても，大地震動に対する重ね継手の安全性を確保するための算定式は，本項1．に記載の付着に対する保証設計に用いる（10.5.43）式から導かれている．

すなわち，（10.5.43）式において，係数α_2を1とし，有効付着長さ(l_d-d)の代わりに重ね継手長さlを代入して得られたのが（10.5.49）式である．なお，本規準においては，重ね継手に対する保証設計では，鉄筋の降伏強度として材料強度を用いて継手長さ区間の平均付着応力度を算定することとしている．

【耐力壁の端部曲げ補強筋の重ね継手に関する保証設計計算例】

解説図10.5.11に示す耐力壁の端部曲げ補強筋の重ね継手に関する保証計算例を以下に示す．なお，付着割裂ひび割れとして文献10.5.3)〜10.5.5)に基づいて下記の4つを想定し，付着割裂信頼強度を算定する．

・ブイノッチスプリット
・コーナースプリット
・サイドスプリット
・上面割裂ひび割れ[10.5.5)]（解説図10.5.11）

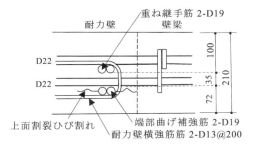

解説図 10.5.11 検討対象耐力壁の断面・配筋

文献10.5.4)に記載の付着割裂強度算定式は，以下のとおりである．なお，単位は文献10.5.4)では重力単位系であるが，ここではSI単位系に置き換えている．

（1）水平上端筋の付着割裂強度

$$\tau_{bu} = \tau_{c0} + \tau_{st} \quad\quad\quad (解10.5.6)$$
$$\tau_{c0} = (0.096 b_i + 0.133)\sqrt{\sigma_B} \quad\quad\quad (解10.5.7)$$

$$\tau_{st}=7.79\frac{k \cdot A_{st}}{s \cdot N \cdot d_b} \cdot \sqrt{\sigma_B} \quad (\leqq 0.27\sqrt{\sigma_B}) \tag{解 10.5.8}$$

記号　τ_{bu}：水平上端筋の付着割裂強度（N/mm²）

　　　τ_{c0}：横補強筋のない場合の付着強度（N/mm²）

　　　b_i：係数で，下記による．

$$b_i=\min(b_{vi},\ b_{ci},\ b_{si}) \tag{解 10.5.9}$$

　　　b_{vi}：ブイノッチスプリット破壊に対する係数で，次式による．

$$b_{vi}=\sqrt{3}\,(2C_{\min}/d_b+1) \tag{解 10.5.10}$$

　　　$C_{\min}$：最小かぶり厚さ（mm）

　　　d_b：主筋径（mm）

　　　b_{ci}：コーナースプリット破壊に対する係数で，次式による．

$$b_{ci}=\sqrt{2}\{(C_s+C_b)/d_b+1\}-1 \tag{解 10.5.11}$$

　　　C_s：側面かぶり厚さ（mm）

　　　C_b：上面かぶり厚さ（mm）

　　　b_{si}：サイドスプリット破壊に対する係数で，次式による．

$$b_{si}=b/(N \cdot d_b)-1 \tag{解 10.5.12}$$

　　　b：梁幅（mm）

　　　N：割裂面に配された主筋本数

　　　σ_B：コンクリートの圧縮強度（N/mm²）

　　　τ_{st}：横補強筋による付着強度増分（N/mm²）

　　　k：横補強筋の拘束効果の違いを表す係数で，下記による．

$$\left.\begin{array}{ll} \cdot\ k=0 & :b_i=b_{vi}\text{ のとき} \\ \cdot\ k=\sqrt{2}\ （\text{ただし},\ N=2） & :b_i=b_{ci}\text{ のとき} \\ \cdot\ K=1 & :b_i=b_{si}\text{ のとき} \end{array}\right\} \tag{解 10.5.13}$$

　　　A_{st}：一組の横補強筋全断面積（mm²）

　　　s：横補強筋間隔（mm）

（2）　水平上端筋以外の鉄筋の付着割裂強度

$$\tau_{bu}=1.22\,(\tau_{c0}+\tau_{st}) \tag{解 10.5.14}$$

（3）　文献 10.5.5) に基づく上面割裂破壊の考慮

文献 10.5.5) において，単配筋 RC 梁の構造性能に関する実験が行われており，試験体で見られた上面割裂破壊を考慮するための割裂線長さ比として，次式を提案している．

$$b_{ii}=(2C_b+C_a)/(N \cdot d_b) \tag{解 10.5.15}$$

記号　b_{ii}：上面割裂ひび割れ線長さ比

　　　C_b：上面かぶり厚さ（mm）

　　　C_a：鉄筋間のあき（mm）

　　　N：割裂面を横切る主筋本数

d_b：異形鉄筋の呼び名に用いた数値（mm）

なお，解説図 10.5.11 に示す耐力壁の配筋は束ね配筋としていることから，上面または下面割裂破壊を考慮するための割裂線長さ（解説図 10.5.12 (b)）は，次式より算定する．

$$b_{ti}=\frac{2C_b}{N \cdot d_b} \qquad (解 10.5.16)$$

記号　b_{ti}, C_b, N, d_b：(解 10.5.15) 式の記号の説明による．

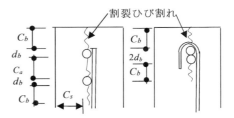

解説図 10.5.12　上面割裂ひび割れ線[10.5.5]

(4)　耐力壁端部曲げ補強筋の付着割裂強度の計算

- コンクリートの設計基準強度：$F_c=21$ N/mm^2
- 耐力壁端部曲げ補強筋の最小かぶり厚さ：
  $C_{\min}=C_s=C_b=54$ mm
- ブイノッチスプリット破壊に対する係数：$b_{vi}=\sqrt{3}\left(\dfrac{2C_{\min}}{d_b}+1\right)=\sqrt{3}\times\left(\dfrac{2\times 45}{19}+1\right)=9.93$
- コーナースプリット破壊に対する係数：$b_{ci}=\sqrt{2}\left(\dfrac{C_s+C_b}{d_b}+1\right)-1=\sqrt{2}\times\left(\dfrac{54+54}{19}+1\right)-1=8.45$
- サイドスプリット破壊に対する係数：$b_{si}=\dfrac{b}{N\cdot d_b}-1=210/(2\times 19)-1=4.52$
- 上面割裂破壊に対する係数（(解 10.5.16) 式）：$b_{ti}=\dfrac{2C_b}{N\cdot d_b}=\dfrac{2\times 54}{2\times 19}=2.84$
- 係数：$b_i=\min\ (b_{vi},\ b_{ci},\ b_{si},\ b_{ti})=\min(9.93,\ 8.45,\ 4.52,\ 2.84)=2.84$（上面割裂破壊）
- 横補強筋のない場合の付着強度：$\tau_{c0}=(0.096b_i+0.133)\sqrt{\sigma_B}=(0.096\times 2.84+0.133)\times\sqrt{21}$
  $=(0.272+0.133)\times 4.582=1.85$ N/mm^2
- 横補強筋による付着強度増分：$b_i=b_{ti}$ であるが，ここでは文献 10.5.5) より $k=1$ とする．

$$\tau_{st}=\left(7.79\dfrac{k\cdot A_{st}}{s\cdot N\cdot d_b}\right)\sqrt{\sigma_B}=7.79\times\dfrac{1\times 1\times 127}{200\times 2\times 19}\times\sqrt{21}=7.79\times 0.0167\times 4.582=0.59\text{ N/mm}^2$$

$(<0.27\sqrt{\sigma_B}=1.23$ N/mm$^2)$　(RC 規準[10.5.4])

- 付着割裂信頼強度（水平上端筋以外）：
  $\tau_{bu}=1.22(\tau_{c0}+\tau_{st})=1.22\times(1.64+0.59)=2.72$ N/mm^2

(5)　設計用付着応力度：$\tau_f=\sigma_u\cdot d_b/(4l)=1.1\times 345\times 19/(4l)$

(6)　必要重ね継手長さ：$\tau_f\leq\tau_{bu}$ より，$l\geq 1.1\times 345\times 19/(4\times 2.72)=662.8$ mm（$\fallingdotseq 34.9\ d_b$）

なお，(9.13.7) 式により検討した短期荷重時に対する所要重ね継手長さは，$51.3\ d_b$〔解説表 9.13.4 参照〕で上記数値よりも長くなり，所要重ね継手長さは短期荷重時に対する検討で決定されるので，留意されたい．

3. 定着に対する保証設計

本規準においては，9.14節に記載のように主筋の定着に関して，RC規準（1991）と同様に長期および短期荷重時に対する許容応力度設計を行うこととしている．

壁梁の上端筋の定着に関しては，非拘束領域への定着の場合は短期荷重時に対する検討により定着長さが決定される場合があり〔本規準解説表9.14.2，表9.14.3参照〕，上端筋以外の定着の場合は（10.5.51）式により定着長さが決定する場合も想定されることから，定着に関する保証設計を規定している．以下に，耐力壁の端部曲げ補強筋の基礎梁への直線定着（複配筋基礎梁の縦補強筋の内側への定着で，拘束領域への定着）に関して，短期許容応力度設計例および保証設計例を，解説表10.5.4に示す．

解説表 10.5.4 耐力壁の端部曲げ補強筋の拘束領域への必要直線定着長さ
（鉄筋種別 SD345, $\alpha=1.0$, $S=1.25$）

F_c (N/mm^2)	$_sf_a$ (N/mm^2)	f_b (N/mm^2)	$\dfrac{_s\sigma_t \cdot d_b}{4_sf_a}$	$\dfrac{\alpha \cdot S \cdot \sigma_t \cdot d_b}{10 f_b}$	必要直線定着長さ l_{ab}	必要直線定着長さ L_2
18	2.700	1.350	$32.0\,d_b$	$32.0\,d_b$	$32.0\,d_b$	$35\,d_b$
21	3.150	1.425	$27.4\,d_b$	$30.3\,d_b$	$30.3\,d_b$	$35\,d_b$
24	3.465	1.500	$24.9\,d_b$	$28.8\,d_b$	$28.8\,d_b$	$30\,d_b$
27	3.645	1.575	$23.7\,d_b$	$27.4\,d_b$	$27.4\,d_b$	$30\,d_b$
30	3.825	1.650	$22.6\,d_b$	$26.2\,d_b$	$26.2\,d_b$	$30\,d_b$
33	4.005	1.725	$21.6\,d_b$	$25.0\,d_b$	$25.0\,d_b$	$25\,d_b$
36	4.185	1.800	$20.7\,d_b$	$24.0\,d_b$	$24.0\,d_b$	$25\,d_b$

〔記号〕F_c：コンクリートの設計基準強度，$_sf_a$：その他の鉄筋のコンクリートに対する短期許容付着応力度
d_b：異形鉄筋の呼び名に用いた数値，f_b：付着割裂の基準となる強度（「その他の鉄筋」の数値）
$_s\sigma_t, \sigma_t$：鉄筋の短期許容引張応力度（$=345\,\text{N/mm}^2$）

解説表10.5.4より，耐力壁の端部曲げ補強筋の拘束領域への必要直線定着長さは，（10.5.51）式により決定していることが分かる．

なお，解説図10.5.11に記載のように耐力壁の端部曲げ補強筋の外側に配された壁梁の端部曲げ補強筋の耐力壁・壁梁接合部への定着（非拘束領域への定着）に関しての許容応力度による必要定着長さと（10.5.51）式による必要定着長さの検討結果を解説表9.14.2および解説表9.14.3に示しているので参照されたい．

[参考文献]

10.5.1) 日本建築学会：鉄筋コンクリート構造計算規準・同解説, pp.208〜234, 2024.12
10.5.2) 日本建築学会：鉄筋コンクリート造建物の靱性保証型耐震設計指針・同解説, pp.175〜186, 1999.8
10.5.3) 藤井 栄・森田司郎：異形鉄筋の付着割裂強度に関する研究, 第1報, 第2報, 日本建築学会論文報告集, 第319号, pp.47〜55, 1982.9, 第324号, pp.45〜52, 1983.2
10.5.4) 日本建築学会：鉄筋コンクリート構造計算規準・同解説, pp.219〜221, 2024.12
10.5.5) 武藤 剛・松崎育弘・杉山智昭・鈴木美奈子：主筋がシングル配筋されたRC梁部材の構造性能に関する実験的研究, コンクリート工学年次論文集, Vol.28, pp.271〜276, 2006

10.5.6 基礎の保証設計

> 基礎の保証設計は，原則として次の（1）から（3）による．
> （1） 基礎スラブの保証設計は，次の（i）から（iii）による．
>   （i） メカニズム時の接地圧が，支持地盤の終局鉛直支持力度以下となることを確認する．
>   （ii） メカニズム時において，基礎スラブに曲げ降伏が生じないことを確認する．
>   （iii） メカニズム時において，基礎スラブにせん断破壊が生じないことを確認する．
> （2） パイルキャップの保証設計は，次の（i）および（ii）による．
>   （i） メカニズム時において，パイルキャップに曲げ降伏が生じないことを確認する．
>   （ii） メカニズム時において，パイルキャップにせん断破壊およびパンチングシヤー破壊が生じないことを確認する．
> （3） 杭の保証設計は，次の（i）から（iii）による．
>   （i） 保証設計用軸方向力が，杭の軸方向圧縮力以下となること，および保証設計用引張力が杭の軸方向引張力以下となることを確認する．
>   （ii） メカニズム時において，引張力が生じる杭を除き曲げ降伏が生じないことを確認する．
>   （iii） メカニズム時において，杭にせん断破壊が生じないことを確認する．

・基礎の保証設計

今回の改定においては，保有水平耐力の確認を行う場合においては，基礎に対しても基礎梁と同様に，極めて稀に発生する大地震動時においても曲げ降伏やせん断破壊を防止することにより過大な損傷を防止し，大地震動後も大規模な補修や補強をせずに継続的に建物を使用できるよう保証設計を行うことを原則とした．原則としたのは，基礎の二次設計は法的には要求されていない現状，および基礎の二次設計は一般的な建物においては未だ広く普及していない点等を考慮したものである．しかしながら，耐震性能が非常に高い壁式RC造建物においては，基礎に対しても大地震動時においても過大な損傷を防止することが望ましいことから，以下に記載の基礎の保証設計を行うことが望ましい．また，保有水平耐力の確認を不要とする建物においても上記の主旨から，基礎の保証設計を行うことが望ましい．以下に，基礎の保証設計の具体の検討内容を示す．

（1） 基礎スラブの保証設計

（i） メカニズム時接地圧に対する保証設計

メカニズム時の接地圧が，次式を満たすことを確認する．なお，支持地盤の終局鉛直支持力度は，地盤調査結果のばらつきや大地震動時における壁式RC造建物の過大な沈下や傾斜を防止することを考慮し，地盤から定まる極限鉛直支持力の1/1.2と設定している．

$$_{DU}\sigma_{FS} \leqq {}_{U}\sigma_{FS} \tag{解10.5.16}$$

記号 $_{DU}\sigma_{FS}$：メカニズム時における基礎スラブの設計用接地圧（kN/m^2）

$_{U}\sigma_{FS}$：支持地盤の終局鉛直支持力度（kN/m^2）で，支持地盤の極限鉛直支持力度の1/1.2の数値とする．地盤の終局鉛直支持力度は，平13国交告第1113号第2に規定される地盤の長期許容応力度より算定するか，または「建築基礎構造設計指針」[10.5.6)]による．

（ii） メカニズムにおける基礎スラブの曲げ降伏の防止

メカニズム時において，基礎スラブに曲げ降伏が生じないようにするため，(解10.5.17)式を満たすことを確認する．基礎スラブの保証設計用の曲げモーメントは，メカニズム時に基礎スラブに生じる曲げモーメントとするのが原則であるが，必要保有水平耐力に対して保有水平耐力が大きく上回る場合に対しても曲げ降伏を防止するためには過大な断面や配筋を要求することになること，および法的にも要求されていないことを考慮し，メカニズム時に基礎スラブに生じる曲げモーメントに（1階の必要保有水平耐力／1階の保有水平耐力）の比を乗じて算定してもよいとした．また，保有水平耐力を10.1.3項に規定する総曲げ抵抗モーメントによる場合は，各階の構造特性係数を0.5としていることを考慮し，短期荷重時設計用応力を2.5倍（＝0.5/0.2）として算定してよいとしている．

$$_UM_{FS} \geqq {}_{DU}M_{FS} \cdot \alpha_{FS} \qquad (解10.5.17)$$

記号 $_UM_{FS}$：基礎スラブの曲げ強度（N・mm）で，(10.4.6)式に準じて算定してよい．

$_{DU}M_{FS}$：基礎スラブの保証設計用曲げモーメント（N・mm）で，メカニズム時に基礎スラブに生じる曲げモーメントとする．なお，(解10.5.18)式によってもよい．保有水平耐力の確認を10.1.3項に規定する総曲げ抵抗モーメントによる場合は（解10.5.19）式によってよい．

$$_{DU}M_{FS} = {}_mM_{FS} \cdot Q_{un1}/Q_{u1} \qquad (解10.5.18)$$
$$_{DU}M_{FS} = 2.5{}_{DS}M_{FS} \qquad (解10.5.19)$$

$_mM_{FS}$：メカニズム時に基礎スラブに生じる曲げモーメント（N・mm）

Q_{un1}：1階の必要保有水平耐力（N）

Q_{u1}：1階の保有水平耐力（N）

α_{FS}：基礎スラブの曲げ強度上の余力で，1.1以上とする．

$_{DS}M_{FS}$：基礎スラブの短期荷重時設計用曲げモーメント（N・mm）

(iii) メカニズム時における基礎スラブのせん断破壊の防止

メカニズム時において，基礎スラブにせん断破壊が生じないようにするため，次式を満たすことを確認する．(解10.5.21)式および(解10.5.22)式の根拠は，上記(ii)と同様である．

$$_UQ_{FS} \geqq {}_{DU}Q_{FS} \cdot \beta_{FS} \qquad (解10.5.20)$$

記号 $_UQ_{FS}$：基礎スラブのせん断強度（N）で，(10.4.7)式に準じて算定してよい．

$_{DU}Q_{FS}$：基礎スラブの保証設計用せん断力（N）で，メカニズム時に基礎スラブに生じるせん断力とする．なお，(解10.5.21)式によってもよい．保有水平耐力の確認を10.1.3項に規定する総曲げ抵抗モーメントによる場合は，(解10.5.22)式によってよい．

$$_{DU}Q_{FS} = {}_mQ_{FS} \cdot Q_{un1}/Q_{u1} \qquad (解10.5.21)$$
$$_{DU}Q_{FS} = 2.5{}_{DS}Q_{FS} \qquad (解10.5.22)$$

$_mQ_{FS}$：メカニズム時に基礎スラブに生じるせん断力（N）

Q_{un1}：1階の必要保有水平耐力（N）

Q_{u1}：1階の保有水平耐力（N）

β_{FS}：基礎スラブのせん断強度上の余力で，1.1以上とする．

$_{DU}Q_{FS}$：基礎スラブの短期荷重時設計用せん断力（N）

（2） パイルキャップの保証設計

　パイルキャップの保証設計用の曲げモーメントやせん断力についても，（1）と同様な考えによりメカニズム時にパイルキャップに生じる曲げモーメントやせん断力に（1階の必要保有水平耐力／1階の保有水平耐力）の比を乗じて算定してもよいとした．また，保有水平耐力を10.1.3項に規定する総曲げ抵抗モーメントによる場合は，短期荷重時設計用応力を2.5倍（＝0.5/0.2）として算定してよいとしている．

（ⅰ） メカニズム時におけるパイルキャップの曲げ降伏の防止

　メカニズム時において，パイルキャップに曲げ降伏が生じないようにするため，次式を満たすことを確認する．

$$_{U}M_{PC} \geq {_{DU}M_{PC}} \cdot \alpha_{PC} \qquad (解10.5.23)$$

記号　$_{U}M_{PC}$：パイルキャップの曲げ強度（N・mm）で，「RC基礎耐震設計指針案」[10.5.7)]による．

　　　$_{DU}M_{PC}$：パイルキャップの保証設計用曲げモーメント（N・mm）で，メカニズム時にパイルキャップに生じる曲げモーメントとする．なお，（解10.5.24）式によってもよい．保有水平耐力の確認を10.1.3項に規定する総曲げ抵抗モーメントによる場合は，（解10.5.25）式によってよい．

$$_{DU}M_{PC} = {_{m}M_{PC}} \cdot Q_{un1}/Q_{u1} \qquad (解10.5.24)$$

$$_{DU}M_{PC} = 2.5 {_{DS}M_{PC}} \qquad (解10.5.25)$$

　　　$_{m}M_{PC}$：メカニズム時にパイルキャップに生じる曲げモーメント（N・mm）

　　　Q_{un1}：1階の必要保有水平耐力（N）

　　　Q_{u1}：1階の保有水平耐力（N）

　　　α_{PC}：パイルキャップの曲げ強度上の余力で，1.1以上とする．

　　　$_{DS}M_{PC}$：パイルキャップの短期荷重時設計用曲げモーメント（N・mm）

（ⅱ） メカニズム時におけるパイルキャップのせん断破壊の防止

　メカニズム時において，パイルキャップにせん断破壊およびパンチングシヤー破壊が生じないようにするため，次式を満たすことを確認する．

$$_{U}Q_{PC} \geq {_{DU}Q_{PC}} \cdot \beta_{PC} \qquad (解10.5.26)$$

記号　$_{U}Q_{PC}$：パイルキャップのせん断およびパンチングシヤー強度（N）で，RC基礎耐震設計指針案[10.5.7)]による．

　　　$_{DU}Q_{PC}$：パイルキャップの保証設計用せん断力およびパンチングシヤー（N）で，メカニズム時にパイルキャップに生じるせん断力およびパンチングシヤーとする．なお，（解10.5.27）式によってもよい．保有水平耐力の確認を10.1.3項に規定する総曲げ抵抗モーメントによる場合は，（解10.5.28）式によってよい．

$$_{DU}Q_{PC} = {_{m}Q_{PC}} \cdot Q_{un1}/Q_{u1} \qquad (解10.5.27)$$

$$_{DU}Q_{PC} = 2.5 {_{DS}Q_{PC}} \tag{解 10.5.28}$$

$_mQ_{PC}$：メカニズム時にパイルキャップに生じるせん断力およびパンチングシヤー（N）

Q_{un1}：1階の必要保有水平耐力（N）

Q_{u1}：1階の保有水平耐力（N）

β_{PC}：パイルキャップのせん断強度上の余力およびパンチングシヤー強度上の余力で，1.1以上とする

$_{DS}Q_{PC}$：パイルキャップの短期荷重時設計用せん断力およびパンチングシヤー（N）

（3） 杭の保証設計

杭の保証設計についても，（1）と同様な考えによりメカニズム時に杭に生じる軸方向力，曲げモーメントやせん断力に（1階の必要保有水平耐力/1階の保有水平耐力）の比を乗じて算定してもよいとした．また，保有水平耐力を10.1.3項に規定する総曲げ抵抗モーメントによる場合は，短期荷重時設計用応力を2.5倍（＝0.5/0.2）として算定してよいとしている．

（ⅰ） メカニズム時における軸方向力に対する保証設計

保証設計用軸方向力に対して，次式を満たすことを確認する．なお，地盤より定まる杭の終局鉛直支持力は，地盤調査結果のばらつきや大地震動時における壁式RC造建物の過大な沈下や傾斜を防止することを考慮して地盤より定まる杭の極限鉛直支持力の1/1.2と設定する．地盤より定める杭の極限鉛直支持力および引抜き抵抗力は，平13国交告第1113号第5に規定される地盤より定まる杭の長期許容支持力および長期許容引抜き抵抗力より算定するか，または「建築基礎構造設計指針」[10.5.6)]による．

$$_UN_P \geqq {_{DU}N_P} \tag{解 10.5.29}$$

$$_UT_P \geqq {_{DU}T_P} \tag{解 10.5.30}$$

記号　$_UN_P$：杭の軸方向圧縮力（N）で，杭体の軸方向圧縮強度と地盤より定まる終局鉛直支持力（地盤より定まる杭の極限支持力を1.2で除した数値）のうちの小さい方の数値とする．

$_{DU}N_P$：杭の保証設計用軸方向圧縮力（N）で，メカニズム時に杭に生じる軸方向圧縮力とする．なお，（解10.5.31）式によってもよい．保有水平耐力の確認を10.1.3項に規定する総曲げ抵抗モーメントによる場合は，（解10.5.32）式によってよい．

$$_{DU}N_P = {_mN_P} \cdot Q_{un1}/Q_{u1} \tag{解 10.5.31}$$

$$_{DU}N_P = {_{DL}N_P} + 2.5 {_{DS}N_P} \tag{解 10.5.32}$$

$_mN_P$：メカニズム時に杭に生じる軸方向圧縮力（N）

Q_{un1}：1階の必要保有水平耐力（N）

Q_{u1}：1階の保有水平耐力（N）

$_{DL}N_P$：杭の長期荷重時設計用軸方向力（N）

$_{DS}N_P$：標準せん断力係数$C_0 \geqq 0.2$の水平力作用時に杭に生じる軸方向力（N）

$_UT_P$：杭の軸方向引張力（N）で，杭体の軸方向引張力，杭頭接合部および杭体接合部

の軸方向引張力ならびに地盤より定まる終局引張抵抗力のうちの最小の数値とする．

$_{DU}T_P$：杭の保証設計用軸方向引張力（N）で，メカニズム時に杭に生じる軸方向引張力とする．なお，（解 10.5.33）式によってもよい．保有水平耐力の確認を 10.1.3 項に規定する総曲げ抵抗モーメントによる場合は，（解 10.5.34）式によってよい．

$$_{DU}T_P = {_mT_P} \cdot Q_{un1}/Q_{u1} \qquad (\text{解 }10.5.33)$$

$$_{DU}T_P = |{_{DL}N_P} - 2.5{_{DS}N_P}| \qquad (\text{解 }10.5.34)$$

$_mT_P$：メカニズム時に杭に生じる軸方向引張力（N）

Q_{un1}, Q_{u1}：（解 10.5.31）式の記号の説明による．

（ⅱ）メカニズム時に軸方向圧縮力が作用する杭の曲げ降伏の防止

メカニズム時に軸方向圧縮力が作用する杭の保証設計用曲げモーメントに対して，次式を満たすことを確認する．

$$_UM_P \geq {_{DU}M_P} \cdot \alpha_{PC} \qquad (\text{解 }10.5.35)$$

記号　$_UM_P$：杭の曲げ強度（N・mm）で，「RC 基礎耐震設計指針案」[10.5.7]による．

$_{DU}M_P$：杭の保証設計用曲げモーメント（N・mm）で，メカニズム時に軸方向圧縮力が作用する杭に生じる曲げモーメントとする．なお，（解 10.5.36）式によってもよい．保有水平耐力の確認を 10.1.3 項に規定する総曲げ抵抗モーメントによる場合は，（解 10.5.37）式によってよい．

$$_{DU}M_P = {_mM_P} \cdot Q_{um1}/Q_{u1} \qquad (\text{解 }10.5.36)$$

$$_{DU}M_P = 2.5{_{DS}M_P} \qquad (\text{解 }10.5.37)$$

$_mM_P$：メカニズム時に杭に生じる曲げモーメント（N・mm）

Q_{un1}, Q_{u1}：（解 10.5.31）式の記号の説明による．

$_{DS}M_P$：杭の短期荷重時設計用曲げモーメント（N・mm）

α_{PC}：杭の曲げ強度上の余力で，1.1 以上とする．なお，引張力が生じる杭にあっては，曲げ強度上の余力を確保しなくてもよい．

（ⅲ）メカニズム時における杭のせん断破壊の防止

保証設計用せん断力に対して，次式を満たすことを確認する．

$$_UQ_P \geq {_{DU}Q_P} \cdot \beta_P \qquad (\text{解 }10.5.38)$$

記号　$_UQ_P$：杭のせん断強度（N）で，「RC 基礎耐震設計指針案」[10.5.7]による．

$_{DU}Q_P$：杭の保証設計用せん断力（N）で，メカニズム時に杭に生じるせん断力とする．なお，（解 10.5.39）式によってもよい．保有水平耐力の確認を 10.1.3 項に規定する総曲げ抵抗モーメントによる場合は，（解 10.5.40）式によってよい．

$$_{DU}Q_P = {_mQ_P} \cdot Q_{un1}/Q_{u1} \qquad (\text{解 }10.5.39)$$

$$_{DU}Q_P = 2.5{_{DS}Q_P} \qquad (\text{解 }10.5.40)$$

$_mQ_P$：メカニズム時に杭に生じるせん断力（N）

Q_{un1}, Q_{u1} ：（解 10.5.31）式の記号の説明による．

　　　　$_{DS}Q_P$：杭の短期荷重時設計用せん断力（N）

　　　　$β_P$：杭のせん断強度上の余力で，1.1 以上とする．

[参 考 文 献]

10.5.6)　日本建築学会：建築基礎構造設計指針，2019.11
10.5.7)　日本建築学会，鉄筋コンクリート基礎構造部材の耐震設計指針（案）・同解説，2017.3

11 条　施　　工

> 1．本規準による現場打ち壁式 RC 造建物の施工は，JASS 5 および本会編「壁式構造配筋指針・同解説」による．なお，コンクリートに使用する粗骨材の最大寸法は，20 mm とする．
> 2．本規準による PCa 壁式 RC 造建物に使用する PCaRC 造部材または合成床板に使用するハーフ PCaRC 造部材の製造および施工は，JASS 10 による．なお，PCa 壁式 RC 造建物の現場打ち RC 造部分の施工は，上記 1．による．

1．現場打ち壁式 RC 造建物の施工

　現場打ち壁式 RC 造建物は，躯体施工のほとんどが現場にて鉄筋を組立て型枠を配した後にコンクリートを打ち込む工法であることから，鉄筋工事，型枠工事ならびにコンクリート工事は，JASS 5 によればよい．

　鉄筋工事については，①壁式構造特有の配筋，②耐力壁・壁梁接合部等の異種部材間の接合部や同種部材どうしの交差部における鉄筋の収まり，③所要の設計かぶり厚さの確保，ならびに④コンクリートの充填性，等を十分に検討して施工する必要があるため，本会編「壁式構造配筋指針・同解説」[11.1)]によることとした．また，コンクリートに使用する粗骨材の最大寸法は，壁式構造配筋指針・同解説 8 章に従い，20 mm 以下としている．

2．PCaRC 造部材の製造および施工

　PCa 壁式 RC 造建物に使用する PCaRC 造部材や合成床板に使用するハーフ PCa 造スラブの製造および施工は，JASS 10 および各合成床板工法の施工要領書等による．また，PCa 壁式 RC 造建物の施工に関しては，(社)プレハブ建築協会「プレキャスト建築技術集成」[11.2)]等を参考にするとよい．

[参 考 文 献]

11.1)　日本建築学会：壁式構造配筋指針・同解説，2013.2
11.2)　㈳プレハブ建築協会：プレキャスト建築技術集成，2003.1

付　　　録

付1. 構造計算のフロー

付1.1 構造計算のフロー（平13国交告第1026号　改正　平19国交告第603号）

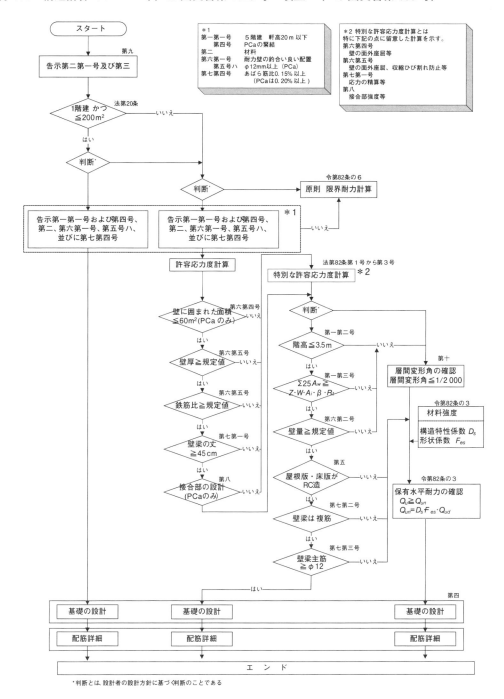

付1.2 構造設計のフロー（本規準）

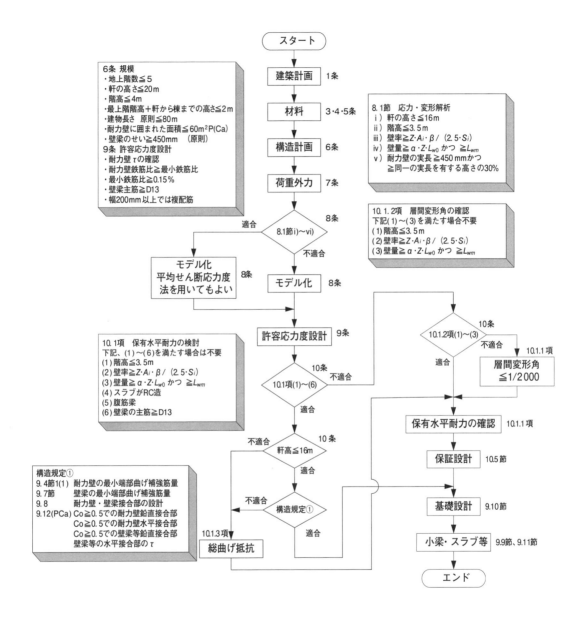

付2. 設 計 例

付2.1 設計例1（4階建現場打ち壁式RC造）
1. 建物および構造概要

本設計例は，本規準の適用範囲である現場打ち壁式RC造建物の構造設計（応力・変形解析，許容応力度設計，保有水平耐力計算等）を本規準に基づいて示すことを目的としている．

（1） 建物の規模および概要

本建物は，現場打ち壁式RC造4階建（地下なし），各階4住戸の全16住戸で構成されている共同住宅である．平面形状は長方形であり，けた行（X）方向27.2m，張り間（Y）方向13.6mである．

一般的に階段室形式と呼ばれる2住戸に一つの階段で構成され，階段室とエレベーターを建物内部に配置している．また，南側構面に連続したバルコニー，および北側構面に階段室を挟んでバルコニーを有している．立面形状は長方形であり，軒と棟の高低差が850mmの切り妻形状で南北に等勾配(1/8)である．建設地は，地震地域係数 $Z=1.0$ の地域である．また，建物の支持地盤は洪積層であり，第二種地盤に相当している．

構造上の特徴は，次のとおりである．

（ⅰ） 各階階高3.0m，軒高12.90mで，地盤面から1階スラブ上面までの高さは0.90mである．

（ⅱ） けた行（X）方向は等間隔で3構面，張り間（Y）方向は，対称性のある9構面で構成されている．

（ⅲ） 各階の耐力壁の配置は，全階一致しており同一プランである．また，けた行（X）方向耐力壁の壁厚は250mm，張り間（Y）方向耐力壁の壁厚は，妻壁200mm，階段室側壁200mm，戸境壁180mmとし，各耐力壁は，全階同一壁厚とする．

（ⅳ） 壁梁は，接続する耐力壁と同厚とし，せい700mmを基本とする．基礎梁は，幅300mm，せい2100mmを基本とし，階段室出入口下の基礎梁のせいは1200mmとする．

（ⅴ） けた行（X）方向中構面の Y_2 構面では，一般階（2階〜4階）には壁梁を設けていない．また，外構面の Y_3 構面の階段室においても，一般階（2階〜4階）にも壁梁を設けていない．

（ⅵ） 基礎形式は，密実な砂質層を支持地盤とした直接基礎とし布基礎とする．

（ⅶ） スラブ厚は，2階〜4階を300mmの中空スラブとし，1階および屋根スラブは200mmとする．

（ⅷ） 南側構面（Y_1 構面）の耐力壁，耐力壁・壁梁接合部には，本規準6.3.1項および6.7節本文に記載の規定を満たす小開口を設けている．

（ⅸ） コンクリートの設計基準強度は，$F_c=30\,\text{N/mm}^2$（全階），鉄筋D10〜D16はSD295，

D19〜D25 は SD345 とし，D19 以上の鉄筋の継手は，ガス圧接継手とする．

(x) 各部の仕上げは，下記のとおりである．

・屋根：瓦葺，アスファルト防水，外断熱工法のうえ，押えコンクリート
・居室：木下地の上，フローリング貼り，温水マット
・壁：増打ち 20 mm の上，マスチック塗り，内壁　ビニルクロス貼り

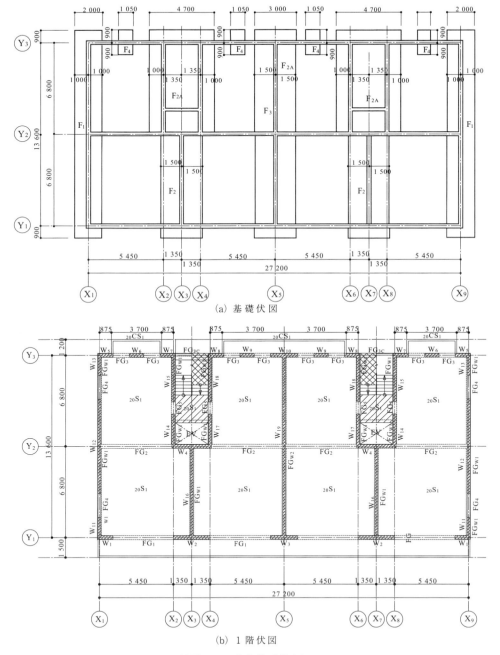

(a) 基礎伏図

(b) 1 階伏図

付図2.1.1　建物構造伏図

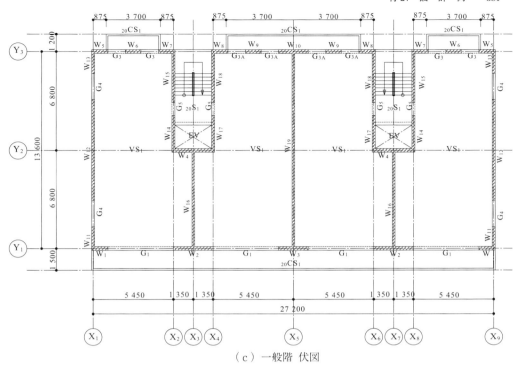

(c) 一般階 伏図

付図2.1.1 建物構造伏図（つづき）

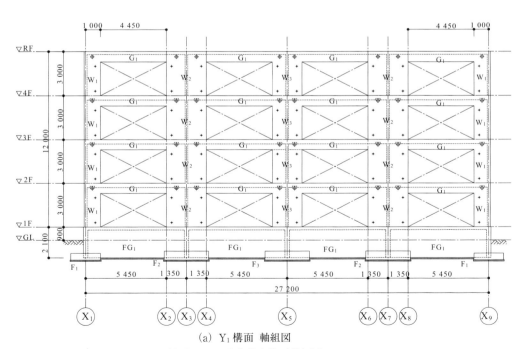

(a) Y_1 構面 軸組図

付図 2.1.2 建物代表構面軸組図

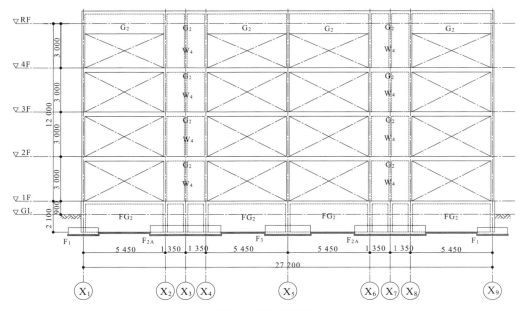

(b) Y_2 構面 軸組図

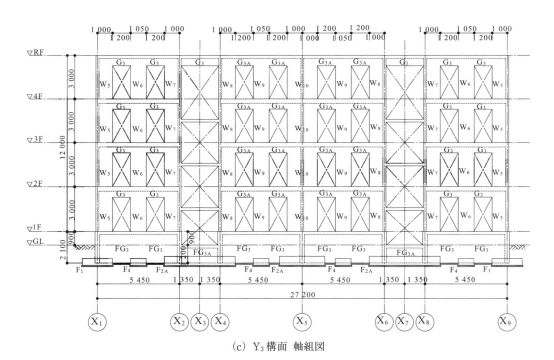

(c) Y_3 構面 軸組図

付図 2.1.2 建物代表構面軸組図（つづき）

付2. 設計例 —383—

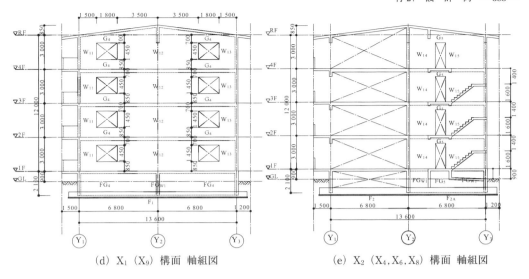

(d) X_1 (X_9) 構面 軸組図

(e) X_2 (X_4, X_6, X_8) 構面 軸組図

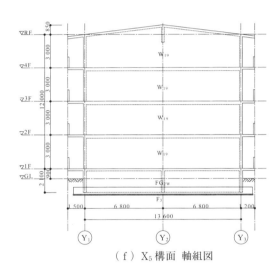

(f) X_5 構面 軸組図

付図 2.1.2 建物代表構面軸組図（つづき）

付図 2.1.1 に建物構造伏図を，付図 2.1.2 に代表構面軸組図を示す．

付表 2.1.1（a） 耐力壁の断面および配筋（1）

耐力壁符号		W_1		W_2		W_3		W_4	
断 面		1階～4階 幅1 100，厚250		1階～4階 幅2 700，厚250		1階～4階 幅2 000，厚250		3階～4階 幅2 900，厚250 / 1階～2階 幅2 900，厚250	
4	端部曲げ補強筋	3-D16	2-D16	2-D16	2-D16	2-D16	2-D16	3-D19	3-D19
	中間部縦補強筋	D10, D13-@200		D10, D13-@200		D10, D13-@200		D10, D13-@200	
	横補強筋	D10, D13-@200		D10, D13-@200		D10, D13-@200		D10, D13-@200	
3	端部曲げ補強筋	3-D16	2-D16	2-D16	2-D16	2-D16	2-D16	3-D19	3-D19
	中間部縦補強筋	D10, D13-@200		D10, D13-@200		D10, D13-@200		D13-@200	
	横補強筋	D10, D13-@200		D10, D13-@200		D10, D13-@200		D13-@200	
2	端部曲げ補強筋	3-D16	2-D16	2-D16	2-D16	2-D16	2-D16	4-D19	4-D19
	中間部縦補強筋	D13-@200		D13-@200		D13-@200		D13-@200	
	横補強筋	D13-@100		D13-@200		D13-@200		D13-@100	
1	端部曲げ補強筋	3-D16	2-D16	2-D16	2-D16	2-D16	2-D16	4-D19	4-D19
	中間部縦補強筋	D13-@150		D13-@200		D13-@200		D13-@150	
	横補強筋	D13-@75		D13-@100		D13-@100		D13-@75	

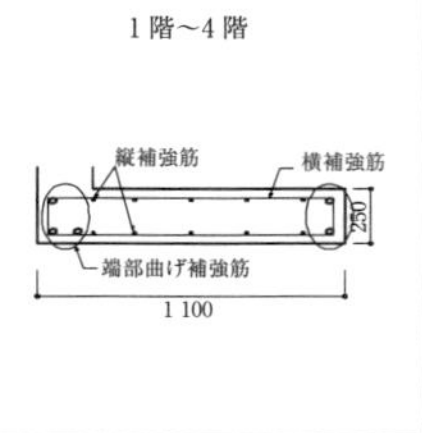

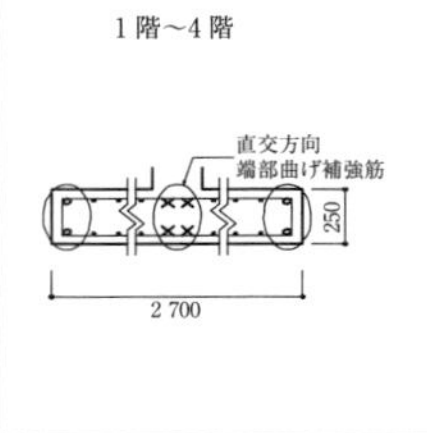

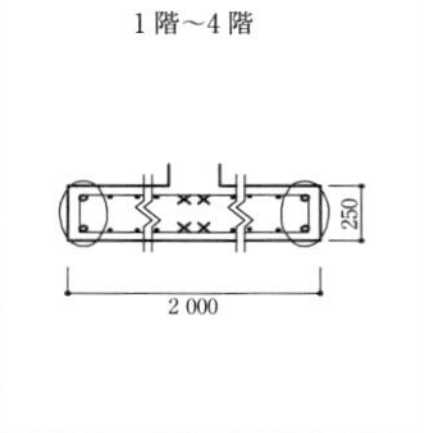

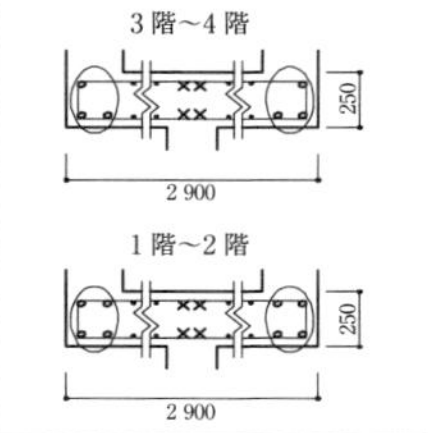

耐力壁符号		W_5		W_6		W_7		W_8	
断 面		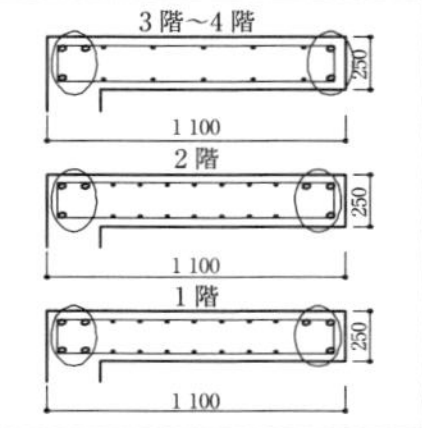 3階～4階 1 100 / 2階 1 100 / 1階 1 100		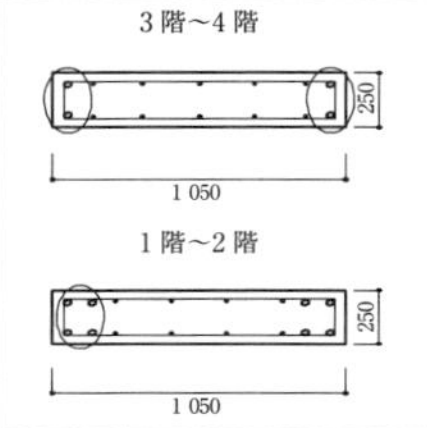 3階～4階 1 050 / 1階～2階 1 050		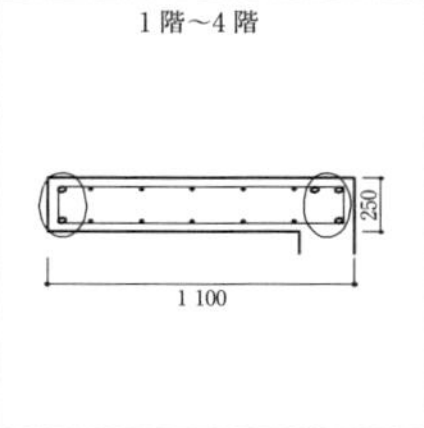 1階～4階 1 100		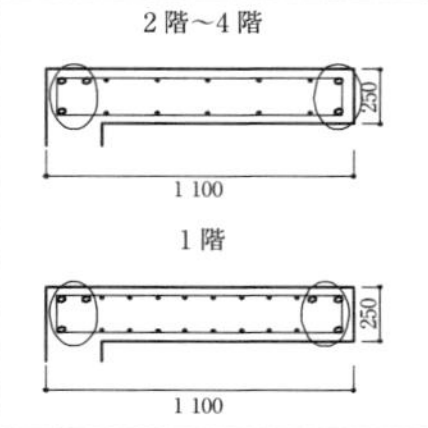 2階～4階 1 100 / 1階 1 100	
4	端部曲げ補強筋	3-D16	2-D16	2-D19	2-D19	2-D19	3-D16	3-D16	2-D19
	中間部縦補強筋	D10, D13-@200		D10, D13-@200		D10, D13-@200		D10, D13-@200	
	横補強筋	D10, D13-@200		D10, D13-@200		D10, D13-@200		D10, D13-@200	
3	端部曲げ補強筋	3-D16	2-D16	2-D19	2-D19	2-D19	3-D16	3-D16	2-D19
	中間部縦補強筋	D10, D13-@200		D10, D13-@200		D10, D13-@200		D13-@200	
	横補強筋	D10, D13-@200		D10, D13-@200		D10, D13-@200		D13-@200	
2	端部曲げ補強筋	3-D16	3-D16	4-D19	4-D19	2-D19	3-D16	3-D16	2-D19
	中間部縦補強筋	D13-@200		D13-@200		D13-@200		D13-@200	
	横補強筋	D13-@100		D13-@100		D13-@100		D13-@100	
1	端部曲げ補強筋	4-D16	4-D16	4-D19	4-D19	2-D19	3-D16	3-D16	3-D19
	中間部縦補強筋	D13-@200		D13-@200		D13-@200		D13-@200	
	横補強筋	D13-@100		D13-@100		D13-@100		D13-@100	

耐力壁符号		W_9		W_{10}	
断 面		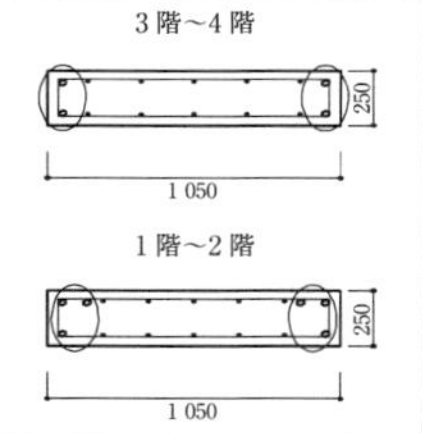 3階～4階 1 050 / 1階～2階 1 050		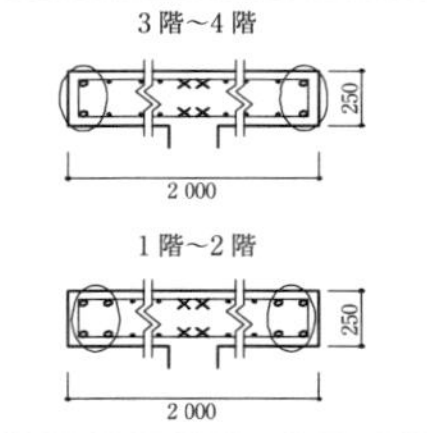 3階～4階 2 000 / 1階～2階 2 000	
4	端部曲げ補強筋	2-D19	2-D19	2-D16	2-D16
	中間部縦補強筋	D10, D13-@200		D10, D13-@200	
	横補強筋	D10, D13-@200		D10, D13-@200	
3	端部曲げ補強筋	2-D19	2-D19	2-D16	2-D16
	中間部縦補強筋	D10, D13-@200		D10, D13-@200	
	横補強筋	D10, D13-@200		D10, D13-@200	
2	端部曲げ補強筋	3-D19	3-D19	4-D16	4-D16
	中間部縦補強筋	D13-@200		D13-@200	
	横補強筋	D13-@100		D13-@100	
1	端部曲げ補強筋	3-D19	3-D19	4-D16	4-D16
	中間部縦補強筋	D13-@200		D13-@200	
	横補強筋	D13-@100		D13-@100	

［注］ 横補強筋は閉鎖形とする．交差部縦補強筋は，全階 4-D13 とする．
断面図において，○印は端部曲げ補強筋を示す．

付表 2.1.1（b） 耐力壁の断面および配筋（2）

耐力壁符号		W_{11}		W_{12}		W_{13}		W_{14}	
断面		1階～4階 1 625		3階～4階 7 000 1階～2階 7 000		2階～4階 1 625 1階 1 625		3階～4階 2 525 1階～2階 2 525	
4	端部曲げ補強筋	3-D16	4-D16	2-D13	2-D13	4-D16	3-D16	3-D19	2-D16
	中間部縦補強筋	D10-@250		D10-@250		D10-@250		D10-@250	
	横補強筋	D10-@250		D10-@250		D10-@250		D10-@250	
3	端部曲げ補強筋	3-D16	4-D16	2-D13	2-D13	4-D16	3-D16	3-D19	2-D16
	中間部縦補強筋	D10-@250		D10-@250		D10-@250		D10-@250	
	横補強筋	D10-@250		D10-@250		D10-@250		D10-@250	
2	端部曲げ補強筋	3-D16	4-D16	2-D16	2-D16	4-D16	3-D16	4-D19	2-D16
	中間部縦補強筋	D10-@250		D10-@250		D10-@250		D10-@250	
	横補強筋	D10-@250		D10-@250		D10-@250		D10-@250	
1	端部曲げ補強筋	3-D16	4-D16	2-D16	2-D16	4-D16	4-D16	4-D19	2-D16
	中間部縦補強筋	D10,D13-@250		D10,D13-@250		D10,D13-@250		D10,D13-@250	
	横補強筋	D10,D13-@250		D10,D13-@250		D10,D13-@250		D10,D13-@250	

耐力壁符号		W_{15}		W_{16}		W_{17}		W_{18}	
断面		1階～4階 3 625		1階～4階 7 050		3階～4階 2 525 1階～2階 2 525		1階～4階 3 625	
4	端部曲げ補強筋	2-D16	3-D16	4-D13	4-D13	3-D19	2-D16	2-D16	3-D16
	中間部縦補強筋	D10-@250		D10-@250		D10-@250		D10-@250	
	横補強筋	D10-@250		D10-@250		D10-@250		D10-@250	
3	端部曲げ補強筋	2-D16	3-D16	4-D13	4-D13	3-D19	2-D16	2-D16	3-D16
	中間部縦補強筋	D10-@250		D10-@250		D10-@250		D10-@250	
	横補強筋	D10-@250		D10-@250		D10-@250		D10-@250	
2	端部曲げ補強筋	2-D16	3-D16	4-D13	4-D13	4-D19	2-D16	2-D16	3-D16
	中間部縦補強筋	D10-@250		D10-@250		D10-@250		D10-@250	
	横補強筋	D10-@250		D10-@250		D10-@250		D10-@250	
1	端部曲げ補強筋	2-D16	3-D16	4-D13	4-D13	4-D19	2-D16	2-D16	3-D16
	中間部縦補強筋	D10,D13-@250		D10-@250		D10,D13-@250		D10,D13-@250	
	横補強筋	D10,D13-@250		D10-@250		D10,D13-@250		D10,D13-@250	

耐力壁符号		W_{19}	
断面		1階～4階 13 850	
4	端部曲げ補強筋	4-D13	4-D13
	中間部縦補強筋	D10-@250	
	横補強筋	D10-@250	
3	端部曲げ補強筋	4-D13	4-D13
	中間部縦補強筋	D10-@250	
	横補強筋	D10-@250	
2	端部曲げ補強筋	4-D13	4-D13
	中間部縦補強筋	D10-@250	
	横補強筋	D10-@250	
1	端部曲げ補強筋	4-D13	4-D13
	中間部縦補強筋	D10-@250	
	横補強筋	D10-@250	

[注] 横補強筋は，閉鎖形とする．
W_{12} および W_{19} の Y_2 軸には交差部補強筋として 4-D13 を配筋する．
断面図において，○印は端部曲げ補強筋を示す．

付表2.1.1（c） 壁梁の断面および配筋

階	符号		G_1	G_2	G_3	G_{3A}	G_4	G_5
RF	位置		全断面	全断面	全断面	全断面	全断面	全断面
	断面		(250×700)	(250×1550)	(250×700)	(250×700)	(250×891〜1120)	(200×1146〜1260)
	B×D		250×700	250×1550	250×700	250×700	250×891〜1120	200×1146〜1260
	端部曲げ補強筋	上端	4-D16	4-D19	2-D16	3-D16	2-D16	2-D13
		下端	4-D16	4-D19	2-D16	3-D16	2-D16	2-D13
	縦補強筋		2-D10-@200	2-D10-@200	2-D10-@200	2-D10-@200	2-D10-@200	2-D10-@200
	中間部横補強筋		4-D10	10-D10	4-D10	4-D10	8〜12-D10	6〜8-D10
4F	位置		全断面	全断面	全断面	全断面	全断面	全断面
	断面		(250×700)	(250×700)	(250×700)	(250×700)	(250×1550)	(200×700)
	B×D		250×700	250×700	250×700	250×700	250×1550	200×700
	端部曲げ補強筋	上端	3-D19	2-D16	3-D16+(2-D13)	4-D16+(2-D13)	2-D16	4-D13
		下端	3-D19	2-D16	3-D16	4-D16	2-D16	2-D13
	縦補強筋		2-D13-@200	2-D10-@200	2-D10-@200	2-D10-@100	2-D10-@200	2-D13-@200
	中間部横補強筋		4-D10	4-D10	4-D10	4-D10	10-D13	6-D10
3F	位置		全断面	全断面	全断面	全断面	全断面	全断面
	断面		(250×700)	(250×700)	(250×700)	(250×700)	(250×1550)	(200×700)
	B×D		250×700	250×700	250×700	250×700	250×1550	200×700
	端部曲げ補強筋	上端	3-D19	2-D16	4-D16+(2-D13)	4-D16+(2-D13)	2-D16	4-D13
		下端	3-D19	2-D16	4-D16	4-D16	2-D16	2-D13
	縦補強筋		2-D13-@200	2-D10-@200	2-D13-@100	2-D13-@100	2-D10-@200	2-D13-@100
	中間部横補強筋		4-D10	4-D10	4-D10	4-D13	10-D13	6-D10
2F	位置		全断面	全断面	全断面	全断面	全断面	全断面
	断面		(250×700)	(250×700)	(250×700)	(250×700)	(250×1550)	(200×700)
	B×D		250×700	250×700	250×700	250×700	250×1550	200×700
	端部曲げ補強筋	上端	3-D19	2-D16	4-D16+(2-D13)	4-D16+(2-D13)	2-D16	4-D13
		下端	3-D19	2-D16	4-D16	4-D16	2-D16	2-D13
	縦補強筋		2-D13-@200	2-D10-@200	2-D13-@100	2-D13-@100	2-D10-@200	2-D13-@100
	中間部横補強筋		4-D10	4-D10	4-D10	4-D13	10-D13	6-D10

［注］（　）内はスラブ内配筋　縦補強筋は閉鎖形とする．
　　　中間部横補強筋もせん断補強筋であり，所要の定着長を確保する．

付表 2.1.1 (d) 基礎梁の断面および配筋

符号		FG₁, FG₂, FG₃	FG₃C	FG₄	FG₅
位置		全断面	全断面	全断面	全断面
断面		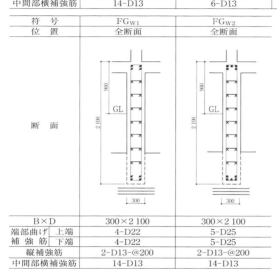			
B×D		300×2 100	300×1 200	300×2 100	300×2 100
端部曲げ補強筋	上端	5-D25	5-D25	5-D25	5-D25
	下端	5-D25	5-D25	5-D25	5-D25
縦補強筋		2-D13-@150	2-D13-@150	2-D13-@150	2-D13-@150
中間部横補強筋		14-D13	6-D13	14-D13	14-D13

符号		FG_W1	FG_W2
位置		全断面	全断面
断面			
B×D		300×2 100	300×2 100
端部曲げ補強筋	上端	4-D22	5-D25
	下端	4-D22	5-D25
縦補強筋		2-D13-@200	2-D13-@200
中間部横補強筋		14-D13	14-D13

［注］ FG_W1 および FG_W2 は，張り間方向の耐力壁下部の基礎梁を示す．
なお，耐力壁下の基礎梁の配筋は，上部耐力壁に地震時に生じるせん断力に相当する引張鉄筋を配筋することとする．

付表 2.1.1 (e) 基礎スラブ断面および配筋

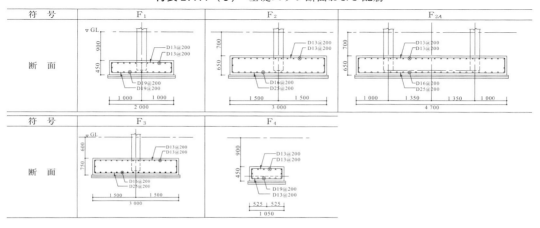

（2） 構造設計方針および応力・変形解析方針

本設計例における構造設計方針と構造設計上の留意点を，下記に示す．

（ⅰ） 構造設計方針

・本建物は，整形で各耐力壁が直交しているが，けた行（X）方向構面に特徴が有り，中央 Y_2 構面は階段室の耐力壁のみであり，中間階（2〜4階）ではけた行（X）方向に壁梁の接続は無いが端部で直交方向に階段室耐力壁が接続しており，構面内においては基礎梁と棟を構成する R 階壁梁のみ配置される．また，開放感のある南側 Y_1 構面に比して，短スパン壁梁で構成される北側 Y_3 構面の剛性に違いが有り，けた行（X）方向の水平力に対して，多少のねじれが生じる．また，階段室のコの字形平面配置の耐力壁の水平加力時の挙動が，平面解析では捉え難い．よって，ねじれおよび直交壁の立体効果を取り入れるため，本設計例では，立体解析を用いることとした．

・応力・変形解析，部材断面設計および荷重増分解析は，耐力壁を本規準解説表 8.2.1 に記載する線材置換法を用いたモデルに置換した軸力および曲げ・せん断変形ならびに剛域考慮のラーメン解法による立体解析とする．

・解析モデルにおける基礎支点条件は，布基礎であり，本来は地盤ばね等を考慮して解析するケースも考えられるが，ここでは，保有水平耐力等の計算を考慮し，耐力壁脚部中央をピン支持としている．付図 2.1.4 に支点位置の略伏図を示す．

・けた行（X）方向は，壁量 L_w が標準壁量 L_{w0} を下回り，本規準 8 条および 10 条の所要壁量（$L_w \geqq \alpha \cdot \beta \cdot Z \cdot L_{wm}$）を満たしていない．そのため，本規準 10.1.2 項に規定する層間変形角が 1/2 000 以下であること，および本規準 10 条に規定する保有水平耐力の確認を行う．

・耐力壁の面外座屈に対しては，すべての耐力壁厚 t が階高 h に対して $t \geqq h/22$（3 000 / 22 = 136.4 mm、最上階中構面 3 850 / 22 = 175.0 mm）であることから検討を省略する．

・長期および短期荷重時に算出された応力に対し，本規準の 9 条に従って許容応力度設計を行う．また，端部に直交壁が取り付く場合は，別途，コーナー部の安全性を検証する．

・張り間（Y）方向は，10.1 節の（ⅰ）〜（ⅳ）の規定値を満足しており，許容応力度設計で十分であり，保有水平耐力の確認は不要であるが，参考としてけた行（X）方向と同様に，保有水平耐力計算結果の一部を掲載した．

（ⅱ） 応力・変形解析方針

（a） 長期荷重時および水平荷重時

① 部材の曲げ剛性の算出に際しては，直交部材の協力幅を考慮する．

耐力壁の軸剛性，せん断剛性は実断面を採用し，曲げ剛性は直交壁の協力幅を考慮して，下式［本規準（解 8.2.5）式］を採用する．

b_{a1}, $b_{a2} = 0.1l$, かつ, $b_{a1} \leqq a_1/4$, $b_{a2} \leqq a_2/4$

壁梁の軸変形は考慮せず，せん断剛性は実断面とし，曲げ剛性は下記を採用する．

両側直交部材付き：$\phi = 1.8$, 片側直交部材付き：$\phi = 1.5$

② 耐力壁および基礎梁，壁梁の面外剛性は考慮しない．

③ 線材でモデル化された部材は，各部材心に配置する．
④ 耐力壁の剛域は，フェイス位置より $l_w/4$（l_w：耐力壁の長さ）入ったところまでとする．
　解析モデル図（代表構面として Y_1 構面）を，付図 2.1.3 に示す．なお，耐力壁の詳細モデル図（線材置換法によりモデル化）は，付図 2.1.8 に示す．
⑤ 壁梁の剛域端は，フェイス位置とする．
⑥ 床荷重は直近の耐力壁または壁梁，基礎梁に，支配面積に応じて分配する．
⑦ 各階は，剛床仮定により水平荷重時応力・変形解析を行う．
⑧ 各階の水平力は壁梁せい中央，すなわち，耐力壁と壁梁の節点高さ位置に作用させる．

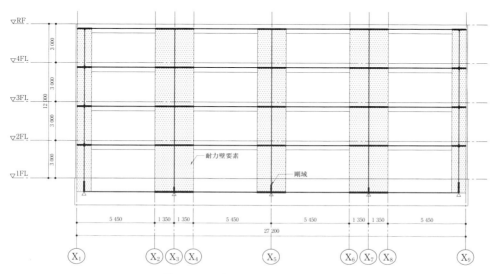

付図 2.1.3 解析モデル図（Y_1 構面）

（b）支点位置

支点はピン支持とし，位置は長期荷重時，水平荷重時とも共通として耐力壁中央位置に設ける．支点位置の略伏図を，付図 2.1.4 に示す．

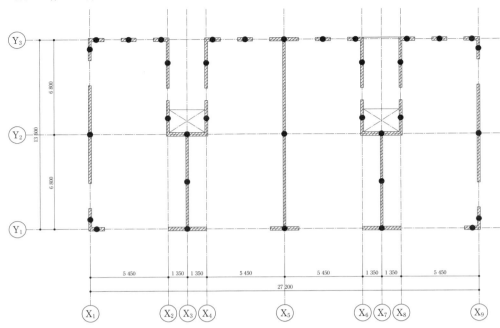

[注] 図中の●印は，耐力壁中央部に配した基礎支点位置を示す．

付図 2.1.4 解析モデルにおける基礎支点位置略伏図

2. 使用材料と許容応力度

・コンクリート：普通コンクリート，設計基準強度 $F_c=30\,\mathrm{N/mm^2}$．
・鉄筋：SD295（D10〜D16），SD345（D19〜D25，ガス圧接）．

各材料および地盤の許容応力度を，付表 2.1.2 に示す．

付表 2.1.2 各材料の許容応力度および許容支持力度

		長 期 （N/mm²）				短 期 （N/mm²）			
		圧縮，引張 $_Lf_c, {}_Lf_t$	せん断 $_Lf_s$	付着 $_Lf_a$ 上端筋	その他	圧縮，引張 $_sf_c, {}_sf_t$	せん断 $_sf_s$	付着 $_sf_a$ 上端筋	その他
鉄筋	SD295	295/1.5	195	1.70	2.55	295	295	2.55	3.825
	SD345	215	195			345	345		
コンクリート*1		10.0	0.79			20.0	1.185		
地盤の許容応力度		200 kN/m²				400 kN/m²			

[注] *1：コンクリートの引張強度は，無視する．

3. 仮定荷重

（1）床固定荷重（N/m²）

　　　（　）内数値は，スラブ重量を除いた荷重を示す．

屋根	瓦葺	600	
$t=200$	断熱材 $t=40$ mm	12	傾斜を考慮し $1.01 \times 5\,812$
	アスファルト防水層	20	$=5\,870 \rightarrow 5\,900\ (1\,100)$
	押えコンクリート $t=10$ mm	230	
	天井（下地共）	150	
	スラブ $t=200$ mm	4 800	

居室	フローリング $t=12$ mm	100	
中空スラブ厚	温水マット	100	
$t=300$	捨張り合板 $t=12$ mm	100	$=\ 7\,280 \rightarrow 7\,280\ (800)$
	床下地 $t=25$ mm	200	
	スラブ 平均版厚 $t=270$ mm	6 480	
	天井（下地共）	150	
	間仕切壁	150	

階段　踊場	押えコンクリート $t=30$ mm	690	$=\ 5\,490 \rightarrow 6\,080\ (800)^{1)}$
	スラブ 平均版厚 $t=200$ mm	4 800	

段　　部	押えコンクリート $t=30$ mm	690	$=\ 5\,970 \rightarrow 6\,080\ (800)^{1)}$
	スラブ 平均版厚 $t=220$ mm	5 280	

バルコニー	押えコンクリート $t=30$ mm	690	
	アスファルト防水層	20	$=\ 5\,990 \rightarrow 6\,080\ (800)^{1)}$
	スラブ 平均版厚 $t=220$ mm	5 280	

（2）固定荷重と積載荷重合計（kN/m^2）

床荷重表を，付表2.1.3に示す．

付表2.1.3　床荷重表（kN/m^2）

用　途	スラブ厚 t (mm)	固定荷重	スラブ用		ラーメン用		地震用	
			積載荷重	合計	積載荷重	合計	積載荷重	合計
屋根	200	5.90	1.00	6.90	0.60	6.50	0.30	6.20
一般階床	270	7.28	1.80	9.08	1.30	8.58	0.60	7.88
階段室	220	6.08	1.80	7.80	1.30	7.38	0.60	6.68
バルコニー	220	6.08	1.80	7.88	1.30	7.38	0.60	6.68

［注］1）：居室部と同一の仕上げ重量（800 N/m^2）を設定

（3） その他の仕上げ重量

壁の仕上げ荷重として，$0.50\,\mathrm{kN/m^2}$ の仕上げ重量を見込む．

$$250\,\mathrm{mm}\quad 6.00+0.50=6.50\,\mathrm{kN/m^2}$$
$$200\,\mathrm{mm}\quad 4.80+0.50=5.30\,\mathrm{kN/m^2}$$
$$180\,\mathrm{mm}\quad 4.32+0.50=4.82\,\mathrm{kN/m^2}$$

（4） 地 震 力

建築基準法施行令による．

- 地震地域係数 $Z=1.0$
- 地盤種別　第二種
- 外力分布形　A_i 分布
- 一次設計時ベースシヤー係数　$C_0=0.20$

（5） 風 圧 力

風荷重は地震力に比べて小さいので計算を省略する．

（6） 積 雪 荷 重

多雪区域外とし，また，自重が大きいRC造であることから，積雪荷重については，計算を省略する．

4. 壁量・壁率の算定

壁量および壁率の検討を行う．なお，本建物には，南側（Y_1）構面耐力壁にクーラー用スリーブ（75ϕ）が設けられているが，小開口としての寸法を満足しているため，壁量・壁率の算定上は，開口低減を考慮しない．

（1） 壁量・壁率算定用床面積

検討する階の床面積を採用する．上階のバルコニー，ひさしについては，その面積の1/2を算入する．

各階の壁量・壁率算定用床面積を，付表2.1.4に示す．

付表2.1.4 壁量・壁率算定用床面積 （m²）

階	A 住戸	B 階段	C バルコニー	D ひさし	床 面 積
4	333.2	36.72	—	60.66	A+B+D/2=400.3
3	同上	同上	60.66	—	A+B+D/2=400.3
2	同上	同上	同上	—	A+B+D/2=400.3
1	同上	同上	同上	—	A+B+D/2=400.3

［注］　$A=27.20\,\mathrm{m}\times13.60\,\mathrm{m}-B=333.2\,\mathrm{m^2}$
　　　　$B=2.70\,\mathrm{m}\times6.80\,\mathrm{m}\times2=36.72\,\mathrm{m^2}$
　　　　$C=D=27.20\,\mathrm{m}\times1.50\,\mathrm{m}+(3.70\,\mathrm{m}+9.15\,\mathrm{m}+3.70\,\mathrm{m})\times1.20\,\mathrm{m}=60.66\,\mathrm{m^2}$

（2） 耐力壁長（実長）

原則として，本規準6.3.2項の規定を満たすRC造壁は耐力壁とみなす．

付図2.1.5に，壁量計算に用いた各耐力壁の実長を示す．

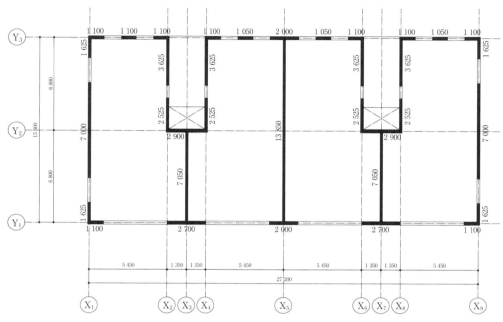

付図2.1.5 壁量算定用壁長（mm）

（3） 耐力壁長さの計算

壁長は各方向とも耐力壁の実長寸法を採用し，付図2.1.5に従って，壁長計算を行う．また，各階は同一の壁長とする．

付表2.1.5に，けた行（X）方向壁長の計算を示す．付表2.1.6に，張り間（Y）方向壁長の計算を示す．また，耐力壁の実長と断面積の集計を，付表2.1.7に示す．

付表2.1.5 けた行(X)方向壁長の計算

X方向	位置	壁厚 (mm)	壁長 (mm)	断面積 (mm²)	壁長/平均壁長	メカニズム時 せん断力割増し係数 β_l*1
Y_1構面	X_1	250	1 100	275 000	0.702	1.00
	X_3	250	2 700	675 000	1.723	1.15
	X_5	250	2 000	500 000	1.277	1.00
	X_7	250	2 700	675 000	1.723	1.15
	X_9	250	1 100	275 000	0.702	1.00
Y_2構面	X_3	250	2 900	725 000	1.851	1.15
	X_7	250	2 900	725 000	1.851	1.15
Y_3構面	X_1	250	1 100	275 000	0.702	1.00
	X_{1-2}	250	1 050	262 500	0.670	1.00
	X_2	250	1 100	275 000	0.702	1.00
	X_4	250	1 100	275 000	0.702	1.00
	X_{4-5}	250	1 050	262 500	0.670	1.00
	X_5	250	2 000	500 000	1.277	1.00
	X_{5-6}	250	1 050	262 500	0.670	1.00
	X_6	250	1 100	275 000	0.702	1.001
	X_8	250	1 100	275 000	0.702	1.00
	X_{8-9}	250	1 050	262 500	0.670	1.00
	X_9	250	1 100	275 000	0.702	1.00
合計			28 200	7 050 000	—	—
平均壁長			1 566	—	—	—

[注]＊1：本規準10.5.1項に示されるメカニズム時にせん断破壊を計画しない耐力壁の保証設計の確認(10.5.2)式において，耐力壁長さが地震時検討方向の耐力壁の平均長さの1.5倍以上の耐力壁のメカニズム時せん断力の割増し係数 β_l を示す．

付表 2.1.6 張り間（Y）方向壁長の計算

Y方向	位置	壁厚(mm)	壁長(mm)	断面積(mm²)	壁長/平均壁長	メカニズム時せん断力割増し係数β_l*1
X_1構面	Y_1	200	1 625	325 000	0.378	1.00
	Y_2	200	7 000	1 400 000	1.629	1.15
	Y_3	200	1 625	325 000	0.378	1.00
X_2構面	Y_2	200	2 525	505 000	0.588	1.00
	Y_3	200	3 625	725 000	0.844	1.00
X_3構面	Y_{1-2}	180	7 050	1 269 000	1.641	1.15
X_4構面	Y_2	200	2 525	505 000	0.588	1.00
	Y_3	200	3 625	725 000	0.844	1.00
X_5構面	Y_{1-3}	180	13 850	2 493 000	3.223	1.15
X_6構面	Y_2	200	2 525	505 000	0.588	1.00
	Y_3	200	3 625	725 000	0.844	1.00
X_7構面	Y_{1-2}	180	7 050	1 269 000	1.641	1.15
X_8構面	Y_2	200	2 525	505 000	0.588	1.00
	Y_3	200	3 625	725 000	0.844	1.00
X_9構面	Y_1	200	1 625	325 000	0.378	1.00
	Y_2	200	7 000	1 400 000	1.629	1.15
	Y_3	200	1 625	325 000	0.378	1.00
合計			73 050	14 051 000	—	—
平均壁長			4 297	—	—	—

[注]＊1：本規準 10.5.1 項に示されるメカニズム時にせん断破壊を計画しない耐力壁の保証設計の確認（10.5.2）式において，耐力壁長さが地震時検討方向の耐力壁の平均長さの 1.5 倍以上の耐力壁のメカニズム時せん断力の割増し係数 β_l を示す．

付表 2.1.7 耐力壁の実長と断面積の集計

	けた行（X）方向		張り間（Y）方向	
	実長(mm)	断面積(mm²)	実長(mm)	断面積(mm²)
各階	28 200	7 050 000	73 050	14 051 000

（4） 壁量の算定

本規準（10.1.4）式に準じて，けた行（X）方向，および張り間（Y）方向の必要壁量を計算した結果を付表 2.1.8，および付表 2.1.9 に示す．

付表 2.1.8 けた行（X）方向 壁量の算定

階	標準壁量 L_{w0} (mm/m²)	最小壁量 L_{wm} (mm/m²)	標準壁厚 t_0 (mm)	$\alpha = \dfrac{t_0 \times \sum(各階壁の実長)}{\sum(t \times 各階壁の実長)}$	β*1	$\alpha \cdot \beta \cdot Z^{*2} \cdot L_{w0}$ (mm/m²)
4	120	70	150	0.600	0.774	55.78
3	120	70	180	0.720	0.774	66.93
2	120	70	180	0.720	0.774	66.93
1	150	100	180	0.720	0.774	83.66

[注]＊1：本規準 8 条より，平均せん断応力度法による場合は $\beta=1$ であるが，本設計例は立体解析によっていることから，表中の β の数値を採用する．〔下記参照〕．
　　　　$F_c = 30 \text{ N/mm}^2$，$\beta = \sqrt{18/F_c} = \sqrt{18/30} = 0.7746 \Rightarrow 0.774$
　　＊2　地震地域係数 $Z=1.0$

付表2.1.8より，けた行（X）方向は，最小壁量 $L_{wm} > \alpha \cdot \beta \cdot Z \cdot L_{w0}$ であることから，必要壁量は最小壁量 L_{wm} にて決定される．

付表2.1.9 張り間（Y）方向 壁量の算定

階	標準壁量 L_{w0} (mm/m²)	最小壁量 L_{wm} (mm/m²)	最小壁厚 t_0 (mm)	$\alpha = \dfrac{t_0 \times \Sigma(各階壁の実長)}{\Sigma(t \times 各階壁の実長)}$	β*1	$\alpha \cdot \beta \cdot Z^{*2} \cdot L_{w0}$ (mm/m²)
4	120	70	150	0.780	0.774	72.49
3	120	70	180	0.936	0.774	86.99
2	120	70	180	0.936	0.774	86.99
1	150	100	180	0.936	0.774	108.74

［注］*1：本規準8条より，平均せん断応力度法による場合は$\beta=1$であるが，本設計例は立体解析によっていることから，表中のβの数値を採用する．〔下記参照〕．
$F_c=30\,\text{N/mm}^2$ ， $\beta=\sqrt{18/F_c}=\sqrt{18/30}=0.7746 \Rightarrow 0.774$
  *2 地震地域係数 $Z=1.0$

上記より，張り間（Y）方向は，最小壁量 $L_{wm} < \alpha \cdot \beta \cdot Z \cdot L_{w0}$ であることから，必要壁量は $\alpha \cdot \beta \cdot Z \cdot L_{w0}$ にて決定される．

付表2.1.10に，けた行（X）方向および張り間（Y）方向の壁量の検討結果を示す．

付表2.1.10 壁量の検討結果

階	床面積 (m²)	けた行（X）方向					張り間（Y）方向			
		必要壁量（最小壁量）(mm/m²)	壁長 (mm)	壁量 (mm/m²)	判定	必要壁量 $\alpha \cdot \beta \cdot Z \cdot L_{w0}$ (mm/m²)	壁長 (mm)	壁量 (mm/m²)	判定
4	400.25	70	28 200	70.4	OK	72.49	73 050	182.5	OK
3	400.25	70	28 200	70.4	OK	86.99	73 050	182.5	OK
2	400.25	70	28 200	70.4	OK	86.99	73 050	182.5	OK
1	400.25	100	28 200	70.4	NG*1	108.74	73 050	182.5	OK

［注］*1：けた行(X)方向において，壁量の規定値を満足しないことから，保有水平耐力の確認を行う計算ルートとなる．なお，張り間方向においては，係数$\beta=1$を採用した場合でも，1階における必要壁量は，$\alpha \cdot Z \cdot L_{w0}=140.38\,\text{mm/m}^2$となり壁量$182.5\,\text{mm/m}^2 > \alpha \cdot Z \cdot L_{w0}$より，必要壁量を満たしている．

（5） 壁率の検討

必要壁率を計算した結果を，付表2.1.11に示す．

付表2.1.11 必要壁率 a_w の計算

階	重量 W_i (kN)	ΣW_i (kN)	α_i	A_i	β	$2.5 \cdot S_i$ (kN)	必要壁率 $_i a_w$*1 (mm²/m²)
4	4 021.2	4 021.2	0.222	1.553	0.774	1 000.9	4 836
3	4 702.9	8 724.1	0.481	1.279	0.774	1 000.9	8 642
2	4 700.4	13 424.6	0.740	1.123	0.774	1 000.9	11 669
1	4 713.2	18 137.7	1.000	1.000	0.774	1 000.9	14 041

［注］*1：本規準8条より，平均せん断応力度法による場合は係数$\beta=1$であるが，本設計例は立体解析によっていることから，表中のβの数値は，付表2.1.9脚注と同様の数値を採用している．

付表2.1.12に，けた行（X）方向および張り間（Y）方向の壁率の検討結果を示す．

付表2.1.12 壁率の検討結果

階	必要壁率$_i a_w$ (mm^2/m^2)	けた行（X）方向		張り間（Y）方向	
		壁率(mm^2/m^2)	判定	壁率(mm^2/m^2)	判定
4	4 836	17 613	OK	35 105	OK
3	8 642	17 613	OK	35 105	OK
2	11 669	17 613	OK	35 105	OK
1	14 041	17 613	OK	35 105	OK

けた行（X）方向，張り間（Y）方向ともに，壁率を満足する．

なお，参考として，$\beta=1$ を採用した場合は，1階における必要壁率は，$_i a_w=18\,127\ mm^2/m^2$ となり，けた行（X）方向は，壁率/必要壁率＝0.972 であり，必要壁率を満足しない．張り間（Y）方向は，壁率/必要壁率＝1.937 であり，必要壁率を満足する．

（6） 耐力壁の壁厚およびせん断補強筋比の確認

付表2.1.13 および付表2.1.14 に，本規準9.4節に記載する壁率に応じた必要せん断補強筋比を示す．付表2.1.15 に，本規準表6.3.1による壁厚および表9.4.3によるせん断補強筋比の規定値の確認を示す．いずれも規定値を満足する結果となっている．なお，結果は各方向のせん断補強筋比の最小値を記載する．また，縦補強筋比には端部曲げ補強筋や交差部縦補強筋を含むが，ここでは中間部縦補強筋比と横補強筋比の最小値（以下，鉄筋比という）が所要のせん断補強筋比を満たすことを確認している．

付表2.1.13 けた行（X）方向耐力壁の必要せん断補強筋比

階	標準壁厚t_0 (mm)	標準壁量L_{w0} (mm/m^2)	標準せん断補強筋比 p_{s0} (%)	壁率 $_i a_w$ (mm^2/m^2)	壁率に応じたせん断補強筋比 $p_s = p_{s0} \cdot t_0 \cdot L_{w0}/_i a_w$ (%)	必要せん断補強筋比 $p_s \geq 0.15\%$
4	150	120	0.20	17 613	0.205	0.205
3	180	120	0.20	17 613	0.246	0.246
2	180	120	0.25	17 613	0.307	0.307
1	180	150	0.25	17 613	0.384	0.384

付表2.1.14 張り間（Y）方向耐力壁の必要せん断補強筋比

階	標準壁厚t_0 (mm)	標準壁量L_{w0} (mm/m^2)	標準せん断補強筋比 p_{s0} (%)	壁率 $_i a_w$ (mm^2/m^2)	壁率に応じたせん断補強筋比 $p_s = p_{s0} \cdot t_0 \cdot L_{w0}/_i a_w$ (%)	必要せん断補強筋比 $p_s \geq 0.15\%$
4	150	120	0.20	35 105	0.107	0.150
3	180	120	0.20	35 105	0.128	0.150
2	180	120	0.25	35 105	0.160	0.160
1	180	150	0.25	35 105	0.199	0.199

付表2.1.15 耐力壁の壁厚とせん断補強筋比

方向	階	標準壁厚 t_0 (mm)	壁厚 (mm)	せん断補強筋比 (%)	必要せん断補強筋比 (%)	判定
けた行(X)方向	4	150	250	0.396*1	0.205	OK
	3	180	250	0.396*1	0.246	OK
	2	180	250	0.508*2	0.307	OK
	1	180	250	0.508*2	0.384	OK
張り間(Y)方向	4	150	200,(180)*6	0.284*3,(0.315)*5	0.150	OK
	3	180	200,(180)*6	0.284*3,(0.315)*5	0.150	OK
	2	180	200,(180)*6	0.284*3,(0.315)*5	0.160	OK
	1	180	200,(180)*6	0.394*4,(0.315)*5	0.200	OK

〔注〕*1： $t=250$mm, D10D13 @ 200 ダブル, せん断補強筋比 $=(71+127)/(250\times 200)=0.00396$
*2： $t=250$mm, D13 @ 200 ダブル, せん断補強筋比 $=(127\times 2)/(250\times 200)=0.0508$
*3： $t=200$mm, D10 @ 250 ダブル, せん断補強筋比 $=(71\times 2)/(200\times 250)=0.00284$
*4： $t=200$mm, D10D13 @ 250 ダブル, せん断補強筋比 $=(71+127)/(200\times 250)=0.00396$
*5： $t=180$mm, D10 @ 250 ダブル, せん断補強筋比 $=(71\times 2)/(180\times 250)=0.00315$
*6： 戸境壁厚

（7） 建物規模および壁量，壁率等による計算ルート

本設計例の計算ルートは，本規準6条（建物規模）および8.1節（応力・変形解析モデル化），10.1節（保有水平耐力の確認）等に従って，けた行（X）方向は，部材の弾性剛性に立脚したモデルによる応力・変形解析を行い，許容応力度設計に加え，層間変形角 $\leq 1/2\,000$ の確認と保有水平耐力の確認を必要とする．張り間（Y）方向は，平均せん断応力度法による許容応力度設計の検討で可能であるが，立体解析モデルを使用していることから張り間（Y）方向も保有水平耐力の確認を行うこととした．

本設計例では，けた行（X）方向で，張り間（Y）方向直交壁の立体効果を取り入れるため，部材の弾性剛性に立脚したモデル化されたラーメン解析の立体架構を採用している．よって，張り間（Y）方向でも同モデルによる解析を採用して検討を行った．

5. 各階の地震力算定用建物重量および地震力の算定

（1） 各階地震力算定用重量

各階の地震力算定用重量の算定を行った結果を，付表2.1.16に示す．

付表2.1.16 各階の地震力算定用重量　　（kN）

階	地震力算定用積載荷重	スラブ	壁梁基礎梁	耐力壁	その他	W_i
4	133.0	2 615.8	764.2	508.2	0.0	4 021.2
3	257.8	2 490.0	687.8	1 238.6	28.8	4 702.9
2	257.8	2 490.0	687.8	1 236.0	28.8	4 700.4
1	257.8	2 490.0	687.8	1 248.8	28.8	4 713.2
基礎	257.8	2 395.3	2 624.8	850.2	0.0	6 128.1

（2） 地震層せん断力の算定

各階の地震層せん断力の算定を行った結果を，付表2.1.17に示す．

- 一次固有周期：$T=0.02H=0.02\times(12.00+$ 地盤面からの高さ $0.90)$ (m)
  $=0.258\,s<0.60\,s\,(=T_G)$
- 振動特性係数 R_t：$T<T_G$ より，$R_t=1.0$ とする．
- 地震地域係数：$Z=1.0$
- ベースシヤー係数：$C_0=0.20$

付表2.1.17　各階の地震層せん断力

階	W_i (kN)	$\sum W_i$ (kN)	α_i	A_i	C_i	設計震度	Q_i (kN)	W_i/A (kN/m²)
4	4 021.2	4 021.2	0.222	1.553	0.311		1 250	10.05
3	4 702.9	8 724.1	0.481	1.279	0.256		2 233	11.75
2	4 700.4	13 424.6	0.740	1.123	0.225		3 015	11.74
1	4 713.2	18 137.7	1.000	1.000	0.200		3 628	11.78
基礎	6 128.1	24 265.9				0.100	4 241	15.31

［注］ W_i/A は，単位面積あたりの地震力算定用重量を示す．A は壁量算定用床面積とする．

（3） 耐力壁の平均せん断応力度

算定された地震層せん断力と各加力方向の平均せん断応力度 $\bar{\tau}$ および標準平均せん断応力度 $\bar{\tau}_0$ を，付表2.1.18に示す．

けた行（X）方向水平加力において，4階を除いて，1，2，3階とも標準平均せん断応力度 $\bar{\tau}_0$ を満足しない結果となっている．張り間（Y）方向水平加力においては，全階とも標準平均せん断応力度 $\bar{\tau}_0$ を満足している．

付表2.1.18　標準平均せん断応力度 $\bar{\tau}_0$ および平均せん断応力度 $\bar{\tau}$

階	地震層せん断力 Q (kN)	$\bar{\tau}_0$ [*1] (N/mm²)	けた行（X）方向 断面積 A_W (× 10³ mm²)	$\bar{\tau}$ (N/mm²)	張り間（Y）方向 断面積 A_W (× 10³ mm²)	$\bar{\tau}$ (N/mm²)
4	1 250	0.20	7 050	0.177	14 051	0.089
3	2 233	0.30	7 050	0.317	14 051	0.159
2	3 015	0.40	7 050	0.428	14 051	0.215
1	3 628	0.40	7 050	0.515	14 051	0.258

［注］*1：「壁式鉄筋コンクリート造設計規準・同解説（2003）」4.7節表8による．

6. 長期荷重時および水平荷重時応力度

汎用プログラムの立体解析結果より，代表構面の応力図を示す．

長期荷重時応力図はここでは省略し，水平加力時のうち，けた行（X）方向正加力時のX構面およびY構面の一部の構面の応力図を付図2.1.6に示す．

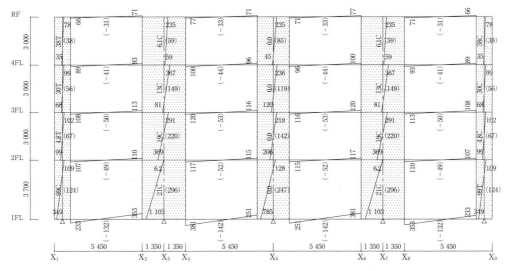

(a) Y_1 構面 水平加力時応力図（X 方向正加力時）

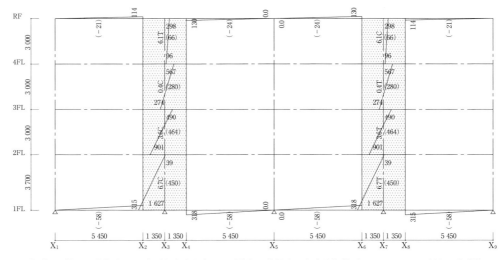

[注] Y_2 構面の耐力壁 W_4 の水平加力時応力は，両端部に接続する直交壁架構（X_2，X_4，X_6，X_8 通りの架構）の曲げ戻しの影響を受けている．

(b) Y_2 構面 水平加力時応力図（X 方向正加力時）

付図 2.1.6 水平荷重時応力図（代表構面けた行（X）方向正加力時）

付2. 設計例 —401—

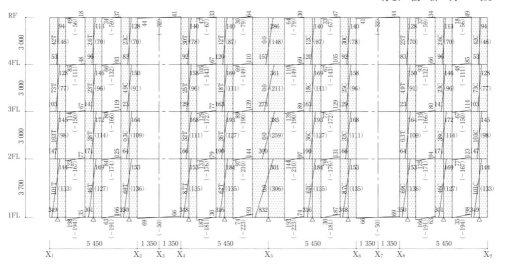

(c) Y_3 構面 水平加力時応力図（X方向正加力時）

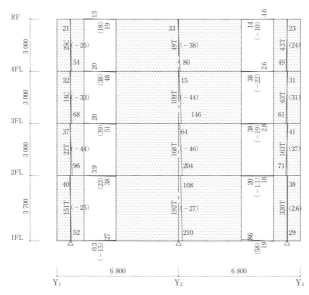

(d) X_1 構面 水平加力時応力図（X方向正加力時）

付図 2.1.6 水平荷重時応力図（代表構面けた行（X）方向正加力時）（つづき）

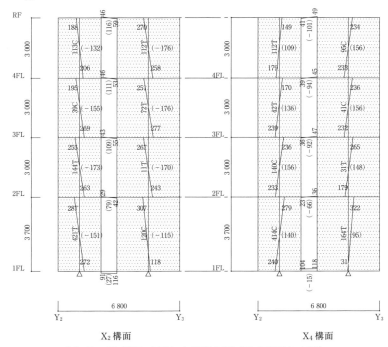

(e) X_2, X_4構面 水平加力時応力図（X方向正加力時）

付図 2.1.6　水平荷重時応力図（代表構面けた行（X）方向正加力時）（つづき）

　応力図において，（　）内数値は，せん断力(kN)，C付き（圧縮）およびT付き（引張）は軸方向力(kN)，その他は曲げモーメント(kN・m)を示す．なお，有効数字2桁以上で整数表示とする．

7. 層間変形角および剛性率・偏心率の検討

（1）　水平加力時層間変形角の検討

　各階の層間変形角の最大値を付表2.1.19に示す．各階の層間変形角は，1/2 000以下をすべて満たしている．

付表 2.1.19　各階・各方向の最大層間変形角

階	各階の高さ (mm)	けた行（X）方向		張り間（Y）方向	
		層間変位 (mm)	層間変形角	層間変位 (mm)	層間変形角
4	3 000	0.577	1 / 5 202	0.094	1 / 32 049
3	3 000	0.771	1 / 3 893	0.128	1 / 23 374
2	3 000	0.870	1 / 3 447	0.148	1 / 20 211
1	3 000	0.800	1 / 3 751	0.167	1 / 17 951

（2）　剛性率の検討

　剛性率を求める際の層間変形角には，各階の重心位置で求めた値を用いる．剛性率の算定結果を

付表 2.1.20 に示す．各階各方向の剛性率は，すべて 0.60 以上となっている．

付表 2.1.20　各階・各方向の剛性率

階	各階の高さ (mm)	けた行 (X) 方向		張り間 (Y) 方向	
		R_s	F_s	R_s	F_s
4	3 000	1.277	1.00	1.370	1.00
3	3 000	0.956	1.00	0.999	1.00
2	3 000	0.846	1.00	0.864	1.00
1	3 000	0.921	1.00	0.767	1.00

（3）偏心率の検討

各階各方向の偏心率の算定結果を，付表 2.1.21 に示す．

付表 2.1.21　各階・各方向の偏心率

階	けた行 (X) 方向						張り間 (Y) 方向					
	重心*1 (mm)	剛心*1 (mm)	弾力半径 (mm)	偏心距離 (mm)	R_e	F_e	重心*2 (mm)	剛心*2 (mm)	弾力半径 (mm)	偏心距離 (mm)	R_e	F_e
4	6 989	10 072	2 136	3 083	0.144	1.00	13 600	13 600	8 607	0	0.00	1.00
3	6 976	8 816	2 152	1 840	0.086	1.00	13 600	13 600	8 785	0	0.00	1.00
2	6 970	8 389	2 136	1 419	0.066	1.00	13 600	13 600	8 822	0	0.00	1.00
1	6 969	7 940	2 008	971	0.048	1.00	13 600	13 605	9 182	0	0.00	1.00

［注］*1：Y_1 軸からの距離を示す (mm)
　　　*2：X_1 軸からの距離を示す (mm)

8. 耐力壁および壁梁の許容応力度設計

（1）耐力壁の許容応力度設計

（i）算定方針

・耐力壁の短期荷重時せん断応力度が，次式を満足することを確認する．

$\tau \leq {}_s f_s$　　　　　〔本規準（9.2.4）式〕

$\tau = Q_S/(r \cdot t \cdot j)$　　　　　〔本規準（9.2.5）式〕

ここで，Q_S は標準せん断力係数 $C_0=0.2$ の時の短期荷重時せん断力

・耐力壁のせん断力が，次式を満足することを確認する．

${}_D Q_L \leq Q_{AL}, {}_D Q_S \leq Q_{AS}$　　　　　〔本規準（9.2.1）式，本規準（9.2.8）式〕

短期設計用せん断力 ${}_D Q_S$ は，

${}_D Q_S = Q_L + n \cdot Q_E$　にて検討する．

ここで，n は割増し係数を示し，許容応力度計算を行う張り間（Y）方向は，$n=2.0$ とする．
けた行（X）方向は，保有水平耐力の確認を行うため省略する．許容せん断力は下式による．

・長期許容せん断力：$Q_{AL} = {}_L f_s \cdot t \cdot j$　　　　　〔本規準（9.2.2）式〕

・短期許容せん断力：$Q_{AS}=t \cdot j \cdot \{_sf_s+0.5_wf_t(p_w-0.002)\}$，ただし $0.002 \leq p_w \leq 0.012$

〔本規準（9.2.11）式〕

・長期および短期設計用曲げモーメントは，フェイス位置の応力を採用する．
・許容曲げモーメントの算定には，引張側端部の曲げ補強筋と中間部縦補強筋を考慮する．
・耐力壁の軸力・曲げモーメントに対する検討は，本規準9条に従って検討するが，ここでは，立体解析であることを考慮して，解析結果の各耐力壁の発生応力に対して，直交壁の有効範囲内の鉄筋は考慮せず，1方向加力時のX，Y方向耐力壁とも単独に検討する．加えて，コーナー部の鉛直力に対して応力の組合せについて検討する．L形等のコーナー部において引張または圧縮側に直交壁が取り付く場合には，コーナー部の検証について，RC規準(2024)14条の柱が2軸の曲げを受けた場合の式[(解14.13)式]である次式を準用して検討する．

$$(M_x/M_{x0})^\alpha+(M_y/M_{y0})^\alpha=1$$

〔RC規準（解14.13）式〕

記号　M_x, M_y：コーナー部を供用する1方向加力時のX方向，Y向それぞれの耐力壁の曲げモーメント（N・mm）

M_{x0}, M_{y0}：軸力を考慮した1方向加力時のコーナー部を供用するX方向，Y方向耐力壁のコーナー部鉛直応力に応じた許容曲げモーメント（コーナー部が引張の場合は，引張鉄筋で決まる許容曲げモーメント，コーナー部が圧縮の場合は，圧縮鉄筋またはコンクリートで決定される小さい方の許容曲げモーメント）．（N・mm）

α：係数で，壁式構造であるため，軸力の小さい場合の $\alpha=1.0$ を採用．

以上により，下式にて追加確認する．

$$(M_x/M_{x0})+(M_y/M_{y0}) \leq 1$$

なお、コーナー部の鉛直応力が，圧縮と引張の組合せの場合は，相殺されるとして検討を省略する．

（ⅱ）耐力壁の断面算定

（a）耐力壁のせん断応力度に対する検討

付表2.1.22（a），（b）に，本規準（9.2.4）式による短期荷重時せん断応力度の検討結果を示す．検討結果は代表して，1階耐力壁とし，上階の耐力壁は，ここでは省略する．なお，正負加力時の大きい方のせん断応力度を示す．ここで，$\tau=Q_S/(r \cdot t \cdot j)$ を示し，Q_S は，$C_0=0.2$ の短期荷重時の耐力壁せん断力．引張鉄筋の中心位置は，耐力壁端部の交差部縦補強筋位置を考慮して，直交壁厚さの中央とし，$d_t=100$ mm（けた行（X）方向），$d_t=125$ mm（張り間（Y）方向），を採用して各方向すべての耐力壁に適用して，$j=7/8 \cdot (l-d_t)$ とする．小開口形状は円形であるので，本規準9.2節（解9.2.1）式を採用して小開口に対する低減率 r を検討する．

$_sf_s=1.5\times(0.49+F_c/100)=1.185$ N/mm^2，$F_c=30$ N/mm^2 とする．

付表 2.1.22(a)　けた行（X）方向 1 階耐力壁の短期荷重時せん断応力度に対する検討

(けた行方向加力時)

方向	構面	位置	壁厚 t (mm)	壁長 l (mm)	Q_s (kN)	r^{*1}	τ (N/mm²)	判定
けた行（X）方向	Y_1	X_1, (X_9)	250	1 100	135	0.940	0.657	OK
		X_3, (X_7)	250	2 700	297	0.951	0.550	OK
		X_5	250	2 000	247	0.934	0.637	OK
	Y_2	X_3, (X_7)	250	2 900	456	1.000	0.743	OK
	Y_3	X_1, (X_9)	250	1 100	134	1.000	0.613	OK
		X_1-X_2, (X_8-X_9)	250	1 050	128	1.000	0.616	OK
		X_2, (X_8)	250	1 100	146	1.000	0.665	OK
		X_4, (X_6)	250	1 100	143	1.000	0.682	OK
		X_4-X_5, (X_5-X_6)	250	1 050	135	1.000	0.651	OK
		X_5	250	2 000	306	1.000	0.736	OK

［注］*1：小開口に対する低減率で，Y_1 構面の X_1, X_9 通り耐力壁にはクーラー用スリーブ 1-75φ，Y_1 構面の X_3, X_5 ならびに X_7 通り耐力壁にはクーラー用スリーブ 2-75φ を設けていることを考慮し，円形の小開口低減率である本規準(解 9.2.1)式を適用して検討した．

付表 2.1.22(b)　張り間（Y）方向 1 階耐力壁の短期荷重時せん断応力度に対する検討

(張り間方向加力時)

方向	構面	位置	壁厚 t (mm)	壁長 l (mm)	Q_s (kN)	r	τ (N/mm²)	判定
張り間（Y）方向	X_1, (X_9)	Y_1	200	1 625	188	1.000	0.578	OK
		Y_2	200	7 000	346	1.000	0.287	OK
		Y_3	200	1 625	177	1.000	0.663	OK
	X_2, (X_8)	Y_2	200	2 525	110	1.000	0.262	OK
		Y_3	200	3 625	198	1.000	0.323	OK
	X_3, (X_7)	Y_1-Y_2	180	7 050	393	1.000	0.360	OK
	X_4, (X_6)	Y_2	200	2 525	116	1.000	0.276	OK
		Y_3	200	3 625	196	1.000	0.320	OK
	X_5	Y_1-Y_3	180	13 850	865	1.000	0.400	OK

　全ての耐力壁の水平加力時せん断応力度は，コンクリートの短期許容せん断応力度を下回っている．なお，本計算例は立体解析を行っているため，X 方向加力時に Y 方向架構にも応力が生じるため，Y 方向の耐力壁や壁梁の断面設計を行うこととする．

　参考として付表 2.1.23 に，けた行（X）方向正加力時の張り間（Y）方向耐力壁のせん断力について検討した結果を示す．全階せん断応力度が許容せん断応力度を満足していることを確認しているが，加力直交方向のせん断力は，ねじれなどの影響から，1 階が最大とはならないことから，階段室両側の耐力壁は 2 階の結果を示す．

付表 2.1.23 張り間（Y）方向耐力壁の短期荷重時せん断応力度に対する検討
（けた行（X）方向加力時）

方向	構面	位置	階	壁厚 t (mm)	壁長 l (mm)	Q_S [*1] (kN)	r	τ (N/mm^2)	判定
張り間（Y）方向	X_1	Y_1	1	200	1 625	−115	1.000	−0.354	OK
		Y_2	1	200	7 000	−28	1.000	−0.020	OK
		Y_3	1	200	1 625	83	1.000	0.254	OK
	X_2[*3]	Y_2	2	200	2 525	−191	1.000	−0.378	OK
		Y_3	2	200	3 625	−153	1.000	−0.211	OK
	X_3	Y_1-Y_2	1	180	7 050	−48	1.000	−0.038	OK
	X_4[*3]	Y_2	2	200	2 525	136	1.000	0.269	OK
		Y_3	2	200	3 625	160	1.000	0.211	OK
	X_5	Y_1-Y_3	1	180	13 850	−51[*2]	1.000	−0.020	OK
	X_6[*3]	Y_2	2	200	2 525	−176	1.000	−0.349	OK
		Y_3	2	200	3 625	−136	1.000	−0.188	OK
	X_7	Y_1-Y_2	1	180	7 050	8	1.000	0.006	OK
	X_8[*3]	Y_2	2	200	2 525	155	1.000	0.271	OK
		Y_3	2	200	3 625	187	1.000	0.258	OK
	X_9	Y_1	1	200	1 625	−65	1.000	−0.200	OK
		Y_2	1	200	7 000	27	1.000	0.019	OK
		Y_3	1	200	1 625	78	1.000	0.238	OK

［注］*1：負符号は，Y 軸負方向のせん断力が生じていることを表す．
 *2：平面対称軸上の X_5 は，水平荷重時せん断力は 0 で，長期荷重時にせん断力が生じている．
 *3：階段室両側の耐力壁を示す．

けた行（X）方向加力時に張り間（Y）の耐力壁に生じるせん断応力度は，使用するコンクリートの短期許容せん断応力度に比して十分に小さい数値となっている．

耐力壁せん断力の確認における次式 $_DQ_L \leqq Q_{AL}$，$_DQ_S \leqq Q_{AS}$ については，けた行（X）方向は，保有水平耐力計算を行うため省略し，張り間（Y）方向については，長期許容せん断力が長期設計用せん断力以上であること，および短期許容せん断力は割増し係数 $n=2.0$ として算定し，短期許容せん断力が短期設計用せん断力以上となることを確認した．

(b) 耐力壁の曲げモーメントに対する検討

けた行（X）方向および張り間（Y）方向の耐力壁の曲げモーメントに対する検討を行い，設計用曲げモーメントが許容曲げモーメント以下であることを確認した．なお，立体架構の解析モデルを考慮して，耐力壁端部に直交壁が取り付く耐力壁については，当該耐力壁の発生応力に対して単独で検討する（I 形で直交壁の有効範囲の断面および鉄筋は無視する）他，直交方向の耐力壁もその時の発生応力に対して単独で検討し，両壁に共通なコーナー部が同時に引張，または圧縮になる場合は，それぞれの耐力壁の検定値を単純加算して，コーナー

部の検定値が1.0以下であることを確認した．

付表2.1.24（a）耐力壁の断面算定（個別断面算定）に，けた行（X）方向水平加力における短期荷重時の単独（I形）耐力壁としての1階における断面算定を示す．ここでは代表的な耐力壁 Y_1 構面の X_1 軸の W_1 耐力壁と，直交方向耐力壁の X_1 構面 Y_1 軸の W_{11} 耐力壁を示す（他の耐力壁についても同様な断面算定とした）．

付表2.1.24（b）耐力壁の断面算定（コーナー部の鉛直応力に対する算定）には，前掲載の両耐力壁 W_1 および W_{11} が端部でコーナー部を共有する耐力壁（L形耐力壁）であるので，コーナー部の曲げモーメントおよび軸力によって発生する鉛直応力による検討を示す（他のL型耐力壁も同様な検討とした）．

付表2.1.24（c）耐力壁の小開口に対する補強には，前掲 Y_1 構面 X_1 軸の W_1 耐力壁にはクーラー用小開口が設けられており，この小開口の対する補強検討を示す．

なお，他の耐力壁についても，長期荷重時および各方向加力時の短期荷重時についても同様の検討を行って，設計用曲げモーメントが許容曲げモーメント以下であることを確認したが，ここでは記載を省略する．

(ⅲ) 耐力壁の縦筋および横筋の付着・継手・定着に対する検討

(a) 縦補強筋の付着に対する検討

耐力壁には短期荷重時においてせん断ひび割れが生じないこととしていることから，次式を満たすことを確認する．本設計例における耐力壁は，メカニズム時において両端曲げ降伏が生じないことから，付着長さ l_d は耐力壁の内法高さ L の 2 300 mm とする．

$$\tau_{a2} = {_s\sigma_t} \cdot d_b /(4 \cdot l_d) \leq 0.8 {_s f_a} \qquad 〔本規準（9.13.4）式〕$$

上式に，${_s\sigma_t} = 345\,\text{N/mm}^2$，$d_b = 19\,\text{mm}$，$l_d = L = 2\,300\,\text{mm}$，${_s f_a} = 3.825\,\text{N/mm}^2$ を代入すると，次式となり，本規準（9.13.4）式を満足する．

$$\tau_{a2} = {_s\sigma_t} \cdot d_b /(4 \cdot l_d) = 345 \times 19 /(4 \times 2\,300) = 0.72\,\text{N/mm}^2 < 3.06\,\text{N/mm}^2\,(=0.8 \times 3.825)$$

(b) 縦補強筋および横補強筋の重ね継手長さの検討

縦補強筋の重ね継手長さは，本設計例における耐力壁は全て複配筋であることから，コンクリートの割裂を防止する有効な拘束がある場合の算定式である本規準(9.13.7)式により，横補強筋の重ね継手長さはコンクリートの割裂を防止する有効な拘束がない場合の算定式である本規準(9.13.5)式により行う．

縦補強筋（D19，SD345 および D16，D295）の必要重ね継手長さは，次のとおりとなる．

$$l \geq {_s\sigma_t} \cdot d_b /(4 {_s f_{a,\text{上端筋}}}) = 345 \times 19 /(4 \times 2.55) = 642.7\,\text{mm} \Rightarrow 35\,d_b$$

$$l \geq {_s\sigma_t} \cdot d_b /(4 {_s f_{a,\text{上端筋}}}) = 295 \times 16 /(4 \times 2.55) = 462.8\,\text{mm} \Rightarrow 30\,d_b$$

横補強筋（D10 および D13，SD295）の必要重ね継手長さは，次のとおりとなる．

$$l \geq {_s\sigma_t} \cdot d_b /(4 \times 0.8 {_s f_{a,\text{上端筋}}}) = 295 \times d_b /(4 \times 0.8 \times 2.55) = 36.2\,d_b \Rightarrow 40\,d_b$$

(c) 縦補強筋の定着長さの検討

耐力壁の縦補強筋の基礎梁および最上層耐力壁・壁梁接合部への定着長さの検討は，本規準(9.14.4)式により行う．以下に計算結果を示す．

付表 2.1.24(a)　耐力壁の断面算定（個別断面算定）

			L形耐力壁　コーナー部共有	
			けた行（X）方向耐力壁 （左端共有） ＜水平力加力方向耐力壁＞	張り間（Y）方向耐力壁 （左端共有） ＜水平加力直交方向耐力壁＞
階，フレーム，軸			Z_1, Y_1, X_1	Z_1, X_1, Y_1
符号			W_1	W_{11}
壁厚(mm)			250	200
耐力壁長(mm)			1 100	1 625
構造階高(mm)			3 700	3 700
耐力壁高さ(mm)			3 000	3 000
内法高さ(mm)			2 300	1 450
構造心とフェイス距離 (mm)	壁頭		350	350
	壁脚		1 050	1 900
小開口	直径(mm)，個数		75Φ，1か所	—
	内法長さ l_0(mm)		66.47	—
	面積 $h_0 \cdot l_0$(mm²)		4 417.9	—
	開口低減率 min(r_1, r_2)		min(0.940, 0.963)＝0.940	—
中間部 補強筋	縦補強筋		D13@200D	D10, D13@250D
	横補強筋		D13@100D	D10, D13@250D
端部曲げ 補強筋	左側		3-D16	3-D16
	右側		2-D16	4-D16
フェイス 位置応力	N_L (kN)		415	554
	σ_L (N/mm²)		1.509	1.705
	M_L*1 (kN・m)	壁頭	-10.0	-16.0
		壁脚	14.5	116.0
	N_E (kN)		97.0	-151.0
	M_E*1 (kN・m)	壁頭	65.6	-31.3
		壁脚	-218.8	4.5
水平加力方向			正加力（→）	負加力（←）	正加力（→）	負加力（←）

			正加力（→）	負加力（←）	正加力（→）	負加力（←）
短期応力	N_S (kN)		512.0	318.0	403.0	705
	σ (N/mm²)		1.862	1.156	1.240	2.169
	M_S (kNm)	壁脚	55.5	-75.8	-46.8	15.8
		壁頭	-204.4	233.3	120.5	111.5
短期 許容曲げ 応力	M_{AS1}*2(kN・m)	左側引張	396.4	324.3	622.6	787.2
		右側引張	351.2	277.6	692.9	854.2
	M_{AS2}*3(kN・m)	左側引張	538.3	410.1	1 078.5	1 248.6
		右側引張	610.3	479.0	956.1	1 132.0
短期検定	M_S/M_{AS}*4	左側引張	0.158	0.234	0.075	0.018
		右側引張	0.515	0.840	0.174	0.131
判定			OK	OK	OK	OK

［注］*1：負符号付曲げモーメントは，耐力壁左側が引張になる場合，正の場合は右側引張．
　　 *2：M_{AS1}：引張鉄筋で決定される場合の耐力壁の許容曲げモーメント．
　　 *3：M_{AS2}：圧縮鉄筋またはコンクリートで決定される場合の耐力壁の許容曲げモーメント．
　　　　（コーナー部が圧縮の場合において，直交壁との組合せで使用される）
　　 *4：M_{AS}：M_{AS1} と M_{AS2} のうち，小さい方の値．

付表 2.1.24(b)　耐力壁の断面算定（コーナー部の鉛直応力に対する算定）

L 形耐力壁　コーナー部共有			けた行（X）方向耐力壁（左端共有）			
位置	記号，t_w，l_w (mm)	Z1, Y1, X1	W_1	250	1 100*2	
	構造階高，階高，内法高さ (mm)		3 700	3 000	2 300	
位置	記号，t_w，l_w (mm)	Z1, Y1, X1 直交耐力壁	W_{11}	200	1 625*2	
	構造階高，階高，内法高さ (mm)		3 700	3 000	1 450	
けた行（X）方向の加力方向			正加力（→）		負加力（←）	
短期コーナー部鉛直方向応力の組合せ*1			壁頭側	壁脚側	壁頭側	壁脚側
			引張と圧縮	引張と圧縮	引張と圧縮	圧縮と圧縮
			—	—	—	算定
短期検定値	W_1 壁脚	M_S/M_{AS2}	233.3／479.0＝0.488			
	W_{11} 壁脚	M_S/M_{AS2}	111.5／1 132.0＝0.099			
$(M_{Sx}/M_{ASx})+(M_{Sy}/M_{ASy})\leq 1.0$			0.587　OK			

[注]＊1：コーナー部において，コーナーを共有する壁のそれぞれの軸方向力が，引張と引張，または圧縮と圧縮である場合に，それぞれ単独の場合の検定地を単純加算して，1.0 以下であることを確認する．本設計例ではコーナー部圧縮なので M_{AS} は M_{AS2} を使用する．
　　　　なお，M_{Sx}，M_{Sy} は，それぞれけた行方向耐力壁 W_1，張り間方向耐力壁 W_{11} の短期曲げモーメント．また，"—"印欄は，組合せ応力が打ち消しあう場合であり，検討を省略する．
　　＊2：直交壁 W_{11} に腰壁が存在するが，ここでは安全側の検討として，それぞれのフェイス位置の応力を採用したが，通常は，同一高さ（ここでは，直交壁 W_{11} の腰壁高さ位置での W_{11} の下側フェイス位置 1 625）を用いて算定してよい．

付表 2.1.24(c)　耐力壁の小開口に対する補強

階，フレーム，軸			Z1, Y1, X1		
符号 (mm)			W_1		
耐力壁厚 (mm)			250		
耐力壁長 (mm)			1 100		
耐力壁高さ (mm)			3 000		
内法高さ (mm)			2 300		
小開口	直径 (mm)，個数		75φ，1 か所		
	内法長さ l_0 (mm)		66.47		
	面積 $h_0 \cdot l_0$ (mm²)		4 417.9		
	開口低減率 min $(r_1, r_2,)$ *1		min(0.940，0.963)＝0.940		
	$_DQ_L+2Q_E$ *2 (kN)		226.0		
	T_d，T_v，T_h (kN)		10.9	8.3	7.9
開口補強筋	f_t (N/mm²)		295		
	a_{do}，a_{vo}，a_{ho} (mm²)		36.9	28.0	26.8
	斜め筋，縦筋，横筋		1-D10	1-D10	1-D10

[注]＊1：円形の小開口による低減率は，本規準（解 9.2.1）式を用いて検討する．
　　＊2：小開口周囲の補強に用いる設計用せん断力は，本規準（解 9.3.1）式による．

・端部曲げ補強筋（D19, D345）の基礎梁および最上層耐力壁・壁梁接合部への必要定着長さ：

$l_{ab} = {_s\sigma_t} \cdot d_b / (4 {_sf_{a,その他}}) = 345 \times 19 / (4 \times 3.825) = 428.5 \text{ mm} \Rightarrow 25 d_b$

・端部曲げ補強筋（D16, D295）および中間部縦補強筋（D13, SD295）の基礎梁および最上層耐力壁・壁梁接合部への必要定着長さ：

$l_{ab} = {_s\sigma_t} \cdot d_b / (4 {_sf_{a,その他}}) = 295 d_b / (4 \times 3.825) = 19.3 d_b \Rightarrow 20 d_b$

耐力壁の縦補強筋の基礎梁および最上層耐力壁・壁梁接合部への定着要領は，本会編「壁式構造配筋指針・同解説」8章を参照されたい．

(2) 壁梁の許容応力度設計

(ⅰ) 断面算定方針

・設計用曲げモーメントは，長期および短期は壁梁中央および部材両端（フェイス）の応力を採用する．

・曲げモーメントの算定においては，基本的に本規準（解9.5.1）式の $M_A = a_t \cdot f_t \cdot j$ を用いるが，短期は，特に単スパン（スパン1.2 m，0.9 m）の壁梁については，付着の確保の観点から，断面積に比して周長の大きい細径の鉄筋を用いて，中間横補強筋を考慮した本規準（解9.5.2）式の $M_A = C \cdot b \cdot {_sd_1}^2$ を用いている．

・短期設計用せん断力は，下式による．

$\quad {_DQ_S} = {_DQ_L} + n \cdot Q_E$ 〔本規準（9.6.4）式，右辺第1項〕

ここで，n はせん断力の割増し係数で，保有水平耐力計算を行うけた行（X）方向は $n = 1.5$ とし，許容応力度設計の張り間（Y）方向は $n = 2.0$ とする．

・許容せん断力は，下式による．

$\quad$長期許容せん断力：$Q_{AL} = b \cdot j \cdot \alpha \cdot {_Lf_s}$ 〔本規準（9.6.2）式〕

$\quad$短期許容せん断力：$Q_{AS} = b \cdot j \cdot \{\alpha \cdot {_sf_s} + 0.5 {_wf_t}(p_w - 0.002)\}$，ただし $0.002 \leq p_w \leq 0.012$

〔本規準（9.6.6）式〕

・付着・定着の検討は，本規準9.13節および9.14節による．

付着の検討については，長期はせん断力に応じた次式を用いて検討を行った．

$\quad \tau_{a1} = \dfrac{Q_L}{\Sigma \phi \cdot j} \leq {_Lf_a}$ 〔本規準（9.13.1）式〕

を用い，短期は，鉄筋の存在応力度に応じた次式を用いて検討を行った．

$\quad \tau_{a2} = \dfrac{{_s\sigma_t} \cdot d_b}{4(l_d - d)} \leq 0.8 {_sf_a}$ 〔本規準（9.13.4）式〕

(ⅱ) 壁梁の断面算定

けた行（X）方向加力時および張り間（Y）方向加力時の壁梁の断面算定を行い，設計用応力が許容耐力以下であることを確認した．ここでは，けた行（X）方向加力時の代表的な壁梁 Y_1 構面 $X_1 \sim X_3$ 通り間の2階壁梁 G_1，Y_3 構面 $X_1 \sim X_2$ 通り間の2階壁梁 G_3，および，応力・変形解析における立体架構を考慮して，直交方向の X_2 構面の $Y_2 \sim Y_3$ 通り間の3階壁梁 G_5 の断面算定を示す．

付表 2.1.25（a）に，壁梁の曲げモーメントに対する断面算定を示す．

付表 2.1.25(a) 壁梁の曲げモーメントに対する断面算定

壁梁符号		G_1			G_3			G_5		
階，フレーム，軸		Z_2, Y_1, $X_{1\sim2}$			Z_2, Y_3, $X_{1\sim2}$			Z_3, X_2, $Y_{2\sim3}$		
内法長さ (mm)		4 450			1 200			900		
幅 (mm)		250			250			200		
せい (mm)		700			700			700		
有効幅 B (mm)		250			490*2			560*3		
d_t (mm)		90			90			90		
d (mm)		610			610			610		
j (mm)		533			533			533		
縦補強筋		2-D13-@200			2-D13-@100			2-D13-@100		
p_w (%)		0.508			1.016			1.270		
上端端部曲げ補強筋	配筋	3-D19			4-D16			4-D13		
	*1 (mm)	90			90			90		
	a_t (mm²)	861			796			508		
スラブ内配筋	配筋	考慮せず			2-D13			考慮せず		
	*1 (mm)				90					
	a_t (mm²)				254					
中間部横補強筋	配筋	考慮せず			考慮せず			2-D10	2-D10	2-D10
	*1 (mm)							235	350	465
	a_t (mm²)							142	142	142
下端端部曲げ補強筋		3-D19	610	861	4-D16	610	796	2-D13	610	508
位置		左端	中央	右端	左端	中央	右端	左端	中央	右端
M_L (kN·m)		-31.0	21.0	-40.0	-2.5	0.7	-4.0	-3.8	1.3	0.5
Q_L (kN)		49	—	53	12	—	-14	17	—	8
M_E (kN·m)		107.0	—	-110.0	123.0	—	-77.0	-43.0	—	550
Q_E (kN)		-49	—	-49	-167	—	-167	109	—	109
$M_{S1}=M_L+M_E$ (kN·m)		76.0	—	-150.0	120.5	—	-81.0	-46.8	—	-55.5
$M_{S2}=M_L-M_E$ (kN·m)		-138.0	—	70.0	-125.5	—	73.0	39.2	—	-54.5
M_{AL} (kN·m)	上端	100.9			84.9*4			54.7*5		
	下端	100.9			84.9*4			24.9*5		
M_{AS} (kN·m)	上端	161.9			167.6			98.4		
	下端	161.9			131.5			64.5		
M_L/M_{AL}		0.307 OK	0.208 OK	0.396 OK	0.029 OK	0.008 OK	0.047 OK	0.069 OK	0.052 OK	0.020 OK
M_{S1}/M_{AS}		0.469 OK	—	0.927 OK	0.916 OK	—	0.483 OK	0.476 OK	—	0.861 OK
M_{S2}/M_{AS}		0.852 OK	—	0.432 OK	0.749 OK	—	0.455 OK	0.608 OK	—	0.554 OK

［注］*1：梁上端からの鉄筋距離
 *2：内法長さ 1 200×0.2＝240 mm，壁梁幅 b＝250 mm，片側スラブ有効．
  有効幅 B＝250＋240＝490 mm
 *3：内法長さ 900×0.2＝180 mm，壁梁幅 b＝200 mm，片側スラブ有効．
  有効幅 B＝180＋200＋180＝560 mm
 *4，*5：スラブ内配筋，中間部横補強筋，有効幅 B は，短期許容曲げモーメントのみ考慮した．

付表2.1.25(b)に，壁梁のせん断力に対する断面算定を示す．

付表2.1.25(b)　壁梁のせん断力に対する断面算定

符号	G_1			G_3			G_5		
階，フレーム，軸	Z2, Y_1, $X_{1\sim2}$			Z2, Y_3, $X_{1\sim2}$			Z3, X_2, Y_2		
内法長さ(mm)	4 450			1 200			900		
幅(mm)	250			250			200		
せい(mm)	700			700			700		
d_t (mm)	90			90			90		
d (mm)	610			610			610		
j (mm)	533			533			533		
縦補強筋	2-D13-@200			2-D13-@100			2-D13-@100		
p_w (%)	0.508			1.016			1.270		
位置	左端	中央	右端	左端	中央	右端	左端	中央	右端
Q_L (kN)*1	49	—	-53	12	—	-14	17	—	8
$_DQ_{S1}$ (kN)*2	-24.5	—	-126.5	-238.5	—	-264.5	180.5	—	171.5
$_DQ_{S2}$ (kN)*2	122.5	—	20.5	262.5	—	236.5	-146.5	—	-155.5
Q_{AL} (kN)*3	188.2			210.5			168.4		
Q_{AS1} (kN)*4	245.7	—	245.7	462.4	—	462.4	420.9	—	420.9
Q_{AS2} (kN)*4	251.4	—	251.4	454.2	—	454.2	420.9	—	420.9
Q_L/Q_{AL}	0.260	—	0.282	0.057	—	0.066	0.101	—	0.047
$_DQ_{S1}/Q_{AS1}$	0.100	—	0.515	0.516	—	0.572	0.429	—	0.407
$_DQ_{S2}/Q_{AS2}$	0.487	—	0.082	0.578	—	0.521	0.348	—	0.369
判　定	OK			OK			OK		

[注] *1：長期荷重時せん断力
　　 *2：短期荷重時せん断力　$_DQ_{S1}=Q_L+1.5\,Q_E$, $_DQ_{S2}=Q_L-1.5\,Q_E$
　　　　　G_5については，張り間(Y)方向の壁梁であるが，ここでは，けた行(X)方向加力時であり，張り間(Y)方向も保有水平耐力の確認を行うことから，$n=1.5$とした．
　　　　　なお，張り間(Y)方向の短期荷重時設計用せん断力については，$n=2.0$としても検討し，短期許容せん断力以下であることを確認している．
　　 *4，*3：長期許容せん断力短期許容せん断力で，Q_{AS1}　正方向（→），Q_{AS2}　負方向（←）加力時．

付表2.1.26に，代表的な壁梁の付着検討を示す．

付表 2.1.26 壁梁の付着検討

符号			G_1			G_3			G_5		
階,フレーム,軸			Z2, Y_1, $X_{1～2}$			Z2, Y_3, $X_{1～2}$			Z2, Y_2, Y_2		
配筋	上端	$\Sigma\phi$(mm)	3-D19		180.0	4-D16 + 2-D13		279.8	4-D13		159.6
	下端	$\Sigma\phi$(mm)	3-D19		180.0	4-D16		200.0	2-D13		79.8
せん断力(kN)			Q_L	$_DQ_{S1}$	$_DQ_{S2}$	Q_L	$_DQ_{S1}$	$_DQ_{S2}$	Q_L	$_DQ_{S1}$	$_DQ_{S2}$
			53.0	102.0	98.0	14.0	181.0	179.0	17.0	126.0	101.0
ひび割れの検討			α	$\alpha f_s b_j$	判定	α	$\alpha f_s b_j$	判定	α	$\alpha f_s b_j$	判定
		長期	2.000	210.8	OK	2.000	210.8	OK	2.000	168.7	OK
		短期(正)	1.173	185.4	OK	1.913	302.4	OK	2.000	253.0	OK
		短期(負)	1.209	191.2	OK	1.861	294.3	OK	2.000	253.0	OK
l_d' (mm)			ひび割れなし $l_d'=L/2=2\,225$			ひび割れなし $l_d'=L/2=600$			ひび割れなし $l_d'=L/2=450$		
曲げ付着 τ_{a1}	長期	上端	$\tau_{a1},_L f_a$		0.552 ≦ 1.70 OK			0.094 ≦ 1.70 OK			0.200 ≦ 1.70 OK
		下端	$\tau_{a1},_L f_a$		0.552 ≦ 2.55 OK			0.131 ≦ 2.55 OK			0.399 ≦ 2.55 OK
	短期(正)	上端	$\tau_{a1},_s f_a$		0.416 ≦ 2.55 OK			0.473 ≦ 2.55 OK			0.580 ≦ 2.55 OK
		下端	$\tau_{a1},_s f_a$		0.278 ≦ 3.825 OK			0.443 ≦ 3.825 OK			0.773 ≦ 3.825 OK
	短期(負)	上端	$\tau_{a1},_s f_a$		0.400 ≦ 2.55 OK			0.470 ≦ 2.55 OK			0.465 ≦ 2.55 OK
		下端	$\tau_{a1},_s f_a$		0.267 ≦ 3.825 OK			0.313 ≦ 3.825 OK			0.310 ≦ 3.825 OK
平均付着 τ_{a2}	長期	上端	σ_t		87.0			7.1			14.0
			$\tau_{a2}, 0.8_L f_a$		0.186 ≦ 1.36 OK			0.048 ≦ 1.36 OK			0.101 ≦ 1.36 OK
		下端	σ_t		45.7			1.6			9.6
			$\tau_{a2}, 0.8_L f_a$		0.098 ≦ 2.04 OK			0.011 ≦ 2.04 OK			0.069 ≦ 2.04 OK
	短期(正)	上端	σ_t		326.7			144.5			62.0
			$\tau_{a2}, 0.8_L f_a$		0.697 ≦ 2.04 OK			0.964 ≦ 2.04 OK			0.447 ≦ 2.04 OK
		下端	σ_t		165.4			283.6			409.4
			$\tau_{a2}, 0.8_L f_a$		0.353 ≦ 3.06 OK			1.891 ≦ 3.06 OK			2.957 ≦ 3.06 OK
	短期(負)	上端	σ_t		300.3			223.9			201.0
			$\tau_{a2}, 0.8_L f_a$		0.641 ≦ 2.04 OK			1.493 ≦ 2.04 OK			1.452 ≦ 2.04 OK
		下端	σ_t		45.7			171.8			67.9
			$\tau_{a2}, 0.8_L f_a$		0.325 ≦ 3.06 OK			1.145 ≦ 3.06 OK			0.490 ≦ 3.06 OK

[注] $_DQ_{S1}=Q_L+Q_E$, $_DQ_{S2}=Q_L-Q_E$, 短期(正):短期正加力時,短期(負):短期負加力時
　　曲げ付着 τ_{a1}:曲げ付着応力度に対する検討を示し,本規準 (9.13.1) 式, (9.13.3) 式による.
　　平均付着 τ_{a2}:平均付着応力度の検討を示し,本規準 (9.13.2) 式, (9.13.4) 式による.
　　τ_{a1}, τ_{a2}, σ_t, $0.8_L f_a$:単位(N/mm^2)

(3) 耐力壁・壁梁接合部の検討
(i) 検 討 方 針
・設計用せん断力は，耐力壁・壁梁接合部に接続する壁梁のフェイスにおける短期曲げモーメント M_b および上階の耐力壁の短期せん断力 Q_w から算出する．なお，最上部の耐力壁・壁梁接合部に用いる上階せん断力 Q_w は，$Q_w=0$ とする．
・耐力壁・壁梁接合部の短期許容せん断力 $_AQ_{P.S}$ の算定に用いる耐力壁・壁梁接合部の圧縮応力度 σ_0 は，上階耐力壁の短期軸力を当該耐力壁・壁梁接合部の水平断面積で除した値を採用する．
・接続する壁梁の応力中心距離 j は，有効せいの 7/8 とする．

(ii) 検 討 結 果
けた行（X）方向加力時の耐力壁・壁梁接合部の検討結果を付表 2.1.27 に，張り間（Y）方向加力時の検討結果を付表 2.1.28 に示す．正負加力の設計用せん断力の最大値を示す耐力壁・壁梁接合部について示す．

付表 2.1.27 短期荷重時けた行（X）方向耐力壁・壁梁接合部のせん断力に対する検討

構面	位置	階	接合部厚 t (mm)	接合部長 l_w (mm)	軸力 N_S (kN)	せん断力 Q_w*1 (kN)	ΣR_0*2 (mm)	$_AQ_{P.S}$ (kN)	$_DQ_{P.S}$ (kN)	$_DQ_{P.S}/_AQ_{P.S}$	判定
Y$_1$	X$_1$(X$_9$)	R	250	1 100	0	0	200	578.0	166.7	0.289	OK
	X$_{2-4}$(X$_{6-8}$)	R	250	2 700	0	0	400	1 477.0	292.3	0.198	OK
	X$_5$	3	250	2 000	173	−119.0	400	1 155.4	307.4	0.264	OK
Y$_2$	X$_{2-4}$(X$_{6-8}$)	R	250	2 900	0	0	0	1 862.4	614.5	0.330	OK
Y$_3$	X$_1$(X$_9$)	3	250	1 100	23	70.6	0	717.8	135.9	0.189	OK
	X$_{1-2}$(X$_{8-9}$)	2	250	1 050	149	108.9	0	745.1	180.7	0.243	OK
	X$_2$(X$_8$)	R	250	1 100	0	0	0	706.4	167.5	0.237	OK
	X$_4$(X$_6$)	2	250	1 100	147	108.5	0	776.5	143.5	0.185	OK
	X$_{4-5}$(X$_{6-5}$)	2	250	1 050	155	128.2	0	747.8	201.2	0.269	OK
	X$_5$	3	250	2 000	118	206.0	0	1 342.1	312.4	0.233	OK
X$_1$ (X$_9$)	Y$_1$	2	200	1 625	408	40.6	0	1 018.6	69.2	0.068	OK
	Y$_2$	3	200	7 000	330	−29.0	0	3 757.7	35.3	0.009	OK
	Y$_3$	2	200	1 625	76	62.0	0	872.0	47.1	0.054	OK
X$_2$ (X$_8$)	Y$_2$	2	200	2 525	156	−186.0	0	1 373.0	121.4	0.088	OK
	Y$_3$	R	200	3 625	0	0	0	1 862.4	113.5	0.061	OK
X$_4$ (X$_6$)	Y$_2$	2	200	2 525	171	−171.0	0	1 380.1	115.9	0.084	OK
	Y$_3$	R	200	3 625	0	0	0	1 862.4	92.7	0.050	OK

［注］*1：Q_w は，$_DQ_{P.S}$（$=T_{b1}+C_{b2}-Q_w$）の絶対値が最大になる正負加力時の上階耐力壁の短期荷重時せん断力．
　　　*2：小開口の大きさを示し，Y$_1$ 構面の X$_1$，X$_9$ 通りの耐力壁・壁梁接合部には給排気用スリーブ 1-200ϕ，Y$_1$ 構面の X$_3$，X$_5$ ならびに X$_7$ 通りの耐力壁・壁梁接合部については 2-200ϕ を考慮した．

付表 2.1.28 短期荷重時張り間（Y）方向耐力壁・壁梁接合部のせん断設計

構面	位置	階	接合部厚 t (mm)	接合部長 l_w (mm)	N_S (kN)	Q_W*1 (kN)	ΣR_0*2 (mm)	$_AQ_{P,S}$ (kN)	$_DQ_{P,S}$ (kN)	$_DQ_{P,S}/_AQ_{P,S}$	判定
X₁(X₉)	Y₁	2	200	1 625	473.0	−57.4	0	1 044.9	33.4	0.032	OK
X₁(X₉)	Y₂	2	200	7 000	631.9	313.9	0	3 899.5	186.3	0.048	OK
X₁(X₉)	Y₃	R	200	1 625	0	0	0	834.9	35.2	0.042	OK
X₂(X₈)	Y₂	R	200	2 525	0	0	0	1 297.3	28.1	0.022	OK
X₂(X₈)	Y₃	2	200	3 625	495.0	127.0	0	2 095.3	71.4	0.034	OK
X₄(X₆)	Y₂	R	200	2 525	0	0	0	1 297.3	35.0	0.027	OK
X₄(X₆)	Y₃	2	200	3 625	512.0	121.0	0	2 102.9	67.0	0.032	OK

〔注〕*1：Q_W は，$_DQ_{P,S}(=T_{b1}+C_{b2}-Q_W)$ の絶対値が最大となる正負加力時の上階耐力壁の短期荷重時せん断力．
*2：小開口の直径の和．

(iii) 耐力壁・壁梁接合部内に通し配筋される壁梁および耐力壁の鉄筋径

本規準 9.14 節（9.14.5）式および（9.14.6）式を耐力壁・壁梁接合部の長さ l_w およびせい D_w について式を変換すると，$F_c=30$ N/mm² の場合は次式となる．

・耐力壁・壁梁接合部の所要長さ：$l_w \geq d_b \cdot {_sf_t}/\{3.6\times(1.5+0.1F_c)\}=d_b \cdot {_sf_t}/16.2$
・耐力壁・壁梁接合部の所要高さ：$D_W \geq d_b \cdot {_sf_t}/\{3.0\times(1.5+0.1F_c)\}=d_b \cdot {_sf_t}/13.5$

付表 2.1.29 に，鉄筋径について耐力壁・壁梁接合部の通し配筋に必要な耐力壁・壁梁接合部の長さ l_w およびせい D_W について記載する．

付表 2.1.29 通し配筋に必要な耐力壁・壁梁接合部の長さおよびせい

異形鉄筋の呼び名	D13	D16	D19	D22	D25
$_sf_t$ (N/mm²)	295	295	345	345	345
接合部必要長さ (mm)	236.8	294.1	404.7	468.6	532.5
接合部必要せい (mm)	284.1	349.7	485.6	562.3	638.9

〔記号〕$_sf_t$：鉄筋の短期許容引張応力度

上表から，本設計における最小壁梁せい 700 mm，および最小耐力壁長さ 1 050 mm に比較して必要な耐力壁・壁梁接合部の長さは十分に小さい数値であることから，本設計で使用されている鉄筋は，耐力壁・壁梁接合部に通し配筋される鉄筋の鉄筋径を満たしている．

(iv) 定着における必要長さ

けた行（X）方向および張り間（Y）方向とも，曲げ材の主筋に対する必要定着長さを検討する．本設計例における耐力壁は複配筋であることから，耐力壁の縦筋の所要直線定着長さは本規準（9.14.4）式より算定する．壁梁の横補強筋の所要直線定着長さは，壁梁の横補強筋のうちの左右いずれか一方の横補強筋は耐力壁の横筋に添って配筋されるため，コア外に配筋されることから，本規準（9.14.3）式より算定する．

$l_{ab} = {}_s\sigma_t \cdot d_b / (4 {}_s f_{a, その他})$ 〔本規準 (9.14.4) 式〕

$l_{ab} = {}_s\sigma_t \cdot d_b / (4 \times 0.8 {}_s f_{a, 上端})$ 〔本規準 (9.14.3) 式〕

検討結果を，付表2.1.30に示す．

付表2.1.30 耐力壁の縦補強筋および壁梁の横補強筋の必要直線定着長さ

鉄筋種別	SD295	SD345
耐力壁縦補強筋の必要直線定着長さ[*1]	$19.3 d_b \Rightarrow 20 d_b$	$22.6 d_b \Rightarrow 25 d_b$
壁梁の横補強筋の必要直線定着長さ[*2]	$36.2 d_b \Rightarrow 40 d_b$	$42.3 d_b \Rightarrow 45 d_b$

〔注〕*1：耐力壁縦補強筋の耐力壁・基礎梁接合部および最上層耐力壁・壁梁接合部への定着要領は，本会編「壁式構造配筋指針・同解説」8章による．
　　　*2：最上層外端耐力壁・壁梁接合部への壁梁上端1段目の端部曲げ補強筋の耐力壁・壁梁接合部への定着要領は，本規準解説図9.14.4による．

9. 基礎の設計

基礎は，直接基礎（布基礎）を採用し，原則，張り間（Y）方向耐力壁下に配置する〔付図2.1.1参照〕．なお，Y_3通り耐力壁W_6, W_9の下部には単独の基礎スラブF_4を配置する．

（1）支持地盤の長期および短期支持地力度の確認

上部構造の重量と基礎スラブおよび上載土重量を考慮して検討を行う．また，ここでは，短期接地圧が大きく，転倒の可能性が大きい張り間方向のみとする．

（i）長期接地圧算定用重量および地震時転倒モーメントの算定

長期接地圧算定用重量は，上部構造（基礎梁含む）の架構用重量に基礎スラブおよび上載土重量を考慮した重量とする．付表2.1.31に長期接地圧検討用の各階の重量を示す．

付表2.1.31 各階の架構用重量および長期接地圧算定用重量

階	h_i (mm)	Σh_i (mm)	W_{Ri} (kN)	W_{FS} (kN)	$\Sigma W_{Ri}'$ (kN)
4	3.00	14.10	4 154.2		
3	3.00	11.10	5 003.8		
2	3.00	8.10	5 001.2		
1	3.00	5.10	5 014.0		
基礎	2.10	2.10	6 923.5	5 822.3	31 918.9

〔記号〕 h_i：各階の階高で，基礎高さは，1SL〜布基礎下端までの距離とする．
　　　　Σh_i：基礎底からの各階の高さ
　　　　W_{Ri}：各階の架構用重量
　　　　W_{FS}：基礎スラブおよび上載土重量の合計
　　　　$\Sigma W_{Ri}'$：$\Sigma W_{Ri} + W_{FS}$で，長期接地圧算定用重量

付表2.1.32に地震時の基礎スラブ底面位置における建物全体の転倒モーメントを示す．

付表 2.1.32　地震時の基礎スラブ底面位置における建物全体の転倒モーメント

階	$\sum h_i$ (mm)	W_i (kN)	W_{FS} (kN)	$\sum W_i'$ (kN)	C_i	設計震度	Q_i' (kN)	$Q_i' \cdot h_i$ (kN)	$\sum(Q_i' \cdot h_i)$ (kN・m)
4	14.10	4 021.2		4 021.2	0.311		1 249.2	3 747.6	
3	11.10	4 702.9		8 724.1	0.256		2 232.5	6 697.5	
2	8.10	4 700.4		13 424.5	0.225		3 014.6	9 043.9	41 222.3
1	5.10	4 713.2		18 137.7	0.200		3 627.5	10 882.6	
基礎	2.10	6 128.1	5 822.3	30 088.1		0.100	4 822.6	10 850.8	

〔記号〕　W_{FS}：基礎スラブおよび上載土重量の合計
　　　　　$\sum W_i'$：$W_{Ri}+W_{FS}$で，基礎転倒モーメント算定用の地震力算定用重量
　　　　　Q_i'：転倒モーメント算定用の各階の地震時せん断力
　　　　　$\sum(Q_i' \cdot h_i)$：転倒モーメント

（ⅱ）　長期荷重時支持力度の確認

上部構造は，整形な建物で布基礎が設けられた張り間方向は連続した耐力壁で構成されることから，本検討では建物全重量を考慮した基礎検討用重量を基礎スラブ全面積で除した値を用いて長期荷重時支持力度の確認を行うこととした．なお，建物全体での接地圧の算定においては，安全側に Y_3 構面に配置される F_4 は考慮しないが，F_4 については別途，個別に確認を行ったがここでは記載を省略する．基礎スラブの各構面ごとに算定した面積を下記に示す．

　　　　X_1, X_9 軸：$A_{FS}=30.80\,\text{m}^2$，　X_5 軸：$A_{FS}=59.55\,\text{m}^2$，　X_3, X_7 軸：$A_{FS}=46.20\,\text{m}^2$

算定される長期接地圧は平均接地圧とし，下記となる．

$$_{DL}\overline{\sigma_{FS}} = \sum W_i' / \sum A_{FS} = 31918.9/226.89 = 140.7\,\text{kN/m}^2$$

$$< 200\,\text{kN/m}^2\text{（地盤の長期許容鉛直支持力度）　OK}$$

上記より，長期接地圧は地盤の長期許容鉛直支持力度以下であり，安全である．

（ⅲ）　短期荷重時支持力度の確認

$Y_1 \sim Y_2$ 間と $Y_2 \sim Y_3$ 間の距離が同一であることから基礎スラブの平面形状の張り間方向断面係数は Y_2 通りまわりの断面係数を算定する．なお，長期荷重時と同様に Y_3 構面の F_4 については考慮しない．X_3 通りおよび X_7 通りの基礎スラブ形状は長方形ではない〔付図 2.1.1 参照〕が，X_1，X_5，X_9 通りの基礎スラブに合せ，Y_2 通りまわりの断面係数を算定した．なお，検討方向の正負に関わらず基礎スラブの断面係数の単純集計における最小断面係数を採用して地震時転倒に対する接地圧を算定する．基礎スラブの各軸ごとに算定した断面係数を下記に示す．なお，X_3，X_7 軸は最小断面係数を採用する．

　　　　X_1, X_9 軸：$Z_{FSY1}=79.05\,\text{m}^3$，　X_5 軸：$Z_{FSY2}=118.58\,\text{m}^3$，　X_3, X_7 軸：$Z_{FSY3}=132.13\,\text{m}^2$

短期荷重時の接地圧の算定結果を，下記に示す．

（a）　張り間方向の基礎底面位置における転倒モーメントによる接地圧

$$_E\sigma_{FS} = \sum(Q_i' \cdot h_i)/\sum Z_{FSY} = 41\,222.3/540.94 = 76.2\,\text{kN/m}^2$$

（b）　張り間方向の短期荷重時最大接地圧

$$_{DS}\sigma_{FS,\text{max}} = {_L\overline{\sigma_{FS}}} + {_E\sigma_{FS}} = 140.7 + 76.2 = 216.9\,\text{kN/m}^2 < 400\,\text{kN/m}^2\quad\text{OK}$$

（地盤の短期許容鉛直支持力度）

(c) 張り間方向の短期荷重時の最小接地圧

$$_{DS}\sigma_{FS,\max} = {}_L\overline{\sigma_{FS}} - {}_E\sigma_{FS} = 140.7 - 76.2 = 64.5 \text{ kN/m}^2 > 0 \quad \text{OK}$$

短期接地圧は地盤の短期許容鉛直支持力度以下であり，また，浮上りも生じないことから，安全である．

(2) 基礎スラブの検討

基礎スラブの検討用の接地圧は，1階耐力壁側面より45°方向範囲の基礎スラブ底面部分で支持すべき支点反力により算定を行う．検討は，応力が最も大きい張り間方向加力時に対して X_1, X_3, X_5, X_7, X_9 通りの外端（Y_1, Y_3 軸）を記載する．

部材断面の検討は，基礎梁フェイス位置からの片持部材として設計用応力の算定行い，本規準9.10節に準じて，長期荷重時におけるひび割れ防止および長期荷重時・短期荷重時の曲げモーメントおよびせん断力に対する断面算定を行い，許容曲げモーメント以下かつ許容せん断力以下となることを確認する．

(i) X_1-Y_1 軸の検討

代表して，X_1-Y_1 軸の検討を下記に示す．

・X_1-Y_1 外端耐力壁妻壁の軸方向力を負担する基礎スラブの接地圧検討用面積〔付図2.1.7参照〕

$$A_{FS1} = 2.00 \times 1.90 = 3.80 \text{ m}^2$$

・基礎スラブ検討用スラブ面積が負担すると仮定する長期および地震時水平加力時軸方向力

長期：${}_L N_{X1-Y1} = 793.0$ kN

地震時けた行方向加力時：${}_{EX} N_{X1-Y1} = 23.0$ kN

地震時張り間方向加力時：${}_{EY} N_{X1-Y1} = 195.0$ kN

・長期基礎スラブ接地圧：${}_L\sigma_{FS1} = 793.0/3.80 = 208.7$ kN/m^2

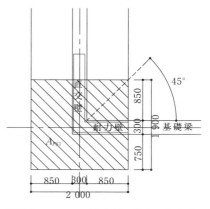

付図 2.1.7　X_1-Y_1 耐力壁に生じる軸方向を負担すると仮定する基礎スラブ底面積 A_{FS1}

・地震時最大基礎スラブ接地圧：${}_E\sigma_{FS1} = \max(23.0, 193.0)/3.80 = 51.3$ kN/m^2

・基礎スラブ自重：$w_{self} = 0.45 \times 24 = 10.8$ kN/m^2

・長期基礎スラブ検討用接地圧：${}_{DL}\sigma_{FS1} = {}_L\sigma_{FS1} - w_{self} = 208.7 - 10.8 = 197.9$ kN/m^2

・短期基礎スラブ検討用接地圧：${}_{DS}\sigma_{FS1} = {}_{DS}\sigma_{FS1} + {}_E\sigma_{FS1} = 197.9 + 51.3 = 249.2$ kN/m^2

(a) X 方向に対する検討

①長期荷重時に対する検討

・長期設計用曲げモーメント：

$$_{DL}M_{FS1} = 197.9 \times (1.00 - 0.15)^2/2 = 71.5 \text{ kN}\cdot\text{m/m}$$

・長期許容曲げひび割れモーメント：

$$_{FS}M_{bcr1} = 0.56\sqrt{F_c} \cdot Z = 0.56\sqrt{30} \times (1\,000 \times 450^2/6)$$
$$= 103.5 \text{ kN}\cdot\text{m/m} > {}_{DL}M_{FS1}(=71.5) \quad \text{OK}$$

$$_{FS}M_{bcr2} = 0.38\sqrt{F_c} \cdot Z = 0.38\sqrt{30} \times (1\,000 \times 450^2/6) = 70.2 \text{ kN}\cdot\text{m/m} < {}_{DL}M_{FS1} \quad \text{NG}$$

上記より，降伏曲げモーメント $>1.5\times0.56\sqrt{F_c}\cdot Z$ を満たす引張鉄筋断面積を配置する．所要引張鉄筋断面積 $_{req}a_t$ は，次のとおりとなる．

$$_{req}a_t \geq 1.5\times0.56\sqrt{F_c}\cdot Z/(0.9\sigma_y\cdot d)=1.5\times103.5\times10^6/\{0.9\times345\times(450-70-11)\}$$
$$=1\,355.1\,\mathrm{mm}^2 \Rightarrow 5\text{-}D19\,(SD345)$$

・長期許容曲げモーメント：下端引張鉄筋 D19 @ 200（SD345）
$$_{AL}M_{FS1}=a_t\cdot{_Lf_t}\cdot j=5\times287\times215\times369.0\times7/8\times10^{-6}=99.6\,\mathrm{kN}\cdot\mathrm{m/m}>{_{DL}M_{FS1}}\quad \mathrm{OK}^{2)}$$

・長期設計用せん断力：
$$_{DL}Q_{FS1}=197.9\times(1.00-0.15)=168.3\,\mathrm{kN/m}$$

・長期許容せん断力：
$$\alpha=4/\{M/(Q\cdot d)+1\}=4/\{71.5/(168.3\times0.369)+1\}=1.85$$
$$_{AL}Q_{FS1}=\alpha\cdot{_Lf_s}\cdot b\cdot j$$
$$=1.85\times(0.49+30/100)\times1\,000\times369.0\times7/8\}\times10^{-3}=471.8\,\mathrm{kN/m}>{_{DL}Q_{FS1}}\quad \mathrm{OK}$$

②短期荷重時に対する検討

・短期設計用曲げモーメント：
$$_{DS}M_{FS1}=249.2\times(1.00-0.15)^2/2=90.1\,\mathrm{kN}\cdot\mathrm{m/m}$$

・短期許容曲げモーメント：
$$_{AS}M_{FS1}=a_t\cdot{_sf_t}\cdot j=1\,435\times345\times369.0\times7/8\times10^{-6}=159.8\,\mathrm{kN}\cdot\mathrm{m/m}>{_{DS}M_{FS1}}\quad \mathrm{OK}$$

・短期設計用せん断力：
$$_{DS}Q_{FS1}=249.2\times(1.00-0.15)=211.9\,\mathrm{kN/m}$$

・本規準（解 9.10.4）式による短期許容せん断力：
$$\alpha=4/\{M/(Q\cdot d)+1\}=4/\{90.1/(211.9\times0.369)+1\}=1.85$$
$$_{AS}Q_{FS1}=\alpha\cdot{_sf_s}\cdot b\cdot j=1.85\times1.185\times1\,000\times369.0\times7/8\times10^{-3}=707.8\,\mathrm{kN/m}\geq{_{DS}Q_{FS}}\quad \mathrm{OK}$$

・本規準（解 9.10.5）式によるせん断ひび割れ力：
$$_{AS}Q_{FS1}=0.065\cdot k_c\cdot(49+F_c)/\{M/(Q\cdot d)+1.7\}\cdot b\cdot j$$
$$=0.065\times0.72\times(49+30)/(1.15+1.7)\times1\,000\times369.0\times7/8\times10^{-3}$$
$$=418.8\,\mathrm{kN/m}>{_{DS}Q_{FS1}}\quad \mathrm{OK}^{3)}$$

(b) Y 方向に対する確認

①長期に対する検討

・長期設計用曲げモーメント：
$$_{DL}M_{FS1}=197.9\times(0.90-0.15)^2/2=55.7\,\mathrm{kN}\cdot\mathrm{m/m}$$

[注] 2)：基礎スラブの有効せい d 算定において，被り厚 70 mm とし異形鉄筋 D19 の最外径の 1/2 を採用して算定．

3)：断面寸法による補正係数 k_c は安全側に 0.72 を採用．

・曲げひび割れモーメント：

$$_{FS}M_{bcr1}=0.56\sqrt{F_c}\cdot Z=0.56\sqrt{30}\times(1\,000\times450^2/6)\times10^{-6}$$
$$=103.5\text{ kN}\cdot\text{m}>_{DL}M_{FS1}(=55.7)\quad\text{OK}$$
$$_{FS}M_{bcr2}=0.38\sqrt{F_c}\cdot Z=0.38\sqrt{30}\times(1\,000\times450^2/6)\times10^{-6}$$
$$=70.2\text{ kN}\cdot\text{m}>_{DL}M_{FS1}(=55.7)\quad\text{OK}$$

上記より，降伏曲げモーメント $M_y>1.5\cdot0.56\sqrt{F_c}\cdot Z$ の検討は不要である．

・長期許容曲げモーメント：下端曲げ補強筋 D19@200（SD295）

$$_{AL}M_{FS1}=a_t\cdot{}_Lf_t\cdot j=1\,435\times195\times(450-70-21-21/2)\times7/8\times10^{-6}$$
$$=1\,435\times195\times348\times7/8\times10^{-6}=85.2\text{ kN}\cdot\text{m/m}>_{DL}M_{FS1}(=55.7)\quad\text{OK}$$

・長期設計用せん断力：

$$_{DL}M_{FS1}=197.9\times(0.90-0.15)=148.5\text{ kN/m}$$

・長期許容せん断力：

$$\alpha=4/\{M/(Q\cdot d)+1\}=4/\{55.7/(148.5\times0.348)+1\}=1.92$$
$$_{AL}Q_{FS1}=\alpha\cdot f_s\cdot b\cdot j=1.92\times0.79\times1\,000\times348\times7/8\times10^{-3}=461.8\text{ kN/m}>_{DL}Q_{FS1}\quad\text{OK}$$

② 短期荷重時に対する検討

・短期設計用曲げモーメント：

$$_{DS}M_{FS1}=249.2\times(0.90-0.15)^2/2=70.1\text{ kN}\cdot\text{m/m}$$

・短期許容曲げモーメント：

$$_{AS}M_{FS1}=a_t\cdot{}_sf_t\cdot j=1\,435\times295\times348\times7/8\times10^{-6}=128.9\text{ kN}\cdot\text{m/m}\geq{}_{DS}M_{FS1}\quad\text{OK}$$

・短期設計用せん断力：

$$_{DS}Q_{FS1}=249.2\times(0.90-0.15)=186.9\text{ kN/m}$$

・本規準（解 9.10.4）式による短期許容せん断力：

$$\alpha=4/\{M/(Q\cdot d)+1\}=4/\{70.1/(186.9\times0.348)+1\}=1.92$$
$$_{AL}Q_{FS1}=\alpha\cdot f_s\cdot b\cdot j=1.92\times1.185\times1\,000\times348\times7/8\times10^{-3}=692.8\text{ kN/m}>_{DS}Q_{FS1}\quad\text{OK}$$

・本規準（解 9.10.5）式による短期許容せん断力：

$$_{AL}Q_{FS1}=0.065\cdot k_c\times(49+F_c)/\{M/(Q\cdot d)+1.7\}\cdot b\cdot j$$
$$=0.065\times0.72\times(49+30)/(1.07+1.7)\times1\,000\times348\times7/8\times10^{-3}$$
$$=406.4\text{ kN/m}>_{DS}Q_{FS1}\quad\text{OK}*1$$

［注］＊1：断面寸法による補正係数 k_c は安全側に 0.72 を採用

(ii) その他の基礎スラブの検討

X_1-Y_1 軸の検討と同様に，X_1 の外端（Y_3 軸），X_3，X_5 の外端（Y_1，Y_3 軸）の検討結果を示す．付表2.1.33に，基礎スラブ検討用諸元を示す．

基礎スラブは，片持部材として検討を行った．長期荷重時に対する検討結果を，付表2.1.34に示す．また，短期荷重時に対する検討結果を，付表2.1.35に示す．

なお，表中における $_{FS}M_{bcr1}/_{DL}M_{FS}$ が 1.48（=0.56/0.38）未満の場合は，$_{DL}M_{FS}\leq0.38\sqrt{F_c}\cdot Z$ を満たさないことから，本規準9.10節（解9.10.2）式に基づき次式を満たす引張鉄筋断面積以上

を配筋していることを確認した．

$$M_{yFS} \geq 1.5 \times 0.56\sqrt{F_c} \cdot Z$$

なお，その他の部材に対する検討はここでは省略する．

付表 2.1.33 基礎スラブ検討用諸元

位置	符号	t_s (mm)	L_x (mm)	L_y (mm)	A_{FS} (mm²)	$_LN$ (kN)	$_{EX}N$ (kN)	$_{EY}N$ (kN)	$_L\sigma_{FS}$ (kN/m²)	w_{self} (kN/m²)	$_{DL}\sigma_{FS}$ (kN/m²)	$_E\sigma_{FS}$ (kN/m²)
X_1-Y_3	F_1	450	2 000	1 900	3.80	576.0	241.0	260.0	151.6	10.8	140.8	68.4
X_3-Y_1	F_2	650	3 000	2 400	7.20	1 691.0	59.0	534.0	234.9	15.6	219.3	74.2
X_3-Y_3	F_{2A}	650	4 700	1 900	8.93	2 605.5	163.5	608.0	291.8	15.6	276.2	68.1
X_5-Y_1	F_3	750	3 000	2 400	7.20	2 291.0	5.5	634.0	318.2	18.0	300.2	88.1
X_5-Y_3	F_3	750	3 000	2 400	7.20	2 056.0	4.0	607.5	285.6	18.0	267.6	84.4

〔記号〕 t_s：基礎スラブ厚さ
L_x：基礎スラブの接地圧検討用面積のX方向の長さ
L_y：基礎スラブの接地圧検討用面積のY方向の長さ
A_{FS}：基礎スラブの接地圧検討用面積で，$A_{FS}=L_x \cdot L_y$
$_LN$：基礎スラブ検討用の検討用スラブ面積が負担すると仮定する長期軸方向力
$_{EX}N$：基礎スラブ検討用の検討用スラブ面積が負担すると仮定する地震時X方向加力時軸方向力
$_{EY}N$：基礎スラブ検討用の検討用スラブ面積が負担すると仮定する地震時Y方向加力時軸方向力
$_L\sigma_{FS}$：長期基礎スラブ接地圧
w_{self}：基礎スラブの自重
$_{DL}\sigma_{FS}$：長期基礎スラブ検討用接地圧
$_E\sigma_{FS}$：地震時基礎スラブ検討用接地圧

付表 2.1.34 基礎スラブの長期荷重時における対する検討結果

位置	符号	位置	$_{DL}M_{FS}$ (kN・m)	$_{DL}Q_{FS}$ (kN)	α	$_{FS}M_{bcr1}$ (kN・m)	$_{AL}M_{FS}$ (kN・m)	$_{AL}Q_{FS}$ (kN)	$_{FS}M_{bcr1}/_{DL}M_{FS}$	$_{AL}M_{FS}/_{DL}M_{FS}$	$_{AL}Q_{FS}/_{DL}Q_{FS}$	判定
X_1-Y_3	F_1	X	50.9	119.7	1.85	103.5	99.6	471.8	2.033	1.956	3.941	OK
		Y	39.6	105.6	1.92	103.5	93.9	461.8	2.613	2.371	4.373	OK
X_3-Y_1	F_2	X	199.9	296.1	1.82	215.9	269.9	712.0	1.080*¹	1.350	2.404	OK
		Y	61.7	164.5	2.00	215.9	92.1	750.6	3.499	1.492	4.562	OK
X_3-Y_3	F_{2A}	X	67.7	193.4	2.00	215.9	269.9	782.4	3.189	3.986	4.045	OK
		Y	77.7	207.2	2.00	215.9	92.1	750.6	2.778	1.185	3.622	OK
X_5-Y_1	F_3	X	273.6	405.3	1.98	287.5	317.6	911.5	1.050*¹	1.160	2.248	OK
		Y	84.5	225.2	2.00	287.5	109.1	888.9	3.402	1.291	3.947	OK
X_5-Y_3	F_3	X	243.9	361.2	1.99	287.5	317.6	914.3	1.179*¹	1.302	2.531	OK
		Y	75.3	200.7	2.00	287.5	109.1	888.9	3.818	1.448	4.428	OK

〔記号〕 $_{DL}M_{FS}$：基礎スラブの長期設計用曲げモーメント，$_{DL}Q_{FS}$：基礎スラブの長期設計用せん断力
$\alpha = 4/\{_{DL}M_{FS}/(_{DL}Q_{FS} \cdot d)+1\}$，$d$：基礎スラブの有効せい
$_{FS}M_{bcr1}$：基礎スラブの曲げひび割れモーメント（$=0.56\sqrt{F_c} \cdot Z$）
F_c：基礎スラブコンクリートの設計基準強度，Z：基礎スラブの断面係数
$_{AL}M_{FS}$：基礎スラブの長期許容曲げモーメント
$_{AL}Q_{FS}$：基礎スラブの長期許容せん断力

［注］ *1：$_{FL}M_{bcr1}/_{DL}M_{FS} < 1.48$ となることから，$M_{yFS} \geq 1.5 \cdot 0.56\sqrt{F_c} \cdot Z$ の確認を別途行い，満足することを確認している．

付表 2.1.35　基礎スラブの短期荷重時に対する検討結果

位置	符号	位置	$_{DS}M_{FS}$ (kN·m)	$_{DS}Q_{FS}$ (kN)	α	$_{AS}M_{FS}$ (kN·m)	$_{AS}Q_{FS}$ (kN·m)	$\dfrac{_{AS}M_{FS}}{_{DS}M_{FS}}$	$\dfrac{_{AS}Q_{FS}}{_{DS}Q_{FS}}$	判定
X_1-Y_3	F_1	X	75.6	177.9	1.85	159.9	707.8	2.115	3.978	OK
		Y	58.9	156.9	1.92	150.7	692.7	2.559	4.415	OK
X_3-Y_1	F_2	X	267.4	396.2	1.82	433.2	1 068.1	1.620	2.695	OK
		Y	82.6	220.1	2.00	139.4	1 126.0	1.688	5.116	OK
X_3-Y_3	F_{2A}	X	84.4	241.0	2.00	433.2	1 173.7	5.132	4.870	OK
		Y	96.9	258.2	2.00	139.4	1 126.0	1.439	4.361	OK
X_5-Y_1	F_3	X	353.8	524.2	1.98	509.7	1 367.3	1.440	2.608	OK
		Y	109.2	291.2	2.00	165.1	1 333.4	1.512	4.579	OK
X_5-Y_3	F_3	X	320.7	475.2	1.99	509.7	1 371.9	1.589	2.886	OK
		Y	99.0	264.0	2.00	165.1	1 333.4	1.668	5.051	OK

〔記号〕$_{DS}M_{FS}$：基礎スラブの短期設計用曲げモーメント
　　　　$_{DS}Q_{FS}$：基礎スラブの短期設計用せん断力
　　　　α：$4/\{_{DS}M_{FS}/(_{DS}Q_{FS}\cdot d)+1\}$
　　　　$_{AS}M_{FS}$：基礎スラブの短期許容曲げモーメント
　　　　$_{AS}Q_{FS}$：基礎スラブの短期許容せん断力

（3）　基礎梁の検討

基礎梁の曲げひび割れおよびせん断ひび割れ等の検討は，設計用応力に対して十分な断面を有しており，また，短期荷重時の発生応力に比して，けた行（X）方向基礎梁の保証設計時応力の2倍以上となることからここでは省略し，「12. 基礎の保証設計」にて行う．

10.　その他の設計

（1）　床スラブ・屋根スラブの設計

　　　・長期荷重時における変形および応力の確認を行う．検討内容は省略する．

11.　保有水平耐力の検討

（1）　検 討 方 法

保有水平耐力の検討における非線形荷重増分解析は，線形置換法を用いた立体解析プログラムを用いて行う．下記に，保有水平耐力の算定および構造特性係数の設定ならびに部材の保証設計の概要を示す．

・建物モデルは，一次設計時のモデルと同一の立体モデルおよび支点条件を用いる．
・荷重増分時の外力分布形は，一次設計時と同様の A_i 分布とする．
・保有水平耐力の算定は，下記の（a）～（f）の手順による．

（a）　部材種別判定に用いるメカニズム時応力を算定するため，層間変形角が十分に大きい時点（本検討では，1階の層間変形角が概ね1/50に達する時点）まで，せん断破壊部材の有無にかかわらず増分解析を行う．

(b) 上記の荷重増分解析時において,メカニズムが形成されない場合は,別途手計算等によりメカニズムを形成させ,部材のメカニズム時応力を算定する.
(c) 耐力壁の破壊形式とメカニズム時応力より耐力壁の部材種別を本規準表 10.2.1 により判定を行い,本規準表 10.2.2 および表 10.2.3 に従って構造特性係数を設定する.
(d) 各階の保有水平耐力が必要保有水平耐力を上回ることを確認する.保有水平耐力計算におけるせん断破壊型部材の取扱いは,本規準 10.3 節による.
(e) 保有水平耐力は,けた行(X)および張り間(Y)方向ともに,最大層間変形角が概ね 1/200 に達する時点,もしくは,耐力壁が局部破壊する時点より算定する.
(f) 部材および耐力壁・壁梁接合部ならびに付着・継手・定着に対する保証設計を,本規準 10.5 節に基づいて行う.
(2) 部材のモデル化

本設計例に用いる部材のモデル化を示す.
(i) 復元力特性
(a) 耐 力 壁

付図 2.1.8 に耐力壁のモデル図を示す.耐力壁は,壁柱とその上下端に剛域を設けて周囲の節にピンで接合する線形置換法を用いたモデルに置換する.置換された壁柱は面内の曲げ,せん断変形および軸変形を考慮し,各成分について非線形性を考慮する.曲げ変形に関する弾塑性挙動は,曲げひび割れによる剛性低下を考慮して,壁脚および壁頭に仮定した Tri-Linear 型弾塑性回転ばねにより考慮する.せん断変形および軸方向変形に関する弾塑性挙動(せん断ひび割れと引張ひび割れによるの剛性低下を考慮)は,材中央に設けた Tri-Linear 型せん断ばねおよび軸ばねにより考慮する.

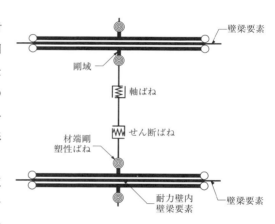

付図 2.1.8 耐力壁のモデル図

① 耐力壁の曲げモーメント−曲率の関係

付図 2.1.9 に,耐力壁の曲げモーメント M−曲率 ϕ の関係を示す.なお,図中の耐力壁の各強度式は,後述の(2)(ii)による.

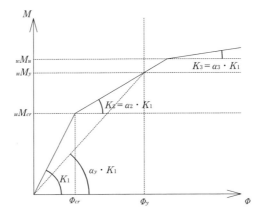

〔記号〕 K_1：耐力壁の初期曲げ剛性で，次式による．
$$K_1 = E_c \cdot {}_wI_o$$
E_c：コンクリートのヤング係数(N/mm^2)で，次式による．
$$E_c = 3.35 \times 10^4 \times (\gamma/24)^2 \times (F_c/60)^{1/3}$$
γ：コンクリートの単位体積重量(kN/m^3)
F_c：コンクリートの設計基準強度(N/mm^2)
${}_wI_o$：耐力壁の断面二次モーメント(mm^4)で，次式による．
$${}_wI_o = t \cdot l^3 / 12$$
t：耐力壁の厚さ(mm)
l：耐力壁の長さ(mm)
${}_wM_{cr}$：耐力壁の曲げひび割れモーメント($N \cdot mm$)．
${}_wM_u$：耐力壁の曲げ強度($N \cdot mm$)
${}_wM_y$：耐力壁の曲げ降伏モーメント($N \cdot mm$)
α_y：耐力壁の曲げ降伏時剛性低下率で，次式による．
$$\alpha_y = {}_wM_y / (E_c \cdot I_e \cdot \Phi_y)$$
I_e：直交壁を考慮した耐力壁の断面二次モーメント(mm^4)
α_2：耐力壁の $M - \Phi$ 関係の第2割線剛性低下率で，次式による．
$$\alpha_2 = ({}_wM_y - {}_wM_{cr}) / ({}_wM_y/\alpha_y - {}_wM_{cr})$$
α_3：耐力壁の $M - \Phi$ 関係の第3割線剛性低下率で，0.001 とする．
Φ_{cr}：M_{cr} 時の曲率
Φ_y：M_y 時の曲率で，e 関数法による．

付図 2.1.9 耐力壁の曲げモーメント－曲率 Φ の関係

② 耐力壁の軸方向力－軸方向変形の関係

付図 2.1.10 に，耐力壁の軸方向力 N－軸方向変位 δ の関係を示す．図中の耐力壁の各強度式は，後述の(2)(ⅱ)による．

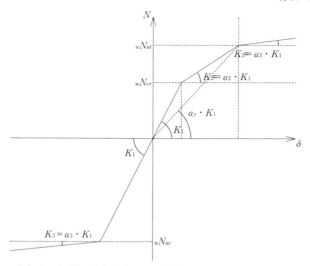

〔記号〕 K_1：耐力壁の初期の軸方向力の剛性(N)で，次式による．
$$K_1 = E_c \cdot t \cdot l$$
E_c：コンクリートのヤング係数(N/mm²)で，次式による．
$$E_c = 3.35 \times (\gamma/24)^2 \times (F_c/60)^{1/3}$$
γ：コンクリートの単位体積重量(kN/m³)
F_c：コンクリートの設計基準強度(N/mm²)
t：耐力壁の厚さ(mm)
l：耐力壁の長さ(mm)
${}_wN_{cr}$：耐力壁の引張ひび割れ強度(N)
${}_wN_{ut}$：耐力壁の引張強度(N)
${}_wN_{uc}$：耐力壁の圧縮強度(N)
α_y：耐力壁の引張降伏時剛性低下率で，次式による．
$$\alpha_y = n \cdot \Sigma a_{tw}/{}_wA_e$$
n：コンクリートと鉄筋のヤング係数比
Σa_{tw}：耐力壁の引張側縦補強筋の全断面積(mm²)で，次式による．
$$\Sigma a_{tw} = a_t + a_w$$
a_t：耐力壁の引張鉄筋の断面積(mm²)
a_w：耐力壁の中間部縦補強筋の断面積の和(mm²)
${}_wA_e$：耐力壁の耐力壁内縦補強筋を考慮した等価断面積(mm²)で，次式による．
$${}_wA_e = t \cdot l + (n-1) \cdot \Sigma a_s$$
Σa_s：耐力壁縦補強筋の全断面積(mm²)
α_2：耐力壁の引張時の第2剛性低下率で，次式による．
$$\alpha_2 = ({}_wN_{ut} - {}_wN_{cr})/({}_wN_{sut}/\alpha_y - {}_wN_{cr})$$
α_3：耐力壁の引張時の第3剛性低下率で，0.001 とする．

付図 2.1.10 耐力壁の軸方向力 N − 軸方向変形 δ の関係

③ 耐力壁のせん断力－せん断変形角の関係

付図 2.1.11 に，耐力壁のせん断力 Q − せん断変形角 γ の関係を示す．なお，図中の耐力壁の各強度式は，後述の (2)(ⅱ) による．

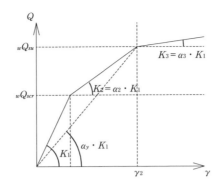

〔記号〕 K_1：耐力壁の初期せん断剛性(N)で，次式による．
$$K_1 = G_c \cdot r \cdot t \cdot l / \kappa$$
G_c：コンクリートのせん断弾性係数(N/mm²)で，次式による．
$$G_c = E_c / \{2(1+\nu)\}$$
E_c：コンクリートのヤング係数(N/mm²)で，次式による．
$$E_c = 3.35 \times (\gamma/24)^2 \times (F_c/60)^{1/3}$$
γ：コンクリートの単位体積重量(kN/m³)
F_c：コンクリートの設計基準強度(N/mm²)
ν：コンクリートのポアソン比（=0.2）
r：耐力壁の小開口による低減率
t：耐力壁の厚さ(mm)
l：耐力壁の長さ(mm)
κ：断面形状係数で，$\kappa = 1.2$ とする．
${}_wQ_{su}$：耐力壁のせん断強度(N)
${}_wQ_{scr}$：耐力壁のせん断ひび割れ強度(N)
α_y：耐力壁のせん断強度時剛性低下率で，次式による．
$$\alpha_y = {}_wQ_{su}/(G_c \cdot {}_wA_s \cdot \gamma_2)$$
${}_wA_s$：耐力壁のせん断剛性検討用断面積(mm²)で，次式による．
$${}_wA_s = r \cdot t \cdot l$$
γ_2：耐力壁のせん断強度時の変形角(rad)（=0.004 rad）
α_2：耐力壁のせん断の第2剛性低下率で，次式による．
$$\alpha_2 = ({}_wQ_{su} - {}_wQ_{scr})/({}_wQ_{su}/\alpha_y - {}_wQ_{scr})$$
α_3：耐力壁のせん断の第3剛性低下率で，0.001 とする．

付図 2.1.11 耐力壁のせん断力 Q－せん断変形角 γ の関係

（b）壁梁および基礎梁

　壁梁および基礎梁（以下，壁梁等という）は線材にモデル化し，断面図心位置に配置する．また，部材の弾塑性の復元力特性は，曲げ変形およびせん断変形を考慮して Tri-Linear 型でモデル化する．

① 壁梁等の曲げモーメント－回転角関係

付図 2.1.12 に，壁梁等の曲げモーメント M －回転角 Φ の関係を示す．なお，図中の壁梁等の各強度式は，(2)(ⅱ)による．

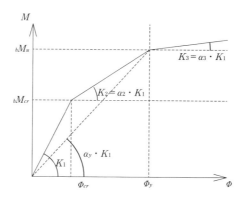

〔記号〕 K_1：壁梁等の初期曲げ剛性 $(N \cdot mm^2)$ で，次式による．
$$K_1 = E_c \cdot I_e$$
　　　　E_c：コンクリートのヤング係数 (N/mm^2) で，次式による．
$$E_c = 3.35 \times 10^4 \times (\gamma/24)^2 \times (F_c/60)^{1/3}$$
　　　　γ：コンクリートの単位体積重量 (kN/m^3)
　　　　F_c：コンクリートの設計基準強度 (N/mm^2)
　　　　I_e：壁梁等の断面二次モーメント (mm^4)
　　　　${}_bM_{cr}$：壁梁等の曲げひび割れモーメント $(N \cdot mm)$
　　　　${}_bM_u$：壁梁等の曲げ強度 $(N \cdot mm)$
　　　　α_y：壁梁等の曲げ降伏時剛性低下率で，次式による．
$$\alpha_y = \{0.043 + 1.64 n \cdot p_{te} + 0.043 (M/Q)/D\} \cdot (d/D)^2 \quad (2 \leq a/D \leq 5)$$
$$\alpha_y = \{-0.0836 + 0.159 (M/Q)/D\} \cdot (d/D)^2 \quad (1 \leq a/D < 2)$$
　　　　n：コンクリートと鉄筋のヤング係数比
　　　　p_{te}：引張鉄筋比で，引張側にスラブが接続する場合，有効な範囲内（片側につき 1m）のスラブ筋の断面積を含む．
　　　　M/Q：壁梁等のせん断スパン長さ (mm) で，M，Q はそれぞれ最大曲げモーメントと最大せん断力とする．
　　　　D：壁梁等のせい (mm)
　　　　d：壁梁等の有効せい (mm)
　　　　α_2：壁梁等の $M-\Phi$ 関係の第 2 割線剛性低下率で，次式による．
$$\alpha_2 = ({}_bM_u - {}_bM_{cr})/({}_bM_u/\alpha_y - {}_bM_{cr})$$
　　　　α_3：壁梁等の $M-\Phi$ 関係の第 3 割線剛性低下率で，0.001 とする．
　　　　Φ_{cr}：${}_bM_{cr}$ 時の曲率
　　　　Φ_y：${}_bM_y$ 時の曲率

付図 2.1.12　壁梁等の曲げモーメント M －回転角 Φ の関係

② 壁梁等のせん断力－せん断変形角の関係

付図 2.1.13 に，せん断破壊する壁梁等のせん断力 Q －せん断変形角 γ の関係を示す．なお，壁梁等がせん断破壊しない場合は，本規準解説図 8.2.17 による．図中の各強度式は，後述の (2)(ⅱ) による．

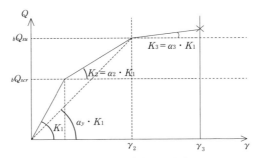

〔記号〕 K_1：壁梁等の初期せん断剛性(N)で，次式による．
$$K_1 = G_c \cdot {}_bA_s / \kappa$$
G_c：コンクリートのせん断弾性係数(N/mm²)で，次式による．
$$G_c = E_c / \{2(2+\nu)\}$$
E_c：コンクリートのヤング係数(N/mm²)で，次式による．
$$E_c = 3.35 \times (\gamma/24)^2 \times (F_c/60)^{1/3}$$
γ：コンクリートの単位体積重量(kN/m³)
F_c：コンクリートの設計基準強度(N/mm²)
ν：コンクリートのポアソン比(=0.2)
${}_bA_s$：壁梁等のせん断剛性検討用断面積(mm²)で，次式による．
$${}_bA_s = b \cdot D$$
b：壁梁等の幅(mm)
D：壁梁等のせい(mm)
κ：断面形状係数で，$\kappa = 1.2$ とする．
${}_bQ_{scr}$：壁梁等のせん断ひび割れ強度(N)
${}_bQ_{su}$：壁梁等のせん断強度(N)
α_y：壁梁等のせん断強度時剛性低下率で，次式による．
$$\alpha_y = {}_bQ_{su} / (G_c \cdot {}_bA_s \cdot \gamma_2)$$
γ_2：壁梁等のせん断強度時の変形角(rad)(=0.004 rad)
α_2：壁梁等の $Q-\gamma$ 関係の第2割線剛性低下率で，次式による．
$$\alpha_2 = ({}_bQ_{su} - {}_bQ_{scr}) / ({}_bQ_{su}/\alpha_y - {}_bQ_{scr})$$
α_3：壁梁等のせん断強度後の第3割線剛性低下率で，0.001 とする．
γ_3：壁梁等のせん断破壊時のせん断変形角で，Q_{su}/Q_{mu} の数値に応じて 0.005～0.008 とする．
Q_{mu}：壁梁等の曲げ強度時せん断力(N)で，長期荷重時せん断力を含む．

付図 2.1.13 せん断破壊する壁梁等のせん断力 Q－せん断変形角 γ 関係

(ⅱ) 部材の強度等

(a) 耐 力 壁

① 耐力壁の曲げ強度等

耐力壁の解析モデル図は，付図 2.1.8 に示す．

・曲げひび割れモーメント

曲げひび割れモーメントは，次式による．
$${}_wM_{cr} = (0.56\sqrt{\sigma_B} + {}_wN/{}_wA_e) \cdot {}_wZ_e$$
記号 ${}_wM_{cr}$：耐力壁の曲げひび割れモーメント(N・mm)，${}_wN$：耐力壁の軸方向力(N)
σ_B：コンクリートの圧縮強度(N/mm²)で，設計基準強度とする．

$_wA_e$：鉄筋を考慮した耐力壁の断面積(mm^2)

$_wZ_e$：鉄筋を考慮した耐力壁の断面係数(mm^3)

・耐力壁の曲げ強度および軸方向強度[4]

耐力壁の曲げ強度の算定は，軸方向力と曲げ強度の関係（$M-N$ 曲線）を求めて，部材曲げ強度算定時の軸方向力に応じ曲げ強度を算定する．

・耐力壁内中間部縦補強筋は，耐力壁内に均等に配置されているとして考慮する．

・コンクリートの応力度とひずみの関係は，引張応力はひび割れ耐力時まではコンクリートの断面も考慮する．また，圧縮応力は，圧縮降伏後は完全塑性とする．

・コンクリートの圧縮強度は，設計基準強度とする．

・曲げ強度に考慮する直交壁加力方向の耐力壁の曲げ強度には，曲げ強度に有効な範囲内（片側につき直交壁厚さの6倍，または隣り合う耐力壁までの内法スパン長さの 1/4 および開口部までの長さのうち最小の数値）の直交壁内の縦補強筋を考慮する．

② 耐力壁の軸方向強度等

・引張ひび割れ強度

引張ひび割れ強度は，次式による．

$$_wN_{cr} = 0.31\sqrt{\sigma_B} \cdot {}_wA_e$$

記号 $_wN_{cr}$：耐力壁の引張ひび割れ強度(N), $_wA_e$：鉄筋を考慮した耐力壁の断面積(mm^2)

σ_B：コンクリートの圧縮強度(N/mm^2)で，設計基準強度とする．

・引張強度

引張強度は，次式による．

$$_wN_{ut} = \sum(a_t \cdot \sigma_y) + \sum(a_w \cdot \sigma_{wy})$$

記号 $_wN_{ut}$：耐力壁の引張強度(N), $\sum(a_t \cdot \sigma_y)$：a_t に σ_y を乗じた数値の和(N)

a_t：耐力壁の引張鉄筋の断面積(mm^2)

σ_y：耐力壁の引張鉄筋の材料強度(N/mm^2)で，規格降伏点の 1.1 倍の数値とする．

$\sum(a_w \cdot \sigma_{wy})$：$a_w$ に σ_{wy} を乗じた数値の和(N)

a_w：耐力壁の中間部縦補強筋の断面積の和(mm^2)

σ_{wy}：耐力壁の中間部縦補強筋の材料強度(N/mm^2)で，規格降伏点の 1.1 倍の数値とする．

[注]4）：本規準（10.4.1）式による耐力壁の曲げ強度算定式と本設計例作成に用いた解析プログラムの曲げ強度は，直交壁が取り付く耐力壁において最大で ±6〜8% 程度の差が生じている．本設計例では，本規準に記載の算定式で算定される耐力壁の曲げ強度が増大することによる下記の検討を行い，問題がないことを確認した．

・曲げ降伏する耐力壁のメカニズム時せん断力応力度比と部材種別

・メカニズム時における耐力壁のせん断力増大に伴う所要のせん断強度の確保（保証設計）

・耐力壁の曲げ強度の算定は，軸方向力と曲げ強度の関係を求めて，部材曲げ強度算定時の軸方向力に応じて曲げ強度を算定する．

・圧縮強度

圧縮強度は，次式による．

$$_wN_{uc} = t \cdot l \cdot F_c + \sum(a_t \cdot \sigma_y) + \sum(a_w \cdot \sigma_{wy})$$

記号　$_wN_{uc}$：耐力壁の圧縮強度（N），t：耐力壁の厚さ（mm），l：耐力壁の長さ（mm）

F_c：コンクリートの設計基準強度（N/mm^2）

$\sum(a_t \cdot \sigma_y)$：a_t に σ_y を乗じた数値の和（N）

a_t：耐力壁の引張鉄筋の断面積（mm^2）

σ_y：耐力壁の引張鉄筋の材料強度（N/mm^2）で規格降伏点の1.1倍の数値とする．

$\sum(a_w \cdot \sigma_{wy})$：$a_w$ に σ_{wy} を乗じた数値の和（N）

a_w：耐力壁の中間部縦補強筋の断面積の和（mm^2）

σ_{wy}：耐力壁の中間部縦補強筋の材料強度（N/mm^2）で，規格降伏点の1.1倍の数値とする．

③ 耐力壁のせん断強度等

・耐力壁のせん断ひび割れ強度

耐力壁のせん断ひび割れ強度は，次式による．

$$_wQ_{scr} = {_sf_s} \cdot t \cdot l \cdot r$$

$$_sf_s = \min(F_c/30, \ 0.49 + F_c/100) \times 1.5$$

記号　$_wQ_{scr}$：耐力壁のせん断ひび割れ強度（N）

$_sf_s$：コンクリートの短期許容せん断応力度（N/mm^2）

t：耐力壁の厚さ（mm），　l：耐力壁の長さ（mm）

r：耐力壁の小開口による低減率，F_c：コンクリートの設計基準強度（N/mm^2）

・耐力壁のせん断強度

耐力壁のせん断強度の算定には，有効な直交壁の断面積を考慮した次式による．

$$_wQ_{su} = r \cdot \left\{ \frac{0.053 p_{te}^{0.23}(F_c+18)}{M/(Q \cdot l)+0.12} + 0.85\sqrt{p_{we} \cdot {_s\sigma_{wy}}} + 0.1\overline{\sigma_{0e}} \right\} \cdot t_e \cdot j \ ^{5)}$$

記号　$_wQ_{su}$：耐力壁のせん断強度（N），r：耐力壁の小開口による低減率

p_{te}：引張鉄筋比（％）で，次式による．

$$p_{te} = 100 \times a_t/(t_e \cdot l)$$

a_t：引張鉄筋の断面積（mm^2）で，有効な範囲内の直交壁内の縦補強筋を考慮する．

t_e：有効な範囲内の直交壁を考慮した断面を長さと断面積とは等しい等価長方形断面に置き換えた時の厚さ（mm）[6]

l：耐力壁の長さ（mm），F_c：コンクリートの設計基準強度（N/mm^2）

[注] 5)：耐力壁のせん断強度は，せん断スパン比および平均軸方向応力度の数値が採用プログラムと本規準（10.4.5）式による数値と異なっており，せん断強度に差が生じるが，所要のせん断強度上の余力を確保していることを別途確認している．

$M/(Q \cdot l)$：せん断スパン比で，M, Q は本設計例では短期荷重時の数値を用いた．ただし，$1 \leq M/(Q \cdot l) \leq 3$ とする．

p_{we}：等価横補強筋比で，次式による．

$$p_{we} = a_w/(t_e \cdot s), \quad かつ \quad p_{we} \leq 0.012 t/t_e$$

a_w：一組の横補強筋の断面積(mm^2)，s：一組の横補強筋の間隔(mm)

$_s\sigma_{wy}$：横補強筋の規格降伏点(N/mm^2)

$\overline{\sigma_{0e}}$：耐力壁の平均軸方向応力度(N/mm^2)で，本設計例では直交壁の長期軸方向力は考慮していない．

j：耐力壁の応力中心距離(mm)で$(7/8)d$とし，有効せい d は，$0.95l$ とする．

(b) 壁梁等

① 壁梁等の曲げ強度等

・曲げひび割れモーメント

曲げひび割れモーメントは，次式による．

$$_bM_{cr} = 0.56\sqrt{\sigma_B} \cdot {_bZ_e}$$

記号　$_bM_{cr}$：壁梁等の曲げひび割れモーメント($N \cdot mm$)

σ_B：コンクリートの圧縮強度(N/mm^2)で，設計基準強度とする．

$_bZ_e$：端部曲げ補強筋と有効な範囲内のスラブ筋を考慮した壁梁等の断面係数(mm^3)

・壁梁等の曲げ強度

壁梁等の曲げ強度は，次式による．

$$_bM_u = 0.9\sum(a_t \cdot \sigma_y \cdot d)$$

記号　$_bM_u$：壁梁等の曲げ強度($N \cdot mm$)

$\sum(a_t \cdot \sigma_y \cdot d)$：$a_t$ に σ_y および d を乗じた数値の和($N \cdot mm$)

a_t：壁梁等の引張鉄筋の断面積(mm^2)で，引張側にスラブが接続する場合，有効な範囲内のスラブ筋の断面積を考慮する．[7]

σ_y：同上鉄筋の材料強度(N/mm^2)で，規格降伏点の1.1倍の数値とする．

d：壁梁等の有効せい(mm)

② 壁梁等のせん断強度等

・壁梁等のせん断ひび割れ強度

[注] 6)：本規準 (10.4.5) 式に準じた数値とする．なお，耐力壁のせん断強度に有効な直交壁の範囲は，片側につき min（$6t$，隣り合う耐力壁までの内法スパン長さの$1/4$，直交壁の長さ）以内を有効とする．ただし，$t_e \leq 1.5t$ とする．

7)：壁梁の曲げ強度に考慮する上端引張鉄筋には，接続するスラブ片側につき 1m の範囲内の 10-D10 とする．定着長さが確保されているバルコニーのスラブ筋も考慮する．考慮するバルコニーのスラブ筋は，スラブ受け筋 1-D13 および配力筋（上下とも D10@300）より，1-D13 + 7-D10 とする．
G_3, G_{3A} のスラブ筋は，スラブ内に 2-D13 の上端端部曲げ補強筋が配筋されていることから，片側 8-D10 + 1-D13 としている．

壁梁等のせん断ひび割れ強度は，次式による．

$$_bQ_{scr} = \tau_{scr} \cdot b \cdot D/\kappa$$

記号　$_bQ_{scr}$：壁梁等のせん断ひび割れ強度(N)とする．

　　　σ_t：コンクリートの引張強度(N/mm^2)で，次式による．

$$\sigma_t = 0.31\sqrt{F_c}$$

　　　F_c：コンクリートの設計基準強度(N/mm^2)，b：壁梁等の幅(mm)

　　　D：壁梁等のせい(mm)

　　　κ：断面形状係数(長方形断面の場合 1.5，T形断面の場合 1.2)

・壁梁等のせん断強度

壁梁等のせん断強度は，次式による．

$$_bQ_{su} = \left\{\frac{0.053 p_{te}^{0.23}(F_c+18)}{(M/(Q\cdot d))+0.12} + 0.85\sqrt{p_{we}\cdot {_s\sigma_{wy}}}\right\} \cdot b_e \cdot j$$

記号　$_bQ_{su}$：壁梁等のせん断強度(N)

　　　p_{te}：引張鉄筋比(%)で，引張側にスラブが接続する場合，有効な範囲内(1 m 幅)のスラブ筋の断面積を含み，次式による．

$$p_{te} = 100\, a_t/(b_e \cdot d)\ (\%)$$

　　　a_t：引張鉄筋の断面積(mm^2)で，引張側にスラブが接続する場合，有効な範囲内のスラブ筋を考慮する．

　　　b_e：壁梁等のせん断強度に有効な範囲内のスラブのコンクリート断面積を考慮した壁梁の等価幅(mm)で，$b_e \leq 1.5b$ とする．

　　　b：壁梁等の幅(mm)

　　　d：壁梁等の有効せい(mm)，F_c：コンクリートの設計基準強度(N/mm^2)

　　　$M/(Q\cdot d)$：壁梁等のせん断スパン比で，M，Q はそれぞれ算定断面位置における曲げモーメントとせん断力とする．ただし，$1 \leq M/(Q\cdot d) \leq 3$ とする．

　　　p_{we}：等価縦補強筋比($=a_w/(b_e\cdot s)$)．ここで，a_w は一組の縦補強筋の断面積(mm^2)で，s はその間隔(mm)．ただし，p_{we} は，$0.012(b/b_e)$ 以下とする．

　　　$_s\sigma_{wy}$：壁梁等の縦補強筋の規格降伏点(N/mm^2)

　　　j：壁梁等の応力中心間距離(mm)で，$(7/8)d$ とする．

（3）非線形荷重増分解析

（i）非線形荷重増分解析の方針

　メカニズム時応力は，せん断破壊する部材がせん断破壊後も，荷重を保持するとして非線形増分解析を行い算定する．層間変形角が十分に大きい時点まで非線形荷重増分解析を実施してもメカニズムが形成されない場合は，別途手計算等によりメカニズムを形成させ，部材のメカニズム時応力を算定する．なお，本設計例では，けた行（X）方向の非線形荷重増分解析終了時において，耐力壁および壁梁に曲げヒンジが生じて，節点まわりの応力上昇がヒンジ部材の第3勾配にあり，メカニズムが形成された状態と判断された〔付図 2.1.15 参照〕．

(ⅱ) 非線形荷重増分解析結果
（a） 非線形荷重増分解析終了時応力図およびヒンジ図[8]
① 非線形荷重増分解析終了時応力図

　代表して，けた行（X）方向正加力時の非線形荷重増分解析終了時応力図を，付図2.1.14に示す．なお，最大層間変形角は，1階で1/49に達する時点である．応力図中の記号を下記に示す．なお，有効数字2桁以上で整数表示とする．

〔図中記号〕（　）：せん断力（kN），T符号：軸方向力（引張）（kN），C符号：軸方向力（圧縮）（kN）軸方向力・せん断力以外；曲げモーメント（kN・m）で，耐力壁は部材節点位置とし，壁梁は部材フェイス位置を示す．

[注] 8）：Y_1構面 X_1軸のL形耐力壁のように左端部に直交壁が取り付く場合，平面フレーム解析では，けた行（X）方向正加力時は加力最外端の耐力壁として一般的には軸方向力は引張となるが，本設計例のような立体解析では，左端部に取り付く直交壁が引張力を負担し，当該耐力壁の軸方向力は圧縮となっている．同様に，X_9軸の耐力壁は，右端に取り付く耐力壁が圧縮力を負担し，当該耐力壁の軸方向力は，引張となっている．なお，立体解析においては，加力直交方向の耐力壁において，X_2軸 Y_2側の耐力壁（W_{14}）は引張，Y_3側（W_{15}）は圧縮側となることから，階段室左右の耐力壁の開口部上部の壁梁 G_5 において，大きなせん断力が生じることにも留意する必要がある．

―434― 付　録

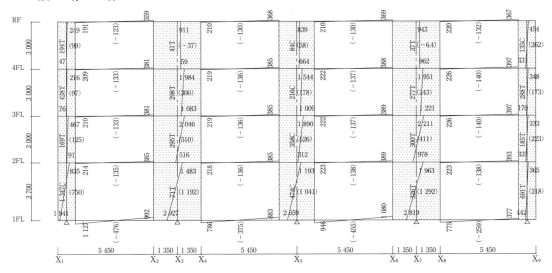

（a）Y_1 構面けた行（X）方向正加力時応力図

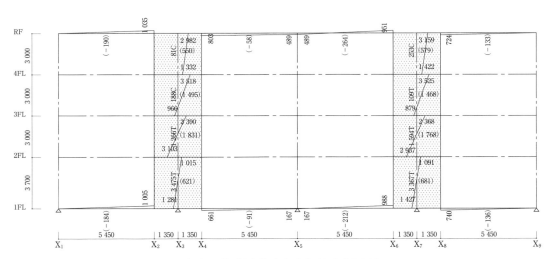

（b）Y_2 構面けた行（X）方向正加力時応力図

付図 2.1.14　非線形荷重増分解析終了時の応力図（代表構面けた行（X）方向正加力時）

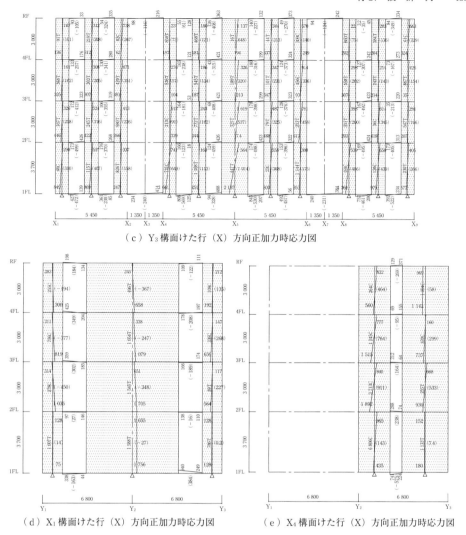

（c）Y_3 構面けた行（X）方向正加力時応力図

（d）X_1 構面けた行（X）方向正加力時応力図

（e）X_4 構面けた行（X）方向正加力時応力図

付図 2.1.14 非線形荷重増分解析終了時の応力図（代表構面けた行（X）方向正加力時）（つづき）

② 非線形荷重増分解析終了時ヒンジ図

　代表して，けた行(X)方向正加力時の非線形荷重増分解析終了時のヒンジ図を，付図2.1.15に示す．ヒンジ図中の記号を下記に示す．

　非線形荷重増分解析終了時(本検証においては，メカニズム時と同義)において，耐力壁および壁梁等(加力直交方向を含む全部材)にせん断破壊は生じておらず，曲げ降伏型の崩壊形となっている．また，軸降伏する部材が，加力直交方向において存在するが，圧縮降伏するものは存在せず，最終ステップにおいて鉛直支持能力の確保がなされていると判断する．

〔記号〕○：耐力壁もしくは壁梁等に曲げひび割れが生じたことを示す．
　　　　□：耐力壁に軸方向引張ひび割れが生じたことを示し，引張ひび割れが生じた部材は(T)付きとする．
　　　　△：耐力壁もしくは壁梁等にせん断ひび割れが生じたことを示す．
　　　　●：耐力壁もしくは壁梁等に曲げ降伏が生じたことを示す．
　　　　■：耐力壁の軸降伏が生じたことを示し，圧縮降伏が生じた部材は(C)付きとし，引張降伏が生じた部材は(T)付きとする．
　　　　▲：耐力壁もしくは壁梁等にせん断破壊が生じたことを示す．

［注］各耐力時の荷重増分解析時のステップを下記に示す．
　　　必要保有水平耐力時のステップ：72，保有水平耐力時のステップ：80，荷重増分解析終了時のステップ：91

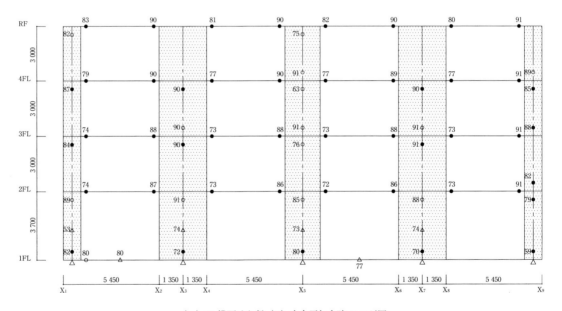

(a) Y_1構面けた行 (X) 方向正加力時 ヒンジ図

付図2.1.15 非線形荷重増分解析終了時のヒンジ図（代表構面けた行 (X) 方向正加力時）

付2. 設 計 例 —437—

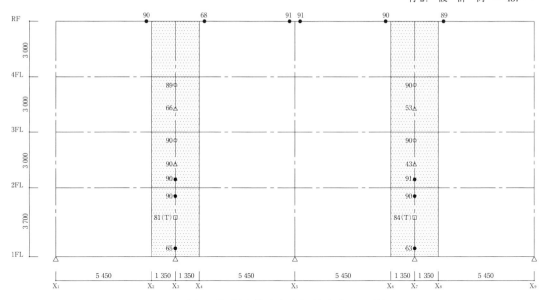

(b) Y_2 構面けた行（X）方向正加力時 ヒンジ図

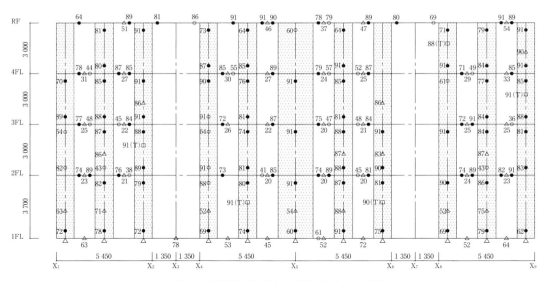

(c) Y_3 構面けた行（X）方向正加力時 ヒンジ図

図 2.1.15 非線形荷重増分解析終了時のヒンジ図（代表構面けた行（X）方向正加力時）（つづき）

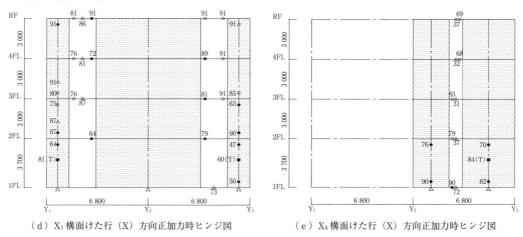

(d) X_1構面けた行（X）方向正加力時ヒンジ図　　　　（e) X_4構面けた行（X）方向正加力時ヒンジ図

図2.1.15 非線形荷重増分解析終了時のヒンジ図（代表構面けた行（X）方向正加力時）（つづき）

(b) 非線形荷重増分解析の荷重―変形関係

けた行（X）方向正加力時の非線形荷重増分解析による荷重―変形を，付図2.1.16に示す．

付図2.1.16において，最終ステップ時（91ステップ）は，最大層間変形角が概ね1/50を超えた時点（1階）である．また，保有水平耐力時（80ステップ），必要保有水平耐力時（72ステップ）および一次設計時（32ステップ）を図中にプロットしている．

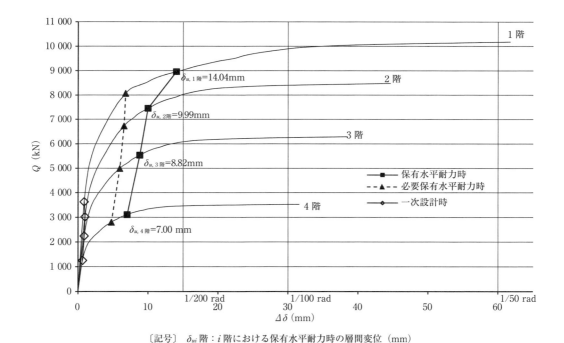

〔記号〕 δ_{ui}階：i階における保有水平耐力時の層間変位（mm）

付図2.1.16 けた行（X）方向正加力時 非線形荷重増分解析の荷重－変形関係

けた行（X）方向正加力時の非線形荷重増分解析終了時（メカニズム時）の層間変形角を，付表2.1.36に示す．張り間（Y）方向は，保有水平耐力計算は不要であるが，参考値として掲載する．

付表 2.1.36　非線形荷重増分解析終了時の層間変形角

階	けた行（X）方向正加力時 (C_B=0.561)	張り間（Y）方向正加力時 (C_B=1.49)
4	1/95	1/864
3	1/78	1/618
2	1/67	1/367
1	1/49	1/48

〔記号〕 C_B：ベースシヤー係数換算値

けた行（X）方向は，非線形荷重増分解析終了時（最大層間変形角1/49）において全体曲げ降伏型である．また，張り間（Y）方向は，最大層間変形角1/190（C_B=1.45）において，1階 X_1 構面 Y_3 軸の耐力壁（W_{13}）が最初にせん断破壊が生じている．

(iii)　メカニズム時応力図およびヒンジ図

非線形荷重増分解析終了時において，メカニズムが形成されない場合は，別途手計算等によりメカニズムを形成させ，部材のメカニズム時応力を算定する必要があるが，本設計例においては，付図2.1.15に示すヒンジ図より，けた行（X）方向の非線形荷重増分解析終了時において全体曲げ降伏形が形成されており，その必要はない（荷重増分解析終了時が，メカニズム時である）．

（4）　保有水平耐力の検討

メカニズム時の応力図およびヒンジ図より，耐力壁の部材種別の判定および各階の部材群の種別の判定を行い，構造特性係数を決定するとともに，必要保有水平耐力を算定する．保有水平耐力は，けた行（X）および張り間（Y）方向ともに，最大層間変形角が概ね1/200に達する時点，もしくは耐力壁が局部破壊する時点とする[9]．

（i）　構造特性係数 D_s の算定

構造特性係数 D_s の算定は，本規準10.2節に準拠して設定する．

（a）　耐力壁の種別判定

本規準表10.2.1により，耐力壁の種別判定を行う．各耐力壁の種別は，全てWAであることを確認した．代表して，けた行（X）方向正加力時における1階耐力壁の部材種別判定を，付表2.1.37に示す．

［注］9）：必要保有水平耐力時の層間変形角：けた行（X）方向は，曲げ降伏型を計画するが，Y_3 構面において短スパン壁梁が存在することから，1/200とした．また，張り間（Y）方向は，耐力壁のせん断破壊型であることから，1/200とした．

付表 2.1.37 けた行（X）方向正加力時における 1 階耐力壁の部材種別判定[10]

構面	位置	耐力壁符号	壁厚 t (mm)	壁長 l (mm)	r	$_wQ_L$ (kN)	$_wQ_m$ (kN)	$_wQ_M$ (kN)	$\bar{\tau}_u$*1 (N/mm²)	$\bar{\tau}_u/F_c$	部材種別
Y_1	X_1	W_1	250	1 100	0.940*2	10.8	750.5	761.3	2.95	0.098<0.1	WA
	X_3	W_2	250	2 700	0.951*3	1.5	1 192.1	1 193.6	1.86	0.062<0.1	WA
	X_5	W_3	250	2 000	0.934*3	1.5	1 041.1	1 042.6	2.23	0.074<0.1	WA
Y_2	X_3	W_4	250	2 900	1.000	5.2	620.5	625.7	0.86	0.029<0.1	WA
	X_7	W_5	250	2 900	1.000	5.2	680.7	685.9	0.95	0.032<0.1	WA
Y_3	X_1	W_6	250	1 100	1.000	1.0	309.9	310.9	1.13	0.038<0.1	WA
	X_1-X_2	W_7	250	1 050	1.000	1.0	406.8	407.8	1.55	0.052<0.1	WA
	X_2	W_8	250	1 100	1.000	9.4	157.9	167.3	0.61	0.020<0.1	WA
	X_4	W_9	250	1 100	1.000	7.6	649.2	656.8	2.30	0.080<0.1	WA
	X_4-X_5	W_{10}	250	1 050	1.000	0.2	113.4	113.6	0.43	0.014<0.1	WA
X_1	Y_1	W_{11}	200	1 625	1.000	92.0	14.0	106.0	0.33	0.011<0.1	WA
	Y_2	W_{12}	200	7 000	1.000	1.7	27.0	28.7	0.02	0.001<0.1	WA
	Y_3	W_{13}	200	1 625	1.000	81.0	0.2	81.2	0.25	0.008<0.1	WA
X_2	Y_2	W_{14}	200	2 525	1.000	15.0	45.0	60.0	0.12	0.004<0.1	WA
	Y_3	W_{15}	200	3 625	1.000	46.0	274.0	320.0	0.44	0.015<0.1	WA
X_3	Y_1	W_{16}	180	7 050	1.000	18.0	21.0	39.0	0.03	0.001<0.1	WA
X_4	Y_2	W_{17}	200	2 525	1.000	21.0	143.0	164.0	0.32	0.011<0.1	WA
	Y_3	W_{18}	200	3 625	1.000	44.0	7.4	51.4	0.07	0.002<0.1	WA
X_5	Y_1	W_{19}	180	13 850	1.000	47.0	313.0	360.0	0.14	0.005<0.1	WA

［注］*1：$\bar{\tau}_u = {_wQ_M}/(r \cdot t \cdot l)$ で，r は，本規準 9.2 節に基づく小開口による低減率を示す．
　　*2：耐力壁上下に 1-75φ の小開口　$r = \min\{1 - l_o/1\,100, \sqrt{h_o \cdot l_o/(1\,100 \times 3\,000)}\}$
　　*3：耐力壁上下に 2-75φ の小開口　$r = \min\{1 - (l_o \times 2)/1\,100, \sqrt{h_o \cdot l_o \times 2/(1\,100 \times 3\,000)}\}$
　　ここで，本規準（解 9.2.1）式の円形の小開口より，$l_o = \sqrt{\pi} \times 75/2$，$h_o \cdot l_o = \pi \times 75^2/4$

（b）耐力壁の部材群としての種別および構造特性係数 D_s の算定[10]

　各階耐力壁の部材群としての種別判定および各階の構造特性係数 D_s は，本規準表 10.2.2 および表 10.2.3 による．付表 2.1.38 に，けた行（X）方向正加力時の各階耐力壁の部材群としての種別，および構造特性係数 D_s を示す．張り間（Y）方向は，保有水平耐力の確認は不要であるが，参考値として掲載する．

［注］10)：立体解析を行っていることから，加力直交方向についても部材種別判定を行い，全て WA であることを確認した．小開口による低減率 r の算定は，本規準 (9.2.3) 式に基づき算定した．

付表 2.1.38　各階耐力壁の部材群としての種別および構造特性係数 D_s

階	種別	けた行（X）方向正加力時（負加力時も同様）					張り間（Y）方向正加力時（負加力時も同様）				
		Q (kN)	r_A (%)	(%)*1	部材群種別	D_s	Q (kN)	r_A (%)	*1 (%)	部材群種別	D_s *2
4	WA	3 105	100	100	A	0.45	9 037	100	100	A	0.55
	WB	0	0	0			0	0	0		
	WC	0	0	0			0	0	0		
	WD	0	—	0			0	—	0		
3	WA	5 535	100	100	A	0.45	16 110	100	100	A	0.55
	WB	0	0	0			0	0	0		
	WC	0	0	0			0	0	0		
	WD	0	—	0			0	—	0		
2	WA	7 459	100	100	A	0.45	21 711	100	100	A	0.55
	WB	0	0	0			0	0	0		
	WC	0	0	0			0	0	0		
	WD	0	—	0			0	—	0		
1	WA	8 958	100	100	A	0.45	8 555	100	32.8	D *3	0.55
	WB	0	0	0			0	0	0		
	WC	0	0	0			0	0	0		
	WD	0	—	0			17 518	—	67.2		

［注］*1：当該部材種別の耐力壁の水平耐力の和を，種別 WD を含む全ての耐力壁の水平耐力の和で除した数値．
　　*2：1 階で種別 WD の耐力壁が存在することから，同様の耐力壁配置を有する 2 階以上も $D_s=0.55$ とした．
　　*3：種別 WD の耐力壁が存在することから，部材群としての種別は D とする．
〔記号〕Q：加力方向構面の各種別ごとの耐力壁の水平耐力の和．
　　r_A：種別 WA である耐力壁の水平耐力の和を種別 WD である耐力壁を除く全ての耐力壁の水平耐力の和で除した数値．，D_s：構造特性係数．

(ⅱ)　各階の必要保有水平耐力の算定

けた行（X）方向加力時は，構造特性係数 D_s 算定時において，全ての耐力壁の種別は WA であり，部材群としての種別は A となることから $D_s=0.45$ とする．各階の保有水平耐力は，保有水平耐力時（最大層間変形角が 1/214）の全耐力壁の負担せん断力より算定する．

張り間（Y）方向加力時は，1 階において部材群としての種別は D となることから，全階 $D_s=0.55$ とする．各階の保有水平耐力は，最大層間変形角が概ね 1/200 に達する時点の全耐力壁の負担せん断力より算定する．なお，D_s 算定時の非線形荷重増分解析結果において，最初に耐力壁がせん断破壊する時の層間変形角の最大値は，1 階で 1/190 となっている．

建物重量，外力分布 A_i，建物の形状係数 F_{es} および構造特性係数 D_s より得られる各方向正加力時の必要保有水平耐力を付表 2.1.39 に示す．張り間（Y）方向は，保有水平耐力計算は不要であるが，参考値として掲載する．

付表 2.1.39　必要保有水平耐力 Q_{un}（正加力時）

方向	階	A_i	W_i(kN)	ΣW_i(kN)	Q_{ud}(kN)[*1]	D_s	F_e	F_s	F_{es}	Q_{un}(kN)
けた行(X)方向	4	1.553	4 021.2	4 021.2	6 247	0.45	1.00	1.00	1.00	2 829
	3	2.279	4 702.9	8 724.1	11 163	0.45	1.00	1.00	1.00	5 044
	2	1.123	4 700.4	13 424.6	15 076	0.45	1.00	1.00	1.00	6 797
	1	1.000	4 713.2	18 137.7	18 141	0.45	1.00	1.00	1.00	8 162
張り間(Y)方向	4	1.553	4 021.2	4 021.2	6 247	0.55	1.00	1.00	1.00	3 458
	3	1.279	4 702.9	8 724.1	11 163	0.55	1.00	1.00	1.00	6 164
	2	1.123	4 700.4	13 424.6	15 076	0.55	1.00	1.00	1.00	8 307
	1	1.000	4 713.2	18 137.7	18 141	0.55	1.00	1.00	1.00	9 976

［注］[*1]：A_i の小数点以下第 4 位の数値処理の関係で，$A_i \cdot \Sigma W_i \cdot F_{es}$ の数値と Q_{ud} の数値が若干異なっている．

保有水平耐力時の応力，ヒンジ状態および変形の確認を行う．

各方向正加力時の保有水平耐力算定時および必要保有水平耐力算定時の層間変形角を，付表 2.1.40 に示す．張り間（Y）方向は，保有水平耐力計算は不要であるが，参考値として掲載する．

付表 2.1.40　保有水平耐力時および必要保有水平耐力時の層間変形角

階	けた行(X)方向正加力時層間変形角		張り間(Y)方向正加力時層間変形角	
	保有水平耐力時 (C_B=0.492)	必要保有水平耐力時 (C_B=0.45)	保有水平耐力時 (C_B=1.367)	必要保有水平耐力時 (C_B=0.55)
4	1/428	1/614	1/1 116	1/11 240
3	1/340	1/490	1/ 860	1/ 8 112
2	1/300	1/444	1/ 440	1/ 6 821
1	1/214	1/424	1/ 203	1/ 6 596

［注］C_B は，各耐力時のベースシヤー係数の換算値を示す．

(iv)　各階の保有水平耐力の検討

各方向正加力時の必要保有水平耐力と保有水平耐力の比較表を付表 2.1.41 に示す．張り間（Y）方向は，保有水平耐力計算は不要であるが，参考値として掲載する．

付表 2.1.41　必要保有水平耐力と保有水平耐力の比較（正加力時）

方向	階	D_s	必要保有水平耐力 Q_{un}（kN）	保有水平耐力 Q_u（kN）	Q_u/Q_{un}
けた行(X)方向	4	0.45	2 829	3 105	1.09
	3	0.45	5 044	5 535	1.09
	2	0.45	6 797	7 459	1.09
	1	0.45	8 162	8 958	1.09
張り間(Y)方向	4	0.55	3 458	9 037	2.61
	3	0.55	6 164	16 110	2.61
	2	0.55	8 307	21 711	2.61
	1	0.55	9 976	26 073	2.61

付表 2.1.41 より，$Q_u/Q_{un} \geqq 1.0$ 以上であり，目標とする耐震性能を有している．

けた行(X)方向正加力時の各階の保有水平耐力 Q_u と必要保有水平耐力 Q_{un} の比較図を，付図 2.1.17 に示す．

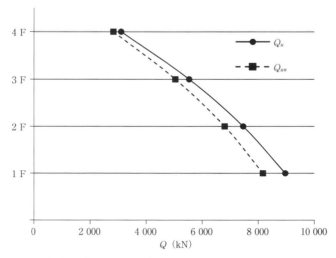

付図 2.1.17 けた行（X）方向正加力時の各階の保有水平耐力と必要保有水平耐力の比較図

（5） 保 証 設 計[11]

メカニズム時の応力を用いて，本規準 10.5.1～10.5.3 項および 10.5.5 項の耐力壁，壁梁等ならびに耐力壁・壁梁接合部および耐力壁・基礎梁接合部が所要の余裕度を有していることの確認を行う．

（i） 耐力壁の保証設計

耐力壁の保証設計は，本規準 10.5.1 項による．

（a） 耐力壁のせん断強度上の余力の確保

メカニズム時にせん断破壊を許容しない耐力壁のせん断強度が，本規準（10.5.2）式を満足することを確認する．けた行（X）方向正加力時の 1 階の耐力壁のせん断強度上の余力の検証結果を，付表 2.1.42 に示す．2 階以上の耐力壁および加力直交方向の耐力壁もせん断強度上の余力の検証を行い，本規準（10.5.2）式を満たすことを確認している．けた行（X）方向の部材群種別は，各階ともに A であることから，本規準表 10.5.1 に準拠し，$\beta_w = 1.1$ とする．耐力壁のせん断強度上の余力 $({}_wQ_{su} - {}_wQ_L)/({}_wQ_m \cdot \beta_w \cdot \beta_l)$ は，1.0 以上であり，メカニズム時にせん断破壊を許容しない耐力壁の所要のせん断強度上の余力を有している．

[注] 11）：保証設計では，加力方向構面の部材に加え，加力直交方向の応力状態等に留意し，保証設計の確認を行った．

付表 2.1.42　けた行（X）方向正加力時 1 階の耐力壁のせん断強度上の余力の検証結果

構面	位置	耐力壁符号	壁厚 t (mm)	壁長 l (mm)	$_wQ_L$ (kN)	$_wQ_m$ (kN)	$_wQ_{su}$ (kN)	β_w	β_l	*1 (kN)	余裕度*2	判定
Y_1	X_1	W_1	250	1 100	10.8	750.5	875.8	1.1	1.00	825.6	1.048	OK
	X_3	W_2	250	2 700	1.5	1 192.1	1 722.2	1.1	1.15	1 508.0	1.141	OK
	X_5	W_3	250	2 000	1.5	1 041.1	1 290.3	1.1	1.00	1 145.2	1.125	OK
Y_2	X_3	W_4	250	2 900	5.2	620.5	2 235.5	1.1	1.15	784.9	2.841	OK
	X_7	W_5	250	2 900	5.2	680.7	2 248.9	1.1	1.15	861.1	2.606	OK
	X_1	W_6	250	1 100	1.0	309.9	665.0	1.1	1.00	340.9	1.948	OK
	X_1-X_2	W_7	250	1 050	1.0	406.8	548.9	1.1	1.00	447.5	1.224	OK
	X_2	W_8	250	1 100	9.4	157.9	697.7	1.1	1.00	173.7	3.445	OK
	X_4	W_9	250	1 100	7.6	649.2	790.3	1.1	1.00	714.1	1.096	OK
	X_4-X_5	W_{10}	250	1 050	0.2	113.4	447.5	1.1	1.00	124.7	3.586	OK
X_1	Y_1	W_{11}	200	1 625	92.0	14.0	503.0	1.1	1.00	15.4	26.688	OK
	Y_2	W_{12}	200	7 000	1.7	27.0	1 823.0	1.1	1.15	34.2	53.254	OK
	Y_3	W_{13}	200	1 625	81.0	0.2	515.0	1.1	1.00	0.2	1.972	OK
X_2	Y_2	W_{14}	200	2 525	15.0	45.0	1 068.0	1.1	1.00	49.5	21.273	OK
	Y_3	W_{15}	200	3 625	46.0	274.0	1 811.0	1.1	1.00	301.4	5.856	OK
X_3	Y_1	W_{16}	180	7 050	18.0	21.0	2 392.0	1.1	1.15	26.6	89.248	OK
X_4	Y_2	W_{17}	200	2 525	21.0	143.0	1 485.0	1.1	1.00	157.3	9.307	OK
	Y_3	W_{18}	200	3 625	44.0	7.4	1 124.0	1.1	1.00	8.1	133.333	OK
X_5	Y_1	W_{19}	180	13 850	47.0	313.0	3 771.0	1.1	1.15	395.9	9.406	OK

［注］*1：本規準（10.5.2）式中の $_wQ_m \cdot \beta_w \cdot \beta_l$ の数値を示す．
　　 *2：余裕度は，せん断強度上の余力を示し，$(_wQ_{su} - _wQ_L)/(_wQ_m \cdot \beta_w \cdot \beta_l)$ の絶対値を示す．

（b）　耐力壁の曲げ強度上の余力の確認

　メカニズム時に曲げ降伏を許容しない耐力壁の曲げ強度が，本規準（10.5.1）式を満足することを確認する．けた行（X）方向正加力時の 1 階の耐力壁の曲げ強度上の余力の検証結果を，付表 2.1.43 に示す．2 階以上の耐力壁および加力直交方向の耐力壁もせん断強度上の余力の検証を行い，本規準（10.5.1）式を満たすことを確認している．けた行（X）方向の部材群種別は，各階ともに A であることから，本規準表 10.5.1 に準拠し，$\alpha_w = 1.1$ とする．

付表2.1.43　けた行(X)方向正加力時の1階の耐力壁の曲げ強度上の余力の検証結果

構面	位置	耐力壁符号	ヒンジ発生位置	$_wM_L$ (kN·m)	$_wM_m$ (kN·m)	$_wM_u$ (kN·m)	$α_w$	*1 (kN·m)	余裕度*2	判定
Y_1	X_1	W_1	壁頭	−14	635	945	1.1	684.5	1.380	OK
	X_3	W_2	壁頭	5	1 483	2 117	1.1	1 635.8	1.294	OK
	X_5	W_3	壁頭	0	1 193	1 713	1.1	1 312.3	1.306	OK
Y_3	X_1	W_5	壁頭	−1	296	511	1.1	324.5	1.575	OK
	X_9	W_5	壁頭	−7	405	448	1.1	438.4	1.021	OK

［注］ ＊1：本規準(10.5.1)式中の $_wM_L+_wM_m·α_w$ の数値を示す.
　　　＊2：余裕度は，曲げ強度上の余力を示し，$_wM_u/(_wM_L+_wM_m·α_w)$ の絶対値を示す.

(ⅱ)　壁梁等の保証設計

壁梁等の保証設計は，本規準10.5.2項による.

（a）　壁梁等のせん断強度上の余力の確認

メカニズム時にせん断破壊を許容しない壁梁等は，本規準(10.5.10)式を満足することを確認する．けた行(X)方向正加力時の2階の壁梁のせん断強度上の余力の検証結果を，付表2.1.44に示す．けた行(X)方向の部材群種別は，各階ともにAであることから，規準式に準拠し，$β_b=1.1$ とする．

付表2.1.44　けた行(X)方向正加力時2階壁梁のせん断強度上の余力の検証結果

構面	位置	部材符号	壁梁幅 b (mm)	壁梁せい D (mm)	$_bQ_L$ (kN)	$_bQ_m$ (kN)	$_bQ_{su}$ (kN)	$β_b$	$_bQ_m·β_b$ (kN)	余裕度*1	判定
Y_1	X_1-X_2	G_1	250	700	51.0	135.0	304.0	1.1	148.5	1.709	OK
	X_4-X_5	G_1	250	700	51.0	136.0	304.0	1.1	149.6	1.697	OK
Y_3	X_1-	G_3	250	700	13.2	499.0	583.0	1.1	548.9	1.038	OK
	-X_2	G_3	250	700	13.1	370.0	600.0	1.1	407.0	1.442	OK
	X_4-	G_{3A}	250	700	13.1	123.0	427.0	1.1	135.3	3.059	OK
	-X_5	G_{3A}	250	700	13.2	459.0	578.0	1.1	504.9	1.118	OK
X_1	Y_1-Y_2	G_4	200	1 550	73.0	27.0	575.0	1.1	29.7	6.902	OK
	Y_2-Y_3	G_4	200	1 550	75.0	16.0	528.0	1.1	17.6	25.738	OK
X_2	Y_2-Y_3	G_5	200	700	18.5	9.2	295.0	1.1	10.2	27.322	OK
X_4	Y_2-Y_3	G_5	200	700	21.0	238.0	417.0	1.1	261.8	1.512	OK

［注］ ＊1：余裕度は，せん断強度上の余力を示し，$(_bQ_{su}-_bQ_L)/(_bQ_m·β_b)$ の絶対を示す.

3階～R階の壁梁および加力直交方向の壁梁等部材に対しても同様の検証を行い，本規準(10.5.10)式を満たすことを確認している．ここでは，記載省略する．基礎梁に対しては，接地圧による付加応力も考慮し，せん断強度上の余力を1.1以上確保した．

壁梁等の部材のせん断強度上の余力 $(_bQ_{su}-_bQ_L)/(_bQ_m·β_b)$ は1.0以上であり，$D_S=0.45$ に対する壁梁等の所要のせん断強度上の余力を有している．

(b) 壁梁等の曲げ強度上の余力の確認

メカニズム時に曲げ降伏を許容しない壁梁等の曲げ強度が，本規準 (10.5.11) 式を満足することを確認する．けた行 (X) 方向正加力時の2階の壁梁の曲げ強度上の余力の検証結果を，付表2.1.45に示す．曲げ強度上の余力 α_b =1.1 とする．

付表2.1.45 けた行(X)方向正加力時2階壁梁の曲げ強度上の余力の検証結果

構面	位置	耐力壁符号	ヒンジ発生位置	$_bM_L$ (kN・m)	$_bM_m$ (kN・m)	$_bM_u$ (kN・m)	α_b	*1 (kN・m)	余裕度*2	判定
Y_3	X_2	W_3	右端	-1.6	268.0	427.7	1.1	293.2	1.459	OK
	X_4	W_{3A}	右端	7.4	-18.0	315.3	1.1	27.2	11.591	OK
	X_4-X_5	W_{3A}	左端	-4.8	124.0	167.2	1.1	131.6	1.271	OK
	X_5-X_6	W_{3A}	左端	-4.4	153.0	167.2	1.1	163.9	1.020	OK

[注] *1：本規準 (10.5.11) 式中の $_bM_L + _bM_m \cdot \alpha_b$ の数値を示す．
　　*2：余裕度は，曲げ強度上の余力を示し，$_bM_u/(_bM_L + _bM_m \cdot \alpha_w)$ の絶対値を示す．

基礎梁および3階〜R階の壁梁等の曲げ降伏を許容しない部材に対しても曲げ強度上の余力の検証を行い，本規準 (10.5.11) 式を満たすことを確認している．ここでは，記載を省略する．基礎梁に対しては接地圧による付加応力も考慮し，曲げ強度上の余力を1.1以上確保した．

(ⅲ) 耐力壁・壁梁接合部および耐力壁・基礎梁接合部の保証設計

耐力壁・壁梁接合部等の保証設計は，本規準10.5.3項により，本規準 (10.5.20) 式を満足することを確認する．なお，式中の Q_{wm} は接合部に接続する上階耐力壁に生じるメカニズム時せん断力とし，最上階は0とする．

けた行 (X) 方向正加力時の2階の耐力壁・壁梁接合部の保証設計の検証結果を，付表2.1.46に示す．1階, 3階〜R階および加力直交方向の耐力壁・壁梁接合部に対しても同様の検証を行い，本規準 (10.5.20) 式を満たすことを確認している．接合部のせん断強度上の余力は，本規準 (10.5.20) 式に準拠し，β_p=1.1 とする．

付表2.1.46中の Y_3 構面 X_4-X_5 の耐力壁 W_9 が接続する2階耐力壁・壁梁接合部の保証設計を，以下に示す．他の耐力壁・壁梁接合部も同様に行った．計算条件および計算結果は，次のとおりである．

① 計算条件

・耐力壁・壁梁接合部の形状係数 κ：十字形耐力壁・壁梁接合部であることから，κ=1.0
・直交壁または直交梁による補正係数 Φ：Φ=0.85
・耐力壁・壁梁接合部のせん断強度の基準値 F_j：σ_B=30 N/mm² より，
　$F_j = 0.8\sigma_B^{0.7} = 0.8 \times 30^{0.7} = 8.65$ N/mm²
・耐力壁・壁梁接合部の有効幅 b_j：$b_j = t = 250$ mm
・耐力壁・壁梁接合部の長さ D_j：$D_j = l = 1\,050$ mm
・耐力壁・壁梁接合部に設ける小開口の内法長さの和 ΣR_0：$\Sigma R_0 = 0$

付表2.1.46 けた行（X）方向正加力時2階耐力壁・壁梁接合部の保証設計の確認

構面	位置	接続する耐力壁号	接合部の形状	接合部厚 t(mm)	接合部長 l(mm)	κ	$Q_{p,su}$ (kN)	$_DQ_{up}$ (kN)	β_p	余裕度[1]	判定
Y_1	X_1	W_1	ト形[2]	250	1 100	0.7	1 158.2	636.1	1.1	1.665	OK
	X_3	W_2	十字形[3]	250	2 700	1.0	4 228.3	577.9	1.1	6.651	OK
	X_5	W_3	十字形[3]	250	2 000	1.0	2 941.1	676.9	1.1	3.950	OK
Y_3	X_1	W_5	ト形	250	1 050	0.7	1 351.2	268.3	1.1	4.578	OK
	X_1-X_2	W_6	十字形	250	1 100	1.0	2 022.2	671.7	1.1	2.737	OK
	X_2	W_7	ト形	250	1 100	0.7	1 415.5	31.9	1.1	40.339	OK
	X_4	W_8	ト形	250	1 100	0.7	1 415.5	434.7	1.1	2.960	OK
	X_4-X_5	W_9	十字形	250	1 050	1.0	1 930.3	825.0	1.1	2.127	OK
	X_5	W_{10}	十字形	250	2 000	1.0	3 676.7	450.1	1.1	7.426	OK
X_1	Y_1	W_{11}	ト形	200	1 625	0.7	1 672.9	810.5	1.1	1.876	OK
	Y_2	W_{12}	十字形	200	7 000	1.0	10 294.9	837.7	1.1	11.172	OK
	Y_3	W_{13}	ト形	200	1 625	0.7	1 672.9	97.8	1.1	15.550	OK
X_2	Y_2	W_{14}	ト形	200	2 525	0.7	2 599.5	590.0	1.1	4.005	OK
	Y_3	W_{15}	ト形	200	3 625	0.7	3 731.9	569.4	1.1	5.958	OK
X_4	Y_2	W_{17}	ト形	200	2 525	0.7	2 599.5	329.7	1.1	7.168	OK
	Y_3	W_{18}	ト形	200	3 625	0.7	3 731.9	450.6	1.1	7.530	OK

［注］[1]：余裕度は，せん断強度上の余力を示し，$Q_{p,su}/(\beta_p \cdot {}_DQ_{up})$ の絶対値とする．
　　[2]：耐力壁・壁梁接合部に，スリーブ200φを1か所考慮する．
　　[3]：耐力壁・壁梁接合部に，スリーブ200φを2か所考慮する．

〔記号〕κ：耐力壁・壁梁接合部の形状による係数
　　$Q_{p,su}$：耐力壁・壁梁接合部のせん断強度
　　$(=\kappa \cdot \Phi \cdot F_j \cdot b_j \cdot (D_j - \Sigma R_0) = \kappa \cdot 0.85 \times 0.8 \times 30^{0.7} \cdot t \cdot (l-200n))$
　　n：耐力壁・壁梁接合部に設ける小開口の数

・耐力壁・壁梁接合部の保証設計用せん断力算定用の壁梁の配筋

　　壁梁上端端部曲げ補強筋として考慮する引張鉄筋：

　　　　上端端部曲げ補強筋 4-D16＋2-D13，スラブ筋(1-D13＋7-D10)＋(8-D10)

　　壁梁下端端部曲げ補強筋として考慮する引張鉄筋：4-D16

　　鉄筋種別・規格降伏点：D10～D16：SD295，σ_y= 295 N/mm^2

② 耐力壁・壁梁の接合部のせん断強度 $Q_{p,su}$：本規準(10.4.8)式により算定する．

$$Q_{p,su} = \kappa \cdot \Phi \cdot F_j \cdot b_j \cdot (D_j - \Sigma R_0) = \{1.0 \times 0.85 \times 8.65 \times 250 \times (1\,050-0)\} \times 10^{-3}$$
$$= 1\,930.3 \text{ kN}$$

③ メカニズム時における耐力壁・壁梁の接合部に生じるせん断力 $_DQ_{up}$

　　本規準（10.5.21）式に基づき算定する．

　　本設計例において，接続する左右の壁梁はメカニズム時に曲げ降伏を計画することから，次式によった．

- メカニズム時に壁梁上端端部曲げ補強筋に生じる引張力：

$$T_{bu1} = \sum(a_{t1} \cdot \sigma_y)$$
$$= \{(199 \times 4 + 127 \times 2) \times 295 \times 1.1 + (71.3 \times (7+8) + 127 \times 1) \times 295 \times 1.1\} \times 10^{-3}$$
$$= 729.0 \text{ kN}$$

- メカニズム時に壁梁上端端部曲げ補強筋に生じる圧縮力：

$$C_{bu2} = \sum(a_{t1} \cdot \sigma_y) = (199 \times 4 \times 295 \times 1.1) \times 10^{-3} = 258.3 \text{ kN}$$

- 耐力壁・壁梁接合部に接続する上階耐力壁に生じるメカニズム時せん断力：

$$Q_{wm} = 162.3 \text{ kN}$$

- メカニズム時に耐力壁・壁梁接合部に生じるせん断力：

$$_DQ_{up} = T_{bu1} + C_{bu2} - Q_{wm} = 729.0 + 258.3 - 162.3 = 825.0 \text{ kN}$$

- 耐力壁・壁梁接合部のせん断強度上の余力

$$Q_{p,su}/(\beta_p \cdot {_DQ_{up}}) = 1\,930.3/(1.1 \times 825.0) = 2.127 \quad \text{OK}$$

全ての耐力壁・壁梁接合部のせん断強度上の余力 $Q_{p,su}/(\beta_p \cdot {_DQ_{up}})$ は，1.0以上である．また，同様に耐力壁・基礎梁接合部の保証設計を行い，全ての耐力壁・基礎梁接合部のせん断強度上の余力が1.0以上であることを確認した．

(iv) 付着・継手・定着の保証設計

耐力壁，壁梁ならびに基礎梁の付着・継手・定着の保証設計は，本規準10.5.5項に基づき行う．

(a) 付着に対する保証設計

曲げ材の引張鉄筋の付着に対する保証設計は，通し配筋である場合として，本規準(10.5.42)式に準じて確認を行う．ここでは，けた行（X）方向の壁梁で内法長さの短い2階G_3壁梁と内法長さの長い2階G_1壁梁の端部曲げ補強筋の付着に対する保証設計を記載する．なお，両壁梁とも通し配筋でカットオフ筋はない．

① 2階G_3壁梁端部曲げ補強筋の付着に対する保証設計

(イ) 上端1段目通し筋：本規準（10.5.42）式による検討の場合

- 鉄筋：2-D16，SD295，縦補強筋 2-D13@100
- 通し筋の応力状態を表す係数 α_1：$\alpha_1 = 2.0$
- 通し筋の付着長さ L'：$L' = L = 1\,200$ mm
- 有効せい：$d = D - d_t = 700 - 70 = 630$ mm
- 鉄筋間のあき $= 250 - (40 + 14 + 40 + 14 + 21 + 18 + 18) = 85$ mm
- 付着検定断面における鉄筋配置による係数 C：

$$C = \min(\text{鉄筋間のあき}, \frac{b - N \cdot d_b}{N}, 3C_{\min}, 5d_b) = \min(85, \frac{250 - 2 \times 16}{2}, 3 \times 54, 5 \times 16)$$
$$= \min(85, 109, 162, 80) = 80 \text{ mm}$$

- 付着割裂面を横切る横拘束筋の効果を表す換算係数 W：

$$W = 80 \cdot \frac{A_{st}}{s \cdot N} = 80 \times \frac{2 \times 127}{100 \times 2} = 80 \times 1.27 = 101.6 \text{ mm} \Rightarrow 2.5d_b = 2.5 \times 16 = 40 \text{ mm}$$

・鉄筋配置と横補強筋による修正係数 K：$K = 0.3 \cdot \dfrac{C+W}{d_b} + 0.4 = 0.3 \times \dfrac{80+40}{16} + 0.4 = 2.65 \Rightarrow 2.5$

・設計用付着応力度：$\tau_D = \alpha_1 \cdot \dfrac{\sigma_D \cdot d_b}{4(L'-d)} = 2.0 \times \dfrac{1.1 \times 295 \times 16}{4 \times (1\,200-630)} = 2.0 \times 2.28 = 4.56\,\text{N/mm}^2$

・付着割裂の基準となる強度 f_b：$f_b = 0.8 \cdot (F_c/40 + 0.9) = 0.8 \times (30/40 + 0.9)$
$\hspace{20em} = 0.8 \times 1.65 = 1.32\,\text{N/mm}^2$

・付着割裂強度：$K \cdot f_b = 2.5 \times 1.32 = 3.3\,\text{N/mm}^2 < \tau_D$　NG

（ロ）　上端1段目通し筋：「鉄筋コンクリート造建物の靱性保証型耐震設計指針・同解説」[付2.1.1]（以下，RC 靱性保証指針と略記）による検討の場合

　　本規準（10.5.42）式を満足しないことから，RC 靱性保証指針による検討を行う．記号は文献付 2.1.1) を参照されたい．

・上端筋に対する付着強度低減係数 α_t：$\alpha_t = 0.75 \cdot \sigma_B / 400$
$\hspace{16em} = 0.75 + 30/400 = 0.825$（壁梁の上端主筋）

・割裂線長さ比 b_i：$b_i = \min(b_{si},\ b_{ci}) = \min[(b - N_1 \cdot d_b)/(N_1 \cdot d_b),\ \{\sqrt{2}(d_{cs} + d_{ct}) - d_b\}/d_b]$
$\hspace{8em} = \min[(250 - 2 \times 16)/(2 \times 16),\ \{\sqrt{2} \times (63+63) - 16\}/16]$
$\hspace{8em} = \min(6.812,\ 10.14) = 6.812$

・横補強筋の効果を表す係数 k_{st}：
$\hspace{4em} k_{st} = (54 + 45 N_w / N_1) \cdot (b_{si} + 1) \cdot p_w = (54 + 45 \times 2/2) \times (6.812 + 1) \times 0.01016$
$\hspace{20em} = 99 \times 7.812 \times 0.01016 = 7.857$

・設計用付着応力度 τ_f：$\tau_f = \dfrac{d_b \cdot \Delta\sigma}{4(L-d)} = \dfrac{16 \times 2 \times 1.30 \times 295}{4 \times (1\,200 - 630)} = 5.39\,\text{N/mm}^2$

・1段目主筋の付着信頼強度 τ_{bu}：
$\hspace{4em} \tau_{bu} = \alpha_t \{(0.085 b_i + 0.10)\sqrt{\sigma_B} + k_{st}\} = 0.825 \times \{(0.085 \times 6.812 + 0.10)\sqrt{30} + 7.857\}$
$\hspace{16em} = 0.825 \times (3.719 + 7.857)$
$\hspace{16em} = 9.55\,\text{N/mm}^2 > \tau_f (= 5.39\,\text{N/mm}^2)$　OK

（ハ）　上端2段目通し筋：RC 靱性保証指針[付2.1.1]による検討の場合

・有効せい $d = D - d_t = 700 - 105 = 595\,\text{mm}$

・2段目主筋に対する強度低減係数 α_2：$\alpha_2 = 0.6$

・係数 b_{si2}：$b_{st2} = (b - N_2 \cdot d_b)/(N_2 \cdot d_b) = (250 - 2 \times 16)/(2 \times 16) = 6.812$

・係数 k_{st2}：$k_{st2} = 99(b_{si2} + 1) \cdot p_w = 99 \times (6.812 + 1) \times 0.01016 = 7.857$

・設計用付着応力度 τ_f：$\tau_f = \dfrac{d_b \cdot \Delta\sigma}{4(L-d)} = \dfrac{16 \times 1.5 \times 1.30 \times 295}{4 \times (1\,200 - 595)} = 3.81\,\text{N/mm}^2$

・2段目主筋の付着信頼強度 τ_{bu2}：
$\hspace{4em} \tau_{bu2} = \alpha_2 \cdot \alpha_t \{(0.085 b_{si2} + 0.10)\sqrt{\sigma_B} + k_{st2}\}$
$\hspace{6em} = 0.6 \times 0.825 \times \{(0.085 \times 6.812 + 0.10)\sqrt{30} + 7.857\}$
$\hspace{6em} = 0.6 \times 9.55 = 5.73\,\text{N/mm}^2 > \tau_f (= 3.81\,\text{N/mm}^2)$　OK

(ニ) 2階 G_3 壁梁の下端筋は上端筋と同様であることから，下端筋も OK となる．

② 2階 G_1 壁梁端部曲げ補強筋の付着に対する保証設計

(イ) 上端1段目通し筋：本規準（10.5.42）式による検討の場合

- 鉄筋：2-D19，SD345，縦補強筋 2-D13@200
- 係数 α_1：$\alpha_1 = 2.0$
- 通し筋の付着長さ $L' = L = 4\,450$ mm
- 有効せい：$d = D - d_t = 700 - 70 = 630$ mm
- 鉄筋間のあき $= 250 - (40 + 14 + 40 + 14 + 21 + 21 + 21) = 79$ mm
- 係数 C：

$$C = \min\left(\text{鉄筋間のあき}, \frac{b - N \cdot d_b}{N}, 3C_{\min}, 5d_b\right) = \min\left(79, \frac{250 - 2 \times 19}{2}, 3 \times 54, 5 \times 19\right)$$

$$= \min(79, 106, 162, 95) = 79 \text{ mm}$$

- 係数 W：$W = 80 \times \dfrac{A_{st}}{s \cdot N} = 80 \times \dfrac{2 \times 127}{200 \times 2} = 80 \times 0.635 = 50.8$ mm

$$\Rightarrow 2.5\,d_b = 2.5 \times 19 = 47.5 \text{ mm}$$

- 鉄筋配置と横補強筋による修正係数 K：$K = 0.3 \times \dfrac{C + W}{d_b} + 0.4 = 0.3 \times \dfrac{79 + 47.5}{19} + 0.4$

$$= 2.463$$

- 設計用付着応力度 τ_D：$\tau_D = \dfrac{\alpha_1 \times \sigma_D \cdot d_b}{4(L' - d)} = 2.0 \times \dfrac{1.1 \times 345 \times 19}{4 \times (4\,450 - 630)}$

$$= 2.0 \times 0.472 = 0.955 \text{ N/mm}^2$$

- 付着割裂の基準となる強度 f_b：$f_b = 0.8 \cdot (F_c/40 + 0.9) = 0.8 \times (30/40 + 0.9) = 0.8 \times 1.65$

$$= 1.32 \text{ N/mm}^2$$

- 付着割裂強度：$K \cdot f_b = 2.463 \times 1.32 = 3.251$ N/mm^2 $> \tau_D$ $(= 0.955$ N/mm$^2)$　OK

(ロ) 上端2段目通し筋：本規準（10.5.42）式による検討の場合

- 鉄筋：1-D19，SD345，縦補強筋 2-D13@200
- 係数 α_1：$\alpha_1 = 1.5$
- 通し筋の付着長さ $L' = L = 4\,450$ mm
- 有効せい：$d = D - d_t = 700 - 115 = 585$ mm
- 係数 C：

$$C = \min\left(\frac{b - N \cdot d_b}{N}, 3C\min, 5d_b\right) = \min\left(\frac{250 - 2 \times 19}{1}, 3 \times 54, 5 \times 19\right)$$

$$= \min(231, 162, 95) = 95 \text{ mm}$$

- 係数 W：$W = 80 \times \dfrac{A_{st}}{s \cdot N} = 80 \times \dfrac{2 \times 127}{200 \times 1} = 80 \times 1.27 = 101.6$ mm

$$\Rightarrow 2.5\,d_b = 2.5 \times 19 = 47.5 \text{ mm}$$

- 鉄筋配置と横補強筋による修正係数 K：$K = 0.3 \times \dfrac{C+W}{d_b} + 0.4 = 0.3 \times \dfrac{95+47.5}{19} + 0.4 = 2.65 \Rightarrow 2.5$

- 設計用付着応力度 τ_D：$\tau_D = \alpha_1 \dfrac{\sigma_D \cdot d_b}{4(L'-d)} = 1.5 \times \dfrac{1.1 \times 345 \times 19}{4 \times (4\,450 - 585)}$

$$= 1.5 \times 0.467 = 0.71 \text{ N/mm}^2$$

- 付着割裂の基準となる強度 f_b：$f_b = 0.6 \times 0.8 \times (F_c/40 + 0.9) = 0.6 \times 0.8 \times (30/40 + 0.9)$

$$= 0.6 \times 0.8 \times 1.65 = 0.792 \text{ N/mm}^2$$

- 付着割裂強度：$K \cdot f_b = 2.5 \times 0.792 = 1.98 \text{ N/mm}^2 > \tau_D (= 0.71 \text{ N/mm}^2)$　OK

(ハ)　下端筋の配筋も上端筋と同様であるので OK となる.

(b)　重ね継手に対する保証設計

耐力壁の縦筋は各階の壁脚にて重ね継手することから，耐力壁縦筋の重ね継手に対する保証設計を行う．重ね継手に対する保証設計は，本規準（10.5.49）式により行う.

（10.5.49）式を変形すると，必要重ね継手長さは，次式となる.

$$l \geqq \sigma_u \cdot d_b / (4K \cdot f_b)$$

ここでは，以下の 2 ケースを検討する.

① 耐力壁の端部曲げ補強筋 2-D19，接続する壁梁の端部曲げ補強筋が 2-D19（2 段目 1-D19），耐力壁の横補強筋 2-D13@100 のケース

- 端部曲げ補強筋 D19 間のあき距離 $= 250 - (40 + 21 + 21 + 21 + 40 + 14) = 93$ mm
- 係数 C：

$$C = \min(\text{鉄筋間のあき},\ \dfrac{b - N \cdot d_b}{N},\ 3C_{\min},\ 5d_b) = \min(93,\ \dfrac{250 - 2 \times 19}{2},\ 3 \times 54,\ 5 \times 19)$$

$$= \min(93,\ 106,\ 162,\ 95) = 93 \text{ mm}$$

- 係数 W：$W = 80 \cdot \dfrac{A_{st}}{s \cdot N} = 80 \times \dfrac{2 \times 127}{100 \times 2} = 80 \times 1.27 = 101.6 \text{ mm} \Rightarrow 2.5 d_b = 2.5 \times 19 = 47.5 \text{ mm}$

- 鉄筋配置と横補強筋による修正係数 K：$K = 0.3 \dfrac{C+W}{d_b} + 0.4 = 0.3 \times \dfrac{93+47.5}{19} + 0.4$

$$= 2.61 \Rightarrow 2.50$$

- 付着割裂の基準となる強度 f_b：$f_b = (F_c/40 + 0.9) = 30/40 + 0.9 = 1.65 \text{ N/mm}^2$
- 必要直線重ね継手長さ：$l \geqq \sigma_u \cdot d_b / (4K \cdot f_b) = 1.1 \times 345 \times 19 / (4 \times 2.5 \times 1.65) = 437 \text{ mm} = 23 d_b$
- 本規準（9.13.7）式による必要直線定着長さ：$l \geqq \sigma_t \cdot d_b / (4 {}_s f_a) = 345 d_b / (4 \times 3.825) = 23 d_b$

上記より，耐力壁の端部曲げ補強筋 D19 の直線重ね継手長さは，本規準（10.5.49）式と（9.13.5）式とも $23 d_b$ 以上となっている.

② 耐力壁の端部曲げ補強筋 2-D16，接続する壁梁の端部曲げ補強筋が 2-D16（1 段目および 2 段目共），耐力壁の横補強筋 2-D13@100 のケース

- 端部曲げ補強筋 D16 間の距離 $= 250 - (40 + 14 + 18 + 40 + 14 + 18 + 18) = 88$ mm
- 係数 C：

$$C=\min(鉄筋間のあき, \frac{b-N\cdot d_b}{N}, 3C_{\min}, 5d_b)=\min(88, \frac{250-2\times 16}{2}, 3\times 54, 5\times 16)$$

$$=\min(88, 109, 162, 80)=80 \text{ mm}$$

・係数 W : $W=80\cdot\frac{A_{st}}{s\cdot N}=80\times\frac{2\times 127}{100\times 2}=80\times 1.27=101.6$ mm

$$\Rightarrow 2.5\,d_b=2.5\times 16=40 \text{ mm}$$

・鉄筋配置と横補強筋による修正係数 K : $K=0.3\cdot\frac{C+W}{d_b}+0.4=0.3\times\frac{80+40}{164}+0.4=2.65$

$$\Rightarrow 2.50$$

・付着割裂の基準となる強度 f_b : $f_b=(F_c/40+0.9)=30/40+0.9=1.65$ N/mm^2

・必要直線重ね継手長さ : $l\geqq \sigma_u\cdot d_b/(4K\cdot f_b)=1.1\times 295\times 16/(4\times 2.5\times 1.65)=315$ mm

$$=19.7\,d_b$$

・本規準 (9.13.7) 式による必要直線重ね継手長さ : $l\geqq \sigma_t\cdot d_b/(4_sf_a)=295d_b/(4\times 3.825)$

$$=19.3\,d_b$$

上記より,耐力壁の端部曲げ補強筋 D16 の直線重ね継手長さは,保証設計にて決定している.(10.5.49) 式と (9.13.7) 式との最大値より,19.7 d_b である.

(c) 定着に対する保証設計

建物外端部の長さ 1 100 mm の耐力壁・壁梁接合部への壁梁端部曲げ補強筋(G_1壁梁の端部曲げ補強筋 D19)を直線定着する場合の保証設計を本規準(10.5.51)式にて行う.なお,壁梁の端部曲げ補強筋のうち左右いずれかは耐力壁の横補強筋に沿って配筋されることから,横補強筋で拘束されない領域への定着として検討する.

・係数 α : $\alpha=1.25$
・必要定着長さの修正係数 S : $S=1.25$
・付着割裂の基準となる強度 f_b : $f_b=30/40+0.9=1.65$ N/mm^2
・必要直線定着長さ l_{ab} : $l_{ab}\geqq \alpha\cdot S\cdot \sigma_t\cdot d_b/(10f_b)=1.25\times 1.25\times 345\times 19/(10\times 1.65)$

$$=621 \text{ mm}(≒32.7\,d_b)<1\,046 \text{ mm}(=1\,100-54^{*1}) \text{ OK}$$

[注] *1:設計かぶり厚さ 40 mm に耐力壁の横補強筋の最外径を加算した数値.

・(9.14.3) 式により求まる必要直線定着長さ l_{ab} :

$$l_{ab}\geqq {}_s\sigma_t\cdot d_b/(4\times 0.8_sf_a)=345\times 19/(4\times 0.8\times 2.55)$$

$$=804 \text{ mm}(≒42.3\,d_b)<1\,046 \text{ mm} \quad \text{OK}$$

上記より,壁梁の端部曲げ補強筋を耐力壁・壁梁接合部へ直線定着する場合の必要定着長さは,本規準(9.14.3)式より決定している.

なお,最上階外端耐力壁・壁梁接合部への壁梁の上端端部曲げ補強筋(2段配筋の場合は1段目の主筋)の定着は,定着起点から 0.75 l_w (l_w:耐力壁・壁梁接合部の全せい)以上確保したうえで 90°に折り曲げ,折り曲げ後の直線部分で所要の定着長さ以上を確保する必要がある(本規準 9.14 節 5.(1)).なお,直交壁内へ折り曲げて定着してもよい.

12. 基礎の保証設計

本規準 10.5.6 項において，基礎の保証設計は原則として行なうことが望ましいとしていることから，本設計例においても基礎の保証設計を行っている．以下に，保証設計用接地圧に基づく基礎スラブおよび基礎梁の保証設計を検討する．なお，本設計例では張り間方向に対する検討とし，保証設計用応力は一次設計時の地震時応力を必要保有水平耐力時に対応させて割り増して確認を行うこととし，下記による．

・保証設計時の基礎検討用応力 ＝ 長期応力 ＋ 地震時水平加力時応力 $\times (D_S \cdot F_{es})/C_0$

なお，基礎接地圧および基礎スラブの検討方法は，一次設計時と同様とする．

(1) 支持地盤の極限鉛直支持力度の確認

極限鉛直支持力度は，一次設計時の検討方法および応力により確認を行う．

付表 2.1.31 および付表 2.1.32 を基に，確認を行う．

(a) 張り間方向の基礎底面位置における転倒モーメントによる接地圧

$$_U M_{OTM} = (D_S \cdot F_{es})/C_0 \cdot \sum(Q_i' \cdot h_i) = (0.55 \times 1.0)/0.20 \times 41\,222.3 = 113\,362\,\text{kN} \cdot \text{m}$$

$$_U \sigma_{FS} = \sum(Q_i' \cdot h_i)/\sum Z_{FSY} = 113\,362/540.94 = 209.6\,\text{kN/m}^2$$

(b) 張り間方向の必要保有水平耐力時最大接地圧

$$_{DU}\sigma_{FS,\max} = {_L\bar{\sigma}_{FS}} + {_U\sigma_{FS}} = 140.7 + 209.6 = 350.3\,\text{kN/m}^2$$

$$< 500\,\text{kN/m}^2\,(地盤の終局鉛直支持力度)\quad \text{OK}\quad [12)]$$

(c) 張り間方向の必要保有水平耐力時最小接地圧

$$_{DU}\sigma_{FS,\max} = {_L\bar{\sigma}_{FS}} - {_U\sigma_{FS}} = 140.7 - 209.6 = -68.9\,\text{kN/m}^2\quad < 0 \Rightarrow 一部浮上りが生じる．$$

基礎底面において，一部浮上りが生じることから，別途確認を行う．詳細は省略するが，地反力と上部建物重量から求まる抵抗モーメントと上部構造の転倒モーメントとの釣合いより中立軸を算定することにより求まる最大接地圧は下記となる．

・最大接地圧 $_{DU}\sigma_{FS,\max}' = 371.1\,\text{kN/m}^2 < 500\,\text{kN/m}^2$（地盤の終局鉛直支持力度） OK [12)]

上記より，張り間方向必要保有水平耐力時における接地圧は，地盤の終局鉛直支持力度以下であり，一部浮上りは生じるが転倒には至らず安全であると判断する．

(2) 基礎スラブの保証設計

基礎スラブの保証設計は，一次設計時と同様の手法により，本規準 10.5.6 項に準じて行う．なお，基礎スラブに対する強度上の余力は，下記とする．

・曲げ強度上の余力　：$\alpha_{FS} = 1.1$

・せん断強度上の余力：$\beta_{FS} = 1.1$

付表 2.1.47 に，基礎スラブの必要保有水平耐力時における検討諸元を示す．

付表 2.1.48 に，基礎スラブの必要保有水平耐力時の確認結果を示す．

[注] 12)：地盤の極限鉛直支持力度 $R_u = 600\,\text{kN/m}^2$ より，地盤の終局鉛直支持力度は，地盤調査のばらつきや大地震時における壁式 RC 造建物の過大な沈下や傾斜を防止することを考慮し，地盤から定まる極限鉛直支持力度の 1/1.2 倍した値を採用．

付表 2.1.47 基礎スラブの必要保有水平耐力時検討用軸方向力および接地圧

位置	符号	$_{UX}N$ (kN)	$_{UY}M$ (kN)	$_{UX}\sigma$ (kN/m²)	$_{DY}\sigma$ (kN/m²)	$_{DU}\sigma$ (kN/m²)
X₁-Y₁	F₁	63.3	536.3	16.6	141.1	353.1
X₁-Y₃	F₁	270.9	976.3	71.3	256.9	453.4
X₃-Y₁	F₂	162.3	1 468.5	22.5	204.0	443.6
X₃-Y₃	F₂ₐ	449.6	1 672.0	50.3	187.2	482.1
X₅-Y₁	F₃	15.1	1 743.5	2.1	242.2	566.6
X₅-Y₃	F₃	11.0	1 670.6	1.5	232.0	522.8

〔記号〕 $_{UXL}N$：基礎スラブ検討用の検討用スラブ面積が負担すると仮定する
　　　　　　必要保有水平耐力時 X 方向加力時の軸方向力
　　　　$_{UY}N$：基礎スラブ検討用の検討用スラブ面積が負担すると仮定する
　　　　　　必要保有水平耐力時 Y 方向加力時の軸方向力
　　　　$_{UX}\sigma$：必要保有水平耐力時 X 方向加力時の基礎スラブ検討用接地圧
　　　　$_{UY}\sigma$：必要保有水平耐力時 Y 方向加力時の基礎スラブ検討用接地圧
　　　　$_{DU}\sigma$：必要保有水平耐力時の基礎スラブ設計用接地圧で，下式による．
　　　　　　$_{DU}\sigma = {_{DL}\sigma_{FS}} + \alpha_{FS} \cdot \max({_{UX}\sigma}, {_{UY}\sigma})$ *1

〔注〕 *1：基礎スラブの設計用接地圧に曲げおよびせん断強度上の余力 $\alpha_{FS}=1.1$ を考慮

付表 2.1.48 基礎スラブの必要保有水平耐力時の保証設計確認結果

位置	符号	方向	p_t	$M/(Qd)$	$_{DU}M_{FS}$ (kN·m/m)	$_{DU}Q_{FS}$ (kN/m)	$_{AU}M_{FS}$ (kN·m/m)	$_{AU}Q_{FS}$ (kN/m)	$\frac{_{AU}M_{FS}}{_{DU}M_{FS}}$	$\frac{_{AU}Q_{FS}}{_{DU}Q_{FS}}$	判定
X₁-Y₁	F₁	X	0.388%	1.15	127.6	300.1	180.8	520.2	1.416	1.733	OK
		Y	0.412%	1.07	99.4	264.8	170.5	530.9	1.715	2.004	OK
X₁-Y₃	F₁	X	0.388%	1.15	163.8	385.4	180.8	520.2	1.103	1.349	OK
		Y	0.412%	1.07	127.6	340.0	170.5	530.9	1.336	1.561	OK
X₃-Y₁	F₂	X	0.447%	1.19	404.3	598.9	490.0	799.2	1.211	1.334	OK
		Y	0.183%	1.00	124.8	332.7	157.7	730.2	1.263	2.194	OK
X₃-Y₃	F₂ₐ	X	0.447%	1.00	118.2	337.5	490.0	934.7	4.145	2.769	OK
		Y	0.183%	1.00	135.6	361.6	157.7	730.2	1.162	2.019	OK
X₅-Y₁	F₃	X	0.380%	1.01	516.3	764.9	576.6	1 050.2	1.116	1.373	OK
		Y	0.154%	1.00	159.4	424.9	186.8	831.1	1.171	1.955	OK
X₅-Y₃	F₃	X	0.380%	1.01	476.4	705.8	576.6	1 050.2	1.210	1.488	OK
		Y	0.154%	1.00	147.1	392.1	186.8	831.1	1.269	2.119	OK

〔記号〕 $_{DU}M_{FS}$：基礎スラブの必要保有水平耐力時設計用曲げモーメント
　　　　$_{DU}Q_{FS}$：基礎スラブの必要保有水平耐力時せん断力
　　　　$_{AU}M_{FS}$：基礎スラブの曲げ強度で，下式による．
　　　　　　$_{AU}M_{FS} = 0.9\sigma_y \cdot a_t \cdot d$
　　　　$_{AU}Q_{FS}$：基礎スラブのせん断強度で，下式による．
　　　　　　$_{AU}Q_{FS} = 0.053 p_t^{0.23}(F_c+18)/\{M/(Q \cdot d)+0.12\}b \cdot j$

　長期荷重時，短期荷重時ならびに必要保有水平耐力時の設計用接地圧および当該接地圧に基づき検討した基礎スラブの所要配筋を付表 2.1.49 に示す．

付表2.1.49 基礎スラブの接地圧および所要配筋

			F_1		F_2	F_{2A}	F_3	
	位置		X_1軸Y_1	X_1軸Y_3	X_3軸Y_1	X_3軸Y_3	X_1軸Y_1	X_1軸Y_3
接地圧 (kN/m^2)	長期荷重時		$_L\bar{\sigma}_{FS}$=140.7 σ_{FS1}=197.9	$_L\bar{\sigma}_{FS}$=140.7 σ_{FS1}=140.8	$_L\bar{\sigma}_{FS}$=140.7 σ_{FS1}=219.3	$_L\bar{\sigma}_{FS}$=140.7 σ_{FS1}=276.2	$_L\bar{\sigma}_{FS}$=140.7 σ_{FS1}=300.2	$_L\bar{\sigma}_{FS}$=140.7 σ_{FS1}=267.6
	水平荷重時	X方向	6.1	63.4	8.2	18.3	0.8	0.6
		Y方向	51.3	68.4	74.2	68.1	88.1	84.4
	短期荷重時	X方向	203.9, 191.8	204.2, 77.4	227.5, 211.1	294.5, 257.9	301.0, 299.4	268.1, 267.0
		Y方向	249.2, 146.6	209.2, 72.4	293.4, 145.1	344.3, 208.1	388.3, 212.1	351.9, 183.2
配筋 (長期)	下端筋		(X)D19@200*1 (Y)D19@325	(X)D19@300 (Y)D19@300	(X)D25@250 (Y)D16@275	(X)D25@300 (Y)D25@225	(X)D25@225 (Y)D16@250	(X)D25@225*1 (Y)D16@275
	上端筋		(X)D13@200 (Y)D13@200	(X)D13@200 (Y)D13@200	(X)D13@200 (Y)D13@200	(X)D13@200 (Y)D13@200	(X)D13@200 (Y)D13@200	(X)D13@200 (Y)D13@200
配筋 (短期)	下端筋		(X)D19@300 (Y)D19@300	(X)D19@300 (Y)D19@300	(X)D25@300 (Y)D16@300	(X)D25@300 (Y)D16@275	(X)D25@275 (Y)D16@300	(X)D25@300 (Y)D16@300
	上端筋		(X)D13@200 (Y)D13@200	(X)D13@200 (Y)D13@200	(X)D13@200 (Y)D13@200	(X)D13@200 (Y)D13@200	(X)D13@200 (Y)D13@200	(X)D13@200 (Y)D13@200
張り間 C_0=0.55	接地圧(kN/m^2)		339.0, 56.8	427.7, -86.1	423.3, 15.3	463.4, 88.9	542.3, 58.0	499.6, 35.5
	配筋	下端筋	(X)D19@275 (Y)D19@300	(X)D19@300 (Y)D19@300	(X)D25@300 (Y)D16@250	(X)D25@300 (Y)D16@300	(X)D25@200 (Y)D16@225	(X)D25@225 (Y)D16@250
		上端筋	(X)D13@200 (Y)D13@200	(X)D13@200 (Y)D13@200	(X)D13@200 (Y)D13@200	(X)D13@200 (Y)D13@200	(X)D13@200 (Y)D13@200	(X)D13@200 (Y)D13@200
決定配筋	下端筋		(X)D19@200 (Y)D19@200		(X)D25@200 (Y)D16@200	(X)D25@200 (Y)D16@200	(X)D25@200 (Y)D16@200	
	上端筋		(X)D13@200 (Y)D13@200		(X)D13@200 (Y)D13@200	(X)D13@200 (Y)D13@200	(X)D13@200 (Y)D13@200	

［注］(X)はX方向の配筋，(Y)はY方向の配筋を示す．
配筋@は25刻みで切り捨てとしている．
配力筋は最少配筋D13@200としている．
検討時の最少配筋ピッチは@300としている．
基礎スラブF_4の配筋は，Y方向下端筋をD19@200，Y方向上端筋，X方向上端筋および下端筋は最少配筋13@200としている．
＊1：降伏曲げモーメント$>1.5\times0.56\sqrt{F_c}\cdot Z$を満たす引張鉄筋断面積により決定．

(3) 基礎梁に対する確認

本設計例では，省略する．なお，基礎接地圧による応力を加算して，メカニズム時にせん断破壊を許容しない基礎梁に対し，本規準(10.5.10)式を満たすことを確認する．また，メカニズム時に曲げ降伏を許容しない基礎梁の曲げ強度が，本規準(10.5.11)式を満たすこと確認する必要がある．

［参考文献］

付2.1.1) 日本建築学会：鉄筋コンクリート造建物の靱性保証型耐震設計指針・同解説，pp.175〜186，1999.8

付2.2 設計例2 (3階建プレキャスト壁式RC造)

本設計例は,本規準の適用範囲であるPCa壁式RC造建物の構造設計(応力・変形解析,許容応力度設計,保有水平耐力計算(けた行方向)等)を本規準に基づいて示すことを目的としている.

1. 建物および構造概要

(1) 建物規模および概要

本建物は,3階建PCa壁式RC造の共同住宅である.1~3階に住戸がそれぞれ4戸,計12戸を有する.屋外階段が2か所あり,外廊下を介して本体建物と接続している.付図2.2.1に平面図および断面図を示す.

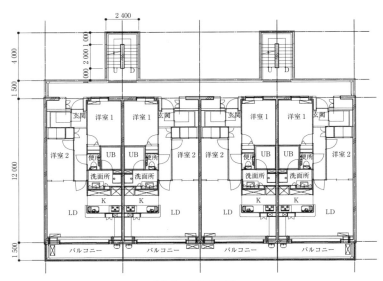

(a) 1~3階平面図

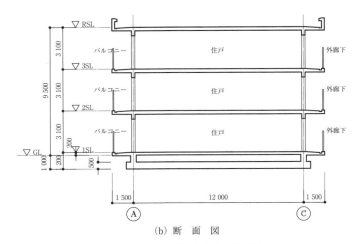

(b) 断面図

付図2.2.1 建物平面図,断面図

（2） 構造上の特徴
（ⅰ） 耐力壁は PCaRC 造とし，壁厚は，けた行方向 250 mm，張り間方向は戸境 180 mm，両妻 200 mm，耐力壁心 = 通り心とする．
（ⅱ） 壁梁は，ハーフ PCaRC 造とする．
（ⅲ） 2 階〜R 階スラブはハーフ PCa 造のボイドスラブとし，厚さ 250 mm（等価厚さ t_e = 200 mm）とする．1 階スラブは，厚さ 200 mm の現場打ち RC 造とする．
（ⅳ） 基礎および基礎梁は，現場打ち RC 造とする．
（ⅴ） 基礎形式は，直接基礎（布基礎）とする．
（ⅵ） けた行方向耐力壁・壁梁接合部に，給・排気用スリーブ（φ150）を設ける．
（ⅶ） 各部の仕上げは，下記とする．
・屋　　　根　：　外断熱アスファルト防水
・外　　　壁　：　吹付けタイル
・住　戸　床　：　木質系床材，畳
・天井，内壁　：　ビニールクロス貼り

（3） 構　造　図

付図 2.2.2〜付図 2.2.9 に，各階伏図，軸組図，PCaRC 造耐力壁および耐力壁板の割付け，PCaRC 造鉛直接合部記号ならびにコッター筋配筋詳細等を示す．

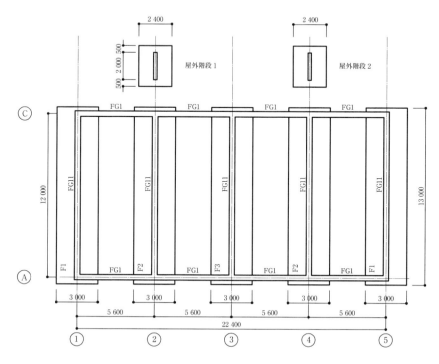

(a) 基礎伏図

付図 2.2.2　各階伏図

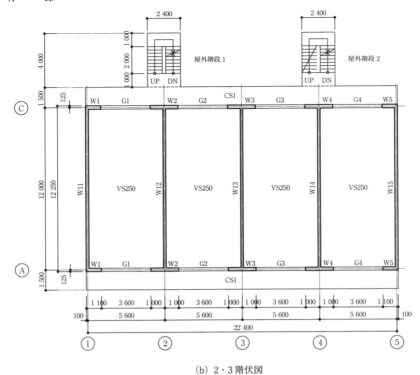

(b) 2・3 階伏図

付図 2.2.2 各階伏図（つづき）

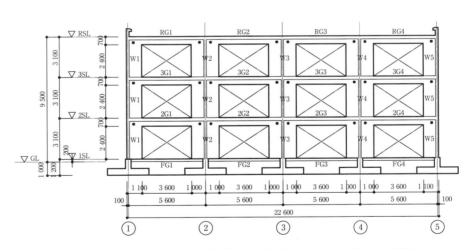

[注] 耐力壁・壁梁接合部に排気用スリーブ（φ150 mm）を設けている．

(a) Ⓐ, Ⓒ 通り軸組図

付図 2.2.3 各通り軸組図

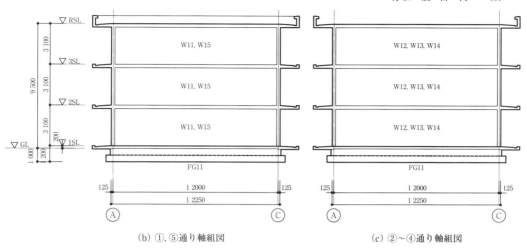

(b) ①,⑤通り軸組図   (c) ②~④通り軸組図

付図 2.2.3　各通り軸組図（つづき）

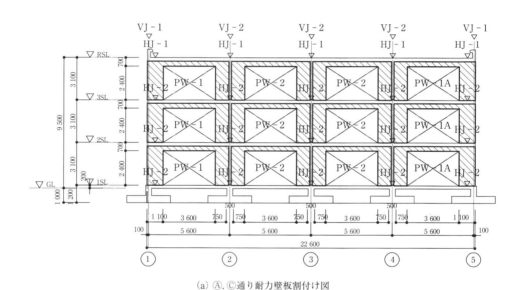

(a) Ⓐ,Ⓒ通り耐力壁板割付け図

付図 2.2.4　各通り耐力壁板割付け図

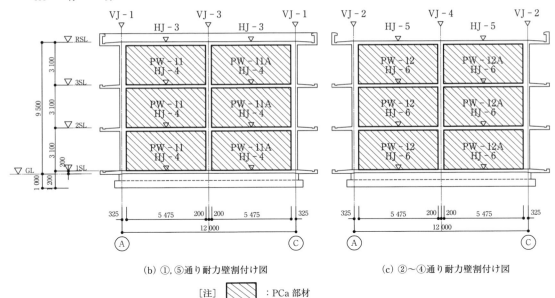

(b) ①,⑤通り耐力壁割付け図   (c) ②〜④通り耐力壁割付け図

[注] ▨ ：PCa部材

付図 2.2.4　各通り耐力壁板割付け図（つづき）

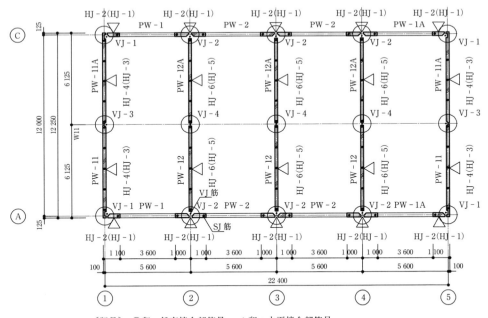

〔記号〕　○印：鉛直接合部符号．　△印：水平接合部符号．
[注]　（　）：最上階接合部符号．

付図 2.2.5　耐力壁および耐力壁板組立図ならびに鉛直接合部記号

付2. 設 計 例 —461—

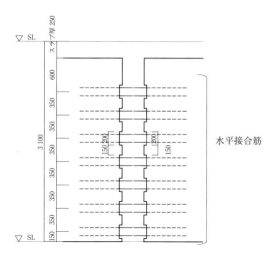

鉛直接合部水平接合筋：3階　　7×（1−D13）
　　　　　　　　　1〜2階　7×（2−D13）

付図 2.2.6 シヤーコッターの配置とコッター筋

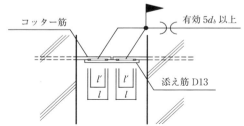

〔記号〕 l'：有効溶接長さ（両面有効 $5d_b$ 以上）
　　　 l ：フレアー溶接長
　　　 d_b：異形鉄筋の呼び名に用いた数値

付図 2.2.7 コッター筋接合詳細図

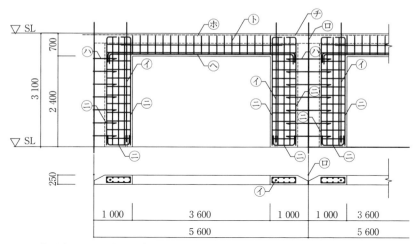

〔記号〕 イ：耐力壁の端部曲げ補強筋（SJ筋），ロ：鉛直接合部縦補強筋（VJ筋）
　　　 ハ：鉛直接合部水平接合筋（コッター筋），ニ：耐力壁の縦縁筋
　　　 ホ：壁梁の上端曲げ補強筋（現場配筋），ヘ：壁梁の下端端部曲げ補強筋
　　　 ト：壁梁の縦補強筋
　　　 チ：壁梁の上端端部曲げ補強筋は通し配筋および下端端部曲げ補強筋は鉛直
　　　　　接合部手前で直線定着または折曲げ定着とする．

付図 2.2.8 耐力壁板配筋要領

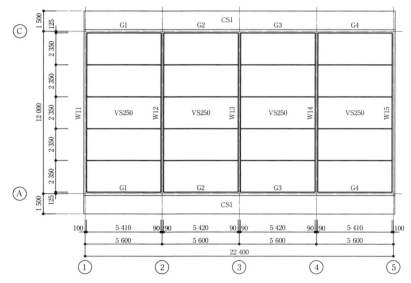

付図 2.2.9 2〜R階ハーフPCa造スラブ割付け図

(i) 耐力壁断面配筋リスト

付表2.2.1に，耐力壁配筋リストを示す．

付表 2.2.1 耐力壁配筋リスト

壁符号	断面	階	耐力壁（複配筋）			端部曲げ補強筋 (SJ筋)	鉛直接合部縦補強筋 (VJ筋)	鉛直接合部水平接合筋 (コッター筋)		壁縁まわり補強筋	水平接合部鉛直接合筋 (一PCa板あたり)
			縦補強筋	横補強筋	%	イ	ロ	ハ	%	ニ	
W1, W5		3	D10@200D	D10@250D	0.227	2-D22	2-D22	7-D13	0.119	2-D13	4-D19
		2	D10@200D	D10@200D	0.284	2-D22	2-D22	14-D13	0.237	2-D13	4-D19
		1	D10@200D	D10@150D	0.379	2-D22	2-D22	14-D13	0.237	2-D13	4-D19
W2, W3, W4		3	D10@200D	D10@250D	0.227	2-D22	1-D22	7-D13	0.119	2-D13	5-D19
		2	D10@200D	D10@200D	0.284	2-D22	1-D22	14-D13	0.237	2-D13	5-D19
		1	D10@200D	D10@150D	0.379	2-D22	1-D22	14-D13	0.237	2-D13	5-D19
W11, W15		3	D10@200D	D10@200D	0.178	2-D22	1-D22	7-D13	0.148	2-D13	4-D19
		2	D10@200D	D10@200D	0.178	2-D22	1-D22	7-D13	0.148	2-D13	4-D19
		1	D10@200D	D10@200D	0.178	2-D22	1-D22	7-D13	0.148	2-D13	4-D19
W12, W13, W14		3	D10@200D	D10@200D	0.197	1-D22	1-D22	7-D13	0.165	2-D13	5-D19
		2	D10@200D	D10@200D	0.197	1-D22	1-D22	7-D13	0.165	2-D13	5-D19
		1	D10@200D	D10@200D	0.197	1-D22	1-D22	7-D13	0.165	2-D13	5-D19

（ⅱ）壁梁断面配筋リスト

付表2.2.2に，壁梁配筋リストを示す．

付表2.2.2 壁梁配筋リスト

梁符号			G1，G2，G3，G4	配筋要領
位置			全断面	
断面			$B=250, D=700$	
階	R	上端端部曲げ補強筋	3-D22	
		下端端部曲げ補強筋	3-D22	
		縦補強筋	□-D13@200	
		中間部横補強筋	2-D10	
	3，2	上端端部曲げ補強筋	3-D22	
		下端端部曲げ補強筋	3-D22	
		縦補強筋	□-D13@200	
		中間部横補強筋	2-D10	

（ⅲ）鉛直接合部配筋詳細リスト：鉛直接合部配筋詳細を，以下に示す．

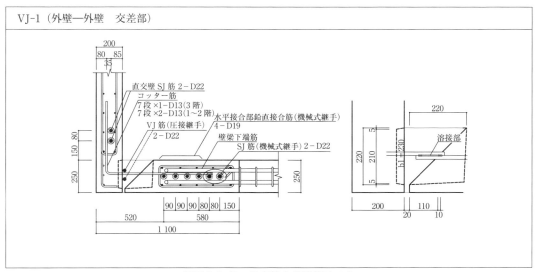

付図2.2.10 鉛直接合部配筋リスト

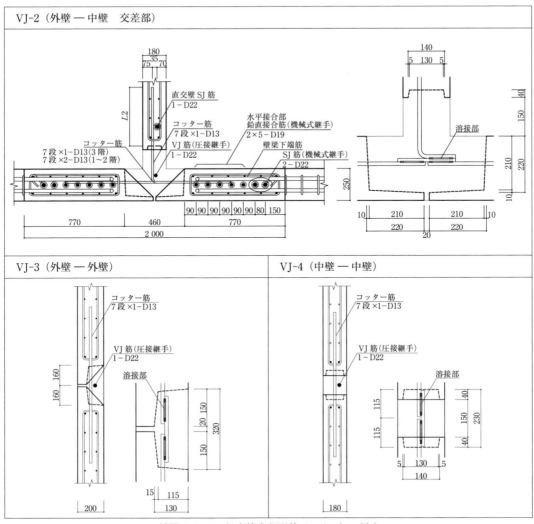

付図 2.2.10 鉛直接合部配筋リスト（つづき）

(ⅳ) 水平接合部配筋詳細：水平接合部配筋詳細を，付図 2.2.11 以下に示す．

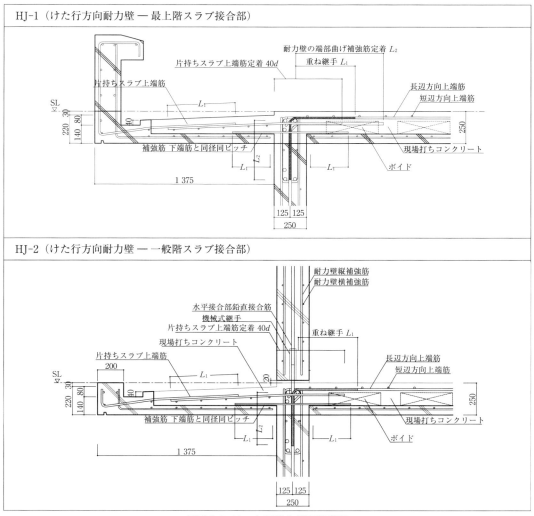

付図 2.2.11　水平接合部配筋詳細

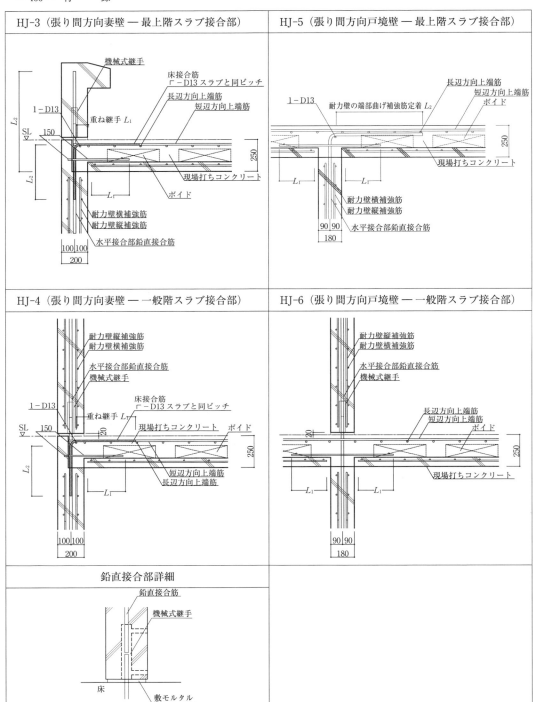

付図 2.2.12　水平接合部配筋詳細

（ⅴ）基礎梁断面配筋リスト

壁符号	FG1	FG11
位置	全断面	全断面
断面	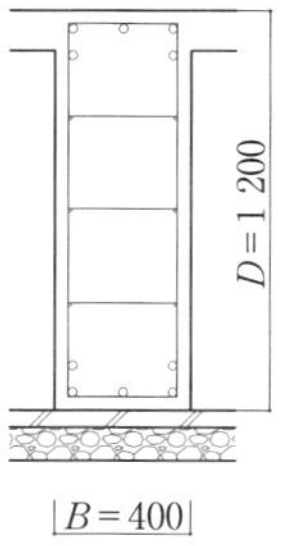 $B=400$, $D=1200$	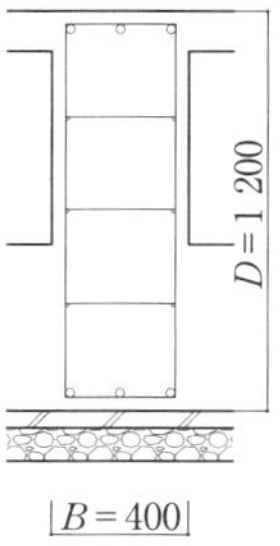 $B=400$, $D=1200$
上端筋	5-D25	3-D25
下端筋	5-D25	3-D25
縦補強筋	□-D13@200	□-D13@200
中間部横補強筋	3×2-D10	3×2-D10

付図 2.2.13 基礎梁断面および配筋

（ⅵ）布基礎配筋リスト：（付表 2.2.53）

（ⅶ）スラブ断面配筋リスト：ここでは省略する．

2. 構造設計方針および応力・変形解析方針

（1）構造設計方針

本設計例における構造設計方針を，以下に示す．

- 建物規模は，規定値（各階階高 4 m 以下，建物長さ 80 m 以下）を満たすことを確認する．
- けた行方向に対して，標準せん断力係数 $C_0 \geqq 0.2$ の短期荷重時における各階の層間変形角が，1/2 000 以下であることを確認する．張り間方向は，設計ルートがルート 1 となることから層間変形角の確認は不要となるが，層間変形角の確認を行う．
- けた行方向は壁量が最小壁量を満足しないことから，保有水平耐力を確認する．
- 張り間方向は壁率および壁量の規定値を満足しており，許容応力度設計を行う．
- 鉛直荷重による応力に対し，各部材が長期許容耐力以下であることを確認する．
- 偏心率が 0.15 以下であることを，また，標準せん断力係数 $C_0 = 0.20$ の地震力による偏心を考慮した応力に対し，各部材が短期許容耐力以下であることを確認する．
- 長期荷重時，短期荷重時に生じる応力に対し，各 PCaRC 造接合部が許容耐力以下であることを確認する．また，耐力壁の鉛直接合部および水平接合部のせん断力に対する検討は，保有水平耐力計算を行うけた行方向はメカニズム時応力に対して，張り間方向は保有水平耐力計算が不要なことから水平荷重時応力の 2.5 倍に対して行う．
- スラブの振動や変形による支障が生じないように，スラブ厚さの検討を行う．

- けた行方向耐力壁・壁梁接合部には，給・排気用スリーブを，W1 および W5 へは φ150 を 1 か所，W2〜W4 へは φ150 を 2 か所設ける．
- 外部階段は各階廊下と接続し，1 フロアあたり 100 kN × 2 か所の地震力を本体にて負担するものとする．また，接合部へは地震時の本体水平変位に追従可能な補強筋を配する．

（2） 応力・変形解析方針

（ⅰ） 解析モデル
- 鉛直荷重時および水平荷重時の応力算定は，市販プログラムにより行う．
- 応力解析は平面フレーム解析とする[1]．
- 隣接する相互の耐力壁は，鉛直接合部により一体とする．
- 耐力壁は，直交壁による曲げ剛性の増大を，曲げ剛性増大率 Φ により増大させる．
- 壁梁および基礎梁はスラブと一体とし，スラブによる曲げ剛性の増大係数は $\Phi=2.0$ とする．
- 剛域入り長さは，接続する部材せいの 0.25 倍とする．
- 1 階壁脚部は基礎梁と剛接合とし，耐力壁軸心と基礎梁軸心との交点にピン支点を設ける．

（ⅱ） 鉛直荷重時応力算定
- 長期荷重時の応力算定は，壁梁および基礎梁の荷重項（C, M_0, Q_0）を用いて算定する．
- 耐力壁の長期軸方向力は，耐力壁自重，耐力壁が負担する床荷重，および接続する壁梁による荷重を集計したものとする．
- スラブの端部支持条件は，下記とする．
    ① スラブの応力および変形の算定に対しては，妻側耐力壁部分で単純支持とし[2]，他の部分は固定とする．
    ② 耐力壁の面外応力に対する検討に対しては，4 辺固定支持とする．

（ⅲ） 水平荷重時応力算定
- 水平荷重時応力解析は，剛性マトリックスを用いた変位法による．
- 耐力壁は，曲げ変形およびせん断変形ならびに軸方向変形を考慮する．
- パネルゾーンの変形の影響は無視する．
- 屋外階段は，各階廊下との接合部を介して建物本体と一体させ，地震力は本設計例では建物本体重心位置に作用させる．ただし，屋外階段の段部や踊り場を支持する構造壁は，けた行方向，張り間方向とも建物本体と同一の変形が生じるとして応力を算定する．

（ⅳ） 保有水平耐力計算
- 保有水平耐力は，本規準 10.3 節に基づき仮想仕事法にて算定する．

［注］1) 本規準 8.1 節解説 1.「（3）面外方向の挙動」に基づき，各階の層間変形角 1/2 000 以下の確認を行うことにより，面外方向に対する検討は省略している．
2) スラブ上端筋は 90°に折り曲げて耐力壁や壁梁内へ必要長さ以上定着しているが，妻側耐力壁には面外曲げモーメントも作用することを考慮し，単純支持と設定した．妻側耐力壁以外は，両側にスラブが接続することから，端部固定としている．

- 崩壊形は，各階の壁梁両端曲げ降伏および1階耐力壁脚部曲げ降伏による全体崩壊形を設定する．
- 部材の降伏位置は直交部材のフェイス位置とし，節点位置の曲げ強度は降伏位置での曲げ強度とせん断力より算定する（壁梁における鉛直荷重による曲げモーメントの影響は無視する）．
- 降伏ヒンジは，壁梁と耐力壁の曲げモーメントのそれぞれの和の比較を節点位置にて行い，小さい方の部材に発生するものとする．
- 1階耐力壁脚部と2階以上の壁梁端に降伏ヒンジを計画する場合は，下記による（付図2.2.14）．
  ① 壁梁を反曲点位置で切り離し，各耐力壁の部分架構を作成する．
  ② 部分架構に仮想変形1を与え，仮想仕事法により部分架構各階耐力壁のせん断力 Q_u を求める．外力分布は $A_i \cdot W_i \cdot F_{es}$ 分布とする．
- 基礎梁および2階以上の壁梁端部に降伏ヒンジを計画する場合は，下記による（付図2.2.14）．
  ① 壁梁および基礎梁を反曲点位置で切り離した各耐力壁の部分架構を作成する．
  ② 壁梁および基礎梁の，耐力壁との節点位置での曲げ強度を算定する．
  ③ 部分架構に仮想変形2を与え，仮想仕事法により部分架構各階耐力壁のせん断力 Q_u を

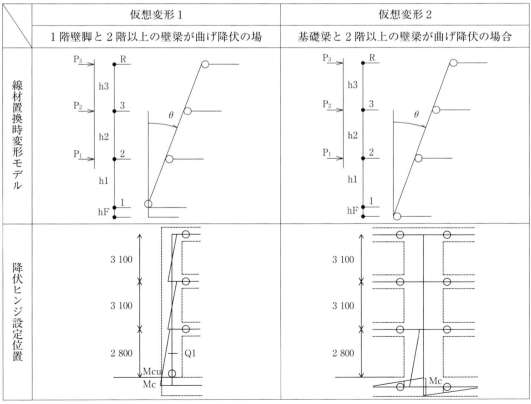

付図 2.2.14 けた行方向降伏ヒンジ図

求める．外力分布は $A_i \cdot W_i \cdot F_{es}$ 分布とする．

部分架構の仮想変形1による仮想仕事量は，以下による．

- 外力の仕事　　$W_E = \sum_{i=1}^{3}(Q_i \cdot h_i) \cdot \theta$
- 内力の仕事　　$W_I = -\sum M_u \cdot \theta$

　　記号　　Q_i：$A_i \cdot W_i \cdot F_{es}$ より算定される i 階の地震層せん断力（N）

　　　　　　h_i：仮想変形1の場合の i 階の構造階高（mm）

　　　　　　θ：仮想変形角

　　　　　　$\sum M_u$：1階耐力壁脚部と各階壁梁の節点位置での曲げ強度の和（N・mm）

壁梁および基礎梁が曲げ降伏先行の場合は，仮想変形2より各階耐力壁のメカニズムせん断力を算定する．外力分布は，$A_i \cdot W_i \cdot F_{es}$ 分布とする．

- 外力の仕事　　$W_E = P_3 \cdot (h_3 + h_2 + h_1 + h_F) \cdot \theta + P_2 \cdot (h_2 + h_1 + h_F) \cdot \theta + P_1 \cdot (h_1 + h_F) \cdot \theta$
- 内力の仕事　　$W_I = -\sum M_u' \cdot \theta$

　　記号　　P_i：地震層せん断力分布を $A_i \cdot W_i \cdot F_{es}$ としたときの i 階の地震力（N）で，下記による．

　　　　　　　$P_i = Q_i - Q_{i+1}$

　　　　　　h_i：仮想変形2の場合の各階の構造階高（mm）（付図2.2.14）

　　　　　　h_F：1階耐力壁脚部より耐力壁・基礎梁節点位置までの距離（mm）

　　　　　　M_u'：基礎梁および各階壁梁の節点位置での曲げ強度（N・mm）

　　　　　　θ：仮想変形角（付図2.2.14）

鉛直接合部および水平接合部は，構造上一体であるとする．

3. 使用材料と許容応力度・材料強度

（1）使用材料

（i）コンクリート

　・PCaRC造部材　　　　　　　　$F_c = 30 \text{ N/mm}^2$

　・接合部充填コンクリート　　　　$F_c = 30 \text{ N/mm}^2$

　・敷きモルタル　　　　　　　　　$F_c = 30 \text{ N/mm}^2$

　・基礎，基礎梁　　　　　　　　　$F_c = 24 \text{ N/mm}^2$

　・スラブ現場打ちコンクリート　　$F_c = 30 \text{ N/mm}^2$

（ii）鉄　　筋

　・SD295　：D10〜D16

　・SD345　：D19〜D25

（2）許容応力度・材料強度

各材料の許容応力度および許容付着応力度を，付表2.2.3，付表2.2.4，付表2.2.5に示す．

付表2.2.3　コンクリートの許容応力度 （N/mm²）

設計基準強度 (N/mm²)	長期		短期	
	圧縮	せん断	圧縮	せん断
24	8	0.73	長期の数値の2倍の数値	長期の数値の1.5倍の数値
30	10	0.79		

付表2.2.4　鉄筋の許容応力度 （N/mm²）

材種	長期		短期		材料強度
	引張・圧縮	せん断	引張・圧縮	せん断	引張・圧縮
SD295	295/1.5	195	295	295	295×1.1
SD345	215	195	345	345	345×1.1

付表2.2.5　鉄筋のコンクリートに対する許容付着応力度 （N/mm²）

鉄筋	コンクリート F_c(N/mm²)	長期		短期	
		上端筋	その他の鉄筋	上端筋	その他の鉄筋
異形鉄筋	24	1.54	2.31	長期に対する値の1.5倍の数値	
	30	1.70	2.55		

4. 仮定荷重および外力

（1）固定荷重 （kN/m²）

付表2.2.6　固定荷重

名称	仕上げ，厚さ等	重量	固定荷重
屋根	押さえコンクリート　　$t=40$　　（平均） 断熱アスファルト防水 ボイドスラブ　　$t=250$　　（等価重量厚 $t=200$） 天井	0.92 0.15 4.80 0.05 5.92	→ 6.00
住戸（2, 3階）	仕上げ ボイドスラブ　　$t=250$　　（等価重量厚 $t=200$） 間仕切壁 天井	0.30 4.80 0.20 0.05 5.35	→ 5.40
住戸（1階）	仕上げ スラブ　　$t=200$ 間仕切壁 天井	0.30 4.80 0.20 0.05 5.35	→ 5.40
バルコニー	スラブ　　$t=180$　　（平均）	4.32 4.32	→ 4.40

廊　下	スラブ	$t=180$	（平均）	4.32	
				4.32	→ 4.40
バルコニー， 廊下屋根	断熱アスファルト防水 勾配コンクリート　　$t=20$　（平均） スラブ　　　　　　　　$t=180$			0.15 0.48 4.32	
				4.95	→ 5.00
階　段	スラブ	$t=285$	（平均）	6.84	
				6.84	→ 6.90
階段踊場	スラブ	$t=180$		4.32	
				4.32	→ 4.40

（2）床荷重（kN/m^2）

付表 2.2.7　床 荷 重

名　　称	固定荷重	積 載 荷 重			固定荷重＋積載荷重		
		床・小梁用	架構用	地震用	床・小梁用	架構用	地震用
屋　根	6.00	1.00	0.65	0.30	7.00	6.65	6.30
住　戸（2, 3階）	5.40	1.80	1.30	0.60	7.20	6.70	6.00
住　戸（1階）	5.40	1.80	1.30	0.60	7.20	6.70	6.00
バルコニー	4.40	1.80	1.30	0.60	6.20	5.70	5.00
廊　下	4.40	1.80	1.30	0.60	6.20	5.70	5.00
バルコニー，廊下屋根	5.00	1.00	0.50	0.30	6.00	5.50	5.30
階　段	6.90	1.80	1.30	0.60	8.70	8.20	7.50
階段踊場	4.40	1.80	1.30	0.60	6.20	5.70	5.00

（3）壁荷重（kN/m^2）

付表 2.2.8　壁 荷 重

壁　位　置		壁厚 t （mm）	躯体荷重 （kN/m^2）	仕上荷重 （kN/m^2）	壁荷重 （kN/m^2）		
耐　力　壁	けた行方向外壁	250	6.00	＋0.10	＝6.10	→	6.10
	けた行方向内壁	250	6.00	＋0.05	＝6.05	→	6.10
	張り間方向外壁	200	4.80	＋0.10	＝4.90	→	4.90
	張り間方向内壁	180	4.32	＋0.05	＝4.37	→	4.40
屋外階段	構　造　壁	250	6.00	＋0.10	＝6.10	→	6.10

（4）パラペット，手すり，窓

　　　　コンクリート　　　　　仕上げ・防水層

　・パラペット　0.15×(0.50＋0.10)×24＋(0.1＋0.1)×0.50＝2.26　　　　　　→　2.30 kN/m

　・手すり　　　鋼製またはパネル（バルコニー・廊下・階段）　　　　　　　　　0.40 kN/m

　・窓　　　　　　　　　　　　　　　　　　　　　　　　　　　　　　　　　　0.40 kN/m^2

(5) 地震力

建築基準法施行令による.

- 地震地域係数　　　　　　　　　　$Z=1.00$
- 建物高さ　　　　　　　　　　　　$H=9.50$（m）
- 建物の一次固有周期　　　　　　　$T=0.19$（s）
- 地盤固有周期　　　　　　　　　　$T_c=0.60$（s）（第二種地盤）
- 振動特性係数　　　　　　　　　　$R_t=1.00$
- 標準せん断力係数（一次設計用）　$C_{01}=0.20$
　　　　　　　　（保有水平耐力計算用）$C_{02}=1.00$
- 地震層せん断力（付表 2.2.9）

付表 2.2.9　一次設計用および必要保有水平耐力計算用地震層せん断力

階	W_i (kN)	$\sum W_i$ (kN)	α	A_i	C_{f1}	Q_{t1} (kN)	C_{t2}	Q_{t2} (kN)	A (m²)	W_i/A (kN/m²)
3	2 936	2 936	0.305	1.365	0.273	802	1.365	4 008	312.4	9.40
2	3 344	6 280	0.653	1.152	0.228	1 434	1.144	7 172	312.4	10.70
1	3 344	9 624	1.000	1.000	0.200	1 925	1.000	9 624	312.4	10.70
F	2 838	12 462	—	—	—	—	—	—	—	—

〔記号〕W_i：i 階の地震力算定用重量

　　　　$\alpha_i : \sum_{i=j}^{n} W_j / \sum_{j=1}^{n} W_j$

　　　　A_i：地震層せん断力の建物の高さ方向の分布を表す係数で，次式による．
$$A_i = 1 + \left(\frac{1}{\sqrt{\alpha_i}} - \alpha_i\right) \cdot \frac{2T}{1+3T}$$
　　　　T：建物の一次固有周期（$=0.02H=0.19\,s$）
　　　　C_{f1}：i 階の標準せん断力係数 $C_0=0.2$ 時の層せん断力係数
　　　　Q_{t1}：i 階の一次設計用層せん断力
　　　　C_{t2}：i 階の標準せん断力係数 $C_0=1.0$ 時の層せん断力係数
　　　　Q_{t2}：i 階の必要保有水平耐力計算用層せん断力

(6) 風圧力

建築基準法施行令による．

- 風圧力 $P = q \cdot C_f$（N/m²），q：速度圧（N/m²），C_f：風力係数
- 速度圧 $q = 0.6 E \cdot V_0^2$（N/m²），E：速度圧の高さ方向の分布を示す係数
　　　　　　　　　　　　　　　　　　V_0：その地方における基準風速（m/s）
- 地表面粗度区分 ＝ Ⅲ
- $V_0 = 34$ m/s

(7) 積雪荷重

建築基準法施行令による．

- 垂直最深積雪量の計算（付表 2.2.10）
- 積雪荷重の計算

　　積雪荷重＝積雪の単位重量（2 N/m²/mm）×d（273 mm）＝546 N/m²

付表 2.2.10　垂直最深積雪量 d

区域番号	l_s (m)	r_s	α	β	γ	R	d (mm)
24	10	0.2	0.0005	-0.06	0.28	40	273

［注］区域番号 24 は告示平 12 建告第 1455 号別表の左欄とし，関東を想定．
［記号］l_s：区域の標準的な標高，r_s：区域の標準的な海率（平 2 告第 1455 号）
　　　（別表）による．α, β, γ, R：平 2 建告第 1455 号別表による．

屋根スラブ設計用短期荷重（積雪荷重時）は，$6.00+1.00+0.546=7.546 \text{ kN/m}^2$ となり，屋根スラブ設計用長期荷重（7.00 kN/m^2）の 1.5 倍（10.50 kN/m^2）より小さいので，屋根スラブは長期荷重を用いて設計する．

5. 壁率・壁量の算定

（1）耐力壁符号および配置図

耐力壁の符号および配置図を，付図 2.2.2 および付図 2.2.3 に示す．

（2）壁率・壁量算定用床面積（S_i）

1〜3 階床面積（廊下，バルコニー，階段の面積は実面積の 1/2 を床面積に加算）

住戸	22.4×12.0	$= 268.8$
バルコニー	$22.4 \times 1.5 \times 1/2$	$= 16.8$
廊下	$22.4 \times 1.5 \times 1/2$	$= 16.8$
階段	$2.50 \times 4.0 \times 1/2 \times 2$	$= 10.0$

壁率・壁量算定用床面積　　$S_i = 312.4 \text{ m}^2$

（3）耐力壁壁長

けた行方向

1〜3 階　Ⓐ通り　$1\,100\ +2\,000\ +2\,000\ +2\,000\ +1\,100\ =\ 8\,200$
　　　　　Ⓒ通り　$1\,100\ +2\,000\ +2\,000\ +2\,000\ +1\,100\ =\ 8\,200$

$\sum l_x = 16\,400$ mm

張り間方向

1〜3 階　①, ⑤通り　$12\,250\ \times 2\ =\ 24\,500$
　　　　　②〜④通り　$12\,250\ \times 3\ =\ 36\,750$

$\sum l_y = 61\,250$ mm

（4）壁　率

各計算方向ごとの壁率が，本規準（10.1.2）式[1])を満たすか否かを検討する．

$$_i a_w \geq Z \cdot W \cdot A_i \cdot \beta / (2.5 S_i) \qquad 〔本規準（10.1.2）式〕$$

記号　$_i a_w$：i 階における各計算方向ごとの壁率（mm^2/m^2）

Z：令第 88 条第 1 項に規定する Z の数値で，地震地域係数

W：令第 88 条第 1 項により，地震力を計算する場合における当該階が支える部分の固定荷重と積載荷重の和（N）

A_i：建物の振動特性に応じて地震層せん断力の高さ方向の分布を表す係数

β：使用するコンクリートの設計基準強度による低減係数で，下記による．

$$\beta=\sqrt{18F_c} \text{ かつ，} \beta \geq 1/\sqrt{2}=0.707$$

ここで，$F_c=30 \text{ N/mm}^2$ より，$\beta=\sqrt{18/30}=0.775 \geq 0.707$

S_i：i 階の壁率算定用床面積（m²）

（i） けた行方向壁率（付表 2.2.11）

付表 2.2.11　けた行方向壁率

階	Z	W (kN)	A_i	β	S_i (m²)	$Z \cdot W \cdot A_i \cdot \beta/(2.5 S_i)$ (mm/m²)	判定記号	$_i a_w$ (mm/m²)	判定
3	1.0	2 936	1.365	0.775	312.4	3 975	<	13 124	OK
2	1.0	6 280	1.142	0.775	312.4	7 113	<	13 124	OK
1	1.0	9 624	1.000	0.775	312.4	9 545	<	13 124	OK

〔壁率〕$_i a_w = \Sigma l_x \cdot t/S_i = 16\,400 \times 250/312.4 = 13\,124 \text{ mm}^2/\text{m}^2$

（ii） 張り間方向壁率

付表 2.2.12　張り間方向壁率

階	Z	W (kN)	A_i	β	S_i (m²)	$Z \cdot W \cdot A_i \cdot \beta/(2.5 S_i)$ (mm/m²)	判定記号	$_i a_w$ (mm/m²)	判定
3	1.0	2 936	1.365	0.775	312.4	3 975	<	36 860	OK
2	1.0	6 280	1.142	0.775	312.4	7 113	<	36 860	OK
1	1.0	9 624	1.000	0.775	312.4	9 545	<	36 860	OK

〔壁率〕$_i a_w = \Sigma A_{xy}/S_i = (24\,500 \times 200 + 36\,759 \times 180)/312.4 = 36\,860 \text{ mm}^2/\text{m}^2$

上記より，壁率は，各階・各方向とも本規準（10.1.2）式を満たしている．

（5） 壁　　量

計算方向ごとの壁量が，次式（本規準（10.1.4）式）を満たすか否かを検討する．

$$L_w \geq \alpha \cdot \beta \cdot Z \cdot L_{w0}, \text{ かつ } L_e \geq L_{wm}$$

記号　L_w：各階における各計算方向の壁量（mm/m²）

α：壁量の低減係数（$=t_0 \cdot \Sigma l/\Sigma(t \cdot l)$）

t_0：耐力壁の最小壁厚（mm）（本規準表 10.1.4）

Σl：耐力壁の実長の和（mm）

$\Sigma(t \cdot l)$：耐力壁の厚さ t に耐力壁の実長 l を乗じた数値の和（mm²）

β：使用するコンクリートの設計基準強度による低減係数

Z：地震地域係数

［注］1) 本規準（10.1.2）式は，水平荷重時応力算定を平均せん断応力度法によってよいかの条件である．本計算例では，けた行方向は平均せん断応力度法を用いていないことから，保有水平耐力確認の要否の判定に用いる．保有水平耐力の確認の要否は，本規準 10.1.1 項の（i）〜（vi）を満たすか否かで判定することになる．この場合，係数 α には制限がなく，係数 β は $\sqrt{18/30}=0.775$ かつ $\beta \geq 1/\sqrt{2}=0.707$ となる．

付表2.2.13　3階建てPCa壁式RC造建物の最小壁厚と標準壁量および最小壁量

階	最小壁厚 t_0(mm)	標準壁量 L_{w0}(mm/m^2)	最少壁量 L_{wm}(mm/m^2)
3	120	120	70
2	120		
1	150		

L_{w0}：標準壁量（mm/m^2）（本規準表10.1.2）

L_{wm}：最小壁量（mm/m^2）（本規準表10.1.2）

　PCa壁式RC造建物の最小壁厚と標準壁量ならびに最小壁量は，3階建ての場合，付表2.2.13に示すとおりである．壁厚については，各階・各方向とも最小壁厚の規定を満足している．

（ⅰ）けた行方向壁量（付表2.2.14）

付表2.2.14　けた行方向壁量

| 階 | Σl (mm) | $\Sigma(t \cdot l)$ | α | $\alpha \cdot \beta \cdot Z \cdot L_{w0}$ | 判定記号 | L_w (mm^2) | 判定 |
			β	L_{wm} (mm/m^2)			
3	16 400	250×16 400	0.48	44.6	<	52.5	OK
			0.77	70.0	>		NG
2	16 400	250×16 400	0.48	44.6	<	52.5	OK
			0.77	70.0	>		NG
1	16 400	250×16 400	0.60	58.8	>	52.5	NG
			0.77	70.0	>		NG

（ⅱ）張り間方向壁量

付表2.2.15　張り間方向壁量

| 階 | Σl (mm) | $\Sigma(t \cdot l)$ | α | $\alpha \cdot \beta \cdot Z \cdot L_{w0}$ | 判定記号 | L_w (mm^2) | 判定 |
			β	L_{wm} (mm/m^2)			
3	61 250	200×24 500+180×36 750	0.64	59.3	<	196.1	OK
			0.77	70.0	<		OK
2	61 250	200×24 500+180×36 750	0.64	59.3	<	196.1	OK
			0.77	70.0	<		OK
1	61 250	200×24 500+180×36 750	0.80	74.2	<	196.1	OK
			0.77	70.0	<		OK

　上記検討結果より，けた行方向は壁量を満足しないため，保有水平耐力の確認を行う．

6. 応力の算定

(1) 長期荷重時応力図

長期荷重時応力図を，付図2.2.15に示す．

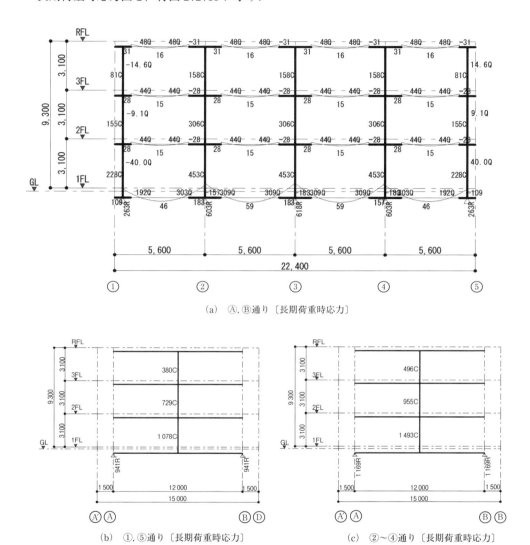

〔記号〕Q：せん断力（kN），C：軸方向圧縮力（kN），R：支点反力（kN）

付図 2.2.15　長期荷重時応力図

—478— 付　　録

（2）水平荷重時応力図（$C_0=0.2$）

水平荷重時応力図を，付図2.2.16に示す．

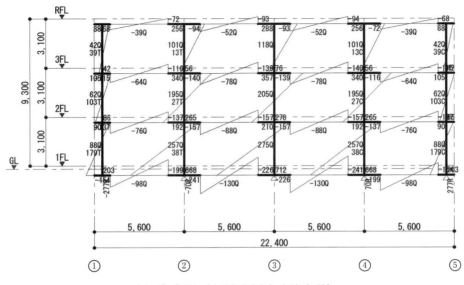

(a) Ⓐ,Ⓑ通り〔水平荷重時応力（正加力時）〕

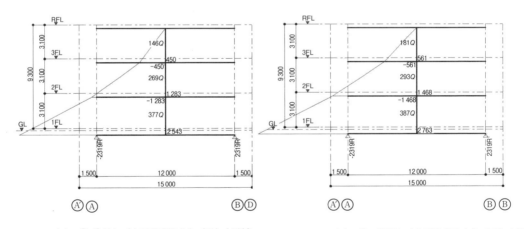

(b) ①,⑤通り〔水平荷重時応力（正加力時）〕　　(c) ②〜④通り〔水平荷重時応力（正加力時）〕

〔記号〕Q：せん断力（kN），C：軸方向圧縮力（kN），T：軸方向引張力（kN），R：支点反力（kN）

付図 2.2.16　水平荷重時応力図

7. 層間変形角，剛性率および偏心率

付表 2.2.16a に水平荷重（$C_0=0.2$）時におけるけた行方向各階の層間変形角，剛性率，および偏心率を，付表 2.2.16b に張り間方向各階の層間変形角，剛性率，および偏心率を示す．けた行方向，張り間方向とも各階の層間変形角は，1/2 000 以下となっている．

付表 2.2.16a　けた行方向正加力時の変位・層間変形角，剛性率，および偏心率

階	水平変位 (cm)	層間変位 (cm)	層間変形角	r_s	$\overline{r_s}$	重心位置 (mm)	剛心位置 (mm)	偏心距離 (mm)	R_s	R_e
3	2.816	0.772	1/4 016	4 016	3 364	6 531	6 000	531	1.194	0.023
2	2.044	1.061	1/2 923	2 923	3 364	6 542	6 000	542	0.869	0.021
1	0.984	1.984	1/3 151	3 151	3 364	6 546	6 000	546	0.937	0.023

付表 2.2.16b　張り間方向正加力時の変位・層間変形角，剛性率，および偏心率

階	水平変位 (cm)	層間変位 (cm)	層間変形角	r_s	$\overline{r_s}$	重心位置 (mm)	剛心位置 (mm)	偏心距離 (mm)	R_s	R_e
3	0.310	0.090	1/34 637	34 637	30 380	11 200	11 200	0	1.14	0.000
2	0.220	0.104	1/29 894	29 894	30 380	11 200	11 200	0	0.984	0.000
1	0.117	0.117	1/26 609	26 609	30 380	11 200	11 200	0	0.876	0.000

〔記号〕r_s：各階の層間変形角の逆数，$\overline{r_s}$：当該建物のr_sの相加平均，R_s：各階の剛性率，R_e：各階の偏心率
［注］重心および剛心位置は，①―Ⓐ交点を基準としている．

8. 壁梁・基礎梁ならびに耐力壁の断面算定

（1）　壁梁および基礎梁の断面算定

（ⅰ）　断面算定方針

- 上下同配筋とする．
- 水平荷重時応力は，左端または右端のフェイスモーメントのうち大きい方を採用し，配筋は左右同じとする．
- ねじれの影響によるせん断力の補正係数は，下記による．また，Y方向加力時については偏心が生じていないため算定は省略する．式中の記号は，本規準8.3節による．

$$\alpha_{jx} = 1 + \frac{\sum K_{jx} \cdot e}{J_x + J_y}, \quad _iK_{jx} = \frac{_iQ_{jx}}{_i\delta_x}, \quad _iK_{jy} = \frac{_iQ_{jy}}{_i\delta_y}$$

$$j_x = \sum(K_{jx} \cdot y^2) = \sum(K_{jx} \cdot y_1^2) - \sum K_{jx} \cdot \overline{y_1}^2, \quad j_y = \sum(K_{jy} \cdot x^2) = \sum(K_{jy} \cdot x_1^2) - \sum K_{jy} \cdot \overline{x_1}^2$$

$$x = x_1 - \overline{x_1}, \quad y = y_1 - \overline{y_1}$$

式中の i は層，j はフレームを表すが，表としてまとめこれを省略する．

　付表2.2.17a に，けた行方向のねじれによる負担せん断力の補正係数を，付表2.2.17b に張り間方向における重心と剛心との偏心距離 e を示す．

　付表2.2.17a より，ねじれによるせん断力の割増は最大で 0.6％程度となる．よって，検討用の応力の割増しは行なわず，以降の断面算定において安全率が 1.006 を下回らないことを確認することとする．付表2.2.17b より，張り間にはねじれは生じない．

- 曲げモーメントに対する断面算定は，下記による．また，短期荷重時設計用曲げモーメントが長期荷重時曲げモーメントの1.5倍よりも明らかに大きいため，長期応力に対する算定は省略する．式中の記号は，本規準9.5節による．

$$_DM_S \leqq M_{AS}$$

付表 2.2.17a　けた行方向加力時のねじれの影響によるせん断力の補正係数の算定

階	通り	Q_x (kN)	δ_x (mm)	K_x (kN/mm)	y_1 (m)	$\overline{y_1}$ (m)	y (m)	$K_x \cdot y^2$ (kN·m)	j_x (kN·m)	e (m)	α_{jx}
3	Ⓒ	404	0.772	523.4	12.0	6.0	6.0	18 841 818.9	37 683 637.8	0.531	1.006
	Ⓐ	404		523.4	0.0	—	-6.0	18 841 818.9			0.994
Σ		808	—	1 046.8	—	—	—	37 683 637.8	—	—	—
2	Ⓒ	719	1.061	678.0	12.0	6.0	6.0	24 407 355.0	48 814 710.0	0.542	1.005
	Ⓐ	719		678.0	0.0	—	-6.0	24 407 355.0			0.995
Σ		1 438	—	1 356.0	—	—	—	48 814 710.0	—	—	—
1	Ⓒ	965	0.984	981.0	12.0	6.0	6.0	35 315 645.0	70 631 290.0	0.546	1.006
	Ⓐ	965		981.0	0.0	—	-6.0	35 315 645.0			0.994
Σ		1 930	—	1 962.0	—	—	—	70 631 290.0	—	—	—

［注］せん断力の補正係数が1未満の場合は，1とする．

付表 2.2.17b　張り間方向加力時の j_y の算定

階	通り	Q_y (kN)	δ_y (mm)	K_y (kN/mm)	x_1 (m)	$\overline{x_1}$ (m)	x (m)	$K_y \cdot x^2$ (kN·m)	j_y (kN·m)	e (m)
3	⑤	146	0.090	1 631.3	22.4	11.2	11.2	204 628 379.9	536 098 324.0	0
	④	181		2 022.3	16.8	—	5.6	63 420 782.1		
	③	181		2 022.3	11.2	—	0.0	0.0		
	②	181		2 022.3	5.6	—	-5.6	63 420 782.1		
	①	146		1 631.3	0.0	—	-11.2	204 628 379.9		
Σ		835	—	9 329.6	—	—	—	536 098 324.0	—	—
2	⑤	269	0.104	2 594.0	22.4	11.2	11.2	325 394 021.2	828 000 771.5	0
	④	293		2 825.5	16.8	—	5.6	88 606 364.5		
	③	293		2 825.5	11.2	—	0.0	0.0		
	②	293		2 825.5	5.6	—	-5.6	88 606 364.5		
	①	269		2 594.0	0.0	—	-11.2	325 394 021.2		
Σ		1 417	—	13 664.4	—	—	—	828 000 771.5	—	—
1	⑤	377	0.117	3 236.1	22.4	11.2	11.2	405 930 300.4	1 020 209 442.1	0
	④	387		3 321.9	16.8	—	5.6	104 174 420.6		
	③	387		3 321.9	11.2	—	0.0	0.0		
	②	387		3 321.9	5.6	—	-5.6	104 174 420.6		
	①	377		3 236.1	0.0	—	-11.2	405 930 300.4		
Σ		1 915	—	16 437.8	—	—	—	1 020 209 442.1	—	—

$$_DM_S = M_L + M_E$$
$$M_{AS} = a_t \cdot f_t \cdot j$$

・せん断力に対する断面算定は，下記による．式中の記号は，本規準9.6節による．

$$_DQ_L \leqq Q_{AL}$$
$$_DQ_S \leqq Q_{AS}$$
$$Q_{AL} = \alpha \cdot b \cdot j \cdot {_L}f_s$$
$$Q_{AS} = b \cdot j \cdot \{\alpha \cdot f_s + 0.5 {_w}f_t \cdot (p_w - 0.002)\}$$
$$_DQ_S = \min({_DQ_L} + n \cdot Q_E, \ {_DQ_L} + \Sigma M_y/l')$$

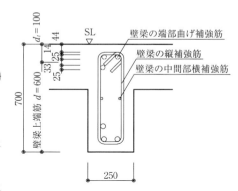

付図 2.2.17 主筋径 D22 の場合

・壁梁の有効せい d は，下記のように設定する．

壁梁は2段筋で，引張鉄筋重心位置 d_t は1段筋と2段筋のあき間隔の1/2の位置とする．

端部曲げ補強筋が D22 の場合，d_t は次のとおりとなる．

$$d_t = 44 + 14 + 25 + 1.5 \times 22/2 = 99.5 \to 100 \text{ mm}$$
$$d = 700 - 100 = 600 \text{ mm} \quad (付図 2.2.17)$$

基礎梁は，土に接する部分として算定する．

$$d_t = 50 + 14 + 28 + 1.5 \times 28/2 = 113.0 \to 120 \text{ mm}$$
$$d = 1\,200 - 120 = 1\,080 \text{ mm}$$

(ii) 釣合い鉄筋比の算定

許容曲げモーメントの算定式として $a_t \cdot f_t \cdot j$ を使用しているので，釣合い鉄筋比以下であることの確認を行う．

断面　$b \cdot D = 250 \times 700$ mm，$d = 600$ mm

$${_s}f_t = 345 \text{ N/mm}^2, \quad {_s}f_c = 20 \text{ N/mm}^2$$
$$\gamma = 1.0, \quad d_c = 100 \text{ mm}, \quad n = 15$$
$$p_{tb} = \frac{1}{2} \times \frac{1}{\left(1 + \frac{{_s}f_t}{n \cdot {_s}f_c}\right) \times \left\{\frac{{_s}f_t}{{_s}f_c} \times \left(1 + \gamma \cdot \frac{d_c}{d}\right) - n \cdot \gamma \left(1 - \frac{d_c}{d}\right)\right\}}$$
$$= \frac{1}{2} \times \frac{1}{\left(1 + \frac{345}{15 \times 20}\right) \times \left\{\frac{345}{20} \times \left(1 + 1 \times \frac{100}{600}\right) - 15 \times 1 \times \left(1 - \frac{100}{600}\right)\right\}}$$
$$= 0.5 \times 0.061 = 0.0305$$
$$a_t = 0.0305 \times 250 \times 600 = 4\,575 \text{ mm}^2 > 11 - D22 \ (4\,257 \text{ mm}^2)$$

よって，壁梁の端部曲げ補強筋は 11-D22 以下とする．

(iii) 断面算定

端部曲げ補強筋　SD295（D16以下），SD345（D19以上），縦補強筋　SD295

$$d = D - 100 \ (端部曲げ補強筋 D22)$$
$$_DQ_{S1} = {_DQ_L} + n \cdot Q_E, \quad n = 1.5 \ (保有水平耐力計算をする場合)$$
$$_DQ_{S2} = {_DQ_L} + \Sigma M_y/l'$$

壁梁および基礎梁の断面算定結果を，付表2.2.18に示す．なお，$M_L/M_E<1/1.5$の場合は，長期荷重時の曲げモーメントに対する断面算定は省略している．

付表2.2.18 壁梁端部の断面算定

壁梁符号 $b\times D$	階	F_c	d (mm) l' (m)	M_L (kN・m) M_E (kN・m)	$_DM_S$ (kN・m)	$_DQ_L$ (kN) Q_E (kN)	Q_S (kN)	必要 a_t (mm²)	端部曲げ補強筋	Σa_t (mm²) 検定値	ΣM_y (kN・m)	$_DQ_{S1}$ (kN) $_DQ_{S2}$ (kN)	$\alpha^{1)}$ (短期) α (長期)	Q_{AS} (kN) Q_{AL} (kN)	p_w (%)	縦補強筋
G1, G4 250×700	R	30	600 3.60	31 72	103	48 39	87	569	3-D22	1 161 (0.49)	238	107 114	1.35 1.93	272 242	0.508	2-D13@200
	3	30	600 3.60	28 116	144	44 64	108	795	3-D22	1 161 (0.68)	238	140 110	1.24 1.94	255 243	0.508	2-D13@200
	2	30	600 3.60	28 137	165	44 76	120	911	3-D22	1 161 (0.78)	238	158 110	1.22 1.94	251 243	0.508	2-D13@200
G2, G3 250×700	R	30	600 3.60	31 94	125	48 52	100	690	3-D22	1 161 (0.59)	238	126 114	1.30 1.93	264 242	0.508	2-D13@200
	3	30	600 3.60	28 140	168	44 78	122	928	3-D22	1 161 (0.80)	238	161 110	1.21 1.94	251 243	0.508	2-D13@200
	2	30	600 3.60	28 157	185	44 88	132	1 021	3-D22	1 161 (0.88)	238	176 110	1.20 1.94	248 243	0.508	2-D13@200
FG1 400×1 200	1	24	1 080 3.60	183 241	424	309 130	439	1 301	5-D25	2 535 (0.51)	935	504 569	2.00 2.00	905 603	0.318	2-D13@200

[注] 1) $\alpha_{(短期)}=4/\{_DQ_M/(Q_S\cdot d)+1\}$

ここで，短期荷重時端部下端の曲げモーメントに必要な鉄筋量を通し配筋することで，長期荷重時中央下端の曲げモーメントに対して必要な鉄筋断面積が確保されていることを確認する．代表的な壁梁の中央部の断面算定結果を，付表2.2.19に示す．

付表2.2.19 壁梁中央部の断面算定

壁梁符号 $b\times D$	階	F_c	d (mm) l' (m)	$M_{L中央}$ (kN・m) 必要 a_t (mm²)	端部曲げ補強筋	Σa_t (mm²) 検定値
G1, G4 250×700	R	30	600 3 600	16 142	3-D22	1 161 (0.12)
	3	30	600 3 600	15 133	3-D22	1 161 (0.12)
	2	30	600 3 600	15 133	3-D22	1 161 (0.12)
G2, G3 250×700	R	30	600 3 600	16 142	3-D22	1 161 (0.12)
	3	30	600 3 600	15 133	3-D22	1 161 (0.12)
	2	30	600 3 600	15 133	3-D22	1 161 (0.12)

（2） 耐力壁の断面算定
（i） 断面算定方針
- 断面算定用応力は，1階脚部は剛域端，その他は節点モーメントとする．
- 耐力壁の曲げ補強筋は，水平接合部接合筋（連続した鉄筋）および鉛直接合部内の縦補強筋とする．
- 耐力壁の短期許容曲げモーメントは，耐力壁の短期荷重時の圧縮応力度比 $N_S/(t \cdot l \cdot {}_sf_c)$ が 0.4 未満であることを確認し，下式により算定する．
- 縦補強筋比に算入できる縦補強筋は，所要の定着長さの確保されている耐力壁の端部曲げ補強筋（SJ筋）と水平接合部鉛直接合筋，および鉛直接合部縦補強筋とする．
- 耐力壁の短期許容曲げモーメントの算定を精算による場合は，次式による[1),2)]．

$$M_{AS} = C \cdot t \cdot l^2 \qquad \text{（本規準（解 9.1.1）式）}$$

記号　M_{AS}：耐力壁の短期許容曲げモーメント（N・mm）

C：許容曲げモーメント係数（N/mm^2）で，C_1 と C_2 のうち，小さい方の数値とする．

$$C_1 = \{40/3 \times \{1 - 1.2N_S/(t \cdot l \cdot {}_sf_c)\} \cdot p_t + 1/15\{1 + 1.2N_S/(t \cdot l \cdot {}_sf_c)\}\} \cdot {}_sf_c$$
$$C_2 = \{0.8p_t + 0.37N_S/(t \cdot l \cdot {}_sf_t)\} \cdot {}_sf_t$$

t, l：耐力壁の厚さおよび長さ（mm）

p_t：引張鉄筋比（$= a_t/(t \cdot l)$）

a_t：曲げモーメントに有効な範囲内の引張鉄筋断面積（mm^2）

N_S：耐力壁の短期軸方向力（N）

${}_sf_c$：コンクリートの短期許容圧縮応力度（N/mm^2）

${}_sf_t$：引張鉄筋の短期許容引張応力度（N/mm^2）

[注] 1)：PCaRC造耐力壁の許容曲げモーメントの算定において，式 $M_{AS} = C \cdot t \cdot l^2$ を適用するにあたり，引張縁より端部曲げ補強筋の重心までの距離 d_t が現場打ちRC造耐力壁より小さくなり，圧縮縁より引張鉄筋重心までの距離を実際より大き目に評価し，許容曲げモーメントを大き目に評価することになる．したがって，本規準（9.1.2）式を用いる場合は，耐力壁の断面設計において，引張鉄筋断面積に余裕を持たせることで，適用可とする．

2)：現場打ちRC造耐力壁の場合，本規準解説図 9.1.1 より引張鉄筋とみなせる範囲は，壁厚または壁長 l の 0.1 倍の長さのうち，大きい方の範囲となる．一例として，壁厚 200 mm，壁長 6 m の場合は端部より 600 mm の範囲内の縦補強筋を引張鉄筋とみなすことになり，引張縁より引張鉄筋重心までの距離 d_t は，かぶり厚さおよび横補強筋を考慮すると，約 330 mm となる．一方，PCaRC造耐力壁の場合，d_t は引張縁より鉛直接合筋の重心までの距離となり，壁厚や壁長に依存しない．本設計例においては，余裕率を（現場打ちRC造耐力壁の場合の d_t）／（PCaRC造耐力壁の d_t）以上とし，張り間方向では $l_w = 12\,250$ mm より，（現場打ち式RC造耐力壁の場合の $d_t = 650$ mm）／（PCaRC造耐力壁の $d_t = 440$ mm）= 1.48 以上（計算書中の検定値 0.67 以下）を確保することとした．けた行方向については両者に大きな差はないことから，余裕率を設定しない．

- 耐力壁の許容曲げモーメントの算定を略算による場合は，本規準（解9.1.6）式である下式による．

$$M_{AS} = a_t \cdot {}_sf_t \cdot j + 0.5 \cdot j \cdot N, \quad ただし，({}_DM/j + N/2) \leq 0.15 \cdot t \cdot l \cdot {}_sf_c$$

（本規準（解9.1.6）式）

記号　M_{AS}：PCa RC造耐力壁の短期許容曲げモーメント（N・mm）

a_t：PCa RC造耐力壁の短期許容曲げモーメントに有効な範囲内の引張鉄筋断面積（mm²）

${}_sf_t$：引張鉄筋の短期許容引張応力度（N/mm²）

j：PCa RC造耐力壁の短期許容曲げモーメントに有効な引張鉄筋の重心間距離（mm）

N：PCa RC造耐力壁の短期荷重時軸方向力（圧縮を正とする）（N）

${}_DM$：PCa RC造耐力壁の短期設計用曲げモーメント（N・mm）

t：PCa RC造耐力壁の厚さ（mm）

l：PCa RC造耐力壁の長さ（mm）

${}_sf_c$：PCa RC造耐力壁コンクリートの短期許容圧縮応力度（N/mm²）

- PCaRC造耐力壁に生じるせん断応力度が，次式を満足することを確認する．

$$\tau = Q_S / (r \cdot t \cdot j) \leq {}_sf_s$$

記号　τ：耐力壁の短期荷重時せん断応力度（N/mm²）

Q_S：耐力壁の短期荷重時せん断力（N）

r：耐力壁の小開口による低減率で，r_1 と r_2 のうち，小さい方の数値

$$r_1 = 1 - l_0/l, \quad r_2 = 1 - \sqrt{h_0 \cdot l_0/(h \cdot l)}$$

l_0：小開口の内法長さ（mm），l：耐力壁の長さ（mm）

h_0：小開口の内法高さ（mm），h：耐力壁の高さ（mm）

t, j：耐力壁の厚さおよび応力中心距離（mm）

${}_sf_s$：コンクリートの短期許容せん断応力度（N/mm²）

（ⅱ）けた行方向耐力壁（厚さ 250 mm）の配筋：付表 2.2.20

付表 2.2.20　けた行方向耐力壁の配筋

耐力壁の種類（長さ）〔厚さ〕		SJ筋 (mm^2)	水平接合部鉛直接合筋 (mm^2)	鉛直接合部縦補強筋 (mm^2)	縦補強筋比 (％)	横補強筋 横補強筋比 (％)	p_{s0} (％)	L_{w0} (mm/m^2)	t_0 (mm)	a_w (mm^2/m^2)	最小せん断補強筋比 (％) $p_{s0}\cdot L_{w0}\cdot t_0/a_w$
側壁 (1 100 mm) 〔250 mm〕	3階	2-D22 / 774	4-D19 / 1 148	2-D22 / 774	0.980	2-D10@250 / 0.227	0.20	120	120	13 124	0.219
	2階	2-D22 / 774	4-D19 / 1 148	2-D22 / 774	0.980	2-D10@200 / 0.284	0.25	120	120	13 124	0.274
	1階	2-D22 / 774	4-D19 / 1 148	2-D22 / 774	0.980	2-D10@150 / 0.379	0.25	120	150	13 124	0.343
中壁 (2 000 mm) 〔250 mm〕	3階	4-D22 / 1 548	10-D19 / 2 870	1-D22 / 387	0.961	2-D10@250 / 0.227	0.20	120	120	13 124	0.219
	2階	4-D22 / 1 548	10-D19 / 2 870	1-D22 / 387	0.961	2-D10@200 / 0.284	0.25	120	120	13 124	0.274
	1階	4-D22 / 1 548	10-D19 / 2 870	1-D22 / 387	0.961	2-D10@150 / 0.379	0.25	120	150	13 124	0.343

（ⅲ）張り間方向耐力壁（厚さ 200 mm，180 mm）の配筋：付表 2.2.21

付表 2.2.21　張り間方向耐力壁の配筋

耐力壁の種類（長さ）〔厚さ〕		SJ筋 (mm^2)	水平接合部鉛直接合筋 (mm^2)	鉛直接合部縦補強筋 (mm^2)	縦補強筋比 (％)	横補強筋 横補強筋比 (％)	p_{s0} (％)	L_{w0} (mm/m^2)	t_0 (mm)	a_w (mm^2/m^2)	最小せん断補強筋比 (％) $p_{s0}\cdot L_{w0}\cdot t_0/a_w$
W11, W15 (12 250 mm) 〔200 mm〕	3階	4-D22 / 1 548	8-D19 / 2 296	1-D22 / 387	0.173	2-D10@200 / 0.355	0.20	120	120	36 860	0.078 かつ, 0.15 以上
	2階	4-D22 / 1 548	8-D19 / 2 296	1-D22 / 387	0.173	2-D10@200 / 0.355	0.25	120	120	36 860	0.098 かつ, 0.15 以上
	1階	4-D22 / 1 548	8-D19 / 2 296	1-D22 / 387	0.173	2-D10@200 / 0.355	0.25	120	150	36 860	0.122 かつ, 0.15 以上
W12, W13, W14 (12 250 mm) 〔180 mm〕	3階	2-D22 / 774	10-D19 / 2 870	1-D22 / 387	0.183	2-D10@200 / 0.394	0.20	120	120	36 860	0.078 かつ, 0.15 以上
	2階	2-D22 / 774	10-D19 / 2 870	1-D22 / 387	0.183	2-D10@200 / 0.394	0.25	120	120	36 860	0.098 かつ, 0.15 以上
	1階	2-D22 / 774	10-D19 / 2 870	1-D22 / 387	0.183	2-D10@200 / 0.394	0.25	120	150	36 860	0.122 かつ, 0.15 以上

（ⅳ）圧縮応力度比の確認

許容曲げモーメントの算定式として $C\cdot t\cdot l^2$ を使用しているので，圧縮応力度比が 0.4 未満であることの確認を行う．

（a）けた行方向耐力壁断面

$t=250$ mm, $l_w=1\,100$ mm, $F_c=30$ N/mm^2, $_sf_c=20$ N/mm^2

軸方向力は，各耐力壁で最大となる数値を採用する．

$N_L=453$ kN, $N_E=179$ kN, $N_S=491$ kN

$N_S/(t\cdot l_w\cdot {_sf_c})=491\times10^3/(250\times1\,100\times20)=0.09<0.40$

(b) 張り間方向耐力壁 (①, ⑤通り)

$t=200$ mm, $l_w=12\,250$ mm, $F_c=30$ N/mm², $_sf_c=20$ N/mm²

軸方向力は，各耐力壁で最大となる数値を採用する．

$N_L=1\,078$ kN, $N_E=0$ kN, $N_S=1\,078$ kN

$N_S/(t \cdot l_w \cdot {_sf_c})=1\,078\times10^3/(200\times12\,250\times20)=0.03<0.40$

(c) 張り間方向耐力壁 (②, ③, ④通り)

$t=180$ mm, $l_w=12\,250$ mm, $F_c=30$ N/mm², $_sf_c=20$ N/mm²

軸方向力は，各耐力壁で最大となる数値を採用する．

$N_L=1\,493$ kN, $N_E=0$ kN, $N_S=1\,493$ kN

$N_S/(t \cdot l_w \cdot {_sf_c})=1\,493\times10^3/(180\times12\,250\times20)=0.04<0.40$

(v) 耐力壁の曲げモーメントに対する断面算定 (本規準 (解 9.1.1) 式)

付表 2.2.22 に，耐力壁の曲げモーメントに対する断面算定結果を示す．

付表 2.2.22 耐力壁の曲げモーメントに対する断面算定 (1/2)

耐力壁符号	階*2	M_L / N_L M_E / N_E M_S / N_S (kN·m) (kN)			端部曲げ補強筋*1 (SJ筋)	a_t (mm²)	f_t (N/mm²)	p_t	C_1	C_2	M_{AS} (kN·m)	M_S/M_{AS}	判定
W1 $t=250$ mm $l_w=1\,100$ mm	3T	-31 / 81	88 / -39	57 / 42	2-D22	774	345	0.0028	2.09	0.83	252	0.23	OK
	3B	-14 / 81	42 / -39	28 / 42	2-D22	774	345	0.0028	2.09	0.83	252	0.11	OK
	2T	-14 / 155	105 / -103	91 / 52	2-D22	774	345	0.0028	2.09	0.85	256	0.36	OK
	2B	-14 / 155	86 / -103	72 / 52	2-D22	774	345	0.0028	2.09	0.85	256	0.28	OK
	1T	-14 / 228	90 / -179	76 / 49	2-D22	774	345	0.0028	2.09	0.84	255	0.30	OK
	1B	-96 / 228	174 / -179	78 / 49	2-D22	774	345	0.0028	2.09	0.84	255	0.31	OK
W2 $t=250$ mm $l_w=2\,000$ mm	3T	0 / 158	256 / -13	256 / 171	2-D22	774	345	0.0015	1.77	0.55	554	0.46	OK
	3B	0 / 158	56 / -13	56 / 171	2-D22	774	345	0.0015	1.77	0.55	554	0.10	OK
	2T	0 / 306	340 / -27	340 / 333	2-D22	774	345	0.0015	1.78	0.67	674	0.50	OK
	2B	0 / 306	265 / -27	265 / 333	2-D22	774	345	0.0015	1.78	0.67	674	0.39	OK
	1T	0 / 453	192 / -38	192 / 491	2-D22	774	345	0.0015	1.80	0.79	791	0.24	OK
	1B	0 / 453	642 / -38	642 / 491	2-D22	774	345	0.0015	1.80	0.79	791	0.81	OK
W3 $t=250$ mm $l_w=2\,000$ mm	3T	0 / 158	288 / 0	288 / 158	2-D22	774	345	0.0015	1.76	0.54	544	0.53	OK
	3B	0 / 158	76 / 0	76 / 158	2-D22	774	345	0.0015	1.76	0.54	544	0.14	OK
	2T	0 / 306	357 / 0	357 / 306	2-D22	774	345	0.0015	1.78	0.65	654	0.55	OK
	2B	0 / 306	278 / 0	278 / 306	2-D22	774	345	0.0015	1.78	0.65	654	0.43	OK
	1T	0 / 453	210 / 0	210 / 453	2-D22	774	345	0.0015	1.80	0.76	762	0.28	OK
	1B	0 / 453	685 / 0	685 / 453	2-D22	774	345	0.0015	1.80	0.76	762	0.90	OK

付表 2.2.22 耐力壁の曲げモーメントに対する断面算定 (2/2)

耐力壁符号	階*2	M_L / N_L (kN·m) / (kN)	M_E / N_E	M_S / N_S	端部曲げ補強筋*1 (SJ筋)	a_t (mm²)	f_t (N/mm²)	p_t	C_1	C_2	M_{AS} (kN·m)	M_S / M_{AS}	判定
W4 $t=$ 250 mm $l_w=$ 2 000 mm	3T	0 / 158	256 / 13	256 / 145	2-D22	774	345	0.0015	1.76	0.53	535	0.48	OK
	3B	0 / 158	56 / 13	56 / 145	2-D22	774	345	0.0015	1.76	0.53	535	0.10	OK
	2T	0 / 306	340 / 27	340 / 279	2-D22	774	345	0.0015	1.78	0.63	634	0.54	OK
	2B	0 / 306	265 / 27	265 / 279	2-D22	774	345	0.0015	1.78	0.63	634	0.42	OK
	1T	0 / 453	192 / 38	192 / 415	2-D22	774	345	0.0015	1.79	0.73	734	0.26	OK
	1B	0 / 453	642 / 38	642 / 415	2-D22	774	345	0.0015	1.79	0.73	734	0.87	OK
W5 $t=$ 250 mm $l_w=$ 1 100 mm	3T	31 / 81	88 / 39	119 / 120	2-D22	774	345	0.0028	2.10	0.94	284	0.42	OK
	3B	14 / 81	42 / 39	56 / 120	2-D22	774	345	0.0028	2.10	0.94	284	0.20	OK
	2T	14 / 155	105 / 103	119 / 258	2-D22	774	345	0.0028	2.12	1.12	340	0.35	OK
	2B	14 / 155	86 / 103	100 / 258	2-D22	774	345	0.0028	2.12	1.12	340	0.29	OK
	1T	14 / 228	90 / 179	104 / 407	2-D22	774	345	0.0028	2.14	1.32	401	0.26	OK
	1B	96 / 228	174 / 179	271 / 407	2-D22	774	345	0.0028	2.14	1.32	401	0.68	OK
W11, W15 $t=$ 200 mm $l_w=$ 12 250 mm	3T	0 / 380	0 / 0	0 / 380	2-D22	774	345	0.0003	1.43	0.14	4 339	0.00	OK
	3B	0 / 380	450 / 0	450 / 380	2-D22	774	345	0.0003	1.43	0.14	4 339	0.10	OK
	2T	0 / 729	-450 / 0	-450 / 729	2-D22	774	345	0.0003	1.44	0.20	5 921	0.08	OK
	2B	0 / 729	1 283 / 0	1 283 / 729	2-D22	774	345	0.0003	1.44	0.20	5 921	0.22	OK
	1T	0 / 1 078	-1 283 / 0	-1 283 / 1 078	2-D22	774	345	0.0003	1.45	0.25	7 503	0.17	OK
	1B	0 / 1 078	2 543 / 0	2 543 / 1 078	2-D22	774	345	0.0003	1.45	0.25	7 503	0.34	OK
W12, W13, W14 $t=$ 180 mm $l_w=$ 12 250 mm	3T	0 / 496	0 / 0	0 / 496	1-D22	387	345	0.0002	1.40	0.13	3 557	0.00	OK
	3B	0 / 496	561 / 0	561 / 496	1-D22	387	345	0.0002	1.40	0.13	3 557	0.16	OK
	2T	0 / 995	-561 / 0	-561 / 995	1-D22	387	345	0.0002	1.41	0.22	5 818	0.10	OK
	2B	0 / 995	1 468 / 0	1 468 / 995	1-D22	387	345	0.0002	1.41	0.22	5 818	0.25	OK
	1T	0 / 1 493	-1 468 / 0	-1 468 / 1 493	1-D22	387	345	0.0002	1.43	0.30	8 075	0.18	OK
	1B	0 / 1 493	2 763 / 0	2 763 / 1 493	1-D22	387	345	0.0002	1.43	0.30	8 075	0.34	OK

[注] *1：けた行方向正加力時に引張側となる鉄筋とし，W11では壁脚で接合部内のVJ筋，W15では壁頭で接合部内のVJ筋を採用する．
　　*2：「T」は耐力壁頭部，「B」は耐力壁脚部を表す．以降共通とする．

- 本規準（解 9.1.6）式による耐力壁の断面算定

　付表 2.2.23 に，本規準（9.1.6）式による耐力壁の曲げモーメントに対する断面算定結果を参考として示す．

付表 2.2.23 本規準(解 9.1.6)式による耐力壁の曲げモーメントに対する断面算定 (1/2)

耐力壁符号	階	M_L / N_L (kN·m) / (kN)	M_E / N_E	M_S / N_S	端部曲げ補強筋*1 (SJ筋)	a_t (mm²)	f_t (N/mm²)	$(_DM/j+N/2) \leq 0.15 \cdot t \cdot l \cdot {_sf_c}$ (kN)	M_{AS} (kN·m)	$\dfrac{M_S}{M_{AS}}$	判定
W1 $t=250$ mm $l_w=1\,100$ mm $j^{2)}=710$ mm	3T	-31 / 81	88 / -39	57 / 42	2-D22	774	345	101 ≦ 825	205	0.28	OK
	3B	-14 / 81	42 / -39	28 / 42	2-D22	774	345	60 ≦ 825	205	0.14	OK
	2T	-14 / 155	105 / -103	91 / 52	2-D22	774	345	154 ≦ 825	208	0.44	OK
	2B	-14 / 155	86 / -103	72 / 52	2-D22	774	345	127 ≦ 825	208	0.35	OK
	1T	-14 / 228	90 / -179	76 / 49	2-D22	774	345	132 ≦ 825	207	0.37	OK
	1B	-96 / 228	174 / -179	78 / 49	2-D22	774	345	135 ≦ 825	207	0.38	OK
W2 $t=250$ mm $l_w=2\,000$ mm $j^{2)}=1\,620$ mm	3T	0 / 158	256 / -13	256 / 145	2-D22	774	345	231 ≦ 1 500	550	0.47	OK
	3B	0 / 158	56 / -13	56 / 145	2-D22	774	345	107 ≦ 1 500	550	0.10	OK
	2T	0 / 306	340 / -27	340 / 279	2-D22	774	345	349 ≦ 1 500	659	0.52	OK
	2B	0 / 306	265 / -27	265 / 279	2-D22	774	345	303 ≦ 1 500	659	0.40	OK
	1T	0 / 453	192 / -38	192 / 415	2-D22	774	345	326 ≦ 1 500	769	0.25	OK
	1B	0 / 453	642 / -38	642 / 415	2-D22	774	345	604 ≦ 1 500	769	0.84	OK
W3 $t=250$ mm $l_w=2\,000$ mm $j^{2)}=1\,620$ mm	3T	0 / 158	288 / 0	288 / 158	2-D22	774	345	257 ≦ 1 500	561	0.51	OK
	3B	0 / 158	76 / 0	76 / 158	2-D22	774	345	126 ≦ 1 500	561	0.14	OK
	2T	0 / 306	357 / 0	357 / 306	2-D22	774	345	373 ≦ 1 500	680	0.52	OK
	2B	0 / 306	278 / 0	278 / 306	2-D22	774	345	325 ≦ 1 500	680	0.41	OK
	1T	0 / 453	210 / 0	210 / 453	2-D22	774	345	356 ≦ 1 500	800	0.26	OK
	1B	0 / 453	685 / 0	685 / 453	2-D22	774	345	649 ≦ 1 500	800	0.86	OK
W4 $t=250$ mm $l_w=2\,000$ mm $j^{2)}=1\,620$ mm	3T	0 / 158	256 / 13	256 / 171	2-D22	774	345	244 ≦ 1 500	571	0.45	OK
	3B	0 / 158	56 / 13	56 / 171	2-D22	774	345	120 ≦ 1 500	571	0.10	OK
	2T	0 / 306	340 / 27	340 / 333	2-D22	774	345	376 ≦ 1 500	702	0.48	OK
	2B	0 / 306	265 / 27	265 / 333	2-D22	774	345	330 ≦ 1 500	702	0.38	OK
	1T	0 / 453	192 / 38	192 / 491	2-D22	774	345	364 ≦ 1 500	830	0.23	OK
	1B	0 / 453	642 / 38	642 / 491	2-D22	774	345	642 ≦ 1 500	830	0.77	OK
W5 $t=250$ mm $l_w=1\,100$ mm $j^{2)}=710$ mm	3T	31 / 81	88 / 39	119 / 120	2-D22	774	345	228 ≦ 825	232	0.51	OK
	3B	14 / 81	42 / 39	56 / 120	2-D22	774	345	139 ≦ 825	232	0.24	OK
	2T	14 / 155	105 / 103	119 / 258	2-D22	774	345	297 ≦ 825	281	0.42	OK
	2B	14 / 155	86 / 103	100 / 258	2-D22	774	345	270 ≦ 825	281	0.36	OK
	1T	14 / 228	90 / 179	104 / 407	2-D22	774	345	350 ≦ 825	334	0.31	OK
	1B	96 / 228	174 / 179	271 / 407	2-D22	774	345	584 ≦ 825	334	0.81	OK

付表 2.2.23　本規準(解 9.1.6)式による耐力壁の曲げモーメントに対する断面算定 (2/2)

耐力壁符号	階	M_L / N_L (kN·m) / (kN)	M_E / N_E	M_S / N_S	端部曲げ補強筋[*1] (SJ筋)	a_t (mm²)	f_t (N/mm²)	$(_bM/j+N/2) \leq 0.15 \cdot t \cdot l \cdot {_sf_c}$ (kN)	M_{AS} (kN·m)	M_S / M_{AS}	判定
W11, W15 $t=200$ mm $l_w=12\,250$ mm $j^{*2}=11\,370$ mm	3T	0 / 380	0 / 0	0 / 380	2-D22	774	345	190 ≤ 7 350	5 196	0.00	OK
	3B	0 / 380	450 / 0	450 / 380	2-D22	774	345	230 ≤ 7 350	5 196	0.09	OK
	2T	0 / 729	-450 / 0	-450 / 729	2-D22	774	345	325 ≤ 7 350	7 180	0.06	OK
	2B	0 / 729	1 283 / 0	1 283 / 729	2-D22	774	345	477 ≤ 7 350	7 180	0.18	OK
	1T	0 / 1 078	-1 283 / 0	-1 283 / 1 078	2-D22	774	345	426 ≤ 7 350	9 165	0.14	OK
	1B	0 / 1 078	2 543 / 0	2 543 / 1 078	2-D22	774	345	763 ≤ 7 350	9 165	0.28	OK
W12, W13, W14 $t=180$ mm $l_w=12\,250$ mm $j^{*2}=11\,370$ mm	3T	0 / 496	0 / 0	0 / 496	1-D22	387	345	248 ≤ 6 615	4 338	0.00	OK
	3B	0 / 496	561 / 0	561 / 496	1-D22	387	345	297 ≤ 6 615	4 338	0.13	OK
	2T	0 / 995	-561 / 0	-561 / 995	1-D22	387	345	448 ≤ 6 615	7 175	0.08	OK
	2B	0 / 995	1 468 / 0	1 468 / 995	1-D22	387	345	627 ≤ 6 615	7 175	0.20	OK
	1T	0 / 1 493	-1 468 / 0	-1 468 / 1 493	1-D22	387	345	617 ≤ 6 615	10 006	0.15	OK
	1B	0 / 1 493	2 763 / 0	2 763 / 1 493	1-D22	387	345	990 ≤ 6 615	10 006	0.28	OK

[注] *1：けた行方向正加力時に引張側となる鉄筋とし，W11 では壁脚で鉛直接合部内の VJ 筋，W15 では壁頭で鉛直接合部内の VJ 筋を採用する．

*2：短期許容曲げモーメントに有効な引張鉄筋の重心間距離で，付図 2.2.18 より，下記となる．
　　W1, W5　　：1 100−200−190＝710 (mm)
　　W2〜W4　　：2 000−190−190＝1 620 (mm)
　　W11〜W15　：12 250−440−440＝11 370 (mm)

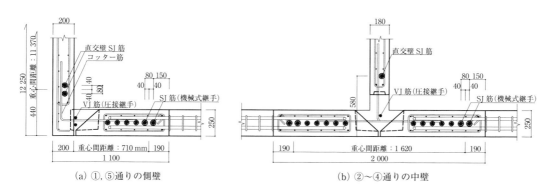

(a) ①,⑤通りの側壁　　　　　　　　　　(b) ②〜④通りの中壁

付図 2.2.18　引張鉄筋の重心位置

(vi) 耐力壁のせん断力に対する断面算定

耐力壁のせん断力に対する断面算定結果を，付表 2.2.24 に示す．

付表 2.2.24 耐力壁のせん断力に対する断面算定

壁符号	階	F_c (N/mm²)	t (mm)	h (mm)	l (mm)	d (mm)	h_0 (mm)	l_0 (mm)	r_1	r_2	Q_L (kN)	Q_s*1 (kN)	Q_s (kN)	τ (N/mm²)	sf_s (N/mm²)	判定
W1	3	30	250	3 100	1 100	850	75	75	0.93	0.95	−15	42	27	0.16	1.19	OK
	2	30	250	3 100	1 100	850	75	75	0.93	0.95	−9	62	53	0.31	1.19	OK
	1	30	250	3 350	1 100	850	75	75	0.93	0.96	−40	88	48	0.28	1.19	OK
W2	3	30	250	3 100	2 000	1 750	75	150	0.92	0.95	0	101	101	0.29	1.19	OK
	2	30	250	3 100	2 000	1 750	75	150	0.92	0.95	0	195	195	0.55	1.19	OK
	1	30	250	3 350	2 000	1 750	75	150	0.92	0.95	0	257	257	0.73	1.19	OK
W3	3	30	250	3 100	2 000	1 750	75	150	0.92	0.95	0	118	118	0.34	1.19	OK
	2	30	250	3 100	2 000	1 750	75	150	0.92	0.95	0	205	205	0.58	1.19	OK
	1	30	250	3 350	2 000	1 750	75	150	0.92	0.95	0	275	275	0.78	1.19	OK
W4	3	30	250	3 100	2 000	1 750	75	150	0.92	0.95	0	101	101	0.29	1.19	OK
	2	30	250	3 100	2 000	1 750	75	150	0.92	0.95	0	195	195	0.55	1.19	OK
	1	30	250	3 350	2 000	1 750	75	150	0.92	0.95	0	257	257	0.73	1.19	OK
W5	3	30	250	3 100	1 100	850	75	75	0.93	0.95	15	42	57	0.33	1.19	OK
	2	30	250	3 100	1 100	850	75	75	0.93	0.95	9	62	71	0.41	1.19	OK
	1	30	250	3 350	1 100	850	75	75	0.93	0.96	40	88	128	0.74	1.19	OK
W11 W15	3	30	200	3 100	12 250	12 000	0	0	1.00	1.00	0	146	146	0.07	1.19	OK
	2	30	200	3 100	12 250	12 000	0	0	1.00	1.00	0	269	269	0.13	1.19	OK
	1	30	200	3 350	12 250	12 000	0	0	1.00	1.00	0	377	377	0.18	1.19	OK
W12 W13 W14	3	30	180	3 100	12 250	12 000	0	0	1.00	1.00	0	181	181	0.10	1.19	OK
	2	30	180	3 100	12 250	12 000	0	0	1.00	1.00	0	293	293	0.16	1.19	OK
	1	30	180	3 350	12 250	12 000	0	0	1.00	1.00	0	387	387	0.20	1.19	OK

［注］*1：市販プログラムの応力図による．けた行方向 1 階耐力壁のせん断力 Q_s の合計 2×(88+257+275+257+88)＝1 930 kN と，〔4. 仮定荷重および（5）地震力〕に記載の地震層せん断力 Q_n（1 925 kN）の誤差については，市販プログラム内の出力上の応力切上げによる．例として，1 階桁行方向耐力壁の市販プログラムによるせん断力を小数点以下まで抽出し合計すると，2×(87.1+256.5+275.0+256.5+87.1)＝1 924.2 kN となり，Q_n とほぼ一致する．

(vii) 耐力壁の小開口周囲の補強筋の算定

耐力壁の小開口周囲における付加斜張力および縁張力に対する必要補強筋に対し，最少補強筋量規定の 2-D13($254 mm^2$) が満足していることを確認する．必要補強筋は本規準(9.3.1)式～(9.3.3)式による．算定結果を，付表 2.2.25 に示す．

付表 2.2.25 耐力壁の小開口周囲の補強筋の算定

壁符号	階	sf_t (N/mm²)	h (mm)	l (mm)	h_0 (mm)	l_0 (mm)	Q_L (kN)	Q_E (kN)	Q_S (kN)	T_d (N)	a_{d0} (mm²)	T_v (N)	a_{v0} (mm²)	T_h (N)	a_{h0} (mm²)
W1	3	295	3 100	1 100	75	75	-15	42	27	1 325	4	1 006	3	960	3
	2	295	3 100	1 100	75	75	-9	62	53	2 554	9	1 938	7	1 850	6
	1	295	3 350	1 100	75	75	-40	88	48	2 330	8	1 768	6	1 685	6
W2	3	295	3 100	2 000	75	75	0	101	101	2 678	9	1 968	7	1 941	7
	2	295	3 100	2 000	75	75	0	195	195	5 171	18	3 799	13	3 747	13
	1	295	3 350	2 000	75	75	0	257	257	6 815	23	5 006	17	4 929	17
W3	3	295	3 100	2 000	75	75	0	118	118	3 129	11	2 299	8	2 267	8
	2	295	3 100	2 000	75	75	0	205	205	5 436	18	3 994	14	3 939	13
	1	295	3 350	2 000	75	75	0	275	275	7 292	25	5 357	18	5 274	18
W4	3	295	3 100	2 000	75	75	0	101	101	2 678	9	1 968	7	1 941	7
	2	295	3 100	2 000	75	75	0	195	195	5 171	18	3 799	13	3 747	13
	1	295	3 350	2 000	75	75	0	257	257	6 815	23	5 006	17	4 929	17
W5	3	295	3 100	1 100	75	75	15	42	57	2 725	9	2 068	7	1 974	7
	2	295	3 100	1 100	75	75	9	62	71	3 425	12	2 599	9	2 482	8
	1	295	3 350	1 100	75	75	40	88	128	6 156	21	4 671	16	4 452	15

・ 以上より，全ての耐力壁の a_{d0}，a_{v0} および a_{h0} で，最小補強筋規定の 2-D13($254 mm^2$) を下回ることを確認した．

・ 小開口間の離隔が十分大きいことから，ここでは小開口が独立に存在すると見なして補強筋量を算定している．

(3) 耐力壁・壁梁接合部および耐力壁・基礎梁接合部の設計

・ 断面算定方針

耐力壁・壁梁接合部の短期設計用せん断力が，下記を満たすことを確認する．式中の記号は，本規準 9.8 節による．断面算定結果を，付表 2.2.26 に示す．

$$_DQ_{p,S} \leq {_AQ_{p,S}} \qquad 〔本規準\ (9.8.1)\ 式〕$$

$$_DQ_{p,S} = T_{b1} + C_{b2} - Q_w \qquad 〔本規準\ (9.8.2)\ 式〕$$

$$_AQ_{p,S} = \tau_{p,scr} \cdot t \cdot (l_w - \sum R_0) \qquad 〔本規準\ (9.8.5)\ 式〕$$

耐力壁・基礎梁接合部の設計も同様に検討し，上式を満たすことを確認している．ここでは記載省略する．

付表 2.2.26 耐力壁・壁梁接合部の断面算定

通り	形状	階	F_c (N/mm²)	t (mm)	l_w (mm)	$\sum R_0$ *1 (mm)	$\tau_{p,scr}$ *2 (N/mm²)	$_AQ_{p,s}$ (kN)	M_{b1} / M_{b2} (kN·m)	j_{b1} / j_{b2} (mm)	T_{b1} / C_{b2} (kN)	Q_w *3 (kN)	$_DQ_{p,s}$ (kN)
Ⓐ Ⓒ	①⑤ ト形接合部	R	30	250	1 100	150	2.57	610	37	525	70	0	70 OK
		3	30	250	1 100	150	2.57	610	87	525	166	27	138 OK
										525			
		2	30	250	1 100	150	2.57	610	109	525	208	53	155 OK
										525			
②④	十字形接合部	R	30	250	2 000	300	2.57	1 092	103	525	196	0	316 OK
									63	525	120		
		3	30	250	2 000	300	2.57	1 092	144	525	274	101	387 OK
									112	525	213		
		2	30	250	2 000	300	2.57	1 092	165	525	314	195	365 OK
									129	525	246		
③	十字形接合部	R	30	250	2 000	300	2.57	1 092	124	525	236	0	354 OK
									62	525	118		
		3	30	250	2 000	300	2.57	1 092	167	525	318	118	412 OK
									111	525	211		
		2	30	250	2 000	300	2.57	1 092	185	525	352	205	393 OK
									99	438	226		

[注] *1 : 150⇒小開口 φ150 が 1 か所, 300⇒小開口 φ150 が 2 か所
　　*2 : $\sigma_0=0$ とし, 安全側として検討している.
　　*3 : $_DQ_{p,s}$ に比して $_AQ_{p,s}$ が十分に大きいことから, $Q_w=|Q_E-Q_L|$ とせず $Q_w=Q_E$ として検討しても問題ないと判断した.

(4) 付着の検討

・設計方針

　曲げ材の引張鉄筋の付着応力度の検討は, 本規準 9.13 節「付着・継手」の (9.13.3) 式または (9.13.4) 式による. なお, 壁梁の上端端部曲げ補強筋は現場打ちコンクリート厚さ 250 mm 内に配筋されること, および PCaRC 造部材は工場にてコンクリートは平打ちされることから, 短期許容付着応力度はその他の鉄筋に対する数値を用いている. 式中の記号は, 本規準 9.13 節による.

　検討結果を, 付表 2.2.27 および付表 2.2.28 に示す.

$$\tau_{a1}=\frac{Q_L+Q_E}{\sum\phi\cdot j} \leq {}_sf_a \quad \text{〔本規準 (9.13.3) 式〕}$$

$$\tau_{a2}=\frac{{}_s\sigma_t\cdot d_b}{4(l_d-d)} \leq 0.8{}_sf_a \quad \text{〔本規準 (9.13.4) 式〕}$$

　付表 2.2.28 より, 2 段目の端部曲げ補強筋をカットオフする場合の必要付着長さは一般的な $L_0/4+15d=1\,230$ mm 以下となっており, 検討対象の壁梁の内法長さ $L=3\,600$ mm の 1/2 以下となり, 2 段目の端部曲げ補強筋をカットオフすることも可能である.

付表2.2.27 本規準(9.13.3)式による壁梁の端部曲げ補強筋の曲げ付着検討

通り	軸	階	F_c (N/mm²)	d (mm)	j (mm)	配筋	$\Sigma\phi$ (mm)	Q_L (kN)	Q_E (kN)	τ_{a1} (N/mm²)	$_sf_a$ (N/mm²)	判定
Ⓐ Ⓒ	① ⑤	R	30	600	525	3-D22	210	48	39	0.79	3.825	OK
		3	30	600	525	3-D22	210	44	64	0.98	3.825	OK
		2	30	600	525	3-D22	210	44	76	1.09	3.825	OK
	② ③ ④	R	30	600	525	3-D22	210	48	52	0.91	3.825	OK
		3	30	600	525	3-D22	210	44	78	1.11	3.825	OK
		2	30	600	525	3-D22	210	44	88	1.20	3.825	OK

付表2.2.28 本規準(9.13.4)式による壁梁の端部曲げ補強筋の必要付着長さの算定

通り	軸	階	$_sf_a$ (N/mm²)	M_L (kN·m)	M_E (kN·m)	d (mm)	j (mm)	d_b	$_s\sigma_t$ (N/mm²)	必要付着長さ l_d (mm)
Ⓐ Ⓒ	① ⑤	R	3.825	31	72	600	525.0	22	169	904
		3	3.825	28	116	600	525.0	22	236	1 025
		2	3.825	28	137	600	525.0	22	271	1 087
	② ③ ④	R	3.825	31	94	600	525.0	22	205	969
		3	3.825	28	139	600	525.0	22	274	1 092
		2	3.825	28	157	600	525.0	22	304	1 146

(5) 重ね継手の検討

本設計例における壁梁の横補強筋や耐力壁の縦補強筋ならびに横補強筋には重ね継手を用いていないことから,検討不要である.

基礎梁の中間部横補強筋の重ね継手長さは,本規準解説表9.13.3による.

(6) 定着の検討

(i) 設計方針

壁梁の横補強筋の耐力壁・壁梁接合部内への定着は,本設計例においては付図2.2.18に記載のように耐力壁・壁梁接合部内に配筋された横補強筋の内側に配筋されることから,コンクリートを拘束する有効な拘束がある場合の本規準(9.14.4)式である次式にて検討する.長期荷重時における壁梁の端部曲げ補強筋に生じる引張応力度は短期荷重時の1/1.5未満であることから,本規準(9.14.2)式の検討は省略する.

$$l_{ab} = \frac{_s\sigma_t \cdot d_b}{4 \, _sf_a} \quad \text{〔本規準(9.14.4)式〕}$$

記号　l_{ab}：曲げ材の引張鉄筋の短期荷重時における必要定着長さ(mm)

　　　$_s\sigma_t$：曲げ材の引張鉄筋の短期荷重時引張応力度(N/mm²)で,短期許容引張応力度とする.鉄筋端に標準フックを設ける場合は,その数値の2/3倍とすることができる.

　　　d_b：異形鉄筋の呼び名に用いた数値(mm)

$_sf_a$：鉄筋のコンクリートに対する短期許容付着応力度(N/mm^2)で，本規準表5.4
による．

本設計例においては，壁梁の上端端部曲げ補強筋のうち1段目の主筋は現場打ちコンクリート内に配筋され，耐力壁・壁梁接合部内を通し配筋される．また，基礎梁の横補強筋は耐力壁・基礎梁接合部内を通して配筋されることから，本規準(9.14.5)式を満たす必要がある．一方，耐力壁・壁梁接合部内を通して配筋される耐力壁の縦補強筋(端部曲げ補強筋，鉛直接合部縦補強筋ならびに水平接合部縦補強筋)の径は，本規準(9.14.6)式を満たす必要がある．

$$d_b \leq 3.6(1.5+0.1F_c) \cdot D/_sf_t \qquad 〔本規準 (9.14.5) 式〕$$

$$d_b \leq 3.0(1.5+0.1F_c) \cdot D/_sf_t \qquad 〔本規準 (9.14.6) 式〕$$

記号　d_b：異形鉄筋の呼び名に用いた数値(mm)，F_c：コンクリートの設計基準強度(N/mm^2)
D：通し配筋される部材の全せい(mm)，$_sf_t$：鉄筋の短期許容引張応力度(N/mm^2)

(ⅱ) 定着検討

(a) 壁梁および基礎梁の横補強筋の定着検討

耐力壁・壁梁接合部内への壁梁の横補強筋の必要定着長さの検討結果を付表2.2.29(a)および(b)に，基礎梁の横補強筋の必要定着長さの検討結果を付表2.2.30に示す．なお，基礎梁の横補強筋については，必要定着長さが長く算定される上端筋としての検討を行う．

付表2.2.29(a)　壁梁下端端部曲げ補強筋および中間部横補強筋の耐力壁・壁梁接合部内への必要定着長さ

鉄筋径	定着方法	$_s\sigma_t$ (N/mm^2)	F_c (N/mm^2)	$_sf_a$*1 (N/mm^2)	l_{ab}*2 (mm)	PCaRC造部分の可能定着長さ L_a*3 (mm)	判　定
D22	直線定着	345	30	3.825	497	575	OK
	折曲げ定着				331		OK
D10	直線定着	295			193		OK

［注］ *1：PCaRC造耐力壁は平打ちにて製造されることから，壁梁の横補強筋は厚さ250mm内でコンクリートが打ち込まれるので，「その他の鉄筋」の短期許容付着応力度を用いている．
  *2：直線定着の場合の必要定着長さ（拘束領域への定着）：$l_{ab}=_s\sigma_t \cdot d_b/(4_sf_a)$
　　折曲げ定着の場合の定着起点から折曲げ開始点までの長さ（同上）：$l_{ab}=_s\sigma_t \cdot d_b/(4_sf_a) \times 2/3$
  *3：けた行方向PCaRC造耐力壁のシヤーコッター部分を除く壁梁下端端部曲げ補強筋と中間部横補強筋の最大可能定着長さは，下記による．
　・①および⑤通りの側壁：$L_a=1\,100-200-20-220-85=575$ mm（付図2.2.19 (a)）
　・②～④通りの中壁　　：$L_a=1\,000-10-220-85=685$ mm（付図2.2.19 (a)）

付表 2.2.29(b)　壁梁下端端部曲げ補強筋および中間部横補強筋の耐力壁・壁梁接合部内への必要定着長さ

鉄筋径	定着方法	$s\sigma_t$ (N/mm²)	F_c (N/mm²)	sf_a*1 (N/mm²)	l_{ab}*2 (mm)	PCaRC 造部分の可能定着長さ L_a*3 (mm)	判定
D22	直線定着	345	30	3.825	497	680	OK
	折曲げ定着				331		OK

[注] *1：壁梁の上端端部曲げ補強筋は，本設計例においては厚さ 250 mm の現場打ちコンクリート部分に配筋されることから，短期許容付着応力度は「その他の鉄筋」の数値を用いている．
　　*2：直線定着の場合の必要定着長さ（拘束領域への定着）：$l_{ab}=s\sigma_t \cdot d_b/(4\,sf_a)$
　　　　折曲げ定着の場合の定着起点から折曲げ開始点までの長さ（同上）：$l_{ab}=s\sigma_t \cdot d_b/(4\,sf_a)\times 2/3$
　　*3：けた行方向 PCaRC 造耐力壁のシヤーコッター部分を除く壁梁上端端部曲げ補強筋の直線部の最大可能定着長さは，下記による．
　　　・①および⑤通りの側壁：$L_a=1\,100-200-20-200=680$ mm（付図 2.2.20 (a)）
　　　・②～④通りの中壁　　：$L_a=1\,000-10=990$ mm（付図 2.2.20 (b)）

付表 2.2.30　基礎梁の横補強筋の耐力壁・基礎梁接合部内への必要定着長さ

鉄筋径	定着方法	$s\sigma_t$ (N/mm²)	F_c (N/mm²)	sf_a*1 (N/mm²)	l_{ab}*2 (mm)	PCaRC 造部分の可能定着長さ L_a*3 (mm)	判定
D25	直線定着	345	24	2.31	934	1 136	OK
	折曲げ定着				623		OK
D10	直線定着	295			320		OK

[注] *1：短期許容付着応力度は，上端筋に対する数値を用いる．
　　*2：直線定着の場合の必要定着長さ（拘束領域への定着）：$l_{ab}=s\sigma_t \cdot d_b/(4\,sf_a)$
　　　　折曲げ定着の場合の定着起点から折曲げ開始点までの長さ（同上）：$l_{ab}=s\sigma_t \cdot d_b/(4\,sf_a)\times 2/3$
　　*3：張り間方向基礎梁の幅は，けた行方向基礎梁幅と同様 450 mm であり，耐力壁 W1 のフェイスより基礎梁端部までの長さは 1 125 mm（＝1 100＋(450－200)/2）となる．したがって，基礎梁の横補強筋の当該耐力壁・基礎梁接合部内への可能直線定着長さは，次のとおりとなる．
　　　・$L_a=1\,225-(50+14+25)=1\,136$ mm
　　　なお，けた行方向と張り間方向基礎梁の配筋納まりは，「壁式構造配筋指針・同解説」の 8.5.1 項を参照されたい．

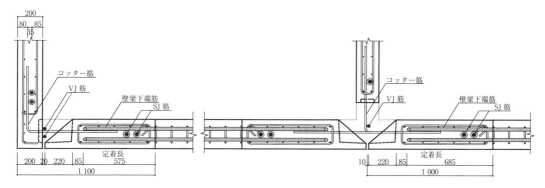

(a) ①, ⑤通りの側壁　　　　　　　　　　(b) ②～④通りの中壁

付図 2.2.19　下端端部曲げ補強筋の直線部最大長さ

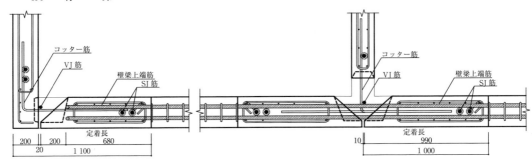

付図 2.2.20 上端端部曲げ補強筋の直線部最大長さ

(b) 耐力壁・壁梁接合部内を通し配筋する耐力壁の SV 筋および VJ 筋の主筋径の検討
  ・検討条件 $F_c=30\text{ N/mm}^2$, $D=700\text{ mm}$, $_sf_t=345\text{ N/mm}^2$
  ・検討結果 $d_b \leqq 3.0 \times (1.5+0.1 \times 30) \times 700/345 = 27.4\text{ mm}$ →主筋径は,D25 以下とする.

(c) 壁梁の上端端部曲げ補強筋を中壁の耐力壁・壁梁接合部内を通し配筋する場合の主筋径の検討
  ・検討条件 $F_c=30\text{ N/mm}^2$, $D=2\,000\text{ mm}$, $_sf_t=345\text{ N/mm}^2$
  ・検討結果 $d_b \leqq 3.6 \times (1.5+0.1 \times 30) \times 2\,000/345 = 93.9\text{ mm}$ > D25(OK)

(d) 耐力壁端部曲げ補強筋および鉛直接合部内縦補強筋ならびに水平接合部鉛直接合筋の R 階耐力壁・壁梁接合部内および耐力壁・基礎梁接合部内への定着長さの検討
  定着長さの検討は,コンクリートを拘束する有効な拘束がある場合の本規準(9.14.4)式にて行う.検討結果を付表 2.2.31 に示す.

付表 2.2.31 耐力壁縦補強筋の鉄筋径,定着方法ごとの必要定着長さ

部 位	F_c (N/mm²)	鉄筋径	$_s\sigma_t$ (N/mm²)	$_sf_a$ (N/mm²)	定着方法	必要定着長さ l_{ab}[1] (mm)
耐力壁・壁梁接合部	30	D19	345	3.825	直線定着	429 (23d_b)
					標準フック付き定着	286 (16d_b)
		D22			直線定着	497 (23d_b)
					標準フック付き定着	331 (16d_b)
耐力壁・基礎梁接合部	24	D19	345	3.465	直線定着	473 (25d_b)
					標準フック付き定着	315 (17d_b)
		D22			直線定着	548 (25d_b)
					標準フック付き定着	365 (17d_b)

〔記号〕 F_c:コンクリートの設計基準強度,$_s\sigma_t$:鉄筋の短期許容引張応力度,
　　　$_sf_a$:短期許容付着応力度(その他の鉄筋の数値),
　　　d_b:異形鉄筋の呼び名に用いた数値
〔注〕1):括弧内の数値は,折曲げ定着の場合の必要定着長さを示す.

ここで,R 階耐力壁・壁梁接合部内への耐力壁の SJ 筋,VJ 筋ならびに水平接合部鉛直接

合筋の可能直線定着長さ $_RL_a$ は，必要かぶり厚さを 40 mm としスラブ筋径（D10 および D13）を考慮すると下記となり，直線定着が可能である．

$$_RL_a = 700 - 40 - 10 - 13 = 637 \text{ mm}$$

また，耐力壁・基礎梁接合部内への耐力壁の SJ 筋，VJ 筋ならびに水平接合部鉛直接合筋の可能直線定着長さ $_FL_a$ は，必要かぶり厚さを 70 mm とすると下記となり，直線定着が可能である．

$$_FL_a = 1\,200 - 70 = 1\,130 \text{ mm}$$

9. 保有水平耐力の検討

（1） 検 討 方 針

本設計例 2.（2）.4) に記載の方針による．

（2） 部材の終局強度算定式

（ⅰ） 壁梁および基礎梁（以下，壁梁等）の曲げ強度：記号は，本規準 10.4.2 項による．

$$_bM_u = 0.9 \sum (a_t \cdot \sigma_y \cdot d) \qquad \text{〔本規準 (10.4.6) 式〕}$$

（ⅱ） 壁梁等のせん断強度：記号は，本規準 10.4.2 項による．

$$_bQ_{su} = \left\{ \frac{0.053 p_{te}^{0.23}(F_c + 1.8)}{M/(Q \cdot d) + 0.12} + 0.85\sqrt{p_{we} \cdot {_s\sigma_{wy}}} \right\} \cdot b_e \cdot j \qquad \text{〔本規準 (10.4.7) 式〕}$$

（ⅲ） 耐力壁の曲げ強度：記号は，本規準 10.4.1 項による．

$$_wM_u = \sum(a_t \cdot \sigma_y) \cdot l' + 0.5\sum(a_w \cdot \sigma_{wy}) \cdot l' + 0.5N \cdot l' + M_e \qquad \text{〔本規準 (10.4.1) 式〕}$$

（ⅳ） 耐力壁のせん断強度：記号は，本規準 10.4.1 項による．

$$_wQ_{su} = r \cdot \left\{ \frac{0.053 p_{te}^{0.23}(F_c + 1.8)}{M/(Q \cdot l) + 0.12} + 0.85\sqrt{p_{we} \cdot {_s\sigma_{wy}}} + 0.1\overline{\sigma_{0e}} \right\} \cdot t_e \cdot j$$

$$\text{〔本規準 (10.4.5) 式〕}$$

（ⅴ） 耐力壁・壁梁等接合部のせん断強度：記号は，本規準 10.4.3 項による．

$$Q_{p,su} = \kappa \cdot \Phi \cdot F_j \cdot b_j \cdot (D_j - \sum R_0) \qquad \text{〔本規準 (10.4.8) 式〕}$$

（3） 部材の終局強度の算定

（ⅰ） 壁梁の曲げ強度の算定

- コンクリートの設計基準強度 ： $F_c = 30 \text{ N/mm}^2$
- 壁梁の端部曲げ補強筋の材料強度 ： $\sigma_y = 345 \times 1.1 = 379.5 \text{ N/mm}^2$
- 壁梁の縦補強筋の規格降伏点 ： $\sigma_y = 295 \text{ N/mm}^2$
- スラブ筋の材料強度 ： $\sigma_y = 295 \times 1.1 = 324.5 \text{ N/mm}^2$

壁梁の曲げ強度の算定に考慮するスラブ筋を，下記に示す．なお，耐力壁フェイス位置より所要の定着長さが確保されていることから，スラブおよび片持スラブ下端筋も考慮する〔付図 2.2.21 参照〕．

- スラブ短辺方向上端筋 ： 5-D13（$a_{ts} = 635 \text{ mm}^2$）
- スラブ短辺方向下端筋 ： 5-D10（$a_{ts} = 355 \text{ mm}^2$）

- 片持スラブ壁梁材軸方向上端筋：5-D10（$a_{ts}=355$ mm^2）
- 片持スラブ壁梁材軸方向下端筋：5-D10（$a_{ts}=355$ mm^2）

$\sum a_{ts}=1\,700$ mm^2

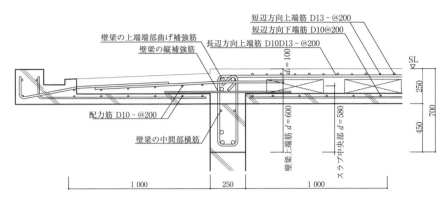

付図 2.2.21　壁梁の曲げ強度に有効な範囲（片側につき 1 m）のスラブ筋

(ii) 壁梁等の曲げ強度およびせん断強度ならびに節点位置の曲げ強度の算定

3G1 の曲げ強度およびせん断強度の算定を，下記に示す．全ての壁梁および基礎梁の曲げ強度および節点位置の曲げ強度の算定結果を，付表 2.2.32 に示す．

(a) 壁梁の曲げ強度
- $_bM_{u下}=0.9\times3\times387\times379.5\times600\times10^{-6}=238.0$ kN・m
- $_bM_{u上}=0.9\times(3\times387\times379.5\times600+1\,700\times324.5\times480)\times10^{-6}=476.2$ kN・m

(b) 壁梁両端曲げ強度時せん断力
- $_bQ_{mu}=\sum{_bM_u}/l_0=(238.0+476.2)/3.6=198.4$ kN

(c) 壁梁のせん断強度
- 等価幅：$b_e=(250\times700+200\times1\,000+190\times1\,000)/700$
  　　　　$=807.1$ mm $\Rightarrow 1.5\times250(=375$ mm$)$
- シヤースパン比：

  $_bM_{u上}/\{(Q_0+{_bQ_{mu}})\cdot d\}=476.2/\{(44.0+198.4)\times0.6\}=3.27\Rightarrow3.0$
  $_bM_{u下}/\{(Q_0+{_bQ_{mu}})\cdot d\}=238.0/\{(44.0+198.4)\times0.6\}=1.64$

- 等価引張鉄筋比：

  $p_{te上}=100\times(3\times387+1\,700)/(375\times600)=1.272\%$
  $p_{te下}=100\times(3\times387)/(375\times600)=0.516\%$

- 等価縦補強筋比：

  $p_{we}=2\times127/(375\times200)=0.0033$

- 壁梁のせん断強度：

  $_bQ_{su上}=[\{0.053\times1.272^{0.23}\times(30+18)/(3.00+0.12)\}+0.85\times\sqrt{0.0033\times295}\,]$
  　　　　$\times375\times600\times7/8\times10^3=334.8$ kN

$$_bQ_{suF}=[\{0.053\times0.516^{0.23}\times(30+18)/(1.64+0.12)\}+0.85\times\sqrt{0.0033\times295}]$$
$$\times375\times600\times7/8\times10^3=410.1\text{ kN}$$

・せん断強度上の余力：$\beta_b=(_bQ_{su}-Q_0)/_bQ_{mu}$

$$\beta_{b\text{上}}=(334.8-44.0)/198.4=1.46,\quad \beta_{bF}=(410.1-44.0)/198.4=1.84$$

（d） 壁梁および基礎梁の節点位置の曲げ強度およびせん断強度上の余力

　　壁梁および基礎梁の節点位置の曲げ強度およびせん断強度上の余力を，付表2.2.32(a)および付表2.2.32(b)に示す．なお，節点位置における曲げ強度 M_U' は，次式による．せん断強度上の余力は，すべて1.1以上となっており規定値を満たしている．基礎梁は，両端曲げ降伏時のせん断力を用いてここでは検討した．

$$M_U'={_bM_u}+({_bQ_{mu}\cdot l_w/2})$$

付表 2.2.32(a)　壁梁の曲げ強度およびせん断強度上の余力

符号	階	F_c (N/mm²) / b (mm)	D (mm) / d (mm)	位置（通り端）	壁梁端部 曲げ補強筋	a_t (mm²)	スラブ筋 a_S (mm²)	$_bM_u$ (kN·m)	b_e (1.5b) (mm)	p_{te}	l_0	$_bQ_{mu}$	Q_0	$M/(Q\cdot d)$ $1\leqq 3$	縦補強筋比 p_{we}	$_bQ_{su}$ (kN)	β_b	$l_w/2$ (m)	M_U' (kN·m)
G1	R	30 / 250	700 / 600	① ②	3-D22 3-D22	1 161 1 161	1 700	238 476	375	0.516 1.272	3 600	198	48	(1.61) 1.61 (3.22) 3.00	2-D13@200 0.0033	414 335	1.84 1.44	0.55 1.00	347 675
	3	30 / 250	700 / 600	① ②	3-D22 3-D22	1 161 1 161	1 700	238 476	375	0.516 1.272	3 600	198	44	(1.64) 1.64 (3.27) 3.00	2-D13@200 0.0033	410 335	1.84 1.46	0.55 1.00	347 675
	2	30 / 250	700 / 600	① ②	3-D22 3-D22	1 161 1 161	1 700	238 476	375	0.516 1.272	3 600	198	44	(1.64) 1.64 (3.27) 3.00	2-D13@200 0.0033	410 335	1.84 1.46	0.55 1.00	347 675
G2 G3	R	30 / 250	700 / 600	② ③	3-D22 3-D22	1 161 1 161	1 700	238 476	375	0.516 1.272	3 600	198	48	(1.61) 1.61 (3.22) 3.00	2-D13@200 0.0033	414 335	1.84 1.44	1.00 1.00	436 675
	3	30 / 250	700 / 600	② ③	3-D22 3-D22	1 161 1 161	1 700	238 476	375	0.516 1.272	3 600	198	44	(1.64) 1.64 (3.27) 3.00	2-D13@200 0.0033	410 335	1.84 1.46	1.00 1.00	436 675
	2	30 / 250	700 / 600	② ③	3-D22 3-D22	1 161 1 161	1 700	238 476	375	0.516 1.272	3 600	198	44	(1.64) 1.64 (3.27) 3.00	2-D13@200 0.0033	410 335	1.84 1.46	1.00 1.00	436 675
G4	R	30 / 250	700 / 600	④ ⑤	3-D22 3-D22	1 161 1 161	1 700	238 476	375	0.516 1.272	3 600	198	48	(1.61) 1.61 (3.22) 3.00	2-D13@200 0.0033	414 335	1.84 1.44	1.00 0.55	436 585
	3	30 / 250	700 / 600	④ ⑤	3-D22 3-D22	1 161 1 161	1 700	238 4768	375	0.516 1.272	3 600	198	44	(1.64) 1.64 (3.27) 3.00	2-D13@200 0.0033	410 335	1.84 1.46	0.55 0.55	436 585
	2	30 / 250	700 / 600	④ ⑤	3-D22 3-D22	1 161 1 161	1 700	238 476	375	0.516 1.272	3 600	198	44	(1.64) 1.64 (3.27) 3.00	2-D13@200 0.0033	410 335	1.84 1.46	0.55 0.55	436 585

［注］壁梁のせん断強度上の余力：$\beta_b=(_bQ_{su}-Q_0)/_bQ_{mu}$

付表 2.2.32(b)　基礎梁の曲げ強度およびせん断強度上の余力

符号	階	F_c (N/mm²) / b (mm)	D (mm) / d (mm)	位置（通り端）	壁梁端部 曲げ補強筋	a_t (mm²)	スラブ筋 a_S (mm²)	$_bM_u$ (kN·m)	b_e (1.5b) (mm)	p_{te}	l_0	$_bQ_{mu}$	Q_0	$M/(Q\cdot d)$ $1\leqq 3$	縦補強筋比 p_{we}	$_bQ_{su}$ (kN)	β_b	$l_w/2$ (m)	M_U' (kN·m)
FG1	F	24 / 400	1 200 / 1 080	① ②	5-D25 5-D25	2 535 2 535	1 700	1 057 1 295	600	0.391 0.654	3 600	653	303	(1.02) 1.02 (1.25) 1.25	2-D13@200 0.0021	1 396 1 331	1.67 1.57	0.55 1.00	1 416 1 949
FG1	F	24 / 400	1 200 / 1 080	② ③	5-D25 5-D25	2 535 2 535	1 700	1 057 1 295	600	0.391 0.654	3 600	653	309	(1.02) 1.02 (1.25) 1.25	2-D13@200 0.0021	1 402 1 337	1.67 1.57	1.00 1.00	1 711 1 949
FG1	F	24 / 400	1 200 / 1 080	④ ⑤	5-D25 5-D25	2 535 2 535	1 700	1 057 1 295	600	0.391 0.654	3 600	653	303	(1.02) 1.02 (1.25) 1.25	2-D13@200 0.0021	1 396 1 331	1.67 1.57	1.00 0.55	1 711 1 655

［注］基礎梁のせん断強度上の余力：：$\beta_b=(_bQ_{su}-Q_0)/_bQ_{mu}$

(ⅲ) 壁梁両端曲げ降伏時に耐力壁に作用する付加軸方向力および壁梁両端曲げ強度時せん断力
　　（正加力時，付図 2.2.22）

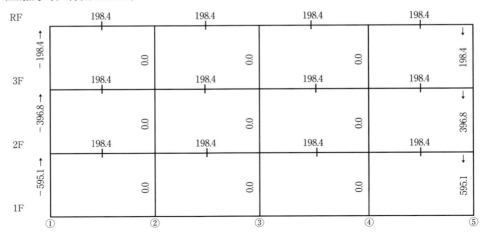

付図 2.2.22　壁梁両端曲げ降伏時に耐力壁に作用する付加軸方向力および
　　　　　　　　壁梁両端曲げ強度時せん断力（正加力時）

(ⅳ)　耐力壁の曲げ強度の算定：付表 2.2.33

付表 2.2.33　各階耐力壁の曲げ強度および節点位置の曲げ強度

符号	階	l (mm) l' (mm)	N_L (kN) N_E (kN)	N_{WT} (kN) N (kN)	h' (m)	e (m)	M_e (kN·m)	位置	端部鉄筋 SJ筋	a_t (mm²)	端部鉄筋 VJ筋	端部鉄筋 直交筆SJ筋	a_t (mm²)	中央鉄筋 VJ筋	a_w (mm²)	中央鉄筋 直交筆SJ筋	a_w (mm²)	水平接合部 鉛直接合筋	a_w (mm²)	$_wM_u$ (kN·m)
W1	3	1100 / 990	81 / -39	95 / 137	2.40	0.10 / 1.00	10 / 95	T / B	2-D22 / 2-D22	774 / 774								4-D19 / 4-D19	1148 / 1148	476 / 852
	2	1100 / 990	155 / -103	182 / 234	2.40	0.10 / 1.00	18 / 182	T / B	2-D22 / 2-D22	774 / 774	2-D22		774					4-D19 / 4-D19	1148 / 1148	533 / 988
	1	1100 / 990	228 / -179	270 / 319	2.40	0.10 / 1.00	27 / 270	T / B	2-D22 / 2-D22	774 / 774	2-D22 / 2-D22	2-D22 / 2-D22	774 / 774					4-D19 / 4-D19	1148 / 1148	583 / 1117
W2	3	2000 / 1800	158 / -13	124 / 269	2.40	0.00 / 0.00		T / B	2-D22 / 2-D22	774 / 774	2-D22 / 2-D22		774 / 774	1-D22 / 1-D22	387 / 387	1-D22 / 1-D22	387 / 387	10-D19 / 10-D19	2870 / 2870	1393 / 1393
	2	2000 / 1800	306 / -27	249 / 528	2.40	0.00 / 0.00		T / B	2-D22 / 2-D22	774 / 774	2-D22 / 2-D22		774 / 774	1-D22 / 1-D22	387 / 387	1-D22 / 1-D22	387 / 387	10-D19 / 10-D19	2870 / 2870	1626 / 1626
	1	2000 / 1800	453 / -38	373 / 788	2.40	0.00 / 0.00		T / B	2-D22 / 2-D22	774 / 774	2-D22 / 2-D22		774 / 774	1-D22 / 1-D22	387 / 387	1-D22 / 1-D22	387 / 387	10-D19 / 10-D19	2870 / 2870	1860 / 1860
W3	3	2000 / 1800	158 / 0	124 / 282	2.40	0.00 / 0.00		T / B	2-D22 / 2-D22	774 / 774				1-D22 / 1-D22	387 / 387	1-D22 / 1-D22	387 / 387	10-D19 / 10-D19	2870 / 2870	1405 / 1405
	2	2000 / 1800	306 / 2	249 / 557	2.40	0.00 / 0.00		T / B	2-D22 / 2-D22	774 / 774				1-D22 / 1-D22	387 / 387	1-D22 / 1-D22	387 / 387	10-D19 / 10-D19	2870 / 2870	1652 / 1652
	1	2000 / 1800	453 / 0	373 / 826	2.40	0.00 / 0.00		T / B	2-D22 / 2-D22	774 / 774				1-D22 / 1-D22	387 / 387	1-D22 / 1-D22	387 / 387	10-D19 / 10-D19	2870 / 2870	1895 / 1895
W4	3	2000 / 1800	158 / 13	124 / 295	2.40	0.00 / 0.00		T / B	2-D22 / 2-D22	774 / 774	2-D22	2-D22	774 / 0	1-D22 / 1-D22	387 / 387			10-D19 / 10-D19	2870 / 2870	1417 / 1417
	2	2000 / 1800	306 / 27	249 / 582	2.40	0.00 / 0.00		T / B	2-D22 / 2-D22	774 / 774	2-D22	2-D22	774 / 0	1-D22 / 1-D22	387 / 387			10-D19 / 10-D19	2870 / 2870	1675 / 1675
	1	2000 / 1800	453 / 38	373 / 864	2.40	0.00 / 0.00		T / B	2-D22 / 2-D22	774 / 774	2-D22	2-D22	774 / 0	1-D22 / 1-D22	387 / 387			10-D19 / 10-D19	2870 / 2870	1929 / 1929
W5	3	1100 / 990	81 / 39	95 / 215	2.40	1.00 / 0.10	95 / 10	T / B	2-D22 / 2-D22	0 / 774								4-D19 / 4-D19	1148 / 1148	891 / 515
	2	1100 / 990	155 / 103	182 / 440	2.40	1.00 / 0.10	182 / 18	T / B	2-D22 / 2-D22	0 / 774	2-D22		774 / 0					4-D19 / 4-D19	1148 / 1148	1090 / 635
	1	1100 / 990	228 / 179	270 / 677	2.40	1.00 / 0.10	270 / 27	T / B	2-D22 / 2-D22	0 / 774	2-D22	2-D22	774 / 0					4-D19 / 4-D19	1148 / 1148	1294 / 760

(ⅴ) 耐力壁・壁梁等接合部のメカニズム時応力、およびせん断強度の算定：付表2.2.34(a)，(b)

付表2.2.34(a) 耐力壁・壁梁等接合部のメカニズム応力

位置(通り端)	階	壁梁端部曲げ補強筋 左側（上端引張） 上端	a_t (mm²)	σ_y (N/mm²)	スラブ筋 a_s (mm²)	σ_y (N/mm²)	右側（上端圧縮） 下端	a_t (mm²)	σ_y (N/mm²)	T_{bu1} 1.1× $\Sigma(a_{t1}\cdot\sigma_y)$ (kN)	C_{bu2} 1.1× $\Sigma(a_{t2}\cdot\sigma_y)$ (kN)	Q_{wm} (kN)	$_DQ_{up}$ (kN)
①	RLS						3-D22	1 161	345	0	441	0	441
①	3SL						3-D22	1 161	345	0	441	141	299
①	2SL						3-D22	1 161	345	0	441	253	187
①	1SL						5-D25	2 535	345	0	962	340	622
②	RLS	3-D22	1 161	345	1 700	295	3-D22	1 161	345	922	441	0	1 433
②	3SL	3-D22	1 161	345	1 700	295	3-D22	1 161	345	922	441	341	1 092
②	2SL	3-D22	1 161	345	1 700	295	3-D22	1 161	345	922	441	609	824
②	1SL	5-D25	2 535	345	1 700	295	5-D25	2 535	345	1 514	962	818	1 658
③	RLS	3-D22	1 161	345	1 700	295	3-D22	1 161	345	922	441	0	1 433
③	3SL	3-D22	1 161	345	1 700	295	3-D22	1 161	345	922	441	343	1 090
③	2SL	3-D22	1 161	345	1 700	295	3-D22	1 161	345	922	441	613	819
③	1SL	5-D25	2 535	345	1 700	295	5-D25	2 535	345	1 514	962	823	1 653
④	RLS	3-D22	1 161	345	1 700	295	3-D22	1 161	345	922	441	0	1 433
④	3SL	3-D22	1 161	345	1 700	295	3-D22	1 161	345	922	441	345	1 088
④	2SL	3-D22	1 161	345	1 700	295	3-D22	1 161	345	922	441	617	815
④	1SL	5-D25	2 535	345	1 700	295	5-D25	2 535	345	1 514	962	828	1 647
⑤	RLS	3-D22	1 161	345	1 700	295				922	0	0	992
⑤	3SL	3-D22	1 161	345	1 700	295				922	0	165	827
⑤	2SL	3-D22	1 161	345	1 700	295				922	0	295	697
⑤	1SL	5-D25	2 535	345	1 700	295				1 514	0	396	1 117

付表2.2.34(b) 耐力壁・壁梁等接合部のせん断強度上の余力

位置(通り端)	階	D_j (mm)	ΣR_0 (mm)	b_j (mm)	σ_B (N/mm²)	F_j (N/mm²)	Φ	κ	$Q_{p,su}$ (kN)	β_p $Q_{p,su}/_DQ_{up}$
①	RLS	1 100	150	250	30	8.65	0.85	0.4	699	1.59
①	3SL	1 100	150	250	30	8.65	0.85	0.7	1 223	4.09
①	2SL	1 100	150	250	30	8.65	0.85	0.7	1 223	6.52
①	1SL	1 100	0	400	24	7.40	0.85	0.4	1 107	1.78
②	RLS	2 000	300	250	30	8.65	0.85	0.7	2 188	1.53
②	3SL	2 000	300	250	30	8.65	0.85	1.0	3 125	2.86
②	2SL	2 000	300	250	30	8.65	0.85	1.0	3 125	3.80
②	1SL	2 000	0	400	24	7.40	0.85	0.7	3 522	2.12
③	RLS	2 000	300	250	30	8.65	0.85	0.7	2 188	1.53
③	3SL	2 000	300	250	30	8.65	0.85	1.0	3 125	2.87
③	2SL	2 000	300	250	30	8.65	0.85	1.0	3 125	3.81
③	1SL	2 000	0	400	24	7.40	0.85	0.7	3 522	2.13
④	RLS	2 000	300	250	30	8.65	0.85	0.7	2 188	1.53
④	3SL	2 000	300	250	30	8.65	0.85	1.0	3 125	2.87
④	2SL	2 000	300	250	30	8.65	0.85	1.0	3 125	3.83
④	1SL	2 000	0	400	24	7.40	0.85	0.7	3 522	2.14
⑤	RLS	1 100	150	250	30	8.65	0.85	0.4	699	0.70
⑤	3SL	1 100	150	250	30	8.65	0.85	0.7	1 223	1.48
⑤	2SL	1 100	150	250	30	8.65	0.85	0.7	1 223	1.75
⑤	1SL	1 100	0	400	24	7.40	0.85	0.4	1 107	0.99

（4） メカニズム時節点モーメント
（ⅰ） メカニズム時の曲げ降伏位置と節点位置曲げ強度(kN・m)：付図2.2.23

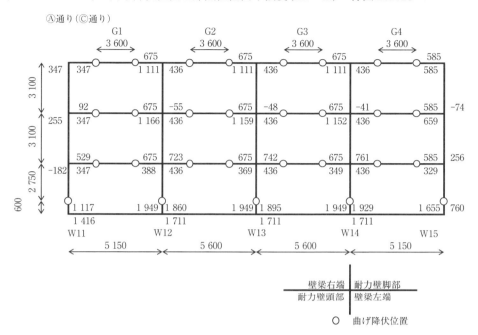

付図 2.2.23 曲げ降伏位置と節点位置曲げ強度

付図2.2.23より，崩壊形は仮想変形1となる．

（ⅱ） メカニズム時の曲げ強度(kN・m)：付図2.2.24

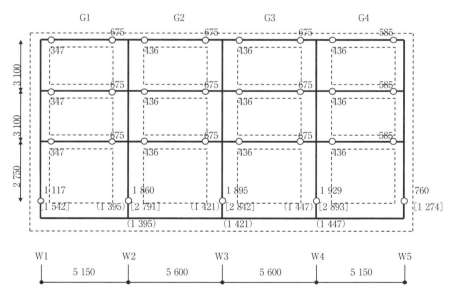

［注］ ・（ ）内の数値は，基礎梁への分配曲げモーメントを示す．
・［ ］内の数値は，1階耐力壁節点位置の曲げモーメントを示す．
・○：曲げ降伏位置

付図 2.2.24 メカニズム時2階～R階の壁梁端部の曲げ強度と1階耐力壁脚部曲げ強度

- 1階耐力壁脚部曲げ降伏時の基礎梁軸心位置の曲げモーメントの算定は，下記の方法にて行った．

AW1 を例にすると，以下のとおりとなる．

$W_I = -(347.0+347.0+347.0+1\,116.6) \cdot \theta = -2\,157.7\theta$

$W_E = \{P_3 \cdot (h_3+h_2+h_1) + P_2 \cdot (h_2+h_1) + P_1 \cdot h_1\} \cdot \theta$
$= \{1.634P_1 \times (3.1+3.1+2.75) + 1.290P_1 \times (3.1+2.75) + P_1 \times 2.75\}\theta = 24.925P_1 \cdot \theta$

$W_E + E_I = 0$ より

$P_1 = 2\,157.7/24.925 = 86.57$ kN

1階の地震層せん断力は，$Q_1 = 3.925P_1 = 339.7$ kN

壁脚降伏時の基礎梁軸心位置の曲げモーメントは，次のとおりとなる．

$M_c = 1\,116.6 + 339.7 \times 0.6 = 1\,320.4$ kN・m $< 1\,416$ kN・m（基礎梁 FG1，Ⓐ－①通り側の M_u'）

（5）内力の仕事：付表 2.2.35

付表 2.2.35 各耐力壁と接続する壁梁の内力仕事の算定（kN・m）

	W1	W2		W3		W4		W5	合計
	G1	G2			G3	G4			
RF	347	675	436	675	436	675	436	585	
3F	347	675	436	675	436	675	436	585	
2F	347	675	436	675	436	675	436	585	
壁脚	1 116.6	1 860		1 895		1 929		760	
内力仕事	2 158	5 193		5 227		5 262		2 516	20 356
内力仕事比	0.106	0.255		0.257		0.258		0.124	1.000

（6）外力の仕事

- 仮想変形1による外力仕事の算定

仮想変形1に基づき，外力分布を $A_i \cdot W_i \cdot F_{es}$（本設計例の場合，各階の $F_{es}=1.0$）として各耐力壁のメカニズム時せん断力を算定する．付表 2.2.36 に外力仕事の算定結果を示す．

付表 2.2.36 仮想変形1による外力仕事の算定

階	W_i (kN)	$\sum W_i$ (kN)	A_i	$A_i \cdot W_i$ (kN)	P_i (kN)	地震力分布形		h_i (m)	外力仕事 $\sum[(P_i/P_1) \cdot P_1 \cdot h_i]\theta$
						$(P_i/P_1) \cdot P_1$	$\sum(P_i/P_1)P_1$		
3	2 936	2 936	1.365	4 008	4 008	$1.634 P_1$	$1.63 P_1$	3.10	$5.1 P_1\theta$
2	3 344	6 280	1.142	7 172	3 164	$1.290 P_1$	$2.92 P_1$	3.10	$14.1 P_1\theta$
1	3 344	9 624	1.000	9 624	2 452	$1.000 P_1$	$3.92 P_1$	2.75	$24.9 P_1\theta$

（7）保有水平耐力と必要保有水平耐力

（i）保有水平耐力 Q_u の算定

仮想変形1に基づき（外力仕事＋内力仕事＝0）より，各階各耐力壁のメカニズム時せん断力

Q_m を算定し，ΣQ_m より各階の保有水平耐力を算定する．算定結果を付表 2.2.37 に示す．

付表 2.2.37 保有水平耐力の算定（けた行方向）

内力の仕事	外力の仕事	P_1 (kN)	階	分布形	Q_u (kN)
40 713・θ	25 $P_1 \cdot \theta$	1 633	3	1.634 P_1	2 669
			2	2.925 P_1	4 777
			1	3.925 P_1	6 410

(ii) 各耐力壁の部材種別および部材群の種別ならびに構造特性係数

各耐力壁ごとのメカニズム時せん断力 Q_m は，仮想仕事法により Q_u からそれぞれの内力の仕事比にて算定した．各耐力壁のメカニズム時せん断力と部材種別判定結果を付表 2.2.38 に示す．

付表 2.2.38 各階各耐力壁のメカニズム時せん断力および部材種別判定

通り	符号	階	F_c (N/mm^2)	t (mm)	l (mm)	Q_m (KN)	r	$\overline{\tau_u}$※ (N/mm^2)	$\overline{\tau_u}/F_c$	種別
Ⓐ Ⓒ	W1	3	30	250	1 100	141	0.93	0.55	0.018	WA
		2	30	250	1 100	253	0.93	0.99	0.033	WA
		1	30	250	1 100	340	0.93	1.33	0.044	WA
	W2	3	30	250	2 000	341	0.92	0.74	0.025	WA
		2	30	250	2 000	609	0.92	1.32	0.044	WA
		1	30	250	2 000	818	0.92	1.78	0.059	WA
	W3	3	30	250	2 000	343	0.92	0.75	0.025	WA
		2	30	250	2 000	613	0.92	1.33	0.044	WA
		1	30	250	2 000	823	0.92	1.79	0.060	WA
	W4	3	30	250	2 000	345	0.92	0.75	0.025	WA
		2	30	250	2 000	617	0.92	1.34	0.045	WA
		1	30	250	2 000	828	0.92	1.80	0.060	WA
	W5	3	30	250	1 100	165	0.93	0.65	0.022	WA
		2	30	250	1 100	295	0.93	1.15	0.038	WA
		1	30	250	1 100	396	0.93	1.55	0.052	WA

[注]※：$\overline{\tau_u} = (Q_L + Q_m)/(r \cdot t \cdot l)$

以上より，けた行方向における各階の耐力壁の部材群の種別は A となり，構造特性係数は全階 0.45 となる．

(iii) 節点位置における耐力壁のメカニズム時曲げモーメント

内力の仕事比による各階各耐力壁のメカニズム時せん断力と，節点における壁梁のメカニズム時曲げ強度の和より，節点位置における耐力壁のメカニズム時曲げモーメントを算定する．

算定結果を，付表2.2.39に示す．

付表2.2.39 メカニズム時耐力壁応力の算定

符号	階	位置	$_wQ_m$ (kN)	構造階高 (m)	節点における壁梁の曲げ強度の和※ $\sum_b M_u'$ (kN・m)	耐力壁のメカニズム時曲げモーメント $_wM_m$ (kN・m)
W1	3階	T	141	3	347	347
		B			347	92
	2階	T	253	3		255
		B			347	529
	1階	T	340	3		-182
		B			(1 117)	1 117
W2	3階	T	341	3	1 111	1 111
		B			1 111	-55
	2階	T	609	3		1 166
		B			1 111	723
	1階	T	818	3		388
		B			(1 860)	1 860
W3	3階	T	343	3	1 111	1 111
		B			1 111	-48
	2階	T	613	3		1 152
		B			1 111	742
	1階	T	823	3		369
		B			(1 895)	1 895
W4	3階	T	345	3	1 111	1 111
		B			1 111	-41
	2階	T	617	3		1 152
		B			1 111	761
	1階	T	828	3		349
		B			(1 929)	1 929
W5	3階	T	165	3	585	585
		B			585	-74
	2階	T	295	3		659
		B			585	256
	1階	T	396	3		329
		B			(760)	760

[注]※：（ ）内数字は，耐力壁のフェイス位置における曲げ強度 $_wM_u$

付図 2.2.25 に，耐力壁のメカニズム時応力を示す．

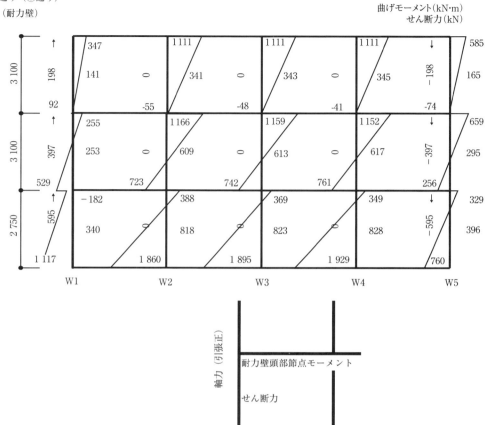

付図 2.2.25 メカニズム時耐力壁の応力図（モーメント（kN・m）せん断力（kN））

(iv) 必要保有水平耐力 Q_{un}

(a) 形状係数

$F_s = 1.0$（付表 2.2.8a より $R_s \geq 0.60$）

$F_e = 1.0$（付表 2.2.8a より $R_e \leq 0.15$）

∴ $F_{es} = 1.0$

(b) 必要保有水平耐力と保有水平耐力の確認

$Q_{un} = D_s \cdot F_{es} \cdot Q_{ud}$

必要保有水平耐力および保有水平耐力の算定結果を，付表 2.2.40 に示す．

付表 2.2.40 必要保有水平耐力および保有水平耐力

方向	階	Q_{ud} (kN)	D_s	F_{es}	Q_{um} (kN)	Q_u (kN)	Q_u/Q_{um}	判定
けた行	3	4 008	0.45	1.00	1 803	2 669	1.480	OK
	2	7 172	0.45	1.00	3 227	4 777	1.480	OK
	1	9 624	0.45	1.00	4 331	6 410	1.480	OK

(8)　部材の保証設計

(i)　壁梁の保証設計

　壁梁のせん断強度上の余力は，9.(3)1)付表2.2.32(a)より，すべて1.10以上となっている．

(ii)　基礎梁の保証設計

　基礎梁のせん断強度上の余力は，付表2.2.32(b)より，すべて1.10以上となっている．

(iii)　耐力壁の保証設計

(a)せん断強度上の余力の確保

　けた行方向耐力壁のせん断強度が，本規準(10.5.2)式である次式を満たしていることを確認する．

$$_wQ_{su} \geq {_wQ_L} + {_wQ_m} \cdot \beta_w \cdot \beta_l \qquad 〔本規準（10.5.2）式〕$$

　本設計例におけるけた行方向耐力壁の平均長さ $\bar{l}_w$ は，次のとおりである．

$$\bar{l}_w = 2 \times (1\,100 + 3 \times 2\,000 + 1\,100)/10 = 1\,640 \text{ mm}$$

　上記より，けた行方向には平均長さの1.5倍以上となる耐力壁は存在しないことから，係数 β_l は1.0となり，けた行方向耐力壁のせん断強度上の余力は，次式より算定すればよい．

$$\beta_w = ({_wQ_{su}} - {_wQ_L})/{_wQ_m}$$

　けた行方向耐力壁のせん断強度上の余力を，付表2.2.41に示す．ここで，l' は付図2.2.26より，下記となる．

・VJ-1 直交壁圧縮側　　$l' = 1\,100 - (150 + 80/2) = 910$

・VJ-1 直交壁引張側　　$l' = 1\,100 - 200 = 900$

・VJ-2　　　　　　　　$l' = 2\,000 - (150 + 80/2) = 1\,810$

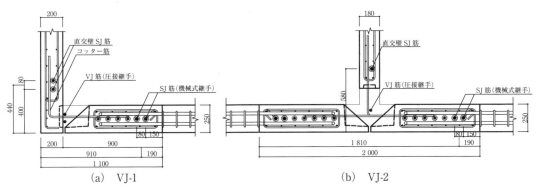

(a)　VJ-1　　　　　　　　　　　(b)　VJ-2

付図 2.2.26　耐力壁 l' 算定用断面および配筋

付表 2.2.41　けた行方向耐力壁のせん断強度上の余力

通り	壁符号	階	F_c / t	l	l'	位置	p_{te} (%)	$_wM_m$ (kN·m)	$_wQ_M$ (kN)	$M/(Q \cdot l)$	横補強筋 p_{whe}	N_L / N_{WT}	N_m (kN)	$\overline{\sigma_{0e}}$	$_wQ_{su}$ (kN)	$_wQ_L$ (kN)	β_w
A C	W1	3	30	1 100	910	T	0.187	347	141	1.91	2-D10@250 0.151	81	-198	-0.05	422	-15	3.09
			250		900	B	0.375	92		1.00		95			702		5.06
		2	30	1 100	910	T	0.187	255	253	1.00	2-D10@200 0.189	155	-397	-0.13	647	-9	2.59
			250		900	B	0.375	529		1.58		182			536		2.15
		1	30	1 100	910	T	0.187	-182	340	1.00	2-D10@150 0.252	228	-595	-0.21	674	-40	2.10
			250		900	B	0.375	1 117		2.99		270			403		1.30
	W2	3	30	2 000	1 810	T	0.103	1 111	341	1.46	2-D10@250 0.151	158	0	0.41	930	0	2.73
			250		1 810	B	0.103	-55		1.00		124			1 162		3.41
		2	30	2 000	1 810	T	0.103	1 116	609	1.00	2-D10@200 0.189	306	0	0.82	1 226	0	2.01
			250		1 810	B	0.103	723		1.00		249			1 226		2.01
		1	30	2 000	1 810	T	0.103	388	818	1.00	2-D10@150 0.252	453	0	1.22	1 308	0	1.60
			250		1 810	B	0.103	1 860		1.14		373			1 220		1.49
	W3	3	30	2 000	1 810	T	0.103	1 111	343	1.45	2-D10@250 0.151	158	0	0.41	934	0	2.73
			250		1 810	B	0.103	-48		1.00		124			1 162		3.39
		2	30	2 000	1 810	T	0.103	1 159	613	1.00	2-D10@200 0.189	306	0	0.82	1 226	0	2.00
			250		1 810	B	0.103	742		1.00		249			1 226		2.00
		1	30	2 000	1 810	T	0.103	369	823	1.00	2-D10@150 0.252	453	0	1.22	1 308	0	1.59
			250		1 810	B	0.103	1 895		1.15		373			1 213		1.47
	W4	3	30	2 000	1 810	T	0.103	1 111	345	1.44	2-D10@250 0.151	158	0	0.41	938	0	2.72
			250		1 810	B	0.103	-41		1.00		124			1 162		3.37
		2	30	2 000	1 810	T	0.103	1 152	617	1.00	2-D10@200 0.189	306	0	0.82	1 226	0	1.99
			250		1 810	B	0.154	761		1.00		249			1 303		2.11
		1	30	2 000	1 810	T	0.103	349	88	1.00	2-D10@150 0.252	453	0	1.22	1 308	0	1.58
			250		1 810	B	0.103	1 929		1.16		373			1 205		1.45
	W5	3	30	1 100	900	T	0.375	585	165	2.91	2-D10@250 0.151	81	198	0.79	389	15	2.27
			250		910	B	0.187	-74		1.00		95			654		3.88
		2	30	1 100	900	T	0.375	659	295	1.71	2-D10@200 0.189	155	397	1.55	561	9	1.87
			250		910	B	0.187	256		1.00		182			697		2.33
		1	30	1 100	900	T	0.375	329	396	1.00	2-D10@150 0.252	228	595	2.30	820	40	1.97
			250		910	B	0.187	760		1.74		270			565		1.33

〔記号〕
　F_c：コンクリートの設計基準強度（N/mm²），t：耐力壁の厚さ（mm）
　l：耐力壁の長さ（mm），T：耐力壁頭部，B：耐力壁脚部
　l'：耐力壁の圧縮縁から引張側鉄筋重心位置の長さ（mm）
　p_{te}：耐力壁の等価引張鉄筋比（％）
　$_wM_m$：耐力壁のメカニズム時曲げモーメント（kN·m）
　$_wQ_M$：耐力壁のメカニズム時せん断力（N）で，長期荷重時せん断力を除く数値．
　$_wQ_L$：耐力壁の長期荷重時せん断力（N）
　p_{whe}：耐力壁の等価横補強筋比（％），N_L：耐力壁の長期軸方向力（N）
　N_{WT}：直交壁の軸方向力のうち，耐力壁の曲げ強度に関係する軸方向力（N）
　N_m：メカニズム時における耐力壁の付加軸方向力（N）
　$\overline{\sigma_{0e}}$：耐力壁のメカニズム時の平均軸方向応力度（N/mm²）で，次式による．
　　　$\overline{\sigma_{0e}} = (N_L + N_{WT} + N_m)/A_w$
　β_w：耐力壁のせん断強度上の余力（$= (_wQ_{su} - {_wQ_L})/{_wQ_m}$）

(b) 曲げ強度上の余力の確保

メカニズム時に曲げ降伏を計画しない耐力壁の曲げ強度上の余力は，全て1.1以上有することを確認した．

AW1の3階のせん断強度算定経過を，以下に示す．

・等価引張鉄筋比（直交壁引張側）：
$$p_{te}=100\times\{(2\times387+2\times387)/(1.5\times250\times1\,100)\}=0.375\%$$

・等価引張鉄筋比（直交壁圧縮側）：
$$p_{te}=100\times\{(2\times387)/(1.5\times250\times1\,100)\}=0.187\%$$

・シヤースパン比：$M/(Q\cdot l)=297.5/(141\times1.1)=1.91$
$$M=347-141\times0.7/2=297.5$$

・等価横補強筋比：$p_{weh}=(2\times71)/(1.5\times250\times250)=0.00151$

・等価圧縮応力度：$\overline{\sigma_{oe}}=(N_L+N_{WT}+N_m)/A_w$
$$=(81+95-198)\times10^3/(250\times1\,100+200\times1\,000)=0.05\,\mathrm{N/mm^2}$$

・せん断強度：
$$_wQ_{su}=\{0.053\times0.187^{0.23}\times(30+18)/(1.91+0.12)+0.85\sqrt{0.000151\times295}+0.1\times0.06\}$$
$$\times1.5\times250\times(1\,100-190)\times7/8=422\,\mathrm{kN}$$

なお，同一の耐力壁内で壁頭と壁脚で引張鉄筋比に差異があるが，これは引張側となる直交壁のSJ筋を算入したことによる．

10. PCaRC造部材接合部の設計

（1） PCaRC造耐力壁の鉛直接合部の設計

（i） 設 計 方 針

・長期設計用せん断力が，本規準(9.12.1)式を満たすことを確認する．

$$_{DL}Q_V\leqq{_{AL}Q_V} \qquad \text{〔本規準（9.12.1）式〕}$$

　　記号　$_{DL}Q_V$：PCaRC造耐力壁の鉛直接合部に生じる長期荷重時の設計用せん断力(N)
　　　　　$_{AL}Q_V$：PCaRC造耐力壁の鉛直接合部の長期許容せん断力(N)

・短期設計用せん断力が，本規準(9.12.7)式を満たすことを確認する．

$$_{DS}Q_V\leqq{_{AS}Q_V} \qquad \text{〔本規準（9.12.7）式〕}$$

　　記号　$_{DS}Q_V$：PCaRC造耐力壁の鉛直接合部の短期荷重時設計用せん断力(N)
　　　　　$_{AS}Q_V$：PCaRC造耐力壁の鉛直接合部の短期許容せん断力(N)

・保有水平耐力の確認が必要とされない張り間方向においては，標準せん断力係数$C_0=0.5$以上の地震力に対して鉛直接合部に所要の強度を確保するため，本規準(9.12.16)式を満たすことを確認する．

$$_{DU}Q_V\leqq{_UQ_V} \qquad \text{〔本規準（9.12.16）式〕}$$

　　記号　$_{DU}Q_V$：PCaRC造耐力壁の鉛直接合部の終局時設計用せん断力(N)
　　　　　$_UQ_V$：PCaRC造耐力壁の鉛直接合部のせん断強度(N)

・けた行方向 PCaRC 造耐力壁の鉛直接合部の保証設計は，原則として本規準(10.5.25)式による．なお，本規準(10.5.25)式を満たさない場合は，耐力壁の種別は WD とするとともに，本規準(10.5.26)式を満たすことを確認する．

$$_UQ_V \geq \beta_{J1} \cdot {_mQ_V} \quad \text{〔本規準（10.5.25）式〕}$$

$$_UQ_V \geq ({_wQ_L} + F_{es0,i} \cdot Q_{w,0.55}) \cdot (H/l_w) \quad \text{〔本規準（10.5.26）式〕}$$

記号　$_UQ_V$：PCaRC 造耐力壁の鉛直接合部のせん断強度(N)

　　　β_{J1}：PCaRC 造耐力壁の鉛直接合部のせん断強度上の余力

　　　$_mQ_V$：メカニズム時における PCaRC 造耐力壁の鉛直接合部に生じるせん断力(N)

　　　$_wQ_L$：PCaRC 造耐力壁の長期荷重時せん断力(N)

　　　$F_{es0,i}$：i 階の剛性率 $R_{s,i}$ および偏心率 $R_{e,i}$ によって定まる i 階の割増し係数

　　　$Q_{w,0.55}$：標準せん断力係数 $C_0 \geq 0.55$ の水平荷重時における PCaRC 造耐力壁のせん断力(N)

　　　H：当該階の階高(mm)

　　　l_w：PCaRC 造耐力壁の長さ(mm)

(ⅱ)　許容応力度(短期)

・コンクリートの設計基準強度　　　　　　$F_c = 30\,\text{N/mm}^2$
・シヤーコッターの短期許容せん断応力　　$_sf_{ss} = 1.185\,\text{N/mm}^2$
・シヤーコッターの短期許容圧縮応力度　　$_sf_{cs} = 20\,\text{N/mm}^2$
・充填コンクリートの短期許容せん断応力度　$_sf_{sv} = 1.185\,\text{N/mm}^2$

(ⅲ)　シヤーコッターの配置および形状

シヤーコッターとコッター筋の配置は，付図 2.2.6 による．

シヤーコッターの形状は 1.(3) 3) 鉛直接合部リストによる．

(ⅳ)　シヤーコッターの鉛直断面積の算定

　　　記号　A：水平断面積

　　　　　　B：投影鉛直断面積

　　　　　　b_1：充填コンクリートまたは充填モルタルの有効な幅

(a)　VJ-1（①，⑤通り側壁）

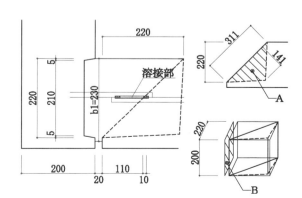

けた行方向

$A = \dfrac{311 \times 141}{2} = 21\,925\,\text{mm}^2$

$B = 220 \times 200 = 44\,000\,\text{mm}^2$

$b_1 = 230\,\text{mm}$

（b） VJ-2（②〜④通り中壁）

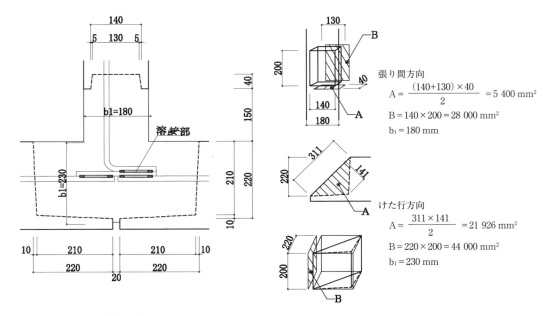

張り間方向
$$A = \frac{(140+130) \times 40}{2} = 5\,400 \text{ mm}^2$$
$B = 140 \times 200 = 28\,000 \text{ mm}^2$
$b_1 = 180 \text{ mm}$

けた行方向
$$A = \frac{311 \times 141}{2} = 21\,926 \text{ mm}^2$$
$B = 220 \times 200 = 44\,000 \text{ mm}^2$
$b_1 = 230 \text{ mm}$

（c） VJ-3（①，⑤通り妻側壁）

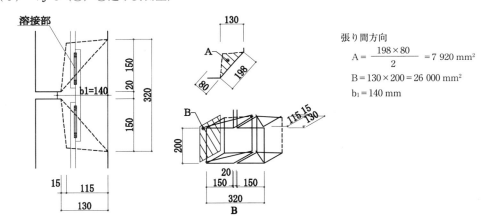

張り間方向
$$A = \frac{198 \times 80}{2} = 7\,920 \text{ mm}^2$$
$B = 130 \times 200 = 26\,000 \text{ mm}^2$
$b_1 = 140 \text{ mm}$

（d） VJ-4（②〜④通り戸境壁）

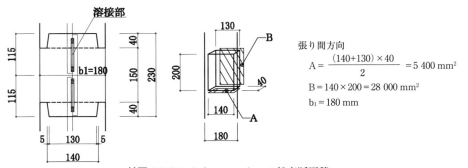

張り間方向
$$A = \frac{(140+130) \times 40}{2} = 5\,400 \text{ mm}^2$$
$B = 140 \times 200 = 28\,000 \text{ mm}^2$
$b_1 = 180 \text{ mm}$

付図 2.2.27　シヤーコッターの鉛直断面積

(ⅴ) 短期荷重時の確認

（a） 鉛直接合部の短期許容せん断力（$_{AS}Q_V$）：本規準(9.12.12)式による．

$$_{AS}Q_V = \min(_{AS}Q_{SS},\ _{AS}N_{CS},\ _{AS}Q_{SW})$$ 〔本規準 (9.12.12) 式〕

記号 $_{AS}Q_{SS}$：シヤーコッターの許容せん断力(N)で，次式による．

$$_{AS}Q_{SS} = B \cdot \alpha_1 \cdot {_sf_{SS}} \cdot n$$ 〔本規準 (9.12.13) 式〕

$_{AS}N_{CS}$：シヤーコッターの許容局部圧縮力(N)で，次式による．

$$_{AS}N_{CS} = A \cdot \alpha_2 \cdot {_sf_{CS}} \cdot n$$ 〔本規準 (9.12.14) 式〕

$_{AS}Q_{SW}$：充填コンクリートまたは充填モルタルの短期許容せん断力(N)で，次式による．

$$_sQ_{SW} = b_1 \cdot {_sf_{SW}} \cdot H$$ 〔本規準 (9.12.15) 式〕

鉛直接合部の短期許容せん断力の算定結果を，付表2.2.42に示す．

付表 2.2.42　けた行方向耐力壁の鉛直接合部の短期許容せん断力

方向	ジョイント種別	$_{AS}Q_V$ の算式	$_{AS}Q_V$ (kN)
桁行	VJ-1 VJ-2	$_{AS}Q_{SS} = 44\,000 \times 2.0 \times 1.185 \times 7\ \times 10^{-3} = 730$ $_{AS}N_{CS} = 21\,925 \times 1.2 \times 20 \times 7\ \times 10^{-3} = 3\,683$ $_{AS}Q_{SW} = 230 \times 1.185 \times 3\,100\ \times 10^{-3} = 845$	730
梁間	VJ-2 VJ-3	$_{AS}Q_{SS} = 26\,000 \times 2.0 \times 1.185 \times 7\ \times 10^{-3} = 431$ $_{AS}N_{CS} = 7\,920 \times 1.2 \times 20 \times 7\ \times 10^{-3} = 1\,331$ $_{AS}Q_{SW} = 140 \times 1.185 \times 3\,100\ \times 10^{-3} = 514$	431
梁間	VJ-4	$_{AS}Q_{SS} = 28\,000 \times 2.0 \times 1.185 \times 7\ \times 10^{-3} = 465$ $_{AS}N_{CS} = 5\,400 \times 1.2 \times 20 \times 7\ \times 10^{-3} = 907$ $_{AS}Q_{SW} = 180 \times 1.185 \times 3\,100\ \times 10^{-3} = 661$	465

（b） 鉛直接合部短期設計用せん断力 $_{DS}Q_V$ および $_{DS}Q_V \leqq {_{AS}Q_V}$ の確認

$$_{DS}Q_V = {_{DL}Q_V} + Q_{EV}$$

$$Q_{EV} = Q_E \cdot (H / l_w) \cdot \Phi$$

耐力壁の鉛直接合部の短期設計用せん断力および短期許容せん断力の算定結果を，付表2.2.43に示す．

付表 2.2.43 耐力壁の鉛直接合部の短期荷重時に対する設計

壁符号	階	ジョイント種別	$_LQ_V$ (kN)	Q_N (kN)	H (mm)	l (mm)	$_{DL}Q_V$ (kN)	ϕ	Q_{EV} (kN)	$_{DS}Q_V$ (kN)		$_{AS}Q_V$ (kN)	判定
W1 W5	3	VJ-1	15	42	3 100	1 100	41	1.0	118	159	<	730	OK
	2		9	62	3 100	1 100	25	1.0	175	200	<	730	OK
	1		40	88	3 100	1 100	112	1.0	248	360	<	730	OK
W2 W4	3	VJ-2	0	101	3 100	2 000	0	1.2	188	188	<	730	OK
	2		0	195	3 100	2 000	0	1.2	363	363	<	730	OK
	1		0	257	3 100	2 000	0	1.2	478	478	<	730	OK
W3	3	VJ-2	0	118	3 100	2 000	0	1.2	219	219	<	730	OK
	2		0	205	3 100	2 000	0	1.2	381	381	<	730	OK
	1		0	275	3 100	2 000	0	1.2	512	512	<	730	OK
W11 W15	3	VJ-3	0	146	3 100	12 250	0	1.2	44	44	<	431	OK
	2		0	269	3 100	12 250	0	1.2	82	82	<	415	OK
	1		0	377	3 100	12 250	0	1.2	114	114	<	415	OK
W12 W13 W14	3	VJ-2	0	181	3 100	12 250	0	1.2	55	55	<	431	OK
	2		0	293	3 100	12 250	0	1.2	89	89	<	431	OK
	1		0	387	3 100	12 250	0	1.2	118	118	<	431	OK
W12 W13 W14	3	VJ-4	0	181	3 100	12 250	0	1.2	55	55	<	465	OK
	2		0	293	3 100	12 250	0	1.2	89	89	<	465	OK
	1		0	387	3 100	12 250	0	1.2	118	118	<	465	OK

(vi) 終局時の確認

(a) 鉛直接合部の終局強度の算定

・シヤーコッターのせん断強度(3階 VJ-1)

$$_UQ_{SS} = 0.1F_c \cdot A_{sc} + \sum(a_v \cdot \sigma_y)$$

コッター筋 7-D13, $\sum(a_v \cdot \sigma_y) = 7 \times (127 \times 295) \times 10^{-3} = 262.2$ kN

・シヤーコッターの局部圧縮力強度

$$_UN_{CS} = A \cdot \alpha_2 \cdot F_c \cdot n$$

・充填コンクリートのせん断強度

$$_UQ_{SW} = b_1 \cdot {_sf_{sw}} \cdot H + 1.4\sum(a_v \cdot \sigma_y)$$

鉛直接合部の終局強度の算定結果を, 付表 2.2.44 に示す.

付表2.2.44 耐力壁の鉛直接合部の終局強度の算定

方向		ジョイント種別	$_uQ_V$ の算式		$_uQ_V$(kN)
けた行	3階	VJ-1 VJ-2	$_uQ_{ss}= (0.1×30×44\,000×7+262\,255)$ ×10⁻³ =1 186 $_uN_{cs}= 21\,925×1.2×30×7$ ×10⁻³ =5 525 $_uQ_{sw}= (230×1.185×3\,100+1.4×262\,255)$ ×10⁻³ =1 212		1 186
けた行	2階 1階	VJ-1 VJ-2	$_uQ_{ss}= (0.1×30×44\,000×7+524\,510)$ ×10⁻³ =1 449 $_uN_{cs}= 21\,925×1.2×30×7$ ×10⁻³ =5 525 $_uQ_{sw}= (230×1.185×3\,100+1.4×524\,510)$ ×10⁻³ =1 579		1 449
張り間	妻壁	VJ-3	$_uQ_{ss}= (0.1×30×26\,000×7+262\,255)$ ×10⁻³ = 808 $_uN_{cs}= 7\,920×1.2×30×7$ ×10⁻³ =1 996 $_uQ_{sw}= (140×1.185×3\,100+1.4×262\,255)$ ×10⁻³ = 881		808
張り間	戸境壁	VJ-2	$_uQ_{ss}= (0.1×30×28\,000×7+262\,255)$ ×10⁻³ = 850 $_uN_{cs}= 5\,400×1.2×30×7$ ×10⁻³ =1 361 $_uQ_{sw}= (180×1.185×3\,100+1.4×262\,255)$ ×10⁻³ =1 028		850
張り間	戸境壁	VJ-4	$_uQ_{ss}= (0.1×30×28\,000×7+262\,255)$ ×10⁻³ = 850 $_uN_{cs}= 5\,400×1.2×30×7$ ×10⁻³ =1 361 $_uQ_{sw}= (180×1.185×3\,100+1.4×262\,255)$ ×10⁻³ =1 028		850

(b) 終局時における鉛直接合部の保証設計

けた行方向耐力壁の鉛直接合部の終局強度が,次式を満たすことを確認する.

$$_uQ_V / _mQ_V \geq 1.1 \text{(耐力壁種別 WA より)}$$

また,張り間方向耐力壁の鉛直接合部の終局強度が,次式(本規準(9.12.16)式)を満たすことを確認する.

$$_{DU}Q_V \leq _uQ_V$$

確認結果を,付表2.2.45 および付表2.2.46 に示す.

付表2.2.45 けた行方向耐力壁の鉛直接合部の保証設計 (1/2)

符号	階	$_wQ_L$ (kN)	$_wQ_m$ (kN)	H (mm)	l_w (mm)	$_mQ_V$ (kN)	β_{J1}	$_mQ_V \cdot \beta_{J1}$		$_uQ_U$ (kN)	判定
W1 VJ-1	3	41	141	3 100	1 100	440	1.1	484	≦	1 186	OK
	2	25	253	3 100	1 100	739	1.1	813	≦	1 186	OK
	1	112	340	3 100	1 100	1 069	1.1	1 176	≦	1 449	OK
W2 VJ-2	3	0	341	3 100	2 000	528	1.1	581	≦	1 186	OK
	2	0	609	3 100	2 000	944	1.1	1 039	≦	1 186	OK
	1	0	818	3 100	2 000	1 267	1.1	1 394	≦	1 449	OK
W3 VJ-2	3	0	343	3 100	2 000	531	1.1	584	≦	1 186	OK
	2	0	613	3 100	2 000	951	1.1	1 046	≦	1 186	OK
	1	0	823	3 100	2 000	1 276	1.1	1 403	≦	1 449	OK

付表 2.2.45 けた行方向耐力壁の鉛直接合部の保証設計 (2/2)

符号	階	$_wQ_L$ (kN)	$_wQ_m$ (kN)	H (mm)	l_w (mm)	$_mQ_V$ (kN)	β_{J1}	$_mQ_V \cdot \beta_{J1}$		$_UQ_U$ (kN)	判定
W4 VJ-2	3	0	345	3 100	2 000	535	1.1	588	≦	1 186	OK
	2	0	617	3 100	2 000	957	1.1	1 053	≦	1 186	OK
	1	0	828	3 100	2 000	1 284	1.1	1 413	≦	1 449	OK
W5 VJ-1	3	41	165	3 100	1 100	506	1.1	556	≦	1 186	OK
	2	25	295	3 100	1 100	858	1.1	943	≦	1 186	OK
	1	112	396	3 100	1 100	1 228	1.1	1 351	≦	1 449	OK

付表 2.2.46 張り間方向耐力壁の鉛直接合部の保証設計

壁符号	ジョイント種別	階	$_{DL}Q_V$ (kN)	Q_{EV} (kN)	Φ	$_{DU}Q_V$ (kN)	$_UQ_V$ (kN)	$_UQ_V / _{DU}Q_V$	判定
W11 W15	VJ-3	3	0	44	1.00	111	808	7.29	OK
		2	0	82	1.00	204	808	3.96	OK
		1	0	114	1.00	286	808	2.82	OK
W12 W13 W14	VJ-2	3	0	55	1.00	137	850	6.19	OK
		2	0	89	1.00	222	850	3.82	OK
		1	0	118	1.00	294	850	2.89	OK
W12 W13 W14	VJ-4	3	0	55	1.00	137	850	6.19	OK
		2	0	89	1.00	222	850	3.82	OK
		1	0	118	1.00	294	850	2.89	OK

(c) 鉛直接合部の終局強度と，W11〜W15 の SJ 筋材料強度の比較

 耐力壁 W1 と W5 の曲げ強度に，直交壁 W11 と W15 の SJ 筋を見込むため，それぞれの鉛直接合部終局強度が当該 SJ 筋引張強度を上回ることを確認する．確認結果を付表 2.2.47 に示す．

付表 2.2.47 鉛直接合部の終局強度と，W11〜W15 の SJ 筋引張強度の比較

符号	階	W11, W15 の SJ 筋 a_t (mm^2)	$a_t \cdot f_t \times 1.1 / 1 000$ (kN)		Q_{SU} (kN)	判定
W1, 5 VJ-1	3	2-D22 / 774	293	<	1 186	OK
	2	2-D22 / 774	293	<	1 449	OK
	1	2-D22 / 774	293	<	1 449	OK

(2) PCaRC 造耐力壁の水平接合部の保証設計
(i) 設 計 方 針
・ 長期荷重時および短期荷重時に水平接合部に生じる応力に対する検討は省略する．

- 保有水平耐力の確認が必要とされない張り間方向においては,標準せん断力係数 $C_0=0.5$ 以上の地震力に対して水平接合部に所要の強度を確保するため,本規準(9.12.22)式を満たすことを確認する.

$$_{DU}Q_H \leq {_U}Q_{SH} \qquad \text{〔本規準 (9.12.22) 式〕}$$

記号 $_{DU}Q_H$:PCaRC 造耐力壁の水平接合部の終局時設計用せん断力(N)で,本規準(9.12.23)式による.

$_{U}Q_{SH}$:PCaRC 造耐力壁の水平接合部のせん断強度(N)で,本規準(9.12.24)式による.

- けた行方向 PCaRC 造耐力壁の水平接合部の保証設計は,原則として本規準(10.5.30)式による.なお,本規準(10.5.30)式を満たさない場合は,本規準(10.5.31)式を満たすことを確認する.張り間方向およびけた行方向 PCaRC 造耐力壁の水平接合部の保証設計の確認結果を付表 2.2.48 および付表 2.2.49 に示す.

$$_{U}Q_{SH} \geq \beta_{J2} \cdot {_m}Q_H \qquad \text{〔本規準 (10.5.30) 式〕}$$
$$_{U}Q_{SH} \geq ({_w}Q_L + F_{es0,i} \cdot Q_{w,0.55}) \qquad \text{〔本規準 (10.5.31) 式〕}$$

記号 $_{U}Q_{SH}$: PCaRC 造耐力壁の水平接合部のせん断強度(N)

β_{J2}: PCaRC 造耐力壁の水平接合部のせん断強度上の余力で,1.1 以上とする.

$_m Q_H$: PCaRC 造耐力壁の水平接合部のメカニズム時設計用せん断力(N)

$_w Q_L$: PCaRC 造耐力壁の長期荷重時せん断力(N)

$F_{es0,i}$: i 階の剛性率 $R_{s,i}$ および偏心率 $R_{s,i}$ によって定まる i 階の割増し係数

$Q_{w,0.55}$: 標準せん断力係数 $C_0 \geq 0.55$ の水平荷重時における PCRCa 造耐力壁のせん断力(N)

(ⅱ) 確認結果:付表 2.2.48,付表 2.2.49

付表 2.2.48 張り間方向耐力壁の水平接合部の保証設計 (1/2)

接合筋	配筋	a_h(mm²)	σ_y(N/mm²)	$a_h \cdot \sigma_y$(kN)
水平接合部鉛直接合筋	4-D19	1 148	345	396
鉛直接合部縦補強筋	1-D22	387	345	134

付表 2.2.48 張り間方向耐力壁の水平接合部の保証設計 (2/2)

壁符号	階	Q_{EH}(kN)	$_{DU}Q_H$(kN)	$\beta_{J2} \cdot {_{DU}}Q_H$(kN)	$\Sigma(a_h \cdot \sigma_y)$(kN)	N_h(kN)	$_U Q_{SH}$(kN)	$\dfrac{_U Q_{SH}}{\beta_{J2} \cdot {_{DU}}Q_H}$	判定
W11 W15 (1枚あたり)	3	73	183	201	529	380	636	3.17	OK
	2	135	336	370	529	729	881	2.38	OK
	1	189	471	518	529	1 078	1 125	2.17	OK
W12 W14 (1枚あたり)	3	91	226	249	529	496	718	2.88	OK
	2	147	366	403	529	995	1 067	2.65	OK
	1	194	484	532	529	1 493	1 415	2.66	OK

[注] β_{J2}: 1.1

付表2.2.49 けた行方向耐力壁の水平接合部の保証設計（本規準（10.5.30）式）(1/2)

壁符号	接合筋	配筋	a_h(mm²)	σ_y(N/mm²)	$a_h \cdot \sigma_y$(kN)
AW1, AW5	水平接合部鉛直接合筋	4-D19	1 148	345	396
	鉛直接合部縦補強筋	2-D22	774	345	267
AW2, AW3, AW4	水平接合部鉛直接合筋	10-D19	2 870	345	990
	鉛直接合部縦補強筋	1-D22	387	345	134

付表2.2.49 けた行方向耐力壁の水平接合部の保証設計（本規準（10.5.30）式）(2/2)

壁符号	階	$_mQ_H$ (kN)	$\beta_{J2} \cdot _mQ_H$ (kN)	$\Sigma(a_h \cdot \sigma_y)$ (kN)	N_h (kN)	$_uQ_{SH}$ (kN)	$\dfrac{_uQ_{SH}}{\beta_{J2} \cdot _mQ_H}$	判定
W1	3	141	156	663	0	464	2.98	OK
	2	253	278	663	0	464	1.66	OK
	1	340	374	663	0	464	1.24	OK
W2	3	341	375	1 123	0	786	2.09	OK
	2	609	670	1 123	0	786	1.17	OK
	1	818	899	1 123	0	786	0.87	NG
W3	3	343	377	1 123	0	786	2.08	OK
	2	613	675	1 123	0	786	1.16	OK
	1	823	905	1 123	0	786	0.86	NG
W4	3	345	379	1 123	0	786	2.07	OK
	2	617	679	1 123	0	786	1.15	OK
	1	828	911	1 123	0	786	0.86	NG
W5	3	165	181	663	198	603	3.32	OK
	2	295	325	663	397	742	2.28	OK
	1	396	436	663	595	881	2.02	OK

［注］ β_{J2}：1.1とする．

- 付表2.2.49より，メカニズム時の設計用応力に対して本規準（10.5.30）式を満たしていないため，本規準（10.5.31）式により再検討を行う．
- 1階W3の算定経過を下記に示す．同様に算定した結果を，付表2.2.50に示す．
  水平荷重時応力図（$C_0=0.2$）より，$Q_{w,0.55}=275\times0.55/0.20=757.0$ kN
  $_uQ_{SH}/(Q_L+F_{es0,i} \cdot Q_{w0.55})=786/757.0=1.03$………OK

付表2.2.50 けた行方向耐力壁の水平接合部の保証設計（本規準（10.5.31）式）

壁符号	階	Q_s (kN)	$Q_{w,0.55}$ (kN)	Q_L (kN)	$F_{es0,i}$	$_UQ_{SH}$	$\dfrac{_UQ_{SH}}{(Q_L+F_{es0,i}\cdot Q_{w,0.55})}$	判定
W1	3	42	116	-15	1.0	464	4.57	OK
	2	62	171	-9	1.0	464	2.86	OK
	1	88	242	-40	1.0	464	2.29	OK
W2	3	101	278	0	1.0	786	2.82	OK
	2	195	537	0	1.0	786	1.46	OK
	1	257	707	0	1.0	786	1.11	OK
W3	3	118	325	0	1.0	786	2.41	OK
	2	205	564	0	1.0	786	1.39	OK
	1	275	757	0	1.0	786	1.03	OK
W4	3	101	278	0	1.0	786	2.82	OK
	2	195	537	0	1.0	786	1.46	OK
	1	257	707	0	1.0	786	1.11	OK
W5	3	42	116	15	1.0	602	4.61	OK
	2	62	171	9	1.0	741	4.11	OK
	1	88	242	40	1.0	880	3.12	OK

（3） 壁梁の水平接合部の保証設計

（i） 設 計 方 針

2階，3階スラブおよび屋根スラブはボイド合成床板工法としていることから，耐力壁頂部および壁梁の水平接合面（ハーフPCaRC造壁梁と現場打ちコンクリートの水平接合部）の検討を行う．

（ii） けた行方向：壁梁とスラブの水平接合部の検討

次式により，現場打ちRC造部分とハーフPCaRC造壁梁との水平接合部の保証設計を行う．算定結果を付表2.2.51に示す．

$$\tau_{SU}\geqq\beta_{J5}\cdot {}_m\tau_U=\beta_{J5}\cdot \sum(a_t\cdot \sigma_y)/(b\cdot \varDelta l_2) \qquad \text{(本規準（10.5.39）式，（10.5.40）式)}$$

記号　τ_{SU}：現場打ちRC造部分とハーフPCaRC造壁梁の水平接合部のせん断強度（N/mm²）で，次式による．

$$\tau_{SU}=\min\{\mu_s\cdot p_w\cdot \sigma_{wy},\ 0.7\times(0.7-F_c/200)\cdot (F_c/2)\}$$

μ_s：現場打ちRC造部分とハーフPCaRC造壁梁との水平接合部の摩擦係数で，水平接合面のレイタンスを除去し，かつ5mm程度の凹凸を設けることとするので1.0とする．

p_w：PCaRC造合成壁梁の縦補強筋比で，0.012以上は0.012とする．

σ_{wy}：PCaRC造合成壁梁の縦補強筋の規格降伏点で，345（N/mm²）以下とする．

F_c：現場打ちRC造部分のコンクリートの設計基準強度（N/mm²），またはハーフ

PCaRC 壁梁のコンクリートの設計基準強度のうちの小さい方の数値とする.

β_{J5}：現場打ち RC 造部分とハーフ PCaRC 造壁梁の水平接合部のせん断強度上の余力で, 1.1 以上とする.

$_m\tau_U$：メカニズム時に現場打ち RC 造部分とハーフ PCaRC 造壁梁の水平接合部に生じるせん断応力度 (N/mm^2)

a_t：PCaRC 造合成壁梁の上端端部曲げ補強筋の断面積 (mm^2)

σ_y：同上鉄筋の材料強度 (N/mm^2)

b：PCaRC 造合成壁梁の幅 (mm)

Δl_2：メカニズム時において, PCaRC 造合成壁梁の上端端部曲げ補強筋に引張応力度が生じている区間長さ (mm)

付表 2.2.51 ハーフ PCaRC 造壁梁と現場打ち RC 造部分との水平接合部の保証設計

位置		壁梁の上端端部曲げ補強筋	σ_y (N/mm^2)	Σa_t (mm^2)	b (mm)	Δl_2 (mm)	$_m\tau_v$ (N/mm^2)	μ_S	壁梁の縦補強筋	p_w (≤ 0.012)	σ_{wy} (N/mm^2)	F_c	①	②	τ_{su} $\beta_{J5}\cdot{_m\tau_u}$ $(\min①, ②)$	判定
RF	G1,4	3-D22	379.5	1 161	250	1 800	0.98	1.0	2-D13 @ 200	0.00508	295	30	1.49	5.77	1.49>1.08	OK
	G2,3	3-D22	379.5	1 161	250	1 800	0.98	1.0	2-D13 @ 200	0.00508	295	30	1.49	5.77	1.49>1.08	OK
3F	G1,4	3-D22	379.5	1 161	250	1 800	0.98	1.0	2-D13 @ 200	0.00508	295	30	1.49	5.77	1.49>1.08	OK
	G2,3	3-D22	379.5	1 161	250	1 800	0.98	1.0	2-D13 @ 200	0.00508	295	30	1.49	5.77	1.49>1.08	OK
2F	G1,4	3-D22	379.5	1 161	250	1 800	0.98	1.0	2-D13 @ 200	0.00508	295	30	1.49	5.77	1.49>1.08	OK
	G2,3	3-D22	379.5	1 161	250	1 800	0.98	1.0	2-D13 @ 200	0.00508	295	30	1.49	5.77	1.49>1.08	OK

[注] ① $\tau_{su} = \mu_S \cdot p_w \cdot \sigma_{wy}$　② $\tau_{SU} = 0.7 \times (0.7 - F_c/200) \times (F_c/2)$
　　 β_{J5}：1.1

（4） 付着・継手・定着に対する保証設計

1) 付着に対する保証設計

けた行方向の壁梁の端部曲げ補強筋は全階とも上下 3-D22 であり, 内法長さは全て 3 600 mm である. 以下に, R 階壁梁の端部曲げ補強筋の付着に対する保証設計を記載する.

(a) 上端 1 段目通し筋：本規準 (10.5.42) 式による検討の場合

・鉄筋：2-D22, SD345, 縦補強筋 2-D13@200

・係数 α_1：$\alpha_1 = 2.0$

・$L' = L = 3 600$ mm

・有効せい：$d = D - d_t = 700 - 65 = 635$ mm

・係数 C：$C = \min(鉄筋間のあき, \dfrac{b - N \cdot d_b}{N}, 3C_{\min}, 5d_b)$

$\qquad = \min(70, \dfrac{250 - 2 \times 22}{2}, 3 \times 54, 5 \times 22) = \min(70, 103, 162, 110) = 70$ mm

・係数 W：$W = 80 \times \dfrac{A_{st}}{s \cdot N} = 80 \times \dfrac{2 \times 127}{200 \times 2} = 80 \times 0.635 = 50.8$ mm　$< 2.5d_b = 2.5 \times 22 = 55$ mm

- 鉄筋配置と横補強筋による修正係数 K：$K=0.3\times\dfrac{C+W}{d_b}+0.4=0.3\times\dfrac{70+50.8}{22})+0.4=2.04$ <2.5

- 設計用付着応力度：$\tau_D=\alpha_1\cdot\dfrac{\sigma_D\cdot d_b}{4(L'-d)}=2.0\times\dfrac{1.1\times345\times22}{4\times(3\,600-635)}=2.0\times0.704=1.40\,\mathrm{N/mm^2}$

- 付着割裂の基準となる強度 f_b：$f_b=0.8\times(0.9+F_c/40)=0.8\times(0.9+30/40)=0.8\times1.65$
$=1.32\,\mathrm{N/mm^2}$

- 付着割裂強度：$K\cdot f_b=2.04\times1.32=2.69\,\mathrm{N/mm^2}>\tau_D$　OK

（b）　上端2段目通し筋：本規準(10.5.42)式による検討の場合

- 鉄筋：1-D22，SD345，縦補強筋 2-D13@200
- 係数 α_1：$\alpha_1=1.5$
- $L'=L=3\,600\,\mathrm{mm}$
- 有効せい：$d=D-d_t=700-120=580\,\mathrm{mm}$
- 係数 C：$C=\min\left(\dfrac{b-N\cdot d_b}{N},\ 3C_{\min},\ 5d_b\right)=\min\left(\dfrac{250-1\times22}{1},\ 3\times54,\ 5\times22\right)$
$=\min(228,\ 162,\ 110)=110\,\mathrm{mm}$

- 係数 W：$W=80\times\dfrac{A_{st}}{s\cdot N}=80\times\dfrac{2\times127}{200\times1}=80\times1.27=101.6\,\mathrm{mm}$　$\Rightarrow 2.5\,d_b=2.5\times22=55\,\mathrm{mm}$

- 鉄筋配置と横補強筋による修正係数 K：$K=0.3\times\dfrac{C+W}{d_b}+0.4=0.3\times\dfrac{110+55}{22}+0.4=2.65$　$\Rightarrow 2.5$

- 設計用付着応力度：$\tau_D=\alpha_1\cdot\dfrac{\sigma_D\cdot d_b}{4(L'-d)}=1.5\times\dfrac{1.1\times345\times22}{4\times(3\,600-5)}=1.5\times0.692=1.04\,\mathrm{N/mm^2}$

- 付着割裂の基準となる強度 f_b：$f_b=0.6\times0.8\times(0.9+F_c/40)=0.6\times0.8\times(0.9+30/40)$
$=0.6\times0.8\times1.65=0.792\,\mathrm{N/mm^2}$

- 付着割裂強度：$K\cdot f_b=2.5\times0.792=1.98\,\mathrm{N/mm^2}>\tau_D(=1.04\,\mathrm{N/mm^2})$　OK

（c）　下端筋の配筋も上端筋と同様であるので OK となる．

2）重ね継手に対する保証設計

　本設計例においては，耐力壁の主筋および横補強筋や壁梁および基礎梁の主筋および縦補強筋には，重ね継手を用いていない．重ね継手を用いているのは，基礎梁の中間部横補強筋である．基礎梁は，本設計例においては，メカニズム時に曲げ降伏を計画していないことから，基礎梁の中間部横補強筋の重ね継手に対する保証設計は不要となる．なお，短期荷重時に対する重ね継手に対する検討は別途行い，基礎梁の横補強筋の必要重ね継手は本規準解説表9.13.3より $40\,d_b$ となる．

3）定着に対する保証設計

　本設計例において，定着に対する保証設計が必要となる部材および部位は，下記のとおりである．

- 　けた行方向の外端①および⑤通りの耐力壁・壁梁接合部への壁梁上端および下端端部曲げ補強筋と中間部横補強筋

- けた行方向②③④通りの耐力壁・壁梁接合部への下端端部曲げ補強筋と中間部横補強筋の定着
- 耐力壁の端部曲げ補強筋，鉛直接合部縦補強筋および水平接合部縦補強筋のR階耐力壁・壁梁接合部への定着
- 耐力壁の端部曲げ補強筋，鉛直接合部縦補強筋および水平接合部縦補強筋の耐力壁・基礎梁接合部への定着

以下に，上記4ケースに対する定着に関する保証設計を記載する．なお，定着に関しては，短期荷重時に対する検討も行っているので，計算される必要定着長さのうちの長い方の数値にて決定する必要があるので，留意する．

（ⅰ）壁梁の端部曲げ補強筋の端部耐力壁・壁梁接合部への定着に関する保証設計

壁梁の端部曲げ補強筋の端部耐力壁・壁梁接合部への直線定着可能な長さ L_a は，下記となる．

- ①および⑤通りの側壁：$L_a = 1\,100 - 200 - 20 - 220 - 85 = 575$ mm（付図2.2.12(a)）
- ②〜④通りの中壁　　：$L_a = 1\,000 - 10 - 200 - 85 = 685$ mm（付図2.2.12(b)）

本規準(10.5.50)式による必要直線定着長さは，次のとおりとなる．

$$l_{ab} = \alpha \cdot \frac{S \cdot \sigma_t \cdot d_b}{10 f_b} = 1.0 \times \frac{1.25 \times 345 \times 22}{10 \times 1.65} 575 \text{ mm}(\fallingdotseq 27\,d_b) = L_a(575 \text{ mm}) \quad \text{OK}$$

壁梁の中間部横補強筋（D10）の必要直線定着長さは，224 mmで575 mm以下となりOKである．なお，本規準(9.14.4)式による端部曲げ補強筋の必要直線定着長さは次のとおりとなり，必要直線定着長さは，本規準(10.5.51)式で決定している．

$$l_{ab} = \frac{s\sigma_t \cdot d_b}{4_s f_a} = \frac{345 \times 22}{4 \times 3.825} = 486.1 \text{ mm} \quad < 575 \text{ mm} \quad \text{OK}$$

また，最上層外端耐力壁・壁梁接合部への上端1段目の端部曲げ補強筋は，定着起点より耐力壁・壁梁接合部の長さの0.75倍以上確保した上で鉛直接合部内へ90°に折り曲げ，折曲げ後の直線部分で必要直線定着長さの575 mm以上を確保する．

（ⅱ）耐力壁縦補強筋（端部曲げ補強筋（D22），鉛直接合部縦補強筋（D22）ならびに水平接合部鉛直接合筋（D19）のR階耐力壁・壁梁接合部への定着に関する保証設計

- 直線定着可能長さ：$_RL_a = 700 - 40 - 10 - 13 = 637$ mm
- 投影定着可能長さ：$_RL_h = 700 - 40 - 10 - 13 - 22 = 615$ mm[1]

［注］1)：耐力壁縦補強筋の設計かぶり厚さ，スラブ筋（D10，D13）ならびに壁梁上端端部曲げ補強筋（D22）を考慮．

- 必要直線定着長さ：$l_{ab} = \alpha \cdot \frac{S \cdot \sigma_t \cdot d_b}{10 f_b} = 1.0 \times \frac{1.25 \times 345 \times 22}{10 \times 1.65} = 575 \text{ mm}(\fallingdotseq 27\,d_b) <\,_RL_a \quad \text{OK}$

- 標準フック併用定着の場合の定着起点から必要投影定着長さ：

$$l_{ab} = \alpha \cdot \frac{S \cdot \sigma_t \cdot d_b}{10 f_b} = 1.0 \times \frac{0.7 \times 345 \times 22}{10 \times 1.65} = 322 \quad \Rightarrow 20\,d_b = 440 \text{ mm} <\,_RL_h \quad \text{OK}$$

11. スラブの断面設計

- 2〜R 階の PCa ボイド合成床板の断面算定は，当該工法の設計指針によることとし，本設計例では記載省略する．
- 1 階の現場打ち RC 造のスラブの断面算定は，本設計例では記載を省略する．

12. 基礎の設計
12.1 基礎設計方針

設計建物の基礎スラブの形状，基礎検討用長期重量ならびに地震力算定用重量と各階の地震層せん断力を以下に記載する．基礎スラブの形状および符号を，付図 2.2.28 に示す．なお，本建物においてはピットを設けており，基礎スラブとけた方向の基礎梁際にスリットを設け接地圧を負担しないようにしている．

（1） 基礎スラブ形状：$b \cdot L = 300 \times 13\,000$ mm，せい $D = 600$ mm

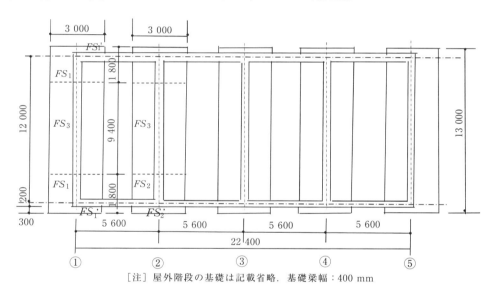

[注] 屋外階段の基礎は記載省略．基礎梁幅：400 mm

付図 2.2.28　基礎スラブ符号（建物本体部）

（2） 基礎検討用重量および地震層せん断力（付表 2.2.52）

付表 2.2.52　基礎検討用重量および地震層せん断力

階	地震力算定用重量 W_i (kN)	ΣW_i (kN)	A_i	地震層せん断力 $Q_{i,0.2}$ (kN)	各階地震力 $P_{i,0.2}$ (kN)	基礎検討用重量 $\Sigma W_i'$ (kN)[*2]
3	2 936	2 936	1.365	802	802	2 957.9
2	3 344	6 280	1.142	1 434	632	6 323.8
1	3 344	9 624	1.000	1 925	491	9 689.7
F	2 838	12 462	—	568[*1]	568[*1]	12 549.6

[注] *1：1 階階高の 1/2 から基礎スラブ下端までの地震力算定用重量に，ここでは 0.2 を乗じた数値とした．
　　　*2：$\Sigma W_i' = \Sigma W_i + (130 - 60) \times 10^{-3} \times$（各階床面積 312.4 m^2）$= \Sigma W_i + 21.9$ kN

(3) 長期荷重時平均接地圧の算定:

本検討においては,基礎検討用重量を基礎スラブ全断面積で除して算定することとした.

$$\overline{_L\sigma_{FS}} = \sum W_i'/\sum A_{FS} = 12\,549.6/(3.0\times13.0\times5) = 64.4\,\mathrm{kN/m^2}$$

(4) 張り間方向標準せん断力係数 $C_0=0.2$ 時の水平荷重時接地圧の算定

・基礎底面位置における転倒モーメント〔付図 2.2.29 参照〕

$$_EM_{OT} = \sum(P_i\cdot H_i) = (802\times10.075+632\times7.075+491\times4.075+568\times1.075) = 15\,163\,\mathrm{kN\cdot m}$$

・基礎底面位置における転倒モーメントによる接地圧

$$_E\sigma_{FS} = {_EM_{OT}}/Z = 15\,163/\{(3.0\times13^2/6)\times5\} = 35.9\,\mathrm{kN/m^2}$$

・張り間方向短期荷重時最大接地圧

$$_S\sigma_{FS,\max} = \overline{_L\sigma}_{FS} + {_E\sigma_{FS}} = 64.4+35.9 = 100.3\,\mathrm{kN/m^2}$$

・張り間方向短期荷重時最小接地圧

$$_S\sigma_{FS,\min} = \overline{_L\sigma}_{FS} - {_E\sigma_{FS}} = 64.4-35.9 = 28.5\,\mathrm{kN/m^2}$$

・短期荷重時浮上り:$_S\sigma_{FS,\max} > 0$ より生じない.

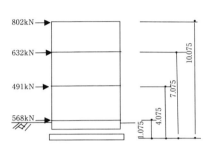

付図 2.2.29 張り間方向水平荷重時基礎スラブ底面位置に対する転倒モーメント

(5) けた行方向耐力壁の軸方向力による接地圧

耐力壁側面より 45°方向の範囲内の基礎スラブ底面部分でけた行方向耐力壁の軸方向力と基礎梁に生じるせん断力を負担するとして基礎スラブの接地圧を算定する.

1) 外端耐力壁・基礎梁接合部下の基礎スラブの長期荷重時接地圧〔付図 2.2.30 参照〕

$$_L\sigma_{FS1} = {_LN_{FS1}}/A_{FS1} = 263.0/(2.8\times1.8) = 52.2\,\mathrm{kN/m^2}$$

2) 外端耐力壁下の基礎スラブの水平荷重時接地圧

$$_E\sigma_{FS2} = {_EN_{FS2}}/A_{FS2} = 277.0/(2.8\times1.8) = 55.0\,\mathrm{kN/m^2}$$

3) 外端耐力壁下の基礎スラブの短期荷重時接地圧

$$_S\sigma_{FS1} = {_L\sigma_{FS1}} \pm {_E\sigma_{FS1}} = 52.2\pm55.0 = 107.2,\ -2.8\,\mathrm{kN/m^2}$$

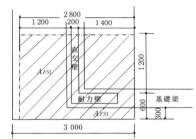

付図 2.2.30 けた行方向外端耐力壁に生じる軸方向力を負担する基礎スラブ底面積 A_{FS2}

接地圧が負となっているが,張り間方向に耐力壁や基礎梁が接続しており,当該部材の重量による抑え効果により浮上りは生じないことから,問題ない.

4) けた行方向外端耐力壁を除く中耐力壁下の基礎スラブの長期荷重時接地圧〔付図 2.2.31 参照〕

$$_L\sigma_{FS2} = {_LN_{FS2}}/A_{FS2} = 603.0/(3.0\times1.8) = 111.7\,\mathrm{kN/m^2}$$

5) 中耐力壁下の基礎スラブの水平荷重時接地圧:

$$_E\sigma_{FS2} = {_EN_{FS2}}/A_{FS2} = 70.0/(3.0\times1.8)$$

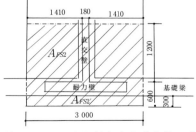

付図 2.2.31 けた行方向中耐力壁に生じる軸方向力を負担する基礎スラブ底面積 A_{FS3}

$$= 13.0 \text{ kN/m}^2$$

6）中耐力壁下の基礎スラブの短期荷重時接地圧：

$$\cdot {}_S\sigma_{FS2} = {}_L\sigma_{FS2} \pm {}_E\sigma_{FS2} = 111.7 \pm 13.0$$
$$= 124.7, \ 98.7 \text{ kN/m}^2$$

12.2　長期および短期荷重時接地圧による基礎スラブの断面算定

12.2.1　張り間方向基礎梁に直交する方向の基礎スラブの断面算定

（1）　基礎スラブ FS_1〔付図 2.2.23，付図 2.2.32 参照〕

1）長期荷重時に対する断面算定

（ⅰ）曲げモーメントに対する断面算定

（a）　設計用曲げモーメント ${}_{DL}M_{FS1}$

$\cdot {}_{DL}M_{FS1} = {}_L\bar{\sigma}_{FS} \cdot l^2/2 = 64.4 \times 1.3^2/2 = 54.5 \text{ kN} \cdot \text{m/m}$

（b）　必要下端鉄筋断面積 a_t

$\cdot a_t = {}_{DL}M_{FS1}/({}_Lf_t \cdot j) = 54.5 \times 10^6/\{195 \times (7/8) \times 515\}$
$= 620.3 \text{ mm}^2/\text{m} \Rightarrow \text{D16@250 } (796 \text{ mm}^2/\text{m})$

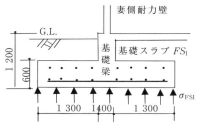

付図 2.2.32　張り間方向妻側耐力壁下の基礎スラブ断面・形状

〔注〕基礎梁および基礎スラブせいは，共通.

（ⅱ）　せん断力に対する断面算定

（a）　設計用せん断力 ${}_{DL}Q_{FS1}$

$\cdot {}_{DL}Q_{FS1} = {}_L\bar{\sigma}_{FS} \cdot l = 64.4 \times 1.0 \times 1.3 = 83.8 \text{ kN/m}$

（b）　長期許容せん断力 ${}_{AL}Q_{FS1}$

$\cdot {}_{AL}Q_{FS1} = \alpha \cdot {}_Lf_s \cdot b \cdot j$
$= 1.76 \times 0.73 \times 1\,000 \times (7/8) \times 515 = 578.9 \times 10^3 \text{ N/m} = 578.9 \text{ kN/m} > {}_{DL}Q_{FS1}$　OK

・係数 α：$\alpha = 4/\{M/(Q \cdot d) + 1\} = 4/\{54.5/(83.8 \times 0.515) + 1\} = 1.76$

・コンクリートの長期許容せん断応力度 ${}_Lf_s$：${}_Lf_s = \min\{F_c/30, \ 0.49 + F_c/100\}$
$= \min\{24/30, \ 0.49 + 24/100\} = 0.73 \text{ N/mm}^2$

（ⅲ）　曲げひび割れに対する検討

・曲げひび割れモーメント

$M_{bcr1} = 0.56\sqrt{\sigma_B} \cdot Z = 0.56\sqrt{24} \times 1\,000 \times 600^2/6 = 164.6 \times 10^6 \text{ N} \cdot \text{mm/m} = 164.6 \text{ kN} \cdot \text{m/m}$
$> {}_{DL}M_{FS}(= 54.5 \text{ kN} \cdot \text{m/m})$　OK

$M_{bcr2} = 0.38\sqrt{\sigma_B} \cdot Z = 0.38\sqrt{24} \times 1\,000 \times 600^2/6 = 111.6 \times 10^6 \text{ N} \cdot \text{mm/m} = 111.6 \text{ kN} \cdot \text{m/m}$
$> {}_{DL}M_{FS}(= 54.5 \text{ kN} \cdot \text{m/m})$　OK

$M_{bcr2} > {}_{DL}M_{FS}$ より，降伏曲げモーメント $> 1.5 \times$ ひび割れモーメントの検討は，不要とする．

（ⅳ）　せん断ひび割れに対する検討 ${}_{AL}Q_{FS1} > {}_{DL}Q_{FS1}$　OK

2）短期荷重時に対する断面算定

（ⅰ）　曲げモーメントに対する断面算定

（a）　設計用曲げモーメント ${}_{DS}M_{FS1}$：${}_{DS}M_{FS1} = {}_S\sigma_{FS1} \cdot l^2/2 = 107.2 \times 1.3^2/2 = 90.6 \text{ kN} \cdot \text{m/m}$

（b）　必要下端鉄筋断面積 a_t：$a_t = {}_{DS}M_{FS}/({}_SF_t \cdot j) = 90.6 \times 10^6/\{295 \times (7/8) \times 515\}$

（ⅱ） せん断力に対する断面算定
　（a） 設計用せん断力 $_{DS}Q_{FS1}$：$_{DS}Q_{FS1}=_s\sigma_{FSmax}\cdot l\times 1.0=107.2\times 1.3\times 1.0=139.4\,\text{kN/m}$
　（b） 短期許容せん断力 $_{AS}Q_{FS1}$：$_{AS}Q_{FS1}=\alpha\cdot_sf_s\cdot b\cdot j=1.76\times 1.095\times 1000\times(7/8)\times 515=868.4\,\text{kN/m}$
$$>_{DS}Q_{FS1}\quad\text{OK}$$

・係数 α：$\alpha=4/\{M/(Q\cdot d)+1\}=4/\{90.6/(139.4\times 0.515)+1\}=1.76$
・コンクリートの長期許容せん断応力度 $_sf_s$：$1.5_Lf_s=1.5\times 0.73=1.095\,\text{N/mm}^2$

（ⅲ） せん断ひび割れに対する検討： $_{AS}Q_{FS1}>_{DS}Q_{FS1}$　OK

（2） 基礎スラブ FS_2〔付図 2.2.29 参照〕

1） 長期荷重時に対する断面算定

（ⅰ） 曲げモーメントに対する断面算定
　（a） 設計用曲げモーメント $_{DL}M_{FS2}$
$$_{DL}M_{FS2}=_L\sigma_{FS2}\cdot l^2/2=111.7\times 1.3^2/2=94.4\,\text{kN}\cdot\text{m/m}$$
　（b） 必要下端鉄筋断面積 a_t
$$a_t=_{DL}M_{FS1}/(_Lf_t\cdot j)=94.4\times 10^6/\{195\times(7/8)\times 515\}$$
$$=1\,075\,\text{mm}^2/\text{m}\Rightarrow\text{D16 @ 175}(1\,137\,\text{mm}^2/\text{m})$$

（ⅱ） せん断力に対する断面算定
　（a） 設計用せん断力 $_{DL}Q_{FS2}$：$_{DL}Q_{FS2}=_L\sigma_{FS2}\cdot l\times 1.0=111.7\times 1.3\times 1.0=145.3\,\text{kN/m}$
　（b） 長期許容せん断力 $_{AL}Q_{FS3}$：$_{AL}Q_{FS3}=\alpha\cdot_Lf_s\cdot b\cdot j=1.76\times 0.73\times 1\,000\times 7/8\times 515\times 10^{-3}$
$$=578.9\,\text{kN/m}>_{DL}Q_{s2}\quad\text{OK}$$

・係数 α：$\alpha=4/\{M/(Q\cdot d)+1\}=4/\{94.4/(145.3\times 0.515)+1\}=1.76$

（ⅲ） 曲げひび割れに対する検討
・曲げひび割れモーメント：$M_{bcr2}=0.38\sqrt{\sigma_B}\cdot Z=0.38\sqrt{24}\times 1\,000\times 600^2/6$
$$=111.6\times 10^6\,\text{N}\cdot\text{mm/m}>_{DL}M_{FS1}(=94.4\,\text{N}\cdot\text{mm/m})\quad\text{OK}$$

$M_{bcr2}>_{DL}M_{FS2}$ より，降伏曲げモーメント $>1.5\times$ ひび割れモーメントの検討は，不要とする．

（ⅳ） せん断ひび割れに対する検討
$$_{AL}Q_{FS2}>_{DL}Q_{FS2}\text{ より，OK となる．}$$

2） 短期荷重時に対する断面算定

（ⅰ） 曲げモーメントに対する断面算定
　（a） 設計用曲げモーメント $_{DS}M_{FS2}$
$$_{DS}M_{FS2}=_s\sigma_{FS2}\cdot l^2/2=(111.7+13.0)\times 1.3^2/2=105.4\,\text{kN}\cdot\text{m/m}$$
　（b） 必要下端鉄筋断面積 a_t
$$a_t=_{DS}M_{FS1}/(_sf_t\cdot j)=105.4\times 10^6/\{295\times(7/8)\times 515\}$$
$$=792.9\,\text{mm}^2/\text{m}\Rightarrow\text{D16 @ 250}(796\,\text{mm}^2/\text{m})$$

（ⅱ） せん断力に対する断面算定
　（a） 設計用せん断力 $_{DS}Q_{FS2}$：$_{DS}Q_{FS2}=_s\sigma_{FS2}\cdot l\times 1.0=124.7\times 1.3\times 1.0=162.2\,\text{kN/m}$

（ｂ） 短期許容せん断力 $_{AS}Q_{FS3}$：$_{AS}Q_{FS3}=\alpha \cdot {}_sf_s \cdot b \cdot j = 1.76 \times 1.095 \times 1\,000 \times 7/8 \times 515 \times 10^{-3}$

$$= 868.4 \text{ kN/m} > {}_{DS}Q_{S2} \quad \text{OK}$$

・係数 α：$\alpha = 4/\{M/(Q \cdot d)+1\} = 4/\{105.4/(162.2 \times 0.515)+1\} = 1.76$

（ⅲ） せん断ひび割れに対する検討

$_{AS}Q_{FS2} > {}_{DS}Q_{FS2}$ より，OK となる．

（３） 基礎スラブ FS_3〔付図 2.2.21 参照〕

基礎スラブ FS_3 は，基礎スラブ全長 13.0 m の両端 1.8 m 以外の部分であることから，長期荷重時においては平均接地圧を，水平荷重時においては張り間方向転倒モーメントによる接地圧の端部より 1.8 m の位置の設地圧を用いて断面検討する．

１） 長期荷重時に対する断面算定

（ⅰ） 曲げモーメントに対する断面算定

（ａ） 設計用曲げモーメント $_{DL}M_{FS3}$：$_{DL}M_{FS3} = \overline{{}_L\sigma_{FS}} \cdot l^2/2 = 64.4 \times 1.3^2/2 = 54.5 \text{ kN} \cdot \text{m/m}$

（ｂ） 必要下端鉄筋断面積 a_t：$a_t = {}_{DL}M_{FS3}/({}_Lf_t \cdot j) = 54.5 \times 10^6/\{195 \times (7/8) \times 515\}$

$$= 620.3 \text{ mm}^2/\text{m} \Rightarrow \text{D16 @ 250}(796 \text{ mm}^2/\text{m})$$

（ⅱ） せん断力に対する断面算定

（ａ） 設計用せん断力 $_{DL}Q_{FS3}$：$_{DL}Q_{FS3} = {}_L\sigma_{FS} \cdot l = 64.4 \times 1.0 \times 1.3 = 83.8 \text{ kN/m}$

（ｂ） 長期許容せん断力 $_{AL}Q_{FS3}$：$_{AL}Q_{FS3} = \alpha \cdot {}_Lf_s \cdot b \cdot j = 1.76 \times 0.73 \times 1\,000 \times 7/8 \times 515 \times 10^{-3}$

$$= 578.9 \text{ kN/m} > {}_{DL}Q_{FS3} \quad \text{OK}$$

・係数 α：$\alpha = 4/\{M/(Q \cdot d)+1\} = 4/\{54.5/(83.8 \times 0.515)+1\} = 1.76$

（ⅲ） 曲げひび割れに対する検討

・曲げひび割れモーメント：$M_{bcr3} = 111.6 \text{ kN} \cdot \text{m/m} > {}_{DL}M_{FS3}(= 54.5 \text{ kN} \cdot \text{m/m})$ OK

$M_{bcr2} > {}_{DL}M_{FS3}$ より，降伏曲げモーメント $> 1.5 \times$ ひび割れモーメントの検討は，不要とする．

（ⅳ） せん断ひび割れに対する検討

$_{AL}Q_{FS3} > {}_{DL}Q_{FS3}$ より，OK である．

２） 短期荷重時に対する断面算定

（ⅰ） 曲げモーメントに対する断面算定

（ａ） 設計用曲げモーメント $_{DS}M_{FS3}$：$_{DS}M_{FS3} = {}_s\sigma_{FS3} \cdot l^2/2 = (64.4 + 26.0) \times 1.3^2/2$

$$= 76.4 \text{ kN} \cdot \text{m/m}$$

（ｂ） 必要下端鉄筋断面積 a_t：$a_t = {}_{DS}M_{FS3}/({}_sf_t \cdot j) = 76.4 \times 10^6/\{295 \times (7/8) \times 515\}$

$$= 574.8 \text{ mm}^2/\text{m} \Rightarrow \text{D16@250}(796 \text{ mm}^2/\text{m})$$

（ⅱ） せん断力に対する断面算定

（ａ） 設計用せん断力 $_{DS}Q_{FS3}$：$_{DS}Q_{FS3} = {}_s\sigma_{FS3} \cdot l \times 1.0 = 90.4 \times 1.3 \times 1.0 = 117.6 \text{ kN/m}$

（ｂ） 短期許容せん断力 $_{AS}Q_{FS3}$：$_{AS}Q_{FS3} = \alpha \cdot {}_sf_s \cdot b \cdot j = 1.76 \times 1.095 \times 1\,000 \times (7/8) \times 515$

$$= 868.4 \text{ kN/m} > {}_{DS}Q_{FS3} \quad \text{OK}$$

・係数 α：$\alpha = 4/\{M/(Q \cdot d)+1\} = 4/\{76.4/(117.6 \times 0.515)+1\} = 1.76$

（ⅲ） せん断ひび割れに対する検討

$_{AS}Q_{FS3} > {}_{DS}Q_{FS3}$ より，OK である．

12.2.2　けた行方向基礎梁側面より張り出した基礎スラブの断面設計

けた行方向基礎梁側面より張り出した基礎スラブの断面算定は，張出し長さが 300 mm であることから，基礎スラブの張り間方向下端筋に対する所要曲げ補強筋量のみ検討する．せん断力や曲げひび割れモーメントは上記（1）に記載の設計用曲げモーメントや設計用せん断力が小さいことから自ずと OK となるので記載省略する．また，長期荷重時設計用接地圧の 1.5 倍の数値と，短期荷重時設計用接地圧のいずれか大きい方に対して検討する．

（1）　FS_1'〔付図 2.2.27，付図 2.2.29 参照〕

(a) 設計用曲げモーメント $_{DS}M_{FS1'}$：$_{DS}M_{FS1'} = {}_{S}\sigma_{FS1'} \cdot l'^2/2 = 107.2 \times 0.3^2/2 = 4.83$ kN・m/m

(b) 必要鉄筋断面積 a_t：$a_t = {}_{DS}M_{FS1'}/({}_{s}f_t \cdot j) = 4.83 \times 10^6/\{295 \times (7/8) \times 509\} = 36.8$ mm²/m

$\Rightarrow$ D13@300（423 mm²/m）

（2）　FS_2'〔付図 2.2.23 参照〕

(a) 設計用曲げモーメント $_{DL}M_{FS2'}$：$_{DL}M_{FS2'} = {}_{L}\sigma_{FS2'} \cdot l'^2/2 = 111.7 \times 0.3^2/2 = 5.03$ kN・m/m

(b) 必要鉄筋断面積 a_t：$a_t = {}_{DL}M_{FS2'}/({}_{L}f_t \cdot j) = 5.03 \times 10^6/\{195 \times (7/8) \times 509\} = 58.0$ mm²/m

$\Rightarrow$ D13@300（423 mm²/m）

12.3　基礎スラブの保証設計

本規準 10.5.6 項本文によれば，「基礎の保証設計は，原則として次の（1）から（3）による．」とし，（1）に基礎スラブの保証設計項目が記載されている．また，解説によれば，「耐震性能が非常に高い壁式 RC 造建物においては，基礎に対しても大地震動時においても過大な損傷を防止することが望ましいことから，基礎の保証設計を行うことが望ましい」と記載されている．

以下に，本規準 10.5.6 項の解説に記載の基礎スラブの保証設計に基づいて行った本建物の基礎スラブの保証設計を記載する．基礎スラブの保証設計は，保証設計用曲げモーメントに対する曲げ強度上の余力を 1.1 以上，かつ保証設計用せん断力に対してせん断強度上の余力を 1.1 以上確保することを確認することにより行うが，本設計例では保証設計用せん断力に対して短期許容せん断力が上回ることを確認することとしている．

12.3.1　張り間方向保証設計時に対する基礎スラブの保証設計

張り間方向は保有水平耐力の確認が不要であることから，本規準（解 10.5.16）式，（解 10.5.17）式，（解 10.5.19）式，（解 10.5.20）式ならびに（解 10.5.22）式により検討する．

（1）　張り間方向保証設計時における基礎スラブの設計用接地圧の検討

付図 2.2.28 において，各階の地震力を 2.75 倍した時の基礎スラブ底面位置における転倒モーメントよる設計用接地圧を算定する．

(a) 保証設計時設計用転倒モーメント：$_{U}M_{OT} = {}_{E}M_{OT} \times 2.75 = 15\,163 \times 2.75 = 41\,699$ kN・m

(b) 保証設計時設計用接地圧：$_{U}\sigma_{FS} = {}_{U}M_{OT}/Z = 41\,699/(3.0 \times 13.0^2/6 \times 5) = 98.7$ kN/m²

(c) 張り間方向保証設計時設計用最大・最小接地圧：

・保証設計時設計用最大接地圧：$_{DU}\sigma_{FS,\max} = {}_{DL}\bar{\sigma}_{FS} + {}_{U}\sigma_{FS} = 64.4 + 98.7 = 163.1$ kN/m²

・保証設計時設計用最小接地圧：$_{DU}\sigma_{FS,\min} = {}_{DL}\bar{\sigma}_{FS} - {}_{U}\sigma_{FS} = 64.4 - 98.7 = -34.3$ kN/m²

(計算上，基礎スラブの端部 2.26 m の範囲で浮上り発生)

(2) 基礎スラブ FS_1, FS_2

1) 曲げモーメントに対する断面検討：
　(a) 設計用下端端部曲げモーメント：$_{DU}M_{FS1,下端}=_{DU}\sigma_{FS,\max} \cdot l^2/2 = 163.1 \times 1.3^2/2$
　　　　　　　　　　　　　　　　　　　　　　　　$= 137.9 \text{ kN} \cdot \text{m/m}$
　(b) 所要下端鉄筋断面積：$a_t = 1.1_{DU}M_{FS1,下端}/(0.9\sigma_y \cdot d)$
　　　　　　　　　　　　　$= 1.1 \times 137.9 \times 10^6/(0.9 \times 1.1 \times 295 \times 515)$
　　　　　　　　　　　　　$= 1\,009 \text{ mm}^2/\text{m} \Rightarrow$ D16@175 (1 137 mm^2/m)
　(c) 設計用上端端部曲げモーメント：$_{DU}M_{FS1,下上端}=_{DU}\sigma_{FS,\min} \cdot l^2/2 = 34.3 \times 1.3^2/2$
　　　　　　　　　　　　　　　　　　　　　　　　$= 29.0 \text{ kN} \cdot \text{m/m}$
　(d) 所要上端鉄筋断面積：$a_t = 1.1_{DU}M_{FS1,上端}/(0.9\sigma_y \cdot d)$
　　　　　　　　　　　　　$= 1.1 \times 29.0 \times 10^6/(0.9 \times 1.1 \times 295 \times 515)$
　　　　　　　　　　　　　$= 212.1 \text{ mm}^2/\text{m} \Rightarrow$ D13@300 (423 mm^2/m)

2) せん断力に対する断面検討：
　(a) 設計用せん断力：$_{DU}Q_{FS1} = 1.1_{DU}\sigma_{FS,\max} \cdot l \times 1.0 = 1.1 \times 163.1 \times 1.3 \times 1.0 = 233.4 \text{ kN/m}$
　(b) 短期許容せん断力：$_{AS}Q_{FS1} = \alpha \cdot _sf_s \cdot b \cdot j = 1.76 \times 1.095 \times 1\,000 \times 515 \times 7/8 \times 10^{-3}$
　　　　　　　　　　　　　　　　$= 868.4 \text{ kN/m} > _{DU}Q_{FS1}$　OK
　・$\alpha = 4/\{137.9/(212.1 \times 0.515) + 1\} = 1.76$

(3) 基礎スラブ FS_1', FS_2'

1) 曲げモーメントに対する断面検討
　(a) 設計用下端端部曲げモーメント：$_{DU}M_{FS1',下端}=_{DU}\sigma_{FS,\max} \cdot l^2/2 = 163.1 \times 0.3^2/2$
　　　　　　　　　　　　　　　　　　　　　　　　$= 7.34 \text{ N} \cdot \text{m/m}$
　(b) 所要下端鉄筋断面積：$a_t = 1.1_{DU}M_{FS1',上端}/(0.9\sigma_y \cdot d)$
　　　　　　　　　　　　　$= 1.1 \times 7.34 \times 10^6/(0.9 \times 1.1 \times 295 \times 509)$
　　　　　　　　　　　　　$= 54.4 \text{ mm}^2/\text{m} \Rightarrow$ D13@300 (423 mm^2/m)
　(c) 設計用上端端部曲げモーメント：$_{DU}M_{FS1',下上端}=_{DU}\sigma_{FS,\min} \cdot l^2/2 = 34.3 \times 0.3^2/2$
　　　　　　　　　　　　　　　　　　　　　　　　$= 1.55 \text{ kN} \cdot \text{m/m}$
　(d) 所要上端鉄筋断面積：$a_t = 1.1_{DU}M_{FS1',上端}/(0.9\sigma_y \cdot d)$
　　　　　　　　　　　　　$= 1.1 \times 1.55 \times 10^6/(0.9 \times 1.1 \times 295 \times 509)$
　　　　　　　　　　　　　$= 11.5 \text{ mm}^2/\text{m} \Rightarrow$ D13@300 (423 mm^2/m)

2) せん断力に対する断面検討：
　(a) 設計用せん断力：$_{DU}Q_{FS1'} = 1.1_{DU}\sigma_{FS1'} \cdot l \times 1.0 = 1.1 \times 163.1 \times 0.3 \times 1.0 = 53.9 \text{ kN/m}$
　(b) 短期許容せん断力：$_{AS}Q_{FS1'} = \alpha \cdot _sf_s \cdot b \cdot j = 2.0 \times 1.095 \times 1\,000 \times 509 \times 7/8 \times 10^{-3}$
　　　　　　　　　　　　　　　　$= 975.3 \text{ kN} > _{DU}Q_{FS1'}$　OK
　・$\alpha = 4/\{7.34/(49.0 \times 0.509) + 1\} = 3.71 \Rightarrow 2.0$

(4) 基礎スラブ FS_3

1）曲げモーメントに対する断面検討

(a) 設計用下端端部曲げモーメント：$_{DU}M_{FS3,\text{下端}} = {_{DU}\sigma_{FS3}} \cdot l^2/2 = (64.4+71.4) \times 1.3^2/2$
$= 135.8 \times 1.3^2/2$
$= 114.8 \text{ N} \cdot \text{m/m}$

(b) 所要下端鉄筋断面積：$a_t = 1.1\, _{DU}M_{FS3,\text{下端}}/(0.9\sigma_y \cdot d)$
$= 1.1 \times 114.8 \times 10^6/(0.9 \times 1.1 \times 295 \times 515)$
$= 839.6 \text{ mm}^2/\text{m} \Rightarrow \text{D16@200}(995 \text{ mm}^2/\text{m})$

(c) 設計用上端端部曲げモーメント：$_{DU}M_{FS3,\text{上端}} = {_{DU}\sigma_{FS,\min}} \cdot l^2/2 = 7.0 \times 1.3^2/2$
$= 5.92 \text{ kN} \cdot \text{m/m}$

(d) 所要上端鉄筋断面積：$a_t = 1.1\, _{DU}M_{FS3,\text{上端}}/(0.9\sigma_y \cdot d)$
$= 1.1 \times 5.92 \times 10^6/(0.9 \times 1.1 \times 295 \times 515)$
$= 43.3 \text{ mm}^2/\text{m} \Rightarrow \text{D13@300}(423 \text{ mm}^2/\text{m})$

2）せん断力に対する断面検討：

(a) 設計用せん断力：$_{DU}Q_{FS3} = 1.1\, _{DU}\sigma_{FS3} \cdot l \times 1.0 = 1.1 \times 135.8 \times 1.3 \times 1.0 = 1.1 \times 176.6$
$= 194.2 \text{ kN/m}$

(b) 短期許容せん断力：$_{AS}Q_{FS3} = \alpha \cdot {_sf_s} \cdot b \cdot j = 1.76 \times 1.095 \times 1\,000 \times 515 \times 7/8 \times 10^{-3}$
$= 868.4 \text{ kN} > {_{DU}Q_{FS3}}$ OK

・$\alpha = 4/\{114.8/(176.6 \times 0.515)+1\} = 1.76$

12.3.2 けた行方向メカニズム時に対する基礎スラブの断面検討

(1) けた行方向メカニズム時における基礎スラブの設計用接地圧の検討

1）外端耐力壁・基礎梁接合部下の基礎スラブのメカニズム時設計用接地圧

外端耐力壁1階の下の基礎スラブのメカニズム時接地圧検討用軸方向力は，長期荷重時接地圧検討用軸方向力に付図2.2.16に，付図2.2.18に記載のメカニズム時付加軸方向力ならびに付図2.2.16に記載のメカニズム時基礎梁の曲げモーメントによるせん断力より算定する．

(i) メカニズム時接地圧検討用軸方向力

(a) ①通り

・正加力時：$_mN_{w1\text{引}} = 263.0 - 438.0 - 495.5 = -670.5 \text{ kN}$

・負加力時：$_mN_{w1\text{圧}} = 263.0 + 438.0 + 495.5 = 1\,196.5 \text{ kN}$

(B) ⑤通り

・正加力時：$_mN_{w1\text{圧}} = 263.0 + 438.0 + 454.6 = 1\,155.6 \text{ kN}$

・負加力時：$_mN_{w1\text{引}} = 263.0 - 438.0 - 454.6 = -629.6 \text{ kN}$

(ii) メカニズム時接地圧

・$_{DU}\sigma_{FS1\text{圧}} = {_{DL}\sigma_{FS1}} + {_mN_{w1\text{圧}}}/A_{FS1} = 52.2 + 1\,196.5/(2.8 \times 1.8) = 52.2 + 237.4 = 289.6 \text{ kN/m}^2$
$<$ 終局鉛直支持力度$(=450/1.2 \text{ kN/m}^2)$

・$_{DU}\sigma_{FS1\text{引}} = {_{DL}\sigma_{FS1}} - {_mN_{w1\text{圧}}}/A_{FS1} = 52.2 - 670.5/(2.8 \times 1.8) = 52.2 - 133.1 = -80.9 \text{ kN/m}^2$

2）中耐力壁・基礎梁接合部下の基礎スラブのメカニズム時設計用接地圧

中耐力壁・基礎梁接合部下の基礎スラブのメカニズム時接地圧検討用軸方向力についても，上記1）と同様の方法によりメカニズム時接地圧検討用軸方向力を算定する．
（ⅰ）　メカニズム時接地圧検討用軸方向力
　　（a）　②通り
　　　　・正加力時：${}_M N_{w2}=603.0-0+495.5-407.2=691.3$ kN ⇒最大値
　　　　・負加力時：${}_M N_{w2}=603.0+0-495.5+407.2=514.7$ kN ⇒最小値
　　（b）　③通り
　　　　・正加力時：${}_M N_{w3}=603.0-0+407.2-416.3=593.9$ kN
　　　　・負加力時：${}_M N_{w3}=603.0+0-407.2+416.3=612.1$ kN
　　（c）　④通り
　　　　・正加力時：${}_M N_{w4}=603.0-0+416.3-454.6=564.7$ kN
　　　　・負加力時：${}_M N_{w4}=603.0+0-416.3+454.6=641.3$ kN
（ⅱ）　メカニズム時接地圧
　　　・${}_{DU}\sigma_{FS2,\max}={}_{DL}\sigma_{FS2}+{}_M N_{w2,\max}/A_{FS2}=111.7+691.3/(3.0\times 1.8)=111.7+128.1$
$$=239.8 \text{ kN/m}^2$$
　　　・${}_{DU}\sigma_{FS2,\min}={}_{DL}\sigma_{FS2}+{}_M N_{w2,\min} A_{FS2}=111.7+514.7/(3.0\times 1.8)=111.7+95.4$
$$=207.1 \text{ kN/m}^2$$

（2）　けた行方向メカニズム時における基礎スラブの断面検討

本設計例の建物は，けた行方向が保有水平耐力の確認を行う設計ルートであることから，メカニズム時設計用曲げモーメントに対して曲げ強度上の余力を1.1以上確保するとともに，メカニズム時設計用せん断力に対してせん断強度上の余力を1.1以上確保する．なお，ここでは，メカニズム時設計用せん断力に対して短期許容せん断力が上回ることを確認し，せん断強度上の余力の確認は，省略している．

1）外端耐力壁・基礎梁接合部下の基礎スラブ FS_1 の断面検討
（ⅰ）　曲げモーメントに対する断面検討
　　（a）　メカニズム時設計用下端端部曲げモーメント：${}_{DU}M_{FS1,下端}={}_{DU}\sigma_{FS1圧}\cdot l^2/2$
$$=289.6\times 1.3^2/2$$
$$=244.8 \text{ kN}\cdot\text{m/m}$$
　　（b）　所要下端鉄筋断面積：$a_t=1.1{}_{DU}M_{FS1,下端}/(0.9\sigma_y\cdot d)$
$$=1.1\times 244.8\times 10^6/(0.9\times 1.1\times 295\times 515)$$
$$=1\,791 \text{ mm}^2 \Rightarrow \text{D16@100}(1\,990 \text{ mm}^2/\text{m})$$
　　（c）　メカニズム時設計用上端端部曲げモーメント：${}_{DU}M_{FS1,上端}={}_{DU}\sigma_{FS1引}\cdot l^2/2$
$$=80.9\times 1.3^2/2$$
$$=68.4 \text{ kN}\cdot\text{m/m}$$
　　（d）　所要上端鉄筋断面積：$a_t=1.1{}_{DU}M_{FS1,上端}/(0.9\sigma_y\cdot d)$
$$=1.1\times 68.4\times 10^6/(0.9\times 1.1\times 295\times 515)$$

$$= 501\ \mathrm{mm}^2 \Rightarrow \mathrm{D}13@250\,(508\ \mathrm{mm}^2/\mathrm{m})$$

（ⅱ）　せん断力に対する断面検討

　　（ａ）　メカニズム時設計用せん断力：${}_{DU}Q_{FS1}=1.1{}_{DU}\sigma_{FS1圧}\cdot l \times 1.0$
$$=1.1 \times 289.6 \times 1.3 \times 1.0 = 414.2\ \mathrm{kN/m}$$

　　（ｂ）　短期許容せん断力：${}_{AS}Q_{FS1}=\alpha \cdot {}_sf_s \cdot b \cdot j = 1.76 \times 1.095 \times 1\,000 \times 515 \times 7/8 \times 10^{-3}$
$$= 868.4\ \mathrm{kN} > {}_{DU}Q_{FS1}\quad \mathrm{OK}$$

　　・$\alpha = 4/\{114.8/(176.6 \times 0.515)+1\} = 1.76$

２）外端耐力壁・基礎梁接合部下の基礎スラブ FS_1' の断面検討

（ⅰ）　曲げモーメントに対する断面検討

　　（ａ）　メカニズム時設計用下端端部曲げモーメント：${}_{DU}M_{FS1',下端}={}_{DU}\sigma_{FS1'圧}\cdot l^2/2$
$$= 289.6 \times 0.3^2/2$$
$$= 13.1\ \mathrm{kN \cdot m/m}$$

　　（ｂ）　所要下端鉄筋断面積：$a_t = 1.1{}_{DU}M_{FS1,下端}/(0.9\sigma_y \cdot d)$
$$= 1.1 \times 13.1 \times 10^6/(0.9 \times 1.1 \times 295 \times 509)$$
$$= 97.0\ \mathrm{mm}^2 \Rightarrow \mathrm{D}13@300\,(423\ \mathrm{mm}^2/\mathrm{m})$$

　　（ｃ）　メカニズム時設計用上端端部曲げモーメント：${}_{DU}M_{FS1',上端}={}_{DU}\sigma_{FS1',引}\cdot l^2/2$
$$= 80.9 \times 0.3^2/2$$
$$= 3.64\ \mathrm{kN \cdot m/m}$$

　　（ｄ）　所要上端鉄筋断面積：$a_t = 1.1{}_{DU}M_{FS1,上端}/(0.9\sigma_y \cdot d)$
$$= 1.1 \times 3.64 \times 10^6/(0.9 \times 1.1 \times 295 \times 509)$$
$$= 27.0\ \mathrm{mm}^2 \Rightarrow \mathrm{D}13@300\,(423\ \mathrm{mm}^2/\mathrm{m})$$

（ⅱ）　せん断力に対する断面検討

　　（ａ）　メカニズム時設計用せん断力：${}_{DU}Q_{FS1'}=1.1{}_{DU}\sigma_{FS1'圧}\cdot l \times 1.0$
$$= 1.1 \times 289.6 \times 0.3 \times 1.0 = 95.6\ \mathrm{kN/m}$$

　　（ｂ）　短期許容せん断力：${}_{AS}Q_{FS1}=\alpha \cdot {}_sf_s \cdot b \cdot j = 2.0 \times 1.095 \times 1\,000 \times 509 \times 7/8 \times 10^{-3}$
$$= 975.3\ \mathrm{kN} > {}_{DU}Q_{FS1'}\quad \mathrm{OK}$$

　　・$\alpha = 4/\{13.1/(86.9 \times 0.509)+1\} = 3.08 \Rightarrow 2.0$

３）内端耐力壁・基礎梁接合部下の基礎スラブ FS_2 の断面検討

（ⅰ）　曲げモーメントに対する断面検討

　　（ａ）　メカニズム時設計用下端端部曲げモーメント：${}_{DU}M_{FS2,下端}={}_{DU}\sigma_{FS2圧}\cdot l^2/2$
$$= 239.8 \times 1.3^2/2$$
$$= 202.7\ \mathrm{kN \cdot m/m}$$

　　（ｂ）　所要下端鉄筋断面積：$a_t = 1.1{}_{DU}M_{FS2,下端}/(0.9\sigma_y \cdot d)$
$$= 1.1 \times 202.7 \times 10^6/(0.9 \times 1.1 \times 295 \times 515)$$
$$= 1\,483\ \mathrm{mm}^2 \Rightarrow \mathrm{D}16@125\,(1\,592\ \mathrm{mm}^2/\mathrm{m})$$

（ⅱ）　せん断力に対する断面検討

（a） メカニズム時設計用せん断力：$_{DU}Q_{FS2}=1.1_{DU}\sigma_{FS2圧}\cdot l\times1.0=1.1\times239.8\times1.3\times1.0$
$$=343.0\,\text{kN/m}$$

（b） 短期許容せん断力：$_{AS}Q_{FS2}=\alpha\cdot{_s}f_s\cdot b\cdot j=1.76\times1.095\times1\,000\times515\times7/8\times10^{-3}$
$$=868.4\,\text{kN}>{_{DU}Q_{FS2}}\quad\text{OK}$$

・$\alpha=4/\{202.7/(311.8\times0.515)+1\}=1.76$

4） 内端耐力壁・基礎梁接合部下の基礎スラブ FS_2' の断面検討

2）に記載の FS_1' の検討結果より，FS_1' の配筋と同様とする．

12.3.3 検 討 結 果

長期荷重時，短期荷重時ならびに保証設計時時の設計用接地圧，および当該接地圧に基づき検討した基礎スラブの所要配筋を，付表2.2.53に示す．表2.2.53より，主筋の決定配筋は，長期荷重時または短期荷重時の概ね1/2程度となっている．付図2.2.33に，基礎スラブ配筋を示す．

付表2.2.53 各基礎スラブの接地圧および所要配筋

			FS_1	FS_1'	FS_2	FS_2'	FS_3
接地圧 (kN/m²)	長期荷重時		$\overline{_L\sigma_{FS}}=64.4$ $\sigma_{FS1}=52.2$	$\overline{_L\sigma_{FS}}=64.4$ $\sigma_{FS1'}=52.2$	$\overline{_L\sigma_{FS}}=4.4$ $\sigma_{FS2}=111.7$	$\overline{_L\sigma_{FS}}=64.4$ $\sigma_{FS2'}=111.7$	$\overline{_L\sigma_{FS}}=64.4$
	水平荷重時	X方向	±55.0	±55.0	±13.0	±13.0	—
		Y方向	±35.9	±35.9	±35.9	±35.9	26.0
	短期荷重時	X方向	107.2, −2.8	107.2, −2.8	124.7, 98.7	124.7, 98.7	—
		Y方向	100.3, 28.5	100.3, 28.5	100.3, 28.5	100.3, 28.5	90.4, 38.4
配筋[*1] (長期)	下端筋		(X)D16@250	(Y)D13@300	(X)D16@175	(Y)D13@300	(X)D16@250
	上端筋		(X)D13@300	(Y)D13@300	(X)D13@300	(Y)D13@300	(X)D13@300
配筋[*1] (短期)	下端筋		(X)D16@250	(Y)D13@300	(X)D16@250	(Y)D13@300	(X)D16@250
	上端筋		(X)D13@300	(Y)D13@300	(X)D13@300	(Y)D13@300	(X)D13@300
梁間方向 $C_0=0.5$ 時	接地圧 (kN/m²)		163.1, −34.3	同左	同左	同左	135.8, −7.0
	配筋[*1]	下端筋	(X)D16@175	(Y)D13@300	(X)D16@175	(Y)D13@300	(X)D16@200
		上端筋	(X)D13@300	(Y)D13@300	(X)D13@300	(Y)D13@300	(X)D13@300
桁行方向 メカニズム時	接地圧 (kN/m²)		289.6, −80.9	同左	239.8, 207.1	同左	—
	配筋[*1]	下端筋	(X)D16@100	(Y)D13@300	(X)D16@125	(Y)D13@300	—
		上端筋	(X)D13@250	(Y)D13@300	(X)D13@300	(Y)D13@300	—
決定配筋	下端筋		(X)D16@100	(Y)D13@300	(X)D16@125	(Y)D13@300	(X)D16@200
			(Y)D13@300	(Y)D13@300	(Y)D13@300	(Y)D13@300	(Y)D13@300
	上端筋		(X)D13@300	(Y)D13@300	(X)D13@300	(Y)D13@300	(X)D13@300
			(Y)D13@300	(Y)D13@300	(Y)D13@300	(Y)D13@300	(Y)D13@300

［注］＊1：(X)はX方向の配筋，(Y)はY方向の配筋を示す．
　　　　配力筋および最少配筋は，D13@300 としている．

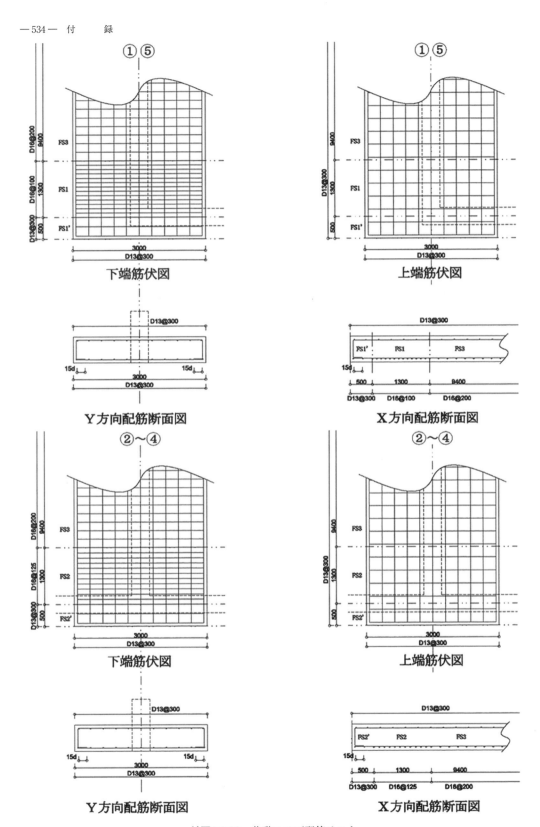

付図2.2.33　基礎スラブ配筋リスト

付3. 過去の震害

付3.1 壁式鉄筋コンクリート造建物と過去の震害

　我が国で木造建物や鉄筋コンクリートラーメン構造建物に顕著な地震被害があり，かつ，その地域に壁式鉄筋コンクリート造（以下，壁式RC造という）建物が実在した地震としては，1964年新潟地震，1968年十勝沖地震，1975年大分県中部地震，1978年宮城県沖地震がある．文献付3.1.1)～付3.1.3)にはこれらの地震における壁式RC造建物の震害が報告されている．なお，これらの文献で報告されている壁式RC造建物の各建設年度は1954年（昭和29年）から1977年（昭和52年）で，それらの平面および立面形状はいずれも整形である．また，激震地の震度階がⅦ（旧震度階．以下，ローマ数値は旧震度階）とされた1995年兵庫県南部地震では鉄骨造も含め極めて多くの建物が大きな被害を受け，壁式RC造建物についても組織的な被害調査が行われた．更に，2011年東北地方太平洋沖地震では，東日本を中心とした広範な地域で津波と振動により多くの被害が発生したが，特に仙台市内のRC系壁式構造の被害調査が組織的に行われた．その後，2016年4月に震度7が続けて発生した熊本地震が，2018年9月には北海道胆振東部地震が発生している．以下に，これらの地震被害の要旨を述べる．

（1）　1964年6月16日に発生した新潟地震は，新潟市や長岡市における最大震度がⅤとされ，2 000棟近い建物が倒壊し，さらに多くの建物が半倒壊した．そのなかで壁式RC造建物については56棟の調査が行われた．液状化によって横転あるいは傾斜し，調査棟の約40％にあたる21棟の上部構造が被害を受けたが，被害度の最も大きいものでも小破で，その棟数も1棟であった〔付表3.1.1参照〕．また，この地震では液状化による被害が多数報告されており，信濃川河畔に建つ壁式RC造の県営川岸町アパートは8棟のうち3棟が液状化現象により大きく傾斜した．特に4号棟はほぼ横転し，基礎底面が地上に露出するほどの状況であったが，上部の構造躯体にはほとんど損傷がなく，建物のそのものは小破と判断された．

付表3.1.1　新潟地震による壁式RC造建物の上部構造の被害

被害度＼階数	5	4	3	2	1	計
無被害[*1]	0	16	13	6	0	35棟
軽微な被害[*2]	0	5	10	3	2	20棟
小破[*3]	0	0	0	1	0	1棟

〔注〕　*1：外見上，被害は全くなし．
　　　*2：一部の耐力壁や壁梁などに肉眼で見える程度のひび割れが生じている．
　　　*3：耐力壁や壁梁に肉眼で見える程度のひび割れが生じているか，または局部的に非常に大きなひび割れが生じている部材がある．

（2） 1968年5月16日に発生した十勝沖地震は最大震度Vを記録し，比較的新しい鉄筋コンクリート造（以下，RC造という）建物にも被害が発生した．壁式RC造建物については，建設工事中の2階建ての住宅用建物1棟が大破したが，近接の4棟の建物は無被害であった〔付表3.1.2参照〕．

付表3.1.2 十勝沖地震による壁式RC造建物の上部構造の被害

被害度＼階数	5	4	3	2	1	計
無被害	0	2	2	0	0	4棟
大破	0	0	0	1[*1]	0	1棟

［注］ *1：工事中で躯体は完成していない．

（3） 1975年4月21日に発生した直下型の地震であった大分県中部地震においては，地上4階地下1階の鉄筋コンクリートラーメン構造のホテルが大破したが，併設された2階建の壁式RC造建物は軽微な内装の損傷が確認された程度で無被害であった．

（4） 1978年6月12日に発生した宮城県沖地震においては，仙台市を中心に最大震度Vを記録し，1 400棟近い建物が倒壊した．RC造建物においても被害が発生しており，倒壊もしくは大破と判定された建物が10数棟存在した．壁式RC造については，仙台市の北部，南部，西部に存在する県営，市営，公団（現（独）都市再生機構）の4～5階建の建物の全数128棟，民間の建物3棟，公的機関所有の1～3階建の建物38棟，合計169棟について調査が行われた．その調査結果を付表3.1.3，付表3.1.4に示す．表中で軽微または小破を受けた建物は，丘陵地を造成した地域に建てられた数棟で軽微なせん断ひび割れが生じ，1棟ではコンクリート打継ぎ位置で水平ひび割れと局部的な破壊（小破）が生じていた．付表3.1.4に被害のあった3～5階建の建物14棟について，その主な被害内容を示す．

付表3.1.3 宮城県沖地震による壁式RC造建物の上部構造の被害

被害度＼階数	5	4	3	2	1	計
無被害	80	40	18	11	6	155棟
軽微な被害	8	2	3	0	0	13棟
小破[*1]	1	0	0	0	0	1棟

［注］ *1：短辺方向の打継ぎ面の局部破壊．

（5） 1995年1月17日に発生し，激震地の震度がVIIとされた兵庫県南部地震では，これまでの地震で被害の少なかった鉄骨造や鉄骨鉄筋コンクリート造（SRC造）建物も含め，極めて多くの建物が大きな被害を受けており，RC造建物では旧基準に基づいた多くの架構式RC造建物が甚大な被害を受けた．壁式RC造建物については，震度階VIIとそれに近い震度階VIの周辺地域に3 000棟以上の同構造建物が存在していたと推察されるが，比較的震度が大きか

付表 3.1.4　宮城県沖地震による壁式 RC 造被害建物一覧

団地名称	棟番号	長辺方向の方位	被害状況	被害度
南鍛冶町	南	E-W	1，2 階打継ぎ面の短辺方向の水平ずれ	軽微
四郎丸東	4の4	E-W	上層階内壁短辺 1 方向の S.C	軽微
鶴ヶ谷第 2	5A-17	N-S	下層階内壁短辺 1 方向の S.C	軽微
	5A-18	E-W	東側妻壁 1 方向の S.C	軽微
	5A-19	E-W	上層階内壁短辺 1 方向の S.C	軽微
	5A-28	E-W	上層階内壁短辺 1 方向の S.C	軽微
	5A-29	E-W	上層階内壁短辺 1 方向の S.C	軽微
鶴ヶ谷	2	E-W	下層階内壁短辺 2 方向の S.C／外壁長辺 1 方向の S.C	軽微
	5	E-W	1 階打継ぎ面の短辺方向の水平ずれ	小破
鶴ヶ谷 5 丁目	8	E-W	下層階内壁短辺 2 方向の S.C	軽微
	11	E-W	下層階内壁長辺 2 方向の S.C	軽微
本町アパート	—	E-W	壁せん断ひび割れ（ヘアークラック程度）	軽微
小田急アパート	—	E-W	壁せん断ひび割れ（ヘアークラック程度）	軽微
上杉アパート	—	E-W	壁せん断ひび割れ（ヘアークラック程度）	軽微

〔記号〕　S.C：せん断ひび割れ

った地域内で調査された旧耐震基準によったものを含む 1042 棟では，上部構造が大破・崩壊した例はない．地区別調査棟数と被害棟数を付図 3.1.1 および付表 3.1.5 に，被害の内訳を付表 3.1.6 に示す．

　被害ランク判定では，大破 1 棟，中破 11 棟となっているが，耐力壁のひび割れにより中破と判定された 2 棟を除けば，全て建物の傾斜・沈下によるものである．また，軽微な被害判定を入れても被害が生じた棟数は 47 棟で総被害率は 4.5％，中破以上に限ると被害率は 1.2％である．これは，震度階Ⅶに達した大地震の被害としては，驚異的に少ない数である．しかも，被害のほとんどが地盤の変状・液状化や杭の破損による建物全体の不同沈下，傾斜，壁体の損傷（耐力壁，壁梁などのひび割れ）などである．こうした被害率とその被害状況からも，壁式 RC 構造の耐震性の高いことが検証されたとも言える．

　また，調査団地の中に，プレキャスト壁式鉄筋コンクリート造（以下，PCa 壁式 RC 造という）建物も若干存在していたが，それらの被害状況についてみても，その調査棟数 265 棟中，中破 1 棟（被害率 0.4％），軽微を含めた総被害棟数 8 棟（被害率 3.0％）であり，被害状況はほぼ壁式 RC 造建物と同様，被害は極めて少ない〔付表 3.1.7 参照〕．

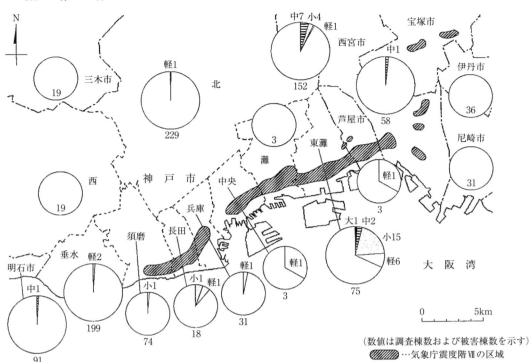

付図 3.1.1 兵庫県南部地震による壁式 RC 造被害建物の地区別調査棟数と被害棟数[付3.1.4]

付表 3.1.5 兵庫県南部地震による壁式 RC 造被害建物の調査棟数と被害棟数[付3.1.4]

地　区		公営住宅	公団賃貸住宅*1	その他*2	計
三　木　市		—	19 (0)	—	19 (0)
明　石　市		—	92 (1)	—	91 (1)
神戸市	西　区	—	19 (0)	—	19 (0)
	北　区	—	229 (1)	—	229 (1)
	垂水区	112 (1)	87 (1)	—	199 (2)
	須磨区	15	46 (0)	13 (1)	74 (1)
	長田区	18 (2)	—	—	18 (2)
	兵庫区	26 (1)	—	5 (0)	31 (1)
	中央区	0	—	3 (1)	3 (1)
	灘　区	0	3 (0)	0	3 (0)
	東灘区	63 (21)	2 (0)	10 (3)	75 (24)
神戸市計		234 (25)	386 (2)	31 (5)	651 (32)
芦　屋　市		3 (1)	—	—	3 (1)
西　宮　市		47 (8)	70 (4)	35 (0)	152 (12)
宝　塚　市		35 (0)	23 (1)	—	58 (1)
尼　崎　市		—	31 (0)	—	31 (0)
伊　丹　市		17 (0)	19 (0)	—	36 (0)
北　淡　町		—	—	1 (0)	1 (0)
計		336 (34)	639 (8)	67 (5)	1 042 (47)

［注］　＊1：住宅・都市整備公団の賃貸住宅，同公団の資料による（兵庫県内のみ）．
　　　　＊2：公社住宅，公務員住宅，民間アパート，マンションなど．
［備考］　（　）内は，被害の内数，軽微な被害まで含む．
　　　　—は未調査，または公団賃貸住宅で壁式 RC 造の無い地区

付表 3.1.6　兵庫県南部地震による壁式 RC 造被害建築物の被害内訳（棟数）付3.1.4)

地　区	傾　斜	沈　下	沈下＋傾斜	躯体ひび割れ，損傷	計
明　石　市	1				1（中破）
神　戸　市	7	6	6	13	32（大破1，中破2，小破16 他）
芦　屋　市	1				1（小破）
西　宮　市	6		3	3	12（中破7，小破4，軽微1）
宝　塚　市	1				1（中破）
計	16	6	9	16	47（大破1，中破11，小破21 他）

［備考］　1．被害ランクは（一財）日本建築防災協会の RC 造被災度区分判定基準による．
　　　　2．大破は躯体傾斜，中破は耐力壁ひび割れ2棟を除き，傾斜/沈下，軽微は耐力壁・壁梁等のひび割れによる14棟
　　　　3．傾斜は必ず若干の沈下を伴うと思われるが，顕著な沈下を伴うもののみ沈下＋傾斜とした．

付表 3.1.7　兵庫県南部地震による PCa 壁式 RC 造被害建物の調査棟数と被害棟数付3.1.4)

地　区		調査棟数	被災棟数	大　破	中　破	小　破	軽　微
三　田　市		20					
明　石　市		28					
神戸市	西　区	16					
	北　区	2					
	垂水区	111	3		1	2	
	須磨区	44	2				2
	東灘区	2	1			1	
神戸市計		175	6		1	3	2
西　宮　市		2					
宝　塚　市		22					
伊　丹　市		18	2				2
計		265	8	0	1	3	4

（6）　2011年3月11日に発生した東北地方太平洋沖地震は，東日本を中心とした広範な地域で地震による揺れのほか，沿岸を襲った津波の影響により多くの被害が発生した．RC 系壁式構造の地震の揺れによる被害については，仙台市内の宮城県県営住宅，宮城県住宅供給公社，仙台市市営住宅，および（独）都市再生機構（UR）の賃貸住宅の64団地について被害調査を行っている付3.1.5)，付3.1.6)．調査棟数は628棟で，そのうち2～5階建ての壁式 RC 造建物が490棟，4～5階建て壁式プレキャストプレストレスト鉄筋コンクリート造（以下，PCaPS 壁式 RC 造という）建物が47棟，2階建てリブ付き薄肉中型コンクリートパネル造の量産公営住宅が91棟である．調査対象住宅団地は，仙台市内の青葉区，宮城野区，若林区，太白区，泉区に位置し，全て震度6弱～7の範囲にある．

被害ランクの判定では，RC 系壁式構造の被災度区分判定のための損傷度評価の方法を文献付 3.1.6) に示すように定めている．壁式 RC 造建物では，全体の 97.9% にあたる 480 棟が無被害または軽微であり，小破の割合は 2.0% で，中破および大破はなかった〔付表 3.1.8 参照〕．付写真 3.1.1 および 3.1.2 は小破と判定された壁式 RC 造建物外壁の被災写真の一例で，被害は軽微で補修により継続使用が可能な状況である．

付表 3.1.8 東北地方太平洋沖地震による RC 系壁式構造建物の仙台市調査対象住棟の被災度[付3.1.5),付3.1.6)]

構　　造	上部構造の被災度					
	無被害	軽　微	小　破	中　破	大　破	崩壊/倒壊
壁式 RC 造	369	111	10	0	0	0
PCa 壁式 RC 造	31	16	0	0	0	0
リブ付き薄肉中型コンクリートパネル造（1981 年前）	26	22	11	11	1	0
リブ付き薄肉中型コンクリートパネル造（1981 年後）	17	1	2	0	0	0
合　計	443	150	23	11	1	0

［注］　その後の調査で，文献付 3.1.5) および付 3.1.6) で壁式 RC 造建物と分類された 6 棟（軽微 3 棟，小破 2 棟，中破 1 棟）は，鉄筋コンクリート構造建物であることが判明した．
そのため，この表は文献付 3.1.5) および付 3.1.6) に示された表から，当該 6 棟を取り除いている．

付写真 3.1.1 小破と判定された壁式 RC 造建物の外壁[付3.1.6)]

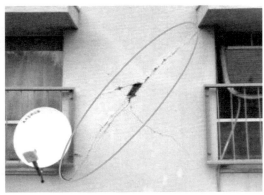

付写真 3.1.2 耐震壁にせん断ひび割れが生じた壁式 RC 造建物[付3.1.6)]

（7）　2016 年 4 月 14 日以降、複数回の大地震が発生した熊本地震は，震度 7 が 2 回，震度 6 強が 2 回，震度 6 弱が 3 回観測された．内陸で発生した直下型の大地震時であったことから，木造建物を中心に建物被害が発生している．RC 系壁式構造建物については，熊本市，益城町，菊池市，合志市の公営住宅 104 団地の被害調査を行っている[付3.1.7)]．各住宅団地の震度は，気象庁のほか，国立研究開発法人建築研究所，K-NET 発表の計測震度から，震度 6 強としている．調査した RC 系壁式構造は，現場打ち壁式 RC 造が 525 棟，PCa 壁式 RC 造が 4 棟，補強 CB 造が 59 棟の合計 588 棟である．調査対象団地の位置を付図 3.1.2 に，構造別調査棟数の一覧を付表 3.1.9 に示す．

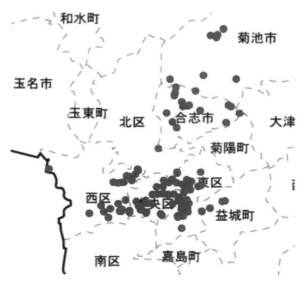

付図 3.1.2　2016 年熊本地震における RC 系壁式構造調査対象団地の位置[付3.1.7)]

付表 3.1.9　2016 年熊本地震で調査した熊本県内地区別 RC 系壁式構造住棟数[付3.1.7)]

構造形式・建物階数	熊本市			益城町	菊池市	合志市	計
	西　区	中央区	東　区				
壁式 RC 造 2F	7	2	2	1		12	24
壁式 RC 造 3F	41	18	49		40	3	151
壁式 RC 造 4F	21	22	85	18	6		152
壁式 RC 造 5F	56	49	37		2	4	198
PCa 壁式 RC 造 4F			2				2
PCa 壁式 RC 造 5F	2						2
補強 CB 造 1F						59	59
合　　計	127	91	225	19	48	78	588

　現場打ち壁式 RC 造の被災度は，無被害 459 棟，軽微 65 棟，小破 1 棟で，小破と判定された建物では耐震壁に斜めひび割れが発生している．また，基礎構造（沈下，傾斜）の被災度は，無被害 516 棟，軽微 8 棟，中破 1 棟であった．PCa 壁式 RC 造は，4 棟とも無被害である．付表 3.1.10 および付表 3.1.11 に RC 系壁式構造建物の被災度の一覧を，付写真 3.1.3 に小破と判定された建物のひび割れ状況を示す．

付表 3.1.10　2016 年熊本地震による RC 系壁式構造建物の熊本県内調査住棟の被災度[付3.1.7]

構造形式・構造種別	上部構造（建物被害）					計
	無被害	軽微	小破	中破	大破	
壁式 RC 造	459	65	1			525
PCa 壁式 RC 造	4					4
補強 CB 造	51	8				59
合　計	514	73	1	0	0	588

付表 3.1.11　2016 年熊本地震による RC 系壁式構造建物の熊本県内調査住棟の被災度[付3.1.7]
（基礎被害の被災度）

構造形式・構造種別	基礎構造					計
	無被害	軽微	小破	中破	大破	
壁式 RC 造	516[1]	8		1		525
PCa 壁式 RC 造	4					4
補強 CB 造	59					59
合　計	579	8	0	1	0	588

［注］　1）：その後の詳細調査[付3.1.8]により 7 棟に杭基礎に損傷が確認された．うち 1 棟は大破と判定される．

なお，上記における基礎構造の被災度判定は，建物外側からの観察，計測に基づいたものであるが，その後の詳細調査[付3.1.8]により，無被害と判定された熊本市内の現場打ち壁式 RC 造住棟 7 棟に杭基礎に損傷が確認され，復旧工事が実施された．7 棟のうち最も被害が大きい 1 棟では 140 mm の沈下と 1/80 の傾斜が確認されており，これは大破と判定される被害である．

付写真 3.1.3　小破と判定された壁式 RC 造建物の耐力壁に発生した斜めひび割れ[付3.1.7]

（8）　2018 年 9 月 6 日に発生した北海道胆振東部地震は最大震度 7 を記録したが，RC 造系建物の被害はほとんど見られず，RC 系壁式構造建物の被害調査は行っていない．

[参 考 文 献]

付 3.1.1) 建設省建築研究所：新潟地震による建築物の被害，1965.3
付 3.1.2) 日本建築学会：1986 年十勝沖地震災害調査報告，1968.12
付 3.1.3) 建設省建築研究所：「1978 年宮城県沖地震」の被害調査報告書，1979.2
付 3.1.4) 日本建築学会・地盤工学会・土木学会・日本機械学会・日本地震学会：阪神・淡路大震災調査報告，建築編 2 巻，プレストレストコンクリート造建築物／鉄骨鉄筋コンクリート造建築物／壁式構造・組積造，pp.515～517，552～554，2000.3
付 3.1.5) 日本建築学会：2011 年東北地方太平洋沖地震災害調査速報，2011.7
付 3.1.6) 時田伸二・井上芳生・稲井栄一・飯塚正義・佐々木隆浩・勅使川原正臣：2011 年東北地方太平洋地震における RC 系壁式構造建物の地震被害　その 1～その 5，日本建築学会大会学術講演梗概集，2012.9
付 3.1.7) 時田伸二・北堀隆司・稲井栄一・飯塚正義・日比野陽・勅使川原正臣：平成 28 年熊本地震における RC 系壁式構造建物の地震被害（その 1）熊本県内の公共住宅の調査および現場打ち RC 壁式構造建物の被害例，日本建築学会大会学術講演梗概集，構造Ⅳ，pp.821～822，2017.8
付 3.1.8) 鉄建・三ツ矢・熊本利水・六香建設工事共同企業体：秋津団地再生プロジェクト，または，建設通信新聞 DIGITAL，https://www.kensetsunews.com/web-kan/232673

付3.2 プレキャスト壁式鉄筋コンクリート造建物と過去の震害

I. 1995年兵庫県南部地震（1995年1月17日）

1. はじめに

1995年兵庫県南部地震（1995年1月17日，マグニチュード7.2，最大震度Ⅶ）は死者数，家屋損壊数ともにこの時点で戦後最悪の都市災害となった．プレキャスト壁式鉄筋コンクリート造（以下，PCa壁式RC造という）建物は都市部およびその周辺に多く建設されており，この地震の被害地域にも2 000棟以上のPCa壁式RC造建物が存在した．以下は，地震後に実施された被害調査の結果を取りまとめた文献付3.2.1)の要約である．図や写真も文献付3.2.1)によった．なお，この地震に関する一般的な情報の記載は省略する．

2. 1995年兵庫県南部地震によるPCa壁式RC造建物の被害状況

2.1 一次調査

PCa壁式RC造建物に対する一次調査の範囲は，災害救助法適用地域内に建設されたほぼすべてのPCa壁式RC造建物で，2 032棟（約54 700戸）であった．その内訳は，新築が1 457棟，増築が575棟である．ここで，増築とは，既存建物の主に南面に1または2部屋をPCa壁式RC造で増築した建物で，増築部分のみを対象とした．

調査したPCa壁式RC造建物の市域別の棟数は付図3.2.1に示すとおりである．兵庫県内はほとんどが新築であり，増築は大阪府の吹田市，大阪市，豊中市に集中していた．

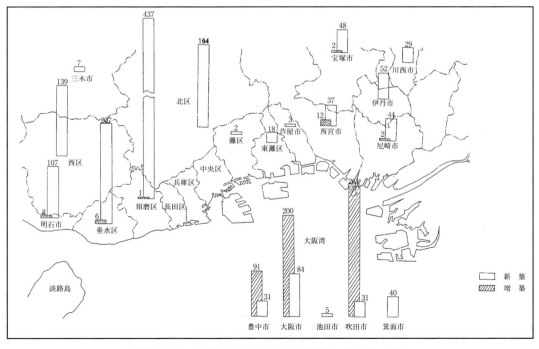

付図3.2.1 調査したPCa壁式RC造建物の市域別の棟数

調査建物の階数は，付表3.2.1に示すように，5階建てが大部分を占めた．調査建物の竣工年別棟数は，付表3.2.2に示すように，新築では1981年以前のものが多く，増築では1982年以降が多かった．

一次調査では建物の被災度を次の4段階に分類した．

A　無被害：全く被害がなく，補修を必要としない．
B　小　破：当面，居住には支障がないが，部分的に被害があり補修を要する．
C　中　破：構造体に被害があり，補修または補強が必要である．
D　大　破：直ちに取り壊す必要がある．

その結果，調査建物の中で小破以上の被害を受けたものは，付表3.2.3に示すように新築26棟，増築11棟の合計37棟であった．そのうち不同沈下などの地盤の変動による被害が18棟（新築8棟，増築10棟）あった．新築棟の被害は，不同沈下による被害を除くとほとんどが基礎の部分的ひび割れや階段室のひび割れ程度の軽微な被害であった．

全体として，98％以上の建物は無被害であり，かつ倒壊や大破の建物は皆無であった．このことから，この種の構造が高い耐震性を有することが実証された．小破以上の被害を受けた37棟（全体の1.8％）のうち地盤の変動に起因する被害建物が約半数の18棟に及んでいた．

付表3.2.1　調査建物の階数別棟数

	新　築	増　築	計
2階建	50（ 3.4%）	0（ 0%）	50
3階建	80（ 5.5%）	0（ 0%）	80
4階建	104（ 7.1%）	72（12.5%）	176
5階建	1 223（83.9%）	503（87.5%）	1 726
計	1 457（100%）	575（100%）	2 032

付表3.2.2　調査建物の竣工年別棟数

	新　築	増　築	計
1981年以前	910（62.5%）	19（ 3.3%）	929
1982年以降	331（22.7%）	541（94.1%）	872
小　計	1 241（85.2%）	560（97.4%）	1 801
竣工年不明	216（14.8%）	15（ 2.6%）	231
計	1 457（100%）	575（100%）	2 032

付表3.2.3　新築・増築別，竣工年別の被害棟数

		竣工年別			
		1981年以前	1982年以降	不明	計
新築	無被害	885（97.2%）	330（99.7%）	216（100%）	143（98.2%）
	上部躯体に被害	17（ 1.9%）	1（ 0.3%）	0（ 0%）	18（ 1.2%）
	地盤変動に伴う被害	8（ 0.9%）	0（ 0%）	0（ 0%）	8（ 0.6%）
	計	910（100%）	331（100%）	216（100%）	145（100%）
増築	無被害	19（100%）	539（99.6%）	6（40.0%）	564（98.1%）
	上部躯体に被害	0（ 0%）	1（ 0.2%）	0（ 0%）	1（ 0.2%）
	地盤変動に伴う被害	0（ 0%）	1（ 0.2%）	9（60.0%）	10（ 1.7%）
	計	19（100%）	541（100%）	15（100%）	575（100%）

2.2 二次調査

一次調査により,建物の被災度が小破以上と判定されたPCa壁式RC造建物が9団地に生じたため,これらについて二次調査を実施した.二次調査を実施したものの概要を付表3.2.4に示す.

付表3.2.4 二次調査PCa壁式RC造建物概要

団地記号	建設地	新築・増築の別	地上階数	被害状況
a	神戸市東灘区	新築	5	不同沈下
b	西宮市	増築	5	不同沈下
c	明石市	増築	5	不同沈下
d	神戸市垂水区	新築	5	不同沈下
e	神戸市垂水区	新築	5	不同沈下
f	神戸市垂水区	新築	5	不同沈下
g	神戸市垂水区	新築	5	上部躯体に被害
h	神戸市垂水区	新築	5	上部躯体に被害
i	神戸市垂水区	増築	5	上部躯体に被害

2.2.1 a団地建物被害調査(新築)

a団地は,全12棟の階段室型PCa壁式RC造5階建て共同住宅である.被害は4号棟にほぼ集中していた.4号棟は張り間方向に横断した地割れ(あるいは地すべり)により基礎構造が東西方向に切れ,かつ西側が東側に対して水平をほぼ保ちながら下がっている.上部構造であるプレキャスト造部分は地震力の影響をもちろん受けたであろうが,むしろ上記の基礎構造からの強制変形による被害が顕著のようにみえる.プレキャスト組立構造の特徴として,変形は接合部に集中して生じている.4号棟の被害状況を付写真3.2.1~3.2.4に示す.

付写真3.2.1 北側鉛直接合部の破断

付写真3.2.2 階段室板と段板の開き

付写真3.2.3 北面1階水平ジョイント損傷

付写真3.2.4 北面1階水平ジョイント損傷部分拡大

2.2.2 b団地建物被害調査（増築棟）

b団地は，全8棟の階段室型現場打ち壁式RC造5階建て共同住宅のバルコニー南側にPCa壁式RC造で1部屋を増築したものである．

既存現場打ち壁式RC造棟は6mの摩擦杭，増築PCa壁式RC造棟は21mの支持杭であり，地震により既存現場打ち壁式RC造棟が増築PCa壁式RC造棟に対して一様に最大200mm程度沈下し，既存現場打ち壁式RC造棟の屋根庇が損傷した．増築PCa壁式RC造棟には構造上の被害はない．同一住居内で既存棟室から増築棟室への出入りは床レベルに段差が生じたため多少の生活上の障害がある．被害状況を付図3.2.2および付写真3.2.5に示す．

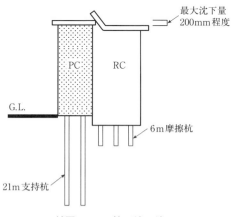

付図 3.2.2　杭工法の違い

付写真 3.2.5　既存現場打ち壁式RC造棟の屋根庇の破損

2.2.3 c団地建物被害調査（増築）

c団地は，階段室型現場打ち壁式RC造5階建て共同住宅のバルコニー南側にPCa壁式RC造で各階1部屋を増築したものである．

基礎構造は不明だが，地震により増築PCa壁式RC造棟が西側に1m程度傾斜した．増築PCa壁式RC造棟，既存現場打ち壁式RC造棟ともに地上躯体部分には構造上の被害は全く認められない．

被害状況を付写真3.2.6に示す．

付写真 3.2.6　増築PCa壁式RC造棟の傾斜

2.2.4 d団地建物被害調査（新築）

　d団地は，全13棟の階段室型PCa壁式RC造5階建て共同住宅である．4階段40戸の18号棟では，基礎梁と1階壁の鉛直接合部充填コンクリートが局部的に損傷した．露出した鉛直接合筋には一部台直し跡がみられたものもある．鉛直接合部分のコンクリートに局部的に損傷がみられるが，これに接するプレキャスト壁板の水平接合部（敷モルタル部）には水平または鉛直に変位した形跡は認められなかった．18号棟の被害状況を付写真3.2.7および3.2.8に示す．

付写真 3.2.7 18号棟基礎隅角部の
コンクリート損傷
（鉛直接合筋台直し無し）

付写真 3.2.8 18号棟基礎隅角部の
コンクリート損傷
（鉛直接合筋台直し有り）

　4階段40戸の23号棟では，建物中央部付近に南北方向に建物を横断する地割れがあり，建物各部位に以下のような被害がみられた．
・建物中央1～5階鉛直接合部のプレキャスト壁板と接合部に目開き
・1階南側開口部壁梁にせん断ひび割れ
・基礎梁に引張力が作用したようなひび割れ

　ねじり変形等を伴う不同沈下が生じているものと考えられる．23号棟の被害状況を，付写真3.2.9および3.2.10に示す．

付写真 3.2.9　23号棟南側鉛直接合部の目開き

付写真 3.2.10　23号棟壁梁のせん断ひび割れ

2.2.5　e団地建物被害調査（新築）

e団地は，全13棟の階段室型PCa壁式RC造5階建て共同住宅である．

3階段30戸のA号棟では，けた行方向に建物中央部付近を沈下最大とする中だるみ傾向の不同沈下がみられ，沈下とひび割れの状況が一致した．また，3階段30戸のC号棟では，けた行方向に建物西側を沈下最大とする一方向の不同沈下がみられ，建物はほぼ剛体回転的な沈下状況を示した．

A号棟の被害状況を付写真3.2.11に示す．

付写真 3.2.11　A号棟北面の不同沈下によるひび割れ

2.2.6　f団地建物被害調査（新築）

f団地は，全6棟の階段室型PCa壁式RC造5階建て共同住宅である．

3階段30戸のC号棟では，建物西側の法面にすべり現象が生じたことに起因して建物を横切る南北方向の地割れがあり，中央階段を中心に西側が「へ」の字状に沈む不同沈下がみられた．その結果，中央階段の屋根水平接合部や階段ブラケット部等に大きな目開きが発生した．

付写真 3.2.12　C号棟屋根および階段付近の損傷

C号棟以外の棟は，階段室を境に剛体回転的な沈下を示し，階段室接合部分に目開きが集中した．C号棟の被害状況を付写真3.2.12に示す．

2.2.7　g団地建物被害調査（新築）

g団地は，全8棟の階段室型PCa壁式RC造5階建て共同住宅である．このうち4号棟と5号棟は，付図3.2.3（a）に示すように雁行状にずれて近接し，妻壁相互は50mm程度のクリアランスを設けている．直下の基礎梁は，付図3.2.3（b）のように一体となっており，分離されていない．また，南北に突出した位置（耐力壁がどちらか一方だけの部分）では中央部（耐力壁が二重になっている部分）に比較して基礎梁の幅が小さい変断面形状である．

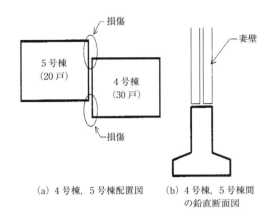

付図3.2.3　4号棟，5号棟の雁行部の状況

被害はこの4号棟，5号棟にのみ発生している．被害は雁行部分の基礎梁の南北端に集中している．地震時にこの部分に局部的に大きな応力が生じ，局部圧壊が生じたものと思われる．

被害状況を付写真3.2.13および3.2.14に示す．

付写真3.2.13　北側雁行部の基礎部の損傷

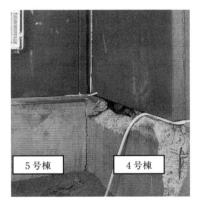

付写真3.2.14　南側雁行部の基礎部の損傷

2.2.8　h団地建物被害調査（新築）

h団地は，全36棟の階段室型PCa壁式RC造5階建て共同住宅である．

4階段40戸のA号棟では，1階住戸に玄関開口部のひずみがあったほか，水平接合部，鉛直接合部および階段室踊り場受けブラケット部に局部的に損傷が生じた．調査時にすでに補修済みであったため被害状況の確認はできなかった．いずれにしても，1階居住部の接合部に部分的に損傷が生じたが，プレキャスト壁板全体がずれた形跡は認められなかった．

2.2.9 i 団地建物被害調査（増築）

i 団地は，全3棟の5階建て共同住宅の南側に PCa 壁式 RC 造で1部屋を増築したものである．張り間方向無開口壁の水平接合部付近のコンクリートが剥落していたが，溶接部の損傷は認められなかった．また，接合部を有するプレキャスト壁板全体が水平移動した形跡も認められなかった．

被害状況を付写真 3.2.15，付図 3.2.4，付写真 3.2.16 ならびに付図 3.2.5 に示す．

付写真 3.2.15 増築部梁間方向外壁水平接合部のひび割れ

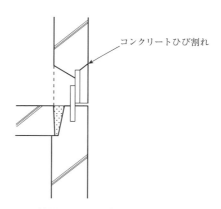

付図 3.2.4 写真 3.2.15 のひび割れ部分の断面詳細

付写真 3.2.16 増築部梁間方向外壁水平接合部のコンクリート剥落

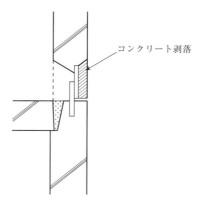

付図 3.2.5 写真 3.2.16 の損傷部分の断面詳細

3. まとめ

平成7年兵庫県南部地震の被災地である災害救助法適用地域内に建設されたほぼすべての PCa 壁式 RC 造建物 2 032 棟（約 54 700 戸）を調査した結果，全体の 98％以上の建物は無被害であり，かつ倒壊や大破の建物は皆無であった．このことから，この種の構造が高い耐震性を有することが実証された．

小破以上の被害を受けた 37 棟（全体の 1.8％）のうち地盤の変動に起因する被害建物が約半数の

18棟に及んでいた．また，被害の状況は，階段室の床スラブと壁パネルの接合部，増築部と既存建物とのエキスパンションジョイント部などの接合部に集中していたが，被害はいずれも軽微であり，プレキャスト部材自体の損傷はほとんどみられなかった．

II．2011年東北地方太平洋沖地震（2011年3月11日）をはじめとする一連の地震

1．はじめに

2011年3月11日14時46分頃，東北地方や関東地方を中心に広い範囲で発生した地震（2011年東北地方太平洋沖地震）は，震源は三陸沖（牡鹿半島の東南東，約130 km付近）深さ24 kmとされ，震源域の大きさは断層長さが450 km以上，断層幅が150 km以上という広大なものであり，マグニチュードは最終的に9.0で，一部地域では震度7が観測された．震源に近いK-NET築館観測点（宮城県）で2 933 cm/s^{2}の強い加速度が観測された．引き続き発生した巨大津波および多数発生した余震等により，2013年12月10日現在の警察庁の情報では死者15 883人，行方不明2 643人，重軽傷6 150人，全壊（全焼，流出を含む）が126 810戸，半壊（半焼を含む）が272 738戸，浸水が13 570戸である．

ここでは，PCa壁式RC造建物について2011年3月11日以降に各機関で実施された被害調査結果についてできるだけ情報開示していただき被災の傾向を統計的に分析した[付3.2.2]．以下に，プレキャスト壁式鉄筋コンクリート工法（以下，PCa壁式RC工法という）およびプレキャストプレストレスト壁式鉄筋コンクリート工法（以下，PCaPS壁式RC工法という）の部分を抽出し，記述を加えたものを記載する．

2．PCa壁式RC工法およびPCaPS壁式RC工法の概要

2.1　PCa壁式RC工法

PCa壁式RC工法におけるプレキャスト部材構成の典型例を，付図3.2.6に示す．けた行方向，張り間方向ともに壁式構造であり，主なプレキャスト部材は耐力壁板，床板・屋根板および階段板である．1965年に日本住宅公団（現在の(独)都市再生機構）が建設を開始し，高度経済成長の時代に大量に建設された．平成13年国土交通省告示第1026号では地上5階建てまでが適用範囲となっている．

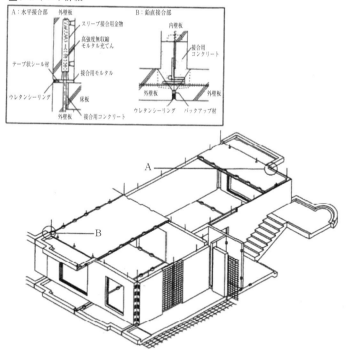

付図 3.2.6 PCa 壁式 RC 工法の概要[付3.2.3)]

2.2 PCaPS 壁式 RC 工法

　PCaPS 壁式 RC 工法におけるプレキャスト部材構成の例を付図 3.2.7 に，実施例を写真 3.2.17 に示す．けた行方向，張り間方向ともに壁式構造であり，主なプレキャスト部材は耐力壁，壁梁，床板・屋根板，階段である．耐力壁は平面視十字形，T字形，L字形の立体部材およびI字形の板状部材を組み合わせて構成し，壁梁と耐力壁を鉛直方向に配置した PC 鋼棒により圧着接合して構築する．

　1965 年頃より建設省建築研究所（現在の国立研究開発法人 建築研究所）とプレハブ建築協会との共同研究により開発され，建設大臣（当時）の認定を取得した．東京では 8 階建て程度の高層住宅に採用されたが，宮城県などでは 5 階建て以下の中層住宅に採用されている．

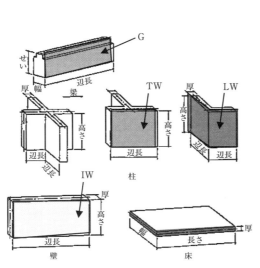

付図 3.2.7　PCaPS 壁式 RC 工法の部材構成

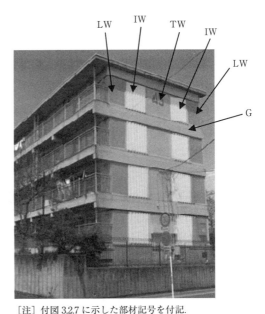

[注] 付図 3.2.7 に示した部材記号を付記.

付写真 3.2.17　PCaPS 壁式 RC 工法実施例

3. 調査の概要
3.1 調査方法

　調査はアンケート形式で行った．調査項目を付表 3.2.5 に示す．調査項目には部分的に開示いただけないものもあった．また，現状居住している住宅では内部の調査が行えず外観のみの確認に留まるなど調査方法が建物により異なったり調査者により判断基準がばらついたりというデメリットもある．しかしながら，可能な範囲でできるだけ多くの情報を収集することによりプレキャスト建築の特徴が抽出されることを期待した．なお，調査項目は回答者の負担を極力軽減し回答数を増やすためにかなり限定した．

　建物被災度については文献付 3.2.5) によることを原則としたが，調査者の判断によっている場合もあると思われるため，一定程度の誤差はやむを得ないものと考える．

付表 3.2.5　調査項目

分　　　類	調　査　項　目
回　答　者	会社名，所属，回答者名，電話番号，E メールアドレス，記入日
建物名称	団地名称，号棟，建物名称，工事名称
所在地情報	県名，市町村名，字番地等，所在地の震度
建物概要	地上階数，地下階数，塔屋階数，主用途，副用途，発注者，設計，施工，建設年
構造概要	プレキャスト工法による区分，部材のプレキャスト化の状況
被害状況	建物被災度，プレキャスト部材（二次部材以外）の被害状況，プレキャスト部材（二次部材）の被害状況，現場打ち部分の被害状況，基礎・地盤の被害状況，総合所見

3.2 調査結果
3.2.1 県別工法別調査棟数

県別およびプレキャスト工法別の調査棟数を付表3.2.6に示す．回答を得た調査建物のうち，PCa壁式RC工法およびPCaPS壁式RC工法の棟数は617棟である．それらの所在地は合計10都県に分布している．県別では千葉県，茨城県，宮城県の調査が多い．工法別の傾向としては，PCa壁式RC工法は関東地方で調査が多く行われ，PCaPS壁式RC工法は宮城県でのみ調査されている．

付表3.2.6 県別工法別の調査棟数

調査実施県	PCa壁式RC工法	PCaPS壁式RC工法	合計	調査実施県	PCa壁式RC工法	PCaPS壁式RC工法	合計
宮 城	14	99	113	埼 玉	51	0	51
福 島	9	0	9	千 葉	140	0	140
茨 城	109	0	109	東 京	72	0	72
栃 木	30	0	30	神奈川	76	0	76
群 馬	4	0	4	静 岡	13	0	13
合 計					518	99	617

3.2.2 地上階数別工法別調査棟数

地上階数別の調査棟数分布を付表3.2.7に示す．

調査建物中で最も古いプレキャスト建築は，1965年（昭和40年）に東京都内にPCa壁式RC工法で建設された2階建て寄宿舎である．

また，PCa壁式RC工法は現在の告示では5階建て以下が対象となっているが，6階建て以上のものが14棟調査されている．これらは，旧建築基準法第38条の規定に基づく大臣認定を取得して建設された高層PCa壁式RC工法であると思われる．

なお，PCaPS壁式RC工法が調査された宮城県では，東京都にあるような高層（6階建て以上）はなく中層（3～5階建て）だけであった．

付表3.2.7 地上階数別工法別の調査棟数

	1	2	3	4	5	4	6～10	11～15	16以上	合計
PCa壁式RC工法	0	13	99	157	176	72	1	2	0	518
PCaPS壁式RC工法	1	37	53	8	0	0	0	0	0	99
合計	1	50	152	165	176	72	1	2	0	617

3.2.3 震度別工法別調査棟数

震度別の調査棟数を付表3.2.8に示す.

震度5弱以上の地域にあったものの比率はPCa壁式RC工法では85.9%であり,PCaPS壁式RC工法では100%であり,概して強い地震を受けたものについての調査であるといえる.

付表3.2.8 震度別工法別の調査棟数

	7	6強	6弱	5強	5弱	4	3	合計
PCa壁式RC工法	0	13	99	157	176	72	1	518
PCaPS壁式RC工法	1	37	53	8	0	0	0	99
合計	1	50	152	165	176	72	1	617

3.3 調査結果の分析

3.3.1 PCa壁式RC造建物の震度別被災度比率

PCa壁式RC造建物の震度別の被災度比率を付表3.2.9に示す.

付表3.2.9 PCa壁式RC造建物の震度別被災度比率(%)

	7	6強	6弱	5強	5弱	4	3
無被害		92.3	98.0	100.0	99.4	98.6	100.0
軽微		7.7	2.0		0.6		
小破						1.4	
中破							
大破							
倒壊							

PCa壁式RC造建物については,震度4区域に建つ5階建て共同住宅1棟(1975年建設)が小破と判断されている.小破とされた建物は地震以前から地盤の異状があり,建物の傾斜やプレキャスト接合部の目開きなどがすでに生じていたところに地震が生じ傾斜や目開きが進行したものである.したがって,地震による直接の影響は全体的不具合の一部として現れている.

PCa壁式RC造建物は調査した517棟のすべてが無被害または軽微である.

3.3.2 PCaPS壁式RC造建物の震度別被災度比率

PCaPS壁式RC造建物の震度別の被災度比率を付表3.2.10に示す.

PCaPS壁式RC造建物については,震度6強区域に建つ5階建て共同住宅1棟(1982年建設)が大破と判断されている.

北面を撮影した付写真3.2.18から,加筆線aに着目すると中央階段から東側が沈下していること,加筆楕円bに着目すると中央階段の手すりがプレキャストから鋼製に変更されていること,加

付表 3.2.10 PCaPS 壁式 RC 造建物の震度別被災度比率（％）

	7	6強	6弱	5強	5弱	4	3
無被害	100.0	78.4	79.2	87.5			
軽微		18.9	20.8				
小破				12.5			
中破							
大破		2.7					
倒壊							

付写真 3.2.18　PCaPS 壁式 RC 造建物の被災例 1

筆楕円 c に着目するとプレキャスト階段を支持するブラケットにアングル材が追加されていることが確認できる．

　南側 1 階中央付近のスパンで基礎梁にせん断ひび割れ，2〜5 階の床梁に曲げひび割れが認められた．レーザー水準器による測定の結果，同スパン内で 43 mm の沈下（傾き 1/118）が認められた．本建物は他機関による詳細調査が実施されており，それらを総合すると，東側で沈下（100 mm 以上）が生じ，杭の損傷の可能性も推定されている．地盤の変状に起因する被害が生じたものと考えられる．以上から，上部構造の被災度を小破，基礎構造の被災度を大破と判定し，総合的には大破とした．

　また，PCaPS 壁式 RC 造建物では，震度 5 強区域に建つ 5 階建て共同住宅 1 棟（1978 年建設）が小破と判断されている．北面を撮影した付写真 3.2.19 の丸印の範囲にひび割れが認められる．付図 3.2.8 中の丸印で示した部分を付図 3.2.9 に示している．付図 3.2.9 はプレキャスト耐力壁板の形状（製作図．反転タイプのため裏返しに表示している）で，入り隅部分に生じたひび割れは，すぐ左に PC 鋼棒が配置されその圧縮力の影響で斜めに進まず鉛直方向に向かったものと思われる．それらの要因から，プレキャスト梁を上下方向に横切り下階の開口端部に至るひび割れ（付図 3.2.9 中の太線）が生じたものと思われる．

付写真 3.2.19 PCaPS 壁式 RC 造建物の被災例 2[付3.2.6)]

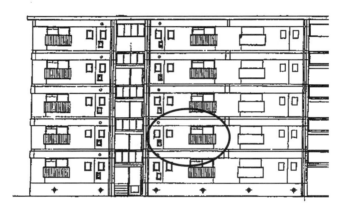

付図 3.2.8 PCaPS 壁式 RC 造建物の被災例 2 の北側立面図[付3.2.6)]

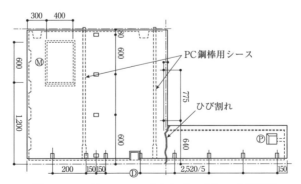

付図 3.2.9 付図 3.2.8 の○印部分の壁板の形状[付3.2.6)]

なお，付図3.2.9右端の位置は隣接するプレキャスト耐力壁板との鉛直接合目地が存在するが，地震の影響か直接的にはわからないが，目地が開いて水漏れしたような痕跡が認められた．ただし，目地直下の壁梁にひび割れがあるかどうかは目視では判別できなかった．以上から，小破と判定した．

4．まとめ

調査結果から，PCa壁式RC造建物の被災の傾向として下記の点が挙げられる．

（1） PCa壁式RC工法は，ほとんどの場合に構造躯体のプレキャスト部材に大きな支障はなく，調査された範囲では今回の地震に対して十分な耐震性を発揮したものと思われる．ただし，地盤の変状に起因する基礎構造や上部構造の損傷が推定されるものもわずかに認められる．

（2） PCaPS壁式RC工法は，PCa壁式RC工法と同様，ほとんどの場合に構造躯体のプレキャスト部材に大きな支障はなく，調査された範囲では今回の地震に対して十分な耐震性を発揮したものと思われる．ただし，地盤の変状に起因する基礎構造や上部構造の損傷が推定されるものもわずかに認められる．また，上下階の窓開口間を結び壁梁を上下方向に横切るひび割れが生じたものもわずかにあった．

なお，本稿の内容はPCa壁式RC造建物の全数調査ではなく，地震後に行われた被害調査のうちその内容が開示されたものに限っての統計的分析であり，報告されなかったPCa壁式RC造建物の被害状況がすべてこの傾向にあるとは限らないことを書き添えておく．

Ⅲ．2016年熊本地震（2016年4月14日・16日）

1．はじめに

2016年4月14日以降，複数回の大地震が発生した熊本地震は，14日21時26分と16日1時25分に熊本県益城町で最大震度7（マグニチュード：6.5, 7.3）を記録したほか，震度6強が2回，6弱が3回観測された．震源に近いKiK-net益城観測点で1 362 cm/s^{2}の最大加速度が観測されている．気象庁震度階級が制定されてから初めて震度7が2回観測された内陸直下型の大地震であったことから，大きな地震被害が発生しており，2019年4月12日現在，関連死を含めた死者が273人，木造を中心とした住宅被害として全壊が8 667棟，半壊が34 719棟，公共建物被害が467棟確認されている．

ここでは，熊本市内のPCa壁式RC造の公共賃貸住宅の調査結果について整理する．

2．調査の概要

2.1 調査対象建物

熊本市内では，壁，床，屋根，階段等に大型の平面プレキャスト部材を使用した典型的なPCa壁式RC造として建設されたもののほかに，既存の壁式RC造建物にPCa壁式RC造で増築を行ったもの（以下，増築PCa壁式RC造と略記）が確認されている．増築PCa壁式RC造は，既存壁式RC造の住戸面積を増大させるために各戸1室相当を追加しているもので，住棟の南側に増築するもの

と北側に増築するものがあり，既存壁式 RC 造とは構造的に独立したものとして建設されている．

最大震度が 6 強以上の市区町村を調査対象としているが，最大震度が 6 弱である熊本市北区に PCa 壁式 RC 造建物が 9 棟存在することから例外的に加え，また，この 9 棟と比較を行うために熊本市北区に立地する付近の壁式 RC 造建物（以下，比較用壁式 RC 造建物という）についても 51 棟調査を実施した．調査方法は，東日本大震災合同調査報告書[付3.2.7]の被災度区分判定に準拠した．なお，各住棟の被災度区分判定は，住棟の外部からの調査結果によっている．

付写真 3.2.20 PCa 壁式 RC 造建物の例[付3.1.8]

PCa 壁式 RC 造建物の代表的な例を付写真 3.2.20 に，増築 PCa 壁式 RC 造建物の代表的な例を付写真 3.2.21 および 3.2.22 に示す．

付写真 3.2.21 増築 PCa 壁式 RC 造建物の例（南側増築）[付3.1.8]　　**付写真 3.2.22** 増築 PCa 壁式 RC 造建物の例（北側増築）[付3.1.8]

付写真 3.2.21 では，4 階建て既存壁式 RC 造の南側に 4 階建て増築 PCa 壁式 RC 造が 4 棟取り付いている例である（写真中の e1, e2, e3, e4 は増築 PCa 壁式 RC 造の仮番号で，西側から順に番号付けしている（以下同様））．付写真 3.2.22 は 3 階建て既存壁式 RC 造の北側に 2 階建て増築 PCa 壁式 RC 造が 5 棟取りついている例である．

調査建物が立地する区，建物種類，地上階数，棟数の関係を付表 3.2.11 に示す．付表 3.2.11 中，既存壁式 RC 造に増築 PCa 壁式 RC 造を設けた場合は上段に既存壁式 RC 造の棟数合計を，下段に増築 PCa 壁式 RC 造建物の棟数合計を表示している．

付表 3.2.11 調査建物の立地と棟数[付3.1.8]

		熊本市				計
		西区	中央区	東区	北区	
PCa 壁式 RC 造　3F		—	—	—	6	6
PCa 壁式 RC 造　4F		—	—	2	3	5
PCa 壁式 RC 造　5F		2	—	—	—	2
既存壁式 RC 造　3F＋増築 PCa 壁式 RC 造　2F	壁式 RC	—	—	5	—	5
	PCa 壁式	—	—	18	—	18
既存壁式 RC 造　3F＋増築 PCa 壁式 RC 造　3F	壁式 RC	—	1	10	—	11
	PCa 壁式	—	4	35	—	39
既存壁式 RC 造　4F＋増築 PCa 壁式 RC 造　4F	壁式 RC	—	3	2	—	5
	PCa 壁式	—	11	6	—	17
比較用壁式 RC 造　2F		—	—	—	1	1
比較用壁式 RC 造　3F		—	—	—	18	18
比較用壁式 RC 造　4F		—	—	—	11	11
比較用壁式 RC 造　5F		—	—	—	21	21
壁式 RC 造計		—	4	17	51	72
PCa 壁式 RC 造計		2	15	61	9	87

3.2 調査結果

3.2.1 PCa 壁式 RC 造建物の被災度と被災状況

PCa 壁式 RC 造建物の被害状況を付表 3.2.12 に示す．いずれの棟でも地震に起因するひび割れ等は特に認められず無被害と判定した．

付表 3.2.12 PCa 壁式 RC 造建物の被害状況[付3.1.8]

区	無被害	軽微	小破	中破	大破
西区	2	—	—	—	—
東区	2	—	—	—	—
北区	9	—	—	—	—

3.2.2 増築 PCa 壁式 RC 造建物の被災度と被災状況

　増築 PCa 壁式 RC 造建物については，地震時に既存壁式 RC 造と異なる挙動を示したと思われる棟が散見された．これは妻面側から観察した際に既存壁式 RC 造と増築 PCa 壁式 RC 造との相対的な上下動や傾斜が観察されたもので，エキスパンションジョイントカバーの相対的な残留変位や，屋根ひさし相互の接触痕などにより確認されている．これらは主に地盤の変状に起因するものと思われる．

　以下に，増築 PCa 壁式 RC 造建物について，基礎構造，既存壁式 RC 造と増築 PCa 壁式 RC 造との接合部，上部構造のそれぞれに対して全般的な被害状況を示す．

（1）基礎構造の被害

　既存壁式 RC 造および増築 PCa 壁式 RC 造ともに基礎形式が直接基礎であるか杭基礎であるかについて現時点では不明のため，直接基礎であった場合と杭基礎であった場合を併記して付表 3.2.13 に示す．杭基礎の場合はいずれも建物の相対的沈下または傾斜により基礎構造が小破と判断されたものであるが，上部構造に耐震性を損なう損傷は生じていない．

付表 3.2.13　既存壁式 RC 造＋増築 PCa 壁式 RC 造建物の基礎被害状況[付3.1.8]

仮　定	区	無被害	軽微	小破	中破	大破
		既存壁式 RC 棟数/増築 PCa 壁式 RC 棟数				
直接基礎の場合	中央区	4/15	－/－	－/－	－/－	－/－
	東区	17/59	－/－	－/－	－/－	－/－
杭基礎の場合	中央区	3/11	－/－	1/4	－/－	－/－
	東区	11/36	－/－	6/23	－/－	－/－

（2）既存壁式 RC 造と増築 PCa 壁式 RC 造との接合部の被害

　増築 PCa 壁式 RC 造についての既存壁式 RC 造と増築 PCa 壁式 RC 造との接合部の被害状況を付表 3.2.14 に示す．床相互の渡り部分（可動部分）をモルタル等で埋めている例やエキスパンションジョイントカバーを貫通して既存壁式 RC 造と増築 PCa 壁式 RC 造の隙間に設備配管が後付けされた例など望ましくない例があり，損傷の原因となっている．しかしながら，この部分は本来構造耐力に寄与する部分でないため，日常的な使用性に対する問題はあっても耐震性の観点からは軽微な被害と判定した．

付表 3.2.14　既存壁式 RC 造と増築 PCa 壁式 RC 造との接合部被害状況[付3.1.8]

区	無被害	軽微	小破	中破	大破
	既存壁式 RC 造棟数/増築 PCa 壁式 RC 棟数				
中央区	4/15	－/－	－/－	－/－	－/－
東区	11/35	6/24	－/－	－/－	－/－

軽微な損傷例を付写真 3.2.23 および 3.2.24 に示す．付写真 3.2.23 はエキスパンションジョイントカバーの相対的な残留変形状況を，付写真 3.2.24 は既存壁式 RC 造と増築 PCa 壁式 RC 造との接合部に位置する屋根ひさし相互の接触による痕である．

付写真 3.2.23　エキスパンションジョイントカバーの変形[付3.1.9]

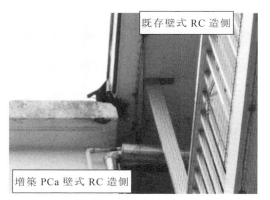

付写真 3.2.24　屋根ひさしの接触による痕[付3.1.9]

（3）上部構造の被害

増築 PCa 壁式 RC 造の上部構造の被災度は付表 3.2.15 に示すように無被害である．なお，前述した基礎構造での既存壁式 RC 造と増築 PCa 壁式 RC 造間の異なる挙動の影響により生じた屋根庇の損傷など接合部周辺の軽微な被害は散見されるが，上部構造の耐震性を損なう損傷は生じていない．

付表 3.2.15　増築 PCa 壁式 RC 造の上部構造の被災度[付3.1.8]

区	無被害	軽微	小破	中破	大破
中央区	15	—	—	—	—
東区	59	—	—	—	—

3.2.3　比較用壁式 RC 造建物の被災度と被災状況

北区の比較用壁式 RC 造建物についての被災度は，付表 3.2.16 に示すように概ね無被害である．被災度を軽微とした 4 棟はいずれも東区との区境に比較的近いところに位置し，住棟の廊下から突出する外部階段の壁（RC 造の階段屋根を支持している）が本体 R 階屋根立ち上がり部と取り付く位置で面外方向に振動し，ひび割れが生じたものと思われる．損傷建物例の全景と損傷個所を付写真 3.2.25 および 3.2.26 に示す．

付表 3.2.16　比較用壁式 RC 造建物の上部構造の被害状況[付3.1.8]

区	無被害	軽微	小破	中破	大破
北区	47	4	—	—	—

 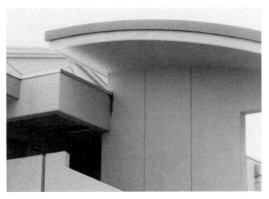

付写真 3.2.25　損傷壁式 RC 造建物例の全景[付3.1.9)]　　付写真 3.2.26　損傷例建物の R 階屋根取付き部損傷状況[付3.1.9)]

3.3　まとめ

　2016 年熊本地震において，PCa 壁式 RC 造建物 13 棟の調査を行った結果，いずれも無被害であった．

　また，増築 PCa 壁式 RC 造建物 74 棟については，既存壁式 RC 造建物と増築 PCa 壁式 RC 造の間で上下方向に相対的に異なる挙動を示した形跡または相対的に異なる傾斜角を生じた形跡が認められた．調査の範囲では基礎構造が不明だが，直接基礎とした場合は無被害，杭基礎の場合は小破に相当するものと考えられる．相互の接合部には相対的に異なる挙動を示したために生じたと想定される軽微な損傷が確認された．

　今回の調査対象範囲は最大震度 6 強以上であるが，PCa 壁式 RC 造建物の中に最大震度が 6 弱である北区に立地するものがあり，これと比較するために比較用壁式 RC 造建物を 51 棟調査した．その結果，比較用壁式 RC 造建物は概ね十分強かったが，外部階段の壁に一部損傷が生じていた．今回の調査の範囲では PCa 壁式 RC 造建物も壁式 RC 造建物と同様に耐震性が高かったと考えられる．

　なお，今回調査範囲に含めなかった最大震度 6 弱地域においても，特に地盤に変状が生じているなど一定の条件が満たされる地域では，壁式構造であっても各種被害が発生している可能性がある．

[参考文献]

付 3.2.1)　プレハブ建築協会中高層部会・中高層技術委員会震災対策特別委員会：兵庫県南部地震被害調査報告書，1996.4
付 3.2.2)　飯塚正義：被害状況調査の収集によるプレキャスト建築物の被災の傾向，日本地震工学会論文集第 12 巻，第 4 号（特集号），pp.42-55，2012.9
付 3.2.3)　プレハブ建築協会：プレキャスト建築技術集成　第 1 編　プレキャスト建築総論，p.17，2003.1
付 3.2.4)　日本建築学会：プレキャスト鉄筋コンクリート構造の設計と施工，図 8.73，p.118，1986.10
付 3.2.5)　井上芳生・時田伸二・稲井栄一・飯塚正義・佐々木隆浩・勅使川原正臣：2011 年東北地方太平洋沖地震における RC 系壁式構造建物の地震被害（その 2）RC 系壁式構造建物の被災度区分判定，23483，日本建築学会大会学術講演梗概集，構造Ⅳ，pp.1013-1014，2012.9
付 3.2.6)　飯塚正義・井上芳生・稲井栄一・時田伸二・佐々木隆浩・勅使川原正臣：2011 年東北地方太平洋

沖地震における RC 系壁式構造建物の地震被害（その3）宮城県内壁式プレキャスト構造賃貸住宅の調査，日本建築学会大会学術講演梗概集，構造Ⅳ，pp.1015-1016，2012.9

付 3.2.7) 日本建築学会：2011 年東北地方太平洋沖地震災害調査速報，2011.7

付 3.2.8) 飯塚正義・稲井栄一・時田伸二・勅使川原正臣：平成 28 年熊本地震における RC 系壁式構造建物の地震被害（その2）熊本市内の壁式プレキャスト鉄筋コンクリート造公共賃貸住宅の調査，日本建築学会大会学術講演梗概集，構造Ⅳ，pp.823-824，2017.8

付 3.2.9) 日本建築学会：2016 年熊本地震地震災害調査報告，第 11 章，2018.6

付4. 現場打ち壁式鉄筋コンクリート造建物の地震応答

1. 目的

壁式 RC 造建物のように，高い剛性と強度を有する建物の地震被害は少ない〔付3.参照〕．このことは，十分な壁量による高い水平およびねじれ剛性と高い水平強度，ならびに比較的連続性のある各階の水平剛性によるところが大きいと考えられる．ここでは，5質点系弾塑性モデルに対して初期剛性，剛性率，履歴特性をパラメータとした各種地震応答解析を行い，初期剛性と最大応答層間変形角の関係について検討を行った．

2. 5質点せん断型弾塑性地震応答解析モデル

（1） 建物のモデル化および解析方法

5質点弾塑性せん断モデルを付図4.1に示す．各階等質量（m_i =1.0 t），等階高（$h=3$ m）とし，基礎は固定とした．各層の弾性剛性は設計用せん断力分布を A_i 分布とし，標準せん断力係数 C_0 =0.2のときの層間変形角（$R_{0.2}$）が1/2000となるようにすることを基本とした．降伏変形角は1/200とした．降伏時標準せん断力係数 C_y は0.5とした．

使用した地震波は，EL Centro 1940 NS, Taft 1952 EW, Hachinohe 1968 NS の3波である．積分方法は線形加速度法とし，減衰は初期剛性比例型とし，減衰定数は $h=0.03$ とした．

付図4.1　各階の質量および階高

（2） 既往の実験結果と解析モデルの対応

壁脚固定の耐力壁のせん断変形 δ_S による変形角 R_S, 曲げ変形 δ_B による変形角 R_B は，次式により表すことができる〔本規準8.1解説参照〕．

$$R_S = \frac{\delta_S}{h} = \frac{\kappa \cdot Q}{G \cdot A_w} \tag{付4.1}$$

$$R_B = \frac{\delta_B}{h} = \frac{Q}{6E \cdot I \cdot h}(3h_0 \cdot h^2 - h^3) \tag{付4.2}$$

記号　R_S：せん断変形角，R_B：曲げ変形角
　　　κ：せん断剛性に関する形状係数（長方形断面の場合1.2）
　　　Q：$C_0=0.2$ の時の作用せん断力
　　　A_w：耐力壁の断面積（$=t \cdot l$）
　　　G：コンクリートのせん断弾性係数 $\left(=\dfrac{E}{2(1+\nu)}=\dfrac{E}{2.4}\right)$

E：コンクリートのヤング係数，ν：ポアソン比（$=0.2$），
I：断面二次モーメント（$t \cdot l^3/12 = A_w \cdot l^2/12$），
h：耐力壁の内法高さ，l：耐力壁の長さ，t：耐力壁の厚さ，
h_0：反曲点高さ（$=y_0 \cdot h$），y_0：反曲点高さ比

（付 4.1）式および（付 4.2）式より，R_S および R_B は，次のように変形できる．

$$R_S = 1.5\, Q/(G \cdot t \cdot l) \tag{付 4.3}$$

$$R_B = \frac{2Q}{E \cdot A_w} \cdot \left(\frac{h}{l}\right)^2 \cdot (3y_0 - 1) = \frac{\bar{\tau}}{1.2\,G}\left(\frac{h}{l}\right)^2 (3y_0 - 1) \tag{付 4.4}$$

ここで，R_B が最小となる場合として $y_0=0.5$ と仮定すると，

$$\begin{aligned}R_{B(y_0=0.5)} &= \{Q/(E \cdot A_w) \cdot (h/l)^2 \cdot (3 \times 0.5 - 1) \\ &= \{Q/(2.4\,G \cdot t \cdot l) \cdot (h/l)^2\end{aligned} \tag{付 4.5}$$

となる．よって，せん断変形角と曲げ変形角の比は h/l の関数で，次のように表すことができる．

$$R_S/R_{B(y_0=0.5)} = 3.6\,(l/h)^2$$

壁式 RC 造の場合，壁量が 150 mm/m² であれば通常耐力壁長の平均値は 1.5 m 程度となり，耐力壁の内法高さ h を 2.0 m とすると，$l/h=1.5/2.0=0.75$ となるので，$R_S/R_{B(y_0=0.5)} \fallingdotseq 2.0$ となる．RC 規準[付4.1] によれば，耐震壁の壁板のせん断ひび割れの発生時のせん断変形角 R_S は，1/4000 であり，$R_{B(y_0=0.5)} = R_S/2$ となる曲げ変形も考慮すると，壁式 RC 造建物のせん断ひび割れ発生時の層間変形角は 1/2600 程度以上と考えられる．

付図 4.2 は，既往の耐力壁の縮尺試験体による実験結果[付4.2] のうち，長方形断面である 37 体の変形性状を比較したものであり，せん断応力度を縦軸，部材角と横軸にとり，それぞれの試験体におけるせん断ひび割れ時，最大荷重時，終局時の数値をプロットしている．試験体によりかなりばらつきがあるが，せん断ひび割れ発生時部材角は 1/1000～1/500，最大強度時部材角は 1/200～1/130 あたりに多く分布していることがわかる．

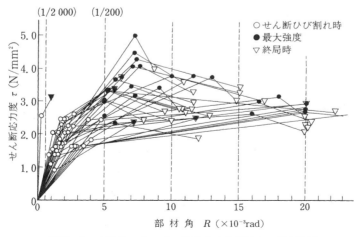

付図 4.2　実験値によるせん断応力度と部材角の関係[付4.2]

すなわち，部材角が 1/2 000 以下ではほとんどの試験体にはせん断ひび割れの発生が見られず，また 1/200 以下ではせん断破壊も生じていない．これらのことから，第 1 折れ点を部材角で 1/2 000，第 2 折れ点を 1/200 とした復元力のモデル化は今回の解析目的にとっては安全側の仮定であるといえる．

（3） 初期剛性を変化させた建物の地震応答解析（解析 1）

解析パラメータは，初期剛性の違い（$C_0=0.2$ 時の層間変形角 R で 1/4 000, 1/3 000, 1/2 000, 1/1 500, 1/1 000, 1/500）である．各ケースに対応する一次固有周期は，各々 0.218 s, 0.252 s, 0.308 s, 0.356 s, 0.436 s, 0.617 s である．各層の第 1 折れ点（ひび割れ時）の層間変形角を $R=1/2 000$ と設定したものを解析 1-1（付図 4.3 (a)）とし，第 1 折れ点の層せん断力を降伏時層せん断力 Q_y の 1/3 と設定したものを解析 1-2（図 4.3 (b)）とする．履歴特性は，D-Tri 型とする．

ただし，$R=1/200$ まではバイリニア型とする．入力地震動の最大速度は，50 cm/s (kine) とする．

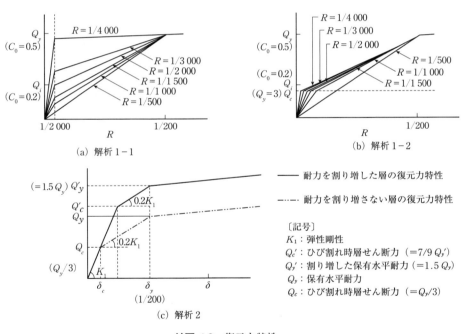

付図 4.3　復元力特性

（4） 剛性率を変化させた建物の地震応答解析（解析 2）

解析のパラメータは剛性率である．剛性の低い層の $C_0=0.2$ の時の層間変形角 $R_{0.2}$ を 1/2 000 とし，その層の剛性率が $R_S=0.3$ となるように他の層の弾性剛性を設定した．また，第 2 勾配／第 1 勾配を 0.2 と仮定した．その結果，最大耐力時変形角は概ね 1/200 となった．ただし，剛性率が 0.3 となる層は層の保有水平耐力を基本形の 1.5 倍とした（水平耐力を割り増した剛性の低い層の第 2 勾配を変化させないで，降伏時変位も 1/200 となるように復元特性を設定している（付図 4.3 (c)）．履歴タイプは D-Tri 型（付図 4.4 (a)）とし，入力地震動の最大速度を 50 cm/sec として付

4.5 に示す Case0〜Case6 について解析を行った．各ケースに対応する一次固有周期はそれぞれ 0.308 s，0.211 s，0.208 s，0.203 s，0.181 s，0.297 s である．

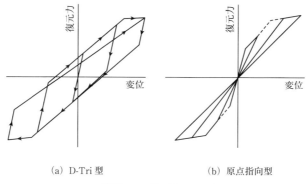

(a) D-Tri 型　　　　　　　(b) 原点指向型

付図 4.4　復元力タイプ

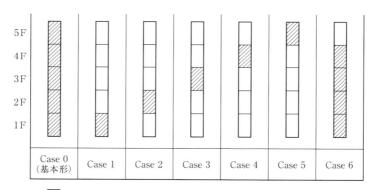

付図 4.5　解析 Case（解析 2）

（5）履歴特性を変化させた地震応答解析（解析 3）

解析 2 の Case0（基本型）の履歴特性を原点指向型（付図 4.4 (b)）として解析を行った．解析に際しては，入力地震動の最大加速度を 400 gal，350 gal，300 gal の 3 ケースについて行った．

3．解析結果

解析 1-1，1-2 の各ケースにおける最大応答層間変形角と $C_0=0.2$ の時の層間変形角て $R_{0.2}$ との関係をそれぞれ，付図 4.6 (a)，付図 4.6 (b) に示す．付図 4.6 に示すように，3 波ともほぼ同様な傾向を示し，最大速度 50 cm/s 相当の地震力に対して $R_{0.2}$ が 1/2 000 以下であれば，最大応答層間変形角は概ね 1/200 以下となっており，$R_{0.2}$ が 1/2 000 以上になると最大応答層間変形角は急に大きくなっている．

解析2の結果を付図4.7に示す．解析2においては，Case0（各層の一次設計時層間変形角が1/2 000）の最大応答層間変形角が最も大きくなり，地震波がEL Centro 1940 NSの時に1/179となるが，ほとんどのケースに対し最大応答層間変形角は1/200以下となっている．

解析3の結果を付図4.8に示す．解析3では，入力地震動の最大加速度が350 galと400 galの時に，最大応答層間変形角がHachinohe 1968 NSで，それぞれ1/138, 1/133となるが，300 galの時にはほぼ1/200以下となっている（なお，入力地震動の最大加速度が300 galの時の最大応答速度は，それぞれEL Centroで29.4 cm/s, Taft 1952 EWで30.2 cm/s, Hachinohe 1968 NSで45.4 cm/sである）．

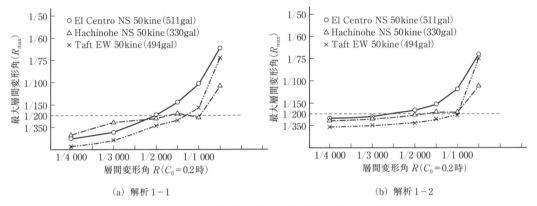

付図4.6 初期剛性と最大応答層間変形角の関係

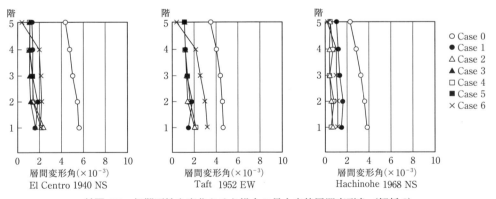

付図4.7 初期剛性を変化させた場合の最大応答層間変形角（解析2）

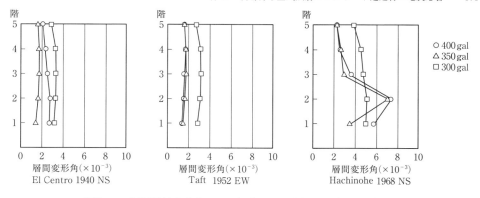

付図 4.8 履歴特性を変化させた場合の最大応答層間変形角（解析 3）

4. まとめ

解析 1 および解析 2 は，D-Tri 型の履歴特性を有する 5 質点弾塑性モデルにより最大速度 50 cm/s 相当の地震力に対し，それぞれのパラメータで解析を行った．その結果，$C_0=0.2$ の時の層間変形角 $R_{0.2}$ が 1/2 000 以下であれば，最大応答層間変形角は概ね 1/200 以下となっている．また，解析 3 では履歴特性を変化させた解析を行った．その結果，原点指向型とした場合，最大応答層間変形角は D-Tri 型に比べて大きくなるが，入力地震動の最大加速度 300 gal 以下では最大応答層間変形角はほぼ 1/200 以下となっている．

以上の結果より，一次設計時（$C_0=0.2$）における各階の層間変形角が 1/2 000 程度の高い水平剛性と，降伏時の 1 階の層せん断力係数が 0.5 以上の高い強度を有していれば，最大速度 50 cm/s 相当の地震応答に対する最大応答層間変形角は概ね 1/200 以下になっており，履歴消費エネルギーが少ない原点指向型モデルにおいても，最大加速度 300 gal 程度までは最大応答層間変形角は 1/200 以下となっている．

したがって，構造特性係数 $D_s=0.5$ 程度の保有水平耐力を有する 5 階建の壁式 RC 造建物では，一次設計時における各階の層間変形角を 1/2 000 程度以下となる水平剛性を確保することにより，大地震動時においても建物全体としてせん断破壊を生じるおそれはないといえる．

[参考文献]

付 4.1) 日本建築学会：鉄筋コンクリート構造計算規準・同解説，p.213，1991.10
付 4.2) 建設省建築研究所：建築研究報告 No.76，鉄筋コンクリート部材の強度と靭性，1977.3

付5. プレキャスト壁式鉄筋コンクリート造建物の耐震性

1. はじめに

　プレキャスト壁式鉄筋コンクリート造（以下，PCa壁式RC造と略記）建物については，プレキャスト（以下，PCaと略記）RC造耐力壁相互の接合の方法が建物の耐震性や耐久性に及ぼす影響が大きいことは周知のとおりである．このため，各種の接合方法やその耐震性能に関して，構面実験が数多く行われ，また，いくつかの立体実験も行われている．ただし，これらの実験については後述するような種々の問題点もあって，実験結果から直接この種の建物の耐力・変形能・破壊モードなどを評価することは難しい．しかしながら，問題点を整理し，この種の建物の耐震性を実験結果を通して把握することが現状では重要とされよう．

2. 既往の実験資料の概要

　付表5.1は，今までに4，5階建てのPCa壁式RC造建物を対象にして行われた構面実験や立体実験の主な構造諸元と実験結果を示したものである．

　表中の資料番号1～15は，4，5階建のPCa壁式RC造建物を対象にした構面実験である．資料番号16は，5階建のけた行方向を対象とし，下部3層（1層1住戸で階段なし）を1/2に縮小した立体模型試験体である．ただし，4，5階分の影響については試験体では考慮されていない．資料番号17は，5階建の実大立体実験である．

3. 既往の実験資料の問題点

　付表5.1に示した実験資料は構面実験が主で，立体実験は少なく，実大立体実験はただ一つである．このことからみて，これらの実験結果から直接PCa壁式RC造建物の耐震性能を評価するには，主として次のような多くの問題がある．

　　a） 応力分布が実構造物とは異なるため，破壊モードも実際とは異なっていることが考えられる．
　　b） 外力分布が現行の建築基準法施行令と異なる．
　　c） 概して，耐力壁の軸方向力が小さい．
　　d） 壁梁に軸方向力が作用して，耐力上昇をもたらしている．
　　e） 大変形での繰返しを行ったものが少ない．
　　f） 直交材を有するものが少ない．

付5. プレキャスト壁式鉄筋コンクリート造建物の耐震性 —573—

付表5.1 既往のプレキャスト壁式鉄筋コンクリート造建物に関する資料

資料番号	実験年度	試験体名	階数 対象建物 (階)	けた行方向 試験体 (階)	けた行方向 壁量*1 (cm/m²)	縮尺	水平接合部	鉛直接合部	τ_d (kgf/cm²)	σ_0 (kgf/cm²)	壁断面積*2 (cm²)	加力分布	コンクリート強度 パネル (kgf/cm²)	コンクリート強度 ジョイント (kgf/cm²)	初期ひび割れ*3 $_s\tau_c$ (kgf/cm²)	初期ひび割れ*3 R_c (×10⁻³)	せん断ひび割れ*3 $_s\tau_s$ (kgf/cm²)	せん断ひび割れ*3 R_s (×10⁻³)	降伏*3 $_s\tau_y$ (kgf/cm²)	降伏*3 R_y (×10⁻³)	最大*3 $_s\tau_w$ (kgf/cm²)	最大*3 R_u (×10⁻³)	強度比 $_s\tau_w/\tau_d$ ($_s\tau_w/_s\tau_y$)	破壊モード*5
1[1]	1967(S42)	A	5	1	26.8	1/1	X形ドライガセット	ウェット	2.40	0	2 400	頂部集中	284	269	2.50	0.19	8.33	2.56	11.00	4.18	13.75	10.23	5.73 (1.15)	S
2[1]	1967(S42)	B	5	1	26.8	1/1	X形ドライガセット	ウェット	2.40	0	2 400	頂部集中	219	185	2.50	0.19	7.50	3.25	9.23	4.56	11.54	6.97	4.81 (0.96)	B(S)
3[1]	1967(S42)	C	5	1	26.8	1/1	X形ドライガセット	ウェット	2.40	0	2 400	頂部集中	250	211	3.33	0.49	6.67	2.56	10.70	4.88	13.38	11.63	5.58 (1.12)	B
4[2]	1965(S40)	A	4	2	26.1	2/3	X形ドライガセット	ウェット	2.30	8.9	2 657	頂部集中	290	—	6.02	0.45	—	—	8.88	0.73	11.10	2.38	4.83 (0.97)	H(B)
5[2]	1965(S40)	B	4	2	26.1	2/3	X形ドライガセット	ウェット	2.30	9.8	1 956	頂部集中	290	—	4.09	0.42	—	—	7.36	1.74	9.20	2.75	4.00 (0.80)	B
6[2]	1965(S40)	C	4	2	26.1	2/3	X形ドライガセット	なし	2.30	8.6	2 657	頂部集中	290	—	3.01	0.41	—	—	8.88	1.07	11.10	2.61	4.83 (0.97)	H(S)
7[3]	1973(S48)	KS-1	5	1	17.1	1	X形ドライガセット	なし	3.12	12.7	3 239	頂部集中	338	—	4.32	1.13	8.64	3.50	9.10	5.50	13.60	14.76	4.36 (0.87)	B
8[3]	1973(S48)	KS-2	5	1	17.1	1	X形ドライガセット	ウェット	3.12	12.7	3 239	頂部集中	334	—	3.40	0.75	8.58	3.43	9.30	6.20	13.90	15.52	4.46 (0.89)	B(S)
9[4]	1965(S40)	KPCWF 122	4	2	26.1	1/2	X形ドライガセット	ウェット	2.81	13.1	949	頂部4P 2階1P	263	332	5.62	0.75	12.64	—	15.17	7.10	18.96	17.00	6.74 (1.35)	B
10[4]	1965(S40)	KPCWF 232	4	2	26.1	1/3	X形ドライガセット	ウェット	2.83	13.0	424	頂部4P 2階1P	290	360	2.83	0.22	12.03	—	12.93	3.10	16.16	13.00	5.71 (1.14)	B(S)
11[4]	1965(S40)	KPCWF 352	4	2	26.1	1/5	X形ドライガセット	ウェット	2.83	13.2	152	頂部4P 2階1P	355	298	4.22	0.32	9.08	—	15.00	4.20	18.70	13.00	6.60 (1.32)	B
12[4]	1965(S40)	KPCWF 455	—	5	—	1/5	X形ドライガセット	ウェット	2.83	13.2	152	各階等分布	307	173	3.62	0.55	—	—	9.43	4.10	11.79	7.67	4.16 (0.83)	B(S)
13[4]	1965(S40)	KPCWF 555	—	5	—	1/5	X形ドライガセット	ウェット	2.83	13.2	152	各階等分布	300	181	9.22	1.45	15.54	—	13.34	4.10	16.67	15.00	5.88 (1.18)	B
14[5]	1970(S45)	70	5	2	—	1/3	直形ドライガセット	ウェット	3.55	8.2	1 669	頂部4P 2階1P	236	—	3.56	0.40	—	—	12.56	2.50	15.70	7.70	4.42 (0.88)	B
15[5]	1971(S46)	72 No.1	5	2	—	1/3	直形ドライガセット	ウェット	3.67	8.4	1 451	頂部集中	290	—	7.31	0.35	—	—	12.96	4.61	16.20	17.30	4.41 (0.88)	B
16[6]	1981(S56)	立体	5	3	15.0	1/2	直形ドライガセット	ウェット	4.00	0	5 192	頂部集中	353	330	2.30	0.20	9.00	3.60	10.25	7.15	12.80	20.30	3.20 (0.64)	B
17[1]	1967(S42)	実大立体	5	5	28.1	1	X形ドライガセット	ウェット	2.40	実大	37 980	等分布	229	340	2.40	0.1〜	10.30	1.22	13.70	2.20	17.10	7.56	7.13 (1.43)	S

(記号) τ_d: 設計荷重時水平均せん断応力度
[注] 広沢雅也ほか:壁式プレキャスト構造5階建築物の破壊実験,建設省建築研究所年報,1968
*1 対象建物の析行方向の壁量,ただし資料番号16については,試験体の壁量を示している。
*2 鉛直ジョイントの断面積を含む断面積。
*3 各荷重時における平均せん断応力度および下1階の部材角, R_c は最大強度の0.8倍時における値(ただし, $_s\tau_c, _s\tau_s, _s\tau_y, _s\tau_w$ は1階最大断面応力度)
*4 各試験体各階の平均の重量を1cm²とし,建物重量を1階断面積算定用長さに厚さを乗じた積の和で除した数値。
*5 S:せん断破壊, B:曲げ破壊, H:ジョイントの破壊

【資料番号中の肩付き番号】
1) 広沢雅也ほか:壁式プレキャスト構造5階建築物の破壊実験,建設省建築研究所年報,1968
2) 坪井善勝・加藤六美・平賀謙次:壁式プレキャスト構造コンクリート構造に関する研究,日本建築学会大会学術講演梗概集,1966
3) 後藤哲郎:壁式PC造における水平ジョイントの耐力と変形性状,横浜国立大学研究報告,第4小委員会資料No.61
4) 未水保実:壁式PC造各階の実験結果と下1階における保有耐力と推定される保有性能について,横浜国立大学報告,1970.9
5) 未水保実:壁式PC造における水平ドライジョイントの合理化に関する研究(繰り返し荷重時における壁柱脚部の水平ずべり抵抗について),横浜国立大学報告,1972.1
6) 未水保実:壁式プレキャスト鉄筋コンクリート造建物の直交ジョイント方式における壁ジョイント方式に係る開発報告,横浜国立大学報告,1981.12

4. 主要な実験結果にみる PCa 壁式 RC 造建物の特性

　PCa 壁式 RC 造建物は接合部を有し，各種の接合方法があることにより，耐力や靱性の評価が難しいとされているが，文献付 5.1) では，付表 5.1 に示したいくつかの模型実験や実大実験について，次に示した仮定を用いて耐力の計算を行い，かつ直交材や実験条件が耐力に及ぼす影響について検討されている．これらの耐力算定に用いられた仮定や計算方法は，次のとおりである*．

　a） 部材はフェイス位置で降伏し，崩壊機構に達すると仮定し，外力分布を実験と同じとして仮想仕事の原理による．

　b） 接合部のうち，鉛直接合部は一体であるとし，水平接合部は，これを挟む上下の壁梁を重ね梁と扱ったほかは有効であるとし，重ね梁を結ぶ耐力壁の水平接合部では降伏は生じないものとする．

　c） 耐力壁の小開口の影響は無視する．

　d） 耐力壁の終局強度算定においては，その材長によって壁式ラーメンとしての壁柱と耐震壁とに分け，耐震壁は 1 階脚部においてのみ曲げ降伏するとする．また，壁柱の引張鉄筋は端部から長さの 0.2 倍以内にある鉄筋とし，接合用鋼材が部材のほぼ中心にあるときは片方の接合筋を引張鉄筋とする．

　e） 直交壁の効果は，直交壁の負担軸方向力の 1/2 を考慮するとともに，鋼材は片側につき壁厚の 4 倍以内にあるものを有効と考え，これによる偏心の影響を考慮する．

　f） 床板は，壁梁より片側につき 500 mm 以内の鉄筋を有効とし，床板の接合部が梁端の近傍にあるときは無視する．

　g） 壁梁に作用している軸方向力の算出は，全作用水平力を実験時最大耐力とおき，壁柱のせん断力分布を壁梁の軸方向力を無視して求めた崩壊機構時の壁柱の終局強度に比例させて定め，それによって求めた値とする．

　h） 部材の終局強度を算定するときは，有効せいの代わりに鉄筋のひずみ硬化などを考慮して全せいを採用する．

　なお，上記のうち，直交壁やスラブの効果についての仮定は，必ずしも定量的な測定結果に基づいて決められたものではなく，実大実験結果にみられた定性的な傾向を考慮して決定されている立体実験については，直交材の効果や実験条件を種々に評価し，付表 5.2 のケースについて最大水平

＊：ここで用いられている記述は，実験当時と現在で用語の使い方がやや変化していると思われることから，当時用いられた用語のうち，下記について参考までに説明を加えておく．

耐震壁：　　　　無開口の耐力壁板により構成される連層耐力壁（張り間方向戸境壁，張り間方向妻壁）

壁式ラーメン：けた行方向にみられる有開口の耐力壁板で構成される構面について，設計上扁平な壁状の柱と梁により構成されるラーメンとみなした架構をいう．

壁柱：　　　　　壁式ラーメンを構成する柱に相当する位置にある部材．鉛直接合部を含んで一体としたせいを壁柱の全せいと考える．

重ね梁：　　　　けた行方向の腰壁付き有開口耐力壁板では，下階開口上部の壁梁と当該階腰壁部分の壁梁とを一体として考える場合はそれに見合う水平接合部詳細が必要となるが，両者が一体でない場合は一般的には下階開口上部の壁梁と当該階腰壁部分の壁梁それぞれを梁と考え重ね梁として扱う．

付表 5.2　立体実験での直交材等の影響を考慮した検討方法

直交材等の影響 \ case	case1	case2	case3	case4
直交壁	○	○	○	○
スラブの鉄筋	×	×	○	○
壁梁の軸力	×	×	×	○

[注]　○：直交材等考慮，×：直交材等無視

耐力を検討している．

なお，計算に用いた部材曲げ終局強度の計算式を以下に示す．

4.1 部材曲げ強度の計算式

a）　壁梁の軸方向力を無視した場合

① 壁柱の曲げ終局モーメント　$_cM_u$

$$_cM_u = 0.9\sum(a_t \cdot \sigma_y) \cdot D + 0.5 N \cdot D \cdot \{1 - N/(b \cdot D \cdot F_c)\}$$

記号　$_cM_u$：壁柱の曲げ終局モーメント（N・mm）

a_t：引張鉄筋の断面積（mm²）で，断面の端部から $0.2D$ 以内にある縦筋とする．ただし，接合用鋼材が材の中心にあるときは片側の接合筋とする．また，門形ラーメンの脚部では，接合筋の断面積に $\cos\theta$（θ：接合筋の鉛直方向と交わる角度）を乗じた値とする．

σ_y：引張鉄筋の材料強度（N/mm²）

D：壁柱のせい（mm）

N：壁柱に作用する軸方向力（N）

b：壁柱の幅（mm）

F_c：コンクリートの圧縮強度（N/mm²）

② 耐震壁の曲げ終局モーメント　$_wM_u$

$$_wM_u = 0.9\sum(a_t \cdot \sigma_y) \cdot D + 0.4\sum(a_w \cdot \sigma_y) \cdot D + 0.5 N \cdot D \cdot \{1 - N/(b \cdot D \cdot F_c)\}$$

ただし，$N \leq 0.4 b \cdot D \cdot F_c$

記号については壁柱に準じる．a_t, a_w には鉛直ジョイント内の鉄筋を算入するものとする．

③ 壁梁の曲げ終局モーメント　$_BM_{u1}$

$$_BM_{u1} = 0.9\sum(a_t \cdot \sigma_y) \cdot D$$

記号　$_BM_{u1}$：壁梁の曲げ終局モーメント（N・mm）

a_t：引張鉄筋の断面積（mm²）．ただし，a_t にはスラブが接続する場合，片側 500 mm 以内の鉄筋を考慮する．

σ_y：引張鉄筋の材料強度（N/mm²）

D：壁梁のせい（mm）

b) 壁梁の軸方向力を考慮した場合

① 壁梁の曲げ終局モーメント $_BM_{u2}$

$$_BM_{u2} = {_BM_{u1}} + 0.5N' \cdot D \cdot \{1 - N'/(b \cdot D \cdot F_c)\}$$

記号 $_BM_{u2}$：軸方向力が作用する壁梁の曲げ終局強度（N・mm）
N'：壁梁に作用する軸方向力（N）
D：壁梁のせい（mm）
B：梁の幅（mm）
F_c：コンクリートの圧縮強度（N/mm^2）

4.2 模型実験資料の保有水平耐力と靭性

付図 5.1 には，保有水平耐力計算結果 $_c\tau_u$ と実験により確認された最大荷重 $_t\tau_u$ を比較した結果を示した．付表 5.1 の資料番号のうち，1, 7, 11, 14, 15 は，直交材のない構面実験であるが，壁梁に軸方向力が加わっている状態で得られた最大荷重であるのでその上昇分を考慮した計算値は，実験値と概ね一致する結果となっている．資料番号 5 は，直交材を有する試験体であるが，最大耐力以降まで実験が行われていないので計算値との比較ができないが，最大荷重はほぼ骨組の最大荷重に達していると荷重変形曲線などから推定される．この資料について直交材や壁梁に作用する軸方向力による上昇分を考慮した計算値は実験値をやや上回っているが，壁梁軸方向力による上昇分を考慮し，直交材を無視した場合の計算値は実験値を下回る結果となっているから，実際には直交材の効果があるものと判断される．資料番号 16 の模型立体実験は，5 階建の PCa 壁式 RC 造建物のけた行方向の下部 3 層分について下限壁量に対応するように模型化し，実験を行ったものである．

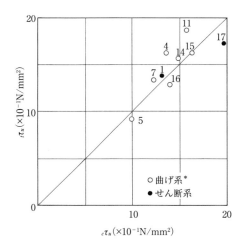

［注］図中の番号は，付表 5.1 中の資料番号に同じ．
図中には，付表 5.1 の資料番号 17 の実大立体実験の結果も示す．
〔記号〕＊：曲げ系には曲げせん断系の破壊モードも含む．

付図 5.1 実験最大荷重時の平均せん断応力度 $_t\tau_u$ と計算による保有水平耐力の平均せん断応力度 $_c\tau_u$ の関係

この試験体は，荷重変形曲線より判断する限りほぼ最大荷重に達しているものと考えられるが，最大荷重が確認されている試験方向の最大荷重後の荷重の変動については，完全には確認されていない．しかしながら，ほぼ実験最大荷重を示しているとして保有水平耐力計算値との比較を行う．付表5.3は前述の仮定に従い，直交材の効果をみるために種々のケースについて保有水平耐力を算出し，実験値と比較したものである．

付表5.3 模型立体実験の保有水平耐力の計算値と実験値（資料16）

	case1	case2	case3	case4
$_cQ_u$ (kN)	477	510	627	721
$_cQ_u/_tQ_u$	0.72	0.77	0.94	1.08
$_cQ_u$/case4	0.66	0.71	0.87	1.00
$_c\tau_u$ (N/mm^2)	0.92	0.98	1.21	1.39

〔記号〕　$_cQ_u$：保有水平耐力計算値
　　　　$_tQ_u$：実験最大荷重で，665 kN
　　　　case4：直交材および梁軸方向力による上昇分を考慮した保有水平耐力
　　　　$_c\tau_u$：保有水平耐力計算値を壁断面積で除した数値

直交材や実験条件を考慮した計算結果と実験値の比は 1.08 になるが，構面や直交材の効果および壁梁に作用する軸方向力による上昇分の影響度について case4 の耐力を 1 として表すと，1) 加力方向の構面のみの耐力は 0.66 となる．2) 直交壁の効果は 0.05 で構面と直交壁の効果を合計すると 0.71 となる．3) 床板の効果は 0.16 で構面と直交壁，スラブの効果を合計すると 0.87 となる．4) 壁梁の軸方向の影響は 0.13 となるが，壁梁の軸方向力による上昇分を除くと床板の効果が最も大きい結果となっている．実際では直交材が耐力に及ぼす影響がかなりあることがうかがわれる．

以上，保有水平耐力を算定した試験体は，実験結果より判断する限り曲げ降伏形とされていることから，前述した仮定により保有水平耐力を推定することが可能と判断されよう．付図5.2は，実験最大荷重時における平均せん断応力度 $_t\tau_u$ と壁柱のせん断補強筋比 p_s の関係を示したものであるが，概ね p_s が 0.2～0.3% 程度で $_t\tau_u$ が 1～1.5 N/mm^2 となっており，強度的にもこの程度の値が規定によるせん断補強筋量程度で期待できるものと考えられる．また，応力と変形能との関係については大変形まで行った実験が少ないという問題がある．付図5.3には，資料番号1～3の $_t\tau-R$ 関係を，付図5.4～5.7には資料番号16の立体模型実験の $_t\tau-R$ 関係，直交壁・床板・構面の最終破壊状況を示した．

なお，付表5.1には，各荷重時における平均せん断応力度と1階の部材角を示してある．

以上，模型実験資料からでは実際の建物の耐力や変形・破壊モードを直接評価することは難しい．しかしながら，耐力に関しては，量的に実験資料が蓄積されていることから十分な強度を有するものと考えられ，また，変形能については，立体模型実験結果などにより適切な粘りを有するものと判断されよう．

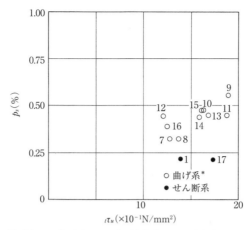

〔記号〕＊：曲げ系には，曲げ降伏後のせん断破壊モードも含む．
　　　　　図中には，付表 5.1 の資料番号 17 の実大立体実験の結果も示す．

付図 5.2 最大荷重時における平均せん断応力度 $_t\tau_u$ とせん断補強筋比 p_s の関係

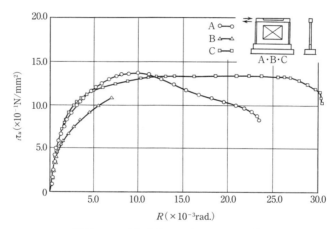

付図 5.3 正荷重時における $_t\tau_u - R$ 関係
（資料番号 1（試験体名 A）〜 3（試験体名 C））

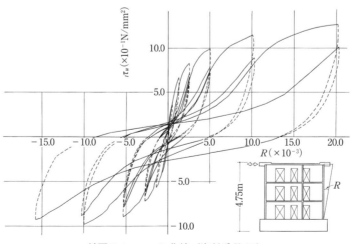

付図 5.4 $_t\tau_u - R$ 曲線（資料番号 16）

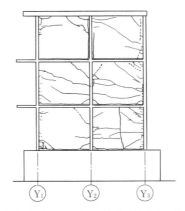

付図 5.5 直交壁（X_1 通り）の最終破壊状況（資料番号 16）

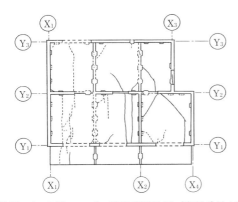

付図 5.6 2 階スラブの最終破壊状況（資料番号 16）

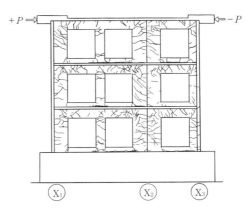

付図 5.7 南側構面の最終破壊状況（資料番号 16）

4.3 実大実験資料の保有水平耐力と靱性

　付表 5.1 の資料番号 17 の実大実験は，1) 壁量がかなり多い，2) 加力方法が等分布である，3) 壁梁に軸方向力が加わっている，4) 大変形での繰返しがない点が保有水平耐力や靱性を評価するうえで問題となる．1) と 2) については保有水平耐力を計算する上では問題はないが，3) については保有水平耐力を過大評価しており，靱性の面では 2) によりやや不利となり，4) により有利となって実験結果は耐震性の評価のうえでは実際に推定されるものに比べやや過大な結果となっていると考えられる．

　a) 保有水平耐力について

　付表 5.4 に種々のケースについて算定された結果について示す．

　直交材や梁の軸方向力の影響を考慮した計算結果と実験値の比は 1.14 になるが，床面や直交材の効果および梁軸方向力上昇分の影響度について Case4 の耐力を 1 として表すと，1) 加力方向のみの構面の耐力は 0.56 となる，2) 直交壁の効果は 0.06 で構面と直交壁の効果を合計すると 0.62 となる，3) スラブの効果は 0.10 で構面と直交壁・スラブの効果を合計すると 0.72 となる，4) 壁梁の軸方向力の影響は 0.28 となる．

実験建物では，壁梁軸方向力が最も耐力に影響を及ぼしていると考えられるが，実際には直交壁〔付図5.8参照〕やスラブ〔付図5.9参照〕がかなり効くことが認められている．スラブの有効幅については，特にスラブの接合位置や個数，およびその接合法によってどの程度効くのか不明な点もあるが，本計算仮定による有効幅とした場合の解析結果ではかなりの影響があることがわかった．保有水平耐力計算値は，実験建物の北側構面が最大耐力前でせん断破壊していることもあってすべて曲げ形と判断できないが，概ね，計算結果は実験建物の曲げ耐力を示しているものと判断される．また，付表5.4中には，実験建物を建築基準法施行令による外力分布で保有水平耐力を計算した結果も示した．等分布の外力分布に比べ約7%程度の耐力減になるものと推定される．

付表 5.4 実大立体実験の保有水平耐力の計算値と実験値（資料番号 17）

	case1	case2	case3	case4
$_cQ_u$ (kN)	4 189 (3 906)	4 638 (4 325)	5 385 (5 022)	7 451 (6 950)
$_cQ_u/_tQ_u$	0.64	0.71	0.83	1.14
$_cQ_u/$case4	0.56	0.62	0.72	1.00
$_c\tau_u$ (N/mm²)	1.10 (1.03)	1.22 (1.14)	1.41 (1.32)	1.96 (1.83)

〔記号〕　$_cQ_u$：保有水平耐力計算値
　　　　　$_tQ_u$：実験最大荷重で，6 510 kN
　　　　case4：直交材および梁軸方向力による上昇分を考慮した保有水平耐力
　　　　　$_c\tau_u$：保有水平耐力計算値を壁断面積で除した値
〔注〕（　）内は，建築基準法施行令による外力分布による計算結果

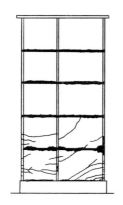

付図 5.8　直交壁の最終破壊状況
（資料番号 17）

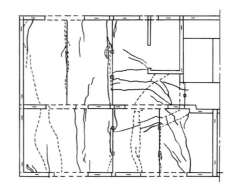

付図 5.9　2階スラブ1住戸分の最終破壊状況
（資料番号 17）

b）　靱性について

付図 5.10～5.12 は，実験建物の最上階における平均せん断応力度 $_t\tau_u$ －部材角 R 関係と，南側および北側構面の最終破壊状況を示したものである．$_t\tau_u - R$ 関係からも判断することができるが，最大荷重近傍で北側構面がせん断破壊を生じており，その結果，大変形下で耐力低下が生じている．このことは大変形下で繰返しを行った場合，さらに耐力低下は著しくなると推定されよう．しかし

付5. プレキャスト壁式鉄筋コンクリート造建物の耐震性 —581—

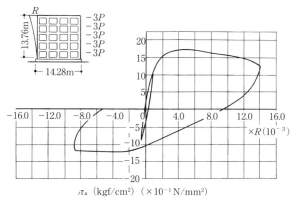

付図5.10 試験体頂部における $_t\tau$–R 曲線（資料番号17）

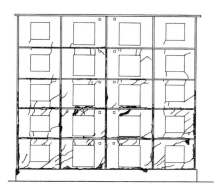

付図5.11 南側構面における 最終破壊状況
（資料番号17）

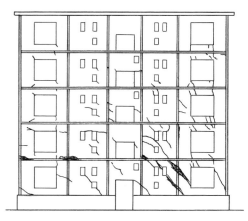

付図5.12 北側構面における 最終破壊状況
（資料番号17）

ながら，実際の建物では壁量が減少することにより最大耐力が小さくなると変形限界は大きくなって靱性が期待できるものと推定される．実験建物は壁量が多いことから p_s が 0.2% となっているが，少なくとも北側構面がせん断破壊したときの $_t\tau_u$ で 1.68 N/mm² （付表5.1 資料番号17 の $_t\tau_u$ = 17.1 kgf/cm² を SI 単位系に変換）までは付図5.10にみるように耐力低下はあまり著しくない．

c) 実験建物の耐震性

立体実験建物の耐震性は上記の破壊実験結果より，耐力に関しては立体効果によって十分な耐力を有し，かつ部材の曲げ耐力に基づく方法で保有水平耐力を算定することが概ね可能とされること，さらに適度な粘りを有する建物であると判断されるものである．しかしながら，直交壁やスラブの効果については，十分な資料がないことから今後のこの種の資料の蓄積が望まれる．

[参考文献]

付5.1) 園部泰寿・広沢雅也・後藤哲郎ほか：中高層壁式プレキャスト造建物の耐震性に関する研究（その1〜3），日本建築学会大会学術講演梗概集，構造系，pp.1703〜1708，1981.9

付6. 壁梁の配筋推奨値

　PCa 壁式 RC 造建物の長辺方向において，ベースシヤー係数 $C_B=0.5$ 相当の曲げ強度を付与するための壁梁に必要な端部曲げ補強筋量について，本会編「壁式プレキャスト鉄筋コンクリート造設計規準・同解説（1982 改定）」に基本式が提案されている．ここでは，階段室からエレベータ付きの片廊下形式へ，開口長さ，床厚さの増大など住宅への要求性能の変化を加味して，壁梁の平均内法長さ l_0 の関数とした基本式を用いて計算される壁梁の端部曲げ補強筋量の推奨値について記載する．なお，基本式を SI 単位に変換した．

a） 壁梁に必要な端部曲げ補強筋量の基本式（壁梁の平均内法長さ $\bar{l_0}$ の関数とした式）

$$\sum a_{t0} = \left\{ \frac{w \cdot \alpha \cdot h}{L_w \cdot y} \cdot C_B - 0.8\, a_{tc} \cdot \sigma_y - 0.05\, w \cdot N \left(\frac{y}{10^6 - L_w \cdot y} \right) \cdot \left(\frac{N_W - 1}{N_W} \right) \cdot \bar{l_0} \right\} \cdot$$

$$\left\{ \frac{L_w \cdot y}{0.9\, \sigma_y \cdot d \left(10^6 - \dfrac{L_w \cdot y}{N_W} \right)} \cdot \bar{l_0} \right\} \tag{付6.1}$$

$$a_{tG} = \sum a_{t0}/2 - a_{ts} \tag{付6.2}$$

ここで，

　$\sum a_{t0}$：一つの耐力壁に接続する壁梁の端部曲げ補強筋断面積の総和（mm^2）で，この値には有効な範囲内のスラブ筋の断面積を算入してよい（階数 N の場合，壁梁が片側しか接続しない端部耐力壁の影響を考慮してあるので，基礎梁を除く耐力壁両側に接続する壁梁の片側上端端部曲げ補強筋ともう一方の下端端部曲げ補強筋の断面積の和で，有効な範囲内のスラブ筋は取り付く位置に留意する）．

　w：建物の地震力算定用単位重量（N/m^2）

　α：標準せん断力係数 $C_0=1.0$ 時の建物の転倒モーメントによる係数で，α は概ね次のようになる．

建物階数	5	4	3	2	1
α	17.44	11.34	6.59	3.16	1.00

　h：階高（mm）

　L_w：壁量（mm/m^2）

　C_B：保有水平耐力時のベースシヤー係数で，ここでは 0.5 とする．

　a_y：耐力壁 1 階脚部の端部曲げ補強筋の断面積（mm^2）

　N：建物の地上階数

　y：短辺方向全長（壁量算定用床面積の計算に用いる長さ）を長辺方向の構面数で除した数値（mm）

N_W：1階あたりの長辺方向の耐力壁の数を長辺方向の構面数で除した数値

$\overline{l_0}$：壁梁の平均内法長さ（長辺方向の全ての壁梁内法長さの平均値）(mm)

d：壁梁の有効せい (mm)

a_{tG}：一つの耐力壁の片側に接続する壁梁の端部曲げ補強筋断面積の総和 (mm^2) で，階数 N の場合，N 本の壁梁を考慮することになる．

a_{ts}：壁梁の曲げ強度に有効な範囲内のスラブ筋の断面積 (mm^2)

b) 壁梁に必要な端部曲げ補強筋量 a_{tG} 算定の仮定条件

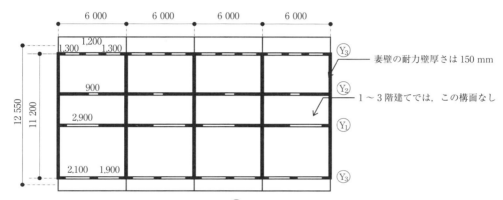

[注] 4, 5 階建てを示し，1～3 階建てでは長辺方向の Y_1 通りの構面がないものとする．
屋外廊下の外側に階段 2 か所，5 階建のみエレベータシャフトが取り付くものとする．

付図 6.1 検討対象建物の基準階の耐力壁と壁梁配置

w：11 000 N/m^2

h：2 750 mm

L_w：4～5 階建の場合　157.3 mm/m^2，1～3 階建の場合　120.2 mm/m^2

a_{tc}：4～5 階建の場合　1-D22 とし 387 mm^2，3 階建の場合　1-D19 とし 287 mm^2

　　　 1～2 階建の場合　1-D16 とし 199 mm^2

σ_y：3～5 階建の場合　379.5 N/mm^2 (SD345)，1～2 階建の場合　324.5 N/mm^2 (SD295)

y：4～5 階建の場合　3 137.5 mm（＝12 550/4），

　　　 1～3 階建の場合　4 183.3 mm（＝12 550/3）

N_W：4～5 階建の場合　8（＝32/4），1～3 階建の場合　9（＝27/3）

$\overline{l_0}$：4～5 階建の場合　1 657.1 mm（＝11 600/7），

　　　 1～3 階建の場合　1 450.0 mm（＝8 700/6）

d：450 mm

a_{ts}：有効なスラブ筋を 4-D10 (SD295) とし，壁梁の片側のみ考慮して

　　　 3～5 階建の場合　71×4/2×324.5/379.5＝121 mm^2

　　　 1～2 階建の場合　71×4/2＝142 mm^2

c) 壁梁に必要な端部曲げ補強筋量算定 a_{tG} の計算結果

　　　 5 階建：4 231 mm^2

4 階建：2 582 mm^2

3 階建：1 698 mm^2

2 階建：　839 mm^2

1 階建：　 58 mm^2

d) 各階壁梁の端部曲げ補強筋の推奨値（付表6.1）

付表6.1　各階壁梁の端部曲げ補強筋の推奨値

壁梁の位置 \ 建物階数	5 階建	4 階建	3 階建	2 階建	平家建
R 階	2-D22	2-D19	2-D19	2-D16	1-D13
R 階から数えて 2 番目	2-D22	2-D19	2-D19	3-D16	
R 階から数えて 3 番目	2-D22	2-D22	2-D22		
R 階から数えて 4 番目	2-D22	2-D22			
R 階から数えて 5 番目	3-D22				
a_{tG} (mm^2)	4 257＞4 231	2 696＞2 582	1 886＞1 698	995＞839	127＞58

付表6.1は，b) の仮定条件のもとで $C_B=0.5$ 相当の曲げ強度が得られるとする提案式により算出したもので，許容応力度計算で算定される補強筋量より余裕が十分あると考えられが，極めて稀に生じる地震動に対して建物の構造安全性確保のために推奨するものである．したがって，保有水平耐力計算を行う場合にはこれによらなくてもよい．また，b) の仮定条件と異なる場合には，（付 6.1）式および（付 6.2）式に基づいて算定すればよい．

なお，基礎梁の端部曲げ補強筋量は，基礎梁が取り付く1階耐力壁の長さと脚部の曲げ強度との関連を考慮して，基礎梁が曲げ降伏しない程度の量を付与することが望ましい．

付7. プレキャスト壁式RC造建物の鉛直接合部等に用いる鉄筋フレア溶接の性能

1. はじめに

PCa壁式RC造の耐力壁側面の鉛直接合部などに設けたコッター筋相互は鉄筋フレア溶接で接合されている．コッター筋には現在D10～D13の異形棒鋼が用いられている．また，文献付7.1)では有効溶接長さL_eを片面$5d$（dは異形鉄筋の呼び名に用いた数値）としているが，D10の場合に$L_e=45$ mmと表示している．これは，コッター筋に丸鋼が使用されていた時代に9ϕおよび13ϕが用いられ，9ϕの場合に$L_e=45$ mmとなっていたことに由来すると思われ，D10でも$L_e=45$ mmとしている．

プレハブ建築協会が委託し1966年当時にD10からD25までの鉄筋をフレア溶接した場合の強度試験を実施した千葉工業大学の報告[付7.2)]があり，一定の条件下でD10およびD13については片面$5d$（D10の場合$L_e=45$ mm，D13の場合$L_e=65$ mm）としてよいと判断できる結果が示されていた[付7.3)]ので，その概要を以下に示す．

なお，試験に使用した鉄筋は，D13以下についてはSD295A，D16以上についてはSD345である．ただし，溶接方法として下向き溶接を行ったものはD10，D13とD16の一部である．このD16は片面$10d$（$L_e=160$ mm）として壁式ラーメンプレキャスト鉄筋コンクリート造（WR-PC）でのコッター筋等に用いることを念頭に実験変数の一つとして採用されている．D16の一部およびD19以上のものは鉛直接合部軸筋を想定した立向き溶接であるため，ここでは説明を省略する．

2. 素材鉄筋の性質

素材試験体の引張試験結果（試験体3体の平均値）は，付表7.1のようにミルシートの数値（証明書記載数値の平均値）に対してD10，D13については1.00～1.05倍とおおむね一致しているが，D16については0.864倍と下回った．降伏点は規格降伏点（D10，D13については295 N/mm^2，

付表7.1 素材試験体とミルシートの強度比較

素材・強度 呼び名	素材	降伏点 kN	降伏点 N/mm^2	強度比 (b/a)	引張強さ kN	引張強さ N/mm^2	強度比 (b/a)
D10	a：ミルシート		353	1.049		487	1.032
D10	b：試験体（平均）	26.3	370	1.049	35.7	503	1.032
D13	a：ミルシート		349	1.002		490	1.032
D13	b：試験体（平均）	44.4	350	1.002	64.2	506	1.032
D16	a：ミルシート		398	0.864		563	0.873
D16	b：試験体（平均）	68.5	344	0.864	97.8	491	0.873

D16については345 N/mm^2）に対してD10では1.25倍，D13では1.19倍，D16で0.997倍である．D16の降伏点が平均値として規格降伏点をわずかに下回っているが，降伏点平均値は重力単位系で354.6 N/mm^2（＞345 N/mm^2）であり，規格降伏点に達していると判断したものと思われる．

3. 溶接試験体

溶接試験体は，技量が十分とみなせる溶接者が下向き姿勢で作成した．ビード幅は，D10では6 mm，D13では7 mm，D16では8 mmとし，溶接機はAW-300型，溶接棒径は3.2 mm，運棒方法はD10およびD13に対してはストリンガ法，D16に対してはウィービング法とした．なお，仮付溶接を本溶接上端部位置に施している．

実験変数と試験体番号の関係を付表7.2に示す．溶接棒の種類を2水準（低水素系およびイルミナイト系）とし，L_eを4水準（いずれも片面溶接とし，10 d，5 d，4 dおよび3 dとするが，D10の片面5 dに限りL_e＝45 mmとする）とする．同一試験体を5体使用して試験を行っている．

付表7.2 実験変数と試験体番号の関係

溶接棒種類	フレア溶接長	呼び名・試験体番号		
		D10	D13	D16
低水素系（LF）	片面 10 d			D16-LF160
	片面 5 d	D10-LF45	D13-LF65	
イルミナイト系（IF）	片面 10 d			D16-IF160
	片面 5 d	D10-IF45	D13-IF65	
	片面 4 d	D10-IF36	D13-IF52	
	片面 3 d	D10-IF27	D13-IF39	

4. 引張試験

引張試験は，インストロン引張試験機（Instron model 1196-25t）を使用した．溶接試験体の取付けにあたり，上部は丸チャック，下部は平チャックを使用した．

引張速度は毎分5 mmとし，測定はレコーダに記録してチャート紙から読み取った．読取りの一例を付図7.1および付図7.2に示す．

付図7.2左に示したD10-LF45-2は，最終的には母材破断した．降伏点までは素材試験体と同等の推移であるが，降伏以降の最大荷重までの塑性域での伸びが素材試験体より小さいことがわかる．付図7.2右に示したD10-LF45-3については，降伏点までは素材試験体と同等の推移だが，塑性域での伸びの途中で仮付溶接部の熱影響部で破断した．

付7. プレキャスト壁式RC造建物の鉛直接合部等に用いる鉄筋フレア溶接の性能

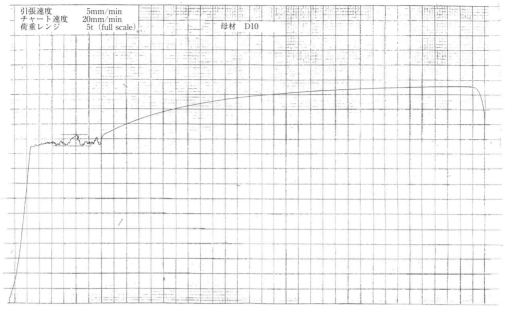

付図7.1 素材試験体の荷重—伸び関係（D10の例）

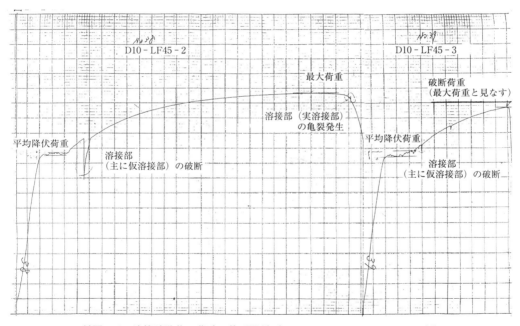

付図7.2 溶接試験体の荷重−伸び関係（D10-LF45-2，D10-LF45-3の例）

5. 溶接試験体の引張試験結果

溶接試験体の破断状況を写真7.1〜7.3に，引張結果一覧を付表7.3〜7.5に示す．

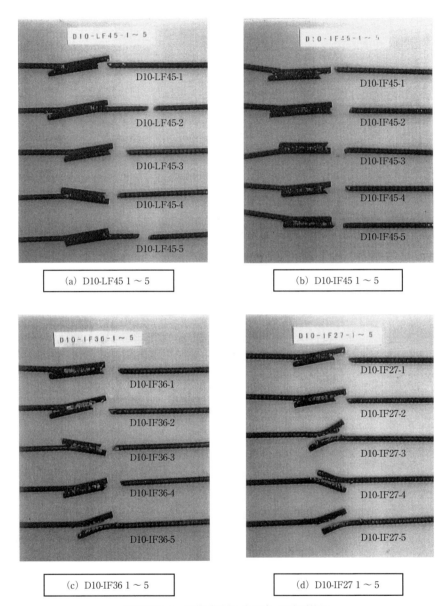

(a) D10-LF45 1〜5

(b) D10-IF45 1〜5

(c) D10-IF36 1〜5

(d) D10-IF27 1〜5

付写真7.1 溶接試験体（D10）の破断状況

付7. プレキャスト壁式RC造建物の鉛直接合部等に用いる鉄筋フレア溶接の性能

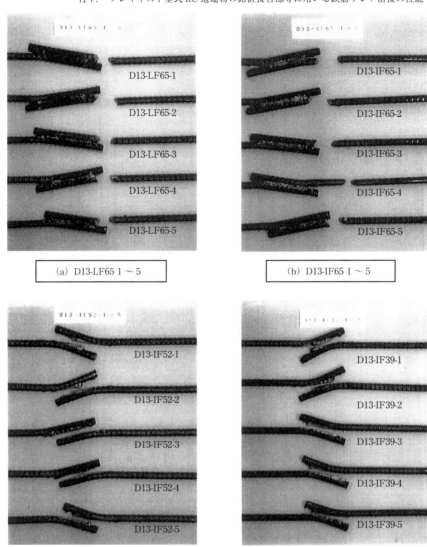

(a) D13-LF65 1～5

(b) D13-IF65 1～5

(c) D13-IF52 1～5

(d) D13-IF39 1～5

付写真7.2 溶接試験体（D13）の破断状況

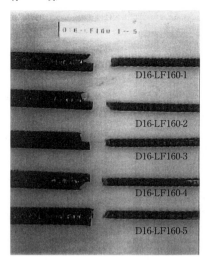
(a) D16-LF160 1～5

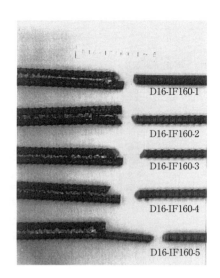
(b) D16-IF160 1～5

付写真 7.3 溶接試験体（D16）の破断状況

付表 7.3 引張試験結果一覧（D10）

試験体番号	実験変数	破断状況	降伏点				最大荷重			
			tf	kN	N/mm²	素材との比	tf	kN	N/mm²	素材との比
D10-LF45-1	低水素系 下向き（LF）片面5d	仮付溶接部	2.67	26.2	369	1.00	3.58	35.1	494	0.98
D10-LF45-2		母材	2.65	26.0	366	0.99	3.66	35.9	506	1.01
D10-LF45-3		仮付溶接部	2.65	26.0	366	0.99	3.42	33.5	472	0.94
D10-LF45-4		仮付溶接部	2.68	26.3	370	1.00	3.73	36.6	515	1.02
D10-LF45-5		母材	2.63	25.8	363	0.98	3.78	36.1	508	1.01
D10-LF45 平均値			2.66	26.0	367	0.99	3.61	35.4	499	0.99
D10-IF45-1	イルミナイト系 下向き（IF）片面5d	仮付溶接部	2.69	26.4	372	1.00	3.70	36.3	511	1.02
D10-IF45-2		仮付溶接部	2.65	26.0	366	0.99	3.22	31.6	445	0.88
D10-IF45-3		仮付溶接部	2.63	25.8	373	0.98	3.61	35.4	499	0.99
D10-IF45-4		仮付溶接部	2.60	25.5	359	0.97	3.58	35.1	494	0.98
D10-IF45-5		仮付溶接部	2.66	26.1	367	0.99	3.64	35.7	503	1.00
D10-IF45 平均値			2.65	25.9	365	0.99	3.55	34.8	490	0.98
D10-IF36-1	イルミナイト系 下向き（IF）片面4d	仮付溶接部	2.60	25.5	359	0.97	2.94	28.8	406	0.81
D10-IF36-2		仮付溶接部	2.38	23.3	329	0.89	3.28	32.2	453	0.90
D10-IF36-3		仮付溶接部	2.56	25.1	354	0.96	3.43	33.6	474	0.94
D10-IF36-4		仮付溶接部	2.63	25.8	363	0.98	3.44	33.7	475	0.95
D10-IF36-5		ビード全面剥離	2.66	26.1	367	0.99	3.09	30.3	427	0.85
D10-IF36 平均値			2.57	25.2	354	0.96	3.24	31.7	447	0.89
D10-IF27-1	イルミナイト系 下向き（IF）片面3d	仮付溶接部	2.64	25.9	365	0.99	2.95	28.9	407	0.81
D10-IF27-2		仮付溶接部	2.63	25.8	363	0.98	2.98	29.2	412	0.82
D10-IF27-3		ビード全面剥離	2.54	24.9	351	0.95	2.78	27.3	384	0.76
D10-IF27-4		ビード全面剥離	2.68	26.3	370	1.00	3.08	30.2	425	0.85
D10-IF27-5		ビード全面剥離	2.65	26.0	366	0.99	2.75	27.0	380	0.76
D10-IF27 平均値			2.63	25.8	363	0.98	2.91	28.5	402	0.80

付7. プレキャスト壁式RC造建物の鉛直接合部等に用いる鉄筋フレア溶接の性能

付表7.4 引張試験結果一覧 (D13)

試験体番号	実験変数	破断状況	降伏点				最大荷重			
			tf	kN	N/mm²	素材との比	tf	kN	N/mm²	素材との比
D13-LF65-1	低水素系 下向き (LF) 片面5d	仮付溶接部	4.50	44.1	347	0.99	5.96	58.4	460	0.91
D13-LF65-2		仮付溶接部	4.56	44.7	352	1.01	6.22	61.0	480	0.95
D13-LF65-3		仮付溶接部	4.51	44.2	348	1.00	6.38	62.6	493	0.97
D13-LF65-4		仮付溶接部	4.49	44.0	347	0.99	6.36	62.4	491	0.97
D13-LF65-5		仮付溶接部	4.45	43.6	344	0.98	6.40	62.8	494	0.98
D13-LF65 平均値			4.50	44.1	348	0.99	6.26	61.4	484	0.96
D13-IF65-1	イルミナイト系 下向き (IF) 片面5d	仮付溶接部	4.45	43.6	344	0.98	6.20	60.8	479	0.95
D13-IF65-2		仮付溶接部	4.47	43.8	345	0.99	6.35	62.3	490	0.97
D13-IF65-3		仮付溶接部	4.50	44.1	347	0.99	6.10	59.8	471	0.93
D13-IF65-4		母材	4.40	43.1	340	0.97	5.20	51.0	402	0.79
D13-IF65-5		仮付溶接部	4.45	43.6	344	0.98	6.15	60.3	475	0.94
D13-IF65 平均値			4.45	43.7	344	0.98	6.00	58.8	463	0.92
D13-IF52-1	イルミナイト系 下向き (IF) 片面4d	ビード全面剥離	4.35	42.7	336	0.96	4.50	44.1	347	0.69
D13-IF52-2		ビード全面剥離	4.36	42.8	337	0.96	4.46	43.7	344	0.68
D13-IF52-3		ビード全面剥離	4.50	44.1	347	0.99	4.70	46.1	363	0.72
D13-IF52-4		ビード全面剥離	4.45	43.6	344	0.98	5.50	53.9	425	0.84
D13-IF52-5		ビード全面剥離	4.45	43.6	344	0.98	5.05	49.5	390	0.77
D13-IF52 平均値			4.42	43.4	341	0.98	4.84	47.5	374	0.74
D13-IF39-1	イルミナイト系 下向き (IF) 片面3d	ビード全面剥離	4.50	44.1	347	0.99	5.35	52.5	413	0.82
D13-IF39-2		ビード全面剥離	4.45	43.6	344	0.98	4.80	47.1	371	0.73
D13-IF39-3		ビード全面剥離	4.35	42.7	336	0.96	4.95	48.5	382	0.76
D13-IF39-4		ビード全面剥離	4.35	42.7	336	0.96	5.25	51.5	405	0.80
D13-IF39-5		ビード全面剥離	4.45	43.6	344	0.98	5.15	50.5	398	0.79
D13-IF39 平均値			4.42	43.3	341	0.98	5.10	50.0	394	0.78

付表7.5 引張試験結果一覧 (D16)

試験体番号	実験変数	破断状況	降伏点				最大荷重			
			tf	kN	N/mm²	素材との比	tf	kN	N/mm²	素材との比
D16-LF160-1	低水素系 下向き (LF) 片面10d	仮付溶接部	7.00	68.6	345	1.00	9.70	95.1	478	0.97
D16-LF160-2		仮付溶接部	6.88	67.5	339	0.99	9.80	96.1	483	0.98
D16-LF160-3		仮付溶接部	7.05	69.1	347	1.01	8.80	86.3	434	0.88
D16-LF160-4		仮付溶接部	7.25	71.1	357	1.04	9.95	97.6	490	1.00
D16-LF160-5		仮付溶接部	7.30	71.6	360	1.05	9.80	96.1	483	0.98
D16-LF160 平均値			7.10	69.6	350	1.02	9.61	94.2	474	0.96
D16-IF160-1	イルミナイト系 下向き (IF) 片面10d	仮付溶接部	7.45	73.1	367	1.07	9.90	97.1	488	0.99
D16-IF160-2		仮付溶接部	7.13	69.9	351	1.02	9.30	91.2	458	0.93
D16-IF160-3		仮付溶接部	7.30	71.6	360	1.05	10.00	98.1	493	1.00
D16-IF160-4		仮付溶接部	7.13	69.9	351	1.02	9.30	91.2	458	0.93
D16-IF160-5		母材	7.60	74.5	375	1.09	10.75	105.4	530	1.08
D16-IF160 平均値			7.32	71.8	361	1.05	9.85	96.6	485	0.99

6. 考　察

（a） 溶接試験体 D10 シリーズでは，片面 5d の場合には母材破断または仮付溶接部での破断となっているが，降伏点，最大荷重とも素材試験体の平均値とほぼ同等である．片面 4d の場合および片面 3d の場合は仮付溶接部での破断またはビード全面剥離となっているが，降伏点は全体としては素材試験体の平均値とあまり変わらず，最大荷重は素材試験体の平均値に比べて 4d の場合で 1 割，3d の場合で 2 割程度下回った．

（b） 溶接試験体 D13 シリーズでは，片面 5d の場合には母材破断または仮付溶接部での破断となっているが，降伏点は素材試験体の平均値と概ね同等であり，最大荷重は母材破断の 1 体を除き素材試験体の平均値と概ね同等といえる．片面 4d の場合および片面 3d の場合はビード全面剥離が生じ，降伏点は素材試験体の平均値とあまり変わらないが最大荷重は 16〜32%低下した．

（c） 以上より，溶接試験体 D10 シリーズおよび D13 シリーズに対しては，片面 5d（D10 では L_e=45 mm，D13 では L_e=65 mm）は採用できるが，片面 4d と片面 3d は採用できないと思われる．なお，片面 5d（D10 では L_e=45 mm，D13 では L_e=65 mm）では，溶接試験体の降伏点平均値と規格降伏点の比は，D10 で 1.24，D13 で 1.17 である．また，最大荷重平均値と規格降伏点の 1.1 倍の比は，D10 で 1.51，D13 で 1.43 である．

（d） 上記より，許容応力度設計の範囲では D10，D13 を片面 5d（D10 では L_e=45 mm，D13 では L_e=65 mm）の鉄筋フレアー溶接で接合することは問題なく，終局状態でも許容される程度と評価できる．

（e） 溶接試験体 D16 シリーズでは片面 10d（L_e=160 mm）のみであるが，母材破断または仮付溶接部での破断となっている．降伏点，最大荷重とも素材試験体とほぼ同等といえる．したがって，D16 に対しては，片面 10d（L_e=160 mm）は採用可能と思われる．ただし，片面 10d（L_e=160 mm）では降伏点平均値と規格降伏点の比は 1.01 と余裕がほとんどない．これは，実験に用いた D16 素材の降伏点がほとんど規格降伏点に近かったことも影響しているかもしれない．また，最大荷重平均値と規格降伏点の 1.1 倍の比は 1.25 である．

（f） 上記より，許容応力度設計の範囲では D16 を片面 10d（L_e=160 mm）の鉄筋フレア溶接で接合することは可能と思われるが，実際にコッター筋として D16 を採用する場合には L_e 確保のために幅広の接合部形状が必要になるとともに，設計にあたってある程度の強度上の余裕を確保しておくことが留意点となろう．

（g） なお，本実験では仮付溶接部での破断が見られたが，仮付溶接部を本溶接ビード内（本溶接ビード端部から 1d 以上内側）に設けて丁寧にスラグを除去し，本溶接によってこの部分を十分に溶け込ませれば，仮付溶接部近傍からの破断が少なくなることを追加実験で確認している．また，実験結果を実際の現場で再現するために，溶接者に技量試験を課すなど十分な施工的配慮が重要といえる．

7. まとめ

　PCa 壁式 RC 造の鉛直接合部などにコッター筋として D10 または D13 を用い，十分な技量を有する溶接技術者が慎重に接合する場合，有効溶接長さ L_e を片面 $5\,d$（D10 では $L_e=45\,\mathrm{mm}$，D13 では $L_e=65\,\mathrm{mm}$）とする鉄筋フレアー溶接で接合することは許容されると判断できる．

[参 考 文 献]

付 7.1) 宮﨑舜次・助川哲朗：溶接施工の手引―PC 工法の場合―，建設資材研究会，p.90，1976.9
付 7.2) 鉄筋フレア溶接試験報告書（プレハブ建築協会内部資料），1996.12
付 7.3) 飯塚正義：壁式プレキャスト鉄筋コンクリート造に用いられる鉄筋フレア溶接の性能試験，日本建築学会大会学術講演梗概集，C-2，構造Ⅳ，pp.797〜798，2015.9

付8. 現場打ち壁式RC造建物の長期優良住宅の認定要件を検討することを目的とした立体架構実験

1. 実験目的

現場打ち壁式鉄筋コンクリート（以下，WRCと略記）造建物立体架構の大地震時における損傷程度を定量的に評価し，WRC造建物の長期優良住宅の認定要件を検討することを目的としている．

2. WRC架構の性能評価実験

（1） 試験体概要

本実験に用いた試験体は，「壁式鉄筋コンクリート造設計・計算規準・同解説」[付8.1] およびRC規準[付8.2] に基づき設計された5層WRC架構の下部2層は設計どおり，上部3層は保有水平耐力が変わらないように縮約し，1/2スケールに縮小したものである．付図8.1に試験体の伏図および軸組図を，付表8.1および付表8.2に各部材の配筋一覧をそれぞれ示す．詳細は文献付8.3) を参照されたい．

なお，試験体の重量は，ベースシヤー係数の算出時には，加力方向の1層耐力壁に$0.45\,\mathrm{N/mm^2}$の平均せん断応力度が生じる時を層せん断力係数$C_0=0.2$の時と仮定し，全重量$\Sigma W=0.45\,A_1$

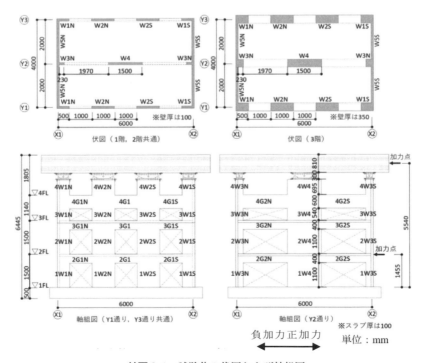

付図8.1 試験体の伏図および軸組図

付表 8.1 耐力壁の配筋一覧

符号	縦筋	横筋	端部補強筋
1, 2 階			
W1	1-D6@125	1-D6@125	1-D16+1-D13（外端） 1-D16（内端）
W2	1-D6@125	1-D10@125	1-D16
W3	1-D6@125	1-D6@125	1-D16+1-D13（外端） 1-D16（内端）
W4	1-D6@125	1-D10@100	1-D16
W5	1-D6@125	1-D6@125	1-D16+1-D13
3, 4 階			
W1〜W4	2-D13@200	2-D10@100	4-D19（SD345）
W5	1-D6@125	1-D6@125	D13+D13

付表 8.2 壁梁の配筋一覧

符号	上端主筋	下端主筋	せん断補強筋
2G1, 3G1	2-D13	2-D13	1-D6@75
2G2, 3G2	1-D16, 1-D13	2-D16, 1-D13	1-D6@50
4G1, 4G2	4-D16	4-D16	2-D10@100

※スラブ（2 FL, 3 FL のみに設置）の配筋は D6@100 mm

/0.2＝1 881 kN（A_1：加力方向の 1 階耐力壁の総断面積（mm^2））と仮定する．実際の試験体の重量は，1 FL 以上で 1 100 kN，2 FL 以上で 1 006 kN である．

試験体の保有水平耐力は，仮想仕事法を用いると 1 394 kN（C_B=0.74）となった[付8.3]（ただし，コンクリート強度は設計基準強度 F_c=21 N/mm^2，鉄筋の降伏強度は規格降伏点強度の 1.1 倍としている）．

（2）加力概要

加力は，上スタブにより一定鉛直軸力を作用させながら，加力ジャッキにより正負交番繰返し載荷を行った．

1 層および 2 層の層せん断力，ならびに 1 FL および 2 FL における転倒モーメントが 1/2 スケール 5 層モデル（外力分布は A_i 分布とする）と概ね等しくなるように，加力位置は 2 FL スラブの中心位置および上スタブの中心位置とし，両者による導入水平力の比は 1：7.358 とした．

繰返し載荷においては，最初の 2 サイクルは 1 層の層せん断力係数 C_B により（C_B の算出において試験体の全重量 ΣW は前節で定めた 1 881 kN と仮定する），その後は下部 2 層の変形角 R_c（1 FL から 3 FL スラブ中心位置の高さ（2 950 mm）に対する 3 FL スラブ中心位置の水平変形）によりそれぞれ制御し，C_B=±0.1，±0.2，Rc=±1/2 000，±1/1 000，±1/400（2），±1/200（2），±1/133（2），±1/100（2），+1/80（括弧内は繰返し回数）の各サイクルで繰り返した．

（3）使用材料特性

付表8.3 使用鉄筋の材料特性

呼び名	材 質	降伏強度 [N/mm^2]	降伏ひずみ [μ]	ヤング係数 [kN/mm^2]
D6	SD295A	343	1 871	183
D10	SD295A	351	1 935	182
D13	SD295A	360	1 908	189
D16	SD295A	355	1 959	181

付表8.4 使用コンクリートの材料特性

階	圧縮強度 [N/mm^2]	割裂強度 [N/mm^2]	ヤング係数 [kN/mm^2]
FL〜2 FL	23.7	2.07	26.1
FL〜3 FL	19.7	1.71	23.1
FL〜4 FL	19.8	1.93	25.5
FL〜	58.9	2.59	35.3

実験に用いた鉄筋およびコンクリートの材料特性の一覧を付表8.3および付表8.4にそれぞれ示す．コンクリートは床面上端で打ち継いでいるため，各階の材料特性を分けて示す．4 FL以上には高強度コンクリートを用いた．

（4） 水平荷重−水平変位関係と変形モード

1層せん断力（制御荷重）と下部2層の変形角 R_c（制御変形角）の関係，各加力ピークにおける変形モードをそれぞれ付図8.2および付図8.3に示す．付図8.2に示すとおり，本試験体は，R_c=1/200で最大耐力1 580 kN（ベースシヤー係数 C_B=0.84，本付8.2.(1)に記した計算値1 394 kNを13%程度上回った）に至った．なお，加力の進行に伴い1層に変形の集中が生じたため（付図8.2），最大耐力時（R_c=+1/200）の1層の変形角は+1/168であり，2層の変形角+1/245と比べて大きかった．

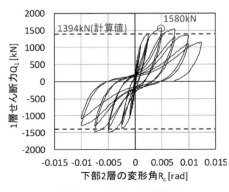

付図8.2 荷重−変形関係

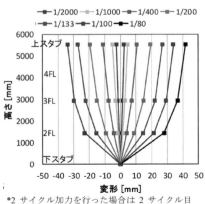

*2 サイクル加力を行った場合は2サイクル目の結果を示す．

付図8.3 各加力ピーク時の変形モード

3. 試験体の破壊状況

ここでは，実験により得られた鉄筋の降伏状況および試験体の破壊状況を示す．

（1） 鉄筋の降伏状況

付図8.4に下部2層の鉄筋の降伏状況（3層では鉄筋の降伏は確認されていない）を示す．同図では鉄筋が降伏に至った（すなわち，付表8.3に示す降伏ひずみに至った）加力サイクルを示している．

付図8.4に示すとおり，本試験体は，$R_c=1/2\,000$ サイクルでW4脚部に曲げにより引張側となる鉄筋の降伏が，$R_c=1/1\,000$ サイクルでW2脚部に曲げにより引張側となる鉄筋の降伏が，W5（直交壁）脚部に壁全体が引っ張られることによる鉄筋の降伏が，$R_c=1/400$ サイクルでW1およびW3脚部に曲げにより引張側となる鉄筋の降伏が，$R_c=1/200$ サイクルで端部以外の面内壁のせん断補強筋の降伏が生じ，最大耐力1 580 kN〔本付8の1．参照〕に至った．なお，$R_c=1/200$ サイクルでは，直交壁が取り付かないW2およびW4に顕著なすべり破壊が生じた．

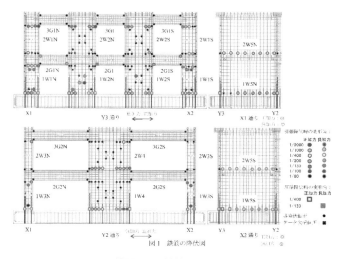

付図8.4 鉄筋の降伏図

（2） 破 壊 状 況

付図8.5に本試験体の最終破壊状況（$R_c=+1/80$ サイクル終了後）を示す．なお，付図8.4はY2-Y3通りを，付図8.5はY1-Y2通りを示しているため両結果が必ずしも対応しないこと，また，付図8.5の破壊状況は同図上に示すとおり，試験体内部から確認した結果であることにそれぞれ注意されたい．耐力壁において，1W2N，1W4および2W4（いずれも直交壁が取り付かない壁）ではせん断損傷が他の部材と比べて少ない（1W4および2W4についてはせん断補強筋の降伏も確認されていない（付図8.4））．これは，両壁においては脚部のすべりが確認されたことから，せん断破壊よりもすべり破壊が先行したことが要因と考えられる（付図8.6に1W4のすべり破壊の様子を例示する）．また，1層壁頭部および2層壁脚部においては，変動軸力が大きいW1およびW3，すべり破壊が生じた2W2脚部を除くと，降伏した鉄筋はごくわずかであることから，2階壁梁による曲げ戻しが小さく，耐力壁の反曲点が2階床位置付近であったと考えられる．また，壁梁主筋の

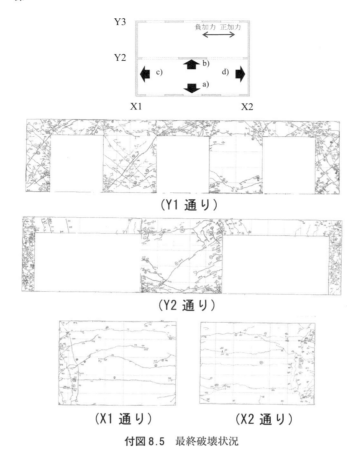

付図 8.5 最終破壊状況

付図 8.6 1W4 脚部のすべり破壊の様子（加力終了後）

うち降伏が確認された箇所が半数以下にとどまっているが，これは壁梁端部の回転角が 1/200 程度以下にとどまったこと，壁梁端部の曲げひび割れが耐力壁・壁梁接合部（以下，接合部という）側に進展したことからひずみゲージを貼付した壁梁端部ではなく接合部内部で降伏が生じたこと，が要因として考えられる．引張側直交壁には全体曲げにより作用する引張力により水平ひび割れが見

4. 耐力壁および壁梁の変形

ここでは，実験により得られた耐力壁および壁梁の変形について，変形が比較的大きい1層の結果を示す．

（1） 耐力壁の変形

耐力壁の曲げ変形 $\delta_{bending}$，せん断変形 δ_{shear}，すべり変形 δ_{slip} およびそれらの合計である全体変形 δ_{total} は以下のとおり算出し，付図8.7に示す．すなわち，$\delta_{bending}$ は耐力壁左右に設置した鉛直変位計（その設置位置を付図8.8に示す）の計測値に基づき変形角を算出し，それを高さ方向に積分することで算出し，すべり変形 δ_{slip} は壁脚部に水平方向に設置した変位計の計測値を用い，全体変形 δ_{total} は壁頭部（1 FLからの高さ約 1 100 mm）に設置した水平変位計により計測した値を用い，せん断変形 δ_{shear} は全体変形 δ_{total} から曲げ変形 $\delta_{bending}$ およびすべり変形 δ_{slip} を減じて求めた．

付図8.7には算出した各壁の変形成分と1層の層せん断力 Q_1 の関係を示しており，試験体には

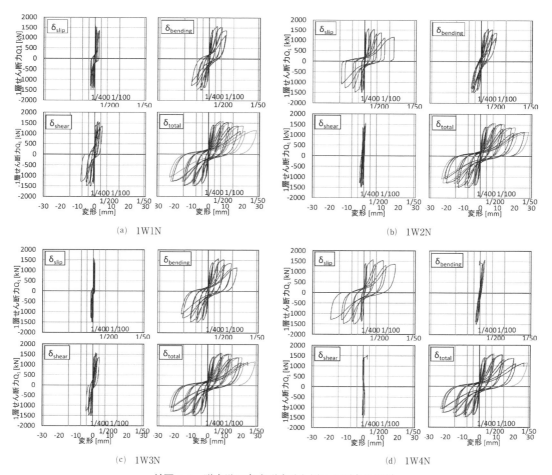

付図 8.7 耐力壁の各変形成分と層せん断力の関係

―600― 付　　録

付図 8.8　部材の変形変位計位置

付図 8.9　せん断破壊による回転

W1，W2，W3 がそれぞれ南北に 2 枚ずつ設置されているが，両者は同様の傾向を示したため，ここでは北側の耐力壁（正加力時に引張側となる方）の結果を示す．プロットは各変形の算出に必要なデータが取得可能であったステップまでの結果を示している．また，全体変形 δ_{total} のグラフにおける灰色線は 2 階床スラブの重心位置の水平変形であり，その計測位置は 1 FL から 1 450 mm と δ_{total} の計測位置（約 1 100 mm）より高いため，灰色線で示した変位の方が黒色線で示した変位よりもやや大きい値となっている．

付図 8.7 より，直交壁が取り付く耐力壁 W1（同図(a)）および W3（同図(c)）では，曲げ変形 $\delta_{bending}$ が卓越しており，せん断変形 δ_{shear} およびすべり変形 δ_{slip} は小さい．ただし，両壁では，付図 8.9 に示すように，せん断ひび割れにより生じた回転に伴う水平変形成分は，耐力壁横の鉛直変位計により計測することで曲げ変形として見込んでいる点に注意されたい．一方，直交壁が取り付かない耐力壁 W2（同図(b)）および W4（同図(d)）では，全体変形 δ_{total} においてすべり変形 δ_{slip} が占める割合が極めて大きく，その傾向は全体変形が大きいほど顕著である．

（2）　壁梁の変形

続いて，壁梁端部の回転角を壁梁の上下に設置した水平変位計（付図 8.8）の計測値を用いて算定

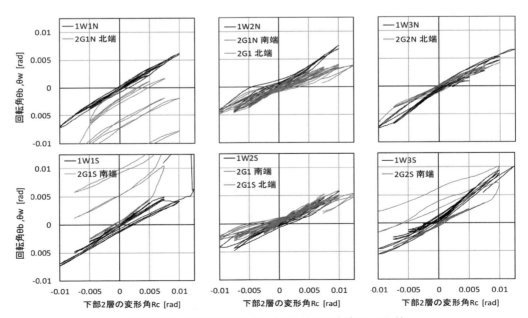
付図 8.10　梁端部の回転確 θ_b と壁頭部の回転角 θ_w の比較

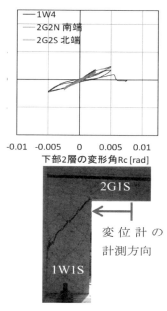

付図 8.11 1W1S のせん断破壊

し，付図 8.10 に示す．同図では，前記（1）で曲げ変形算出時に求めた壁頭部の回転角も併せて示している．両回転角の模式図は付図 8.8 に示すとおりであり，壁梁端部の回転角が壁頭部の回転角と比べ十分小さい場合は，壁梁端部の損傷が少なく梁全体で変形を吸収していることを，壁梁端部の回転角が壁頭部の回転角と同等の場合は，壁梁端部の損傷が大きく変形を主に端部で吸収していることを示す．

付図 8.10 より，2 階壁梁の端部回転角は壁頭部の回転角と同等の値となっており，変形は主に壁梁端部で吸収していることがわかる．また，壁梁の端部回転角は最大でも 1/200 程度にとどまっており，これが壁梁主筋のうち降伏が確認された箇所が半数以下であった〔本付 8 の 3．参照〕一因と考えられる．なお，2G1N の北端および 2G1S の南端において回転角の急激な上昇がみられるが，この理由は，壁梁が取り付く 1W1 が付図 8.9〜付図 8.11 に示すようにせん断破壊したため，壁梁下端の変位計の計測値が過小となったことが要因である．

5．ひび割れ幅と残存耐震性能

ここでは，実験で計測されたひび割れ幅と，水平荷重—水平変位関係より算定される残存耐震性能を示す．

（1） ひび割れ幅

付図 8.12 に，各変形角時の耐力壁の最大ひび割れ幅（同図(a)）と，除荷後に水平力がゼロとなった時点の残留ひび割れ幅（同図(b)）を示す．同図では，両ひび割れ幅の正負加力サイクルにおける最大値（2 サイクル行った場合は 2 サイクルにおける最大値）を示しており，図中の上向き矢印は実際のひび割れ幅が図中の値以上であることを示す．

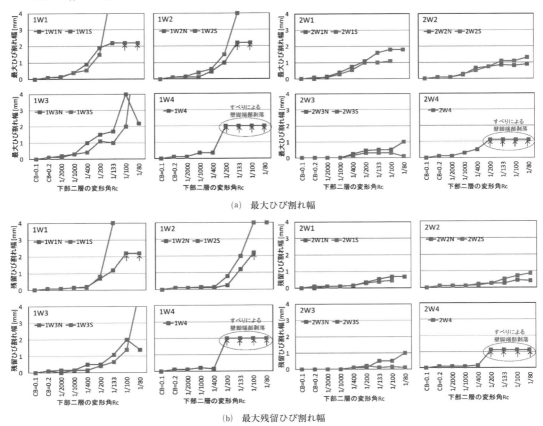

(a) 最大ひび割れ幅

(b) 最大残留ひび割れ幅

付図 8.12 ひび割れ幅の推移

　同図より，ひび割れ幅は変形が進むにつれて増大し，その値は2層に比べ1層において大きい傾向にある．なお，1W3Nおよび2W3Sのひび割れ幅が下部2層の変形角$R_c=1/80$サイクルで減少しているが，これは両壁では負加力時にひび割れ幅が比較的大きく，1/80サイクルでは正加力のみしか行っていないことが理由である．ひび割れ幅は，すべり変形による剥落を除くと，$R_c=1/400$サイクルではピーク時において1mm以下，除荷時において0.5mm以下であり，最大耐力をむかえた$R_c=1/200$サイクルではピーク時において2mm以下，除荷時において1mm以下であり，$R_c=1/200$以降，特に1層において最大ひび割れ幅，残留ひび割れ幅ともに急激に増大する傾向が得られた．

（2）残存耐震性能

　続いて，WRC架構の変形と残存エネルギー吸収能力との関係を評価するために，文献付8.5)に定義される耐震性能残存率Rを求める．付図8.13には正加力側の1階層せん断力Q_1－架構全体の変形角R_Tの包絡線とそれを用いて算出したR-R_Tの関係を示す．Rの算出においては，実験により得られた正加力時の荷重変形関係において，$R_c=1/100$サイクルまでの吸収エネルギーを架構の吸収可能な総エネルギー（付図8.13において履歴曲線に囲まれた総面積），その値から各変形角時までに消費したエネルギーを除いた値を残存吸収可能エネルギーとそれぞれ定義し，前者に対す

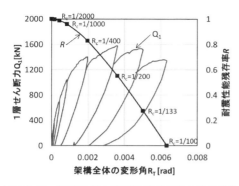
付図 8.13 履歴曲線と耐震性能残存率の算定結果

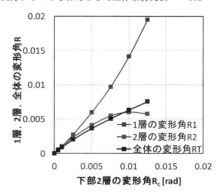
付図 8.14 R_c と R_1, R_2, R_T の関係

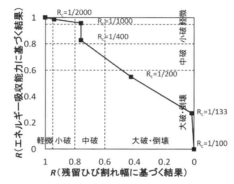
付図 8.15 R の二手法による結果の比較

る後者の比をとることにより,耐震性能残存率 R を算定した.

また,同図では,下部 2 層の変形角 R_c(制御変形角)も併せて示す.付図 8.14 に下部 2 層の変形角 R_c と 1 層,2 層,全体の変形角 R_1, R_2, R_T の関係を示すとおり,加力の進行に伴い 1 層に変形が集中し,R_1 は R_c よりも大きい値になっている点に注意が必要である.

付図 8.13 より,本架構は変形角 $R_c=1/400$($R_1=1/370$)で 83 % 程度(小破),$R_c=1/200$($R_1=1/168$)で 55 % 程度(大破)の残存吸収可能エネルギーを有していることがわかる.

なお,文献付 8.5)には,各部材において最大残留ひび割れ幅から損傷度を判定し,それに基づいて架構の耐震性能残存率 R を算出する手法も提示されている.同手法において,各壁の強度が断面積に比例すると仮定して算出した R と,上記のエネルギー吸収能力に基づいて算出した R を付図 8.15 に比較する.同図より,前者は後者よりも小さい結果となった.この理由の一つとしては,耐力壁のせん断破壊以降にも,直交壁が耐力壁の水平変形を拘束することにより架構の急激な耐力低下を防止したが,その効果は前者の結果には考慮されていないことによると考えられる.

6. 履歴減衰と大地震に対する応答

ここでは,実験により得られた荷重変形関係に基づき履歴減衰定数を算定し,それを用いて限界耐力計算[付8.4)]により大地震時における WRC 架構の変形を推定する.続いて,その変形時の架構

の損傷状況および残存耐震性能に基づき，大地震時における損傷防止性能を検討する．

(1) 履歴減衰定数 h_{eq}

本実験により得られた荷重-変形関係を用いて，下記の手順で各加力サイクルの履歴減衰定数 h_{eq} を求める．

(a) まず，履歴曲線に囲まれた面積として1サイクルにおける履歴消費エネルギー ΔW (kN·m) を求める．

(b) 次に，等価弾性系のポテンシャルエネルギー W (kN·m) を (付8.1) 式により求める．同式では，正加力および負加力におけるそれぞれのポテンシャルエネルギー (W_{+p} (kN·m) および W_{-p} (kN·m)) の平均値を採用している．また，加力サイクルにおける変形の最大値 (δ_{+p} (m) および δ_{-p} (m)) と荷重最大値 (Q_{+p} (kN) および Q_{-p} (kN)) が同時に生起するとは限らないため，両最大値を用いて h_{eq} を求めることとした (h_{eq} を安全側に (小さく) 評価している)．

$$W=(W_{+p}+W_{-p})/2=\left(\frac{1}{2}Q_{+p}\delta_{+p}+\frac{1}{2}Q_{-p}\delta_{-p}\right)/2 \qquad (付8.1)$$

(c) (a) および (b) より得られた値を用いて，(付8.2) 式により履歴減衰定数 h_{eq} を算出する．

$$h_{eq}=\frac{1}{4\pi}\frac{\Delta W}{W} \qquad (付8.2)$$

以上の手順により，架構全体の荷重変形関係 (すなわち上スタブ中心位置の変形と1層せん断力 Q_1 との関係) を用いて算定した履歴減衰定数 h_{eq} を付図8.16に示す．h_{eq} は1サイクル目では8%～14%程度，2サイクル目 ($R_c=1/400$ サイクル以降) では7%～12%程度であった．

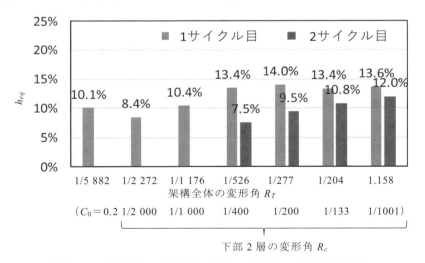

付図8.16 架構全体の変形角 R_T を用いて算定した履歴減衰定数 h_{eq}

(2) 実験結果に基づくWRC架構の応答および損傷評価

(1)で求めた履歴減衰定数h_{eq}に基づき,本実験に用いたWRC架構の極めて稀な地震に対する応答を限界耐力計算法[付8.4]により予測し,その時の損傷状況について検討する.

① 応答評価手法

限界耐力計算法を適用するうえで,WRC架構の総重量は2.に述べたとおり1 881 kNと仮定し,質量分布は,付図8.17に示すとおり2 FLおよび3 FLに各1層分の質量が,上スタブ中心位置レベル(1 FLから5.54 mの高さ)に3層分の質量が分布すると仮定する.なお,試験体は5層建物を縮約している.直線変形を仮定すると試験体の有効質量比$m_e/\Sigma m$は0.82で,スタブの質量は$2.1\,m$となる.ここではそれを$3\,m$と仮定し,さらに試験体の代表変位高さを5.54 mより小さくすることで,以下に求める性能曲線を小さく(安全側に)評価していることになる.

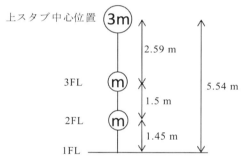

付図8.17 試験体の質量分布

(a) まず,対象架構を1質点系に縮約するべく,実験における各加力ステップにおいて,有効質量m_e(kN),代表変位x_e(m),代表高さH_e(m)および等価加速度S_a(m/s^2)をそれぞれ(付8.3)式~(付8.6)式により求める.

$$m_e = \left(\sum_{i=1}^{n} m_i x_i\right)^2 / \sum_{i=1}^{n} m_i x_i^2 \tag{付8.3}$$

$$x_e = \sum_{i=1}^{n} m_i x_i^2 / \sum_{i=1}^{n} m_i x_i \tag{付8.4}$$

$$H_e = \sum_{i=1}^{n} m_i x_i H_i / \sum_{i=1}^{n} m_i x_i \tag{付8.5}$$

$$S_a = Q_1 / m_e \tag{付8.6}$$

ここで,nは質点数(本検討では$n=3$)を,m_i(kN),x_i(m),H_i(m)はそれぞれ質点i($i=1, 2, 3$)の重量,変位,高さを示す.

(b) 文献付8.4)に基づき極めて稀に発生する地震動に対する応答スペクトルS_{ad}を求める.なお,地盤種別は第2種地盤,地域係数$Z=1.0$,減衰定数は5%,7%,10%,13%,15%を仮定する.

(c) 前記(1)で算定した履歴減衰定数h_{eq}(2サイクル目の結果を用いる)の0.8倍に内部減衰5%を加え等価減衰定数h_eとする付表8.5).等価1自由度系の性能曲線を求め,同曲線と要求曲線の交点を応答変形として求める.

付表 8.5 変形角 R_c に対応する h_e および D_f

下部2層の変形角 R_c	—	（弾性）	1/400	1/200	1/133	1/100
代表変位 x_e	—	—	0.97 cm	1.79 cm	2.52 cm	3.20 cm
等価減衰定数 h_e		5 %	11.00 %	12.60 %	13.60 %	14.60 %
塑性率 D_f	—	—	1.73	2.06	2.34	2.64

なお，文献付 8.4) では，減衰定数 h を（付 8.7）式により算出する手法を提示している．

$$h = \gamma_1 (1 - 1/\sqrt{D_f}) + 0.05 \tag{付 8.7}$$

ここで，γ_1 は部材の構造形式に応じた減衰特性を表す係数（本検討の場合は 0.25），D_f は建物の塑性率である．（付 8.7）式において，h に付表 8.5 のそれぞれの値を代入して D_f を算出すると，D_f はそれぞれ 1.73～2.64 と求まる．よって，減衰定数として付表 8.5 の数値を用いる場合には，文献付 8.5) に記載の（付 8.7）式による手法では塑性率 1.73～2.64 の地震応答を想定していることとなる．

② 応答評価結果

前節①で求めた限界耐力計算の算定結果を，付図 8.18 に示す．

付図 8.18 では，縮約系の性能曲線を黒色太実線により，告示に示される加速度スペクトルを等価減衰定数 h_e に応じた各色の実線により，要求曲線を黒色細実線により，それぞれ表している．同図より，極めて稀に発生する地震動に対する縮約系の最大応答変形は 0.84 cm と算定される．このときの下部 2 層の変形角は $R_c = 1/480$（1 層：1/457，2 層：1/504）であり 1/400 を下回った．

なお，得られた応答変形（$R_c = 1/480$）における D_f を文献付 8.4) に基づいて算出すると 1.62 となり，前節で求めた $R_c = 1/400$ 時の塑性率 1.73 と概ね整合するため，（付 8.7）式による減衰を用いても応答算定結果は上記と概ね同様となる．

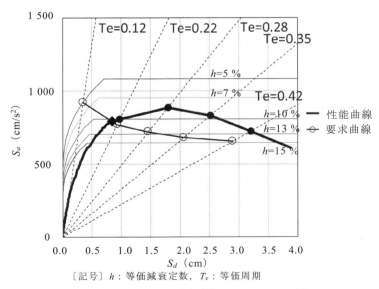

〔記号〕h：等価減衰定数，T_e：等価周期

付図 8.18 限界耐力計算による $S_a \sim S_d$ 関係

③ 大地震に対する WRC 架構の損傷状況

前記により求めた極めて稀に発生する地震動に対する応答変形角における WRC 架構の損傷状況を，実験結果により検討すると，架構は最大耐力（$R_c=1/200$）に達しておらず，また，壁柱部材に曲げにより引張側となる鉄筋の降伏は生じているもののせん断補強筋の降伏は生じておらず，最大残留ひび割れ幅は 0.5 mm 以下（試験体は 1/2 スケールのため，簡易的に実大換算すると 1.0 mm 以下）にとどまり，さらに，耐震性能残存率 R は 0.8 程度を有している（小破）．

以上より，対象とした WRC 架構は，大地震に対しても十分な損傷防止性能を有していると考えられる．

7．まとめ

本検討より得られた知見を以下に記載する．

(1) WRC 架構の損傷防止性能を検討するべく静的加力実験を行ったところ，変形角 1/200 で最大耐力 1 580 kN（$C_B=0.84$）に至った．

(2) 本試験体は $R_c=1/2\,000$～$1/400$ サイクルで耐力壁の曲げにより引張側となる鉄筋が，$R_c=1/1\,000$ サイクルで直交壁の鉄筋が，$R_c=1/200$ サイクルで面内壁のせん断補強筋が降伏した．

(3) 直交壁が取り付かない耐力壁では比較的せん断破壊による損傷が少なかった．これは，せん断破壊よりもすべり破壊が先行したためと考えられる．

(4) 直交壁が取り付く耐力壁では曲げ変形およびせん断変形が，直交壁が取り付かない耐力壁ではすべり変形が，それぞれ支配的であった．

(5) 2 階壁梁の端部回転角は壁頭回転角と同等であり，変形を主に端部で吸収している．

(6) 1/400 サイクルの最大ひび割れ幅は 1 mm 以下，残留ひび割れ幅は 0.5 mm 以下，1/200 サイクルの最大ひび割れ幅は 2 mm 以下，残留ひび割れ幅は 1 mm 以下であった．

(7) 終局変形を変形角 $R_c=1/100$ として算定した耐震性能残存率 R は $R_c=1/400$ で 0.83 程度（小破），$R_c=1/200$ で 0.55 程度（大破）であった．

(8) 実験により得られた荷重変形関係および履歴減衰定数に基づき，WRC 架構の大地震時応答を限界耐力計算により求めると，1/400 以下にとどまる結果となった．

(9) 同応答変形角と実験結果を考慮すると，本報で対象とした WRC 架構は大地震に対しても十分な損傷防止性能を有していると考えられる．

[参考文献]

付8.1) 日本建築学会：壁式鉄筋コンクリート造設計・計算規準・同解説，2015.12
付8.2) 日本建築学会：鉄筋コンクリート構造計算規準・同解説，2010.2
付8.3) 勅使川原正臣ほか；壁式RC構造の耐震制御に関する研究，立体架構試験体の設計，東海支部研究報告集，第56号，pp.185〜188，2018.2
付8.4) 国土交通省国土技術再作総合研究所，国立研究開発法人建築研究所監修：2015年版建築物の構造関係技術基準解説書，2015.6
付8.5) 日本建築学会：鉄筋コンクリート造建物の耐震性能評価指針（案）・同解説，pp.59〜68，2004.1

付 9. 実大壁式架構試験体を対象としたモデル化に関する解析検討

1. はじめに

本付 9. では，実大 5 層壁式 RC 造架構試験体[付9.1]に対して本規準 8 条で推奨されている平面架構の連成モデルを用いて，実験が実施されたけた行方向およびその直交方向である張り間方向に関する解析検討を実施し，部材のモデル化やねじれ補正式の妥当性について示す．

2. 本規準 8.3 節に記載の文献 8.3.5) の解析概要

本規準 8.3 節に記載の文献 8.3.5) において実施した解析概要を以下に示す．試験体伏図およびモデルのパラメータ一覧を付図 9.1 および付表 9.1 に示す．a 系列は耐力壁部材を単軸ばねモデルにて一本柱置換したもの〔本規準 8.2 節解説 1.（2）(a) 参照〕で，各構面をピン接合の剛梁で接続した疑似立体モデルであり，b 系列は耐力壁部材を単軸ばねモデルにて三本柱置換〔本規準 8.2 節解説 1.（2）(b) 参照〕した立体モデルである．c 系列はマルチスプリングモデル〔以降，MS モデルと称する，本規準 8.2 節解説 1.（2）(d) 参照〕にてモデル化した立体モデルである．ここで，モデル a-1, a-2 はせん断強度算定式をパラメータとしており，本規準 (10.4.5) 式を用いるモデル a-1 と，一般に RC 造耐震壁に使用されるせん断 mean 式を用いるモデル a-2 を比較することで，対象試験体の実験結果により整合する算定式を決定する．モデル a-3 以降では，モデル a-1, a-2 の比較から実験結果とより整合している算定式を用いる．また，耐力算定の際に考慮する壁梁に接続するスラブの幅や耐力壁に接続する直交壁の長さをパラメータとし，各部材の有効な範囲を明らかにすることを目的に設定した．

耐力壁および壁梁は，それぞれの部材の構造材軸中心位置で線材置換し，各部材の中心位置に節点を配置してモデル化する．1 階壁脚の節点はピン支持とする．なお，剛域端は部材フェイス位置とし，危険断面位置は剛域端とした．水平荷重は実験における加力点とモデルとの整合をとるため，R,5,4 階の床位置にそれぞれ 10：6：2 の比率とした．なお，実験での載荷状況を考慮し，長期軸力として鉛直荷重を架構モデル頂部に作用させる．

コンクリートと鉄筋の材料試験結果を付表 9.2 に示す．この試験体は 8 階建ての 5 階部分を想定していることより，試験体に用いた鉄筋は全て異形鉄筋 SD30，耐力壁端部曲げ補強筋は D22 と一般的に用いられる鉄筋と比較して太径のものを使用している．

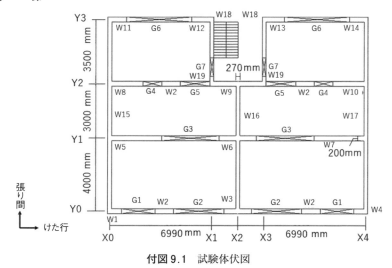

付図 9.1 試験体伏図

付表 9.1 解析モデルパラメータ一覧

解析モデル	使用したモデル		耐力壁および壁梁のせん断強度算定式	壁梁のスラブ[2]		直交壁	
	壁梁	耐力壁		曲げ	せん断	曲げ	せん断
a-1	単軸ばねモデル	1本柱置換モデル	(付 9.8-1) 式, (付 9.13-1) 式	全幅		全幅	有効幅
a-2			(付 9.8-2) 式, (付 9.13-2) 式			全幅	有効幅
a-3						有効幅	
a-4				1 m		全幅	有効幅
a-5						有効幅	
b-1	単軸ばねモデル	3本柱置換モデル	a-1 と a-2 にて実験結果に近い精度が確認された式[1]	全幅		—	有効幅
b-2				1 m			
c-1	単軸ばねモデル	MS モデル		全幅		—	有効幅
c-2				1 m			

[注] 1):耐力壁に（付 9.8-2）式，壁梁に（付 9.13-2）式を用いる．
2):壁梁の終局強度算定に考慮するスラブの有効幅を示す．

付表 9.2 材料試験結果

(a) コンクリート

	ヤング係数 (N/mm²)	圧縮強度 (N/mm²)	引張強度 (N/mm²)
基礎	24 286	25.2	2.2
1 階	24 184	24.5	2.2
2 階	24 388	29.1	2.3
3 階	24 980	25.0	2.2
4 階	22 449	24.7	2.2
5 階	22 857	24.8	2.2

(b) 鉄筋

	降伏強度 (N/mm²)	引張強度 (N/mm²)	ひずみ (%)
D10	397	554	26.2
D13	414	608	22.1
D16	369	552	25.5
D19	393	555	25.4
D22	385	609	24.8
D25	349	534	24.0

各ばねモデルのモデル図を付図9.2に示す．壁梁部材を1本の水平方向の線材としてモデル化する場合は梁の左右両端の危険断面位置に曲げばね，せん断ばねを有するモデルとする．

耐力壁を1本柱置換によりモデル化する場合は，耐力壁の中心部分上下端に曲げばねおよびせん断ばね，中央部に軸ばねを配したモデルとして扱う．耐力壁を3本柱置換によりモデル化する際は，面内耐力壁と耐力壁両端部の3部材に分割する．面内耐力壁の中央に曲げばね，せん断ばね，軸ばねを有した鉛直材を，端部に軸ばねを有した鉛直材をピン接合にて配置する．どちらのモデル化手法においても，耐力壁の上下端には耐力壁の長さを剛域とする梁を設定する．

すべての部材の曲げばねおよびせん断ばねはひび割れと終局を考慮したトリリニアモデルとし，軸ばねは，圧縮側は弾性とし引張側は降伏を考慮したバイリニアモデルとしている．

耐力壁の曲げ終局耐力算定の際の直交壁の有効範囲は付表9.3に示す設定とする．耐力壁の剛性とひび割れ強度の算定の際に用いる協力幅は，階高の0.1倍と隣り合う耐力壁までの内法スパン長さの1/4のうち最小の数値とする．終局強度の算定に用いる有効幅は片側につき直交壁厚さの6倍，隣り合う耐力壁までの内法スパン長さの1/4および開口部端部までの長さのうち最小の数値とする．

耐力壁の軸力は耐力壁と壁梁，スラブの重量を分配して算定する．耐力壁と直交壁の交差部から45°に線を引き，引いた線どうしが交差した点と反対側の交差した点を直線で結ぶ．また，壁梁の内法スパンの二等分線を引き，囲まれた部分のスラブの荷重をその部分に含まれる耐力壁が負担する荷重とする．

付図9.2 単軸ばねによる部材のモデル化

付表9.3 直交壁有効範囲一覧

使用モデル	曲げばね			せん断ばね			軸ばね	
	剛性	ひび割れ強度	終局強度	剛性	ひび割れ強度	終局強度	剛性	終局強度
1本柱置換モデル	協力幅考慮		有効幅考慮	直交壁無視		有効幅考慮	有効幅考慮	
3本柱置換モデル	中間部縦筋のみ考慮						中間部縦筋のみ考慮	

本検討で用いた構造部材の剛性および各強度式[付9.2〜4]を，以下に示す．

(1) 耐力壁の剛性・耐力評価式

1) 曲げばね

a) 初期剛性

$$K_f = 6E_c \cdot {}_wI_e / {}_wL \quad (\text{N} \cdot \text{mm}) \tag{付 9.1}$$

ここで，E_c：コンクリートヤング係数（N/mm²），${}_wI_e$：等価断面二次モーメント（mm⁴），${}_wL$：耐力壁のクリアスパン（mm）

b）剛性低下率

$$\alpha = {}_wM_y \cdot C_n / (E_c \cdot {}_wI_e \cdot \varepsilon_y) \tag{付 9.2}$$

ここで，${}_wM_y$：1本柱モデルにおいては引張縁から2本目の鉄筋降伏時曲げモーメント，3本柱モデルにおいては1本目にある縦筋降伏時曲げモーメント（N・mm）

C_n：1本柱モデルにおいては弾性中立軸から引張側曲げ補強筋2本目までの距離，3本柱モデルにおいては1本目縦筋までの距離（mm）

ε_y：引張側縦補強筋の降伏ひずみ

c）曲げひび割れモーメント

$$M_c = Z_e \cdot (\sigma_t + \sigma_0) \quad (\text{N} \cdot \text{mm}) \tag{付 9.3}$$

ここで，Z_e：直交壁を含む耐力壁の等価断面係数（mm³）

σ_t：コンクリートの曲げ引張強度（$=0.56\sqrt{\sigma_B}$）（N/mm²）

σ_B：コンクリート圧縮強度（N/mm²），σ_0：コンクリート軸圧縮応力度（N/mm²）

d）曲げ強度

$$M_u = A_{st} \cdot \sigma_{st} \cdot d_t - A_{sc} \cdot \sigma_{sc} \cdot d_c - \sigma_{av} \cdot t \cdot (\beta_1 \cdot X_n)^2 / 2 + N \cdot g \tag{付 9.4}$$

ここで，A_{st}：引張側鉄筋の各断面積（mm²），σ_{st}：引張側鉄筋の応力度（N/mm²），

d_t：圧縮縁から各引張鉄筋までの距離（mm），A_{sc}：圧縮側鉄筋の各断面積（mm²），

σ_{sc}：圧縮側鉄筋の応力度（N/mm²），d_c：圧縮縁から各圧縮鉄筋までの距離（mm），

σ_{av}：コンクリート平均応力度（N/mm²）（$=0.85\sigma_B$）σ_B：コンクリートの圧縮強度（N/mm²），t：耐力壁の壁厚（mm），

β_1：等価長方形ブロック置換のための係数，X_n：圧縮縁から中立軸までの距離（mm），

N：負担軸力（N），g：圧縮縁から重心位置までの距離（mm）

2）せん断ばね

a）初期剛性

$$K_s = G \cdot A_e / (\kappa \cdot {}_wL) \quad (\text{N/mm}) \tag{付 9.5}$$

ここで，G：せん断弾性係数（N/mm²）（$=E_c/2(1+\nu)$），ν：ポアソン比，A_e：等価断面積（mm²），κ：せん断形状係数で1.2，${}_wL$：耐力壁のクリアスパン（mm）

b）剛性低下率

$$\beta = 0.4 p_w \cdot \sigma_y / \sigma_B + 0.14 \tag{付 9.6}$$

ここで，p_w：壁横筋比，σ_y：壁横筋の降伏強度（N/mm²）

c）せん断ひび割れ強度

$$Q_c = \tau_{scr} \cdot t \cdot l / \kappa \quad (\text{N}) \tag{付 9.7}$$

ここで，τ_{scr}：コンクリートのせん断ひび割れ強度（N/mm²）（$=\sqrt{(\sigma_T^2+\sigma_T\cdot\sigma_o)}$），$\sigma_T$：コンクリートの引張強度（N/mm²）（$=0.33\sqrt{\sigma_B}$），$\sigma_B$：コンクリートの圧縮強度（N/mm²），$\sigma_0$：耐力壁の軸応力度（N/mm²），$t$：耐力壁の厚さ（mm），$l$：耐力壁の長さ（mm）

d）せん断強度

モデル a-1 のせん断強度は，規準式（付 9.8-1）式（本規準（10.4.5）式）を，モデル a-2 のそれはせん断 mean 式（付 9.8-2）式を用いる．なお，本計算では実験にて用いられた材料試験結果を用いている．

(本規準（10.4.5）式)

$$Q_{su}=\{0.053p_{te}^{0.23}(\sigma_B+18)/((M/(Q\cdot D)+0.12)+0.85\sqrt{p_{wy}\cdot\sigma_{wh}}+0.1\sigma_0\}\cdot t_e\cdot j \text{ (N)}$$
(付 9.8-1)

(せん断 mean 式)

$$Q_{su}=\{0.068p_{te}^{0.23}(\sigma_B+18)/\sqrt{M/(Q\cdot D)+0.12}+0.85\sqrt{p_{wy}\cdot\sigma_{wh}}+0.1\sigma_0\}\cdot t_e\cdot j \text{ (N)}$$
(付 9.8-2)

ここで，t_e：等価厚さ（mm）で耐力壁の厚さの1.5倍以下，j：応力中心間距離（$=(7/8)d$）（mm），d：$0.95D$（mm），D：耐力壁全長（mm），p_{te}：等価引張鉄筋比（$=100a_t/(t_e\cdot d)$）（%），a_t：引張側の端部筋の断面積（mm²），p_{wy}：横補強筋（$=100a_w/(t_e\cdot d)$），a_w：1組の横補強筋の断面積（mm²），s：横補強筋の間隔（mm），σ_{wh}：横補強筋の降伏強度（N/mm²），$M/(Q\cdot D)$：シヤースパン比で，1未満の場合は1，3を超える場合は3

3) 軸 ば ね

a) 初 期 剛 性

軸引張剛性 K_t は鉄筋が有効であるとし，圧縮剛性 K_c はコンクリートと鉄筋が有効であるとして算定する．

$$K_t=E_s\cdot A_g/{_wL} \text{ (N/mm)} \tag{付 9.9}$$

$$K_c=E_c\cdot A_c/{_wL} \text{ (N/mm)} \tag{付 9.10}$$

ここで，E_s：鉄筋のヤング係数（N/mm²），A_g：主筋全断面積（mm²），${_wL}$：耐力壁のクリアスパン（mm），E_c：コンクリートのヤング係数（N/mm²），A_c：耐力壁の断面積（mm²）

b）軸引張強度 N_t

$$N_t=\sum a_t'\cdot\sigma_y \text{ (N)} \tag{付 9.11}$$

ここで，a_t'：耐力壁縦筋の断面積（mm²），σ_y：耐力壁の引張鉄筋の材料強度（N/mm²）

(2) 壁梁の剛性・各強度評価式

1) 曲げばね

初期剛性，ひび割れ強度，終局強度については文献付9.4)を参照し，剛性低下率は（付9.12）式を用いる．なお，初期剛性にはスラブの有効幅を考慮し，終局強度算定時には付表9.1に示すパラメータを考慮するとともに，スラブが引張側の場合は（付9.12）式を用い，スラブが圧縮側の場合は（付9.12）式の I_0/I_t を1として算定する．

$$\alpha_y = (0.043 + 1.64n \cdot p_t + 0.043(a/D)) \cdot (d/D)^2 \cdot I_0/I_t \tag{付9.12}$$

ここで，n：ヤング係数比，p_t：引張鉄筋比（$=a_t/(b \cdot D)$），a_t：引張鉄筋断面積（mm^2），b：梁幅（mm），D：梁せい（mm），a/D：シヤースパン比，d：有効せい（mm），I_0：矩形梁の断面二次モーメント（mm^4），I_t：T形梁の断面二次モーメント（mm^4）

2) せん断ばね

初期剛性，ひび割れ強度については文献付9.4)を参照し，終局強度は（付9.13-1）式（本規準（10.4.7式）および（付9.13-2）式を用いる．ここで，モデルa-1のせん断強度は，本規準式（付9.13-1）式を，モデルa-2のせん断強度にはせん断mean式（付9.13-2）式を用いる．（付9.13-2）式によるせん断強度算定の際は設計規準強度を用いることが好ましいが，本検討では付表9.2に示した材料試験結果を用いた．

（本規準（10.4.7）式）

$$Q_{su} = \{0.053 p_{te}^{0.23} (\sigma_B + 18)/\{(M/(Q \cdot D) + 0.12\} + 0.85\sqrt{p_{we} \cdot \sigma_{wh}}\} \cdot b_e \cdot j \text{ (N)} \tag{付9.13-1}$$

（大野・荒川 mean 式）

$$Q_{su} = \{0.068 p_{te}^{0.23} (\sigma_B + 18)/\sqrt{M/(Q \cdot D) + 0.12} + 0.85\sqrt{p_{we} \cdot \sigma_{wy}}\} \cdot b_e \cdot j \text{ (N)} \tag{付9.13-2}$$

ここで，b_e：等価長方形幅（mm），j：応力中心距離（$=(7/8)d$）（mm），d：$0.95D$（mm），p_{te}：等価引張鉄筋比（$=100a_t/(t_e \cdot d)$）（%），a_t：引張側の端部筋の断面積（mm^2），t_e：等価厚さ（mm）で，耐力壁の厚さの1.5倍以下，σ_B：コンクリート圧縮強度（N/mm^2），p_{we}：等価せん断補強筋比，σ_{wy}：せん断補強筋の降伏強度（N/mm^2），$M/(Q \cdot D)$：シヤースパン比で，1未満の場合は1，3を超える場合は3とする．

(3) MSモデル

MSモデルのばねモデル図を付図9.3に示す．曲げばねおよび軸ばねについてはMSモデルを用い，せん断ばねは（1）の単軸ばねモデルと同様の方法でモデル化を行った．耐力壁の上下端の危険断面位置にMSばねを，中央にせん断ばねを有するモデルとし，鉄筋ばねは耐力壁断面の配筋と同位置に配置し，コンクリートばねについてはかぶりコンクリートとコアコンクリートをそれぞれ設定し配置した．なお，圧縮側のかぶりコンクリートばねとコアコンクリートばねはひび割れと降伏を考慮したトリリニア，引張側は終局点のみのバイリニアとし，鉄筋ばねは降伏点のみのバイリニアとした．

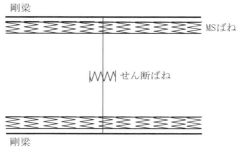

付図 9.3 MS モデルのばねモデル

1) かぶりコンクリートばね

圧縮側について，圧縮強度とヤング係数は付表 9.2 に従い，圧縮強度到達時のひずみを式（付9.14）式[付9.5]により算定する．なお，ひび割れ強度および引張強度については文献付 9.6) を参照し，ひび割れ強度は圧縮強度に 0.3 を乗じた値とし，圧縮強度到達後は圧縮強度到達時ひずみの 3 倍まで耐力を維持するものとする．引張側について，引張強度は材料試験結果を用い，引張強度到達後は引張強度到達時ひずみの 3 倍で強度が 0 となるよう設定する．

$$\varepsilon_c = 0.93 \sigma_B^{1/4} \times 10^{-3} \tag{付9.14}$$

ここで，σ_B：コンクリート圧縮強度（N/mm^2）

2) コアコンクリートばね

コアコンクリートには横補強筋の拘束による強度上昇分を考慮し，圧縮強度は（付 9.15）式[付9.5]，ヤング係数は（付 9.17）式，圧縮強度到達時のひずみを（付 9.18）式[付9.5]，引張強度を（付 9.20）式にて算定する．

$$\sigma_B' = \sigma_B + x \cdot p_{wh} \cdot \sigma_{wh} \quad (\text{N/mm}^2) \tag{付9.15}$$

$$x = 11.5(d_w/c) \cdot (1 - 0.5 s/j_e) \tag{付9.16}$$

$$E_c = 3.35 \times 10^4 (\gamma/24)^2 \cdot (\sigma_B'/60)^{1/3} \quad (\text{N/mm}^2) \tag{付9.17}$$

$$\varepsilon_B' = \begin{bmatrix} \varepsilon_c(1 + 4.7(K-1)) & K \leq 1.5 \\ \varepsilon_c(3.35 + 20(K-1.5)) & K > 1.5 \end{bmatrix} \tag{付9.18}$$

$$K = \sigma_B'/\sigma_B \tag{付9.19}$$

$$\sigma_t = 0.33 \sqrt{\sigma_B'} \quad (\text{N/mm}^2) \tag{付9.20}$$

ここで，σ_B'：拘束効果を考慮したコンクリートの圧縮強度（N/mm^2），σ_B：コンクリートの圧縮強度（N/mm^2），p_{wh}：横補強筋のコア体積比，σ_{wh}：横補強筋の信頼強度（N/mm^2），d_w：横補強筋の直径（mm），c：横補強筋の有効支持長さ（mm），s：横補強筋間隔（mm），j_e：コア寸法（mm），γ：コンクリートの気乾単位体積重量（kN/m^3）

（4） せん断強度算定式が復元力特性に与える影響

解析により得られたモデル a-1，a-2 の全体変形角−層せん断力関係と実験値の比較を付図 9.4 に，全体変形角 1.2% 時点での各階の相対変位と実験値の比較を付図 9.5 に示す．対象試験体のよ

うに曲げ破壊が先行して発生する場合，(付9.8-1)式，(付9.13-1)式を用いたモデルa-1と（付9.8-2)式，(付9.13-2)式を用いたモデルa-2の差は大きくはないものの，後者が実験値により整合する結果となった．また，各階の層間変形は両モデルで顕著な差はないが，モデルa-2が2，3階に層間変形が集中する点で実験と類似する性状を示した．以上よりモデルa-2が実験値とより整合していると判断し，以降のモデルでは耐力壁のせん断終局強度に（付9.8-2）式，壁梁のせん断終局強度に（付9.13-2）式を用いることとする．

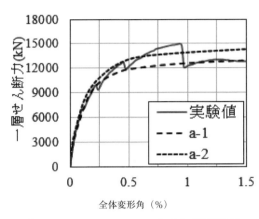 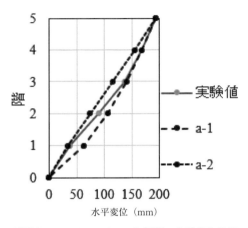

付図9.4　モデルa-1，a-2 荷重変形関係比較　　付図9.5　モデルa-1，a-2 各階の水平変位比較

（5）モデル化手法が復元力特性に与える影響

1）けた行方向の検討

解析により得られたモデルa-2からa-5とb系列，c系列の1層せん断力－全体変形角関係と実験値の比較を付図9.6（a）に示す．どのモデルの荷重変形関係も実験値の挙動に概ね整合しており，中でもa-2が最も精度良く評価した．

次に，モデル化手法が与える影響を検討する．ここでは，付図9.6（b）において，曲げ終局強度およびせん断終局強度を算出する際のスラブの有効幅を全幅としたb-1，c-1モデルが最大耐力と剛性が実験値に近い結果であったため，モデルa-2，b-1，c-1を対象とした．付図9.7にa-2，b-1，c-1の1層せん断力－全体変形角関係および全体変形角1.2%時点での各階の相対変位と実験値の比較を示す．また，a-2，b-1，c-1の各構面が全体変形角0.2%および0.5%時に負担するせん断力の比率〔（各構面のせん断力/層せん断力）×100（%）〕を付表9.4に示す．荷重変形関係においては疑似立体モデルであるa-2の精度が最も良く，各階の水平変位分布（全体変形角1.2%時）においてはb-1の精度が最も良い．各構面の負担せん断力を比較すると，いずれのモデルも外構面（Y0，Y3）では負担するせん断力が少なく，また，全体変形角0.5%時でせん断力を最も負担しているのはY2構面である．したがって，疑似立体モデルは立体モデルの応力負担の傾向を概ね捉えており，疑似立体モデルにおいても立体的な効果を概ね再現できていることを確認した．ここで，全体変形角0.5%時における実験の破壊性状とモデルa-2，b-1，c-1のヒンジ状態について比較する．全モデルが同様の傾向を示したため，ここでは紙面の都合上，モデルa-2モデルに対して得られたヒンジ

状態図を付図9.8に示す．どのモデルもY0，1，3構面では1階壁脚が曲げ破壊しており，また，Y2構面では1階壁脚の曲げ破壊と短スパン梁のせん断破壊が確認され，実験と同様の傾向を示した．ここで，Y0，Y3構面の耐力壁はY1，Y2構面と比較して弱い一方，試験体の損傷はY2構面に集中している．このことより，実験では層の負担せん断力がY1，Y2構面に集中し，その中では比較的壁量の少ないY2構面に損傷が多く発生していると考えられる．

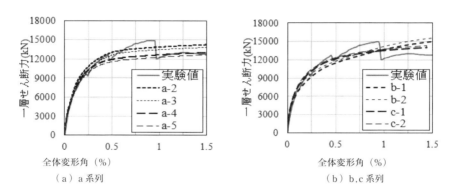

付図9.6 荷重変形関係比較

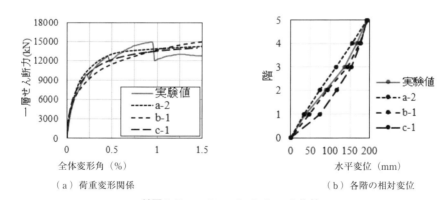

付図9.7 モデルa-2，b-2，c-2比較

付表9.4 構面ごとの負担せん断力比率（単位：％）

	全体変形角0.2％時				全体変形角0.5％時			
	Y0構面	Y1構面	Y2構面	Y3構面	Y0構面	Y1構面	Y2構面	Y3構面
a-2	19	24	38	19	21	25	34	20
b-1	5	47	40	8	6	39	44	10
c-1	5	44	44	7	7	38	44	11

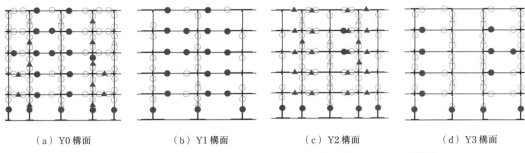

(a) Y0構面　　　(b) Y1構面　　　(c) Y2構面　　　(d) Y3構面

〔記号〕○：曲げひび割れ，●：曲げ終局，△：せん断ひび割れ，▲：せん断終局

付図 9.8　モデル a-2 全体変形角 0.5%時ヒンジ状態図

2) 張り間方向の検討

　張り間方向に関する検討結果を示す．張り間方向はけた行方向に比べ多くの耐力壁が連層壁で構成されるため曲げに支配されることが多い．文献 8.3.6) においてけた行方向で整合した平面架構の連成モデルと立体架構モデルを比較した結果，前者は保有水平耐力を小さめに評価する傾向にあり，その理由として当該連層壁に取り付く部材（直交壁や壁梁）の影響を適切にモデル化することが困難であることが挙げられる．そこで，材中央に配されている 1 本柱モデルの両端に鉛直の軸ばねを設定し，それに取付く直交壁の効果を考慮した剛性とそれに取付く壁梁の終局強度を考慮した結果〔付表 9.5 参照〕，立体解析との整合性が改善した．以上のことから，張り間方向の連層耐力壁に対して平面連成モデルを用いる場合は，それに取り付く直交部材の効果を適切に評価する必要がある．

付表 9.5　モデルパラメータ一覧

	側柱の軸ばね	中央柱曲げばね剛性評価範囲
A-2	剛	面内方向壁と有効幅分直交壁
A-3	（剛性）有効範囲直交壁	面内方向壁と有効幅分直交壁
A-4	（耐力）壁梁のせん断力	面内方向壁

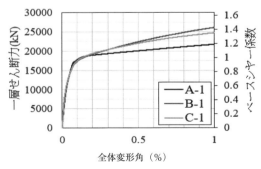

A-1：平面連成モデル
B-1：エレメント置換立体モデル
C-1：MS 立体モデル

付図 9.9　平面連成モデルおよび立体モデルによる荷重変形関係比較

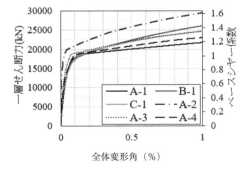

A-1：平面連成モデル，A-2：修正平面連成モデル（剛柱），
A-3：修正平面連成モデル（柔柱重複），
A-4：修正平面連成モデル（柔柱）

付図 9.10　修正した平面連成モデルの荷重変形関係比較

（6） ねじれによる負担せん断力の補正

本規準8条（3）に基づき算出した立体モデル B-1 と疑似立体モデル A-3 の補正前後の一層せん断力とその比率を，付表9.6(a)，(b) に示す．妻構面の X0, X4 通りの負担せん断力比率は立体モデル B-1 のそれと概ね一致する傾向にあるが，内構面の X2 通りの負担せん断力比率は立体モデル B-1 と比べやや小さい傾向にある．

付表9.6(a)　補正前後のせん断力比較

通り	壁符号	立体モデル B-1	擬似立体モデル A-3	
			補正前	補正後
X0	W15	985	618	1 122
X1	W19(X1)	12	27	34
	W18(X1)	133	121	155
X2	W16	1 356	811	986
X3	W19(X3)	11	27	31
	W18(X3)	106	121	140
X4	W17	1 063	1 939	1 197
合　計		3 665	3 665	6 355

付表9.6(b)　補正前後のせん断力比率比較

通り	壁符号	立体モデル B-1	擬似立体モデル A-3	
			補正前	補正後
X0	W15	27	17	31
X1	W19(X1)	0	1	1
	18(X1)	4	3	4
X2	W16	37	22	27
X3	19(X3)	0	1	1
	18(X3)	3	3	4
X4	W17	29	53	33
合　計		100	100	101

[参 考 文 献]

付9.1）広沢雅也・後藤哲郎・平石久廣・芳村　学：中層壁式実大建物の耐震破壊実験，天然資源の開発利用に関する日米会議耐風・耐震構造専門部会第12回合同部材会議録，pp.223-249, 1980.5.19-22

付9.2）日本建築学会：壁式鉄筋コンクリート造設計・計算規準・同解説，2017.9

付9.3）国土技術政策総合研究所・建築研究所監修：2020年版建築物の構造関係技術基準解説書，2020.10

付9.4）向井智久・中村聡宏・有木克良・高橋良輔：新設開口設置に伴い補強した壁式連層耐力壁架構のモデル化手法，コンクリート工学年次論文集，Vol.43, No.2, pp.517-522, 2021.6

付9.5）日本建築学会：鉄筋コンクリート造建物の靱性保証型耐震設計指針・同解説，1999.8

付9.6）木村暁子・真田靖士・前田匡樹・壁谷澤寿海：変動軸力と曲げを受ける RC 部材の解析モデルの検討，コンクリート工学年次論文集，Vol.21, No3, pp.1243-1248, 1999.6

付10. 壁式RC造建物の応答値に及ぼす相互作用の影響の検討事例

1. はじめに

壁式RC造建物は耐震性能に優れている建物であり，地震時の被害が少ない．その要因の一つとして，建物と地盤の相互作用効果が関係していると考えられている．本付10.では，スウェイ・ロッキングモデル（以下，SRモデル）を用いた現場打ち壁式RC造建物（以下，壁式RC造建物と略記）の時刻歴地震応答解析によって応答値を求め，基礎固定モデルの応答値との比較を行い，壁式RC造建物の応答値に及ぼす相互作用の影響について検討する．なお，本付10.における検討は出来る限り一般的な条件設定となるよう留意しているものの，特定の条件下およびモデル化の下での結果であり，当然ながら全ての壁式RC造建物にあてはまるものではなく，相互作用の影響を検討する際の参考とすることを意図している．

2. モデル化

解析には，けた行方向（耐力壁と壁梁より構成される方向で，以下同様とする）33 m，張り間方向（主として連層耐力壁より構成される方向で，以下同様とする）7 m，高さ7.8 m，直接基礎の根入れ深さ1 mの3階建て壁式RC造建物と，同じくけた行方向33 m，張り間方向7 m，高さ13 m，直接基礎の根入れ深さ1 mの5階建て壁式RC造建物を想定した1質点系モデルを用いる．1質点系の基礎固定モデルでは，建物の弾性一次固有周期 T_b を，3階建てでけた行方向 0.15 s，張り間方

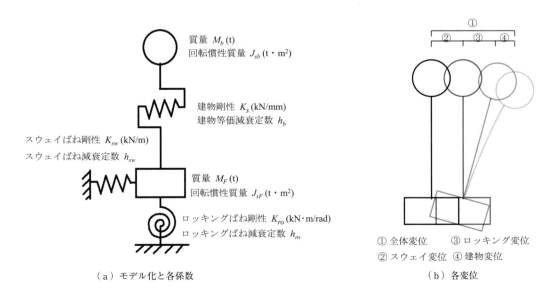

付図10.1 モデル化および解析に必要な諸数値と各変位の定義

向 0.075 s，5 階建てでけた行方向 0.25 s，張り間方向 0.125 s と設定し，これにスウェイばねおよびロッキングばねを設けることで SR モデルとしている．付図 10.1 にモデル化および解析時に必要な諸数値と各変位の定義を示す．建物重量は 12 kN/m^2 として，基礎部分の質量 M_F，建物部分の質量 M_b，基礎部分の回転慣性質量 J_{sF}，建物部分の回転慣性質量 J_{sb}，建物剛性 K_s を算定した．建物の等価粘性減衰定数 h_b は 0.03 とした[付10.1]．地盤ばね，上部構造ともに線形でモデル化している．各変位の定義については，SR モデルにおいて，スウェイばねによる変位をスウェイ変位，ロッキングばねによる建物頂部の変位をロッキング変位，建物自体の変位を建物変位と定義し，それらの変位の和が全体変位である．ロッキング変位については，回転角に建物モデルの高さを乗じることによって算定した．

スウェイばね，ロッキングばねの剛性および減衰定数は，付表 10.1 に示す地盤定数[付10.2]をもとにコーンモデルにより算定した．弾性時の卓越周期は，地盤 1 が 0.22 s，地盤 2 が 0.52 s，地盤 3 が 0.70 s，地盤 4 が 1.26 s である．地盤ばねの算定は，地盤のせん断ひずみを一様に 0.1 %と仮定して行った．せん断ひずみ 0.1 %では砂質土のせん断剛性が 1/2 になる（3. 表層地盤の応答解析で後述）．各種周期や減衰定数の一覧を付表 10.2 に示す．スウェイ固有周期 T_{sw}，ロッキング固有周期 T_{ro}，建物－基礎－地盤の相互作用効果を考慮した建物の周期（連成系周期）T_e，スウェイ固有周期における水平変位に対応する等価粘性減衰定数 h_{sw}，連成系周期におけるスウェイ変位に対応する粘性減衰定数 h_{sw}'，ロッキング固有周期における回転変位に対応した等価粘性減衰定数 h_{ro}，連成系周期におけるロッキング変位に対応する粘性減衰定数 h_{ro}'，連成系周期における建物の粘性減衰定数 h_b'，建物－基礎－地盤の相互作用効果を考慮した建物全体の粘性減衰定数 h_e も同地盤データより算定した．算定時に用いた式については，文献付 10.1），付 10.2）を参照されたい．減衰の評価については不明な点も多いことから h_{sw}' および h_{ro}' には減衰が過剰にならないようそれぞれ $h_{sw}' \leq 0.3$ および $h_{ro}' \leq 0.15$ の上限が設けられている．本解析では，5 階建ての地盤 1 を除いて連成系の周期が塑性化後の地盤の卓越周期（地盤 1 が 0.32 s，地盤 2 が 0.73 s，地盤 3 が 0.98 s，地盤 4 が 1.79 s）よりも短いため，逸散減衰を考慮している[付10.1]．

本解析における解析条件の一覧を，付表 10.3 に示す．建物高さと方向の組合せ（4 つ）に対して，地盤と地震動（告示波）の組合せが 16 ケースあり，基礎固定モデルと SR モデルがあるため，全解析ケースは 128 ケースである．

付表 10.1 地盤定数

(a) 地盤 1

層番号	深度 D (m)	層厚 H (m)	密度 ρ (t/m^3)	S波速度 V_S (m/s)	P波速度 V_P (m/s)	土質
1	3.2	3.2	1.7	130	320	砂質土
2	5.7	2.5	1.8	340	720	砂質土
3	10.0	4.3	1.7	280	720	粘性土
4	17.6	7.6	1.9	380	1 980	砂質土
工学的基盤	—	—	2.1	510	1 980	—

(b) 地盤 2

層番号	深度 D (m)	層厚 H (m)	密度 ρ (t/m^3)	S波速度 V_S (m/s)	P波速度 V_P (m/s)	土質
1	4.5	4.5	1.8	90	1 360	砂質土
2	10.0	5.5	1.6	150	1 560	砂質土
3	17.0	7.0	1.8	210	1 560	砂質土
4	18.5	1.5	1.7	150	1 560	粘性土
5	25.0	6.5	1.8	260	1 560	砂質土
工学的基盤	—	—	1.8	390	1 700	—

(c) 地盤 3

層番号	深度 D (m)	層厚 H (m)	密度 ρ (t/m^3)	S波速度 V_S (m/s)	P波速度 V_P (m/s)	土質
1	17.7	17.7	1.8	130	1 410	粘性土
2	28.5	10.8	1.9	250	1 550	砂質土
3	36.1	7.6	1.9	360	1 650	砂質土
工学的基盤	—	—	1.9	430	1 650	—

(d) 地盤 4

層番号	深度 D (m)	層厚 H (m)	密度 ρ (t/m^3)	S波速度 V_S (m/s)	P波速度 V_P (m/s)	土質
1	6.3	6.3	1.6	90	1 420	粘性土
2	14.0	7.7	1.8	120	1 470	砂質土
3	31.3	17.3	1.8	120	1 380	粘性土
4	46.5	15.2	1.7	200	1 510	粘性土
工学的基盤	—	—	1.9	350	1 630	—

付10. 壁式RC造建物の応答値に及ぼす相互作用の影響の検討事例

付表 10.2 各種周期や減衰定数の一覧

(a) 3階建て

	地盤1		地盤2		地盤3		地盤4	
	張り間	けた行	張り間	けた行	張り間	けた行	張り間	けた行
K_{sw} ($\times 10^5$ kN/m)	13.9	13.9	5.5	5.5	9.98	9.98	4.16	4.16
K_{ro} ($\times 10^7$ kN·m/rad)	3.49	40.3	1.86	17.7	3.41	31.2	1.48	13.2
T_{sw} (s)	0.156	0.156	0.248	0.248	0.184	0.184	0.285	0.285
T_{ro} (s)	0.162	0.048	0.222	0.072	0.164	0.054	0.249	0.083
T_b (s)	0.075	0.150	0.075	0.150	0.075	0.150	0.075	0.150
T_e (s)	0.237	0.222	0.341	0.299	0.258	0.244	0.386	0.333
h_{sw}	0.076	0.071	0.412	0.361	0.420	0.397	0.406	0.350
h_{sw}'	0.050	0.046	0.300	0.300	0.300	0.300	0.300	0.300
h_{ro}	0.055	0.174	0.231	0.622	0.236	0.675	0.233	0.599
h_{ro}'	0.037	0.034	0.150	0.150	0.150	0.150	0.150	0.150
h_b	0.030	0.030	0.300	0.300	0.300	0.300	0.300	0.300
h_b'	0.009	0.020	0.007	0.015	0.009	0.018	0.006	0.014
h_e	0.040	0.034	0.222	0.219	0.215	0.186	0.227	0.232
逸散減衰	有	有	有	有	有	有	有	有

(b) 5階建て

	地盤1		地盤2		地盤3		地盤4	
	張り間	けた行	張り間	けた行	張り間	けた行	張り間	けた行
K_{sw} ($\times 10^5$ kN/m)	15.4	15.4	6.61	6.61	12.2	12.2	5.1	5.1
K_{ro} ($\times 10^7$ kN·m/rad)	3.09	35.7	1.66	15.6	3.1	28.4	1.34	12
T_{sw} (s)	0.191	0.191	0.292	0.292	0.214	0.214	0.332	0.332
T_{ro} (s)	0.371	0.109	0.507	0.165	0.370	0.122	0.563	0.188
T_b (s)	0.125	0.250	0.125	0.250	0.125	0.250	0.125	0.250
T_e (s)	0.435	0.333	0.598	0.418	0.446	0.351	0.666	0.456
h_{sw}	0.050	0.087	0.252	0.237	0.228	0.344	0.458	0.412
h_{sw}'	0.022	0.050	0.123	0.166	0.109	0.210	0.228	0.300
h_{ro}	0.037	0.114	0.109	0.314	0.125	0.430	0.177	0.363
h_{ro}'	0.032	0.037	0.092	0.124	0.104	0.149	0.150	0.150
h_b	0.030	0.030	0.030	0.030	0.030	0.030	0.030	0.030
h_b'	0.009	0.023	0.006	0.018	0.008	0.021	0.006	0.016
h_e	0.028	0.033	0.096	0.107	0.097	0.107	0.164	0.189
逸散減衰	無	無	有	有	有	有	有	有

付表10.3 解析条件の一覧

	階 数	方 向	モデル	地盤	告示波（位相）
条件数	2	2	2	4	4
内容	3階建て 5階建て	けた行 張り間	基礎固定 SR	地盤1 地盤2 地盤3 地盤4	エルセントロ位相 八戸位相 JMA神戸位相 ランダム位相

3. 表層地盤の応答解析

　表層地盤の応答解析を行い，表層地盤のひずみや地表面の地震動を算定した．解析手法は，等価線形解析および時刻歴非線形解析とした．地盤は，1層の厚さ1mを標準としてモデル化した．地盤の非線形特性はHDモデル[付10.2]とし，せん断剛性比G/G_0とせん断ひずみγの関係を（付10.1）式，減衰定数hとせん断剛性比G/G_0の関係を（付10.2）式によって算定した．その際，$\gamma_{0.5}$（$G/G_0=0.5$となる時のγの値）は砂質土で0.1%，粘性土で0.18%，減衰定数の最大値h_{max}は砂質土で21%，粘性土で17%とした[付10.2]．付図10.2に，砂質土と粘性土の非線形特性を示す．

$$\frac{G}{G_0}=\frac{1}{1+\frac{\gamma}{\gamma_{0.5}}} \tag{付10.1}$$

$$h=h_{max}\left(1-\frac{G}{G_0}\right) \tag{付10.2}$$

　解放工学的基盤で定義される告示スペクトルをターゲットとして作成した地震動を解放工学的基盤における入力地震動とした．位相は3種類の実地震動（EL Centro NS（1940），Hachinohe NS（1952），JMA-Kobe NS（1995））と1種類の乱数を用いている．等価線形解析における有効せん断ひずみと最大せん断ひずみの比は0.65とした．時刻歴非線形解析における積分は線形加速度法とし，減衰はレイリー減衰で振動数0.5Hzと5Hzで減衰定数が1%となるように係数αおよびβを設定した．

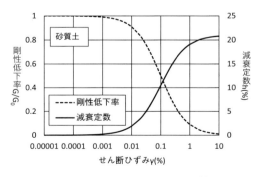 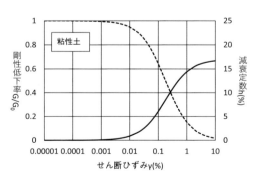

付図10.2　土の非線形特性

告示波エルセントロ位相入力時の表層地盤のせん断ひずみ，相対変位，加速度を付図10.3～10.5に示す．等価線形解析の適用範囲は最大ひずみが0.1%程度までとされており，今回の解析では全ての地盤で最大ひずみが0.1%を超える層があるため，非線形解析の結果を採用することとした．地盤1では約4m以浅の位置で0.1%以上のせん断ひずみとなるが，それ以外の深さでは0.05%以下となっている．地盤2～4ではせん断ひずみの最大値は1～4%となり，0.1%よりかなり大きな値となっているが，大半は0.1～0.5%程度の値となっている．その他の地震動のケースも同様な傾向を示しており，地盤ばねのモデルとして設定した0.1%のせん断ひずみは，応答解析結果から見ると地盤1ではやや大きめ，地盤2～4では小さめの評価となり，地盤1の地盤ばねはやや柔らかめ，地盤2～4の地盤ばねは硬めの設定となっている．

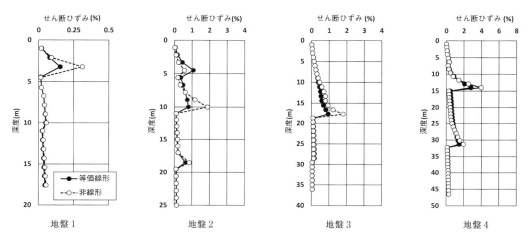

付図10.3 表層地盤のせん断ひずみ（告示波エルセントロ位相）

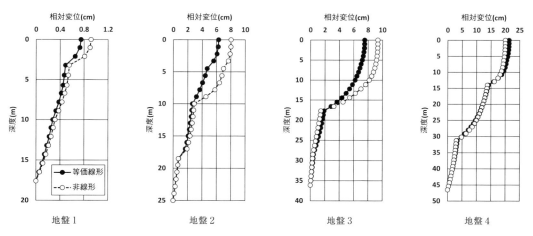

付図10.4 表層地盤の相対変位（告示波エルセントロ位相）

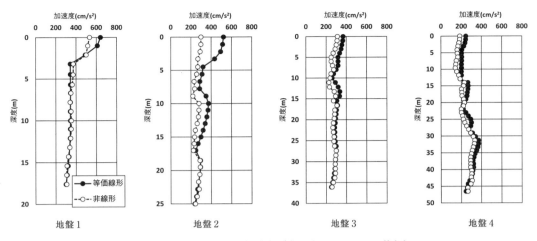

付図 10.5　表層地盤の加速度（告示波エルセントロ位相）

非線形解析によって得られた地表面における加速度応答スペクトルを，付図 10.6 に示す．地盤 1 は周期 0.2 s～0.25 s にピークがあり，ピークにおける加速度の値はおよそ 1 700 cm/s^2～2 000 cm/s^2 であり，非常に大きな値を示している．地盤 2 は周期 0.7 s～0.8 s にピークがあるが，JMA 神戸位相のみ周期 0.4 s 付近にもピークが見られる．加速度の最大値はランダム位相において約 1 300 cm/s^2 となっているが，その他の位相では 1 000 cm/s^2 前後となっている．地盤 3 は周期 0.8 s 付近と周期 1.3 s 付近にピークがあり，加速度の最大値は 1 000 cm/s^2 未満となっている一方で，比較的広い周期帯で最大値に近い値の加速度が発生している．地盤 4 は明確なピークは示しておらず，加速度の最大値は 500 cm/s^2 前後となっている．

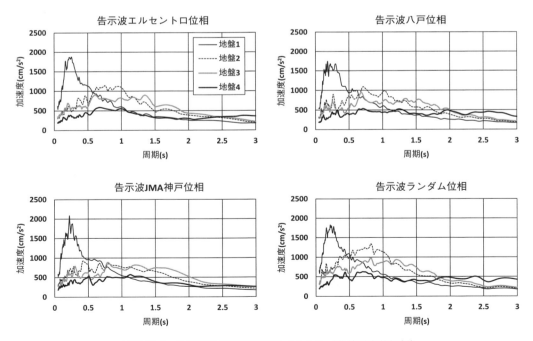

付図 10.6　地表面の加速度応答スペクトル（非線形応答解析）

4. 1質点系モデルの応答解析結果

　付表10.4および付表10.5に，3階建てモデルおよび5階建てモデルの最大応答せん断力（ベースシヤー係数換算）の数値一覧を示す．なおこの結果は，非線形解析によって得られた地表面の地震動を用いたものである．表中の比率は，基礎固定モデルの値に対するSRモデルの値の比率で，100%未満であれば相互作用の影響によって応答が低減したことを，100%を超えると応答が増大したことを示している．3階建てモデルの最大応答せん断力は，張り間方向において全16ケースで応答が低減し，その比率の平均値は約57%であり，けた行方向において16ケース中14ケースで応答が低減し，その比率の平均値は約80%であった．一方，5階建てモデルの最大応答せん断力は，張り間方向において全16ケースで応答が低減し，その比率の平均値は約58%であり，けた行方向において16ケース中13ケースで応答が低減し，その比率の平均値は約72%であった．3階建てモデル，5階建てモデル共に，相互作用の影響によって張り間方向では全ケースで応答が低減する一方

付表10.4　3階建てモデルの最大応答せん断力（ベースシヤー係数換算）

地盤1	張り間			けた行		
	基礎固定	SR	比率（%）	基礎固定	SR	比率（%）
エルセントロ位相	1.99	1.27	64	0.78	1.14	146
八戸位相	2.05	0.72	35	0.86	0.84	98
JMA神戸位相	1.88	0.97	52	1.47	0.88	60
ランダム位相	2.05	0.92	45	0.91	0.84	92

地盤2	張り間			けた行		
	基礎固定	SR	比率（%）	基礎固定	SR	比率（%）
エルセントロ位相	0.70	0.34	48	0.41	0.36	89
八戸位相	0.91	0.35	39	0.61	0.37	60
JMA神戸位相	0.60	0.44	74	0.51	0.45	87
ランダム位相	0.78	0.38	50	0.50	0.39	78

地盤3	張り間			けた行		
	基礎固定	SR	比率（%）	基礎固定	SR	比率（%）
エルセントロ位相	0.62	0.39	63	0.45	0.32	72
八戸位相	0.76	0.34	45	0.52	0.33	63
JMA神戸位相	0.47	0.41	85	0.42	0.37	88
ランダム位相	0.66	0.32	48	0.38	0.32	84

地盤4	張り間			けた行		
	基礎固定	SR	比率（%）	基礎固定	SR	比率（%）
エルセントロ位相	0.36	0.19	54	0.25	0.20	81
八戸位相	0.31	0.23	74	0.25	0.22	88
JMA神戸位相	0.36	0.27	75	0.28	0.28	100
ランダム位相	0.35	0.23	66	0.26	0.21	79

付表 10.5　5 階建てモデルの最大応答せん断力（ベースシヤー係数換算）

地盤 1	張 り 間			け た 行		
	基礎固定	SR	比率（%）	基礎固定	SR	比率（%）
エルセントロ位相	2.11	1.31	62	1.44	1.16	80
八戸位相	2.01	1.33	66	2.01	1.07	53
JMA 神戸位相	2.01	1.29	64	1.81	0.99	55
ランダム位相	1.86	1.26	68	1.48	0.95	64

地盤 2	張 り 間			け た 行		
	基礎固定	SR	比率（%）	基礎固定	SR	比率（%）
エルセントロ位相	0.60	0.52	87	0.47	0.65	138
八戸位相	1.24	0.46	37	0.83	0.58	70
JMA 神戸位相	0.74	0.57	77	0.50	0.46	92
ランダム位相	0.97	0.54	56	0.71	0.75	106

地盤 3	張 り 間			け た 行		
	基礎固定	SR	比率（%）	基礎固定	SR	比率（%）
エルセントロ位相	0.64	0.38	59	0.55	0.41	75
八戸位相	0.86	0.38	44	0.65	0.35	53
JMA 神戸位相	0.62	0.39	63	0.44	0.45	102
ランダム位相	0.74	0.39	53	0.59	0.40	69

地盤 4	張 り 間			け た 行		
	基礎固定	SR	比率（%）	基礎固定	SR	比率（%）
エルセントロ位相	0.36	0.20	55	0.39	0.28	71
八戸位相	0.53	0.23	43	0.33	0.28	86
JMA 神戸位相	0.44	0.30	67	0.32	0.31	96
ランダム位相	0.63	0.21	33	0.36	0.28	78

で，けた行方向では応答が増大するケースが見られた．応答が増大するか否かは，地盤の条件や地震動あるいはモデル化の方法等によって変化すると考えられるが，壁式 RC 造建物の張り間方向に関しては，ロッキング挙動が生じやすいことから，線形の SR モデルによって相互作用を考慮すると平均的には 60％程度に応答が低減するという結果となった．それに対して，壁式 RC 造建物のけた行方向に関しては，応答が低減するケースが多かったものの，増大するケースもあることから相互作用の影響によって一様に応答が低減する訳ではないことに注意が必要である．

5. ま と め

SR モデルを用いた壁式 RC 造建物の時刻歴地震応答解析によって応答値を求め，基礎固定モデルの応答値との比較を行い，壁式 RC 造建物の応答値に及ぼす相互作用の影響について検討を行った．ロッキング挙動が生じやすい張り間方向においては相互作用による応答低減が十分に期待され

る結果が得られた一方で，けた行方向については一部で応答が増大するケースが生じる結果となった．本検討例については，特定のケースについての検討事例であり，壁式 RC 造建物の相互作用の効果は建物と地盤の条件やモデル化の方法等によって変わる可能性があることに留意する必要がある．

[参 考 文 献]

付 10.1) 国土交通省住宅局建築指導課他：2001 年版限界耐力計算法の計算例とその解説，pp.217-248，2001.3
付 10.2) 日本建築学会：建物と地盤の動的相互作用を考慮した応答解析と耐震設計，pp.52-57, p.66, p.225, 2006.2

付11. 現場打ち壁式 RC 造建物を長期優良住宅認定条件における耐震等級 2 とするために必要な条件

1. はじめに

2008 年に，長期にわたり住み続けられるための措置が講じられた優良な住宅の普及を目指して「長期優良住宅の普及の促進に関する法律（平成 20 年法律第 87 号）」が制定され，2021 年に法律第 18 号に改正され，2022 年 10 月 1 日より施行されている．長期優良住宅の認定要件のうち耐震性については「地震による損傷の軽減を適切に図るための措置」を講じることが求められており，具体的には平成 21 年国土交通省告示第 209 号において，下記のいずれかに適合することが求められている．

（1） 建築基準法で定める地震力の 1.25 倍の力に対して倒壊しない（耐震等級（構造躯体の倒壊等防止の級）の等級 2）
（2） 大地震動時の層間変形角が 1/100 以下
（3） 免震建築物

壁式 RC（以下，WRC と略記）造建物は過去の多くの被害地震においても顕著な被害は生じておらず，その高い耐震性が実証されている．以下に，上記（1）や（2）によらずに，これらと同等以上の耐震性能を有していることを確認するために平成 28 年度と 29 年度の 2 か年度にわたって実施された建築基準法等に係る技術基準整備のための事業「長期優良住宅における鉄筋コンクリート壁式構造の損傷防止性能の評価の合理化に関する検討」（以下，WRC 造建物の損傷防止性能評価検討という）結果より，平 13 国交告第 1026 号（改正平 19 国交告第 603 号）の規定を満たす耐震計算ルート 1 の現場打ち WRC 造建物を耐震等級 2 に適合するために必要な要件を記載する．

WRC 造建物の損傷防止性能評価検討においては，下記の項目についての検討が行われている[付11.1)～付11.10)]．

（ⅰ） 文献調査・パターン分類（平成 28 年（2016 年）度，平成 29 年（2017 年）度）
・耐力壁の配置，壁量，壁率，計算ルートのパターン分類
・既往の実験調査と整理，試験体の設計，壁式 RC 造建物の試設計
（ⅱ） 部材実験（平成 28 年（2016 年）度）
・直交壁の有無
・断面・配筋・破壊形式
・曲げ強度・せん断強度に対する直交壁効果の分析
（ⅲ） 解析（平成 29 年（2017 年）度）
・部材実験モデルの有限要素解析
・架構モデルのフレーム解析
・モデルによる応答値の確認

（ⅳ）　評価方法案の検討（平成 29 年（2017 年）度）
　　　・部材実験や解析から評価方法案を検討
（ⅴ）　部分架構実験（平成 29 年（2017 年）度）
　　　・直交壁を有する架構実験により強度発現機構の確認
（ⅵ）　評価方法案の提案（平成 29 年（2017 年）度）
　　　・WRC 造建物の損傷防止性能の評価方法の提案
　以下に上記（ⅱ）から（ⅵ）に関しての検討結果を要約して記載する．

2．WRC 造建物の損傷防止性能評価検討結果
2.1　直交壁付き耐力壁の部材実験結果による知見
（1）　3 試験体とも，WRC 造の短期地震荷重時に想定される平均せん断応力度の 3～5 倍までせん断ひび割れは発生しなかった．
（2）　変形角 1/2 000 rad もしくは 1/1 000 rad 時点で曲げひび割れ，斜めひび割れが観察されたが，その幅は微小であった．
（3）　曲げ強度は，直交壁を全幅有効とした場合によく一致した．
（4）　せん断強度は，等価壁厚を $1.5t$（t：耐力壁の厚さ）とした場合によく一致した．
（5）　引張側直交壁の有効幅は，短期荷重時で約 $5t$（試験体 1HH）および約 $7t$（試験体 3HH）であった．
（6）　圧縮側直交壁の有効幅は，せん断破壊型では短期荷重時および終局時とも $6t$，曲げ破壊型では短期荷重時から全幅有効であった．
（7）　弾性時における曲げ剛性の有効幅は，「壁式鉄筋コンクリート造設計・計算規準・同解説」（以下，壁式 RC 規準と略記）よりやや大きかった．
（8）　弾性時におけるせん断剛性の有効幅は，せん断破壊型の試験体では無視できるものであり，壁式規準と同様であった．
（9）　算定した荷重－変形曲線と実験値は，良好な対応を示した．

2.2　部材実験の弾塑性有限要素解析結果による知見
（1）　各モデル（反曲点高さが 1.2 m で曲げ変形の卓越するモデルをモデル 1L（部材実験試験体 1NH に対応），せん断変形が卓越するモデルをモデル 1H（部材実験試験体 1HH に対応），反曲点高さが 3.2 m のモデルで曲げ変形の卓越するモデルをモデル 3H（部材実験試験体 3HH に対応）の最大荷重は，実験値とほぼ合っていた．
（2）　各モデルのひび割れ状況は，実験結果と整合していた．また，それらのひび割れ発生の要因の推定を行った．
（3）　弾性剛性の算定においては，反曲点が高くなるにつれ大きくなり，壁式 RC 規準でいう $0.1h$ よりも大きくなった．
（4）　応力分布による有効幅の検討では，引張側の有効幅は有効幅が変形に比例して大きくなるが，比較的小さな変形のうちから全幅有効となった．

(5) 圧縮側の有効幅は，変形に比例して小さくなったが，せん断破壊型のモデル1Hはほぼ$6t$で一定となった．

(6) 終局耐力時において，モデル1Lおよびモデル3Hでは全幅有効となっていたが，モデル1Hにおいては$2.5t$〜$4.5t$とみなせる．

2.3 弾塑性有限要素解析を用いた部材実験の再現とパラメトリック解析結果による知見

(1) 本研究の範囲内では，小変形時は解析と実験は良く対応し，FEM二次元解析で実験を再現することができた．

(2) 大変形時は，解析誤差が見られる傾向にあることから，モデルの修正点は今後詳しく検討する必要がある．

2.4 弾塑性有限要素解析を用いた立体架構のパラメータ解析結果による知見

耐力壁の立体挙動に関して曲げ破壊型を対象とした弾塑性有限要素解析を実施した．以下に得られた知見を示す．

(1) 直交壁を有する耐力壁の立体挙動

直交壁の縦筋量の総量を一定とした場合，直交壁の長さがせん断力－水平変形関係に与える影響はほとんどないことが分かった．しかし，直交壁の長さが長くなるに従って，若干耐力が上昇する傾向がみられた．また，変形角1/100までの最大耐力は，いずれのケースでも壁式RC規準による耐力壁のせん断強度計算値より小さくなった．

(2) 壁梁を有する有開口耐力壁の立体挙動

壁梁の主筋量の総量を一定とし，壁梁のせいをパラメータとした解析から，連結する壁梁のせいが高くなるに従って，耐力は大きくなることが分かった．壁梁を介して連続する耐力壁の立体挙動については，今後壁梁開口寸法をパラメータとし，全体の変形と反曲点の影響を今後詳しく検討する必要がある．

2.5 損傷制御のための必要ベースシヤー係数検討結果による知見

壁式告示を満足するWRC造建物を対象に，大地震動時の応答が損傷限界に収まる条件を明らかにすることを目的に，等価線形化解析および時刻歴応答解析による最大応答の算定を行った．また，損傷限界に着目し，各種構造性能が最大応答変位に及ぼす影響について検討を行った．

2.5.1 等価線形解析による検討

(1) 解析条件

本解析では，A_i分布に基づく外力分布が作用した場合に，各階の層間変形角が常に同一となる壁式RC造建物を対象に，等価線形化解析を用いて極稀地震時の最大層間変形角を推定する．付図11.1に示すように検討対象である1〜5階建て建物をそれぞれ1〜5質点系弾塑性せん断ばねモデルでモデル化し，各階の質量は同一でm，階高は同一で3mとする．各階のせん断ばねの復元力特性の骨格曲線は，ひび割れ点C，降伏点Yで折れ曲がる3折れ線でモデル化する（付図11.1）．

A_i分布に基づく外力分布に基づく外力分布による荷重増分解析を行い，各階変位d，ベースシヤーQ_1より等価一自由度系（Δ：代表変位，C_B：等価一自由度系のベースシヤー）に縮約する．ひび割れ時および降伏時のベースシヤー係数C_c，C_y，層間変形角R_c，R_yを付表11.1に示す．減衰定

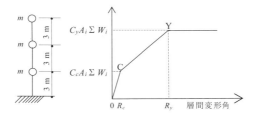

付図 11.1　解析モデル概要

付表 11.1　等価線形化解析変数

解析変数	C_c	R_c	R_y
a	0.2	1/2 000	1/200
b	0.2	1/4 000	1/200
c	0.2	1/2 000	1/300
d	0.2	1/4 000	1/300
e	$C_y/2.5$	1/2 000	1/200
f	$C_y/2.5$	1/4 000	1/200
g	$C_y/2.5$	1/2 000	1/300
h	$C_y/2.5$	1/4 000	1/300

〔記号〕　C_c：ひび割れ時のベースシヤー係数
　　　　C_y：降伏時のベースシヤー係数
　　　　R_c：ひび割れ時層間変形角
　　　　R_y：降伏時層間変形角

数については，平12建告第1457号第9に規定される減衰定数（以下，告示減衰と略記），Degrading Trilinear を復元力とする場合の減衰定数（以下，D-Tri減衰と略記）ならびに減衰定数を一定値（0.10～0.40）とする場合の3種類で解析している．

（2）　解析結果

最大層間変形角 R_{max} に特に影響を与える因子は，降伏時のベースシヤー係数 C_y および減衰定数 h であり，C_y および h を増大させることで R_{max} を小さく抑えることができる．

付図11.2に，平12建告第1457号第9に規定される告示減衰，およびD-Tri減衰を用いた場合における R_{max} が降伏時層間変形角 R_y 以内に収まるために必要な C_y（以下，必用 C_y と略記）を示す．

階数によって必要な C_y が異なる場合は，最大の C_y をプロットしている．

告示減衰の場合，必要 C_y は 0.8～0.9 となっているが，D-Tri減衰の場合では C_y が 0.5～0.6 で R_{max} が R_y 以内に収まっている．

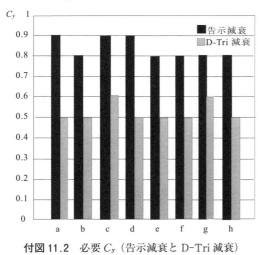

付図 11.2 必要 C_y（告示減衰と D-Tri 減衰）

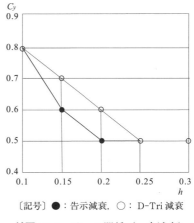

付図 11.3 C_y-h 関係（一定減衰）

各種構造性能が最大応答に及ぼす影響について，C_c を 0.2 から $C_y/2.5$ に，R_c を 1/2 000 から 1/4 000 に変更すると，必要 C_y は減少する傾向が見られ，R_y を 1/200 から 1/300 に変更すると C_y はやや増大する．付図 11.3 に，減衰定数 h を一定とする場合，必要 C_y と h の関係を示す．必要 C_y は減衰定数 h が大きいほど小さくなり，h が 0.10，0.15，0.20，0.25 の時，必要 C_y はそれぞれ 0.8，0.7，0.6，0.5 となっている．

2.5.2　時刻歴応答解析による検討

（1）　解析条件

前記 2.5.1 で示した検討対象に対して時刻歴応答解析を行った．復元力特性は，D-Tri モデルと原点指向型モデルとしている．数値積分法は線形加速度法とし，運動方程式の解法は Newton-Raphson 法を用いている．入力地震動は，前記 2.5.1 に記載の等価線形解析の設計用加速度応答スペクトル（ただし，係数 p, q, F_h は 1 としている）をターゲットスペクトルとする模擬地震動 3 波（時間刻み 0.02 秒）を作成し，解析対象の階数に応じて 0.8（1 階），0.9（3 階），1.0（5 階）倍したものを用いている．それぞれの模擬地震動の位相特性には観測波である EL Centro NS (1940)，Taft EW (1952)，Hachinohe NS (1968) を用いている．減衰は 1 次減衰定数を 0.05 とする初期剛性比例型としている．

付表 11.2 に示す解析変数では，付表 11.1 を基準にし，a を基本モデルとし，b, c, e パターンでそれぞれ R_c, R_y, C_y が最大応答変位に及ぼす影響について検討している．

付表 11.2 時刻歴応答解析変数と解析結果（必要 C_y）

解析変数		a	b	c	e
C_c		0.2	0.2	0.2	$C_y/2.5$
R_y		1/200	1/200	1/300	1/200
R_c		1/2 000	1/4 000	1/2 000	1/2 000
D-Tri 型	1 階建て	0.7	0.5	0.8	0.6
	3 階建て	0.8	0.6	>1.0	0.6
	5 階建て	0.8	0.7	>1.0	0.6
原点指向型	1 階建て	0.9	0.7	1.0	1.0
	3 階建て	>1.5	>1.5	>1.5	>1.4
	5 階建て	>1.5	>1.5	>1.5	>1.5

（2） 解 析 結 果

最大層間変形角 R_{max} に特に大きく影響を与える因子は降伏時のベースシヤー係数 C_y であり，C_y を増大することで R_{max} を小さく抑えることができる．付表 11.1 に示すように，D-Tri モデル型 $C_c=0.2$，$R_c=1/2 000$，$R_y=1/200$ とした基本モデル a の場合，R_{max} が降伏時層間変形角 R_y 以内に収まるために必要な C_y は 0.7〜0.8 となっている．原点指向型の場合，必要 C_y はより大きく（1 階建てでは 0.9，3，5 階建では 1.5 を超える），損傷制御が困難となると考えられる．

また，C_c を $C_y/2.5$ に，R_c を 1/2 000 から 1/4 000 に変更すると，必要 C_y は減少する傾向が見られ，R_y を 1/200 から 1/300 に変更すると必要 C_y は増大する．前記 2.5.1 の等価線形化解析の結果と比較すると，時刻歴応答解析の場合の必要 C_y は大きく，各種構造性能が最大応答変位に及ぼす影響もより大きくなっている．

2.5.3 実大実験に基づく損傷制御に関する検討

（1） 検 討 対 象

地上 1〜5 階建てで各階の階高（3.0 m，3.5 m，4.0 m）の壁式 RC 造建物に対する検討を行っている．
各階の質量および階高は同一とし，平面と立面のアンバランスはないものとする．

本検討では，建物の全体変形角とベースシヤー係数を用いて付図 11.4 のような復元力特性を考える．最大強度時（付図 11.4 中 U 点）におけるベースシヤー係数 C_u とその全体変形角 R_u，損傷が大きくなる点（付図 11.4 中 D 点）におけるベースシヤー係数 C_c と最大変形角 R_c を定め，原点とこれら 2 点を結んだ復元力特性および履歴減衰を考える．

（2） 検 討 結 果

外力分布を逆三角形分布に近いと考えると，最大強度に達する直前の範囲で応答を収めるためには，必要ベースシヤー係数が 0.65 程度である．しかし，WRC 造建物では最大強度時の損傷はやや大きいことから，付図 11.4 中の D 点と U 点の中央の点を考えると，必要ベースシヤー係数は 0.75 程度となる．さらに損傷を抑える為には，例えば D 点で応答を抑えるためには必要ベースシヤー係数は 0.85 程度必要である．

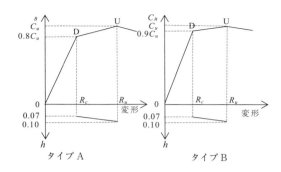

付図 11.4　復元力特性と等価粘性減衰定数のモデル

2.6　試設計建物の検討結果

（1）建物および構造概要

　試設計する建物は，壁式告示の適用限界に近い建物とし，階数を 5，階高を 3.5 m とした．平面は階段室型の公営集合住宅を参考とし，1 階段室分をモデル化することとした．耐力壁の配置は，けた行方向 3 構面とした．けた行方向の長さは 20 m（耐力壁中心間距離），張り間方向の長さは 8 m（耐力壁中心間距離）である．

　壁梁せいは原則 450 mm とし，水まわりを想定し北側構面のみ腰壁・垂れ壁を含めた壁梁せいとしている．耐力壁の厚さは，告示の最小値とし 5 階で 150 mm，1〜4 階で 180 mm とした．耐力壁および壁梁の配筋は，1 次設計時の検定比（応力/許容力）が最大で 0.9〜0.95 程度となるよう定めた．耐力壁リストを付表 11.3 に，けた行方向の壁量および壁率を付表 11.4，付表 11.5 に示す．また，一次設計時におけるけた行方向各階の層間変形角を付表 11.6 に示す．層間変形角は，2, 3 階で

付表 11.3　耐力壁リスト

階	壁厚 (mm)	中間部縦筋	横　筋	端部曲げ補強筋
5	150	2-D10@200	2-D10@200	3-D13
4	180	2-D10@200	2-D10@200	3-D13
2, 3	180	2-D10@200	2-D13@200	2-D16
1	180	2-D10@200	2-D13@200	4-D19

付表 11.5　けた行方向壁率

階	$_ia_w$ (mm²/m²)	$Z \cdot W \cdot A_i \cdot \beta/(2.5 S_i)$ (mm²/m²)
5	23 124	7 233
4	27 936	13 039
3	27 936	17 848
2	27 936	21 657
1	27 936	24 556

〔記号〕　$_ia_w$：i 階の壁率，Z：地震地域係数（=1.0）
　　　　A_i：振動特性係数
　　　　β：コンクリートの設計基準強度による低減係数（=$\sqrt{18/F_c}$ =1.0）

付表 11.4　けた行方向壁量

階	S_i	L_w	L_{w0}
5	154.16	154.16	120
4	155.20	155.20	120
3	155.20	155.20	120
2	155.20	155.20	150
1	155.20	155.20	150

〔記号〕　S_i：壁量算定用床面積（m²）
　　　　L_w：壁量（mm/m²）
　　　　L_{w0}：標準壁量（mm/m²）

付表 11.6　けた行方向層間変形角

階	層間変形角
5	1/2 923
4	1/2 261
3	1/1 972
2	1/1 941
1	1/2 133

規定値の 1/2 000 を若干上回っている.

(2) 保有水平耐力

保有水平耐力は,立体解析モデルによる荷重増分解析により算定した.荷重増分解析は,せん断破壊が生じた場合その部材の応力はせん断耐力を維持したまま解析を続行し,いずれかの階の層間変形角が 1/50 に達した時点で解析終了としている.保有水平耐力は,最初にいずれかの部材にせん断破壊が生じた時点での各階の層せん断力として定めている.保有水平耐力は,1階耐力壁にせん断破壊が生じた時点で決定している.けた行方向の必要保有水平耐力と保有水平耐力を,付表 11.7 に示す.保有水平耐力は,構造特性係数 D_s を 0.55 とした必要保有水平耐力に対して 1.07 倍となっている.

付表 11.7 けた行方向保有水平耐力算定結果

階	Q_{ud} (kN)	D_s	F_{es}	Q_{un} (kN)	Q_u (kN)	Q_u/Q_{un}
5	3 131.7	0.55	1.00	1 722.5	1 844.6	1.07
4	5 645.7	0.55	1.00	3 105.2	3 325.3	1.07
3	7 727.8	0.55	1.00	4 250.3	4 551.6	1.07
2	9 377.2	0.55	1.00	5 157.5	5 523.1	1.07
1	10 632.5	0.55	1.00	5 847.9	6 262.5	1.07

(3) 検討結果

階高を壁式告示におけるルート 1 に対する適用限界の 3.5 m,壁梁せいを最小の 450 mm,1階の壁量・壁率を最少値に抑えた壁式 RC 造建物の試設計を行った.その結果,一次設計時の層間変形角は 1/2 000 を若干上回る程度となり,保有水平耐力は $D_s=0.55$ とした必要保有水平耐力に対して 1.07 倍となった.なお,耐震等級 2 となる必要保有水平耐力の 1.25 倍を得るためには,壁式告示を満足するだけでは不十分であり,特に壁梁のせいを大きくする等の対応が必要であることが確認された.

2.7 立体架構実験

2.7.1 実験目的

文献付 9.11)で計画した試験体の静的加力実験結果に基づいて,壁式 RC 造立体架構の大地震時における損傷程度を定量的に評価し,壁式 RC 造建物の長期優良住宅の認定要件を検討することを目的とした.実験概要および実験結果等は,文献付 11.1)を参照されたい.ここでは得られた知見を記載する.

2.7.2 実験結果等により得られた知見

(1) 壁式 RC 造架構の損傷防止性能を検討するべく静的加力実験を行ったところ,変形角 1/200 で最大耐力 1 580 kN(ベースシヤー係数に換算して $C_B=0.84$)に至った.

(2) 本試験体は,試験体下部 2 層の変形角 $R_c=1/2 000 \sim 1/400$ サイクルで耐力壁の曲げによ

り引張側となる鉄筋が，$R_c=1/1000$ サイクルで直交壁の鉄筋が，$R_c=1/200$ サイクルで面内壁のせん断補強筋が降伏した．

（3） 直交壁が取り付かない耐力壁では比較的せん断破壊による損傷が少なかった．これは，せん断破壊よりすべり破壊が先行したためと考えられる．

（4） 直交壁が取り付く耐力壁では曲げ変形およびせん断変形が，直交壁が取り付かない耐力壁ではすべり変形が，それぞれ支配的であった．

（5） 2階壁梁の端部回転角は壁頭回転角と同等であり，変形を主に端部で吸収している．

（6） 1/400 サイクルの最大ひび割れ幅は 1 mm 以下，残留ひび割れ幅は 0.5 mm 以下，1/200 サイクルの最大ひび割れ幅は 2 mm 以下，残留ひび割れ幅は 1 mm 以下であった．

（7） 終局変形を変形角 $R_c=1/100$ として算定した耐震性能残存率 R は $R_c=1/400$ で 0.83 程度（小破），$R_c=1/200$ で 0.55 程度（大破）であった．

（8） 実験により得られた荷重変形関係および履歴減衰定数に基づき，壁式 RC 造架構の大地震時応答を限界耐力計算により求めると，1/400 以下に留まる結果となった．

（9） 応答変形角と実験結果を考慮すると，本実験で対象とした壁式 RC 造架構は大地震に対しても十分な損傷防止性能を有していると考えられる．

2.8 長期優良住宅の指針の背景

（1） はじめに

前記 2.1 から 2.7 により，極めて稀に発生する地震動時に耐震等級 1 の壁式 RC 造建物の損傷を制御するためには，極めて稀に発生する地震動時の応答最大層間変形角を 1/200 程度以下に抑えることが必要であり，そのためには下記の条件を満たすことが必要であることが明らかになった．なお，前記 2.1 から 2.7 において検討した壁式 RC 造建物の平面・立面形状は長方形で整形であることから，必要壁量に対して剛性率と偏心率に応じた形状係数 F_{es} を考慮している．

① 各階の壁率 $_ia_w$ が次式を満たすこと．

$$_ia_w \geq Z \cdot W \cdot A_i \cdot \beta / (2.5 S_i) \tag{付11.1}$$

記号 $_ia_w$：各階各方向の壁率（mm^2/m^2）

Z：地震地域係数

W：地震力を計算する場合における i 階が支える部分の固定荷重と積載荷重の和（特定行政庁が指定する多雪区域においては，さらに積雪荷重を加えるものとする）（N）

A_i：建物の振動特性に応じて地震層せん断力の高さ方向の分布を表す係数

β：コンクリートの設計基準強度 F_c による低減係数で，次式による．

$\beta = \sqrt{18/F_c}$，かつ $\beta \leq 1/\sqrt{2}$

2.5：耐力壁のせん断強度の基準値（N/mm^2）

S_i：i 階の壁率算定用床面積（m^2）

② 各階の壁量 $_iL_w$ が次式を満たすこと．

$$_iL_w \geq F_{es} \cdot (\alpha \cdot \beta \cdot Z \cdot _iL_{w0}), \quad \text{かつ} \quad _iL_w \geq F_{es} \cdot (_iL_{w0} - 30) \tag{付11.2}$$

記号 $_iL_w$：i 階の壁量（mm/m²）

F_{es}：剛性率および偏心率に応じて定まる形状係数

α：耐力壁の厚さに応じた低減係数で，次式による．

$$\alpha = t_0 \cdot \sum l / \sum (t \cdot l) \tag{付11.3}$$

t_0：耐力壁の最小壁厚（mm）で，付表 11.8 による．

$\sum l$：耐力壁の長さ l の総和（mm）

$\sum (t \cdot l)$：耐力壁の厚さに長さを乗じた数値の総和（mm²）

β, Z：（付 11.1）式の記号の説明による．

$_iL_{w0}$：i 階の標準壁量（mm/m²）で，付表 11.9 による．

③ 階高に応じた壁梁のせいを確保する．
④ 各階の保有水平耐力は，ベースシヤー係数にして概ね 0.75 以上有している．

付表 11.8 耐力壁の最小壁厚 t_0 (mm)

階			t_0
地上階	地階を除く階数が 1 の建物		120
	地階を除く階数が 2 の建物の各階		150
	地階を除く階数が 3 以上の建物	最上階	150
		その他の階	180
地下階			180

付表 11.9 標準壁量 L_{w0} (mm/m²)

階		L_{w0}
地上階	最上階から数えて 1 から 3 の階	120
	最上階から数えて 4 および 5 の階	150
地下階		200

（2） 検討対象建物および検討条件

検討対象の 5 階建て壁式 RC 造建物の平面図を，付図 11.5 に示す．

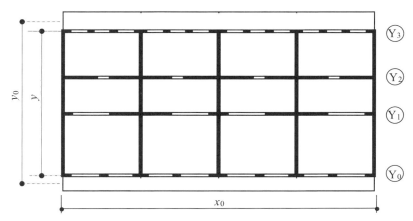

付図 11.5 検討対象建物の平面および耐力壁と壁梁配置

(3) 耐力壁の平均長さおよび壁梁の内法長さの平均値

検討対象建物（付図 11.5）の X 方向の壁量算定用長さを x_0 m（壁量算定用床面積算定用の X 方向の長さは付図 11.5 の場合「x_0 − 妻側耐力壁の厚さ」であるが，ここでは妻側耐力壁の厚さを無視している），Y 方向の壁量算定用長さを y_0 m とすると，耐力壁の長さの総和 $\sum l_w$ mm，壁梁の内法長さの総和 $\sum l_0$ は，各階とも次のとおりとなる．なお，X 方向の壁量を各階 L_w mm/m², X 方向の耐力壁長と壁梁の内法長さの和を $\sum l_x$ mm とする．

$$\sum l_w = L_w \cdot x_0 \cdot y_0 \tag{付 11.4}$$

$$\sum l_x = \sum l_w + \sum l_0 = n_x \cdot x_0 \times 1\,000 \quad (n_x：\text{X 方向構面数}) \tag{付 11.5}$$

$$\sum l_0 = \sum l_x - \sum l_w = n_x \cdot x_0 \times 1\,000 - L_w \cdot x_0 \cdot y_0 \tag{付 11.6}$$

1 階あたりの X 方向の耐力壁の数を N_{w0} とし，建物両端部の耐力壁以外は全て両側に壁梁が接続するものとすると，X 方向の壁梁の数は $(N_{w0} - n_x)$ 本となるので，次式が得られる．

・1 枚あたりの耐力壁の平均長さ：$\overline{l_w} = \sum l_w / N_{w0}$ (付 11.7)

・1 本あたりの壁梁の平均内法長さ：$\overline{l_0} = \sum l_0 / (N_{w0} - n_x)$ (付 11.8)

（付 11.7）式と（付 11.8）式より，次式が得られる．

$$x_0 = \overline{l_0} \cdot (N_{w0} - n_x) / (n_x \times 1\,000 - L_w \cdot y_0) \tag{付 11.9}$$

（付 11.4）式，（付 11.7）式，（付 11.9）式より，次式が得られる．

$$\overline{l_w} = \sum l_w / N_{w0} = L_w \cdot x_0 \cdot y_0 / N_{w0} = (L_w \cdot y_0 / N_{w0}) \cdot (N_{w0} - n_x) \cdot \overline{l_0} / (n_x \times 1\,000 - L_w \cdot y_0)$$
(付 11.10)

付図 11.5 の平面図において，$x_0 = 26.18$ m $(= 6.5 \times 4 + 0.18)$，$y_0 = 14.82$ m $(= 4.68 + 3.78 + 4.68 + 0.18 + (1.4 + 1.6)/2)$，$n_x = 4$，$L_w = 150$ mm/m²，$N_{w0} = 36$ 枚，$N_{WE} = 32$ 枚（片側に壁梁が接続する耐力壁は 0.5 枚とする場合の有効枚数）とすると，耐力壁の平均長さ $\overline{l_w}$ および壁梁の内法長さの平均値 $\overline{l_0}$ は，次のとおりとなる．なお，（付 11.7）式～（付 11.10）式中の N_{w0} を N_{WE} に置き換える．

$$\overline{l_w} = \sum l_w / N_{w0} = L_w \cdot x_0 \cdot y_0 / N_{WE} = 150 \times 26.18 \times 14.82 / 32 = 1\,819 \text{ mm}$$

$$\overline{l_0} = \sum l_0 / (N_{w0} - n_x) = (n_x \cdot x_0 \times 1\,000 - L_w \cdot x_0 \cdot y_0) / (N_{WE} - n_x)$$
$$= (4 \times 26.18 \times 1\,000 - 150 \times 26.18 \times 14.82) / (32 - 4) = 1\,661 \text{ mm}$$

(4) 平均長さと平均内法長さを有する耐力壁と壁梁の配筋

平均長さ $\overline{l_w}$ の耐力壁と平均内法長さ $\overline{l_0}$ の壁梁より構成される部分架構を取り出し，各階階高 3.0 m の時の標準せん断力係数 $C_0 = 0.2$ 時の耐力壁と壁梁の応力を算定し，配筋設計を行う．耐力壁に作用する平均せん断応力度，地震層せん断力，反曲点高さ比を 5 階で 0.4，4～2 階を 0.5，1 階を 0.6 とした時の各階耐力壁に作用する地震層せん断力ならびに耐力壁のフェイス位置における曲げモーメント，壁梁の所要配筋量を付表 11.10 に示す．なお，壁梁のせいは 600 mm の場合である．耐力壁の端部曲げ補強筋は，本規準 9.4 節に記載の最小端部曲げ補強筋量とし，中間部縦補強筋は 2-D10@250 とする．

付 11. 現場打ち壁式 RC 造建物を長期優良住宅認定条件における耐震等級 2 とするために必要な条件　—641—

付表 11.10　平均長さ $\overline{l_w}=1\,819$ mm，厚さ 180 mm の耐力壁の短期荷重時作成せん断力と壁梁のフェイスモーメント

階	$\sum W_i$ (N/m²)	A_i	Q_i (N/m²)	$\overline{\tau_{0.2}}$ (N/mm²)	$Q_{i,0.2}$ (N/m²)	$_bM_E$ (kN/m)	壁梁配筋 (上下)
5	13 500	1.665	4 495	0.18	59.8	24.5	2-D16
4	27 000	1.386	7 483	0.25	91.7	50.6	2-D19
3	40 500	1.226	9 927	0.37	121.1	76.2	2-D19
2	54 000	1.104	11 921	0.45	147.3	96.2	2-D22
1	67 500	1.000	13 500	0.50	163.7	102.0	2-D22

〔注〕　各階階高 $h=3.0$ m，軒高 16 m，壁梁せい $D_b=660$ mm
〔記号〕　$\sum W_i$：地震力算定用単位量の最上階からの和
　　　　A_i：地震層せん断力野高さ方向の分布を表す係数
　　　　Q_i：短期荷重時の各階の単位床面積あたりの地震層せん断力
　　　　$\overline{\tau_{0.2}}$：短期荷重時の耐力壁の平均せん断応力度
　　　　$Q_{i,0.2}$：平均長さ $l_w=1\,819$ mm の耐力壁に生ずる短期荷重時せん断力（$=\tau_{0.2}\times 1\,819\times 180\times 10^{-3}$）
　　　　$_bM_E$：壁梁のフェイスモーメントで，R 階〜2 階壁梁の数値

(5)　略算保有水平耐力の算定

平均長さ $\overline{l_w}$ と最小壁厚 t ならびに左右に平均内法長さ $\overline{l_0}$ の壁梁を有する部分架構に対して仮想仕事の原理を用いた略算法により各階の保有水平耐力を算定する．付図 11.5 より，片側直交壁付き耐力壁 10 枚，両側直交壁付き耐力壁 10 枚，長方形断面耐力壁 12 枚となっていることから，曲げ強度に有効な直交壁の範囲を片側につき 1 m とすると，平均長さ $\overline{l_w}$ には中央片側に 937.5 mm（$=1\,000\times 10+2\times 1\,000\times 10)/32$）の直交壁が接続する耐力壁とみなせる（付図 11.6）．

中央に長さ 937.5 mm の直交壁を有する平均長さ $\overline{l_w}=1\,819$ mm の 1 階耐力壁壁脚の曲げ強度は，付図 11.6 に記載の配筋より次のとおりとなる〔記号は，本規準 10.4.1 項参照〕．なお，1 階耐力壁の平均軸方向応力度 σ_0 は，Y 方向の壁量も 150 mm/m² とし，1.25 N/mm² と設定する．

$$_wM_u=\sum(a_t\cdot\sigma_y)\cdot l'+0.5\sum(a_w\cdot\sigma_{wy})\cdot l'+0.5N\cdot l'+M_e$$
$$=\{2\times 287\times 1.1\times 345+0.5\times(71\times 18\times 1.1\times 295+127\times 4\times 1.1\times 295)$$
$$+0.5\times 1.25\times 180\times 1\,819\}\times 0.9\times 1\,819=1\,166.0\times 10^6\text{ N}\cdot\text{mm}$$

平均内法長さ $\overline{l_0}$ の壁梁には曲げ強度に有効なスラブ筋が両側で 2-D13＋14-D10（スラブ受け筋 D13，配力筋 D13@300 上下）配置されているとし，スラブ厚さを 200 mm とすると，各階壁梁の曲げ強度 $_bM_u$ および節点位置における曲げ強度 $_bM_u'$ は，付表 11.11 のとおりとなる．

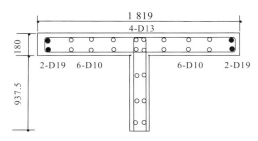

付図 11.6　平均長さ $\overline{l_w}$ 耐力壁 1 階の断面・配筋

付表 11.11 平均内法長さ $\overline{l_0}$ の壁梁の曲げ強度 (kN・m)

階	$_bM_{u上}$	$_bM_{u下}$	$_bQ_m$	$_bM_{u上}'$	$_bM_{u下}'$	$\sum_b M_u'$
R	244.9	62.7	185.2	413.3	231.3	644.6
5	287.5	105.3	236.5	502.6	320.4	823.0
4	287.5	105.3	236.5	502.6	320.4	823.0
3	323.9	141.7	280.3	578.8	396.6	975.4
2	323.9	141.7	280.3	578.8	396.6	975.4
					$\sum\sum_b M_u'$	4 241.4

[注] 壁梁せいは全階 600 mm の場合.

標準せん断力係数 $C_0=1.0$ 時の 1 階壁脚における転倒モーメントを M_{OT}, ベースシヤー係数を C_B, 1 階壁脚部の曲げ強度を $_wM_u$ と 2 階以上の壁梁の節点位置における曲げ強度の総和を $\sum\sum_b M_u'$ とすると, 平均内法長さ $\overline{l_0}$ の壁梁を左右に有する平均長さ $\overline{l_w}$ の耐力壁より構成される 5 階建て WRC 造建物の保有水平耐力は, ベースシヤー係数 C_B に換算すると次のとおりとなる.

$$C_B = (_wM_u + \sum\sum_b M_u')/M_{OT} = (_wM_u + \sum\sum_b M_u')/\sum(Q_{1.0} \cdot h)$$
$$= (1\,166.0 + 4\,241.4)/\{(272.5 + 453.7 + 602.0 + 722.8 + 818.4) \times 3.0\}$$
$$= 5\,407.4/8\,788.2 = 0.615$$

同様に, 壁梁せいを全階 800 mm とした場合の配筋および曲げ強度は付表 11.12 のようになり, 保有水平耐力は次のとおりとなる.

付表 11.12 平均内法長さ l_0 の壁梁の曲げ強度 (kN・m)

階	配筋(上下)	$_bM_{u上}$	$_bM_{u下}$	$_bQ_m$	$_bM_{u上}'$	$_bM_{u下}'$	$\sum_b M_u'$
R	2-D13	309.6	54.5	219.2	509.0	253.9	762.9
5	2-D16	340.5	85.4	256.4	573.7	318.6	892.3
4	2-D19	399.2	144.1	322.1	696.7	441.6	1 138.3
3	2-D19	399.2	144.1	322.1	696.7	441.6	1 138.3
2	2-D22	449.4	194.3	387.5	801.9	546.7	1 348.6
						$\sum\sum_b M_u'$	5 280.4

[注] 壁梁せいは全階 800 mm, 各階の地震力算定用単位重量は, 付表 11.11 と同様とした場合.

$$C_B = (_wM_u + \sum\sum_b M_u')/M_{OT} = (_wM_u + \sum\sum_b M_u')/\sum(Q_{1.0} \cdot h)$$
$$= (1\,166.0 + 5\,280.4)/\{(272.5 + 453.7 + 602.0 + 722.8 + 818.4) \times 3.0\} = 6\,446.4/8\,788.2 = 0.733$$

(6) 検討結果

各階の階高を 3.0 m, 壁量 150 mm/m^2 の 5 階建て壁式 RC 造建物の極めて稀に発生する地震動時における応答最大層間変形角を概ね 1/200 以下に留めるために必要とされるベースシヤー係数にして概ね 0.75 以上の保有水平耐力を確保するためには, 壁梁せいは 800 mm 以上必要である結果が得られた.

3. 長期優良住宅の認定要件を満足する壁式 RC 造建物の損傷防止性能を適切に評価する方法案

3.1 現行認定基準（平成 21 年国土交通省告示第 209 号）

長期優良住宅に係る認定基準は，下記の 6 つの性能項目から構成されている．

- 劣化対策
- 耐震性
- 可変性（共同住宅等）
- 維持管理・更新の容易性
- 高齢者対策（共同住宅等）
- エネルギー対策

上記のうち，壁式 RC 造建物の構造躯体に関わる性能項目は，劣化対策（コンクリートの水セメント比を減ずるか，鉄筋に対するかぶり厚さを増すこと），耐震性，可変性（躯体天井高 2 650 mm 以上）ならびに維持管理・更新の容易性（原則，専用部分に立ち入らないで配管等の維持管理・更新が可能）の 4 項目である．新築基準における耐震性に関する性能項目の内容は，以下のとおりである．

○ 極めて稀に発生する地震動に対し，継続利用のための改修の容易性を図るため，損傷のレベルの低減を図ること．

　このための方策として，下記のいずれかによることとしている．

【層間変形角による場合】
・大規模地震時の地上部分の各階の安全限界変形の当該階の高さに対する割合を，それぞれ 1/100（耐震等級 2 または 3 の基準に適合する場合は 1/75 以下）（限界耐力計算）

【地震に対する耐力による場合】
・耐震等級 2 の地震力（標準せん断力係数 $C_0 \geq 1.25$）に対して倒壊しないこと．
・住宅品確法に定める免震建築物であること．

3.2 長期優良住宅として必要となる耐震性能の評価項目

極めて稀に発生する地震動時において，壁式 RC 造建物における最大応答層間変形角を 1/200 以下に留めることにより，耐力壁は最大強度以前に留まり，結果として極めて稀に発生する地震動に対し，継続利用のための改修の容易性を図るため，損傷のレベルの低減を図ることができる．

本項の 2. および 3. の検討結果を考慮し，極めて稀に発生する地震動時に，壁式 RC 造建物の最大応答層間変形角を 1/200 以下に留めるために，標準せん断力係数 $C_0 \geq 0.2$ の短期荷重時における各階各方向の層間変形角が 1/2 000 以下となるよう，必要となる要件を検討した．

長期優良住宅の認定条件（耐震等級 2）を満足する壁式 RC 造建物となるために，壁式告示の規定に加えて評価すべき項目を以下に示す．

（1）　現場打ち壁式鉄筋コンクリート造とする．

（2）　使用するコンクリートは，普通コンクリートとする．また，設計基準強度は 21 N/mm^2 以上とする．

（3）　耐力壁は，各階各方向の剛性率が 0.6 以上，偏心率が 0.15 以下となるよう釣り合い良く配

置する．剛性率が 0.6 未満または偏心率が 0.15 を超える階にあっては，壁量を割り増すものとする．

（4） 各階各方向の壁率は，次式を満たすものとする．

$$_i a_w \geq Z \cdot W_i \cdot A_i \cdot \beta (2.5 S_i)$$

記号　$_i a_w$：各階各方向の壁率（mm²/m²）

　　　Z：地震地域係数

　　　W_i：地震力を計算する場合における i 階が支える部分の固定荷重と積載荷重の和（特定行政庁が指定する多雪区域においては，さらに積雪荷重を加えるものとする）（N）

　　　A_i：建物の振動特性に応じて地震層せん断力の高さ方向の分布を表す係数

　　　β：コンクリートの設計基準強度 F_c による低減係数で，次式による．

$$\beta = \sqrt{18/F_c}, \quad かつ \ \beta \leq 1/\sqrt{2}$$

　　　2.5：耐力壁のせん断強度の基準値（N/mm²）

　　　S_i：i 階の壁率算定用床面積（m²）

（5） 各階各方向の壁量は，次式を満たすこと．

$$_i L_w \geq F_{es} \cdot (\alpha \cdot \beta \cdot Z \cdot {_i L_{w0}}), \quad かつ \ _i L_w \geq F_{es} \cdot ({_i L_{w0}} - 30) \tag{付 11.11}$$

記号　$_i L_w$：i 階の壁量（mm/m²）

　　　F_{es}：各階各方向の形状特性を表す係数で，昭和 55 年建設省告示第 11792 号による．

　　　α：耐力壁の厚さに応じた低減係数で，次式による．

$$\alpha = t_0 \cdot \sum l / \sum (t \cdot l) \tag{付 11.12}$$

　　　t_0：耐力壁の最小壁厚（mm）で，付表 11.8 による．

　　　$\sum l$：耐力壁の長さ l の総和（mm）

　　　$\sum (t \cdot l)$：耐力壁の厚さに長さを乗じた数値の総和（mm²）

　　　β：コンクリートの設計基準強度 F_c による低減係数で，次式による．

$$\beta = \sqrt{18/F_c}, \quad かつ \ \beta \leq 1/\sqrt{2}$$

　　　Z：地震地域係数

　　　$_i L_{w0}$：i 階の標準壁量（mm/m²）

（6） 各階各方向の壁梁のせいは 450 mm 以上とするとともに，階高に応じた壁梁の平均せいを確保することとする．なお，壁梁の平均せいは，次式を満たすこととする．

$$\overline{D_b} = \frac{\sum (b_i \cdot D_{bi} \cdot l_{0i}) + \sum (b_j \cdot D_j \cdot l_j)}{\sum (b_i \cdot l_{0i})} \geq 800 \ \text{mm}$$

記号　$\overline{D_b}$：地震力検討方向の壁梁の平均せい（mm）

　　　b_i：地震力検討方向の i 番目の壁梁の幅（mm）

　　　D_{bi}：地震力検討方向の i 番目の壁梁のせい（mm）

　　　l_{0i}：地震力検討方向の i 番目の壁梁の内法長さ（mm）

　　　b_j：地震力検討方向の独立連層耐力壁の厚さ（mm）

D_j：地震力検討方向の独立連層耐力壁の仮想壁梁のせい（mm）で，1,000 mm としてよい．

l_j：地震力検討方向の独立連層耐力壁の長さ（mm）

以上の項目は，壁式 RC 造に対する告示の規定の上乗せとして示したものであり，上記項目を満たすことにより長期優良住宅の耐震等級 2 の要件を満たすものと考える．

[参考文献]

付 11.1) 勅使川原正臣・稲井栄一・井上芳生・太田 勤・神谷 隆・楠 浩一・田尻清太郎・井上波彦・向井智久・田沼毅彦・中村聡宏：建築基準法等に係る技術基準整備のための事業（平成 29 年度報告）長期優良住宅における鉄筋コンクリート壁式構造の損傷防止性能の評価の合理化に関する検討，ビルディングレター，pp.2〜37，2019.5

付 11.2) 勅使川原正臣・竹内馨一・神谷 隆・太田 勤・楠 浩一・稲井栄一・中村聡宏・向井智久・福山 洋：壁式 RC 造の損傷制御に関する研究（その 1 直交壁の効果に関する実験概要），日本建築学会大会学術講演梗概集，構造Ⅳ，pp.845〜846，2017.7

付 11.3) 野村翔舞・勅使川原正臣・神谷 隆・高橋 愛・楠 浩一・稲井栄一・中村聡宏・向井智久・福山 洋：壁式 RC 造の損傷制御に関する研究（その 2 直交壁の効果に関する実験結果），日本建築学会大会学術講演梗概集，構造Ⅳ，pp.847〜848，2017.7

付 11.4) 高橋 愛・勅使川原正臣・竹内馨一・小平 渉・楠 浩一・稲井栄一・中村聡宏・加藤博人・諏訪田晴彦：壁式 RC 造の損傷制御に関する研究（その 3 応力分布による有効幅の検討），日本建築学会大会学術講演梗概集，構造Ⅳ，pp.849〜850，2017.7

付 11.5) 小平 渉・勅使川原正臣・竹内馨一・高橋 愛・田尻清太郎・稲井栄一・中村聡宏・向井智久・諏訪田晴彦：壁式 RC 造の損傷制御に関する研究（その 4 弾性剛性・降伏点剛性・終局強度による有効幅の検討），日本建築学会大会学術講演梗概集，構造Ⅳ，pp.851〜852，2017.7

付 11.6) 竹内馨一・勅使川原正臣・小平 渉・迫田丈志・楠 浩一・田尻清太郎・中村聡宏・坂下雅信・諏訪田晴彦：壁式 RC 造の損傷制御に関する研究（その 5 FEM 解析の結果），日本建築学会大会学術講演梗概集，構造Ⅳ，pp.853〜854，2017.7

付 11.7) 迫田丈志・勅使川原正臣・小平 渉・竹内馨一・田尻清太郎・稲井栄一・中村聡宏・坂下雅信・諏訪田晴彦：壁式 RC 造の損傷制御に関する研究（その 6 FEM 解析を用いた有効幅の検討），日本建築学会大会学術講演梗概集，構造Ⅳ，pp.855〜856，2017.7

付 11.8) 胡 雲楓・田尻清太郎・楠 浩一・勅使川原正臣・清原俊彦・井上芳生・中村聡宏・向井智久・福山 洋：壁式 RC 造の損傷制御に関する研究（その 7 大地震動時における損傷防止性能確保に関する解析検討），日本建築学会大会学術講演梗概集，構造Ⅳ，pp.857〜858，2017.7

付 11.9) 王 傑恵・楠 浩一・田尻清太郎・勅使川原正臣・向井智久・清原俊彦・中村聡宏・井上波彦・諏訪田晴彦：壁式 RC 造の損傷制御に関する研究（その 8 FEM を用いた立体架構の静的解析），日本建築学会大会学術講演梗概集，構造Ⅳ，pp.859〜860，2017.7

付 11.10) 清原俊彦・井上芳生・勅使川原正臣・楠 浩一・田尻清太郎・稲井栄一・中村聡宏・田沼毅彦・福山 洋：壁式 RC 造の損傷制御に関する研究（その 9 壁式集合住宅の試設計），日本建築学会大会学術講演梗概集，構造Ⅳ，pp.861〜862，2017.7

付 11.11) 勅使川原正臣ほか：壁式 RC 構造の耐震制御に関する研究：立体架構試験体の設計，日本建築学会東海支部研究報告集，第 56 号，pp.185〜188，2018.2

壁式鉄筋コンクリート造設計・計算規準・同解説

2015 年 12 月 25 日　第 1 版第 1 刷
2025 年 2 月 25 日　第 2 版第 1 刷

編　集
著作人　一般社団法人　日本建築学会
印刷所　株式会社　東京印刷
発行所　一般社団法人　日本建築学会
　　　　108-8414　東京都港区芝 5-26-20
　　　　電　話・（03）3456 − 2051
　　　　ＦＡＸ・（03）3456 − 2058
　　　　https://www.aij.or.jp/
発売所　丸善出版株式会社
　　　　101-0051　東京都千代田区神田神保町 2-17
　　　　　　　　　神田神保町ビル
　　　　電　話・（03）3512 − 3256

Ⓒ 日本建築学会 2025

ISBN978-4-8189-0686-0　C3052